U0377729

国 家 出 版 基 金 资 助 项 目

国家出版基金项目

NATIONAL PUBLICATION FOUNDATION

12

秦岭昆虫志

陕西昆虫名录

总 主 编　杨星科

本卷主编　唐周怀　杨美霞

世界图书出版公司

西安 北京 上海 广州

图书在版编目(CIP)数据

秦岭昆虫志.12,陕西昆虫名录/唐周怀,杨美霞
主编.—西安:世界图书出版西安有限公司,2018.1
ISBN 978 - 7 - 5192 - 4033 - 2

Ⅰ.①秦… Ⅱ.①唐… ②杨… Ⅲ.①秦岭—昆虫志
②昆虫—陕西—名录 Ⅳ.①Q968.224.1

中国版本图书馆 CIP 数据核字(2018)第 067856 号

书　　名　秦岭昆虫志·陕西昆虫名录
总 主 编　杨星科
本卷主编　唐周怀　杨美霞
策　　划　赵亚强
责任编辑　冀彩霞　郭　茹
装帧设计　诗风文化
出版发行　世界图书出版西安有限公司
地　　址　西安市北大街 85 号
邮　　编　710003
电　　话　029 - 87214941　87233647(市场营销部)
　　　　　029 - 87234767(总编室)
网　　址　http://www.wpcxa.com
邮　　箱　xast@ wpcxa.com
经　　销　新华书店
印　　刷　陕西博文印务有限责任公司
开　　本　787mm × 1092mm　1/16
印　　张　70
字　　数　1100 千字
版　　次　2018 年 1 月第 1 版　2018 年 1 月第 1 次印刷
国际书号　ISBN 978 - 7 - 5192 - 4033 - 2
定　　价　360.00 元

ISBN 978-7-5192-4033-2

9 787519 240332 >

内容简介

本书为《秦岭昆虫志》第十二卷。昆虫资源对于生物多样性研究与保护、生态学研究，以及昆虫资源的保护与利用均具有重要的科学价值。本名录共记载陕西境内已知昆虫 9902 种（亚种），隶属 29 目 423 科 4171 属，名录末附有参考文献。

本书可为昆虫学、生物多样性保护、生物地理学研究提供研究资料，也可供昆虫学科研与教学工作者、生物多样性保护与农林生产部门及高等院校有关专业师生参考。

序

　　秦岭是我国最古老的山脉之一，在我国生物地理上占据着重要地位。它是我国南北气候的分水岭，环境的复杂性成就了生物的多样性，因此受到了世界的高度关注。关于秦岭的生物资源、区系组成、分布格局等，植物和大型动物都有较为系统的研究和显著的成果，《秦岭植物志》《秦岭动物志》陆续问世，而无脊椎动物研究却一直属于空白。

　　杨星科研究员长期从事昆虫区系的研究，先后组织开展过多次大型科学考察，并且都有很好的成果以专著、考察报告等形式展现给大家，为我国的昆虫多样性研究做出了实质性的贡献。2013 年，他利用在中国科学院西安分院、陕西省科学院工作的机会，积极争取项目支持，团结全国同行，全面开展秦岭地区昆虫资源的考察。通过 3 年的野外工作，在大家的共同努力下，完成了《秦岭昆虫志》这部 12 卷册的巨著。《秦岭昆虫志》所包括的种类是原已知种类的 2 倍，编写完全按照志书的规则，不同阶元都有鉴别特征及检索表，属、种都有科学引证，在保证种类准确性的同时，为大家提供了更为广泛的信息，文后附有详细的参考文献，有力地保证了《秦岭昆虫志》的质量和水平，使这套志书具有很高的科学价值和应用价值，我相信这套志书的出版必定会对我国乃至世界昆虫多样性研究产生深远的影响。

　　生物多样性研究，直接关系到生物资源的合理开发与科学利用，关系到生态系统的平衡与可持续发展，关系到友好型生态环境的建设。我国地域广阔，地形复杂多样，生物多样性极为丰富。但是，我国昆虫资源家底远不清楚，昆虫多样性研究与国际相比相差甚远。如何改变这种现状，在需要国家政策支持的同时，更需要我们同行的共同努力。《秦岭昆虫志》的完成与问世，为我们大家起到了很好的示范与引领作用。

　　随着全球化的发展态势，世界各国、不同地域之间的各种交流、来往、贸易、物流等出现新的模式和高频次现象，这也给我们带来巨大的挑战。首先是生物安全问题，随着贸易往来、物流循环、人员交流的不断增长，外来入侵生物的入侵形势严峻，农林生产及生态环境的安全威胁加大；其次是生物产业作为未来战略新兴产业，对生物资源的挖掘与开发日趋强化，生物资源的研究与保护已不仅仅是一个科学问题。这些都关系到我们国家的经济与社会发展战略。昆虫是生物界最大的家族，蕴藏着巨大的资源，摸清昆虫资源家底，不但可以有效应对外来生物入侵，破解生物安全的威胁，同时也可以对我国生物资源的保护和利用做出实质性的贡献，这是我们科技工作者义不容辞的责任和义务。我衷心希望我国昆虫界的同仁们，在国家建设科技强国战略的指引下，大家齐心协力，共同努力，把我国昆虫多样性研究推向一个新的水平，真正服务于国家战略需求！

　　这或许是《秦岭昆虫志》带给我们的启迪吧！

　　是为序！

中国科学院院士

中国科学院上海植物生理生态研究所研究员　　尹文英

2016 年 11 月于上海

出版前言

秦岭自西向东横贯我国中部,是长江、黄河两大水系的分水岭,西起甘肃临洮,东抵河南鲁山,东西长达500km,南北宽140~200km,地处北纬32°5′~34°45′,东经104°30′~115°52′。秦岭西部比较陡峭,海拔较高,一般在2000~3000m;东部比较舒缓,海拔较低,一般在2000m以下。它是古北区和东洋区的分界线,同时为亚热带、暖温带的分界线,亚热带常绿阔叶林的分布北线。该地区具有从一种自然地理条件向另一种自然过渡、从一种地质构造单元向另一种构造单元过渡的特性。同时,秦岭作为我国大陆青藏高原以东的最高山地,具有自己独特的垂直景观带谱。正因为秦岭山地地理位置的特殊性,使得其物种多样性非常丰富且具较强的区域特异性,一直是生物分类学和生物地理学研究的热点区域。然而,之前对该地区昆虫区系研究多较为零散,缺乏系统的专著。

1997年,中国科学院生命科学院生物技术局设立"关键地区生物资源综合考察及其评价"重大项目,并于1998~1999年由项目主持单位组织考察秦岭西段和甘肃南部地区。在此研究基础上,形成了2005年出版的《秦岭西段及甘南地区昆虫》这一专著。该书对于秦岭西部地区的昆虫类群的系统研究有着重要意义,推动了对该区生物多样性的研究,也让更多的人认识到了秦岭地区的重要性。然而,由于其工作多集中在秦岭西部地区,对秦岭中、东部地区的调查较少,未能反映整个秦岭地区昆虫的全貌。为了全面系统地评价和利用秦岭昆虫资源,我们在陕西省财政厅科技专项经费的支持下,在陕西省科学院的大力帮助下,从2012年开始,再次进行了为期 3 年的野外调查工作，在借鉴秦岭西段研究结果的基础上，重点加强了秦岭中、东部地区的调查工作。参加野外工作的包括陕西省动物研究所、西北农林科技大学、陕西师范大学、中国科学院动物研究所、南开大学、浙江大学、河北大学、中国农业大学、中南科技大学等十多家单位，计 120 多人次，共获得昆虫标本 50 余万号，进一步完善了秦岭地区昆虫多样性资料，为编写《秦岭昆虫志》奠定了良好基础。

《秦岭昆虫志》按照《中国动物志》的编写体例进行编写，顺序上参照六足动物的系统关系；各目按照系统发育关系，以科为单元进行编写，科下各属按照系统关系排序，属内各种以种名的首字母顺序编排，各阶元都有鉴别特征和检索表，属、种都有科学引证，文后附参考文献。为了准确体现各位专家的劳动，除了《秦岭昆虫志》编委会外，各卷都有本卷的编委会，各科作者署名紧跟其后。

《秦岭昆虫志》共分为十二卷：第一卷由廉振民教授主编，包括无翅昆虫、蜉蝣目、蜻蜓目、襀翅目、蜚蠊目、等翅目、螳螂目、革翅目、直翅目、竹节虫目；第二卷由卜文俊教授主编，包括半翅目异翅亚目；第三卷由张雅林教授主编，包括半翅目同翅亚目；第四卷由花保祯教授主编，包括蛩目、缨翅目、广翅目、蛇蛉目、脉翅目、毛翅目、长翅目；第五卷鞘翅目（一）由杨星科、葛斯琴研究员主编，包括步甲科、龙虱科、牙甲总科、隐翅虫总科、金龟总科、花甲总科、丸甲总科、长蠹总科、吉丁甲总科、叩甲总科、郭公甲总科、扁甲总科、拟步甲总科等；第六卷鞘翅目（二）由林美英博士主编，包括暗天牛科、瘦天牛科和天牛科；第七卷鞘翅目（三）由杨星科、张润志研究员主编，主要包括叶甲总科（除去天牛类）、象甲总科；第八卷鳞翅目由薛大勇研究员、韩红香和姜楠博士主编，包括大蛾类；第九卷鳞翅目（二）由房丽君研究员主编，包括蝶类；第十卷由杨定教授、王孟卿副研究员和董慧博士主编，包括双翅目；第十一卷由陈学新教授主编，包括膜翅目。十一卷共记述了秦岭地区六足类 4 纲 27 目 334 科 3325 属 7496 种，其中包括 1 个新属、27 个新种、12 个中国新纪录属、34 个新纪录种、42 个陕西新纪录属、260 个陕西新纪录种。需要说明的是：鳞翅目小蛾类已由南开大学李后魂教授主编先期出版，我们这次没有组织重新编写；另有部分目、科因为国内没有专家研究，因此没有办法编写。为了弥补缺憾，系统总结陕西秦岭地区已知昆虫种类，同时也便于读者使用，由唐周怀研究员、杨美霞博士主编，完成了《陕西昆虫名录》，作为本志的第十二卷。

目前，《秦岭昆虫志》即将付梓。该项目成果的获得，是全国广大同行通力合作、共同努力的结果，凝聚了昆虫分类学者忠诚于神圣事业的集体智慧。项目主持单位、《秦岭昆虫志》编委会对各卷主编的辛勤劳动和各位专家的全力支持、无私奉献表示衷心的感谢！对大家的科学精神表示敬佩！

在项目立项初期，白明博士在项目建议书的起草、成稿等方面做了大量工作；张雅林、廉振民等多位教授提出了许多宝贵意见；陕西省财政厅教科文处在项目申请和审批方面给予了诸多指导和帮助。在项目执行过程中，陕西省动物研究所领导给予了全力的支持，唐周怀研究员对野外工作给予了多方面的协调和帮助。

在本志编写过程中，尹文英院士、印象初院士、康乐院士分别给予了不同程度的鼓励、支持、指导和帮助，特别是尹文英院士在大病初愈的情况下欣然为本志写序，让我们深受鼓舞和激励！

在本志的统稿过程中，杨美霞博士付出了巨大的劳动，崔俊芝女士和郭明霞同学在文字整理、格式修改、学名审核等方面做了大量的工作。本书的出版，得到了世界图书出版有限公司的鼎力支持，特别是薛春民先生的全力支持与帮助，责任编辑同志亦付出了的艰辛的努力和辛勤的劳动，终使本志得以顺利出版。

本志的出版得到陕西省科学院财政专项资金的部分资助。

我们谨借此对以上相关单位和个人，以及在项目执行和出版过程中提供帮助和做出贡献的同志表示衷心的感谢！

由于我们的水平所限，本志的错误和缺憾在所难免，诚望大家不吝赐教！

《秦岭昆虫志》编委会

2017 年 10 月于古城西安

Preface

Through the middle China from the West to the East, the Qinling Mountains provide a natural boundary between the Yangtze River and the Yellow River, the two major river systems in China. Located around the latitude $32°5' - 34°45'$ N and the longitude $104°30' - 115°52'$ E, they stretch from Lintao, Gansu Province in the west to Lushan, Henan Province in the east, with the length of 500km from west to east and the breadth of 140 – 200km from north to south. The west part of the Qinling Mountains is considerably steep, with higher elevations of 2000 – 3000m, while the east part is comparatively gentle, with lower elevation generally below 2000m. The Qinling Mountains are generally accepted as the boundary between Palaearctic and Oriental Regions, subtropical and warm temperate zones, as well as the north line of distribution of subtropical evergreen broad-leaved forests. This region is characterized by transition from one natural geographical condition to another and one geological structure unit to another. Furthermore, the Qinling Mountains, as the highest mountain in the east of the Qinghai-Tibet Plateau, have their own unique vertical landscape spectrum. Because of the special geographical location of the Qinling Mountains Range, it is rich in species diversity and has strong regional endemism, which constantly makes it research hotspot both for taxonomy and biogeography. However, the study of insect fauna in this area is fragmented and still lacks systematic monographs.

In 1997, the Biotechnology Bureau of the Chinese Academy of Sciences established a major Project of "Comprehensive Survey and Evaluation of Biological Resources in Key Regions". In 1998 – 1999, the presider of this project investigated the western part of Qinling range and southern Gansu. On the basis of these expeditions, a monograph entitled *Insect Fauna of Mid-West Qinling Range and Southern Gansu* was published in 2005. This book is of great significance for the systematic study of insects in the western Qinling region. It has promoted the study of biodiversity in this region and made more people realize the importance of Qinling region. However, since its work is mainly concentrated on the west part of Qinling, there are little surveys in the mid-east part, which hardly reflects the true state of the insect fauna of the entire Qinling Mountains. In order to comprehensively and systematically evaluate and utilize the insect resources of the Qinling Mountains, funded by special expenses of Science and Technology Project from the Financial Department of Shaanxi Province, as well as the help from Shaanxi Academy of Sciences, we have carried out a three-year field survey since 2012. Based on the expedition results of the western region, we have paid more attention to the eastern part of the Qinling Mountains during the investigations. More than 120 researchers from over 10 institutions participated in the field work, including Shaanxi Institute of Zoology, Northwest A & F University, Shaanxi Normal University, Institute of Zoology, Chinese Academy of Sciences, Nankai University, Zhejiang University, Hebei University, China Agricultural University, Central South University of Forestry and Technology etc. Over half million insect specimens were collected, which would greatly improve the biodiversity data of insect fauna in the Qinling region and lay a good foundation for the compiling of the monograph *Insect Fauna of the Qinling Mountains*.

The compiling style of *Insect Fauna of the Qinling Mountains* is mainly in accordance with *Fauna Sinica*, and the sequence is based on the systematic relationship of the hexapod system. The compiling of each order is according to the phylogenetic relationship and one family is taken as a unit. Below the family, the sequence of each genus is also according to the phylogenetic relationship, while below the genus, the arrangement of species is in alphabetical order. Each species is sorted according to the first letter. Each category is accompanied by identification feature and identification key, and each genus, as well as each species has scientific citation. At the end, references are attached. In order to accurately reflect the work of every specialist, apart from the Editorial Board of *Insect Fauna of the Qinling Mountains*, the Editorial Board for each volume is also provided, and the authors for each family immediately follow the family name.

There are totally 12 volumes for *Insect Fauna of the Qinling Mountains*. Volume I is edited by Professor Lian Zhenmin, and includes apterygot insects, Ephemeroptera, Odonata, Plecoptera, Blattodea, Isoptera, Mantodea, Dermaptera, Orthoptera and Phasmatodea. Volume II is edited by Professor Bu Wenjun, and includes Hemiptera-Heteroptera. Volume III is edited by Professor Zhang Yalin, and includes Hemiptera-Homoptera. Volume IV is edited by Professor Hua Baozhen, and includes Psocoptera, Thysanoptera, Megaloptera, Raphidioptera, Neuroptera, Trichoptera and Mecoptera. Volume V (Coleoptera I) is jointly edited by Professor Yang Xingke and Ge Siqin, and includes Carabidae, Dytiscidae, Hydrophiloidea, Staphylinoidea, Scarabaeoidea, Dascilloidea, Byrrhoidea, Dryopoidea, Buprestoidea, Elateroidea, Cleroidea, Cujoidea and Tenebrionoidea. Volume VI (Coleoptera II) is edited by Dr. Lin Meiying, and includes

Vesperidae, Disteniidae and Cerambycidae. Volume Ⅶ (Coleoptera Ⅲ) is jointly edited by Professor Yang Xingke and Zhang Runzhi, and includes Chrysomeloidea (except Cerambycid-beetles) and Curculionoidea. Volume Ⅷ (Lepidoptera Ⅰ) is jointly edited by Professor Xue Dayong, Dr. Han Hongxiang and Jiang Nan, and includes large moths. Volume Ⅸ (Lepidoptera Ⅱ) is edited by Professor Fang Lijun, and includes exclusively butterflies. Volume Ⅹ is edited by Professor Yang Ding, Associate Prof. Wang Mengqing and Dr. Dong Hui, and includes Diptera. Volume Ⅺ is edited by Professor Chen Xuexin, and includes Hymenoptera. There are totally 4 classes, 27 orders, 334 families, 3325 genera and 7496 species of Hexapoda recorded in the 11 volumes of this series, including one new genus and 27 new species. For the new record, there are 12 genera and 34 species from China, as well as 42 genera and 260 species from Shaanxi Province. It should be noted that the contents of Microlepidoptera have been published previously by Professor Li Houhun, Nankai University, therefore, we haven't rewritten the same context. Besides, due to the unavailability of suitable specialists, some insect groups unavoidably are not covered in this series. In order to make up for this defect and systematically summarize the known species of insects, as well as make convenience for the readers, the book *Insect Fauna of Shaanxi Province*, was jointly compiled by Prof. Tang Zhouhuai and Dr. Yang Meixia, which will be the twelfth volume of this series.

Currently, 12 volumes have been completed and are ready for publication. The achievements should be addressed to the cooperation and collective intelligence of numerous entomologists throughout China. The project presiding institution and the editorial board are highly appreciated with all specialists' hard work, full support and unselfish dedication!

During the initial stage of the program, Dr. Bai Ming had contributed a lot to the drafting of the research proposal. Prof. Zhang Yalin and Prof. Lian Zhenmin had proposed many valuable comments. The Financial Department of Shaanxi Province had given a lot of guidance and helps during the application process and final approval of the program. During the conduction of the program, the authority of Shaanxi Institute of Zoology had given a full support to the research. Prof. Tang Zhouhuai had made a lot of coordination and assistances in the fieldwork.

In the preparation of this series of books, Academicians Yin Wenying, Yin Xiangchu and Kang Le had provided various degrees of encouragement, supports, guidance and help! In particular, Prof. Yin Wenying readily consented to write the preface even though she had just recovered from a severe illness, which really made us encouraged and inspired!

In the process of drafting preparation, Dr. Yang Meixia had paid a great labor. Mrs. Cui Junzhi and Miss Guo Mingxia had done a lot of work in word polishing, format adjustment, and terms checking. While, the publication of this series have obtained great support from World Publishing Corporation, especially Mr. Xue Chunmin. The executive editors have also made a lot of hard work.

The publication of this series of books is partly funded by the special finance of the Shaanxi Academy of Sciences.

We would like to express our heartfelt gratitude to the above-mentioned institutes and individuals, as well as those not mentioned above but provided various assistances in the implementation period of the program, drafting preparation and publication.

Due to the limitations of our expertise, there are inevitable mistakes and shortcomings in this series. We sincerely expect you to enlighten us with your instruction!

Editorial Board of *Insect Fauna of the Qinling Mountains*

前　言

　　《秦岭昆虫志》编写项目启动时，总编委会考虑到鳞翅目小蛾类已由南开大学李后魂教授主编且先期出版，不再重新组织编写；加之部分目、科由于国内没有相关专家，无法编写等因素，遂决定编写第十二卷《陕西昆虫名录》，从而系统总结陕西境内已知昆虫种类。

　　本书是在《秦岭昆虫志》前十一卷的基础上，通过查阅《动物学记录》及相关专著编写而成。共记述 29 目 423 科 4171 属 9902 种（亚种）。各目按照系统发育关系，以科为单位进行编排，科下设亚科，不设族及亚族；属及属内各种分别按照属名及种名的首字母顺序编排，以方便读者查阅。需要指出的是，随着研究的不断深入，有些科、亚科阶元也在不断发生变化，所以，出现在本名录中与《秦岭昆虫志》不尽相同的地方。

　　《秦岭昆虫志》总主编杨星科先生在本书编写过程中给作者提出了宝贵的意见，并帮助补充完善了鞘翅目、双翅目及膜翅目的昆虫名录；西北农林科技大学张雅林教授赠予相关专著；西北农林科技大学王应伦研究员、黄敏研究员、魏琮教授、杨兆富副教授、吕林副研究员，陕西省植物研究所房丽君研究员，陕西师范大学魏朝明副教授、马丽滨副教授，西北大学谭江丽副教授，西南大学车艳丽教授、王宗庆教授，中国科学院动物研究所薛大勇研究员、白明副研究员，安徽农业大学段亚妮副教授等专家帮助核实本名录部分种名的有效性；陕西省动物研究所申健同志帮助修改了参考文献格式；西北农林科技大学戴武教授、中国科学院动物研究所聂瑞娥博士、福建农林科技大学蔡立君、彭凌飞博士帮助查找文献，尤其是中国科学院动物研究所邱腾飞同学在资料查询方面给予了大力帮助；世界图书出版西安有限公司责任编辑为本书的编校做了大量工作。作者在此对以上提到的及还未提到的所有在本书成稿和出版过程中给予帮助和做出贡献的先生（女士）表达最诚挚的谢意！

由于本书的编写主要是依靠查阅文献与相关专著，难免有的类群出现遗漏，其中收录的一些种类尚未得到相关类群研究专家的甄别，不可避免会有异名及无效种存在，还有待于今后进一步完善。

由于我们水平所限，本书的错误和缺憾在所难免，诚望广大读者不吝赐教！

唐周怀　杨美霞

2017 年 12 月于西安

目　录

原尾纲 Protura

蚖目 Acerentomata ·· 1

一、夕蚖科 Hesperentomidae ·························· 1

二、始蚖科 Protentomidae ···························· 1

三、檗蚖科 Berberentulidae ·························· 1

四、蚖科 Acerentomidae ···························· 2

五、日本蚖科 Nipponentomidae ···················· 2

古蚖目 Ensentomata ·································· 2

一、古蚖科 Eosentomidae ·························· 2

弹尾纲 Collembola

原蚖目 Poduromorpha ·························· 4

一、疣蚖科 Neanuridae ···························· 4

二、球角蚖科 Hypogastruridae ···················· 5

长角蚖目 Entomobryomorpha ···················· 5

一、长角蚖科 Entomobryidae ···················· 5

二、等节蚖科 Isotomidae ·························· 6

三、鳞蚖科 Tomoceridae ·························· 6

愈腹蚖目 Symphypleona ·························· 6

一、圆蚖科 Sminthuridae ·························· 6

双尾纲 Diplura

双尾目 Diplura ·· 7

　　一、康蚜科 Campodeidae ·································· 7

　　二、副铗蚜科 Parajapygidae ··························· 7

　　三、铗蚜科 Japygidae ································· 7

昆虫纲 Insecta

石蛃目 Microcoryphia ································· 9

　　一、石蛃科 Machilidae ······························· 9

衣鱼目 Zygentoma ··································· 9

　　一、衣鱼科 Lepismatidae ····························· 9

蜉蝣目 Ephemeroptera ······························· 9

　　一、短丝蜉科 Siphlonuridae ·························· 9

　　二、栉颚蜉科 Ameletidae ···························· 9

　　三、扁蜉科 Heptageniidae ··························· 10

　　四、四节蜉科 Baetidae ····························· 10

　　五、小蜉科 Ephemerellidae ·························· 10

　　六、越南蜉科 Vietnamellidae ························ 11

　　七、细蜉科 Caenidae ······························· 11

　　八、细裳蜉科 Leptophlebiidae ······················ 11

　　九、河花蜉科 Potamanthidae ························· 12

　　十、蜉蝣科 Ephemeridae ···························· 12

蜻蜓目 Odonata ···································· 13

　　束翅亚目 Zygoptera ···························· 13

　　　一、丽螅科 Philoganggidae ······················ 13

　　　二、色螅科 Calopterygodae ······················ 13

三、溪蟌科 Euphaeidae ……………………………………………… 14

四、蟌科 Coenagrionidae ………………………………………… 14

五、扇蟌科 Platycnemididae …………………………………… 15

六、丝蟌科 Lestidae ……………………………………………… 16

七、山蟌科 Megapodagrionidae ……………………………… 16

八、综蟌科 Synlestidae …………………………………………… 16

差翅亚目 Anisoptera ……………………………………………… 17

九、蜓科 Aeschnidae ……………………………………………… 17

十、裂唇蜓科 Chlorogomphidae …………………………… 17

十一、大蜓科 Cordulegasteridae …………………………… 18

十二、春蜓科 Gomphidae ……………………………………… 18

十三、伪蜻科 Corduliidae ……………………………………… 19

十四、大蜻科 Macromiidae …………………………………… 19

十五、蜻科 Libellulidae ………………………………………… 20

蜚蠊目 Blattodea …………………………………………………… 22

一、姬蠊科 Ectobiidae …………………………………………… 22

二、地鳖蠊科 Corydiidae ……………………………………… 22

三、隐尾蠊科 Cryptocercidae ………………………………… 22

等翅目 Isoptera …………………………………………………… 23

一、鼻白蚁科 Rhinotermitidae ……………………………… 23

襀翅目 Plecoptera ……………………………………………… 23

一、卷襀科 Leuctridae …………………………………………… 23

二、叉襀科 Nemouridae ………………………………………… 24

三、扁襀科 Peltoperlidae ……………………………………… 25

四、绿襀科 Chloroperlidae …………………………………… 26

五、襀科 Perlidae ………………………………………………… 26

六、网襀科 Perlodidae …………………………………………… 28

螳螂目 Mantodea ·· 28

　　一、花螳科 Hymenopodidae ································ 28

　　二、螳科 Mantidae ·· 28

革翅目 Dermaptera ·· 29

　　一、蠼螋科 Labiduridae ······································ 29

　　二、球螋科 Forficulidae ······································ 30

直翅目 Orthoptera ·· 31

　Ⅰ. **蜢总科 Eumastacoidea** ································· 31

　　一、枕蜢科 Episactidae ······································· 31

　Ⅱ. **蝗总科 Acridoidea** ······································ 32

　　二、锥头蝗科 Pyrgomorphidae ···························· 32

　　三、斑腿蝗科 Catantopidae ································· 32

　　四、斑翅蝗科 Oedipodidae ································· 36

　　五、网翅蝗科 Acrypteridae ································· 38

　　六、剑角蝗科 Acrididae ····································· 41

　　七、癞蝗科 Pamphagidae ··································· 42

　Ⅲ. **蚱总科 Tetrigoidea** ····································· 42

　　八、短翼蚱科 Metrodoridae ································· 42

　　九、蚱科 Tetrigidae ·· 42

　Ⅳ. **螽斯总科 Tettigonioidea** ······························ 44

　　十、螽斯科 Tettigoniidae ···································· 44

　　　（一）露螽亚科 Phaneropterinae ······················· 44

　　　（二）拟叶螽亚科 Pseudophyllinae ····················· 46

　　　（三）螽斯亚科 Tettigoniinae ·························· 46

　　　（四）草螽亚科 Conocephalinae ························ 47

　　　（五）蛩螽亚科 Meconematinae ························ 47

　Ⅴ. **沙螽总科 Stenopelmatoidea** ·························· 48

　　十一、蟋螽科 Gryllacrididae ······························ 48

（一）蟋蟊亚科 Gryllacridinae …………………………………… 48

Ⅵ. 驼螽总科 **Rhaphidophoroidea** ………………………………… 49

十二、驼螽科 Rhaphidophoridae ………………………………… 49

（一）灶螽亚科 Aemodogryllinae …………………………………… 49

Ⅶ. 蟋蟀总科 **Grylloidea** ………………………………………… 49

十三、蟋蟀科 Gryllidae …………………………………………… 49

（一）纤蟋亚科 Euscyrtinae ……………………………………… 49

（二）蟋蟀亚科 Gryllinae ………………………………………… 49

（三）额蟋亚科 Itarinae ………………………………………… 51

（四）距蟋亚科 Podoscirtinae …………………………………… 51

（五）铁蟋亚科 Sclerogryllinae ………………………………… 52

十四、蛉蟋科 Trigonidiidae ……………………………………… 52

（一）针蟋亚科 Nemobiinae ……………………………………… 52

（二）蛣蛉亚科 Trigonidiinae …………………………………… 52

Ⅷ. 蝼蛄总科 **Gryllotalpoidea** ………………………………… 53

十五、蝼蛄科 Gryllotalpidae …………………………………… 53

（一）蝼蛄亚科 Gryllotalpinae ………………………………… 53

Ⅸ. 蚤蝼总科 **Tridactyloidea** ………………………………… 53

十六、蚤蝼科 Tridactylidae …………………………………… 53

䗛目 Phasmatodea …………………………………………… 53

一、异䗛科 Heteronemiidae …………………………………… 53

二、䗛科 Phasmatidae ………………………………………… 54

半翅目 Hemiptera …………………………………………… 54

异翅亚目 Heteroptera ……………………………………… 54

黾蝽次目 Gerromorpha ……………………………………… 54

Ⅰ. 黾蝽总科 **Gerroidea** ……………………………………… 54

一、宽肩蝽科 Veliidae ………………………………………… 54

二、黾蝽科 Geridae ··· 55

　　（一）海黾亚科 Halobatinae ·· 55

　　（二）毛足黾蝽亚科 Ptilomerinae ·· 55

　　（三）黾蝽亚科 Gerrinae ··· 55

蝎蝽次目 Nepomorpha ··· 55

Ⅱ. 蝎蝽总科 Nepoidea ·· 55

三、负蝽科 Belostomatidae ·· 55

四、蝎蝽科 Nepidae ··· 56

　　（一）螳蝎蝽亚科 Ranatrinae ·· 56

Ⅲ. 划蝽总科 Corixoidea ··· 56

五、划蝽科 Corixidae ··· 56

六、小划蝽科 Micronectidae ·· 57

Ⅳ. 仰蝽总科 Notonectoidea ·· 57

七、仰蝽科 Notonectidae ··· 57

细蝽次目 Leptopodomorpha ·· 58

Ⅴ. 跳蝽总科 Saldoidea ·· 58

八、跳蝽科 Saldidae ·· 58

臭蝽次目 Cimicomorpha ·· 58

Ⅵ. 猎蝽总科 Reduvioidea ··· 58

九、猎蝽科 Reduviidae ··· 58

　　（一）光猎蝽亚科 Ectrichodiinae ·· 58

　　（二）盗猎蝽亚科 Peiratinae ··· 59

　　（三）猎蝽亚科 Reduviinae ·· 60

　　（四）细足猎蝽亚科 Stenopodainae ····································· 61

　　（五）真猎蝽亚科 Harpactorinae ·· 61

　　（六）瘤猎蝽亚科 Phymatinae ··· 63

Ⅶ. 盲蝽总科 **Miroidea** ·············· 63

　　十、盲蝽科 Miridae ·············· 63

　　　　（一）单室盲蝽亚科 Bryocorinae ·············· 63

　　　　（二）齿爪盲蝽亚科 Deraeocorinae ·············· 64

　　　　（三）树盲蝽亚科 Isometopinae ·············· 66

　　　　（四）盲蝽亚科 Mirinae ·············· 66

　　　　（五）合垫盲蝽亚科 Orthotylinae ·············· 73

　　　　（六）叶盲蝽亚科 Phylinae ·············· 75

　　十一、网蝽科 Tingidae ·············· 77

　　　　（一）长头网蝽亚科 Cantacaderinae ·············· 77

　　　　（二）网蝽亚科 Tinginae ·············· 77

Ⅷ. 姬蝽总科 **Naboidea** ·············· 80

　　十二、姬蝽科 Nabidae ·············· 80

　　　　（一）花姬蝽亚科 Prostemminae ·············· 80

　　　　（二）姬蝽亚科 Nabinae ·············· 80

Ⅸ. 臭蝽总科 **Cimicoidea** ·············· 81

　　十三、细角花蝽科 Lyctocoridae ·············· 81

　　十四、花蝽科（狭义）Anthocoridae ·············· 82

蝽次目 **Pentatomomorpha** ·············· 83

Ⅹ. 扁蝽总科 **Aradoidea** ·············· 83

　　十五、扁蝽科 Aradidae ·············· 83

　　　　（一）扁蝽亚科 Aradinae ·············· 83

　　　　（二）无脉扁蝽亚科 Aneurinae ·············· 83

　　　　（三）短喙扁蝽亚科 Mezirinae ·············· 83

Ⅺ. 长蝽总科 **Lygaeoidea** ·············· 84

　　十六、跷蝽科 Berytidae ·············· 84

　　十七、杆长蝽科 Blissidae ·············· 85

十八、尼长蝽科 Ninidae ··· 85

十九、大眼长蝽科 Geocoridae ··· 85

　　（一）大眼长蝽亚科 Geocorinae ································ 85

　　（二）盐长蝽亚科 Henestarinae ································ 86

二十、室翅长蝽科 Heterogastridae ··································· 86

二十一、长蝽科 Lygaeidae ·· 86

　　（一）蒴长蝽亚科 Ischnorhynchinae ························· 86

　　（二）红长蝽亚科 Lygaeinae ·································· 87

　　（三）背孔长蝽亚科 Orsillinae ······························ 88

二十二、束长蝽科 Malcidae ··· 88

二十三、尖长蝽科 Oxycarenidae ····································· 88

二十四、梭长蝽科 Pachygronthidae ·································· 88

二十五、地长蝽科 Rhyparochromidae ······························ 89

二十六、皮蝽科 Piesmatidae ·· 91

ⅩⅡ. 红蝽总科 Pyrrhocoroidea ·· 91

二十七、红蝽科 Pyrrhocoridae ······································· 91

二十八、大红蝽科 Largidae ·· 91

ⅩⅢ. 缘蝽总科 Coreoidea ·· 92

二十九、蛛缘蝽科 Alydidae ·· 92

　　（一）蛛缘蝽亚科 Alydinae ··································· 92

　　（二）微翅缘蝽亚科 Micrelytrinae ·························· 92

三十、缘蝽科 Coreidae ··· 92

　　（一）缘蝽亚科 Coreinae ····································· 92

　　（二）棒缘蝽亚科 Pseudophloeinae ························· 93

三十一、姬缘蝽科 Rhopalidae ·· 93

ⅩⅣ. 蝽总科 Pentatomoidea ·· 94

三十二、同蝽科 Acanthosomatidae ··································· 94

三十三、土蝽科 Cydnidae ······ 96

（一）根土蝽亚科 Cephalocteinae ······ 96

（二）土蝽亚科 Cydninae ······ 96

（三）光土蝽亚科 Sehirinae ······ 97

三十四、兜蝽科 Dinidoridae ······ 97

三十五、蝽科 Pentatomidae ······ 97

（一）益蝽亚科 Asopinae ······ 97

（二）蝽亚科 Pentatominae ······ 99

（三）舌蝽亚科 Podopinae ······ 105

三十六、龟蝽科 Plataspidae ······ 106

三十七、盾蝽科 Scutelleridae ······ 107

（一）扁盾蝽亚科 Eurygastrinae ······ 107

（二）盾蝽亚科 Scutellerinae ······ 107

三十八、荔蝽科 Tessaratomidae ······ 107

三十九、异蝽科 Urostylidae ······ 108

同翅亚目 Homoptera ······ 109

ⅩⅤ . 角蝉总科 Membracoidea ······ 109

四十、叶蝉科 Cicadellidae ······ 109

（一）大叶蝉亚科 Cicadellinae ······ 109

（二）杆叶蝉亚科 Hylicinae ······ 111

（三）乌叶蝉亚科 Penthimiinae ······ 111

（四）耳叶蝉亚科 Ledrinae ······ 111

（五）横脊叶蝉亚科 Evacanthinae ······ 112

（六）隐脉叶蝉亚科 Nirvaniinae ······ 114

（七）缘脊叶蝉亚科 Selenocephalinae ······ 115

（八）小叶蝉亚科 Typhlocybinae ······ 116

（九）广头叶蝉亚科 Macropsinae ······ 124

（十）叶蝉亚科 Iassinae ……………………………………………… 125

（十一）片角叶蝉亚科 Idiocerinae ………………………………… 126

（十二）离脉叶蝉亚科 Coelidiinae ………………………………… 126

（十三）角顶叶蝉亚科 Deltocephalinae …………………………… 126

（十四）圆痕叶蝉亚科 Megophthalminae ………………………… 135

（十五）梳叶蝉亚科 Bathysmatophorinae ………………………… 136

四十一、角蝉科 Membracidae ………………………………………… 136

ⅩⅥ. 沫蝉总科 **Cercopoidea** ………………………………………… 139

四十二、尖胸沫蝉科 Aphrophoridae ………………………………… 139

四十三、沫蝉科 Cercopidae …………………………………………… 141

四十四、巢沫蝉科 Machaerotidae …………………………………… 141

ⅩⅦ. 蝉总科 **Cicadoidea** …………………………………………… 142

四十五、蝉科 Cicadidae ………………………………………………… 142

（一）副蝉亚科 Tettigadinae ………………………………………… 142

（二）姬蝉亚科 Cicadettinae ………………………………………… 142

（三）蝉亚科 Cicadinae ……………………………………………… 143

ⅩⅧ. 蜡蝉总科 **Fulgoroidea** ……………………………………… 145

四十六、象蜡蝉科 Dictyopharidae …………………………………… 145

四十七、菱蜡蝉科 Cixiidae …………………………………………… 145

四十八、颖蜡蝉科 Achilidae ………………………………………… 146

四十九、脉蜡蝉科 Meenopliidae …………………………………… 146

五十、袖蜡蝉科 Derbidae …………………………………………… 147

五十一、广蜡蝉科 Ricaniidae ………………………………………… 147

五十二、蛾蜡蝉科 Flatidae …………………………………………… 148

五十三、瓢蜡蝉科 Issidae …………………………………………… 148

五十四、颜蜡蝉科 Eurybtachidae …………………………………… 149

五十五、扁蜡蝉科 Tropiduchidae …………………………………… 149

五十六、蜡蝉科 Fulgoridae ················· 150

五十七、飞虱科 Delphacidae ················· 150

XIX. 木虱总科 Psylloidea ················· 155

五十八、斑木虱科 Aphalaridae ················· 155

五十九、扁木虱科 Liviidae ················· 156

六十、丽木虱科 Calophyidae ················· 156

六十一、木虱科 Psyllidae ················· 157

六十二、个木虱科 Triozidae ················· 159

XX. 粉虱总科 Aleyrodoidea ················· 160

六十三、粉虱科 Aleyrodidae ················· 160

XXI. 蚜总科 Aphidoidea ················· 161

六十四、根瘤蚜科 Phylloxeridae ················· 161

六十五、蚜科 Aphididae ················· 162

（一）蚜亚科 Aphidinae ················· 162

（二）伪短痣蚜亚科 Aiceoninae ················· 168

（三）角斑蚜亚科 Calaphidinae ················· 168

（四）毛蚜亚科 Chaitophorinae ················· 169

（五）镰管蚜亚科 Drepanosiphinae ················· 170

（六）瘿绵蚜亚科 Eriosomatinae ················· 170

（七）毛管蚜亚科 Greenideinae ················· 172

（八）扁蚜亚科 Hormaphidinae ················· 172

（九）大蚜亚科 Lachninae ················· 173

（十）平翅绵蚜亚科 Phloeomyzinae ················· 174

XⅫ. 蚧总科 Coccoidea ················· 175

六十六、盾蚧科 Diaspididae ················· 175

（一）盾蚧亚科 Diaspidinae ················· 175

（二）圆盾蚧亚科 Aspidiotinae ················· 177

六十七、粉蚧科 Pseudococcidae ································· 178

六十八、链蚧科 Asterolecaniidae ··························· 179

六十九、绵蚧科 Monophlebidae ···························· 180

七十、珠蚧科 Margarodidae ································· 180

七十一、毡蚧科 Eriococcidae ······························ 180

七十二、蜡蚧科 Coccidae ···································· 181

　　（一）软蜡蚧亚科 Coccinae ························· 181

　　（二）蜡蚧亚科 Ceroplastinae ······················ 181

　　（三）球坚蜡蚧亚科 Eulecaniinae ·················· 181

七十三、旌蚧科 Ortheziidae ································· 181

啮目 Psocoptera ··· 182

一、重啮科 Amphientomidae ······························ 182

二、单啮科 Caeciliusidae ··································· 182

三、狭啮科 Stenopsocidae ··································· 183

四、双啮科 Amphipsocidae ································· 184

五、半啮科 Hemipsocidae ··································· 184

六、外啮科 Ectopsocidae ···································· 184

七、叉啮科 Pseudocaeciliidae ······························ 184

八、围啮科 Peripsocidae ···································· 185

九、啮科 Psocidae ··· 186

缨翅目 Thysanoptera ··· 186

锯尾亚目 Terebrantia ······································· 186

一、纹蓟马科 Aeolothripidae ······························ 186

二、蓟马科 Thripidae ······································ 187

　　（一）棍蓟马亚科 Dendrothripinae ················· 187

　　（二）针蓟马亚科 Panchaetothripinae ··············· 187

　　（三）绢蓟马亚科 Sericothripinae ·················· 187

　　（四）蓟马亚科 Thripinae ························· 188

管尾亚目 Tubulifera ································· 193

　三、管蓟马科 Phlaeothripidae ······················· 193

　　（一）灵管蓟马亚科 Idolothripinae ··············· 193

　　（二）管蓟马亚科 Phlaeothripinae ··············· 193

广翅目 Megaloptera ································· 194

　一、齿蛉科 Corydalidae ····························· 194

　　（一）齿蛉亚科 Corydalinae ····················· 194

　　（二）鱼蛉亚科 Chauliodinae ···················· 194

　二、泥蛉科 Sialidae ································· 195

蛇蛉目 Raphidioptera ······························ 195

　一、盲蛇蛉科 Inocelliidae ·························· 195

　二、蛇蛉科 Raphidiidae ···························· 195

脉翅目 Neuroptera ································· 196

　一、粉蛉科 Coniopterygidae ························ 196

　二、泽蛉科 Nevrorthidae ··························· 196

　三、溪蛉科 Osmylidae ······························ 197

　四、栉角蛉科 Dilaridae ···························· 197

　五、螳蛉科 Mantispidae ···························· 197

　六、褐蛉科 Hemerobiidae ··························· 198

　七、草蛉科 Chrysopidae ···························· 198

　八、蚁蛉科 Myrmeleontidae ························· 201

　九、蝶角蛉科 Ascalaphidae ························· 203

　　（一）裂眼蝶角蛉亚科 Ascalaphinae ·············· 203

　　（二）完眼蝶角蛉亚科 Haplogleniinae ············ 203

毛翅目 Trichoptera ································· 203

环须亚目 Annulipalpia ····························· 203

　一、纹石蛾科 Hydropsychidae ······················ 203

二、等翅石蛾科 Philopotamidae ……………………………… 205

三、角石蛾科 Stenopsychidae ……………………………… 205

四、多距石蛾科 Polycentropodidae ……………………………… 206

五、蝶石蛾科 Psychomyiidae ……………………………… 207

完须亚目 Integripalpia ……………………………… 207

六、长角石蛾科 Leptoceridae ……………………………… 207

七、锚石蛾科 Limnocentropodidae ……………………………… 207

八、齿角石蛾科 Odontoceridae ……………………………… 208

九、幻石蛾科 Apataniidae ……………………………… 208

十、瘤石蛾科 Goeridae ……………………………… 208

十一、沼石蛾科 Limnephilidae ……………………………… 209

十二、宽翅石蛾科 Thremmatidae ……………………………… 210

十三、短石蛾科 Brachycentridae ……………………………… 210

十四、鳞石蛾科 Lepidostomatidae ……………………………… 211

十五、石蛾科 Phryganeidae ……………………………… 211

十六、拟石蛾科 Phryganopsychidae ……………………………… 211

尖须亚目 Spicipalpia ……………………………… 212

十七、水石蛾科 Hydrobiosidae ……………………………… 212

十八、舌石蛾科 Glossosomatidae ……………………………… 212

十九、原石蛾科 Rhyacophilidae ……………………………… 212

长翅目 Mecoptera ……………………………… 213

一、蚊蝎蛉科 Bittacidae ……………………………… 213

二、蝎蛉科 Panorpidae ……………………………… 214

鞘翅目 Coleoptera ……………………………… 216

藻食亚目 Myxophaga ……………………………… 216

一、淘甲科 Torridincolidae ……………………………… 216

肉食亚目 Adephaga ···················· 216

　　二、壁甲科 Aspidytidae ···················· 216

　　三、梭甲科 Haliplidae ···················· 217

　　四、伪龙虱科 Noteridae ···················· 217

　　五、豉甲科 Gyrinidae ···················· 218

　　六、龙虱科 Dytiscidae ···················· 218

　　七、步甲科 Carabidae ···················· 221

　　八、虎甲科 Cicindelidae ···················· 243

多食亚目 Polyphaga ···················· 244

Ⅰ. 牙甲总科 Hydrophiloidea ···················· 244

　　九、牙甲科 Hydrophilidae ···················· 244

　　十、扁圆甲科 Sphaeritidae ···················· 246

Ⅱ. 隐翅虫总科 Staphylinoidea ···················· 246

　　十一、葬甲科 Silphidae ···················· 246

　　十二、球蕈甲科 Leiodidae ···················· 248

　　十三、平唇水龟科 Hydraenidae ···················· 251

　　十四、觅葬甲科 Agyrtidae ···················· 251

　　十五、隐翅虫科 Staphylinidae ···················· 251

　　　　(一)前角隐翅虫亚科 Aleocharinae ···················· 251

　　　　(二)拟葬隐翅虫亚科 Apateticinae ···················· 266

　　　　(三)丽隐翅虫亚科 Euaesthetinae ···················· 266

　　　　(四)片足隐翅虫亚科 Habrocerinae ···················· 267

　　　　(五)铠甲亚科 Micropeplinae ···················· 267

　　　　(六)四眼隐翅虫亚科 Omaliinae ···················· 267

　　　　(七)异形隐翅虫亚科 Oxytelinae ···················· 268

　　　　(八)毒隐翅虫亚科 Paederinae ···················· 270

　　　　(九)蚁甲亚科 Pselaphinae ···················· 275

（十）背脊隐翅虫亚科 Pseudopsinae ……………………………… 276

（十一）出尾蕈甲亚科 Scaphidiinae ……………………………… 276

（十二）苔甲亚科 Scydmaeninae …………………………………… 278

（十三）隐翅虫亚科 Staphylininae ………………………………… 278

（十四）突眼隐翅虫亚科 Steninae ………………………………… 289

（十五）尖腹隐翅虫亚科 Tachyporinae …………………………… 292

Ⅲ．金龟总科 Scarabaeoidea ……………………………………………… 294

十六、粪金龟科 Geotrupidae ………………………………………… 294

（一）隆金龟亚科 Bolboceratinae ………………………………… 294

（二）粪金龟亚科 Geotrupinae …………………………………… 294

十七、绒毛金龟科 Glaphyridae ……………………………………… 295

十八、锹甲科 Lucanidae ……………………………………………… 295

十九、金龟科 Scarabaeidae …………………………………………… 297

（一）蜉金龟亚科 Aphodiinae ……………………………………… 297

（二）犀金龟亚科 Dynastinae ……………………………………… 298

（三）臂金龟亚科 Euchirinae ……………………………………… 298

（四）鳃金龟亚科 Melolonthinae ………………………………… 299

（五）丽金龟亚科 Rutelinae ……………………………………… 302

（六）蜣螂亚科 Scarabaeinae ……………………………………… 305

（七）花金龟亚科 Cetoniinae ……………………………………… 306

二十、沼甲科 Scirtidae ……………………………………………… 310

二十一、吉丁科 Buprestidae ………………………………………… 310

Ⅳ．丸甲总科 Byrrhoidea ………………………………………………… 318

二十二、丸甲科 Byrrhidae …………………………………………… 318

二十三、溪泥甲科 Elmidae …………………………………………… 319

二十四、扁泥甲科 Psephenidae ……………………………………… 320

二十五、长泥甲科 Heteroceridae …………………………………… 320

二十六、掣爪泥甲科 Eulichadidae ·················· 320

Ⅴ. 叩甲总科 **Elateroidea** ·················· 320

二十七、叩甲科 Elateridae ·················· 320

二十八、红萤科 Lycidae ·················· 327

二十九、萤科 Lampyridae ·················· 328

三十、囊花萤科 Malachiidae ·················· 328

三十一、细花萤科 Prionoceridae ·················· 329

三十二、拟花萤科 Dasytidae ·················· 329

三十三、花萤科 Cantharidae ·················· 329

三十四、伪郭公虫科 Derodontidae ·················· 333

Ⅵ. 长蠹总科 **Bostrichoidea** ·················· 333

三十五、皮蠹科 Dermestidae ·················· 333

三十六、蛛甲科 Ptinidae ·················· 335

Ⅶ. 郭公甲总科 **Cleroidea** ·················· 337

三十七、郭公甲科 Cleridae ·················· 337

Ⅷ. 扁甲总科 **Cucujoidea** ·················· 338

三十八、大蕈甲科 Erotylidae ·················· 338

三十九、拟叩甲科 Languriidae ·················· 339

四十、蜡斑甲科 Helotidae ·················· 339

四十一、隐食甲科 Cryptophagidae ·················· 339

四十二、锯谷盗科 Silvanidae ·················· 341

四十三、扁谷盗科 Laemophloeidae ·················· 341

四十四、露尾甲科 Nitidulidae ·················· 341

（一）访花露尾甲亚科 Meligethinae ·················· 341

（二）露尾甲亚科 Nitidulinae ·················· 342

（三）长鞘露尾甲亚科 Epuraeinae ·················· 343

（四）Subfamily Cryptarchinae ·················· 344

四十五、方头甲科 Cybocephalidae ··· 344

四十六、寄甲科 Bothrideridae ··· 344

四十七、伪瓢虫科 Endomychidae ·· 344

四十八、瓢虫科 Coccinellidae ··· 345

　　（一）盔唇瓢虫亚科 Chilocorinae ·· 345

　　（二）小毛瓢虫亚科 Scymninae ·· 345

　　（三）瓢虫亚科 Coccinellinae ··· 347

　　（四）红瓢虫亚科 Coccidulinae ··· 352

　　（五）Subfamily Microweiseinae ·· 353

　　（六）小艳瓢虫亚科 Sticholotidinae ·· 353

　　（七）食植瓢虫亚科 Epilachninae ··· 353

　　（八）显盾瓢虫亚科 Hyperaspinae ··· 355

四十九、薪甲科 Latridiidae ··· 355

Ⅸ. 拟步甲总科 Tenebrionoidea ·· 356

五十、长朽木甲科 Melandryidae ·· 356

五十一、花蚤科 Mordellidae ·· 356

五十二、幽甲科 Zopheridae ·· 357

五十三、拟步甲科 Tenebrionidae ·· 357

五十四、芫菁科 Meloidae ·· 362

五十五、赤翅甲科 Pyrochroidae ··· 363

五十六、蚁形甲科 Anthicidae ··· 363

五十七、拟天牛科 Oedemeridae ··· 363

五十八、暗天牛科 Vesperidae ··· 364

五十九、瘦天牛科 Disteniidae ··· 364

六十、天牛科 Cerambycidae ·· 365

　　（一）锯天牛亚科 Prioninae ·· 365

　　（二）花天牛亚科 Lepturinae ··· 367

（三）椎天牛亚科 Spondylidinae ………………… 375

（四）膜花天牛亚科 Necydalinae ………………… 377

（五）锯花天牛亚科 Dorcasominae ………………… 377

（六）天牛亚科 Cerambycinae ………………… 377

（七）沟胫天牛亚科 Lamiinae ………………… 395

Ⅹ. 叶甲总科 Chrysomeloidea ………………… 418

六十一、距甲科 Megalopodidae ………………… 418

（一）距甲亚科 Megalopodinae ………………… 418

（二）小距甲亚科 Zeugophorinae ………………… 418

六十二、负泥虫科 Crioceridae ………………… 419

（一）水叶甲亚科 Donaciinae ………………… 419

（二）茎甲亚科 Sagrinae ………………… 419

（三）负泥虫亚科 Criocerinae ………………… 419

六十三、肖叶甲科 Eumolpidae ………………… 421

（一）隐头叶甲亚科 Cryptocephalinae ………………… 421

（二）肖叶甲亚科 Eumolpinae ………………… 425

六十四、叶甲科 Chrysomelidae ………………… 428

（一）叶甲亚科 Chrysomelinae ………………… 428

（二）萤叶甲亚科 Galerucinae ………………… 430

（三）跳甲亚科 Alticinae ………………… 442

六十五、铁甲科 Hispidae ………………… 449

（一）龟甲亚科 Cassidinae ………………… 449

（二）铁甲亚科 Hispinae ………………… 451

Ⅺ. 象虫总科 Curculionoidea ………………… 451

六十六、长角象科 Anthribidae ………………… 451

（一）长角象亚科 Anthribinae ………………… 451

（二）背长角象亚科 Choraginae ………………… 453

六十七、齿颚象科 Rhynchitidae …………………… 453

六十八、卷象科 Attelabidae …………………… 455

六十九、梨象科 Apionidae …………………… 457

七十、橘象科 Nanophyidae …………………… 458

七十一、隐颏象科 Dryophthoridae …………………… 458

七十二、象虫科 Curculionidae …………………… 458

（一）小蠹亚科 Scolytinae …………………… 458

（二）象虫亚科 Curculioninae …………………… 466

（三）龟象亚科 Ceutorhynchinae …………………… 466

（四）锥胸象亚科 Conoderinae …………………… 467

（五）隐喙象亚科 Cryptorhynchinae …………………… 467

（六）粗喙象亚科 Entiminae …………………… 467

（七）方喙象亚科 Lixinae …………………… 472

（八）魔喙象亚科 Molytinae …………………… 474

鳞翅目 Lepidoptera …………………… 476

大蛾类 …………………… 476

一、蚕蛾科 Bombycidae …………………… 476

二、大蚕蛾科 Saturniidae …………………… 478

三、天蛾科 Sphingidae …………………… 481

（一）天蛾亚科 Sphinginae …………………… 481

（二）目天蛾亚科 Smerinthinae …………………… 482

（三）长喙天蛾亚科 Macroglossinae …………………… 486

四、箩纹蛾科 Brahmaeidae …………………… 490

五、枯叶蛾科 Lasiocampidae …………………… 490

六、锚纹蛾科 Callidulidae …………………… 495

七、钩蛾科 Drapanidae …………………… 495

（一）圆钩蛾亚科 Cyclidiinae …………………… 495

（二）波纹蛾亚科 Thyatirinae …………………………… 495

（三）钩蛾亚科 Drapaninae …………………………… 499

（四）山钩蛾亚科 Oretinae …………………… 501

八、凤蛾科 Epicopeiidae …………………………… 501

九、燕蛾科 Uraniidae …………………………… 502

（一）小燕蛾亚科 Microniinae …………………… 502

（二）蛱蛾亚科 Epipleminae …………………… 502

十、尺蛾科 Geometridae …………………………… 502

（一）灰尺蛾亚科 Ennominae …………………… 502

（二）星尺蛾亚科 Oenochrominae ……………… 503

（三）姬尺蛾亚科 Sterrhinae …………………… 503

（四）花尺蛾亚科 Larentiinae …………………… 504

（五）尺蛾亚科 Geometrinae …………………… 511

（六）灰尺蛾亚科 Ennominae …………………… 516

十一、舟蛾科 Notodontidae …………………………… 535

（一）蕊舟蛾亚科 Dudusinae …………………… 535

（二）广舟蛾亚科 Platychasminae ……………… 537

（三）角茎舟蛾亚科 Biretinae …………………… 537

（四）蚁舟蛾亚科 Stauropinae …………………… 539

（五）舟蛾亚科 Notodontinae …………………… 542

（六）羽齿舟蛾亚科 Ptilodoninae ……………… 546

（七）掌舟蛾亚科 Phalerinae …………………… 549

（八）扇舟蛾亚科 Pygaerinae …………………… 550

（九）异舟蛾亚科 Thaumetopoeinae …………… 552

十二、灯蛾科 Arctiidae …………………………… 552

（一）苔蛾亚科 Lithosiinae …………………… 552

（二）灯蛾亚科 Arctiinae …………………… 558

十三、毒蛾科 Lymantriidae ··························· 563

　　(一)古毒蛾亚科 Orgyinae ··························· 563

　　(二)毒蛾亚科 Lymantriinae ··························· 565

十四、瘤蛾科 Nolidae ··························· 568

　　(一)瘤蛾亚科 Nolinae ··························· 568

十五、夜蛾科 Noctuidae ··························· 568

　　(一)毛夜蛾亚科 Pantheinae ··························· 568

　　(二)剑纹夜蛾亚科 Acronictinae ··························· 569

　　(三)虎蛾亚科 Agaristinae ··························· 571

　　(四)苔藓夜蛾亚科 Bryophilinae ··························· 572

　　(五)实夜蛾亚科 Heliothinae ··························· 572

　　(六)夜蛾亚科 Noctuinae ··························· 572

　　(七)木夜蛾亚科 Xyleninae ··························· 576

　　(八)纷冬夜蛾亚科 Psaphidinae ··························· 578

　　(九)盗夜蛾亚科 Hadeninae ··························· 578

　　(十)冬夜蛾亚科 Cuculliinae ··························· 582

　　(十一)杂夜蛾亚科 Amphipyrinae ··························· 584

　　(十二)丽夜蛾亚科 Chloephorinae ··························· 589

　　(十三)绮夜蛾亚科 Acontiinae ··························· 590

　　(十四)尾夜蛾亚科 Euteliinae ··························· 591

　　(十五)皮夜蛾亚科 Sarrothripinae ··························· 591

　　(十六)裳夜蛾亚科 Catocalinae ··························· 592

　　(十七)强喙夜蛾亚科 Ophiderinae ··························· 596

　　(十八)髯须夜蛾亚科 Hypeninae ··························· 601

　　(十九)长须夜蛾亚科 Herminiiae ··························· 602

　　(二十)金翅夜蛾亚科 Plusiinae ··························· 603

小蛾类 ·· 605

Ⅰ. 蝙蝠蛾总科 Hepialoidea ······························ 605

一、蝙蝠蛾科 Hepialidae ····································· 605

Ⅱ. 微蛾总科 Nepticuloidea ······························· 605

二、微蛾科 Nepticulidae ····································· 605

Ⅲ. 谷蛾总科 Tineoidea ··································· 605

三、谷蛾科 Tineidae ··· 605

四、蓑蛾科 Psychidae ······································· 608

Ⅳ. 细蛾总科 Gracillarioidea ····························· 608

五、细蛾科 Gracillariidae ··································· 608

（一）细蛾亚科 Gracillariinae ······················· 608

Ⅴ. 麦蛾总科 Gelechioidea ······························· 609

六、织蛾科 Oecophoridae ··································· 609

（一）织蛾亚科 Oecophorinae ······················· 609

（二）展足蛾亚科 Stathmopodinae ··················· 612

七、小潜蛾科 Elachistidae ··································· 613

（一）宽蛾亚科 Depressariinae ······················· 613

（二）草蛾亚科 Ethmiinae ·························· 614

八、列蛾科 Autostichidae ··································· 615

九、木蛾科 Xyloryctidae ····································· 615

十、祝蛾科 Lecithoceridae ··································· 615

（一）祝蛾亚科 Lecithocerinae ······················· 615

（二）瘤祝蛾亚科 Torodorinae ······················· 616

十一、麦蛾科 Gelechiidae ··································· 617

（一）麦蛾亚科 Gelechiinae ························· 617

（二）棕麦蛾亚科 Dichomeridinae ··················· 624

（三）栉麦蛾亚科 Pexicopiinae ······················· 627

十二、鞘蛾科 Coleophoridae ································· 627

十三、尖蛾科 Cosmopterigidae ……………………………………………… 629

十四、绢蛾科 Scythrididae …………………………………………………… 630

Ⅵ. 粪蛾总科 Copromorphoidea …………………………………………………… 630

十五、蛀果蛾科 Carposinidae ………………………………………………… 630

Ⅶ. 巢蛾总科 Yponomeutoidea ……………………………………………………… 630

十六、Family Attevidae ……………………………………………………… 630

十七、举肢蛾科 Heliodinidae ………………………………………………… 631

十八、菜蛾科 Plutellidae ……………………………………………………… 631

十九、巢蛾科 Yponomeutidae ………………………………………………… 631

（一）巢蛾亚科 Yponomeutinae …………………………………………… 631

（二）银蛾亚科 Argyresthiinae …………………………………………… 632

二十、冠翅蛾科 Ypsolophidae ………………………………………………… 633

Ⅷ. 网蛾总科 Thyridoidea …………………………………………………………… 633

二十一、网蛾科 Thyrididae …………………………………………………… 633

Ⅸ. 螟蛾总科 Pyraloidea …………………………………………………………… 634

二十二、螟蛾科 Pyralidae …………………………………………………… 634

（一）丛螟亚科 Epipaschiinae ……………………………………………… 634

（二）蜡螟亚科 Galleriinae ………………………………………………… 634

（三）螟蛾亚科 Pyralinae …………………………………………………… 635

（四）斑螟亚科 Phycitinae ………………………………………………… 636

二十三、草螟科 Crambidae …………………………………………………… 644

（一）草螟亚科 Crambinae ………………………………………………… 644

（二）薄翅螟亚科 Evergestinae …………………………………………… 647

（三）水螟亚科 Acentropinae ……………………………………………… 647

（四）苔螟亚科 Scopariinae ………………………………………………… 648

（五）禾螟亚科 Schoenobiinae …………………………………………… 649

（六）野螟亚科 Pyraustinae ………………………………………………… 650

（七）斑野螟亚科 Spilomelinae ………………………………… 654

X . 羽蛾总科 Pterophoroidea ………………………………… 660

二十四、羽蛾科 Pterophoridae ………………………………… 660

（一）金羽蛾亚科 Agdistinae ………………………………… 660

（二）片羽蛾亚科 Platyptiliinae ………………………………… 660

（三）羽蛾亚科 Pterophorinae ………………………………… 662

XI . 透翅蛾总科 Sesioidea ………………………………… 663

二十五、透翅蛾科 Sesiidae ………………………………… 663

XII . 斑蛾总科 Zygaenoidea ………………………………… 663

二十六、斑蛾科 Zygaenidae ………………………………… 663

（一）锦斑蛾亚科 Chalcossinae ………………………………… 663

（二）小斑蛾亚科 Procridinae ………………………………… 664

二十七、刺蛾科 Limacodidae ………………………………… 665

XIII . 木蠹蛾总科 Cossoidea ………………………………… 670

二十八、木蠹蛾科 Cossidae ………………………………… 670

XIV . 卷蛾总科 Tortricoidea ………………………………… 672

二十九、卷蛾科 Tortricidae ………………………………… 672

（一）卷蛾亚科 Tortricinae ………………………………… 672

（二）小卷蛾亚科 Olethreutinae ………………………………… 681

XV . 舞蛾总科 Choreutoidea ………………………………… 695

三十、舞蛾科 Choreutidae ………………………………… 695

蝶 类 ………………………………… 695

一、凤蝶科 Papilionidae ………………………………… 695

（一）凤蝶亚科 Papilioninae ………………………………… 695

（二）锯凤蝶亚科 Zerynthiinae ………………………………… 699

（三）绢蝶亚科 Parnassiinae ………………………………… 700

二、粉蝶科 Pieridae ………………………………… 700

（一）黄粉蝶亚科 Coliadinae ······················ 700

（二）粉蝶亚科 Pierinae ························· 702

（三）袖粉蝶亚科 Dismorphiinae ················· 705

三、蛱蝶科 Nymphalidae ····························· 706

（一）螯蛱蝶亚科 Charaxinae ··················· 706

（二）闪蛱蝶亚科 Apaturinae ··················· 706

（三）袖蛱蝶亚科 Heliconiinae ·················· 709

（四）线蛱蝶亚科 Limenitinae ·················· 712

（五）蛱蝶亚科 Nymphalinae ··················· 717

（六）秀蛱蝶亚科 Pseudergolinae ··············· 720

（七）绢蛱蝶亚科 Calinaginae ·················· 721

（八）斑蝶亚科 Danainae ······················· 721

（九）环蝶亚科 Amathusiinae ··················· 722

（十）喙蝶亚科 Libytheinae ···················· 722

（十一）眼蝶亚科 Satyrinae ···················· 722

四、灰蝶科 Lycaenidae ······························ 731

（一）云灰蝶亚科 Miletinae ···················· 731

（二）银灰蝶亚科 Curetinae ···················· 731

（三）线灰蝶亚科 Theclinae ···················· 731

（四）灰蝶亚科 Lycaeninae ···················· 739

（五）眼灰蝶亚科 Polyommatinae ··············· 739

（六）蚬蝶亚科 Riodinidae ····················· 743

五、弄蝶科 Hesperiidae ····························· 744

（一）竖翅弄蝶亚科 Coeliadinae ················ 744

（二）花弄蝶亚科 Pyrginae ···················· 744

（三）链弄蝶亚科 Heteropterinae ··············· 747

（四）弄蝶亚科 Hesperiinae ···················· 748

双翅目 Diptera ································· 754

　一、大蚊科 Tipulidae ································· 754

　二、沼大蚊科 Limoniidae ································· 756

　三、毛蛉科 Psychodidae ································· 756

　四、毛蚊科 Bibionidae ································· 758

　五、蚊科 Culicidae ································· 759

　六、蠓科 Ceratopogonidae ································· 764

　七、瘿蚊科 Cecidomyiidae ································· 770

　八、菌蚊科 Mycetophilidae ································· 772

　九、扁角菌蚊科 Keroplatidae ································· 773

　十、眼蕈蚊科 Sciaridae ································· 773

　十一、摇蚊科 Chironomidae ································· 775

　　（一）寡角摇蚊亚科 Diamesinae ································· 775

　　（二）长足摇蚊亚科 Tanypodinae ································· 775

　　（三）直突摇蚊亚科 Orthocladiinae ································· 777

　　（四）摇蚊亚科 Chironominae ································· 780

　十二、蚋科 Simuliidae ································· 784

　十三、鹬虻科 Rhagionidae ································· 785

　十四、伪鹬虻科 Athericidae ································· 786

　十五、虻科 Tabanidae ································· 786

　　（一）斑虻亚科 Chrysopsinae ································· 786

　　（二）虻亚科 Tabaninae ································· 787

　十六、木虻科 Xylomyidae ································· 791

　十七、水虻科 Stratiomyidae ································· 792

　十八、剑虻科 Therevidae ································· 795

　十九、蜂虻科 Bombyliidae ································· 795

　二十、长足虻科 Dolichopodidae ································· 796

二十一、舞虻科 Empididae ···························· 806

　　（一）驼舞虻亚科 Hybotinae ···················· 806

　　（二）合室舞虻亚科 Tachydromiinae ············ 807

　　（三）溪舞虻亚科 Clinocerinae ················· 808

　　（四）长足舞虻亚科 Trichopezinae ·············· 808

　　（五）螳舞虻亚科 Hemerodromiinae ············ 808

　　（六）舞虻亚科 Empidinae ····················· 808

二十二、驼舞虻科 Hybotidae ······················ 810

二十三、尖翅蝇科 Lonchopteridae ················· 810

二十四、扁足蝇科 Platypezidae ··················· 811

二十五、蚤蝇科 Phoridae ························· 811

二十六、头蝇科 Pipunculidae ····················· 814

二十七、食蚜蝇科 Syrphidae ····················· 815

二十八、叶蝇科 Milichiidae ······················ 837

二十九、果蝇科 Drosophilidae ···················· 839

三十、隐芒蝇科 Cryptochetidae ··················· 841

三十一、甲蝇科 Celyphidae ······················ 841

三十二、缟蝇科 Lauxaniidae ····················· 842

三十三、鼓翅蝇科 Sepsidae ······················ 843

三十四、瘦足蝇科 Micropezidae ··················· 845

三十五、小粪蝇科 Sphaeroceridae ················· 845

　　（一）小粪蝇亚科 Sphaerocerinae ·············· 845

　　（二）沼小粪蝇亚科 Limosininae ··············· 846

三十六、秆蝇科 Chloropidae ······················ 849

三十七、潜蝇科 Agromyzidae ····················· 851

三十八、禾蝇科 Opomyzidae ····················· 852

三十九、寡脉蝇科 Astelidae ······················ 852

四十、广口蝇科 Platystomatidae ················· 852

四十一、实蝇科 Tephritidae ··················· 853

　　（一）小条实蝇亚科 Ceratitidinae ··········· 853

　　（二）实蝇亚科 Trypetinae ················· 853

　　（三）花翅实蝇亚科 Tephritinae ············· 854

四十二、水蝇科 Ephydridae ··················· 856

四十三、沼蝇科 Sciomyzidae ·················· 857

四十四、茎蝇科 Psilidae ····················· 858

四十五、蜣蝇科 Pyrgotidae ··················· 859

四十六、眼蝇科 Conopidae ··················· 859

四十七、花蝇科 Anthomyiidae ················· 859

四十八、厕蝇科 Fanniidae ··················· 861

四十九、蝇科 Muscidae ····················· 862

五十、丽蝇科 Calliphoridae ·················· 872

五十一、鼻蝇科 Rhiniidae ··················· 876

五十二、麻蝇科 Sarcophagidae ················ 877

五十三、寄蝇科 Tachinidae ·················· 882

　　（一）长足寄蝇亚科 Dexiinae ·············· 882

　　（二）追寄蝇亚科 Exoristinae ·············· 885

　　（三）突颜寄蝇亚科 Phasiinae ············· 898

　　（四）寄蝇亚科 Tachininae ··············· 899

五十四、胃蝇科 Gasterophilidae ··············· 904

五十五、狂蝇科 Oestridae ··················· 904

膜翅目 Hymenoptera ······················· 905

广腰亚目 Symphyta ························ 905

一、棒蜂科 Xyelidae ······················· 905

二、茸蜂科 Blasticotomidae ·················· 905

三、锤角叶蜂科 Cimbicidae ……………………………………… 905

四、三节叶蜂科 Argidae ………………………………………… 906

五、松叶蜂科 Diprionidae ……………………………………… 910

六、七节叶蜂科 Heptamelidae …………………………………… 910

七、叶蜂科 Tenthredinidae ……………………………………… 910

　　（一）蕨叶蜂亚科 Selandriinae ……………………………… 910

　　（二）长背叶蜂亚科 Strongylogasterinae …………………… 913

　　（三）短叶蜂亚科 Rocaliinae ………………………………… 914

　　（四）粘叶蜂亚科 Caliroinae ………………………………… 914

　　（五）实叶蜂亚科 Hoplocampinae …………………………… 914

　　（六）枝角叶蜂亚科 Cladiinae ……………………………… 915

　　（七）突瓣叶蜂亚科 Nematinae ……………………………… 915

　　（八）平背叶蜂亚科 Allantinae ……………………………… 917

　　（九）麦叶蜂亚科 Dolerinae ………………………………… 922

　　（十）叶蜂亚科 Tenthredininae ……………………………… 923

　　（十一）大基叶蜂亚科 Belesesinae ………………………… 941

　　（十二）残青叶蜂亚科 Athaliinae …………………………… 942

　　（十三）蔺叶蜂亚科 Blennocampinae ……………………… 943

八、扁蜂科 Pamphiliidae ………………………………………… 945

九、广蜂科 Megalodontesidae …………………………………… 947

十、项蜂科 Xiphydriidae ………………………………………… 947

十一、茎蜂科 Cephidae ………………………………………… 948

十二、树蜂科 Siricidae ………………………………………… 949

十三、尾蜂科 Orussidae ………………………………………… 949

细腰亚目 Apocrita …………………………………………… 950

寄生部 Parasitica …………………………………………… 950

Ⅰ.冠蜂总科 Stephanoidea …………………………………… 950

　　十四、冠蜂科 Stephanidae ………………………………… 950

十五、钩腹蜂科 Trigonalyidae ·········· 950

Ⅱ. 旗腹蜂总科 Evanioidea ·········· 952

十六、褶翅蜂科 Gasteruptiidae ·········· 952

十七、举腹蜂科 Aulacidae ·········· 952

Ⅲ. 钩腹蜂总科 Trigonalyoidea ·········· 953

十八、钩腹蜂科 Trigonalyidae ·········· 953

Ⅳ. 细蜂总科 Proctotrupoidea ·········· 953

十九、细蜂科 Proctotrupidae ·········· 953

（一）细蜂亚科 Proctotrupinae ·········· 953

二十、柄腹细蜂科 Heloridae ·········· 957

二十一、窄腹细蜂科 Roproniidae ·········· 957

二十二、广腹细蜂科 Platygastridae ·········· 957

Ⅴ. 瘿蜂总科 Cynipoidea ·········· 957

二十三、环腹瘿蜂科 Figitidae ·········· 957

二十四、瘿蜂科 Cynipidae ·········· 958

Ⅵ. 小蜂总科 Chalcidoidea ·········· 958

二十五、蚜小蜂科 Aphelinidae ·········· 958

二十六、小蜂科 Chalcididae ·········· 959

二十七、跳小蜂科 Encyrtidae ·········· 959

Ⅶ. 姬蜂总科 Ichneumonoidea ·········· 961

二十八、茧蜂科 Braconidae ·········· 961

（一）内茧蜂亚科 Rogadinae ·········· 961

（二）奇脉茧蜂亚科 Miracinae ·········· 962

（三）蝇茧蜂亚科 Opiinae ·········· 962

（四）长体茧蜂亚科 Macrocentrinae ·········· 963

（五）屏腹茧蜂亚科 Sigalphinae ·········· 964

（六）滑茧蜂亚科 Homolobinae ·········· 964

（七）优茧蜂亚科 Euphorinae ………………………………… 964

（八）长茧蜂亚科 Helconinae ………………………………… 966

（九）甲腹茧蜂亚科 Cheloninae ……………………………… 966

（十）小腹茧蜂亚科 Microgastrinae ………………………… 967

（十一）矛茧蜂亚科 Doryctinae ……………………………… 968

（十二）窄径茧蜂亚科 Agathidinae …………………………… 969

（十三）反颚茧蜂亚科 Alysinae ……………………………… 970

（十四）蚜茧蜂亚科 Aphidiinae ……………………………… 970

（十五）茧蜂亚科 Braconinae ………………………………… 971

（十六）臂茧蜂亚科 Brachistinae …………………………… 972

二十九、姬蜂科 Ichneumonidae ……………………………… 972

（一）肿跗姬蜂亚科 Anomaloninae ………………………… 972

（二）栉姬蜂亚科 Banchinae ………………………………… 972

（三）分距姬蜂亚科 Cremastinae …………………………… 973

（四）栉足姬蜂亚科 Ctenopelmatinae ……………………… 973

（五）秘姬蜂亚科 Cryptinae ………………………………… 973

（六）蚜蝇姬蜂亚科 Diplazontinae ………………………… 974

（七）格姬蜂亚科 Gravenhorstiinae ………………………… 974

（八）姬蜂亚科 Ichneumoninae ……………………………… 974

（九）壕姬蜂亚科 Lycorininae ……………………………… 975

（十）菱室姬蜂亚科 Mesochorinae ………………………… 975

（十一）瘦姬蜂亚科 Ophioninae …………………………… 975

（十二）瘤姬蜂亚科 Pimplinae ……………………………… 975

（十三）粗角姬蜂亚科 Phygadeuontinae …………………… 978

（十四）缝姬蜂亚科 Porizontinae …………………………… 978

Ⅷ. 小蜂总科 Chalcidoidea ……………………………………… 979

三十、金小蜂科 Pteromalidae ………………………………… 979

三十一、姬小蜂科 Eulophidae ·················· 987

三十二、旋小蜂科 Eupelmidae ·················· 991

三十三、广肩小蜂科 Eurytomidae ·················· 992

三十四、褶翅小蜂科 Leucospidae ·················· 993

三十五、缨小蜂科 Mymaridae ·················· 993

三十六、长尾小蜂科 Torymidae ·················· 993

三十七、赤眼蜂科 Trichogrammatidae ·················· 994

针尾部 Aculeata ·················· 995

Ⅸ. 青蜂总科 Chrysidoidea ·················· 995

三十八、肿腿蜂科 Bethylidae ·················· 995

三十九、青蜂科 Chrysididae ·················· 995

四十、螯蜂科 Dryinidae ·················· 995

（一）常足螯蜂亚科 Aphelopinae ·················· 995

（二）裸爪螯蜂亚科 Conganteoninae ·················· 996

（三）单爪螯蜂亚科 Anteoninae ·················· 996

（四）双距螯蜂亚科 Gonatopodinae ·················· 998

Ⅹ. 胡蜂总科 Vespoidea ·················· 998

四十一、蚁蜂科 Mutillidae ·················· 998

四十二、寡毛土蜂科 Sapygidae ·················· 999

四十三、臀钩土蜂科 Tiphiidae ·················· 999

四十四、胡蜂科 Vespidae ·················· 1000

（一）蜾蠃亚科 Eumeninae ·················· 1000

（二）马蜂亚科 Polistinae ·················· 1003

（三）胡蜂亚科 Vespinae ·················· 1004

四十五、蛛蜂科 Pompilidae ·················· 1007

（一）蛛蜂亚科 Pompilinae ·················· 1007

（二）沟蛛蜂亚科 Pepsinae ·················· 1008

四十六、蚁科 Formicidae ·· 1008

　　（一）臭蚁亚科 Dolichoderinae ·· 1008

　　（二）蚁亚科 Formicinae ·· 1009

　　（三）切叶蚁亚科 Myrmicinae ·· 1013

　　（四）猛蚁亚科 Ponerinae ·· 1018

Ⅺ. 泥蜂总科 Sphecoidea ·· 1019

四十七、方头泥蜂科 Crabronidae ·· 1019

　　（一）方头泥蜂亚科 Crabroninae ·· 1019

　　（二）短柄泥蜂亚科 Pemphredoninae ··································· 1020

四十八、泥蜂科 Sphecidae ·· 1022

　　（一）沙泥蜂亚科 Ammophilinae ·· 1022

　　（二）壁泥蜂亚科 Sceliphrinae ·· 1023

Ⅻ. 蜜蜂总科 Apoidea ··· 1023

四十九、地蜂科 Andrenidae ·· 1023

五十、蜜蜂科 Apidae ·· 1024

　　（一）蜜蜂亚科 Apinae ··· 1024

　　（二）木蜂亚科 Xylocopinae ··· 1027

五十一、准蜂科 Melittidae ··· 1028

五十二、隧蜂科 Halictidae ··· 1028

　　（一）隧蜂亚科 Halictinae ··· 1028

　　（二）彩带蜂亚科 Nomiinae ··· 1031

五十三、切叶蜂科 Megachilidae ··· 1031

参考文献 ··· 1033

原尾纲 Protura

蚖目 Acerentomata

一、夕蚖科 Hesperentomidae

  1. 夕蚖属 *Hesperentomon* Price，1960

  （1）佛坪夕蚖 *Hesperentomon fopingense* Bu，Shrubovych *et* Yin，2011
    分布：陕西（留坝、佛坪、宁陕）。

  （2）华山夕蚖 *Hesperentomon hwashanensis* Yin，1982
    分布：陕西（华阴、留坝）、山西、安徽、湖北、湖南、贵州。

  （3）棘腹夕蚖 *Hesperentomon pectigastrulum* Yin，1984
    分布：陕西（长安、临潼）、河北、山西、宁夏。

二、始蚖科 Protentomidae

  2. 新康蚖属 *Neocondeellum* Tuxen *et* Yin，1982

  （4）短跗新康蚖 *Neocondeellum brachytarsum*（Yin，1977）
    分布：陕西（西安、长安、周至、临潼、华阴）、辽宁、吉林、北京、河南、江苏、上海、安徽、浙江、湖北、湖南、重庆、四川、贵州。

三、檗蚖科 Berberentulidae

  3. 巴蚖属 *Baculentulus* Tuxen，1977

  （5）天目山巴蚖 *Baculentulus tianmushanensis*（Yin，1963）
    分布：陕西（西安）、辽宁、内蒙古、河北、河南、宁夏、甘肃、上海、安徽、浙江、江西、湖北、湖南、重庆、四川、贵州、云南。

  4. 肯蚖属 *Kenyentulus* Tuxen，1981

  （6）毛萼肯蚖 *Kenyentulus ciliciocalyci* Yin，1987
    分布：陕西（长安、临潼、留坝、佛坪、宁陕）、浙江、湖南、海南、香港、重庆、四川、贵州、云南。

（7）楼观肯蚖 *Kenyentulus louguanensis* **Bu** *et* **Yin**，2010
　　分布：陕西（周至）。

（8）陕西肯蚖 *Kenyentulus shaanxiensis* **Bu** *et* **Yin**，2010
　　分布：陕西（长安）。

四、蚖科 Acerentomidae

5. 华山蚖属 *Huashanentulus* **Yin**，1980

（9）华山蚖 *Huashanentulus huashanensis* **Yin**，1980
　　分布：陕西（华阴、留坝、宁陕）、宁夏、甘肃、湖北、四川。

6. 线毛蚖属 *Filientomon* **Rusek**，1974

（10）高绳线毛蚖 *Filientomon takanawanum*（Imadaté，1956）
　　分布：陕西（长安）、吉林、河北、山西、安徽、浙江；朝鲜，韩国，日本。

五、日本蚖科 Nipponentomidae

7. 雅娃蚖属 *Yavanna* **Szeptycki**，1988

（11）中华雅娃蚖 *Yavanna sinensis*（**Bu** *et* **Yin**，2008）
　　分布：陕西（临潼）、宁夏、青海。

古蚖目 Ensentomata

一、古蚖科 Eosentomidae

1. 中国蚖属 *Zhongguohentomon* **Yin**，1979

（1）多毛中国蚖 *Zhongguohentomon piligeroum* **Zhang** *et* **Yin**，1981
　　分布：陕西（临潼、佛坪）、内蒙古、甘肃、湖北、广东、广西、四川、贵州。

2. 古蚖属 *Eosentomon* **Berlese**，1908

（2）九毛古蚖 *Eosentomon novemchaetum* **Yin**，1965
　　分布：陕西（周至）、辽宁、江苏、上海、安徽、江西。

（3）双长古蚖 *Eosentomon dimecempodi* Yin, 1990

分布：陕西（华阴）。

（4）大眼古蚖 *Eosentomon megalenum* Yin, 1990

分布：陕西（长安、临潼、华阴）、宁夏、甘肃、江苏、上海、湖北、湖南、四川、贵州、云南。

（5）东方古蚖 *Eosentomon orientalis* Yin, 1965

分布：陕西（华阴）、辽宁、宁夏、甘肃、青海、江苏、上海、安徽、浙江、湖北、江西、湖南、广东、海南、广西、重庆、四川、贵州。

（6）异形古蚖 *Eosentomon dissimilis* Yin, 1979

分布：陕西（华阴、留坝）、青海、上海、浙江、安徽、湖南、贵州。

（7）栖霞古蚖 *Eosentomon chishiaensis* Yin, 1965

分布：陕西（华阴、宁陕）、甘肃、江苏、上海、安徽、浙江、湖北、湖南、广东。

（8）樱花古蚖 *Eosentomon sakura* Imadaté *et* Yosii, 1959

分布：陕西（佛坪）、江苏、上海、安徽、浙江、湖北、江西、湖南、福建、台湾、广东、海南、香港、广西、四川、贵州、云南；日本。

3. 近异蚖属 *Paranisentomon* Zhang *et* Yin, 1984

（9）屠氏近异蚖 *Paranisentomon tuxeni* (Imadaté *et* Yosii, 1959)

分布：陕西（华阴）、甘肃、安徽、湖北、江西、湖南、贵州。

（10）三珠近异蚖 *Paranisentomon triglobulum* Yin *et* Zhang, 1982

分布：陕西（临潼）、安徽、江西、湖南、广东、广西、贵州。

4. 新异蚖属 *Neanisentomon* Zhang *et* Yin, 1984

（11）陕新异蚖 *Neanisentomon shaanicum* Bu *et* Yin, 2011

分布：陕西（长安）。

弹尾纲 Collembola

原蛴目 Poduromorpha

一、疣蛴科 Neanuridae

1. 奇刺蛴属 *Friesea* Dalla Torre, 1895

（1）陕西奇刺蛴 *Friesea shaanxiensis* Gao *et* Yin, 2006
　　分布：陕西（户县）。

（2）四刺奇刺蛴 *Friesea quadrispinensis* Gao *et* Yin, 2006
　　分布：陕西（户县）。

2. 伪亚蛴属 *Pseudachorutes* Tullberg, 1871

（3）多毛伪亚蛴 *Pseudachorutes polychaetosus* Gao *et* Palacios-Vargas, 2008
　　分布：陕西（临潼）、宁夏。

（4）建秀伪亚蛴 *Pseudachorutes jianxiuchenius* Gao, Yin *et* Palacios-Vargas, 2008
　　分布：陕西（临潼）。

（5）骊山伪亚蛴 *Pseudachorutes lishaniese* Gao, Yin *et* Palacios-Vargas, 2008
　　分布：陕西（临潼）。

（6）旺达伪亚蛴 *Pseudachorutes wandae* Gao, Yin *et* Palacios-Vargas, 2008
　　分布：陕西（临潼）。

3. 拟亚蛴属 *Stachorutes* Dallai, 1973

（7）翠华山拟亚蛴 *Stachorutes cuihuaensis* Gao *et* Yin, 2007
　　分布：陕西（长安）。

4. 维特疣蛴属 *Vitronura* Yosii, 1969

（8）陕西维特疣蛴 *Vitronura shaanxiensis* Jiang *et* Yin, 2011
　　分布：陕西。

二、球角蚳科 Hypogastruridae

5. 泡角蚳属 *Ceratophysella* Börner，1932

（9）三刺泡角蚳 *Ceratophysella liguladorsi*（Lee，1974）
分布：陕西（西安）、上海、浙江、湖南；韩国。

（10）四刺泡角蚳 *Ceratophysella duplicispinosa*（Yosii，1954）
分布：陕西（西安）、上海、浙江、湖南、广东；韩国，日本。

长角蚳目 Entomobryomorpha

一、长角蚳科 Entomobryidae

1. 刺齿蚳属 *Homidia* Börner，1906

（1）华山刺齿蚳 *Homidia huashanensis* Jia，Chen *et* Christiansen，2005
分布：陕西（华阴）。

（2）*Homidia phjongjangica* Szeptycki，1973
分布：陕西；朝鲜。

（3）太白刺齿蚳 *Homidia taibaiensis* Yuan *et* Pan，2013
分布：陕西（眉县）。

2. 裸长角蚳属 *Sinella* Brook，1882

（4）曲毛裸长蚳 *Sinella curviseta* Brook，1882
分布：陕西（长安）、江苏、上海、浙江、福建。

（5）三毛裸长蚳 *Sinella triseta* Yuan *et* Pan，2013
分布：陕西（眉县）。

3. 拟裸长角蚳属 *Coecobrya* Yosii，1956

（6）*Coecobrya qin* Zhang *et* Dong，2014
分布：陕西。

（7）*Coecobrya communis*（Chen *et* Christiansen，1997）
分布：陕西（西安）、山东、江苏、安徽、四川；澳大利亚。

4．Genus *Pseudosinella* Schäffer，1897

（8）*Pseudosinella mutabilis* Wang，Christiansen *et* Chen，2003
分布：陕西、新疆。

二、等节䖫科 Isotomidae

5．符䖫属 *Folsomia* Willem，1902

（9）二眼符䖫 *Folsomia diplophthalma*（Axelson，1902）
分布：陕西（长安、临潼）、山西、江苏、上海、浙江；全北区广布。

三、鳞䖫科 Tomoceridae

6．鳞䖫属 *Tomocerus* Nicolet，1842

（10）佛坪鳞䖫 *Tomocerus fopingensis* Sun *et* Liang，2008
分布：陕西（留坝、佛坪）。

（11）*Tomocerus magnus* Sun *et* Liang，2008
分布：陕西。

愈腹䖫目 Symphypleona

一、圆䖫科 Sminthuridae

1．长角圆䖫属 *Temeritas* Delamare *et* Massoud，1963

（1）中华长角圆䖫 *Temeritas sinensis* Dallai *et* Fanciulli，1985
分布：陕西（武功）。

双尾纲 Diplura

双尾目 Diplura

一、康虮科 Campodeidae

1. 美虮属 *Metriocampa* Silvestri，1912

（1）桑山美虮 *Metriocampa kuwayamae* Silvestri，1931
分布：陕西（留坝、佛坪、宁陕）、吉林、辽宁、北京、山西、河南、安徽、浙江、湖南；日本。

二、副铗虮科 Parajapygidae

2. 副铗虮属 *Parajapyx* Silvestri，1903

（2）黄副铗虮 *Parajapyx isabellae*（Grassi，1886）
分布：陕西（华阴）、吉林、北京、山东、河南、宁夏、甘肃、江苏、上海、安徽、浙江、湖北、湖南、福建、广东、广西、四川、贵州、云南；日本，欧洲，非洲，北美洲，南美洲。

（3）爱媚副铗虮 *Parajapyx emeryanus* Silvestri，1929
分布：陕西（华阴）、吉林、北京、山东、河南、宁夏、甘肃、江苏、上海、安徽、浙江、湖北、湖南、福建、广东、广西、四川、贵州、云南；日本。

（4）华山副铗虮 *Parajapyx hwashanensis* Chou，1966
分布：陕西（华阴）、北京、河南、甘肃、江苏、上海、安徽、湖北、湖南、四川、贵州。

三、铗虮科 Japygidae

3. 缅铗虮属 *Burmjapyx* Silvestri，1930

（5）华山缅铗虮 *Burmjapyx huashanensis* Chou，1983
分布：陕西（华阴）、湖南。

4. 偶铗虮属 *Occasjapyx* Silvestri, 1948

（6）锯偶铗虮 *Occasjapyx beneserratus*（**Kuwayama, 1928**）

分布：陕西（华阴）；日本。

（7）日本偶铗虮 *Occasjapyx japonicus*（**Enderlein, 1907**）

分布：陕西（长安、周至、武功、华阴）、北京、河北、江苏、上海、安徽、浙江、湖北、广东、广西。

（8）异齿偶铗虮 *Occasjapyx heterodontus*（**Silvestri, 1949**）

分布：陕西（华阴）、山东。

5. 陕铗虮属 *Shaanxijapyx* Chou, 1983

（9）陕铗虮 *Shaanxijapyx xianensis* **Chou, 1983**

分布：陕西（长安）。

昆虫纲 Insecta

石蛃目 Microcoryphia

一、石蛃科 Machilidae

1. 异蛃属 *Allopsontus* Silvestri, 1911

(1) 华山异蛃 *Allopsontus*（*Anisopsontus*）*huashanmendesi* Huang, Song *et* Liang, 2006
分布:陕西(华阴)。

衣鱼目 Zygentoma

一、衣鱼科 Lepismatidae

1. 毛衣鱼属 *Ctenolepisma* Escherich, 1905

(1) 毛衣鱼 *Ctenolepisma villosa*（Fabricius, 1775）
分布:陕西广布,除黑龙江省外全国广布。

蜉蝣目 Ephemeroptera

一、短丝蜉科 Siphlonuridae

1. 短丝蜉属 *Siphlonurus* Eaton, 1868

(1) 戴氏短丝蜉 *Siphlonurus davidi* Navás, 1932
分布: 陕西(西安、户县、宁陕)、四川。

二、栉颚蜉科 Ameletidae

2. 栉颚蜉属 *Ameletus* Eaton, 1885

(2) 山地栉颚蜉 *Ameletus montanus* Imanishi, 1930

分布：陕西（宁陕）、内蒙古。

三、扁蜉科 Heptageniidae

3. 似动蜉属 *Cinygmina* Kimmins, 1937

（3）斜纹似动蜉 *Cinygmina obliquistrita* You *et al.*, 1981
　　分布：陕西（秦岭）、江苏、安徽、浙江、江西、湖南、福建、贵州。

（4）红斑似动蜉 *Cinygmina rubromaculata* You *et al.*, 1981
　　分布：陕西（佛坪），华东、华南和西南各省；俄罗斯（远东）。

（5）宜兴似动蜉 *Cinygmina yixingensis* Wu *et* You, 1986
　　分布：陕西（佛坪），中国南方广布。

4. 高翔蜉属 *Epeorus* Eaton, 1881

（6）透明高翔蜉 *Epeorus pellucidus*（Brodsky, 1930）
　　分布：陕西（宝鸡、宁陕）、黑龙江、吉林、辽宁、内蒙古、河南、甘肃；蒙古，俄罗斯，朝鲜。

（7）钩突高翔蜉 *Epeorus ngi* Gui, Zhou *et* Su, 1999
　　分布：陕西（周至、佛坪）、福建、重庆。

四、四节蜉科 Baetidae

5. 二翅蜉属 *Cloeon* Leach, 1815

（8）浅绿二翅蜉 *Cloeon viridulum* Navás, 1931
　　分布：陕西（户县）、江苏、上海、浙江。

五、小蜉科 Ephemerellidae

6. 大鳃蜉属 *Torleya* Lestage, 1917

（9）膨铗大鳃蜉 *Torleya tumiforceps*（Zhou *et* Su, 1997）
　　分布：陕西（佛坪），秦岭以南地区。

7. 带肋蜉属 *Cincticostella* Allen, 1971

（10）黑带肋蜉 *Cincticostella nigra*（Uéno, 1928）
　　分布：陕西（留坝、佛坪、宁陕），中国北方广布；俄罗斯，韩国，日本。

8. 锯形蜉属 _Serratella_ Edmunds，1959

（11）长茎锯形蜉 _Serratella longipennis_ Zhou，Su _et_ Gui，1997
　　分布：陕西（宁陕），中国北方广布。

（12）景洪锯形蜉 _Serratella jinghongensis_（Xu _et al._，1980）
　　分布：陕西（周至），秦岭以南广大地区。

9. 天角蜉属 _Uracanthella_ Belov，1979

（13）红天角蜉 _Uracanthella punctisetae_（Matsumura，1931）
　　分布：陕西（周至、佛坪），中国大部分地区；俄罗斯，朝鲜，日本。

10. 弯握蜉属 _Drunella_ Needham，1905

（14）石氏弯握蜉 _Drunella ishiyamana_ Matsumura，1931
　　分布：陕西（周至、华阴、留坝、佛坪、宁陕）；亚洲。

六、越南蜉科 Vietnamellidae

11. 越南蜉属 _Vietnamella_ Tshernova，1972

（15）中华越南蜉 _Vietnamella sinensis_（Hsu，1936）
　　分布：陕西（佛坪），中国中东部。

七、细蜉科 Caenidae

12. 细蜉属 _Caenis_ Stephens，1835

（16）中华细蜉 _Caenis sinensis_ Gui，Zhou _et_ Su，1999
　　分布：陕西（华阴）、北京、江苏、安徽、福建、贵州。

八、细裳蜉科 Leptophlebiidae

13. 宽基蜉属 _Choroterpes_ Eaton，1881

（17）面宽基蜉 _Choroterpes facialis_（Gillies，1951）
　　分布：陕西（华阴、佛坪）、甘肃、安徽、浙江、福建、香港、贵州；泰国。

（18）宜兴宽基蜉 _Choroterpes yixingensis_ Wu _et_ You，1989
　　分布：陕西（宁陕）、江苏、安徽、浙江、江西、湖南。

14.柔裳蜉属 *Habrophlebiodes* Ulmer，1920

（19）紫金柔裳蜉 *Habrophlebiodes zijinensis* You *et* Gui，1995
分布：陕西（佛坪）、江苏、浙江、福建。

15.拟细裳蜉属 *Paraleptophlebia* Lestage，1916

（20）奇异拟细裳蜉 *Paraleptophlebia magica* Zhou *et* Zheng，2003
分布：陕西（佛坪）、江苏、浙江、江西、四川。

九、河花蜉科 Potamanthidae

16.红纹蜉属 *Rhoenanthus* Eaton，1881

（21）尤氏红纹蜉 *Rhoenanthus youi*（Wu *et* You，1986）
分布：陕西（宝鸡、留坝），中国中部地区。

17.河花蜉属 *Potamanthus* Ulmer，1920

（22）大眼河花蜉 *Potamanthus macrophthalmus*（You，1984）
分布：陕西（周至、佛坪）、江西、福建、四川、云南。

十、蜉蝣科 Ephemeridae

18.蜉蝣属 *Ephemera* Linnaeus，1758

（23）徐氏蜉 *Ephemera hsui* Zhang，Gui *et* You，1995
分布：陕西（周至、留坝、佛坪、宁陕），秦岭以南广大地区。

（24）腹色蜉 *Ephemera pictiventris* McLachlan，1894
分布：陕西（周至）、宁夏、甘肃、湖北、四川、云南。

（25）梧州蜉 *Ephemera wuchowensis* Hsu，1937
分布：陕西（留坝、宁陕）、北京、河北、河南、甘肃、安徽、湖北、湖南、贵州。

（26）绢蜉 *Ephemera serica* Eaton，1871
分布：陕西（安康）、江苏、上海、安徽、浙江、江西、福建、广东、香港、贵州；
越南，日本。

蜻蜓目 Odonata

束翅亚目 Zygoptera

一、丽螈科 Philoganggidae

1. 丽螈属 *Philoganga* Kirby，1890

（1）瑛凤丽螈 *Philoganga robusta infanatua* Yang *et* Li，1994
　　分布：陕西（略阳）。

二、色螈科 Calopterygodae

2. 赤基色螈属 *Archineura* Kirby，1894

（2）赤基色螈 *Archineura incarnata*（Karsch，1891）
　　分布：陕西（略阳）、浙江、湖北、江西、湖南、福建、广东、广西、四川、贵州、
云南。

3. 小色螈属 *Caliphaea* Hagen，1859

（3）绿小色螈 *Caliphaea confuse* Hagen，1859
　　分布：陕西（凤县、留坝、汉中），河南、浙江、湖北、江西、广西、四川、贵州、
云南。

4. 色螈属 *Calopteryx* Leach，1815

（4）黑色螈 *Calopteryx atrata* Selys，1853
　　分布：陕西（留坝、宁陕、汉中），中国广布；俄罗斯，韩国，越南。

（5）蓝色螈 *Calopteryx oberthuri* Melachlan，1894
　　分布：陕西（宁陕）、广西、四川、云南。

5. 迷螈属 *Matrona* Selys，1853

（6）透顶迷螈 *Matrona basilaris* Selys，1853
　　分布：陕西（凤县、略阳、留坝、佛坪、洋县、城固），中国广布；日本，越南，老
挝，孟加拉国。

（7）黄翅迷螅 *Matrona oreades* **Hämäläinen, Yu *et* Zhang, 2011**
　　　分布：陕西（略阳、宁强、城固、商南）、甘肃、湖南、广西、四川、贵州。

6. 绿色螅属 *Mnais* Selys, 1853

（8）黄翅绿色螅 *Mnais tenuis* **Oguma, 1913**
　　　分布：陕西（留坝），中国中部与南部广布。

三、溪螅科 Euphaeidae

7. 尾溪螅属 *Bayadera* Selys, 1853

（9）巨齿尾溪螅 *Bayadera melanopteryx* **Ris, 1912**
　　　分布：陕西（凤县、略阳、汉中），中国中部与南部广布。

四、螅科 Coenagrionidae

8. 小螅属 *Agriocnemis* Selys, 1877

（10）杯斑小螅 *Agriocnemis femina* （**Brauer, 1868**）
　　　分布：陕西（凤县、洋县、汉中、汉阴、安康、旬阳），中国中南部广布；日本，印度，东南亚，澳大利亚。

（11）黄尾小螅 *Agriocnemis pygmaea* （**Rambur, 1842**）
　　　分布：陕西（凤县、安康、镇巴）、河南、江西、福建、台湾、广东、香港、四川；印度，东南亚，中东，澳大利亚，非洲。

9. 黄螅属 *Ceriagrion* Selys, 1876

（12）长尾黄螅 *Ceriagrion fallax* **Ris, 1914**
　　　分布：陕西（略阳、南郑、洋县、镇安、山阳）、河南、江西、福建、台湾、广东、四川、贵州；印度，孟加拉国。

（13）褐尾黄螅 *Ceriagrion rubiae* **Laidlaw, 1916**
　　　分布：陕西（汉中、洋县）、北京、河南、浙江、江西、福建、贵州；印度。

10. 绿螅属 *Enallagma* Charpentier, 1840

（14）心斑绿螅 *Enallagma cyathigerum* （**Charpentier, 1840**）
　　　分布：陕西（留坝、汉中）、内蒙古、宁夏、新疆、四川、西藏；欧洲，北美洲。

11. 异痣螅属 *Ischnura* Charpentier, 1840

(15) 长叶异痣螅 *Ischnura elegans* (Vander-linden, 1823)
分布：陕西(留坝、汉中、商洛、黄陵、榆林)、北京、天津、山西、河南、新疆、广东；印度，中亚，欧洲。

(16) 红痣异痣螅 *Ischnura rufostigma* Selys, 1876
分布：陕西(太白、佛坪、南郑、汉中、洋县、汉阴、安康、旬阳)、福建、广西、四川、贵州、云南；东南亚。

(17) 青纹异痣螅 *Ischnura senegalensis* (Rambur, 1842)
分布：陕西(太白)，中国中南部广布；日本，缅甸，印度，斯里兰卡，菲律宾，非洲西部。

12. 摩螅属 *Mortonagrion* Fraser, 1920

(18) 小月摩螅 *Mortonagrion selenion* (Ris, 1916)
分布：陕西(安康)、吉林、上海、台湾。

13. 尾螅属 *Paracercion* Weekers et Dumont, 2004

(19) 显突尾螅 *Paracercion barbatum* (Needham, 1930)
分布：陕西(汉中)、河北、山西、河南、江西、福建、四川、云南。

(20) 黄纹尾螅 *Paracercion hieroglyphicum* (Brauer, 1865)
分布：陕西(汉中)、天津、上海、江西、香港；朝鲜，韩国，日本。

(21) 七条尾螅 *Paracercion plagiosum* (Needham, 1930)
分布：陕西(宁陕)、吉林、北京、天津、河北；日本。

五、扇螅科 Platycnemididae

14. 丽扇螅属 *Calicnemia* Strand, 1928

(22) 朱氏丽扇螅 *Calicnemia zhuae* Zhang et Yang, 2008
分布：陕西(岚皋)。

15. 长腹扇螅属 *Coeliccia* Kirby, 1980

(23) 四斑长腹扇螅 *Coelieccia didyma* (Selys, 1863)
分布：陕西(洋县)、河南、四川、贵州、云南；东南亚。

(24) 六斑长腹扇螅 *Coeliccia sexmaculatus* Wang, 1994

　　　　分布：陕西（佛坪）、河南。

　　（25）韦氏长腹扇螅 *Coeliccia wilsoni* **Zhang** *et* **Yang，2011**
　　　　分布：陕西（南郑）、四川。

　　16．狭扇螅属 *Copera* **Kirby，1890**

　　（26）白狭扇螅 *Copera annulata*（**Selys，1863**）
　　　　分布：陕西（汉中）、北京，秦岭以南地区；韩国，日本。

　　17．扇螅属 *Platycnemis* **Burmeister，1839**

　　（27）白扇螅 *Platycnemis foliacea* **Selys，1886**
　　　　分布：陕西（留坝、汉中）、北京、天津、河北、山东、上海、浙江；日本。

六、丝螅科 Lestidae

　　18．印丝螅属 *Indolestes* **Fraser，1922**

　　（28）奇印丝螅 *Indolestes peregrinus*（**Ris，1916**）
　　　　分布：陕西（略阳、留坝）、浙江、湖北、江西、福建；日本。

　　19．丝螅属 *Lestes* **Leach，1815**

　　（29）桨尾丝螅 *Lestes sponsa*（**Hansemann，1823**）
　　　　分布：陕西（凤县）、黑龙江、吉林、新疆；欧亚大陆广布。

七、山螅科 Megapodagrionidae

　　20．凸尾山螅属 *Mesopodagrion* **McLachlan，1896**

　　（30）雅州凸尾山螅 *Mesopodagrion yacohwensis* **Chao，1953**
　　　　分布：陕西（留坝、宁陕）、河南、甘肃、浙江、四川。

　　21．华山螅属 *Sinocnemis* **Wilson** *et* **Zhou，2000**

　　（31）河南华山螅 *Sinocnemis henanensis* **Wang，2003**
　　　　分布：陕西（佛坪）、河南。

八、综螅科 Synlestidae

　　22．绿综螅属 *Megalestes* **Selys，1862**

　　（32）褐尾绿综螅 *Megalestes distans* **Needham，1930**

分布：陕西（汉中）、湖北、江西、广东、广西、四川、贵州；越南。

（33）细腹绿综蟌 *Megalestes micans* Needham, 1930

分布：陕西（留坝）、浙江、福建、四川、云南；越南。

差翅亚目 Anisoptera

九、蜓科 Aeschnidae

23. 伟蜓属 *Anax* Leach, 1815

（34）黑纹伟蜓 *Anax nigrofasciatus* Oguma, 1915

分布：陕西（留坝）；东亚。

（35）碧伟蜓 *Anax parthenope*（Selys, 1839）

分布：陕西（洋县），中国广布；欧亚大陆南部，非洲。

24. 头蜓属 *Cephalaeschna* Selys, 1883

（36）西乡头蜓 *Cephalaeschna xixiangensis* Zhang, 2013

分布：陕西（西乡）。

25. 长尾蜓属 *Gynacantha* Rambur, 1842

（37）日本长尾蜓 *Gynacantha japonica* Bartenef, 1909

分布：陕西（略阳、汉中、洋县）、福建、台湾、广东、香港、云南；韩国，日本。

（38）细腰长尾蜓 *Gynacantha subinterrupta* Rambur, 1842

分布：陕西（汉中）、福建、广东、海南、香港、广西、四川；东南亚。

26. 多棘蜓属 *Polycanthagyna* Fraser, 1933

（39）黄绿多棘蜓 *Polycanthagyna melanictera*（Selys, 1883）

分布：陕西（洋县、商南）、河南、浙江、台湾、香港、四川；日本。

十、裂唇蜓科 Chlorogomphidae

27. 华裂唇蜓属 *Chlorogomphus* Selys, 1854

（40）铃木华裂唇蜓 *Chlorogomphus suzukii*（Oguma, 1926）

分布：陕西（佛坪、洋县）、浙江、台湾；日本。

十一、大蜓科 Cordulegasteridae

28. 圆臀大蜓属 *Anotogaster* Selys，1854

（41）双斑圆臀大蜓 *Anotogaster kuchenbeiseri*（Foerster，1899）
分布：陕西（略阳、留坝、洋县）、北京、河北、山西、山东、河南、四川。

29. 角臀大蜓属 *Neallogaster* Cowley，1934

（42）周氏角臀蜓 *Neallogaster zhoui* Yang *et* Li，1994
分布：陕西（留坝、勉县、南郑）。

十二、春蜓科 Gomphidae

30. 异春蜓属 *Anisogomphus* Selys，1858

（43）马奇异春蜓 *Anisogomphus maacki*（Selys，1872）
分布：陕西（周至、镇安）、辽宁、内蒙古、河北、山西、河南、宁夏、湖北、四川、云南；朝鲜，日本。

31. 戴春蜓属 *Davidius* Selys，1878

（44）双角戴春蜓 *Davidius bicornutus* Selys，1878
分布：陕西（西安、留坝、宁陕）、北京；日本。

（45）赵氏戴春蜓 *Davidius chaoi* Cao *et* Zheng，1988
分布：陕西（凤县、留坝、宁陕）。

（46）戴氏戴春蜓陕西亚种 *Davidius davidius shaanxiensis* Zhu，Yang *et* Li，1988
分布：陕西（留坝）。

（47）方钩戴春蜓 *Davidius squarrosus* Zhu，1991
分布：陕西（元坝）。

（48）三角戴春蜓 *Davidius triangulus* Chao *et* Yang，1995
分布：陕西（镇巴、镇坪）。

（49）元坝戴春蜓 *Davidius yuanbaensis* Zhu，Yan *et* Li，1988
分布：陕西（元坝）。

32. 环尾春蜓属 *Lamelligomphus* Fraser，1922

（50）汉中环尾春蜓 *Lamelligomphus hanzhongensis* Yang *et* Zhu，2001
分布：陕西（汉中）。

（51）环纹环尾春蜓 *Lamelligomphus ringens*（Needham，1930）

分布：陕西（略阳、佛坪、洋县、汉中、石泉）、吉林、河北、山西、山东、河南、新疆、浙江、台湾、香港、广西、四川、贵州；朝鲜。

33. 新叶春蜓属 *Sinictinogomphus* Fraser，1939

（52）大团扇春蜓 *Sinictinogomphus clavatus*（Fabricius，1775）

分布：陕西（洋县）、浙江、湖北、江西、福建、广东、四川；朝鲜，日本，越南。

34. 华春蜓属 *Sinogomphus* May，1935

（53）修氏华春蜓 *Sinogomphus suensoni*（Lieftinck，1939）

分布：陕西（留坝、宁陕）、山西。

35. 棘尾春蜓属 *Trigomphus* Bartenev，1911

（54）斯氏棘尾春蜓 *Trigomphus svenhedini*（Sjoestedt，1933）

分布：陕西（留坝）、四川。

十三、伪蜻科 Corduliidae

36. 金光伪蜻属 *Somatochlora* Selys，1871

（55）矛尾金光伪蜻 *Somatochlora uchidai* Förster，1909

分布：陕西（周至、留坝、宁陕）、黑龙江、山西、河南、四川；日本。

十四、大蜻科 Macromiidae

37. 丽大蜻属 *Epophthalmia* Burmeister，1839

（56）闪蓝丽大蜻 *Epophthalmia elegans* Brauer，1865

分布：陕西（留坝），中国广布。

38. 弓蜻属 *Macromia* Rambur，1842

（57）北京弓蜻 *Macromia beijingensis* Zhu *et* Chen，2005

分布：陕西（汉中、石泉、汉阴）、北京。

十五、蜻科 Libellulidae

39．锥腹蜻属 *Acisoma* Rambur，1842

（58）锥腹蜻 *Acisoma panorpoides* Rambur，1842
　　分布：陕西（汉中），中国中部与南部广布；东南亚，非洲。

40．黄翅蜻属 *Brachythemis* Brauer，1868

（59）黄翅蜻 *Brachythemis contaminata*（Fabricius，1793）
　　分布：陕西（安康）、江苏、浙江、福建、台湾、广东、云南；印度，东南亚。

41．红蜻属 *Crocothemis* Brauer，1868

（60）红蜻 *Crocothemis servilia*（Drury，1773）
　　分布：陕西（略阳、汉中、洋县），中国广布；印度，东南亚，澳大利亚，欧洲。

42．多纹蜻属 *Deielia* Kirby，1889

（61）异色多纹蜻 *Deielia phaon*（Selys，1883）
　　分布：陕西（石泉），中国广布；日本，东南亚。

43．蜻属 *Libellula* Linnaeus，1758

（62）基斑蜻 *Libellula depressa* Linnaeus，1758
　　分布：陕西（宝鸡、留坝）、河南、新疆、四川、贵州；亚洲北部，欧洲。

44．宽腹蜻属 *Lyriothemis* Brauer，1868

（63）闪绿宽腹蜻 *Lyriothemis pachygastra*（Selys，1878）
　　分布：陕西（汉中），中国广布。

45．斑小蜻属 *Nannophyopsis* Lieftinck，1935

（64）膨腹斑小蜻 *Nannophyopsis clara*（Needham，1930）
　　分布：陕西（留坝、佛坪）、江苏、浙江、福建、台湾、海南、香港。

46．灰蜻属 *Orthetrum* Newman，1833

（65）白尾灰蜻 *Orthetrum albistylum*（Selys，1848）

分布：陕西（洋县、汉中），中国广布；古北区广布。

（66）褐肩灰蜻 *Orthetrum internum* Maclachlan, 1894

分布：陕西（洋县），中国广布；东亚广布。

（67）异色灰蜻 *Orthetrum melania*（Selys, 1883）

分布：陕西（略阳、留坝、洋县、汉中），中国广布；日本。

（68）狭腹灰蜻 *Orthetrum sabina*（Drury, 1770）

分布：陕西（略阳、洋县、汉中），中国广布；古北区广布。

（69）青灰蜻 *Orthetrum triangulare*（Selys, 1878）

分布：陕西（洋县）、河北、山西、河南、四川。

47．黄蜻属 *Pantala* **Hagen, 1861**

（70）黄蜻 *Pantala flavescens*（Fabricius, 1798）

分布：陕西广布，中国广布；东半球热带、亚热带地区广布。

48．玉带蜻属 *Pseudothemis* **Kirby, 1889**

（71）玉带蜻 *Pseudothemis zonata*（Burmeister, 1839）

分布：陕西（汉中），中国广布；日本。

49．赤蜻属 *Sympetrum* **Newman, 1833**

（72）夏赤蜻 *Sympetrum darwinianum*（Selys, 1883）

分布：陕西（汉中、西乡），中国广布。

（73）秋赤蜻 *Sympetrum depressiusculum*（Selys, 1841）

分布：陕西（丹凤）、北京、山西、河南、福建。

（74）竖眉赤蜻 *Sympetrum eroticum*（Selys, 1883）

分布：陕西（略阳、留坝、汉中、洋县），中国广布；东亚。

（75）褐顶赤蜻 *Sympetrum infuscatum*（Selys, 1883）

分布：陕西（洋县）、吉林、河南、浙江、江西、湖南、福建、四川；日本。

（76）里氏赤蜻 *Sympetrum risi* **Bartenef, 1914**

分布：陕西（留坝）、四川；东亚。

（77）双脉赤蜻 *Sympetrum ruptum* **Needham, 1930**

分布：陕西（太白、留坝）、山西、浙江、江西、福建、四川。

（78）陕西赤蜻 *Sympetrum shaanxiensis* **Zhang, 2012**

分布：陕西（留坝）。

50.斜痣蜻属 *Tramea* Hagen, 1861

（79）中华斜痣蜻 *Tramea virginia*（Rambur, 1842）

分布：陕西（周至、华县、汉中），中国中南部广布；印度，东南亚。

51.褐蜻属 *Trithemis* Brauer, 1868

（80）晓褐蜻 *Trithemis aurora*（Burmeister, 1839）

分布：陕西（宁陕、安康），中国中南部广布；印度，东南亚。

蜚蠊目 Blattodea

一、姬蠊科 Ectobiidae

1.亚蠊属 *Asiablatta* Asahina, 1985

（1）京都亚蠊 *Asiablatta kyotensis*（Asahina, 1976）

分布：陕西（周至）、辽宁、山东、江苏、上海、浙江、广西；韩国，日本。

二、地鳖蠊科 Corydiidae

2.地鳖属 *Polyphaga* Brullé, 1835

（2）冀地鳖 *Polyphaga plancyi* Bolívar, 1882

分布：陕西（周至、太白）。

三、隐尾蠊科 Cryptocercidae

3.隐尾蠊属 *Cryptocercus* Scudder, 1862

（3）角胸隐尾蠊 *Cryptocercus hirtus* Grandcolas *et* Bellés, 2005

分布：陕西（太白）、甘肃。

（4）宁陕隐尾蠊 *Cryptocercus ningshanensis* Che *et al.*, 2016

分布：陕西（宁陕）。

等翅目 Isoptera

一、鼻白蚁科 Rhinotermitidae

1. 散白蚁属 *Reticulitermes* Holmgren，1913

（1）尖唇散白蚁 *Reticulitermes aculabialis* Tsai *et* Hwang，1977
分布：陕西(西安)、河南、甘肃、江苏、安徽、浙江、湖北、江西、湖南、福建、广东、广西、四川、贵州、云南。

（2）扩头散白蚁 *Reticulitermes ampliceps* Wang *et* Li，1984
分布：陕西(太白、佛坪、洋县)、河南。

（3）周氏散白蚁 *Reticulitermes choui* Ping *et* Zhang，1989
分布：陕西(周至、太白)。

（4）黄胸散白蚁 *Reticulitermes flaviceps* (Oshima，1911)
分布：陕西(西安、略阳、留坝、勉县、佛坪、洋县、宁陕、安康、旬阳、柞水、镇安、山阳、丹凤)、江苏、浙江、江西、湖南、福建、台湾、广东、海南。

（5）圆唇散白蚁 *Reticulitermes labralis* Hsia *et* Fan，1965
分布：陕西(西安、蓝田、周至、户县、扶风、太白、凤县、华县、华阴、潼关、韩城、铜川)、山西、山东、河南、江苏、上海、安徽、浙江。

（6）似暗散白蚁 *Reticulitermes paralucifugus* Zhang *et* Ping，1989
分布：陕西(宁陕、旬阳、柞水、镇安、山阳、丹凤)。

2. Genus *Glyptotermes* Froggatt，1897

（7）*Glyptotermes shaanxiensis* Huang *et* Zhang，1986
分布：陕西(白河)。

襀翅目 Plecoptera

一、卷襀科 Leuctridae

1. 拟卷襀属 *Paraleuctra* Hanson，1941

（1）东方拟卷襀 *Paraleuctra orientalis* (Chu，1928)

分布：陕西(周至、宝鸡)、河南、甘肃、浙江、湖南、福建、四川、云南；俄罗斯。

2. 诺襀属 *Rhopalopsole* Klapálek，1912

(2) 端刺诺襀 *Rhopalopsole apicispina* Yang *et* Yang，1991

　　分布：陕西(宝鸡)、湖北。

(3) 基黑诺襀 *Rhopalopsole basinigra* Yang *et* Yang，1995

　　分布：陕西(周至、宝鸡)、浙江。

(4) 峨眉山诺襀 *Rhopalopsole emeishan* Sivec *et* Harper，2008

　　分布：陕西(宝鸡、宁陕)、四川。

(5) 叉突诺襀 *Rhopalopsole furcata* Yang *et* Yang，1994

　　分布：陕西(宝鸡、宁陕)、甘肃。

(6) 叉刺诺襀 *Rhopalopsole furcospina*（Wu，1973）

　　分布：陕西(宝鸡)、浙江、四川。

(7) *Rhopalopsole horvati* Sivec *et* Harper，2008

　　分布：陕西(秦岭)、四川。

(8) 嘉陵江诺襀 *Rhopalopsole jialingensis* Sivec *et* Harper，2008

　　分布：陕西(周至、宝鸡)。

(9) 秦岭诺襀 *Rhopalopsole qinlinga* Sivec *et* Harper，2008

　　分布：陕西(留坝)。

(10) 陕西诺襀 *Rhopalopsole shaanxiensis* Yang *et* Yang，1994

　　分布：陕西(宝鸡、宁陕)。

(11) 三尖诺襀 *Rhopalopsole tricuspis* Qian *et* Du，2012

　　分布：陕西(留坝)。

(12) 浙江诺襀 *Rhopalopsole zhejiangensis* Yang *et* Yang，1995

　　分布：陕西(周至)、浙江、江西。

二、叉襀科 Nemouridae

3. 倍叉襀属 *Amphinemura* Ris，1902

(13) 环形倍叉襀 *Amphinemura annulata* Du *et* Ji，2014

　　分布：陕西(周至、佛坪)、山西、宁夏、四川、贵州。

(14) 舌突倍叉襀 *Amphinemura lingulata* Du *et* Wang，2014

　　分布：陕西(周至、宝鸡)、四川。

(15) 细齿倍叉襀 *Amphinemura spinellosa* Du *et* Ji，2014

分布：陕西（周至、宝鸡、南郑）、四川、云南。

4. 中叉襀属 *Mesonemoura* Baumann, 1975

（16）膜质中叉襀 *Mesonemoura membranosa* Du et Zhou, 2007
分布：陕西（凤县、留坝）。

5. 叉襀属 *Nemoura* Latreille, 1796

（17）黑刺叉襀 *Nemoura atristrigata* Li et Yang, 2007
分布：陕西（宁陕）、河南。

（18）陆氏叉襀 *Nemoura lui* Du et Zhou, 2008
分布：陕西（秦岭）、河南、四川。

（19）大刺叉襀 *Nemoura magnispina* Du et Zhou, 2008
分布：陕西（宝鸡、宁陕）、河南、宁夏、四川。

（20）细钩叉襀 *Nemoura meniscata* Li et Yang, 2007
分布：陕西（秦岭）、河南。

（21）乳突叉襀 *Nemoura papilla* Okamoto, 1922
分布：陕西（周至、宝鸡）、河南、宁夏、甘肃、四川；俄罗斯，日本。

（22）斧状叉襀 *Nemoura securigera* Klapálek, 1907
分布：陕西（秦岭）。

（23）有刺叉襀 *Nemoura spinosa* Wu, 1940
分布：陕西（秦岭）、贵州、云南；印度。

6. 原叉襀属 *Protonemura* Kempny, 1898

（24）指突原叉襀 *Protonemura macrodactyla* Du et Zhou, 2007
分布：陕西（秦岭）、宁夏、甘肃、湖北。

三、扁襀科 Peltoperlidae

7. 刺扁襀属 *Cryptoperla* Needham, 1909

（25）尖刺刺扁襀 *Cryptoperla stilifera* Sivec, 1995
分布：陕西（眉县、宁陕）、河南、甘肃、江西、湖南、福建、贵州。

8. 小扁襀属 *Microperla* Chu, 1928

（26）翘叶小扁襀 *Microperla retroloba*（Wu, 1937）

　　　　分布：陕西(周至、宝鸡、太白、宁陕、丹凤)、甘肃、河南、湖北。

四、绿襀科 Chloroperlidae

9. 异襀属 *Alloperla* Banks，1906

(27) 竖刺异襀 *Alloperla erectospina* Wu，1938
　　　　分布：陕西(宝鸡、富县)、甘肃、湖北、四川。

10. 简襀属 *Haploperla* Navás，1934

(28) 周氏简襀 *Haploperla choui* Li *et* Yao，2013
　　　　分布：陕西(宁陕)。

11. 长绿襀属 *Sweltsa* Ricker，1943

(29) 长突长绿襀 *Sweltsa longistyla* (Wu，1938)
　　　　分布：陕西(周至、宝鸡、宁陕)、河南、甘肃、湖北。

五、襀科 Perlidae

12. 钮襀属 *Acroneuria* Pictet，1841

(30) 多锥钮襀 *Acroneuria multiconata* Du *et* Chou，2000
　　　　分布：陕西(周至、眉县、宁陕)、甘肃。

13. 梵襀属 *Brahmana* Klapálek，1914

(31) 黄边梵襀 *Brahmana flavomarginata* Wu，1962
　　　　分布：陕西(周至、宁陕)、广西、云南。

14. 钩襀属 *Kamimuria* Klapálek，1907

(32) 陈氏钩襀 *Kamimuria cheni* Wu，1948
　　　　分布：陕西(长安、周至、眉县)、福建、广西、四川。
(33) 终南山钩襀 *Kamimuria chungnanshana* Wu，1938
　　　　分布：陕西(长安、宁陕)。
(34) 刘氏钩襀 *Kamimuria liui* (Wu，1941)
　　　　分布：陕西(周至、宁陕)、湖北、广西、四川、贵州、云南、西藏。
(35) 王氏钩襀 *Kamimuria Wangi* Du，2012

分布：陕西（宝鸡、太白）。

15．扣襀属 *Kiotina* Klapálek, 1907

（36）黄色扣襀 *Kiotina biocellata*（Chu, 1929）
分布：陕西（眉县、凤县）、浙江、湖北、江西、福建、广西、四川、贵州、云南。

16．新襀属 *Neoperla* Needham, 1905

（37）短囊新襀 *Neoperla breviscrotata* Du, 1999
分布：陕西（佛坪、汉中）、山东、安徽、福建、贵州。

（38）卡氏新襀 *Neoperla cavaleriei*（Navás, 1922）
分布：陕西（秦岭）、台湾、广东、贵州、云南；越南，泰国。

（39）浅黄新襀 *Neoperla flavescens* Chu, 1929
分布：陕西（秦岭）、浙江、福建。

（40）钳突新襀 *Neoperla forcipata* Yang *et* Yang, 1992
分布：陕西（秦岭）、湖南、湖北。

（41）大斑新襀 *Neoperla latamaculata* Du, 2005
分布：陕西（周至、宁陕）、湖北。

（42）师周新襀 *Neoperla magisterchoui* Du, 2000
分布：陕西（宁陕）。

（43）茂兰新襀 *Neoperla maolanensis* Yang *et* Yang, 1993
分布：陕西（宁陕）、贵州。

（44）秦岭新襀 *Neoperla qinlingensis* Du, 1999
分布：陕西（宝鸡）。

（45）太白新襀 *Neoperla taibaina* Du, 2005
分布：陕西（太白山）、湖北。

17．纯襀属 *Paragnetina* Klapálek, 1907

（46）黄头纯襀 *Paragnetina ochrocephala* Klapálek, 1921
分布：陕西（秦岭）、广西、贵州、云南；越南，缅甸。

18．拟襀属 *Perlesta* Banks, 1906

（47）赵氏拟襀 *Perlesta chaoi* Wu, 1947
分布：陕西（宝鸡）、甘肃、福建。

19．瘤襀属 *Tyloperla* Sivec *et* Stark，1988

（48）双凹瘤襀 *Tyloperla bihypodroma* Du，2007
分布：陕西（佛坪）。

六、网襀科 Perlodidae

20．同襀属 *Isoperla* Banks，1906

（49）弯刺同襀 *Isoperla curvispina* Wu，1938
分布：陕西（安康）、吉林。

21．新胡襀属 *Neowuia* Li *et* Murányi，2017

（50）秦岭新胡襀 *Neowuia qinlinga* Li *et* Murányi，2017
分布：陕西（宁陕）。

螳螂目 Mantodea

一、花螳科 Hymenopodidae

1．齿螳属 *Odontomantis* Saussure，1871

（1）凹额齿螳 *Odontomantis foveafrons* Zhang，1985
分布：陕西（秦岭）、甘肃、四川。
（2）郑氏齿螳 *Odontomantis zhengi*（Ren *et* Wang，1994）
分布：陕西（宁陕）。

二、螳科 Mantidae

2．斧螳属 *Hierodula* Burmeister，1838

（3）广斧螳 *Hierodula patellifera*（Serville，1839）
分布：陕西（长安、华阴）、北京、河北、山东、江苏、上海、浙江、福建、广东、海南、四川、贵州；日本，菲律宾，印度尼西亚，中美洲。

3. 薄翅螳属 *Mantis* Linnaeus，1758

（4）薄翅螳 *Mantis religiosa* Linnaeus，1758
　　分布：陕西（眉县）、黑龙江、吉林、辽宁、北京、河北、山西、山东、河南、新疆、江苏、上海、福建、广东、海南、四川、云南；欧洲，非洲，澳大利亚。

4. 屏顶螳属 *Phyllothelys* Wood-Mason，1877

（5）壮屏顶螳 *Phyllothelys robusta* Niu *et* Liu，1998
　　分布：陕西（秦岭）、河南。

（6）陕西屏顶螳 *Phyllothelys shaanxiense* Yang，1999
　　分布：陕西（眉县、宁陕）、山西、河南。

5. 静螳属 *Statilia* Stål，1877

（7）棕静螳 *Statilia maculata*（Thunberg *et* Lundahl，1784）
　　分布：陕西（长安）、北京、山东、上海、安徽、浙江、江西、湖南、福建、台湾、广东、海南、广西、重庆、四川、贵州、云南、西藏；东亚，东南亚。

（8）杨氏静螳 *Statilia yangi* Niu，Hou *et* Zheng，2005
　　分布：陕西（周至）。

6. 刀螳属 *Tenodera* Burmeister，1838

（9）枯叶大刀螳 *Tenodera aridifolia*（Stoll，1813）
　　分布：陕西（商洛）、江苏、浙江、福建、广东、海南、广西、四川、贵州、云南、西藏；东南亚。

（10）中华大刀螳 *Tenodera sinensis* Saussure，1871
　　分布：陕西（长安）、辽宁、北京、山东、江苏、上海、安徽、浙江、湖北、江西、福建、台湾、广东、广西、四川、贵州、西藏；朝鲜，日本，美国。

革翅目 Dermaptera

一、蠼螋科 Labiduridae

1. 蠼螋属 *Labidura* Lench，1815

（1）蠼螋 *Labidura riparia*（Pallas，1773）

分布：陕西(秦岭)、黑龙江、吉林、辽宁、河北、山西、山东、河南、宁夏、甘肃、江苏、湖北、江西、湖南、四川；亚洲，欧洲，非洲北部，美国。

二、球螋科 Forficulidae

2. 异螋属 *Allodahlia* Verhoef，1902

(2) 异螋 *Allodahlia scabriuscula*(Serville，1839)
分布：陕西(宁陕、佛坪)、甘肃、湖南、湖南、台湾、广东、广西、四川、云南、西藏；越南，缅甸，印度，不丹，印度尼西亚。

3. 张球螋属 *Anechura* Scudder，1876

(3) 日本张球螋 *Anechura japonica*(Bormans，1880)
分布：陕西(宝鸡)、吉林、河北、山西、山东、宁夏、甘肃、浙江、湖北、江西、湖南、福建、广西、四川、西藏；俄罗斯，朝鲜，日本。

(4) 直铗张球螋 *Anechura rectiforcipata* Zhang *et* Yang，1988
分布：陕西(户县)、湖北。

4. 敬螋属 *Cordax* Burr，1910

(5) 单齿敬螋 *Cordax unidentatus*(Borelli，1915)
分布：陕西(秦岭)、山西、浙江、江西、湖南、福建、台湾、广东、广西、贵州、云南。

5. 慈螋属 *Eparchus* Burr，1907

(6) 杜慈螋 *Eparchus dux*(Bormans，1894)
分布：陕西(秦岭)、福建、云南；朝鲜，日本。

6. 球螋属 *Forficula* Linnaeus，1758

(7) 质球螋 *Forficula ambigua* Burr，1904
分布：陕西(秦岭)、湖南、福建、台湾、云南；越南，印度。

(8) 曲囊球螋 *Forficula curvivesica* Ma *et* Chen，1992
分布：陕西(秦岭)、湖南、四川。

(9) 达球螋 *Forficula davidi* Burr，1905
分布：陕西(秦岭)、河北、山西、山东、宁夏、甘肃、湖北、湖南、四川、云南、西藏。

（10）齿球螋 *Forficula mikado* Burr，1904

分布：陕西（户县、宝鸡）、黑龙江、吉林、辽宁、甘肃、湖北、四川；朝鲜，日本。

（11）辉球螋 *Forficula spelendida* Bey-Bienko，1933

分布：陕西（秦岭）、甘肃、湖北、四川，云南。

（12）迭球螋 *Forficula vicaria* Semenov，1902

分布：陕西（洋县）、黑龙江、吉林、辽宁、内蒙古、河北、山东、江苏、湖北、四川、云南、西藏；蒙古，俄罗斯，朝鲜，日本。

7．绔螋属 *Kosmetor* Burr，1907

（13）威绔螋 *Kosmetor vishnu*（Burr，1904）

分布：陕西（秦岭）、云南；印度。

（14）札幌绔螋 *Kosmetor yezoensis*（Matsumura *et* Shiraki，1905）

分布：陕西（留坝）；朝鲜，日本。

8．山球螋属 *Oreasiobia* Semenov，1936

（15）中华山球螋 *Oreasiobia chinensis* Steinmann，1974

分布：陕西（宁陕、佛坪）、甘肃、湖北、湖南、福建、四川、贵州。

9．乔螋属 *Timomenus* Burr，1907

（16）耳乔螋 *Timomenus amblyotus* Ma *et* Chen，1992

分布：陕西（秦岭）、湖北、湖南、四川。

直翅目 Orthoptera

Ⅰ．蜢总科 Eumastacoidea

一、枕蜢科 Episactidae

1．比蜢属 *Pielomastax* Chang，1937

（1）枝尾比蜢 *Pielomastax cladopygidium* Lin，Zheng，Yang *et* Xu，2014

分布：陕西（华县）。

（2）细尾比蜢 *Pielomastax tenuicerca* Hsia *et* Liu，1989

分布：陕西、湖北。

Ⅱ. 蝗总科 Acridoidea

二、锥头蝗科 Pyrgomorphidae

2. 负蝗属 *Atractomorpha* Saussure，1862

（3）纺梭负蝗 *Atractomorpha burri* Bolívar，1905
分布：陕西（白河）、广东、广西、四川、云南；越南，泰国，缅甸，印度，尼泊尔，不丹，马来西亚群岛。

（4）长额负蝗 *Atractomorpha lata*（Motschoulsky，1866）
分布：陕西（西安、长安、户县、武功、宝鸡、安康、白河）、北京、河北、山东、上海、湖北、广东、广西；朝鲜，日本。

（5）柳枝负蝗 *Atractomorpha psittacina*（De Haan，1842）
分布：陕西（西安、长安、蓝田、户县、华阴、宝鸡、安康、旬阳）、四川、贵州、云南；泰国，缅甸，印度，巴基斯坦，菲律宾，马来西亚，印度尼西亚。

（6）令箭负蝗 *Atractomorpha sagittaris* Bi et Hsia，1981
分布：陕西（宁陕、旬阳）、北京、河北、上海、福建、四川。

（7）短额负蝗 *Atractomorpha sinensis* Bolívar，1905
分布：陕西（全省广布）、北京、河北、山西、山东、河南、甘肃、青海、江苏、上海、安徽、浙江、湖北、江西、湖南、福建、台湾、广东、广西、四川、贵州、云南；日本，越南。

三、斑腿蝗科 Catantopidae

3. 胸斑蝗属 *Apalacris* Walker，1870

（8）异角胸斑蝗 *Apalacris varicornis* Walker，1870
分布：陕西（凤县、略阳、留坝、勉县、汉中、安康、旬阳、商南）、安徽、湖南、福建、广东、四川、贵州。

4. 星翅蝗属 *Calliptamus* Audinet-Serville，1831

（9）短星翅蝗 *Calliptamus abbreviatus* Ikonnikov，1913
分布：陕西（西安、长安、蓝田、周至、户县、太白、佛坪、汉中、洋县、宁陕、安康、镇安、洛南、商南）、黑龙江、吉林、辽宁、内蒙古、河北、山西、山东、甘肃、江苏、安徽、浙江、江西、广东、四川、贵州；蒙古北部，俄罗斯，朝鲜。

5. 斑腿蝗属 *Catantops* Schaum, 1853

（10）红褐斑腿蝗 *Catantops pinguis*（Stål, 1860）
分布：陕西（安康、旬阳、镇安、商南）、河北、江苏、湖北、江西、福建、台湾、广东、广西、四川、贵州、云南、西藏；日本，缅甸，印度，斯里兰卡。

6. 棉蝗属 *Chondracris* Uvarov, 1923

（11）棉蝗 *Chondracris rosea*（de Geer, 1773）
分布：陕西（西安、长安、蓝田、华阴、安康、旬阳、柞水、镇安、洛南、商南）、内蒙古、河北、山东、江苏、浙江、湖北、湖南、福建、台湾、广东、海南、广西、四川、贵州、云南。

7. 腹露蝗属 *Fruhstorferiola* Willemse, 1921

（12）华阴腹露蝗 *Fruhstorferiola huayinensis* Bi et Xia, 1980
分布：陕西（长安、华阴）。

（13）峨眉腹露蝗 *Fruhstorferiola omei*（Rehn et Rehn, 1939）
分布：陕西（长安、周至、户县、华阴、太白、佛坪、洋县、宁陕、安康、柞水）、河南、甘肃、四川。

8. 蔗蝗属 *Hieroglyphus* Krauss, 1877

（14）斑角蔗蝗 *Hieroglyphus annulicornis*（Shiraki, 1910）
分布：陕西（安康、商南）、河北、山东、江苏、安徽、浙江、湖北、江西、福建、台湾、广东、广西、四川、云南；日本，越南，泰国，印度。

9. 稻蝗属 *Oxya* Audinet-Serville, 1831

（15）无齿稻蝗 *Oxya adentata* Willemse, 1925
分布：陕西（长安、佛坪）、内蒙古、山西、宁夏、甘肃。

（16）山稻蝗 *Oxya agavisa* Tsai, 1931
分布：陕西（凤县、佛坪、石泉、洛南）、江苏、上海、安徽、浙江、湖北、江西、湖南、福建、广东、广西、四川、贵州、云南。

（17）端带稻蝗 *Oxya apicocingula* Ma, Guo et Zheng, 1994
分布：陕西（安康）、四川。

（18）中华稻蝗 *Oxya chinensis*（Thunberg, 1815）

分布：陕西（西安、长安、蓝田、户县、眉县、汉中、石泉、宁陕、安康、旬阳、商南）、黑龙江、吉林、辽宁、内蒙古、北京、天津、河北、山西、山东、河南、江苏、上海、安徽、浙江、湖北、江西、湖南、福建、台湾、广东、广西、四川；朝鲜，日本，越南，泰国。

（19）小稻蝗 *Oxya intricata*（Stål, 1861）

分布：陕西（西安、长安、蓝田、周至、户县、凤县、汉中、石泉、安康、商南）、山东、江苏、上海、安徽、浙江、湖北、江西、湖南、福建、台湾、广东、香港、广西、贵州、云南、西藏；琉球群岛，越南，泰国，新加坡，菲律宾，马来西亚，印度尼西亚。

（20）日本稻蝗 *Oxya japonica*（Thunberg, 1815）

分布：陕西（略阳、勉县、佛坪、汉中、城固、洋县）、河北、山东、江苏、浙江、湖北、台湾、广东、广西、四川、西藏；日本，越南，泰国，缅甸，印度，斯里兰卡，巴基斯坦，新加坡，菲律宾，马来西亚。

（21）上海稻蝗 *Oxya shanghaiensis* Willemse, 1925

分布：陕西（西安、长安、蓝田、户县、华阴、宝鸡、太白、勉县、汉中、城固、安康）、河南、甘肃、江苏、上海、浙江、福建、四川、贵州、云南。

（22）长翅稻蝗 *Oxya velox*（Fabricius, 1787）

分布：陕西（勉县、汉中、城固、宁陕、汉阴、安康、旬阳）、云南、西藏；泰国，缅甸，印度，孟加拉国，巴基斯坦。

10．黄脊蝗属 *Patanga* Uvarov, 1923

（23）日本黄脊蝗 *Patanga japonica*（Bolívar, 1898）

分布：陕西（长安、周至、佛坪、汉中、石泉、宁陕、安康、旬阳、柞水、镇安、山阳、洛南）、辽宁、山东、河南、甘肃、江苏、安徽、浙江、湖北、江西、湖南、福建、台湾、广东、广西、重庆、四川、贵州、云南、西藏；朝鲜，日本，印度，伊朗。

11．小蹦蝗属 *Pedopodisma* Zheng, 1980

（24）佛坪小蹦蝗 *Pedopodisma fopingensis* Zheng *et* Huo, 2000

分布：陕西（佛坪）。

（25）突眼小蹦蝗 *Pedopodisma protrocula* Zheng, 1980

分布：陕西（宁陕、汉阴、安康、柞水、镇安、商南）、甘肃。

（26）秦岭小蹦蝗 *Pedopodisma tsinlingensis*（Cheng, 1974）

分布：陕西（长安、周至、华阴、洛南）。

12．秦岭蝗属 *Qinlingacris* Yin *et* Chou，1979

（27）周氏秦岭蝗 *Qinlingacris choui* Li，Feng *et* Wu，1991
分布：陕西（宁陕）。

（28）橄榄秦岭蝗 *Qinlingacris elaeodes* Yin *et* Chou，1979
分布：陕西（太白山）。

（29）太白秦岭蝗 *Qinlingacris taibaiensis* Yin *et* Chou，1979
分布：陕西（太白山）。

13．素木蝗属 *Shirakiacris* Dirsh，1957

（30）长翅素木蝗 *Shirakiacris shirakii*（Bolívar，1914）
分布：陕西（西安、长安、周至、户县、华阴、汉中、城固、洋县、石泉、安康、旬阳、白河、商南）、河北、山东、河南、甘肃、江苏、安徽、浙江、江西、福建、广东、广西、四川；俄罗斯，朝鲜，日本，泰国，印度（阿萨姆邦），克什米尔地区。

（31）云贵素木蝗 *Shirakiacris yunkweiensis*（Chang，1937）
分布：陕西（周至、户县、太白、勉县、佛坪、汉中、城固、洋县、安康）、四川、贵州、云南。

14．蹦蝗属 *Sinopodisma* Chang，1940

（32）霍山蹦蝗 *Sinopodisma houshana* Huang，1982
分布：陕西（宁陕）、河南、安徽、湖北。

15．直斑腿蝗属 *Stenocatantops* Dirsh，1953

（33）短角直斑腿蝗 *Stenocatantops mistshenkoi* Willemse F.，1968
分布：陕西（蓝田、周至、户县、太白、凤县、略阳、留坝、佛坪、洋县、宁陕、石泉、汉阴、安康、旬阳、商洛、商南）、江苏、安徽、浙江、湖北、江西、福建、台湾、广东、广西、四川。

16．凸额蝗属 *Traulia* Stål，1873

（34）透翅凸额蝗 *Traulia hyalinala* Zheng *et* Huo，1999
分布：陕西（佛坪）。

（35）四川凸额蝗 *Traulia szetschuanensis* Ramme，1941
分布：陕西（旬阳）、甘肃、湖北、四川、云南、贵州。

17．外斑腿蝗属 *Xenocatantops* Dirsh，1953

（36）短角异斑腿蝗（短角外斑腿蝗）*Xenocatantops brachycerus*（Willemse C.，1932）

分布：陕西（长安、蓝田、周至、户县、华阴、眉县、留坝、汉中、宁陕、石泉、安康、旬阳、柞水、镇安、洛南、商南）、河北、甘肃、江苏、浙江、湖北、福建、台湾、广东、四川、贵州、云南、西藏；印度北部，尼泊尔，不丹。

四、斑翅蝗科 Oedipodidae

18．绿纹蝗属 *Aiolopus* Fieber，1853

（37）暗边绿纹蝗 *Aiolopus morulimarginis* Zheng *et* Sun，2008
分布：陕西（西安）。

（38）花胫绿纹蝗 *Aiolopus thalassinus tamulus*（Fabricius，1798）
分布：陕西（西安、长安、华县、华阴、汉中、洋县、宁强、宁陕、安康、旬阳、柞水、山阳、商南）、辽宁、河北、宁夏、甘肃、台湾、海南、四川、贵州、云南、西藏；缅甸，印度，斯里兰卡，东南亚，大洋洲。

19．异痂蝗属 *Bryodemella* Yin，1982

（39）轮纹异痂蝗 *Bryodemella tuberculatum dilutum*（Stoll，1813）
分布：陕西（西安、长安、蓝田、周至、户县、宝鸡、凤县、华阴、留坝、勉县、汉中、城固、佛坪、安康、商洛、商南）、黑龙江、吉林、辽宁、内蒙古、河北、山西、山东、青海、新疆；蒙古，俄罗斯。

20．赤翅蝗属 *Celes* Saussure，1884

（40）小赤翅蝗 *Celes skalozubovi* Adelung，1906
分布：陕西（佛坪）、黑龙江、吉林、辽宁、山西、宁夏、甘肃、青海、四川；蒙古，俄罗斯。

21．尖翅蝗属 *Epacromius* Uvarov，1942

（41）大垫尖翅蝗 *Epacromius coerulipes*（Ivanov，1888）
分布：陕西（西安、长安、蓝田、周至、户县、宝鸡、太白、凤县、华县、华阴、略阳、留坝、勉县、汉中、城固、宁强、石泉、安康）、黑龙江、吉林、辽宁、内蒙古、河北、山西、山东、河南、宁夏、甘肃、青海、新疆、江苏、安徽；俄罗斯，日本。

（42）甘蒙尖翅蝗 *Epacromius tergestinus extimus* **Bey-Bienko, 1951**

分布：陕西（西安、周至、华县）、吉林、内蒙古、甘肃、青海。

22. 异距蝗属 *Heteropternis* Stål, 1873

（43）方异距蝗 *Heteropternis respondens*（**Walker, 1859**）

分布：陕西（佛坪、宁陕、安康、柞水、镇安）、甘肃、江苏、浙江、湖北、江西、福建、台湾、广东、海南、广西、四川、贵州、云南；日本，泰国，缅甸，印度，尼泊尔，孟加拉国，斯里兰卡，菲律宾，马来西亚，印度尼西亚。

23. 车蝗属 *Gastrimargus* Saussure, 1884

（44）云斑车蝗 *Gastrimargus marmoratus*（**Thunberg, 1815**）

分布：陕西（长安、蓝田、周至、户县、凤县、略阳、留坝、汉中、城固、洋县、佛坪、宁陕、石泉、安康、旬阳、柞水、镇安、洛南、商南）、山东、江苏、浙江、福建、广东、海南、香港、广西、重庆、四川；朝鲜，日本，越南，泰国，缅甸，印度，菲律宾，马来西亚，印度尼西亚。

24. 飞蝗属 *Locusta* Linnaeus, 1758

（45）东亚飞蝗 *Locusta migratoria manilensis*（**Meyen, 1835**）

分布：陕西（长安、蓝田、周至、户县、华县、华阴、留坝、汉中、洋县、西乡、佛坪、宁陕、石泉、安康、柞水、商洛），中国广布。

25. 小车蝗属 *Oedaleus* Fieber, 1853

（46）亚洲小车蝗 *Oedaleus asiaticus* **Bey-Bienko, 1941**

分布：陕西（秦岭）、内蒙古、北京、河北、山东、宁夏、甘肃、青海；蒙古，俄罗斯。

（47）黄胫小车蝗 *Oedaleus infernalis* **Saussure, 1884**

分布：陕西（西安、长安、周至、华县、汉中、柞水、商南）、黑龙江、吉林、内蒙古、北京、河北、山西、山东、宁夏、甘肃、青海、江苏；蒙古，俄罗斯，韩国，日本。

（48）红胫小车蝗 *Oedaleus manjius* **Chang, 1939**

分布：陕西（凤县、略阳、留坝、勉县、汉中、城固、洋县、佛坪、宁陕、石泉、安康、旬阳、柞水、镇安、商洛、商南）、甘肃、江苏、浙江、湖北、福建、海南、广西、四川。

26. 草绿蝗属 *Parapleurus* Fischer, 1853

(49) 草绿蝗 *Parapleurus alliaceus* (Germar, 1817)

分布: 陕西(太白、洋县)、黑龙江、河北、甘肃、新疆、湖南、四川; 俄罗斯, 朝鲜, 日本, 中亚地区, 欧洲。

27. 踵蝗属 *Pternoscirta* Saussure, 1884

(50) 黄翅踵蝗 *Pternoscirta caliginosa* (De Haan, 1842)

分布: 陕西(蓝田、周至、户县、安康、旬阳、商南)、江苏、安徽、浙江、福建、广东、广西、四川、贵州、云南。

(51) 红翅踵蝗 *Pternoscirta sauteri* (Karny, 1915)

分布: 陕西(略阳、勉县、柞水、镇安、商洛、商南)、河南、江苏、安徽、浙江、福建、台湾、广东、广西、四川、贵州、云南。

28. 束颈蝗属 *Sphingonotus* Fieber, 1852

(52) 直纹束颈蝗 *Sphingonotus striatus* Xu *et* Zheng, 2007

分布: 陕西(柞水)。

(53) 秦岭束颈蝗 *Sphingonotus tsinjingensis* Zheng, Tu *et* Liang, 1963

分布: 陕西(长安、周至、凤县、华县)。

(54) 张氏束颈蝗 *Sphingonotus zhangi* Xu *et* Zheng, 2007

分布: 陕西(柞水)。

29. 疣蝗属 *Trilophidia* Stål, 1873

(55) 疣蝗 *Trilophidia annulata* (Thunberg, 1815)

分布: 陕西(全省广布)、黑龙江、吉林、辽宁、内蒙古、河北、山东、宁夏、甘肃、江苏、安徽、浙江、江西、福建、广东、广西、四川、贵州、云南、西藏; 朝鲜, 日本, 印度。

五、网翅蝗科 Acrypteridae

30. 网翅蝗属 *Arcyptera* Serville, 1838

(56) 隆额网翅蝗 *Arcyptera coreana* Shiraki, 1930

分布: 陕西(西安、长安、蓝田、周至、户县、宝鸡、太白、凤县、略阳、留坝、勉县、佛坪、镇安)、黑龙江、吉林、辽宁、内蒙古、河北、山东、甘肃、江苏、江西、四川；朝鲜。

31．坳蝗属 *Aulacobothrus* Bolívar，1902

（57）斑坳蝗 *Aulacobothrus luteipes*（Walker，1871）

分布：陕西（佛坪、宁陕、安康、旬阳、柞水、镇安、商南）、山东。

（58）无斑坳蝗 *Aulacobothrus svenhedini* Sjöstedt，1933

分布：陕西（安康、柞水、商洛）、山东。

32．竹蝗属 *Ceracris* Walker，1870

（59）大青脊竹蝗 *Ceracris nigricornis laeta*（Bolívar，1914）

分布：陕西（略阳、佛坪、宁陕）、广西、四川、贵州、云南。

（60）青脊竹蝗 *Ceracris nigricornis nigricornis* Walker，1870

分布：陕西（蓝田、周至、户县、太白、佛坪、宁陕、石泉、安康、镇安、商南）、甘肃、广西、四川、贵州、云南。

33．雏蝗属 *Chorthippus* Fieber，1852

（61）白纹雏蝗 *Chorthippus albonemus* Zheng *et* Tu，1964

分布：陕西（西安、咸阳、宝鸡、华县）、宁夏、甘肃、青海。

（62）宽前域雏蝗 *Chorthippus amplicosta* Zheng *et* Zeng，2009

分布：陕西（宁陕）。

（63）宽中域雏蝗 *Chorthippus amplimedius* Zheng *et* Li，1996

分布：陕西（宁陕）、湖北。

（64）华北雏蝗 *Chorthippus brunneus huabeiensis* Xia *et* Jin，1982

分布：陕西（商洛、商南）、黑龙江、吉林、辽宁、内蒙古、北京、河北、山西、宁夏、甘肃、青海、新疆、西藏。

（65）中华雏蝗 *Chorthippus chinensis* Tarbinsky，1927

分布：陕西（长安、周至、户县、眉县、太白、华阴、留坝、汉中、佛坪、洋县、宁陕、山阳、洛南、商南）、甘肃、四川、贵州。

（66）北方雏蝗 *Chorthippus hammarstroemi*（Miram，1906）

分布：陕西（周至、宝鸡、太白、留坝、佛坪、宁陕）、黑龙江、北京、河北、山西、山东、宁夏、甘肃。

（67）夏氏雏蝗 *Chorthippus hsiai* Cheng *et* Tu，1964

分布：陕西（西安、宝鸡、华县）、宁夏、甘肃、青海。

（68）东方雏蝗 *Chorthippus intermedius*（Bey-Bienko，1926）

分布：陕西（周至、太白、留坝、佛坪、宁陕）、黑龙江、吉林、辽宁、内蒙古、河北、山西、宁夏、甘肃、青海、四川、西藏；蒙古，俄罗斯。

（69）楼观雏蝗 *Chorthippus louguanensis* **Cheng *et* Tu, 1964**

分布：陕西（长安、周至、太白、佛坪、宁陕）、宁夏、甘肃。

（70）青藏雏蝗 *Chorthippus qingzangensis* **Yin, 1984**

分布：陕西（留坝）、黑龙江、内蒙古、山西、宁夏、甘肃、青海、新疆、西藏。

（71）神木雏蝗 *Chorthippus shenmuensis* **Zheng *et* Ren, 1993**

分布：陕西（神木）。

（72）太白雏蝗 *Chorthippus taibaiensis* **Zheng *et al.*, 2009**

分布：陕西（太白）、甘肃。

（73）吴旗雏蝗 *Chorthippus wuqiensis* **Wang *et* Zheng, 2006**

分布：陕西（吴旗）。

34．暗蝗属 *Dnopherula* **Karsch, 1896**

（74）无斑暗蝗 *Dnopherula svenhedini*（**Sjöstedtt, 1933**）

分布：陕西（秦岭）、河南、江西、四川、云南；泰国。

35．斜窝蝗属 *Epacromiacris* **Willemse, 1933**

（75）条纹斜窝蝗 *Epacromiacris virgatus* **Xu *et al.*, 2008**

分布：陕西（安康）。

36．异爪蝗属 *Euchorthippus* **Tarbinsky, 1926**

（76）邱氏异爪蝗 *Euchorthippus cheui* **Hsia, 1965**

分布：陕西（太白）、内蒙古、宁夏、甘肃。

（77）周氏异爪蝗 *Euchorthippus choui* **Zheng, 1980**

分布：陕西（宁陕）。

（78）秦岭异爪蝗 *Euchorthippus qinlingensis* **Zheng *et* Meng, 2008**

分布：陕西（凤县）。

（79）素色异爪蝗 *Euchorthippus unicolor*（**Ikonnokov, 1913**）

分布：陕西（西安、长安、蓝田、周至、户县、太白、凤县、华县、华阴、略阳、留坝、佛坪、宁陕、石泉、安康、柞水、镇安、商州、商南）、黑龙江、吉林、辽宁、内蒙古、河北、宁夏、青海。

（80）条纹异爪蝗 *Euchorthippus vittatus* **Zheng, 1980**

分布：陕西（周至、太白、佛坪）、山西、甘肃。

37. 曲背蝗属 *Pararcyptera* Tarbinsky, 1930

（81）宽翅曲背蝗 *Pararcyptera microptera meridionalis*（Ikonnikov, 1911）

　　分布：陕西（周至）、黑龙江、吉林、辽宁、内蒙古、河北、山西、山东、甘肃、青海；蒙古，俄罗斯。

38. 雷箆蝗属 *Rammeacris* Willemse, 1951

（82）黄脊雷箆蝗 *Rammeacris kiangsu*（Tsai, 1929）

　　分布：陕西（安康）、江苏、安徽、浙江、湖北、江西、湖南、福建、广东、广西、四川、云南。

六、剑角蝗科 Acrididae

39. 剑角蝗属 *Acrida* Linnaeus, 1758

（83）中华剑角蝗 *Acrida cinerea*（Thunberg, 1815）

　　分布：陕西（全省广布）、北京、河北、山西、山东、宁夏、甘肃、江苏、安徽、浙江、湖北、江西、湖南、福建、广东、广西、四川、贵州、云南。

（84）荒地剑角蝗 *Acrida oxycephala*（Pallas, 1771）

　　分布：陕西（西安、神木、府谷）、甘肃、新疆；俄罗斯，阿富汗，伊朗。

40. 金色蝗属 *Chrysacris* Zheng, 1983

（85）秦岭金色蝗 *Chrysacris qinlingensis* Zheng, 1983

　　分布：陕西（周至、户县、太白、凤县、留坝、佛坪、宁陕）、河南。

41. 戛蝗属 *Gonista* Bolívar, 1898

（86）二色戛蝗 *Gonista bicolor*（De Haan, 1842）

　　分布：陕西（周至、眉县、宁陕、安康、镇安）、河北、山东、甘肃、江苏、浙江、湖南、福建、台湾、广西、四川、贵州、云南、西藏；日本，新加坡，印度尼西亚。

42. 鸣蝗属 *Mongolotettix* Rehn, 1928

（87）异翅鸣蝗 *Mongolotettix anomopterus*（Caudell, 1921）

　　分布：陕西（长安、周至、户县、留坝、佛坪、宁陕、商南）、甘肃、江苏、浙江、湖北、江西。

（88）陕西鸣蝗 *Mongolotettix shaanxiensis* Shi, Liu *et* Li, 2016

　　分布：陕西。

43．佛蝗属 *Phlaeoba* Stål，1861

（89）中华佛蝗 *Phlaeoba sinensis* Bolívar，1914

分布：陕西（佛坪、宁陕、安康、柞水）、甘肃、江苏、福建、台湾、四川、云南。

七、癞蝗科 Pamphagidae

44．笨蝗属 *Haplotropis* Saussure，1888

（90）笨蝗 *Haplotropis brunneriana* Saussure，1888

分布：陕西（西安、长安、宝鸡、华阴、柞水、镇安、商洛、商南）、黑龙江、吉林、辽宁、内蒙古、河北、山西、山东、河南、宁夏、甘肃、江苏、安徽；俄罗斯（西伯利亚）。

Ⅲ．蚱总科 Tetrigoidea

八、短翼蚱科 Metrodoridae

45．大磨蚱属 *Macromotettix* Günther，1939

（91）秦岭大磨蚱 *Macromotettix qinlingensis* Zheng，Wei *et* Li，2009

分布：陕西（洋县）。

九、蚱科 Tetrigidae

46．微翅蚱属 *Alulatettix* Liang，1993

（92）秦岭微翅蚱 *Alulatettix qinlingensis* Deng，Zheng *et* Wei，2006

分布：陕西（西安）。

47．突眼蚱属 *Ergatettix* Kirby，1914

（93）突眼蚱 *Ergatettix dorsiferus*（Walker，1871）

分布：陕西（长安、周至、户县、留坝、宁陕、安康）、甘肃、福建、台湾、广东、广西、四川、贵州、云南；印度，斯里兰卡，中亚地区。

48．悠背蚱属 *Euparatettix* Hancock，1904

（94）留坝悠背蚱 *Euparatettix liubaensis* Zheng，2005

分布：陕西（留坝）。

49．台蚱属 *Formosatettix* Tinkham，1937

（95）秦岭台蚱 *Formosatettix qinlingensis* Zheng，1982
　　　　分布：陕西（长安、周至、户县、华阴、留坝、佛坪、宁陕、洛南）、河南、甘肃。

50．长背蚱属 *Paratettix* Bolívar，1887

（96）长翅长背蚱 *Paratettix uvarovi* Semenov，1915
　　　　分布：陕西（西安、长安、周至、户县、佛坪）、吉林、北京、河北、河南、甘肃、新疆、广东、广西、云南；俄罗斯，伊朗。

51．尖顶蚱属 *Teredorus* Hancock，1907

（97）二齿尖顶蚱 *Teredorus bidentatus* Zheng，Huo *et* Zhang，2000
　　　　分布：陕西（佛坪、宁陕）。

（98）二垫尖顶蚱 *Teredorus bipulvillus* Zheng，2006
　　　　分布：陕西（周至）。

（99）卡尖顶蚱 *Teredorus carmichaeli* Hancock，1915
　　　　分布：陕西（佛坪）、内蒙古、河南、甘肃、安徽、浙江、江西、福建、四川、贵州；印度。

（100）太白尖顶蚱 *Teredorus taibeiensis* Zheng *et* Xu，2010
　　　　分布：陕西（眉县）。

52．蚱属 *Tetrix* Latreille，1802

（101）波氏蚱 *Tetrix bolivari* Saulcy，1901
　　　　分布：陕西（秦岭）、黑龙江、辽宁、吉林、内蒙古、河北、山西、山东、河南、宁夏、甘肃、青海、新疆、江苏、安徽、浙江、江西、福建、台湾、广东、广西、贵州、西藏；俄罗斯，日本。

（102）喀蚱 *Tetrix ceperoi*（Bolívar，1887）
　　　　分布：陕西（秦岭）、河南、湖北、广东、广西、云南；亚洲，非洲。

（103）日本蚱 *Tetrix japonica*（Bolívar，1887）
　　　　分布：陕西（宝鸡、留坝），中国广布；俄罗斯，日本。

（104）留坝蚱 *Tetrix liubaensis* Zheng，2005
　　　　分布：陕西（留坝）。

（105）秦岭蚱 *Tetrix qinlingensis* Zheng，Huo *et* Zhang，2000
　　　　分布：陕西（周至、留坝、佛坪、宁陕）、甘肃、湖南。

（106）乳源蚱 *Tetrix ruyuanensis* Liang, 1998

　　　分布：陕西（西安、长安、周至、留坝、佛坪、宁陕）、甘肃、广东、广西、云南。

（107）陕西蚱 *Tetrix shaanxiensis* Zheng, 2005

　　　分布：陕西（留坝、宁陕）。

（108）仿蚱 *Tetrix simulans*（Bey-Bienko, 1929）

　　　分布：陕西（长安、周至）、内蒙古、河南；蒙古，俄罗斯。

（109）钻形蚱 *Tetrix subulata*（Linnaeus, 1761）

　　　分布：陕西（留坝、佛坪、宁陕）、内蒙古、天津、河南、甘肃、安徽、湖北、福建、四川、贵州；俄罗斯，欧洲，美洲。

（110）隆背蚱 *Tetrix tartara tartara* Saussure, 1887

　　　分布：陕西（石泉）、甘肃；俄罗斯。

（111）波股蚱 *Tetrix undatifemura* Zheng, Huo *et* Zhang, 2000

　　　分布：陕西（佛坪）。

（112）西安蚱 *Tetrix xianensis* Zheng, 1996

　　　分布：陕西（西安）。

Ⅳ. 螽斯总科 Tettigonioidea

十、螽斯科 Tettigoniidae

（一）露螽亚科 Phaneropterinae

53. 条螽属 *Ducetia* Stål, 1874

（113）日本条螽 *Ducetia japonica*（Thunberg, 1815）

　　　分布：陕西（周至、武功、太白、宁陕）、北京、山东、江苏、安徽、湖南、福建、海南、广西、四川、贵州、云南；韩国，日本，菲律宾，东洋区，澳洲区。

54. 掩耳螽属 *Elimaea* Stål, 1874

（114）贝氏掩耳螽 *Elimaea*（*Elimaea*）*berezovskii* Bey-Bienko, 1951

　　　分布：陕西（周至、宁陕）、河南、湖北、江西、湖南、四川。

55. 平背螽属 *Isopsera* Brunner, 1878

（115）细齿平背螽 *Isopsera denticulata* Ebner, 1939

　　　分布：陕西（佛坪）、安徽、浙江、湖北、江西、湖南、福建、广东、海南、广西、四川、贵州；日本。

（116）刺平背蟋 *Isopsera spinosa* Ingrisch，1990

分布：陕西（宝鸡、太白）、河北、湖北、海南、四川、云南、西藏；印度，尼泊尔。

56. 桑蟋属 *Kuwayamaea* Matsumura *et* Shiraki，1908

（117）短翅桑蟋 *Kuwayamaea brachyptera* Gorochov *et* Kang，2002

分布：陕西（西安、周至、宝鸡、太白、华阴、甘泉）、河南。

（118）中华桑蟋 *Kuwayamaea chinensis*（Brunner von Wattenwyl，1878）

分布：陕西（宁陕）、辽宁、内蒙古、河南、甘肃、江苏、上海、安徽、浙江、江西、湖南、福建、广西；朝鲜，日本。

57. 露蟋属 *Phaneroptera* Serville，1831

（119）镰尾露蟋 *Phaneroptera falcata*（Poda，1761）

分布：陕西（西安、淳化、宝鸡、太白、眉县、汉中、旬阳、山阳、甘泉）、黑龙江、吉林、内蒙古、北京、天津、河北、山东、河南、甘肃、新疆、江苏、上海、安徽、浙江、湖北、湖南、福建、台湾、四川、云南；朝鲜，日本，欧洲。

（120）瘦露蟋 *Phaneroptera gracilis* Burmeister，1838

分布：陕西（周至、武功、礼泉、渭南、华县、合阳、汉中、紫阳、安康、旬阳、镇安、洛南、商南）、甘肃、江苏、湖北、福建、海南、广西、四川、贵州、西藏；非洲，古北区，东洋区。

58. 角蟋属 *Prohimerta* Hebard，1922

（121）歧安蟋 *Prohimerta*（*Anisotima*）*dispar*（Bey-Bienko，1951）

分布：陕西（周至、留坝、佛坪、宁陕）、甘肃、浙江、湖北、江西、湖南、福建、广西、四川、云南。

59. 秦岭蟋属 *Qinlingea* Liu *et* Kang，2007

（122）短突秦岭蟋 *Qinlingea brachystylata*（Liu *et* Wang，1998）

分布：陕西（长安）、河南。

60. 糙颈蟋属 *Ruidocollaris* Liu，1993

（123）凸翅糙颈蟋 *Ruidocollaris convexipennis*（Caudell，1935）

分布：陕西（镇巴）、安徽、浙江、湖北、江西、湖南、福建、广东、广西、四川、云南、西藏。

（124）中华糙颈螽 *Ruidocollaris sinensis* Liu *et* Kang, 2014

分布：陕西(镇巴、宁陕、安康、镇安)、河南、安徽、浙江、湖北、江西、湖南、福建、台湾、广东、海南、广西、四川、贵州、云南、西藏。

（二）拟叶螽亚科 Pseudophyllinae

61. 翡螽属 *Phyllomimus* Stål, 1873

（125）中华翡螽 *Phyllomimus* (*Phyllomimus*) *sinicus* Beier, 1954

分布：陕西(秦岭)、浙江、湖北、江西、福建、台湾、广东、广西、重庆、四川、贵州。

62. 覆翅螽属 *Tegra* Walker, 1870

（126）绿背覆翅螽 *Tegra novaehollandiae viridinotata* (Stål, 1874)

分布：陕西(秦岭)、浙江、湖北、江西、湖南、福建、台湾、广东、广西、重庆、四川、贵州、云南；泰国，缅甸，印度。

（三）螽斯亚科 Tettigoniinae

63. 寰螽属 *Atlanticus* Scudder, 1894

（127）格氏寰螽 *Atlanticus* (*Atlanticus*) *grahami* Tinkham, 1941

分布：陕西(周至、留坝、宁陕)、甘肃、河南、四川。

（128）中华寰螽 *Atlanticus* (*Atlanticus*) *sinensis* Uvarov, 1924

分布：陕西(长安、户县、宝鸡、太白、华县、华阴)、北京、河北、河南、湖北。

（129）周至寰螽 *Atlanticus* (*Atlanticus*) *zhouzhii* Liu, 2013

分布：陕西(周至)。

64. 初姬螽属 *Chizuella* Furukawa, 1950

（130）帮内特初姬螽 *Chizuella bonneti* (Bolívar, 1890)

分布：陕西(宝鸡)、黑龙江、吉林、北京、河南、甘肃、湖北、四川；俄罗斯，日本。

65. 蝈螽属 *Gampsocleis* Fieber, 1852

（131）中华蝈螽 *Gampsocleis sinensis* (Walker, 1869)

分布：陕西(佛坪)、内蒙古、湖北、湖南、福建、广西、四川、贵州。

66．螽斯属 *Tettigonia* Linnaeus，1758

（132）中华螽斯 *Tettigonia chinensis* Willemse，1933

分布：陕西（华阴）、河南、浙江、湖北、湖南、福建、四川、贵州。

（四）草螽亚科 Conocephalinae

67．锥尾螽属 *Conanalus* Tinkham，1943

（133）比尔锥尾螽 *Conanalus pieli*（Tinkham，1943）

分布：陕西（洋县）、河南、安徽、江西、湖南、四川。

68．草螽属 *Conocephalus* Thunberg，1815

（134）长翅草螽 *Conocephalus*（*Anisoptera*）*longipennis*（Haan，1843）

分布：陕西（宁强）、河南、上海、安徽、浙江、湖南、福建、台湾、广东、海南、香港、四川、云南、西藏；泰国，缅甸，印度，尼泊尔，斯里兰卡，新加坡，菲律宾，印度尼西亚。

（135）斑翅草螽 *Conocephalus*（*Anisoptera*）*maculatus*（Le Guillou，1841）

分布：陕西（洋县）、北京、河北、河南、江苏、上海、浙江、湖北、江西、湖南、福建、台湾、广东、香港、广西、四川、贵州、云南；日本，泰国，缅甸，印度，尼泊尔，孟加拉国，斯里兰卡，菲律宾，马来西亚，印度尼西亚，非洲，新几内亚，澳大利亚。

69．钩额螽属 *Ruspolia* Schulthess，1898

（136）疑钩额螽 *Ruspolia dubia*（Retdenbacher，1891）

分布：陕西（佛坪）、黑龙江、甘肃、河南、山东、安徽、浙江、湖北、江西、湖南、福建、台湾、广西、四川、贵州、云南；日本。

（五）蚤螽亚科 Meconematinae

70．原栖螽属 *Eoxizicus* Gorochov，1993

（137）贺氏原栖螽 *Eoxizicus*（*Eoxizicus*）*howardi*（Tinkham，1956）

分布：陕西（留坝、镇巴）、河南、山东、安徽、浙江、湖北、湖南、福建、广西、四川。

71．优剑螽属 *Euxiphidiopsis* Gorochov，1993

（138）格尼优剑螽 *Euxiphidiopsis gurneyi*（Tinkham，1944）

分布：陕西（眉县）、四川。

72. 库螽属 *Kuzicus* Gorochov，1993

（139）铃木库螽 *Kuzicus*（*Kuzicus*）*suzukii*（Matsumura *et* Shiraki，1908）
　　分布：陕西（周至）、北京、河北、山东、河南、甘肃、江苏、上海、安徽、浙江、湖北、江西、湖南、福建、台湾、广东、香港、海南、广西、四川；日本。

73. 大蛩螽属 *Megaconema* Gorochov，1993

（140）黑膝大蛩螽 *Megaconema geniculata*（Bey-Bienko，1962）
　　分布：陕西（周至、眉县）、河北、山东、河南、浙江、湖北、湖南、重庆、四川、贵州。

74. 小蛩螽属 *Microconema* Liu，2005

（141）棒尾小蛩螽 *Microconema clavata*（Uvarov，1933）
　　分布：陕西（宝鸡、洋县）、河北、河南、甘肃、湖北。

75. 瀛蛩螽属 *Nipponomeconema* Yamasaki，1983

（142）中华瀛蛩螽 *Nipponomeconema sinica* Liu *et* Wang，1998
　　分布：陕西（宝鸡）、河南。

76. 拟库螽属 *Pseudokuzicus* Gorochov，1993

（143）皮氏拟库螽 *Pseudokuzicus*（*Pseudokuzicus*）*pieli*（Tinkham，1943）
　　分布：陕西（宁陕）、浙江、江西。

（144）宽端拟库螽 *Pseudokuzicus*（*Pseudokuzicus*）*platynus* Di，Bian，Shi *et* Chang，2014
　　分布：陕西、安徽、江西。

V. 沙螽总科 Stenopelmatoidea

十一、蟋螽科 Gryllacrididae

（一）蟋螽亚科 Gryllacridinae

77. 杆蟋螽属 *Phryganogryllacris* Karny，1937

（145）申氏杆蟋螽 *Phryganogryllacris sheni* Niu *et* Shi，1999
　　分布：陕西（户县、陇县、宝鸡、太白、眉县、华县、合阳、佛坪）、河南、甘肃。

Ⅵ. 驼螽总科 Rhaphidophoroidea

十二、驼螽科 Rhaphidophoridae

（一）灶螽亚科 Aemodogryllinae

78. 芒灶螽属 *Diestrammena* Brunner von Wattenwyl, 1888

（146）贝式裸灶螽 *Diestrammena*（*Gymnaeta*）*berezovskii*（Adelung, 1902）
　　　分布：陕西（户县）、河南、甘肃、宁夏、四川。

Ⅶ. 蟋蟀总科 Grylloidea

十三、蟋蟀科 Gryllidae

（一）纤蟋亚科 Euscyrtinae

79. 纤蟋属 *Euscyrtus* Guérin-Méneville, 1844

（147）半翅纤蟋 *Euscyrtus hemelytrus*（De Haan, 1842）
　　　分布：陕西（宁陕）、浙江、四川；斯里兰卡，菲律宾，印度尼西亚。

（二）蟋蟀亚科 Gryllinae

80. 哑蟋属 *Goniogryllus* Chopard, 1936

（148）黑须哑蟋 *Goniogryllus atripalpulus* Chen *et* Zheng, 1996
　　　分布：陕西（旬阳）。

（149）卵翅哑蟋 *Goniogryllus ovalatus* Chen *et* Zheng, 1996
　　　分布：陕西（户县）。

（150）六孔哑蟋 *Goniogryllus sexflorus* Xie *et* Zheng, 2003
　　　分布：陕西（宁陕）。

（151）纹股哑蟋 *Goniogryllus striofemorus*（Chen *et* Zheng, 1995）
　　　分布：陕西（户县、眉县、宁陕）。

81. 灶蟋属 *Gryllodes* Saussure, 1874

（152）短翅灶蟋 *Gryllodes sigillatus*（Walker, 1869）
　　　分布：陕西（安康）、黑龙江、辽宁、河北、山东、江苏、安徽、浙江、江西、湖南、福建、广东、海南、广西、贵州、云南；印度，尼泊尔，巴基斯坦，德国，美国，古巴。

82. 棺头蟋属 *Loxoblemmus* Saussure，1877

（153）尖角棺头蟋 *Loxoblemmus angulatus* Bey-Bienko，1956
　　分布：陕西（南郑）、江西、湖南、海南、广西、四川、云南。

（154）小棺头蟋 *Loxoblemmus aomoriensis* Shiraki，1930
　　分布：陕西、河南、安徽、浙江、湖北、湖南、福建、海南、广西、四川、云南。

（155）窃棺头蟋 *Loxoblemmus detectus*（Serville，1838）
　　分布：陕西、河北、江苏、安徽、浙江、江西、福建、台湾、广西、四川、贵州。

（156）多伊棺头蟋 *Loxoblemmus doenitzi* Stein，1881
　　分布：陕西（西乡、安康、旬阳）、辽宁、北京、河北、山西、山东、河南、江苏、上海、安徽、浙江、湖北、江西、湖南、台湾、广西、四川、贵州；朝鲜，韩国，日本。

（157）石首棺头蟋 *Loxoblemmus equestris* Saussure，1877
　　分布：陕西（宝鸡）、辽宁、北京、河北、江苏、上海、安徽、浙江、湖北、江西、湖南、福建、海南、广西、重庆、四川、云南、西藏；朝鲜，韩国，日本，印度，菲律宾。

83. 姬蟋属 *Modicogryllus* Chopard，1961

（158）长翅姬蟋 *Modicogryllus siamensis* Chopard，1961
　　分布：陕西（旬阳）、江西、福建、广东、广西、贵州、云南；朝鲜，韩国，日本。

84. 油葫芦属 *Teleogryllus* Chopard，1961

（159）黄脸油葫芦 *Teleogryllus*（*Brachyteleogryllus*）*emma*（Ohmachi *et* Matsuura，1951**）**
　　分布：陕西（西安、杨凌、洋县、镇安）、河北、山西、山东、河南、甘肃、江苏、上海、安徽、浙江、湖北、湖南、福建、广东、海南、广西、四川、贵州、云南；朝鲜，韩国，日本。

85. 特蟋属 *Turanogryllus* Tarbinsky，1940

（160）东方特蟋 *Turanogryllus eous* Bey-Bienko，1956
　　分布：陕西（洋县）、山东、江苏、广西。

（161）黑背特蟋 *Turanogryllus melasinotus* Li *et* Zheng，1998
　　分布：陕西（洋县）。

86. 斗蟋属 *Velarifictorus* Randell, 1964

（162）长颚斗蟋 *Velarifictorus*（*Velarifictorus*）*aspersus*（Walker, 1869）
分布：陕西（宁陕）、山东、河南、甘肃、江苏、安徽、浙江、江西、福建、广东、海南、广西、四川、贵州、云南；朝鲜，韩国，日本，泰国，印度，斯里兰卡，马来西亚。

（163）迷卡斗蟋 *Velarifictorus*（*Velarifictorus*）*micado*（Saussure, 1877）
分布：陕西（镇安）、北京、河北、山西、山东、河南、江苏、上海、浙江、湖北、江西、湖南、福建、广东、广西、四川、贵州、云南；俄罗斯（远东），朝鲜，韩国，日本。

（164）丽斗蟋 *Velarifictorus*（*Velarifictorus*）*ornatus*（Shiraki, 1911）
分布：陕西（宝鸡）、江苏、浙江、江西、四川、贵州、云南。

（三）额蟋亚科 Itarinae

87. 树蟋属 *Oecanthus* Serville, 1831

（165）长瓣树蟋 *Oecanthus longicauda* Matsumura, 1904
分布：陕西（太白、留坝、宁陕、安康、镇安）、黑龙江、吉林、辽宁、山西、河南、江苏、浙江、湖北、江西、湖南、福建、广西、四川、云南、贵州；俄罗斯（远东），朝鲜，韩国，日本。

（四）距蟋亚科 Podoscirtinae

88. 异针蟋属 *Pteronemobius* Jacobson, 1904

（166）太白异针蟋 *Pteronemobius*（*Pteronemobius*）*taibaiensis* Deng *et* Xu, 2006
分布：陕西（眉县、宁陕）。

89. 片蟋属 *Truljalia* Gorochov, 1985

（167）梨片蟋 *Truljalia hibinonis*（Matsumura, 1917）
分布：陕西（安康）、江苏、上海、浙江、江西、湖南、福建、广西、四川、云南；日本。

（168）佛坪片蟋 *Truljalia panda* Ma *et* Zhang, 2015
分布：陕西（佛坪）。

（五）铁蟋亚科 Sclerogryllinae

90．铁蟋属 *Sclerogryllus* Gorochov，1985

（169）刻点铁蟋 *Sclerogryllus punctatus*（Brunner von Wattenwyl，1893）
分布：陕西（南郑）、江苏、上海、安徽、浙江、江西、台湾、海南、广西、云南；朝鲜，韩国，日本，越南，缅甸，印度，尼泊尔，孟加拉国，巴基斯坦，马来西亚。

十四、蛣蟋科 Trigonidiidae

（一）针蟋亚科 Nemobiinae

91．双针蟋属 *Dianemobius* Vicker，1973

（170）斑腿双针蟋 *Dianemobius fascipes*（Walker，1869）
分布：陕西（西安、武功、柞水、镇安、山阳）、吉林、内蒙古、河北、山东、上海、浙江、湖北、江西、湖南、福建、台湾、广东、海南、云南；缅甸，印度，斯里兰卡，新加坡，印度尼西亚。

92．灰针蟋属 *Polionemobius* Gorochov，1983

（171）斑翅灰针蟋 *Polionemobius taprobanensis*（Walker，1869）
分布：陕西（南郑）、黑龙江、吉林、辽宁、内蒙古、北京、河北、山东、河南、江苏、上海、浙江、湖北、江西、福建、海南、广西、四川、贵州、云南；日本，缅甸，印度，孟加拉国，斯里兰卡，巴基斯坦，马来西亚，印度尼西亚，马尔代夫。

（二）蛣蛉亚科 Trigonidiinae

93．唧蛉蟋属 *Svistella* Gorochov，1987

（172）双带唧蛉蟋 *Svistella bifasciata*（Shiraki，1911）
分布：陕西（南郑）、江苏、上海、安徽、浙江、江西、湖南、台湾、海南、广西、四川；日本。

94．蛣蟋属 *Trigonidium* Rambur，1838

（173）虎甲蛣蟋 *Trigonidium*（*Trigonidium*）*cicindeloides* Rambur，1883
分布：陕西（安康）、江苏、上海、安徽、浙江、江西、福建、台湾、广东、海南、广西、四川、贵州、云南；亚洲，欧洲，非洲。

Ⅷ．蝼蛄总科 Gryllotalpoidea

十五、蝼蛄科 Gryllotalpidae

（一）蝼蛄亚科 Gryllotalpinae

95．蝼蛄属 *Gryllotalpa* Latreille，1802

（174）河南蝼蛄 *Gryllotalpa henana* Cai *et* Niu，1998
　　　分布：陕西（佛坪）、河南。

（175）东方蝼蛄 *Gryllotalpa orientalis* Burmeister，1838
　　　分布：陕西（宁陕）、黑龙江、吉林、辽宁、内蒙古、北京、天津、河北、山东、青
　　　海、江苏、上海、浙江、湖北、江西、湖南、福建、广东、海南、广西、四川、贵州、
　　　云南、西藏。

Ⅸ．蚤蝼总科 Tridactyloidea

十六、蚤蝼科 Tridactylidae

96．蚤蝼属 *Xya* Latreille，1809

（176）日本蚤蝼 *Xya japonica*（Haan，1844）
　　　分布：陕西（秦岭）、河北、山东、河南；俄罗斯，朝鲜，韩国，日本。

蛸目 Phasmatodea

一、异蛸科 Heteronemiidae

1．小异蛸属 *Micadina* Redltenbacher，1908

（1）腹锥小异蛸 *Micadina conifera* Chen *et* He，1997
　　　分布：陕西（宁陕、宁强）、河南、湖北、四川。

二、䗛科 Phasmatidae

2. 短肛䗛属 *Baculum* Saussure，1861

（2）褐纹短肛䗛 *Baculum brunneum* Chen *et* He，1993
分布：陕西（略阳）。

（3）断沟短肛䗛 *Baculum intersulcatum* Chen *et* He，1991
分布：陕西（留坝）、甘肃、湖北、湖南、四川、贵州。

（4）平利短肛䗛 *Baculum pingliense* Chen *et* He，1991
分布：陕西（留坝、平利）、甘肃、湖北、广西、四川、贵州。

3. 介䗛属 *Interphasma* Chen *et* He，2008

（5）陕西介䗛 *Interphasma shaanxiense* Chen *et* He，2008
分布：陕西（洋县）。

4. 拟短肛䗛属 *Parabaculum* Brock，1999

（6）巫山拟短肛䗛 *Parabaculum wushanense*（Chen *et* He，1997）
分布：陕西（宁强）、河南、四川。

半翅目 Hemiptera

异翅亚目 Heteroptera

黾蝽次目 Gerromorpha

Ⅰ. 黾蝽总科 Gerroidea

一、宽肩蝽科 Veliidae

1. 小宽肩蝽属 *Microvelia* Westwood，1834

（1）纲脉小宽肩蝽 *Microvelia reticulata*（Burmeister，1835）
分布：陕西（太白）、黑龙江、内蒙古、天津、贵州；俄罗斯，韩国，日本，哈萨克斯坦，欧洲。

二、黾蝽科 Geridae

（一）海黾亚科 Halobatinae

2. 涧黾属 Metrocoris Mayr, 1865

（2）四川涧黾 *Metrocoris sichuanensis* Chen *et* Nieser, 1993
分布：陕西（佛坪）、湖北、四川。

（二）毛足黾蝽亚科 Ptilomerinae

3. 巨涧黾属 Potamometra Bianchi, 1896

（3）布氏巨涧黾 *Potamometra berezowskii* Bianchi, 1896
分布：陕西（宁陕）、河北、山西、河南、湖北、四川。

（三）黾蝽亚科 Gerrinae

4. 大黾蝽属 Aquarius Schellenberg, 1800

（4）圆臀大黾蝽 *Aquarius paludum paludum*（Fabricius, 1794）
分布：陕西（华县、安康），中国广布；俄罗斯，朝鲜，日本，越南，泰国，缅甸，印度。

5. 黾蝽属 Gerris Fabricius, 1794

（5）细角黾蝽 *Gerris gracilicornis*（Horváth, 1879）
分布：陕西（宁陕）、黑龙江、辽宁、内蒙古、河北、山东、河南、浙江、湖北、江西、湖南、福建、广东、广西、重庆、四川、贵州、云南；俄罗斯（远东），朝鲜，韩国，日本，印度北部。

（6）扁腹黾蝽 *Gerris latiabdominis* Miyamoto, 1958
分布：陕西（佛坪）、黑龙江、吉林、辽宁、河北、山东、浙江、湖北、江西、湖南、福建、重庆、四川、贵州、云南；俄罗斯（远东），韩国，日本。

蝎蝽次目 Nepomorpha

Ⅱ. 蝎蝽总科 Nepoidea

三、负蝽科 Belostomatidae

6. 拟负蝽属 Appasus Amyot *et* Serville, 1843

（7）日拟负蝽 *Appasus japonicus* Vuillefroy, 1864

分布：陕西(西安)、天津、河北、河南、江苏、湖北、江西、贵州、四川、云南；韩国，日本。

7. 鳖负蝽属 *Lethocerus* **Mayr, 1853**

(8) 大鳖负蝽 *Lethocerus deyrolli* (**Vuillefroy, 1864**)

分布：陕西(南郑)、辽宁、北京、天津、河北、山西、山东、江苏、上海、安徽、浙江、湖北、湖南、台湾、广西、四川、贵州、云南；俄罗斯，韩国，日本。

四、蝎蝽科 Nepidae

(一) 螳蝎蝽亚科 Ranatrinae

8. 螳蝎蝽属 *Ranatra* **Fabricius, 1790**

(9) 一色螳蝎蝽 *Ranatra unicolor* **Scott, 1874**

分布：陕西(大荔)、黑龙江、北京、天津、河北、宁夏、江苏、湖北、广东、四川、云南；俄罗斯，韩国，日本，哈萨克斯坦，乌兹别克斯坦，塔吉克斯坦，伊朗，伊拉克，沙特阿拉伯，阿塞拜疆，亚美尼亚。

Ⅲ. 划蝽总科 Corixoidea

五、划蝽科 Corixidae

9. 夕划蝽属 *Hesperocorixa* **Kirkaldy, 1908**

(10) 扁跗夕划蝽 *Hesperocorixa mandshurica* (**Jaczewski, 1924**)

分布：陕西(定边)、黑龙江、吉林、辽宁、内蒙古、北京、天津、河北、山西、山东、河南、江苏；俄罗斯，韩国，日本。

(11) 法华夕划蝽 *Hesperocorixa hokkensis* (**Matsumura, 1905**)

分布：陕西(南郑)、江苏、上海、湖北、云南；日本。

10. 副划蝽属 *Paracorixa* **Poisson, 1957**

(12) 饰副划蝽 *Paracorixa armata* (**Lundblad, 1934**)

分布：陕西(镇巴)、黑龙江、吉林、辽宁、内蒙古、河北、山西、山东、河南、宁夏、新疆；蒙古，俄罗斯，哈萨克斯坦。

（13）阿副划蝽亚种 *Paracorixa concinna amurensis*（**Jaczewski，1960**）

　　分布：陕西（礼泉）、内蒙古、山西、宁夏；蒙古，俄罗斯。

11．烁划蝽属 *Sigara* Fabricius，1775

（14）钟烁划蝽 *Sigara bellula*（**Horváth，1879**）

　　分布：陕西（秦岭）、内蒙古、天津、山西、河南、宁夏、江苏、安徽、浙江、湖北、江西、湖南、台湾、广西、贵州；俄罗斯，韩国，日本。

（15）曲纹烁划蝽 *Sigara septemlineata*（**Paiva，1918**）

　　分布：陕西（凤县）、黑龙江、内蒙古、山西、山东、湖北、江西、福建、台湾、香港、广西、四川、贵州、云南；俄罗斯，韩国，日本，缅甸，印度。

（16）纹迹烁划蝽 *Sigara*（*Vermicorixa*）*lateralis*（**Leach，1817**）

　　分布：陕西（武功）、黑龙江、吉林、辽宁、内蒙古、北京、天津、山西、山东、河南、宁夏、新疆、湖北、四川、贵州、云南；蒙古，俄罗斯，印度，亚洲，欧洲，非洲。

六、小划蝽科 Micronectidae

12．小划蝽属 *Micronecta* Kirkaldy，1897

（17）萨棘小划蝽 *Micronecta sahlbergii*（**Jakovlev，1881**）

　　分布：陕西（西安）、黑龙江、内蒙古、天津、河北、山西、山东、河南、江苏、安徽、浙江、湖北、江西、湖南、台湾、广东、海南、四川、贵州、云南；俄罗斯，韩国，日本，伊朗。

Ⅳ. 仰蝽总科 Notonectoidea

七、仰蝽科 Notonectidae

13．小仰蝽属 *Anisops* Spinola，1837

（18）普小仰蝽 *Anisops ogasawarensis* Matsumura，1915

　　分布：陕西（武功）、天津、上海、浙江、湖北、江西、湖南、福建、台湾、广东、海南、广西、四川、贵州、云南；日本。

细蝽次目 Leptopodomorpha

Ⅴ. 跳蝽总科 Saldoidea

八、跳蝽科 Saldidae

14. 跳蝽属 *Saldula* Van Duzee, 1914

（19）暗纹跳蝽 *Saldula nobilis*（Horváth, 1884）
分布：陕西（秦岭）、黑龙江、吉林、辽宁、内蒙古、河北、四川、西藏。

（20）广跳蝽 *Saldula pallipes*（Fabricius, 1794）
分布：陕西（秦岭）、黑龙江、辽宁、内蒙古、北京、天津、河北、山东、宁夏、青海、新疆、四川、云南、西藏。

（21）泽跳蝽 *Saldula palustris*（Douglas, 1874）
分布：陕西（秦岭）、黑龙江、内蒙古、天津、河北、河南、宁夏、甘肃、青海、新疆、四川、云南、西藏。

（22）毛顶跳蝽 *Saldula pilosella pilosella*（Thomson, 1871）
分布：陕西（秦岭）、黑龙江、吉林、辽宁、内蒙古、天津、河北、山西、山东、河南、江苏、四川、云南、西藏。

15. Genus *Sinosalda* Vinokurov, 2004

（23）*Sinosalda insolita* Vinokurov, 2004
分布：陕西。

臭蝽次目 Cimicomorpha

Ⅵ. 猎蝽总科 Reduvioidea

九、猎蝽科 Reduviidae

（一）光猎蝽亚科 Ectrichodiinae

16. 光猎蝽属 *Ectrychotes* Burmeister, 1835

（24）黑光猎蝽 *Ectrychotes andreae*（Thunberg, 1784）

分布:陕西(渭南、安康、柞水)、辽宁、北京、河北、甘肃、江苏、上海、浙江、湖北、湖南、福建、广东、海南、广西、四川、贵州、云南。

17．赤猎蝽属 *Haematoloecha* Stål，1874

（25）异赤猎蝽 *Haematoloecha limbata* Miller，1954

分布：陕西(安康)、北京、山东、河南、江苏、上海、浙江、广西、四川。

18．钳猎蝽属 *Labidocoris* Mayr，1865

（26）亮钳猎蝽 *Labidocoris pectoralis*（Stål，1863）

分布：陕西(西安)、内蒙古、北京、天津、山东、甘肃、江苏、上海、浙江、江西；日本。

19．健猎蝽属 *Neozirta* Distant，1919

（27）环足健猎蝽 *Neozirta eidmanni*（Taeuber，1930）

分布：陕西(秦岭)、北京、浙江、湖北。

（二）盗猎蝽亚科 Peiratinae

20．哎猎蝽属 *Ectomocoris* Mayr，1865

（28）黑哎猎蝽 *Ectomocoris atrox*（Stål，1855）

分布：陕西(南郑)、江苏、台湾、广东、海南、四川、云南；缅甸，印度，斯里兰卡，菲律宾，马来西亚，印度尼西亚。

21．隶猎蝽属 *Lestomerus* Amyot et Serville，1843

（29）红股隶猎蝽 *Lestomerus femoralis* Walker，1873

分布:陕西(南郑)、江苏、上海、安徽、浙江、湖北、江西、福建、台湾、广东、广西、四川、贵州；缅甸，印度，印度尼西亚。

22．盗猎蝽属 *Peirates* Serville，1831

（30）日月盗猎蝽 *Peirates arcuatus*（Stål，1871）

分布：陕西(安康)、江苏、安徽、浙江、湖北、江西、福建、台湾、广东、香港、四川、云南、西藏；日本，缅甸，印度，斯里兰卡，菲律宾，印度尼西亚。

（31）黄纹盗猎蝽 *Peirates*（*Cleptocoris*）*atromaculatus*（Stål，1871）

分布：陕西(大荔、吴旗)、内蒙古、河北、北京、山东、江苏、浙江、湖北、江西、湖南、福建、海南、广西、四川、贵州、云南；越南，缅甸，印度，斯里兰卡，菲律宾，印度尼西亚，也门。

（32）茶褐盗猎蝽 *Peirates*（*Cleptocoris*）*fulvescens* **Lindberg, 1939**

分布：陕西（渭南）、北京、天津、河北、山西、山东、四川。

（33）细盗猎蝽 *Peirates*（*Cleptocoris*）*lepturoides*（**Wolff, 1804**）

分布：陕西（汉中）、河北、湖北、江西、福建、广西、四川、云南；缅甸，斯里兰卡，印度尼西亚。

（34）污黑盗猎蝽 *Peirates*（*Cleptocoris*）*turpis* **Walker, 1873**

分布：陕西（大荔、汉中、安康、旬阳）、内蒙古、北京、河北，甘肃、山东、河南、江苏、浙江、湖北、江西、香港、广西、四川、贵州、云南；日本，越南。

23. 黄足猎蝽属 *Sirthenea* **Spinola, 1837**

（35）黄足猎蝽 *Sirthenea flavipes*（**Stål, 1855**）

分布：陕西（南郑、镇巴）、江苏、浙江、湖北、江西、福建、台湾、广东、海南、广西、四川、贵州、云南、西藏；日本，越南，印度，斯里兰卡，菲律宾，印度尼西亚。

（三）猎蝽亚科 Reduviinae

24. 荆猎蝽属 *Acanthaspis* **Amyot *et* Serville, 1843**

（36）淡带荆猎蝽 *Acanthaspis cincticrus* **Stål, 1859**

分布：陕西（大荔、澄城）、北京、河北、山西、山东、河南；日本，印度。

25. 猎蝽属 *Reduvius* **Fabricius, 1775**

（37）黑腹猎蝽 *Reduvius fasciatus* **Reuter, 1887**

分布：陕西（陇县、太白、华县、旬阳）、北京、天津、河北、山东、河南、甘肃、四川。

（38）福氏猎蝽 *Reduvius froeschneri* **Cai *et* Shen, 1997**

分布：陕西（长安、凤县）、河南。

（39）岳猎蝽 *Reduvius montosus* **Cai *et* Shen, 1997**

分布：陕西（华阴）。

（40）任氏猎蝽 *Reduvius renae* **Cai *et* Shen, 1997**

分布：陕西（佛坪、宁陕）。

（四）细足猎蝽亚科 Stenopodainae

26．普猎蝽属 *Oncocephalus* Klug，1830

（41）环足普猎蝽 *Oncocephalus annulipes* Stål，1855

分布：陕西（富平）、河北、山西、上海、福建；印度，斯里兰卡，印度尼西亚，
非洲。

（42）短斑普猎蝽 *Oncocephalus simillimus* Reuter，1888

分布：陕西（武功、富平）、黑龙江、北京、河北、山西、山东、江苏、上海、浙江、
贵州；朝鲜，韩国。

27．刺胸猎蝽属 *Pygolampis* Germar，1817

（43）双刺胸猎蝽 *Pygolampis bidentata*（Goeze，1778）

分布：陕西（武功）、黑龙江、北京、天津、河北、山西、山东、河南、甘肃；
欧洲。

（五）真猎蝽亚科 Harpactorinae

28．暴猎蝽属 *Agriosphodrus* Stål，1867

（44）暴猎蝽 *Agriosphodrus dohrni*（Signoret，1862）

分布：陕西（华县、南郑、柞水、洛南）、甘肃、江苏、浙江、湖北，江西，福建、
广东，广西，四川，贵州，云南；日本，越南，印度。

29．土猎蝽属 *Coranus* Curtis，1833

（45）大土猎蝽 *Coranus dilatatus*（Matsumura，1913）

分布：陕西（户县）、黑龙江、内蒙古、河北、河南、湖南。

（46）中黑土猎蝽 *Coranus lativentris* Jakovlev，1890

分布：陕西（武功）、内蒙古、北京、天津、河北、山西、山东、河南；朝鲜，
韩国。

30．红猎蝽属 *Cydnocoris* Stål，1866

（47）艳红猎蝽 *Cydnocoris russatus* Stål，1867

分布：陕西（宝鸡）、河南、江苏、安徽、浙江、湖北、江西、湖南、福建、广东、海
南、广西、四川、云南；日本，越南。

31．嗯猎蝽属 *Endochus* Stål，1859

（48）黑角嗯猎蝽 *Endochus nigrocornis* Stål，1859
分布：陕西（洋县）、湖北、湖南、福建、海南、广西、贵州、云南；日本，缅甸，印度，马来西亚，印度尼西亚。

32．素猎蝽属 *Epidaus* Stål，1859

（49）暗素猎蝽 *Epidaus nebulo*（Stål，1863）
分布：陕西（陇县、太白山、留坝、铜川）、黑龙江、河南、浙江、湖北、江西、湖南、福建、广西、四川、贵州、云南。

33．菱猎蝽属 *Isyndus* Stål，1858

（50）淡色菱猎蝽 *Isyndus planicollis* Lindberg，1934
分布：陕西（周至、凤县、华县、留坝、佛坪、南郑、宁陕）、辽宁、河北、河南、甘肃、湖北、四川、云南。

34．瑞猎蝽属 *Rhynocoris* Hahn，1833

（51）云斑瑞猎蝽 *Rhynocoris incertis*（Distant，1903）
分布：陕西（户县、华县、安康、旬阳）、河南、江苏、安徽、浙江、湖北、江西、湖南、福建、四川、贵州、云南；日本。

（52）独环瑞猎蝽 *Rhynocoris leucospilus altaicus* Kiritschenko，1926
分布：陕西（渭南、华阴、留坝）、内蒙古、北京、河北、河南；蒙古。

35．刺猎蝽属 *Sclomina* Stål，1861

（53）齿缘刺猎蝽 *Sclomina erinacea* Stål，1861
分布：陕西（佛坪）、安徽、浙江、湖北、江西、湖南、福建、台湾、广东、广西、贵州、云南。

36．猛猎蝽属 *Sphedanolestes* Stål，1867

（54）环斑猛猎蝽 *Sphedanolestes impressicollis*（Stål，1861）
分布：陕西（户县、武功、陇县、宝鸡、太白、佛坪、南郑、商南、延安）、天津、山东、河南、甘肃、江苏、浙江、湖北、江西、湖南、福建、广东、广西、四川、贵州、云南；朝鲜，韩国，日本，印度。

（55）斑缘猛猎蝽 *Sphedanolestes subtilis*（Jakovlev，1893）
分布：陕西（留坝、镇巴）、河南、甘肃、浙江、湖北、福建、广西、四川、贵州、云南。

37．塔猎蝽属 *Tapirocoris* Miller，1954

（56）齿塔猎蝽 *Tapirocoris densa* Hsiao *et* Ren，1981
分布：陕西（留坝）、四川、贵州。

38．枯猎蝽属 *Vachiria* Stål，1859

（57）枯猎蝽 *Vachiria clavicornis* Hsiao *et* Ren，1981
分布：陕西（榆林、定边、神木）、北京、天津、河北、山西、山东、宁夏。

39．脂猎蝽属 *Velinus* Stål，1866

（58）黑脂猎蝽 *Velinus nodipes*（Uhler，1860）
分布：陕西（柞水）、河南、江苏、浙江、湖北、福建、广东、广西、四川、贵州、云南；朝鲜，韩国，日本。

（六）瘤猎蝽亚科 Phymatinae

40．螳瘤猎蝽属 *Cnizocoris* Handlirsch，1897

（59）宝兴螳瘤猎蝽 *Cnizocoris potanini*（Bianchi，1899）
分布：陕西（南郑）、湖北、四川。

（60）中国螳瘤猎蝽 *Cnizocoris sinensis* Kormilev，1957
分布：陕西（陇县、凤县、留坝、宁陕）、内蒙古、北京、天津、河北、山西、宁夏、甘肃、浙江。

Ⅶ. 盲蝽总科 Miroidea

十、盲蝽科 Miridae

（一）单室盲蝽亚科 Bryocorinae

41．蕨盲蝽属 *Bryocoris* Fallén，1829

（61）萧氏蕨盲蝽 *Bryocoris*（*Cobalorrhynchus*）*hsiaoi* Zheng *et* Liu，1992
分布：陕西（宁陕）、湖南、四川、西藏；日本。

42．狄盲蝽属 *Dimia* Kerzhner，1988

（62）狄盲蝽 *Dimia inexspectata* Kerzhner，1988
　　　　分布：陕西（宁陕）、浙江、湖北；俄罗斯（远东）。

43．曼盲蝽属 *Mansoniella* Poppius，1915

（63）环曼盲蝽 *Mansoniella annulata* Hu *et* Zheng，1999
　　　　分布：陕西（凤县、南郑）、湖北、四川、贵州、云南。

（64）黄翅曼盲蝽 *Mansoniella flava* Hu *et* Zheng，1999
　　　　分布：陕西（凤县、镇巴）、湖北、广西、云南。

（65）赤环曼盲蝽 *Mansoniella rubida* Hu *et* Zheng，1999
　　　　分布：陕西（凤县）、贵州。

44．微盲蝽属 *Monalocoris* Dahlbom，1851

（66）蕨微盲蝽 *Monalocoris filicis*（Linnaeus，1758）
　　　　分布：陕西（周至、凤县、留坝）、黑龙江、天津、河北、甘肃、安徽、浙江、湖北、
　　　　江西、湖南、福建、台湾、广东、广西、重庆、四川、贵州、云南；俄罗斯，朝鲜，
　　　　日本，欧洲，古巴。

45．烟盲蝽属 *Nesidiocoris* Kirkaldy，1902

（67）烟盲蝽 *Nesidiocoris tenuis*（Reuter，1895）
　　　　分布：陕西（西乡、宁陕）、内蒙古、北京、天津、河北、山西、山东、河南、江苏、
　　　　浙江、湖北、江西、湖南、福建、台湾、广东、海南、广西、四川、贵州、云南、西
　　　　藏；朝鲜，缅甸，印度，尼泊尔，斯里兰卡，印度尼西亚，中亚地区，澳大
　　　　利亚，非洲，北美洲，南美洲。

46．息盲蝽属 *Sinevia* Kerzhner，1988

（68）淡足息奈盲蝽 *Sinevia pallidipes*（**Zheng** *et* **Liu，1992**）
　　　　分布：陕西（长安）、山西、湖北、湖南、广西、四川、贵州、云南。

（二）齿爪盲蝽亚科 Deraeocorinae

47．点盾盲蝽属 *Alloeotomus* Fieber，1858

（69）突肩点盾盲蝽 *Alloeotomus humeralis* Zheng *et* Ma，2004

分布：陕西(周至、凤县、留坝、宁陕)、河南、甘肃、湖北、贵州。

(70) 克氏点盾盲蝽 *Alloeotomus kerzhneri* Qi *et* Nonnaizab, 1994

分布：陕西(凤县)、吉林、内蒙古、北京、天津、河北、山西、山东、湖北。

(71) 东亚点盾盲蝽 *Alloeotomus simplus* (Uhler, 1896)

分布：陕西(周至)、黑龙江、天津、河北；俄罗斯(远东)，朝鲜，韩国，日本。

48. 环盲蝽属 *Cimicicapsus* Poppius, 1915

(72) 朝鲜环盲蝽 *Cimicicapsus koreanus* (Linnavuori, 1963)

分布：陕西(杨凌)、黑龙江、辽宁、河北、山东、甘肃、安徽、湖北；朝鲜，日本。

(73) 红环盲蝽 *Cimicicapsus rubidus* Xü *et* Liu, 2009

分布：陕西(宁陕)。

49. 齿爪盲蝽属 *Deraeocoris* Kirschbaum, 1856

(74) 斑腿齿爪盲蝽 *Deraeocoris* (*Camptobrochis*) *annulifemoralis* Ma *et* Liu, 2002

分布：陕西(凤县)、甘肃、四川。

(75) 环足齿爪盲蝽 *Deraeocoris* (*Camptobrochis*) *aphidicidus* Ballard, 1927

分布：陕西(周至)、浙江、湖北、湖南、福建、广东、广西、四川、贵州、云南；印度。

(76) 东方齿爪盲蝽 *Deraeocoris* (*Camptobrochis*) *pulchellus* (Reuter, 1906)

分布：陕西(秦岭)、黑龙江、吉林、河北、甘肃、新疆、四川、贵州；朝鲜，日本。

(77) 黑食蚜齿爪盲蝽 *Deraeocoris* (*Camptobrochis*) *punctulatus* (Fallén, 1807)

分布：陕西(秦岭)、黑龙江、内蒙古、北京、天津、河北、山西、山东、河南、宁夏、甘肃、新疆、浙江、四川；俄罗斯(西伯利亚)，日本，伊朗，土耳其，欧洲。

(78) 秦岭齿爪盲蝽 *Deraeocoris* (*Camptobrochis*) *qinlingensis* Qi, 2006

分布：陕西(秦岭)。

(79) 斑楔齿爪盲蝽 *Deraeocoris* (*Deraeocoris*) *ater* (Jakovlev, 1889)

分布：陕西(秦岭)、黑龙江、内蒙古、北京、山西、宁夏、甘肃、青海、江苏、湖北；俄罗斯(远东)，日本。

(80) 黑胸齿爪盲蝽 *Deraeocoris* (*Deraeocoris*) *nigropectus* Hsiao, 1941

分布：陕西（周至、宁陕、佛坪、镇巴）、甘肃、浙江、湖北、江西、湖南、福建、广东、广西、贵州、云南。

（81）大齿爪盲蝽 *Deraeocoris*（*Deraeocoris*）*olivaceus*（Fabricius，1777）

分布：陕西（宁陕）、黑龙江、吉林、内蒙古、天津、宁夏、甘肃、安徽；俄罗斯（远东），日本。

（82）柳齿爪盲蝽 *Deraeocoris*（*Deraeocoris*）*salicis* Josifov，1983

分布：陕西（杨凌）、内蒙古、天津、河北、宁夏、湖北；俄罗斯（远东），朝鲜，韩国，日本。

（83）安永齿爪盲蝽 *Deraeocoris*（*Deraeocoris*）*yasunagai* Nakatani，1995

分布：陕西（宁陕）；日本。

（84）毛尾齿爪盲蝽 *Deraeocoris*（*Plexaris*）*claspericapilatus* Kulik，1965

分布：陕西（秦岭）；俄罗斯（远东），朝鲜，韩国。

50．毛眼盲蝽属 *Termatophylum* Reuter，1884

（85）云南毛眼盲蝽 *Termatophylum yunnanum* Ren，1983

分布：陕西（秦岭）、湖北、云南。

（三）树盲蝽亚科 Isometopinae

51．树盲蝽属 *Isometopus* Fieber，1860

（86）陕西柚树盲蝽 *Isometopus citri* Ren，1987

分布：陕西（西乡）、福建、云南。

52．伲树盲蝽属 *Myiomma* Puton，1872

（87）秦岭伲树盲蝽 *Myiomma qinlingensis* Qi，2005

分布：陕西（秦岭）。

（四）盲蝽亚科 Mirinae

53．苜蓿盲蝽属 *Adelphocoris* Reuter，1896

（88）白纹苜蓿盲蝽 *Adelphocoris albonotatus*（Jakovlev，1881）

分布：陕西（佛坪）、黑龙江、吉林、河北、甘肃、江苏、安徽、江西、四川；俄罗斯，朝鲜，日本，印度，伊朗，小亚细亚。

（89）三点苜蓿盲蝽 *Adelphocoris fasciaticollis* Reuter，1903

分布：陕西(武功、泾阳)、黑龙江、辽宁、内蒙古、河北、山西、山东、河南、江苏、安徽、湖北、江西、海南、四川。

(90)横断苜蓿盲蝽 *Adelphocoris funestus* Reuter,1903

分布：陕西(镇巴、宁陕)、甘肃、湖北、四川、贵州。

(91)苜蓿盲蝽 *Adelphocoris lineolatus*(Goeze,1778)

分布：陕西(周至、武功、眉县、留坝)、黑龙江、吉林、辽宁、内蒙古、北京、天津、河北、山西、山东、河南、宁夏、甘肃、青海、新疆、浙江、湖北、江西、广西、四川、云南、西藏;古北区广布。

(92)污苜蓿盲蝽 *Adelphocoris luridus* Reuter,1906

分布：陕西(留坝)、甘肃、四川、云南。

(93)黑唇苜蓿盲蝽 *Adelphococris nigritylus* Hsiao,1962

分布：陕西(周至)、黑龙江、吉林、辽宁、北京、天津、河北、山西、山东、河南、宁夏、甘肃、江苏、安徽、浙江、湖北、江西、海南、四川、贵州。

(94)四点苜蓿盲蝽 *Adelphocoris quadripunctatus*(Fabricius,1794)

分布：陕西(秦岭)、黑龙江、辽宁、内蒙古、天津、河北、山西、宁夏、甘肃、新疆、安徽、四川;蒙古,俄罗斯(西伯利亚),欧洲,埃及。

(95)棕苜蓿盲蝽 *Adelphocoris rufescens* Hsiao,1962

分布：陕西(宁陕)、黑龙江、内蒙古、河北、山西、山东、浙江、湖北、江西、福建、贵州。

(96)中黑苜蓿盲蝽 *Adelphococris suturalis*(Jakovlev,1882)

分布：陕西(周至、留坝、佛坪)、黑龙江、吉林、辽宁、天津、河北、山东、河南、甘肃、江苏、上海、安徽、浙江、湖北、江西、广西、四川、贵州;俄罗斯,朝鲜,日本。

(97)带纹苜蓿盲蝽 *Adelphocoris taeniophorus* Reuter,1906

分布：陕西(秦岭)、甘肃、四川。

54.短角盲蝽属 *Agnocoris* Reuter,1875

(98)红短角盲蝽 *Agnocoris rubicundus*(Fallén,1807)

分布：陕西(秦岭,甘泉)、内蒙古;蒙古,俄罗斯,欧洲,非洲北部,美国。

55.肩盲蝽属 *Allorhinocoris* Reuter,1876

(99)中国肩盲蝽 *Allorhinocoris chinensis* Lu,1994

分布：陕西(宁陕)、河北、山西、甘肃。

56．后丽盲蝽属 *Apolygus* China，1941

（100）丝棉木后丽盲蝽 *Apolygus evonymi*（Zheng *et* Wang，1983）
　　　分布：陕西（武功）、辽宁。

（101）绿后丽盲蝽 *Apolygus lucorum*（Meyer-Dür，1843）
　　　分布：陕西（周至、留坝、佛坪、宁陕）、黑龙江、吉林、河北、山西、河南、宁
　　　夏、甘肃、湖北、江西、湖南、福建、云南；俄罗斯，日本，埃及，阿尔及利
　　　亚，欧洲，北美洲。

（102）斑盾后丽盲蝽 *Apolygus nigrocinctus*（Reuter，1906）
　　　分布：陕西（宁陕）、甘肃、四川；日本。

（103）黑唇后丽盲蝽 *Apolygus nigronasutus*（Stål，1858）
　　　分布：陕西（秦岭）、甘肃、四川；蒙古，俄罗斯（西伯利亚）。

（104）美丽后丽盲蝽 *Apolygus pulchellus*（Reuter，1906）
　　　分布：陕西（宁陕）、甘肃、浙江、福建、四川、贵州；朝鲜，韩国，日本。

（105）斯氏后丽盲蝽 *Apolygus spinolae*（Meyer-Dür，1841）
　　　分布：陕西（秦岭）、黑龙江、北京、天津、河南、甘肃、浙江、广东、四川、云
　　　南；俄罗斯，朝鲜，日本，埃及，阿尔及利亚，欧洲。

57．树丽盲蝽属 *Arbolygus* Kerzhner，1979

（106）斑胸树丽盲蝽 *Arbolygus pronotalis*（Zheng *et* Liu，1992）
　　　分布：陕西（留坝、宁陕）、甘肃、湖南、福建、台湾、广西、四川。

（107）环胫树丽盲蝽 *Arbolygus tibialis* Lu *et* Zheng，1998
　　　分布：陕西（凤县、宁陕）、宁夏、甘肃、湖北。

58．粗领盲蝽属 *Capsodes* Dahlbom，1851

（108）粗领盲蝽 *Capsodes gothicus*（Linnaeus，1758）
　　　分布：陕西（华阴、太白山）、黑龙江、吉林、内蒙古、河北、新疆；俄罗斯（远
　　　东），哈萨克斯坦，欧洲。

59．纹唇盲蝽属 *Charagochilus* Fieber，1858

（109）狭领纹唇盲蝽 *Charagochilus angusticollis* Linnavuori，1961
　　　分布：陕西（周至、凤县、宁陕）、北京、河北、河南、甘肃、安徽、浙江、湖北、福
　　　建、台湾、广东、广西、四川、贵州、云南；俄罗斯（远东），朝鲜，韩国，日本。

60. 乌毛盲蝽属 *Cheilocapsus* Kirkaldy, 1902

（110）暗乌毛盲蝽 *Cheilocapsus nigrescens* Liu *et* Wang, 2001
分布：陕西（宁陕）、河南。

（111）台湾乌毛盲蝽 *Cheilocapsus taiwanicus*（Yasunaga, 1994）
分布：陕西（秦岭）、台湾。

61. 光盲蝽属 *Chilocrates* Horváth, 1889

（112）多变光盲蝽 *Chilocrates patulus* Walker, 1873
分布：陕西（留坝、佛坪、宁陕）、河南、甘肃、湖北、广西、四川、贵州、云南、西藏；缅甸，印度，尼泊尔，不丹。

62. 淡盲蝽属 *Creontiades* Distant, 1883

（113）花肢淡盲蝽 *Creontiades coloripes* Hsiao, 1963
分布：陕西（佛坪、汉中）、山东、河南、湖北、江西、台湾、四川、贵州、云南；朝鲜，日本。

63. 拟草盲蝽属 *Cyphodemidea* Reuter, 1903

（114）萨氏拟草盲蝽 *Cyphodemidea saundersi*（Reuter, 1896）
分布：陕西（凤县、留坝、佛坪、宁陕）、黑龙江、吉林、宁夏、甘肃、湖北、四川；俄罗斯（远东），朝鲜，日本。

64. 长盲蝽属 *Dolichomiris* Reuter, 1882

（115）大长盲蝽 *Dolichomiris antennatis*（Distant, 1904）
分布：陕西（秦岭）、宁夏、甘肃、湖北、江西、福建、台湾、广东、广西、四川、云南；印度。

65. 拟厚盲蝽属 *Eurystylopsis* Poppius, 1911

（116）棒角拟厚盲蝽 *Eurystylopsis clavicornis*（Jakovlev, 1890）
分布：陕西（宁陕）、甘肃、浙江、福建、广东、广西、四川、贵州、云南。

66. 厚盲蝽属 *Eurystylus* Stål, 1871

（117）眼斑厚盲蝽 *Eurystylus coelestialium*（Kirkaldy, 1902）

分布：陕西（宁陕）、黑龙江、北京、天津、河北、山东、河南、江苏、安徽、浙江、江西、湖南、福建、广东、广西、四川、贵州；俄罗斯（远东），朝鲜，日本。

（118）淡缘厚盲蝽 *Eurystylus costalis* **Stål，1871**

分布：陕西（宁陕）、北京、天津、河北、山东、河南、甘肃、江苏、安徽、浙江；菲律宾，印度尼西亚，太平洋岛屿。

67．异草盲蝽属 *Heterolygus* Zheng et Yu，1990

（119）棒角异草盲蝽 *Heterolygus clavicornis*（**Reuter，1906**）

分布：陕西（秦岭）、四川。

（120）邻异草盲蝽 *Heterolygus duplicatus*（**Reuter，1903**）

分布：陕西（佛坪）、北京、甘肃、湖北、四川、云南。

68．拟丽盲蝽属 *Lygocorides* Yasunaga，1991

（121）邻红唇拟丽盲蝽 *Lygocorides*（*Lgocorides*）*affinis*（**Lu et Zheng，1997**）

分布：陕西（留坝）。

69．丽盲蝽属 *Lygocoris* Reuter，1875

（122）原丽盲蝽 *Lygocoris pabulinus*（**Linneaus，1761**）

分布：陕西（宁陕）、黑龙江、内蒙古、河北、甘肃、湖北、福建、台湾、四川、云南、西藏；俄罗斯，朝鲜，日本，欧洲，北美洲。

（123）皱胸丽盲蝽 *Lygocoris rugosicollis*（**Reuter，1906**）

分布：陕西（秦岭）、宁夏、甘肃、湖北、四川。

（124）纹角丽盲蝽 *Lygocoris striicornis*（**Reuter，1906**）

分布：陕西（佛坪、宁陕）、甘肃、湖北、四川、云南。

70．草盲蝽属 *Lygus* Hahn，1833

（125）棱额草盲蝽 *Lygus discrepans* **Reuter，1906**

分布：陕西（留坝、佛坪、宁陕）、河北、宁夏、甘肃、四川、云南。

（126）东方草盲蝽 *Lygus orientis* **Aglyamzyanov，1994**

分布：陕西（榆林、定边）、内蒙古、山西、河南、甘肃、新疆；蒙古，哈萨克斯坦，吉尔吉斯斯坦。

（127）邻棱额草盲蝽 *Lygus paradiscrepans* **Zheng et Yu，1992**

分布：陕西（秦岭）、甘肃、四川、云南、西藏。

（128）牧草盲蝽 *Lygus pratensis*（Linnaeus，1758）

分布：陕西（秦岭）、河北、山西、河南、甘肃、新疆、四川、西藏；古北区广布。

（129）西伯利亚草盲蝽 *Lygus sibiricus* Aglyamzyanov，1990

分布：陕西（留坝、宁陕）、黑龙江、吉林、内蒙古、河北、甘肃、四川；蒙古，俄罗斯（西伯利亚、远东），朝鲜。

71．纹翅盲蝽属 *Mermitelocerus* Reuter，1908

（130）纹翅盲蝽 *Mermitelocerus annulipes* Reuter，1908

分布：陕西（周至）、黑龙江、吉林、辽宁、河北；俄罗斯（远东），朝鲜，日本。

72．新丽盲蝽属 *Neolygus* Knight，1917

（131）狭顶新丽盲蝽 *Neolygus angustiverticis* Lu *et* Zheng，2004

分布：陕西（留坝）。

（132）二斑新丽盲蝽 *Neolygus bimaculatus*（Lu *et* Zheng，1996）

分布：陕西（留坝、佛坪、宁陕）、甘肃、四川。

（133）卜氏新丽盲蝽 *Neolygus bui* Lu *et* Zheng，2004

分布：陕西（宁陕）、台湾、四川、云南。

（134）卡氏新丽盲蝽 *Neolygus carvalhoi* Lu *et* Zheng，2004

分布：陕西（周至、凤县）。

（135）甘肃新丽盲蝽 *Neolygus gansuensis*（Lu *et* Wang，1996）

分布：陕西（凤县、宁陕）、甘肃。

（136）胡桃新丽盲蝽 *Neolygus juglandis*（Kerzhner，1987）

分布：陕西（宁陕）、湖北；俄罗斯，日本。

（137）任氏新丽盲蝽 *Neolygus renae* Lu *et* Zheng，2004

分布：陕西（宁陕）。

（138）椴新丽盲蝽 *Neolygus tiliicola*（Kulik，1965）

分布：陕西（宁陕）、江西；俄罗斯，日本。

73．东盲蝽属 *Orientomiris* Yasunaga，1997

（139）斑胸东盲蝽 *Orientomiris pronotalis*（Li *et* Zheng，1991）

分布：陕西（镇巴）、浙江、湖北、江西、贵州。

74. 奥盲蝽属 *Orthops* Fieber, 1858

(140) 东亚奥盲蝽 *Orthops*（*Orthops*）*udonis*（Matsumura, 1917）

分布：陕西（略阳、石泉、旬阳）、黑龙江、吉林、内蒙古、河北、山西、河南、新疆、江苏、湖北、广西、四川、贵州；俄罗斯，朝鲜，韩国，日本。

75. 拟壮盲蝽属 *Paracyphodema* Lu et Zheng, 2004

(141) 居间拟壮盲蝽 *Paracyphodema inexpectata*（Zheng et Liu, 1992）

分布：陕西（宁陕）、湖北、湖南、四川、云南、西藏。

76. 植盲蝽属 *Phytocoris* Fallén, 1814

(142) 柠条植盲蝽 *Phyocoris caraganae* Nonnaizab et Jorigtoo, 1992

分布：陕西（定边）、内蒙古、宁夏；蒙古。

(143) 砂地植盲蝽 *Phytocoris jorigtooi* Kerzhner et Schuh, 1995

分布：陕西（佳县、定边）、内蒙古、宁夏。

(144) 吕氏植盲蝽 *Phytocoris lui* Xu et Zheng, 2002

分布：陕西（周至）。

(145) 蒙古植盲蝽 *Phytocoris mongolicus* Nonnaizab et Jorigtoo, 1992

分布：陕西（凤县、神木）、内蒙古、山西。

(146) 诺植盲蝽 *Phytocoris nowickyi* Fieber, 1870

分布：陕西（凤县、留坝、南郑、宁陕）、黑龙江、吉林、内蒙古、河北、甘肃、湖北、四川；俄罗斯，朝鲜，日本，欧洲。

(147) 锦锈植盲蝽 *Phytocois pictipennis* Xu et Zheng, 2002

分布：陕西（宁陕）、宁夏、甘肃。

(148) 沙氏植盲蝽 *Phytocoris shabliovskii* Kerzhner, 1998

分布：陕西（留坝）、黑龙江、山西、甘肃、湖北；俄罗斯。

77. 异盲蝽属 *Polymerus* Hahn, 1831

(149) 红楔异盲蝽 *Polymerus cognatus*（Fieber, 1858）

分布：陕西（武功）、黑龙江、吉林、内蒙古、北京、天津、河北、山西、山东、河南、甘肃、新疆、四川；俄罗斯（远东），朝鲜，中亚，欧洲。

(150) 横断异盲蝽 *Polymerus funestus*（Reuter, 1906）

分布：陕西（太白、华阴）、北京、四川、西藏。

(151) 北京异盲蝽 *Polymerus pekinensis* Horváth, 1901

分布：陕西（凤县、留坝）、黑龙江、吉林、内蒙古、北京、天津、山西、山东、安徽、浙江、江西、福建、四川、云南；朝鲜，日本 。

78.　狭盲蝽属 *Stenodema* Laporte，1833

（152）山地狭盲蝽 *Stenodema*（*Stenodema*）*alpestris* Reuter，1904
分布：陕西（周至、凤县、留坝、宁陕）、甘肃、浙江、湖北、江西、福建、广西、四川、贵州、云南。

（153）深色狭盲蝽 *Stenodema*（*Stenodema*）*elegans* Reuter，1904
分布：陕西（周至、留坝、佛坪、宁陕）、甘肃、浙江、湖北、江西、湖南、福建、台湾、广东、广西、四川、云南。

（154）川狭盲蝽 *Stenodema*（*Stenodema*）*plebeja* Reuter，1904
分布：陕西（周至、佛坪）、甘肃、四川。

（155）秦岭狭盲蝽 *Stenodema*（*Stenodema*）*qinlingensis* Tang，1994
分布：陕西（宁陕）。

79.　纤盲蝽属 *Stenotus* Jakovlev，1877

（156）赤条纤盲蝽 *Stenotus rubrovittatus*（Matsumura，1913）
分布：陕西（汉中）、吉林、河北、河南、江苏、湖北、江西、云南；俄罗斯（远东），韩国，日本。

80.　猬盲蝽属 *Tinginotum* Kirkaldy，1902

（157）松猬盲蝽 *Tinginotum pini* Kulik，1965
分布：陕西（凤县、留坝、宁陕）、甘肃、浙江、四川、云南；俄罗斯（远东），朝鲜，韩国，日本。

81.　赤须盲蝽属 *Trigonotylus* Fieber，1858

（158）条赤须盲蝽 *Trigonotylus coelestialium*（Kirkaldy，1902）
分布：陕西（武功、留坝、佛坪）、黑龙江、吉林、辽宁、内蒙古、河北、山西、山东、河南、宁夏、甘肃、新疆、江苏、湖北、江西、四川、云南；俄罗斯，朝鲜，欧洲，北美洲。

（五）合垫盲蝽亚科 Orthotylinae

82.　弯脊盲蝽属 *Campylotropis* Reuter，1904

（159）雅氏弯脊盲蝽 *Campylotropis jakovlevi* Reuter，1904

　　　　分布：陕西（秦岭，泾阳）、北京；朝鲜，韩国。

83. 盔盲蝽属 *Cyrtorhinus* Fieber, 1858

（160）褐盔盲蝽 *Cyrtorhinus caricis*（Fallen, 1807）

　　　　分布：陕西（秦岭，榆林）、内蒙古、甘肃、新疆；俄罗斯（西伯利亚），欧洲。

（161）黑肩绿盔盲蝽 *Cyrtorhinus lividipennis* Reuter, 1884

　　　　分布：陕西（周至、宁陕）、河北、山东、河南、江苏、上海、安徽、浙江、湖北、江西、湖南、福建、台湾、广东、海南、广西、四川、贵州、云南；日本，越南。

84. 跃盲蝽属 *Ectmetopterus* Reuter, 1906

（162）甘薯跃盲蝽 *Ectmetopterus micantulus*（Horvath, 1905）

　　　　分布：陕西（武功）、北京、天津、河北、山东、河南、甘肃、浙江、湖北、江西、湖南、福建、广东、海南、广西、四川、贵州、云南；日本。

85. 跳盲蝽属 *Halticus* Hahn, 1832

（163）微小跳盲蝽 *Halticus minutus* Reuter, 1885

　　　　分布：陕西（武功）、北京、河南、浙江、湖北、江西、福建、台湾、广东、广西、四川、云南；东洋区。

86. 昧盲蝽属 *Mecomma* Fieber, 1858

（164）陕昧盲蝽 *Mecomma shaanxiensis* Liu *et* Yamamoto, 2004

　　　　分布：陕西（凤县、留坝、宁陕）。

87. 直头盲蝽属 *Orthocephalus* Fieber, 1858

（165）艾黑直头盲蝽 *Orthocephalus funestus* Jakolev, 1881

　　　　分布：陕西（南郑）、黑龙江、吉林、内蒙古、河南、甘肃、新疆、江苏、湖北、四川；蒙古，俄罗斯，朝鲜，韩国，日本。

88. 合垫盲蝽属 *Orthotylus* Fieber, 1858

（166）杂毛合垫盲蝽 *Orthotylus*（*Melanotrichus*）*flavosparsus*（Sahlberg, 1841）

　　　　分布：陕西（武功、泾阳、留坝、佛坪、延安）、黑龙江、内蒙古、北京、天津、河北、山西、山东、河南、宁夏、甘肃、新疆、浙江、湖北、江西、四川；俄罗斯，韩国，日本，中亚地区，欧洲，美国，阿根廷，智利。

（167）灰绿合垫盲蝽 *Orthotylus*（*Orthotylus*）*interpositus* Schmidt, 1938

分布：陕西（凤县）、黑龙江、内蒙古、河北、河南、宁夏、甘肃、四川；俄罗斯，德国，意大利，葡萄牙。

（168）红眼合垫盲蝽 *Orthotylus*（*Orthotylus*）*rubioculus* Liu *et* Zheng，2014
分布：陕西（留坝）、贵州。

（169）斑膜合垫盲蝽 *Orthotylus*（*Orthotylus*）*sophorae* Josifov，1976
分布：陕西（秦岭，泾阳）、天津、河南、甘肃、湖北、四川；朝鲜，韩国。

（170）双纹合垫盲蝽 *Orthotylus*（*Pseudorthotylus*）*bilineatus*（Fallén，1807）
分布：陕西（黄龙）、内蒙古、宁夏、甘肃、青海、四川；俄罗斯，日本，欧洲。

89．突额盲蝽属 *Pseudoloxops* Kirkaldy，1905

（171）紫斑突额盲蝽 *Pseudoloxops guttatus* Zou，1987
分布：陕西（杨凌）、河北、山东、河南。

90．平盲蝽属 *Zanchius* Distant，1904

（172）陕平盲蝽 *Zanchius shaanxiensis* Liu *et* Zheng，1999
分布：陕西（留坝、宁陕）。

（173）红点平盲蝽 *Zanchius tarasovi* Kerzhner，1988
分布：陕西（周至、宁陕）、河北、河南、甘肃、台湾；俄罗斯。

（六）叶盲蝽亚科 Phylinae

91．微刺盲蝽属 *Campylomma* Reuter，1878

（174）佛坪微刺盲蝽 *Campylomma fopingensis* Li *et* Liu，2010
分布：陕西（佛坪）。

92．蓬盲蝽属 *Chlamydatus* Curtis，1833

（175）黑蓬盲蝽 *Chlamydatus pullus*（Reuter，1870）
分布：陕西（武功）、黑龙江、吉林、内蒙古、北京、天津、河北、山东、河南、宁夏、新疆；俄罗斯，伊朗，欧洲，加拿大。

93．短唇盲蝽属 *Phaeochiton* Kerzhner，1964

（176）阿拉善短唇盲蝽 *Phaeochiton alashanensis*（Qi *et* Nonnaizab，1996）
分布：陕西（镇巴、神木）、内蒙古、甘肃。

（177）柠条短唇盲蝽 *Phaeochiton caraganae*（Kerzhner，1964）
分布：陕西（佳县、神木）、内蒙古、宁夏；俄罗斯，哈萨克斯坦。

94. 吸血盲蝽属 *Pherolepis* Kulik, 1968

（178）鳞毛吸血盲蝽 *Pherolepis aenescens*（Reuter, 1901）

分布：陕西（凤县）、黑龙江、内蒙古、北京、河南、宁夏、甘肃；蒙古，俄罗斯（远东）。

（179）广吸血盲蝽 *Pherolepis amplus* Kulik, 1968

分布：陕西（凤县、神木）、黑龙江、内蒙古、河北、山东、宁夏、甘肃、贵州；蒙古，俄罗斯（远东）。

（180）长毛吸血盲蝽 *Pherolepis longipilus* Zhang *et* Liu, 2009

分布：陕西（凤县）、天津、河南。

95. 束盲蝽属 *Pilophorus* Hahn, 1826

（181）棒角束盲蝽 *Pilophorus clavatus*（Linnaeus, 1767）

分布：陕西（周至）、内蒙古、河北、山东、宁夏、甘肃、新疆、浙江；俄罗斯，欧洲，加拿大，美国。

（182）丽束盲蝽 *Pilophorus elegans* Li, Zhang *et* Liu, 2017

分布：陕西（留坝）、天津、山东、河南、湖北。

（183）远洋束盲蝽 *Pilophorus erraticus* Linnavuori, 1962

分布：陕西（留坝）、黑龙江、山东、四川。

（184）冈本束盲蝽 *Pilophorus okamotoi* Miyamoto *et* Lee, 1966

分布：陕西（凤县）、湖北；日本。

（185）全北束盲蝽 *Pilophorus perplexus* Douglas *et* Scott, 1875

分布：陕西（凤县、佛坪）、河北、山西、甘肃；欧洲，美国，加拿大。

（186）拟全北束盲蝽 *Pilophorus pseudoperplexus* Josifov, 1987

分布：陕西（秦岭）、黑龙江、山东、浙江；俄罗斯，朝鲜，日本。

（187）长毛束盲蝽 *Pilophorus setulosus* Horvath, 1905

分布：陕西（周至、凤县）、黑龙江、内蒙古、天津、河北、山东、河南、宁夏、甘肃、新疆、四川、贵州、西藏；俄罗斯，日本。

（188）泛束盲蝽 *Pilophorus typicus*（Distant, 1909）

分布：陕西（佛坪）、北京、甘肃、浙江、湖北、湖南、福建、台湾、广东、海南、香港、澳门、广西、四川、贵州、云南；日本，越南，印度，斯里兰卡，菲律宾，马来西亚。

96. 斜唇盲蝽属 *Plagiognathus* Fieber, 1858

（189）龙江斜唇盲蝽 *Plagiognathus amurensis* Reuter, 1883

分布：陕西(宁陕)、黑龙江、北京、天津、山西、山东、河南、湖北；俄罗斯(远东)。

(190) 银灰斜唇盲蝽 *Plagiognathus chrysanthemi* (Wolff, 1804)

分布：陕西(凤县)、黑龙江、内蒙古、河北、宁夏、甘肃、新疆、湖北、四川、西藏；蒙古,俄罗斯,日本,欧洲,加拿大,美国。

(191) 褐斜唇盲蝽 *Plagiognathus obscuriceps* (Stål, 1858)

分布：陕西(宁陕)、辽宁、内蒙古、河北；俄罗斯。

(192) 黑斜唇盲蝽 *Plagiognathus yomogi* Miyamoto, 1969

分布：陕西(凤县、西乡)、黑龙江、北京、安徽、湖北、湖南、重庆、四川、贵州、云南；俄罗斯,日本。

97. 红楔盲蝽属 *Rubrocuneocoris* Schuh, 1984

(193) *Rubrocuneocoris lanceus* Li *et* Liu, 2008

分布：陕西、重庆。

98. 柽盲蝽属 *Tuponia* Reuter, 1875

(194) 中华柽盲蝽 *Tuponia chinensis* Zheng *et* Li, 1992

分布：陕西(杨凌)、天津、河北、山东、宁夏。

十一、网蝽科 Tingidae

(一)长头网蝽亚科 Cantacaderinae

99. 长头网蝽属 *Cantacader* Amyot *et* Serville, 1843

(195) 长头网蝽 *Cantacader lethierryi* Scott, 1874

分布：陕西(周至、汉中)、北京、河北、浙江、台湾、云南；韩国,日本,越南,泰国 。

(二)网蝽亚科 Tinginae

100. 粗角网蝽属 *Copium* Thunberg, 1822

(196) 粗角网蝽 *Copium japonicum* Esaki, 1931

分布：陕西(留坝)、上海、湖北、江西、福建、台湾、广东、重庆、四川、贵州；朝鲜,日本。

101. 长喙网蝽属 *Derephysia* Spinola, 1837

(197) 宽长喙网蝽 *Derephysia longirostrata* Jing, 1980
　　分布：陕西(凤县、华阴)。

102. 菱背网蝽属 *Eteoneus* Distant, 1903

(198) 角菱背网蝽 *Eteoneus angulatus* Drake *et* Maa, 1953
　　分布：陕西(凤县、留坝)、河南、甘肃、江西、湖南、福建、海南、广西、重庆、
贵州。

103. 贝脊网蝽属 *Galeatus* Curtis, 1837

(199) 短贝脊网蝽 *Galeatus affinis* (Herrich-Schäffer, 1835)
　　分布：陕西(周至、武功)、黑龙江、辽宁、北京、天津、河北、山西、山东、河
南、甘肃、安徽、浙江、湖北、湖南、福建、广西、重庆、四川、云南；蒙古，俄
罗斯，朝鲜，日本，中亚，欧洲，美国。

(200) 半贝脊网蝽 *Galeatus decorus* Jakovlev, 1880
　　分布：陕西(武功)、内蒙古、北京、天津、甘肃、浙江、湖北；俄罗斯，哈萨克
斯坦(亚洲部分)，保加利亚，匈牙利，罗马尼亚。

104. 华网蝽属 *Hurdchila* Drake, 1953

(201) 翘华网蝽 *Hurdchila lewisi* (Scott, 1880)
　　分布：陕西(凤县)、福建；日本。

105. 柳网蝽属 *Metasalis* Lee, 1971

(202) 杨柳网蝽 *Metasalis populi* (Takeya, 1932)
　　分布：陕西(周至、杨凌、凤县、略阳、宁陕)、黑龙江、北京、天津、河北、山
西、山东、河南、甘肃、湖北、江西、福建、广东、香港、重庆、四川、贵州；俄罗
斯(远东)，朝鲜，日本。

106. 折板网蝽属 *Physatocheila* Fiebe, 1844

(203) 折板网蝽 *Physatocheila costata* (Fabricius, 1794)
　　分布：陕西(周至、凤县、华阴)、内蒙古、甘肃；俄罗斯(远东)，中亚，
欧洲。

107.冠网蝽属 *Stephanitis* Stål, 1873

(204) 梨冠网蝽 *Stephanitis nashi* Esaki *et* Takeya, 1931
分布：陕西(武功、杨凌)、黑龙江、吉林、北京、天津、河北、山西、山东、河南、安徽、浙江、湖北、江西、湖南、福建、台湾、广东、海南、广西、四川；俄罗斯(远东)，朝鲜，日本。

108.菊网蝽属 *Tingis* Fabricius, 1803

(205) 长毛菊网蝽 *Tingis*(*Neolasiotropis*)*pilosa* Hummel, 1825
分布：陕西(周至、武功、凤县)、黑龙江、吉林、辽宁、内蒙古、北京、天津、河北、山西、甘肃、新疆、湖北；蒙古，俄罗斯，中亚，欧洲。

(206) 卷毛裸菊网蝽 *Tingis*(*Tingis*)*crispata*(Herrich-Schäffer, 1838)
分布：陕西(凤县)、内蒙古、北京、浙江、湖北、福建、四川；蒙古，俄罗斯，朝鲜，日本，印度，中亚，欧洲。

(207) 长卷毛裸菊网蝽 *Tingis*(*Tingis*)*longicurvipilis* Nonnaizab, 1988
分布：陕西(凤县、陇县)、黑龙江、内蒙古、山西、甘肃。

(208) 米氏裸菊网蝽 *Tingis*(*Tingis*)*miyamotoi* Lee, 1976
分布：陕西(长安)、吉林、内蒙古、湖北、贵州；俄罗斯(远东)，朝鲜，日本。

(209) 卷刺菊网蝽 *Tingis*(*Tropidocheila*)*buddleiae* Drake, 1930
分布：陕西(凤县、华阴、佛坪、宁陕)、湖北、湖南、四川、贵州、云南；印度、不丹、菲律宾。

109.角肩网蝽属 *Uhlerites* Drake, 1927

(210) 褐角肩网蝽 *Uhlerites debilis*(Uhler, 1896)
分布：陕西(周至、勉县)、山西、安徽、湖北、台湾、广西、云南；俄罗斯(远东)，朝鲜，日本。

(211) 东亚角肩网蝽 *Uhlerites orientalis* Li *et* Bu, 2017
分布：陕西(周至、太白、宁陕)。

Ⅷ. 姬蝽总科 Naboidea

十二、姬蝽科 Nabidae

（一）花姬蝽亚科 Prostemminae

110. 花姬蝽属 *Prostemma* Laporte，1832

（212）长胸花姬蝽 *Prostemma longicolle*（Reuter，l909）
分布：陕西（渭南、甘泉）、甘肃、江苏。

（二）姬蝽亚科 Nabinae

111. 柽姬蝽属 *Aspilaspis* Stål，1873

（213）柽姬蝽 *Aspilaspis pallida*（Fieber，1861）
分布：陕西（定边），天津，内蒙古，甘肃，宁夏，新疆；欧洲，中亚。

112. 高姬蝽属 *Gorlpis* Stål，1859

（214）山高姬蝽 *Gorpis brevilineatus*（Scott，1874）
分布：陕西（周至）、辽宁、河北、河南、甘肃、浙江、湖北、江西、湖南、福建、海南、广西、四川、云南；俄罗斯，朝鲜，日本。

（215）角肩高姬蝽 *Gorpis humeralis*（Distant，l904）
分布：陕西（留坝）、湖北、湖南、贵州；印度，斯里兰卡。

（216）日本高姬蝽 *Gorpis japonicus* Kerzhner，1968
分布：陕西（杨凌）、北京、河北、山东、河南、浙江、福建、海南、四川、贵州；俄罗斯，朝鲜，日本。

113. 希姬蝽属 *Himacerus* Wolff，1811

（217）泛希姬蝽 *Himacerus apterus*（Fabricius，1798）
分布：陕西（凤县、南郑、镇巴、延安）、黑龙江、辽宁、内蒙古、北京、河北、山西、山东、河南、宁夏、甘肃、青海、湖北、广东、海南、四川、云南、西藏；俄罗斯，朝鲜，韩国，日本，欧洲，非洲北部。

114. 捺姬蝽属 *Nabicula* Kirby，1837

（218）黄缘捺姬蝽 *Nabicula*（*Nabicula*）*flavomarginata*（Scholtz，1847）

分布：陕西（凤县、留坝、南郑、佛坪）、黑龙江、辽宁、内蒙古、河北、宁夏、甘肃、青海、新疆、四川；蒙古，俄罗斯，朝鲜，韩国，日本，加拿大。

115. 姬蝽属 *Nabis* Latreille, 1802

（219）波姬蝽 *Nabis*（*Milu*）*potanini* Bianchi, 1896

分布：陕西（佛坪）、河北、河南、湖北、四川、贵州、云南、西藏；欧洲。

（220）北姬蝽 *Nabis*（*Milu*）*reuteri* Jakovlev, 1876

分布：陕西（武功）、黑龙江、吉林、内蒙古、北京、天津、河北、山东、甘肃；俄罗斯（远东），朝鲜，日本。

（221）原姬蝽 *Nabis*（*Nabis*）*ferus*（Linnaeus, 1758）

分布：陕西（秦岭）、吉林、内蒙古、宁夏、甘肃、青海、新疆、四川、云南、西藏；蒙古，日本，欧洲。

（222）类原姬蝽（亚洲亚种）*Nabis*（*Nabis*）*punctatus mimoferus* Hsiao, 1964

分布：陕西（定边、佳县、神木）、黑龙江、吉林、内蒙古、北京、天津、河北、河南、山东、宁夏、甘肃、新疆、四川、贵州、云南、西藏；俄罗斯，中亚，西亚。

（223）华姬蝽 *Nabis*（*Nabis*）*sinoferus* Hsiao, 1964

分布：陕西（武功、定边）、北京，天津，河北，黑龙江，吉林，内蒙古，河南，山东，甘肃，宁夏，青海，新疆，湖北，广西；蒙古，阿富汗，乌兹别克斯坦，吉尔吉斯斯坦，塔吉克斯坦。

（224）暗色姬蝽 *Nabis*（*Nabis*）*stenoferus* Hsiao, 1964

分布：陕西（武功、洋县、南郑、定边）、黑龙江、吉林、辽宁、北京、天津、河北、山西、山东、河南、宁夏、甘肃、新疆、江苏、安徽、浙江、湖北、江西、福建、四川、云南；俄罗斯，朝鲜，日本。

Ⅸ. 臭蝽总科 Cimicoidea

十三、细角花蝽科 Lyctocoridae

116. 细角花蝽属 *Lyctocoris* Hahn, 1835

（225）东方细角花蝽 *Lyctocoris beneficus*（Hiura, 1957）

分布：陕西（周至、武功、眉县、合阳、宁陕、商洛、甘泉）、北京、天津、河北、山东、河南、江苏、浙江、湖北、江西、广东、广西、四川、贵州；日本。

十四、花蝽科（狭义）Anthocoridae

117．叉胸花蝽属 *Amphiareus* Distant，1904

（226）黑头叉胸花蝽 *Amphiareus obscuriceps*（Poppius，1909）

分布：陕西（武功、留坝、汉中、佛坪、宁陕、商洛、丹凤）、辽宁、内蒙古、北京、天津、河北、山东、河南、甘肃、江苏、浙江、湖南、台湾、海南、广西、四川、云南；日本。

118．原花蝽属 *Anthocoris* Fallén，1814

（227）黑脉原花蝽 *Anthocoris gracilis* Zheng，1984

分布：陕西（南郑）、四川。

（228）萧氏原花蝽 *Anthocoris hsiaoi* Bu et Zheng，1991

分布：陕西（周至、凤县、宝鸡、华阴、留坝、南郑、佛坪、宁陕）、北京、甘肃、四川。

（229）宫本原花蝽 *Anthocoris miyamotoi* Hiura，1959

分布：陕西（周至、凤县、留坝、宁陕）；俄罗斯（远东、库叶岛），日本。

（230）灰胫原花蝽 *Anthocoris notatotibialis* Bu，2001

分布：陕西（留坝）。

（231）秦岭原花蝽 *Anthocoris qinlingensis* Bu et Zheng，1990

分布：陕西（眉县、华阴）、甘肃、四川。

（232）乌苏里原花蝽 *Anthocoris ussuriensis* Lindberg，1927

分布：陕西（周至、凤县、留坝）、辽宁、河北、湖北；蒙古，俄罗斯。

119．圆花蝽属 *Bilia* Distant，1904

（233）日本圆花蝽 *Bilia japonica* Carayon et Miyamoto，1960

分布：陕西（略阳）；俄罗斯（远东），日本。

120．镰花蝽属 *Cardiastethus* Fieber，1860

（234）小镰花蝽 *Cardiastethus exiguus* Poppius，1913

分布：陕西（镇巴）、山东、河南、江苏、上海、浙江、湖北、湖南、台湾、海南、广西、四川；日本，印度，斯里兰卡，非洲。

121．小花蝽属 *Orius* Wolff，1811

（235）中国小花蝽 *Orius chinensis* Bu，2001

分布：陕西(凤县、留坝、宁陕)、四川、云南。

(236) 明小花蝽 *Orius nagaii* **Yasunaga**, **1993**

分布：陕西(汉中)、天津、河北、山东、安徽、浙江；日本。

蝽次目 Pentatomomorpha

Ⅹ. 扁蝽总科 Aradoidea

十五、扁蝽科 Aradidae

(一) 扁蝽亚科 Aradinae

122. 扁蝽属 *Aradus* Fabricius, 1803

(237) *Aradus bergrothianus* **Kiritshenko**, **1913**

分布：陕西、河南。

(238) 皮扁蝽 *Aradus corticalis*（**Linnaeus**, **1758**）

分布：陕西(甘泉)、吉林、河南；俄罗斯(远东)，日本，阿塞拜疆，欧洲。

(239) 黑须暗扁蝽 *Aradus lugubris* **Fallén**, **1807**

分布：陕西(甘泉)、内蒙古、福建。

(240) 秦岭山扁蝽 *Aradus quinlingshanensis* **Heiss**, **2003**

分布：陕西(宁陕)。

(241) 郑氏扁蝽 *Aradus zhengi* **Heiss**, **2001**

分布：陕西(留坝)、河南、甘肃、湖北。

(二) 无脉扁蝽亚科 Aneurinae

123. 无脉扁蝽属 *Aneurus* Curtis, 1825

(242) 陕无脉扁蝽 *Aneurus*（*Neaneurus*）*shaanxianus* **Heiss**, **1998**

分布：陕西(秦岭)。

(三) 短喙扁蝽亚科 Mezirinae

124. 脊扁蝽属 *Neuroctenus* Fieber, 1860

(243) 素须脊扁蝽 *Neuroctenus castaneus*（**Jakovlev**, **1878**）

分布：陕西(甘泉)、吉林、甘肃、福建；俄罗斯。

（244）陕西脊扁蝽 *Neuroctenus shaanxianus* **Liu**，1981
　　　分布：陕西（甘泉）。

125．似喙扁蝽属 *Pseudomezira* **Heiss**，1982

（245）双脊似喙扁蝽 *Pseudomezira bicaudata*（**Kormilev**，1971）
　　　分布：陕西（临潼，太白山）、四川。

XI．长蝽总科 Lygaeoidea

十六、跷蝽科 Berytidae

126．华锥头跷蝽属 *Chinoneides* **Štusák**，1989

（246）华锥头跷蝽 *Chinoneides lushanicus*（**Hsiao**，1974）
　　　分布：陕西（眉县、留坝）、河南、湖北、江西。

127．背跷蝽属 *Metacanthus* **Costa**，1843

（247）娇背跷蝽 *Metacanthus*（*Cardopostethus*）*pulchellus* **Dallas**，1852
　　　分布：陕西（长安、凤县、留坝、洋县、宁陕、甘泉）、山西、山东、甘肃、浙江、
　　　湖北、湖南、福建、台湾、广东、海南、广西、四川、贵州、云南；韩国，日本，
　　　印度，斯里兰卡，菲律宾，马来西亚，印度尼西亚，新几内亚，澳大利亚。

128．肩跷蝽属 *Metatropis* **Fieber**，1859

（248）光肩跷蝽 *Metatropis brevirostris* **Hsiao**，1974
　　　分布：陕西（长安、留坝、宁陕）、河南、甘肃、浙江、湖北、江西、湖南、福建、
　　　广东、广西、贵州、云南。

（249）齿肩跷蝽 *Metatropis denticollis* **Lindberg**，1934
　　　分布：陕西（周至、太白、凤县、留坝、宁陕）、山西、宁夏、甘肃、湖北、湖南、
　　　广东、广西、四川、云南、西藏。

129．锥头跷蝽属 *Neides* **Latreille**，1802

（250）邻锥头跷蝽 *Neides propinquus* **Horváth**，1901
　　　分布：陕西（华阴）、内蒙古、山东；蒙古，俄罗斯。

130．锤胁跷蝽属 *Yemma* **Horváth**，1905

（251）锤胁跷蝽 *Yemma exilis* **Horváth**，1905

分布：陕西（周至、武功、南郑、紫阳、安康、商南）、辽宁、北京、天津、河北、山西、山东、河南、甘肃、浙江、湖北、江西、湖南、海南、四川、贵州、云南；日本。

131．刺胁跷蝽属 _Yemmalysus_ Štusák, 1972

（252）短刺胁跷蝽 _Yemmalysus brevispinus_ Cai, Ye _et_ Bu, 2013
分布：陕西（安康）、浙江、江西、湖南、四川、贵州。

十七、杆长蝽科 Blissidae

132．狭长蝽属 _Dimorphopterus_ Stål, 1872

（253）高粱狭长蝽（高粱长蝽）_Dimorphopterus japonicus_（Hidaka, 1959）
分布：陕西（礼泉）、黑龙江、吉林、辽宁、内蒙古、山东、浙江、湖北、江西、湖南、福建、广东、广西、四川、贵州、云南；日本，欧洲。

十八、尼长蝽科 Ninidae

133．蔺长蝽属 _Ninomimus_ Lindberg, 1934

（254）黄足蔺长蝽 _Ninomimus flavipes_（Matsumura, 1913）
分布：陕西（凤县、佛坪）、黑龙江、吉林、河南、浙江、湖北、江西、湖南、福建、海南、广西、四川、贵州；俄罗斯，日本。

十九、大眼长蝽科 Geocoridae

（一）大眼长蝽亚科 Geocorinae

134．大眼长蝽属 _Geocoris_ Fallén, 1814

（255）黑大眼长蝽 _Geocoris itonis_ Horváth, 1905
分布：陕西（凤县、甘泉）、黑龙江、辽宁、内蒙古、北京、河北、山西、宁夏；日本。

（256）大眼长蝽 _Geocoris pallidipennis_（Costa, 1843）
分布：陕西（周至、户县、武功、黄陵）、辽宁、北京、天津、河北、山西、山东、河南、宁夏、甘肃、上海、浙江、湖北、江西、福建、海南、四川、云南；印度，菲律宾，印度尼西亚，以色列，埃及，摩洛哥，突尼斯，欧洲。

（257）宽大眼长蝽 _Geocoris varius_（Uhler, 1860）

分布：陕西（周至、留坝、镇巴）、天津、山西、甘肃、江苏、安徽、浙江、湖北、江西、湖南、福建、台湾、广东、海南、广西、重庆、四川、贵州、云南、西藏；日本。

（二）盐长蝽亚科 Henestarinae

135. 卤长蝽属 *Engistus* Fieber，1864

（258）突眼高颊长蝽 *Engistus salinus*（Jakovlev，1874）

分布：陕西（秦岭、定边）、内蒙古、甘肃、宁夏、新疆、广西。

二十、室翅长蝽科 Heterogastridae

136. 异腹长蝽属 *Heterogaster* Schiling，1829

（259）中华异腹长蝽 *Heterogaster chinensis* Zou et Zheng，1981

分布：陕西（凤县、宝鸡、南郑、西乡、镇巴、佛坪）、甘肃、浙江、湖北、江西、湖南、福建、重庆、四川、贵州、云南。

137. 裂腹长蝽属 *Nerthus* Distant，1909

（260）台裂腹长蝽 *Nerthus taivanicus*（Bergroth，1914）

分布：陕西（周至）、江苏、上海、浙江、湖北、江西、福建、台湾、广东、海南、广西、贵州、云南。

二十一、长蝽科 Lygaeidae

（一）蒴长蝽亚科 Ischnorhynchinae

138. 穗长蝽属 *Kleidocerys* Stephens，1829

（261）桦穗长蝽 *Kleidocerys resedae resedae*（Panzer，1797）

分布：陕西（凤县）、黑龙江、吉林、内蒙古、河北、宁夏、甘肃、新疆、四川；俄罗斯，日本，欧洲，北美洲。

139. 蒴长蝽属 *Pylorgus* Stål，1874

（262）红褐蒴长蝽 *Pylorgus obscurus* Scudder，1962

分布：陕西（凤县、宁陕）、天津、浙江、江西、湖南、福建、广东、海南、广西、四川、贵州、云南、西藏；印度。

（263）灰褐蒴长蝽 *Pylorgus sordidus* Zheng，Zou et Hsiao，1979

分布：陕西（周至、凤县、佛坪、宁陕）、河北、甘肃、浙江、湖北、重庆、四川、贵州、云南、西藏。

（二）红长蝽亚科 Lygaeinae

140. 肿腮长蝽属 *Arocatus* Spinola，1837

（264）韦肿腮长蝽 *Arocatus melanostoma* Scott，1874
分布：陕西（陇县）、黑龙江、吉林、辽宁、天津、河北、甘肃、安徽、浙江、湖北、江西、湖南、福建、广东；俄罗斯，韩国，日本。

（265）拟丝肿腮长蝽 *Arocatus pseudosericans* Gao，Kondorosy *et* Bu，2013
分布：陕西（佛坪）、浙江、福建、台湾、广东、广西、四川、贵州；韩国，日本，印度，斯里兰卡。

（266）红褐肿腮长蝽 *Arocatus rufipes* Stål，1872
分布：陕西（周至）、内蒙古、北京、天津、河北；蒙古，俄罗斯，日本。

141. 显脉长蝽属 *Lygaeosoma* Spinola，1837

（267）异显脉长蝽 *Lygaeosoma sibiricus* Seidenstücker，1962
分布：陕西（甘泉）、宁夏、青海、新疆；蒙古，俄罗斯，哈萨克斯坦，土库曼斯坦，欧洲。

142. 红长蝽属 *Lygaeus* Fabricius，1794

（268）横带红长蝽 *Lygaeus equestris*（Linnaeus，1758）
分布：陕西（永寿、彬县、凤县、华阴、定边、吴堡）、黑龙江、吉林、辽宁、天津、河北、山西、山东、河南、宁夏、新疆、江苏、重庆、四川、云南、西藏；印度，巴基斯坦，古北区广布。

（269）拟方红长蝽 *Lygaeus oreophilus*（Kiritshenko，1931）
分布：陕西（华阴）、甘肃、河南、四川、云南、西藏。

（270）方红长蝽 *Lygaeus quadratomaculatus* Kirby，1891
分布：陕西（凤县、山阳）、海南、四川、云南、西藏；斯里兰卡。

（271）斑红长蝽 *Lygaeus teraphoides* Jakovlev，1890
分布：陕西（秦岭）、北京、甘肃、湖北、福建、四川。

143. 脊长蝽属 *Tropidothorax* Bergroth，1894

（272）斑脊长蝽（大斑脊长蝽）*Tropidothorax cruciger*（Motschulsky，1860）
分布：陕西（西安、长安、华阴、武功、洋县、镇巴）、黑龙江、吉林、辽宁、内蒙古、北京、宁夏、甘肃、江苏、上海、安徽、浙江、湖北、湖南、福建、台湾、四川、西藏；俄罗斯（远东、西伯利亚），韩国，日本。

（273）红脊长蝽 *Tropidothorax sinensis*（**Reuter，1888**）

分布：陕西（长安、凤县）、吉林、北京、天津、河北、山西、河南、江苏、上海、安徽、浙江、湖北、江西、湖南、福建、台湾、广东、海南、广西、云南；日本。

（三）背孔长蝽亚科 Orsillinae

144．小长蝽属 *Nysius* Dallas，1852

（274）小长蝽 *Nysius ericae ericae*〔**Schilling，1829**〕

分布：陕西（武功）、北京、天津、河北、河南、宁夏、新疆、浙江、四川、贵州、西藏；古北区与新北区广布。

二十二、束长蝽科 Malcidae

145．突眼长蝽属 *Chauliops* Scott，1874

（275）锥突眼长蝽 *Chauliops conica* Gao *et* **Bu，2009**
分布：陕西（凤县、佛坪）、湖北、广西、四川、云南。

（276）豆突眼长蝽 *Chauliops fallax* Scott，1874
分布：陕西（宝鸡、佛坪）、北京、天津、河北、山西、山东、河南、甘肃、上海、安徽、江苏、浙江、湖北、江西、湖南、福建、广西、四川、贵州、云南；日本，印度，斯里兰卡。

二十三、尖长蝽科 Oxycarenidae

146．毛顶长蝽属 *Auchenodes* Horváth，1891

（277）毛顶长蝽 *Auchenodes gracilis* Zheng，Zou *et* Hsiao，1979
分布：陕西（甘泉）。

二十四、梭长蝽科 Pachygronthidae

147．梭长蝽属 *Pachygrontha* Germar，1838

（278）长须梭长蝽 *Pachygrontha antennata antennata*（**Uhler，1860**）
分布：陕西（佛坪）、吉林、河北、山东、江苏、上海、安徽、浙江、湖北、江西、湖南、福建、广东、海南、广西、重庆、贵州、云南；日本。

（279）短须梭长蝽 *Pachygrontha antennata nigriventris* Reuter，1881
　　　分布：陕西（佛坪）、黑龙江、吉林、山东、江苏、安徽、浙江、湖北、湖南、福建、四川、贵州；俄罗斯，日本。

二十五、地长蝽科 Rhyparochromidae

148. 微小长蝽属 *Botocudo* Kirkaldy，1904

（280）黑褐微长蝽 *Botocudo flavicornis*（Signoret，1880）
　　　分布：陕西（留坝）、天津、甘肃、浙江、湖北、江西、福建、海南、广西、重庆、四川、贵州、云南、西藏；菲律宾，印度尼西亚，太平洋岛屿。

149. 完缝长蝽属 *Bryanellocoris* Slater，1957

（281）东方完缝长蝽 *Bryanellocoris orientalis* Hidaka，1962
　　　分布：陕西（宁陕）、甘肃、浙江、湖北、江西、湖南、福建、台湾、广东、广西、四川、贵州、云南；韩国，日本。

150. 林长蝽属 *Drymus* Fieber，1860

（282）林长蝽 *Drymus*（*Sylvadrymus*）*sylvaticus*（Fabricius，1775）
　　　分布：陕西（凤县、留坝）、黑龙江、吉林、河北、河南、甘肃、湖北、四川、贵州、云南、西藏；俄罗斯（西伯利亚），中亚地区，欧洲。

151. 叶缘长蝽属 *Emblethis* Fieber，1860

（283）短胸叶缘长蝽 *Emblethis brachynotus* Horváth，1897
　　　分布：陕西（甘泉）、内蒙古、天津、河北、新疆、四川、云南；蒙古，俄罗斯，韩国，中亚地区。

152. 缢胸长蝽属 *Gyndes* Stål，1862

（284）川鄂缢胸长蝽 *Gyndes sinensis*（Zheng，1981）
　　　分布：陕西（佛坪、镇巴、安康）、山西、河南、湖北、四川、云南。

153. 刺胫长蝽属 *Horridipamera* Malipatil，1978

（285）褐刺胫长蝽 *Horridipamera inconspicua*（Dallas，1852）
　　　分布：陕西（佛坪）、浙江、湖北、江西、海南、四川、贵州、云南；日本，印度，斯里兰卡，菲律宾，非洲。

（286）白边刺胫长蝽 *Horridipamera lateralis*（Scott, 1874）

分布：陕西（镇巴、佛坪）、北京、河北、河南、安徽、浙江、湖北、江西、湖南、福建、广西、贵州；俄罗斯，韩国，日本。

154. 毛肩长蝽属 *Neolethaeus* Distant, 1909

（287）东亚毛肩长蝽 *Neolethaeus dallasi*（Scott, 1874）

分布：陕西（凤县、略阳、留坝、安康）、内蒙古、北京、天津、河北、山西、山东、河南、甘肃、江苏、安徽、浙江、湖北、江西、湖南、福建、台湾、广东、广西、重庆、四川、贵州、云南；韩国，日本。

155. 狭地长蝽属 *Panaorus* Kiritshenko, 1951

（288）淡边狭地长蝽 *Panaorus adspersus*（Mulsant *et* Rey, 1852）

分布：陕西（南郑）、黑龙江、吉林、内蒙古、河北、山西、山东、甘肃、新疆、湖北、四川；蒙古，俄罗斯，韩国，日本，哈萨克斯坦，欧洲。

（289）白斑狭地长蝽 *Panaorus albomaculatus*（Scott, 1874）

分布：陕西（陇县）、黑龙江、吉林、内蒙古、北京、天津、山西、山东、河南、甘肃、江苏、湖北、四川、贵州；俄罗斯，朝鲜，日本。

（290）黑斑狭地长蝽 *Panaorus csikii*（Horváth, 1901）

分布：陕西（镇巴）、内蒙古、北京、河北、山东、河南、浙江、湖北、湖南、广西；俄罗斯，韩国，日本。

156. 点列长蝽属 *Paradieuches* Distant, 1883

（291）褐斑点列长蝽 *Paradieuches dissimilis*（Distant, 1883）

分布：陕西（周至、凤县、宁陕）、浙江、湖北、福建、广西、四川、贵州、云南；日本。

157. 刺胸长蝽属 *Paraporta* Zheng, 1981

（292）刺胸长蝽 *Paraporta megaspina* Zheng, 1981

分布：陕西（华阴）、河南、浙江、湖北、江西、湖南、福建、广东、广西、贵州。

158. 细长蝽属 *Paromius* Fiber, 1860

（293）短喙细长蝽 *Paromius gracilis*（Rambur, 1839）

分布：陕西（佛坪）、山东、甘肃、浙江、湖北、江西、湖南、台湾、广东、海南、重庆、四川、云南、西藏；日本，越南，缅甸，印度，菲律宾，中亚地区，欧洲，非洲，太平洋岛屿。

159. 斑长蝽属 *Scolopostethus* Fieber，1860

（294）中国斑长蝽 *Scolopostethus chinensis* Zheng，1981

分布：陕西（宁陕）、黑龙江、河北、宁夏、甘肃、浙江、湖北、江西、四川、云南、西藏。

160. 浅缢长蝽属 *Stigmatonotum* Lindberg，1927

（295）山地浅缢长蝽 *Stigmatonotum rufipes*（Motschulsky，1866）

分布：陕西（周至、凤县、留坝、南郑、镇巴、宁陕）、黑龙江、山东、河南、甘肃、安徽、浙江、湖北、江西、湖南、广西、重庆、四川、贵州、云南；俄罗斯，韩国，日本。

二十六、皮蝽科 Piesmatidae

161. 皮蝽属 *Piesma* Lepeletier *et* Serville，1828

（296）西安皮蝽 *Piesma xianensis* Xu *et* Zheng，1995

分布：陕西（西安）。

XII. 红蝽总科 Pyrrhocoroidea

二十七、红蝽科 Pyrrhocoridae

162. 光红蝽属 *Dindymus* Stål，1861

（297）中华光红蝽 *Dindymus*（*Dindymus*）*chinensis* Stehlik *et* Jindra，2006

分布：陕西、湖北、福建。

二十八、大红蝽科 Largidae

163. 斑红蝽属 *Physopelta* Amyot *et* Serville，1843

（298）小斑红蝽 *Physopelta cincticollis* Stål，1863

分布：陕西（商洛）、江苏、浙江、湖北、江西、湖南、台湾、广东、四川；印度。

（299）突背斑红蝽 *Physopelta gutta*（Burmeister，1834）

分布：陕西（商洛）、台湾、广东、广西、四川、云南、西藏；日本，缅甸，印度，孟加拉国，斯里兰卡，印度尼西亚，澳大利亚。

XⅢ. 缘蝽总科 Coreoidea

二十九、蛛缘蝽科 Alydidae

（一）蛛缘蝽亚科 Alydinae

164. 蛛缘蝽属 *Alydus* Fabricius，1803

（300）角蛛缘蝽 *Alydus angulus* Hsiao，1965

分布：陕西（宁陕）、内蒙古、河北、山西、甘肃、四川、云南、西藏。

165. 蜂缘蝽属 *Riptortus* Stål，1860

（301）点蜂缘蝽 *Riptortus pedestris*（Fabricius，1775）

分布：陕西（周至、户县、眉县、宁陕）、辽宁、北京、天津、河南、安徽、浙江、湖北、江西、福建、广东、海南、广西、四川、贵州、云南；韩国，日本，泰国，缅甸，印度，斯里兰卡，马来西亚，印度尼西亚。

（二）微翅缘蝽亚科 Micrelytrinae

166. 副锤缘蝽属 *Paramarcius* Hsiao，1964

（302）副锤缘蝽 *Paramarcius puncticeps* Hsiao，1964

分布：陕西（佛坪、宁陕）、安徽、浙江、湖北、江西、湖南、福建、广西、重庆、贵州。

三十、缘蝽科 Coreidae

（一）缘蝽亚科 Coreinae

167. 安缘蝽属 *Anoplocnemis* Stål，1873

（303）斑背安缘蝽 *Anoplocnemis binotata* Distant，1918

分布：陕西（周至、留坝）、山东、河南、甘肃、江苏、安徽、浙江、湖北、江西、湖南、福建、广东、广西、四川、贵州、云南、西藏；印度，马来西亚。

168. 棘缘蝽属 *Cletus* Stål，1860

（304）稻棘缘蝽 *Cletus punctiger* Dallas，1852

分布：陕西（西乡）、北京、天津、河北、山东、浙江、湖北、江西、广东、四川、西藏；印度。

169. 缘蝽属 *Coreus* Fabricius, 1794

（305）波原缘蝽 *Coreus potanini*（Jakovlev, 1890）

分布：陕西（周至、留坝、佛坪、宁陕）、内蒙古、河北、山西、甘肃、湖北、四川、西藏。

170. 同缘蝽属 *Homoeocerus* Burmeister, 1835

（306）广腹同缘蝽 *Homoeocerus dilatatus* Horváth, 1879

分布：陕西（留坝、佛坪）、黑龙江、吉林、辽宁、北京、天津、河北、河南、江苏、浙江、湖北、江西、湖南、福建、广东、四川、贵州；俄罗斯，朝鲜，日本。

（307）纹须同缘蝽 *Homoeocerus striicornis* Scott, 1874

分布：陕西（佛坪）、北京、河北、甘肃、江苏、浙江、湖北、江西、湖南、福建、台湾、广东、四川、云南；日本，印度，斯里兰卡。

171. 赭缘蝽属 *Ochrochira* Stål, 1873

（308）波赭缘蝽 *Ochrochira potanini*（Kiritshenko, 1916）

分布：陕西（周至、留坝、宁陕）、湖北、四川、西藏。

172. 普缘蝽属 *Plinachtus* Stål, 1860

（309）二色普缘蝽 *Plinachtus bicoloripes* Scott, 1874

分布：陕西（宁陕、丹凤）、北京、天津、山西、江苏、浙江、湖北、江西、四川、云南；韩国，日本。

（二）棒缘蝽亚科 Pseudophloeinae

173. 颗缘蝽属 *Coriomeris* Westwood, 1842

（310）颗缘蝽 *Coriomeris scabricornis*（Panzer, 1805）

分布：陕西（南郑）、北京、天津、河北、山西、山东、河南、江苏、四川、西藏。

三十一、姬缘蝽科 Rhopalidae

174. 栗缘蝽属 *Liorhyssus* Stål, 1870

（311）栗缘蝽 *Liorhyssus hyalinus*（Fabricius, 1794）

分布：陕西（宁陕）、黑龙江、内蒙古、北京、天津、河北、江苏、安徽、湖北、江西、广东、广西、四川、贵州、云南、西藏。

175. 伊缘蝽属 *Rhopalus* Schilling, 1827

（312）点伊缘蝽 *Rhopalus latus*（Jakovlev, 1883）

分布：陕西（留坝）、内蒙古、北京、河北、山西、甘肃、四川、云南、西藏；俄罗斯，朝鲜。

（313）褐伊缘蝽 *Rhopalus sapporensis*（Matsumura, 1905）

分布：陕西（汉中、宁陕）、黑龙江、内蒙古、河北、江苏、浙江、福建、广东、云南；俄罗斯，朝鲜，日本。

176. 环缘蝽属 *Stictopleurus* Stål, 1872

（314）开环缘蝽 *Stictopleurus minutus* Blöte, 1934

分布：陕西（丹凤）、黑龙江、吉林、北京、河北、新疆、江苏、浙江、江西、福建、台湾、广东、四川、云南、西藏；日本。

（315）闭环缘蝽 *Stictopleurus viridicatus*（Uhler, 1872）

分布：陕西（秦岭）、吉林、辽宁、内蒙古、北京、河北、山西、新疆。

XIV. 蝽总科 Pentatomoidea

三十二、同蝽科 Acanthosomatidae

177. 同蝽属 *Acanthosoma* Curtis, 1824

（316）漆刺肩同蝽 *Acanthosoma acutangulata* Liu, 1979

分布：陕西（西安）、山西、湖北、重庆、四川、云南。

（317）细齿同蝽 *Acanthosoma denticauda* Jakovlev, 1880

分布：陕西（长安）、黑龙江、吉林、辽宁、北京、天津、山西、山东；俄罗斯，朝鲜，日本。

（318）显同蝽 *Acanthosoma distinctum* Dallas, 1851

分布：陕西（凤县）、江西、湖北、广西、四川、贵州；日本，印度。

（319）剪同蝽 *Acanthosoma forfex* Dallas, 1851

分布：陕西（佛坪）、新疆；印度，巴基斯坦。

（320）原同蝽 *Acanthosoma haemorrhoidale haemorrhoidale*（Linnaeus, 1758）

分布：陕西（凤县）、黑龙江、吉林、辽宁、浙江、四川、贵州；俄罗斯，日本，印度，菲律宾，印度尼西亚，欧洲。

（321）宽铗同蝽 *Acanthosoma labiduroides* **Jakovlev, 1880**
　　　分布：陕西（周至、杨凌、宝鸡）、黑龙江、吉林、天津、河南、甘肃、浙江、湖北、广西、四川、贵州、云南。

（322）黑背同蝽 *Acanthosoma nigrodorsum* **Hsiao et Liu, 1977**
　　　分布：陕西（凤县）、天津、河北、山西、宁夏、湖北、海南、四川。

（323）陕西同蝽 *Acanthosoma shensiensis* **Hsiao et Liu, 1977**
　　　分布：陕西（华阴、留坝）、甘肃、湖北。

（324）华同蝽 *Acanthosoma sinensis* **Liu, 1980**
　　　分布：陕西（西安）。

（325）泛刺同蝽 *Acanthosoma spinicolle* **Jakovlev, 1880**
　　　分布：陕西（秦岭、黄龙）、黑龙江、吉林、内蒙古、北京、河北、甘肃、新疆、湖北、四川、云南、西藏。

178. 直同蝽属 *Elasmostethus* Fieber, 1860

（326）直同蝽 *Elasmostethus interstinctus*（**Linnaeus, 1758**）
　　　分布：陕西（秦岭）、黑龙江、吉林、内蒙古、河北、山西、甘肃、新疆、湖北、广东、云南；朝鲜，日本，欧洲，加拿大。

（327）钝肩直同蝽 *Elasmostethus nubilus*（**Dallas, 1851**）
　　　分布：陕西（凤县）、浙江、湖北、江西、湖南、福建、台湾、广西、贵州；朝鲜，日本。

179. 匙同蝽属 *Elasmucha* Stål, 1864

（328）构树匙同蝽 *Elasmucha broussonetiae* **Li et Zheng, 2000**
　　　分布：陕西（秦岭）、河南、贵州。

（329）背匙同蝽 *Elasmucha dorsalis*（**Jakovlev, 1876**）
　　　分布：陕西（西安、长安、周至、眉县、宝鸡、凤县、宁陕）、黑龙江、辽宁、内蒙古、北京、天津、河北、山西、宁夏、甘肃、安徽、浙江、湖北、广西、重庆、贵州；俄罗斯，朝鲜，韩国，日本。

（330）曲匙同蝽 *Elasmucha recurva*（**Dallas, 1851**）
　　　分布：陕西（留坝）、北京、河北、山西、宁夏、甘肃、湖北、四川、贵州、云南、西藏；印度。

180. 板同蝽属 *Lindbergicoris* Leston, 1953

（331）绿板同蝽 *Lindbergicoris hochii*（**Yang, 1933**）

分布：陕西(西安、凤县、留坝)、北京、河北、山西、河南、甘肃、湖北。

181．锥同蝽属 *Sastragala* Amyot *et* Serville，1843

（332）伊锥同蝽 *Sastragala esakii* Hasegawa，1959
分布：陕西(周至、宁陕)、天津、甘肃、浙江、湖北、江西、湖南、福建、台湾、广西、重庆、四川、贵州、云南；韩国，日本。

三十三、土蝽科 Cydnidae

（一）根土蝽亚科 Cephalocteinae

182．根土蝽属 *Schiodtella* Signoret，1882

（333）根土蝽 *Schiodtella japonica* Imura *et* Ishikawa，2010
分布：陕西(南郑、榆林)、吉林、辽宁、内蒙古、天津、山西、江西；日本。

（334）小眼根土蝽 *Schiodtella secundus* Lis，1991
分布：陕西(甘泉、子长、定边、绥德)、内蒙古、山西、山东；俄罗斯。

（二）土蝽亚科 Cydninae

183．鳖土蝽属 *Adrisa* Amyot *et* Serville，1843

（335）大鳖土蝽 *Adrisa magna*（Uhler，1861）
分布：陕西(南郑)、北京、天津、河北、河南、湖北、江西、湖南、台湾、广东、海南、香港、四川、云南；韩国，日本，越南，老挝，泰国，缅甸。

184．领土蝽属 *Chilocoris* Mayr，1965

（336）泰领土蝽 *Chilocoris thaicus* Lis，1994
分布：陕西(佛坪)；泰国。

185．佛土蝽属 *Fromundus* Distant，1901

（337）小佛土蝽 *Fromundus pygmaeus*（Dallas，1851）
分布：陕西(武功、佛坪)、湖北、江西、台湾、广东、海南、香港、广西、四川、云南；韩国，日本，伊朗，越南，老挝，泰国，缅甸，印度，尼泊尔，斯里兰卡，巴基斯坦，新加坡，菲律宾，文莱，马来西亚，柬埔寨，斐济，印度尼西亚，非洲，美国(夏威夷)，新几内亚，澳大利亚。

186. 环土蝽属 *Microporus* Uhler，1872

（338）黑环土蝽 *Microporus nigrita*（Fabricius，1794）

　　分布：陕西（佛坪）、内蒙古、北京、天津、山东、新疆、上海、广东、西藏；蒙古，俄罗斯，韩国，日本，印度，中亚地区，非洲北部，欧洲。

（三）光土蝽亚科 Sehirinae

187. 阿土蝽属 *Adomerus* Mulsant *et* Rey，1866

（339）圆点阿土蝽 *Adomerus rotundus*（Hsiao，1977）

　　分布：陕西（周至、杨凌）、北京、天津、山东、江苏、香港；俄罗斯，日本。

188. 紫蓝土蝽属 *Canthophorus* Mulsant *et* Rey，1866

（340）紫蓝光土蝽 *Canthophorus niveimarginatus* Scott，1874

　　分布：陕西（华阴）、内蒙古、山西、山东、江苏、湖北、福建、四川、云南；蒙古，俄罗斯，韩国，日本，越南，印度，哈萨克斯坦。

三十四、兜蝽科 Dinidoridae

189. 皱蝽属 *Cyclopelta* Amyot *et* Serville，1843

（341）小皱蝽 *Cyclopelta parva* Distant，1900

　　分布：陕西（宁陕）、辽宁、内蒙古、山东、江苏、浙江、湖北、江西、湖南、福建、广东、广西、四川、云南；缅甸，不丹。

190. 瓜蝽属 *Megymenum* Guerin-Meneville，1831

（342）细角瓜蝽 *Megymenum gracilicorne* Dallas，1851

　　分布：陕西（周至、宁陕）、山东、江苏、上海、浙江、江西、湖南、福建、四川；日本。

三十五、蝽科 Pentatomidae

（一）益蝽亚科 Asopinae

191. 蠋蝽属 *Arma* Hahn，1832

（343）欧亚蠋蝽 *Arma custos*（Fabricius，1974）

分布：陕西（秦岭，神木），中国广布；蒙古，俄罗斯，朝鲜，日本，欧洲，北美洲。

（344）朝鲜蝎蝽 *Arma koreana* Josifov *et* Kerzhner，1978

分布：陕西（留坝）、辽宁、天津、河北、宁夏、甘肃、湖北、江西、浙江、重庆、四川、贵州、云南；越南。

192. 疣蝽属 *Cazira* Amyot *et* Serville，1843

（345）峨嵋疣蝽 *Cazira emeia* Zhang *et* Lin，1982

分布：陕西（西安、留坝）、甘肃、安徽、浙江、湖北、湖南、福建、台湾、广东、广西、四川、贵州、云南、西藏。

（346）无刺疣蝽 *Cazira inerma* Yang，1934

分布：陕西（华阴）、浙江、湖南、福建、海南、广西、四川、贵州；越南。

193. 益蝽属 *Picromerus* Amyotea *et* Serville，1843

（347）益蝽 *Picromerus lewisi* Scott，1874

分布：陕西（西安、周至、太白、眉县、留坝、宁陕）、黑龙江、吉林、辽宁、内蒙古、河北、山西、山东、河南、宁夏、甘肃、新疆、江苏、安徽、浙江、湖北、江西、湖南、福建、广东、海南、广西、四川、贵州、云南；俄罗斯，朝鲜，日本。

194. 雷蝽属 *Rhacognathus* Fieber，1860

（348）雷蝽 *Rhacognathus punctatus*（Linnaeus，1758）

分布：陕西（秦岭）、辽宁、内蒙古、河北；蒙古，俄罗斯，朝鲜，日本，阿富汗，欧洲。

195. 耳蝽属 *Troilus* Stål，1868

（349）耳蝽 *Troilus luridus*（Fabricius，1775）

分布：陕西（凤县、宁陕）、黑龙江、吉林、内蒙古、河北、宁夏、甘肃、新疆、海南、四川、贵州、云南、西藏；俄罗斯，朝鲜，缅甸，印度，印度尼西亚，欧洲。

196. 蓝蝽属 *Zicrona* Amyotea *et* Serville，1843

（350）蓝蝽 *Zicrona caerulea*（Linnaeus，1758）

分布：陕西（秦岭），中国广布；蒙古，俄罗斯，朝鲜，日本，越南，缅甸，印度，阿富汗，巴基斯坦，马来西亚，印度尼西亚，中亚地区，欧洲，北美洲。

（二）蝽亚科 Pentatominae

197．俊蝽属 *Acrocorisellus* Puton，1886

（351）俊蝽 *Acrocorisellus serraticollis*（Jakovlev，1876）
　　分布：陕西（周至、甘泉）、黑龙江。

198．麦蝽属 *Aelia* Fabricius，1803

（352）华麦蝽 *Aelia fieberi* Scott，1874
　　分布：陕西（西安、周至、凤县、武功、宝鸡、南郑、佛坪）、黑龙江、吉林、辽宁、内蒙古、北京、天津、河北、山西、山东、河南、甘肃、江苏、浙江、湖北、江西、湖南、四川、云南、西藏；俄罗斯，朝鲜，日本。

199．实蝽属 *Antheminia* Mulsant *et* Rey，1866

（353）邻实蝽 *Antheminia lindbergi*（Tamanini，1962）
　　分布：陕西（秦岭）、内蒙古、河北、山西、宁夏、甘肃、青海；蒙古，俄罗斯东部。

（354）实蝽长叶亚种 *Antheminia pusio longiceps*（Reuter，1884）
　　分布：陕西（秦岭）、吉林、辽宁、内蒙古、河北、山西、新疆；蒙古，俄罗斯东部。

（355）多毛实蝽 *Antheminia varicornis*（Jakovlev，1874）
　　分布：陕西（秦岭）、黑龙江、内蒙古、天津、河北、山西、青海、新疆；朝鲜，欧洲。

200．苍蝽属 *Brachynema* Mulsant *et* Rey，1852

（356）苍蝽 *Brachynema germarii*（Kolenati，1846）
　　分布：陕西（秦岭）、内蒙古、河北、宁夏、甘肃、青海、新疆、西藏；古北区广布。

201．辉蝽属 *Carbula* Stål，1865

（357）红角辉蝽 *Carbula crassiventris*（Dallas，1849）
　　分布：陕西（秦岭）、黑龙江、山西、甘肃、江苏、安徽、浙江、湖北、江西、湖南、福建、台湾、广东、海南、广西、四川、贵州、云南、西藏；日本，缅甸，印度，不丹。

（358）辉蝽 *Carbula humerigera*（Uhler，1860）
　　分布：陕西（秦岭）、河北、山西、河南、甘肃、青海、安徽、浙江、湖北、江西、湖南、福建、广东、广西、四川、贵州、云南；日本。

（359）凹肩辉蝽 *Carbula sinica* Hsiao *et* Cheng，1977

　　　分布：陕西（秦岭）、山西、甘肃、浙江、江西、湖北、湖南、四川。

202．果蝽属 *Carpocoris* Kolenati，1846

（360）朝鲜果蝽 *Carpocoris coreanus* Distant，1899

　　　分布：陕西（定边）、内蒙古、宁夏、甘肃、青海、新疆；蒙古，俄罗斯（西伯利亚），中亚地区。

（361）紫翅果蝽 *Carpocoris purpureipennis*（de Geer，1773）

　　　分布：陕西（凤县）、黑龙江、吉林、辽宁、内蒙古、河北、山西、山东、宁夏、甘肃、青海、新疆；古北区广布。

203．岱蝽属 *Dalpada* Amyot *et* Serville，1843

（362）中华岱蝽 *Dalpada cinetipes* Walker，1867

　　　分布：陕西（秦岭）、河北、山西、河南、甘肃、江苏、安徽、湖北、江西、湖南、福建、台湾、广东、海南、广西、四川、贵州、云南；朝鲜，日本。

（363）绿岱蝽 *Dalpada smaragdina*（Walker，1868）

　　　分布：陕西（镇巴）、黑龙江、山西、河南、甘肃、江苏、安徽、湖北、江西、湖南、福建、台湾、广东、广西、四川、贵州、云南、西藏。

204．斑须蝽属 *Dolycoris* Mulsant *et* Rey，1866

（364）斑须蝽 *Dolycoris baccarum*（Linnaeus，1758）

　　　分布：陕西（凤县）、黑龙江、吉林、辽宁、内蒙古、河北、山西、山东、河南、宁夏、甘肃、青海、新疆、江苏、浙江、湖北、江西、湖南、福建、广东、海南、广西、四川、贵州、云南、西藏；古北区广布。

205．麻皮蝽属 *Erthesina* Spinola，1837

（365）麻皮蝽 *Erthesina fullo*（Thunberg，1783）

　　　分布：陕西（秦岭）、辽宁、内蒙古、北京、河北、山西、山东、河南、甘肃、新疆、江苏、安徽、浙江、湖北、江西、湖南、福建、台湾、广东、海南、广西、四川、贵州、云南；日本，印度，斯里兰卡，阿富汗，巴基斯坦，印度尼西亚。

206．菜蝽属 *Eurydema* Laporte，1833

（366）菜蝽 *Eurydema dominulus*（Scopoli，1763）

分布：陕西（凤县、杨凌、佛坪）、吉林、内蒙古、山西、山东、江苏、浙江、江西、福建、广西、四川、贵州、云南、西藏；古北区广布。

（367）横纹菜蝽 *Eueydema gebleri* **Kolenati, 1846**

分布：陕西（凤县、杨凌、佳县）、黑龙江、吉林、辽宁、河北、山西、山东、河南、甘肃、江苏、安徽、湖北、四川、云南、西藏；蒙古，俄罗斯，朝鲜，韩国，哈萨克斯坦。

（368）秦岭菜蝽 *Eurydema qinlingensis* **（Zheng, 1982）**

分布：陕西（秦岭）。

207. 二星蝽属 *Eysarcoris* Hahn, 1834

（369）北二星蝽 *Eysarcoris aeneus* **（Scopoli, 1763）**

分布：陕西（凤县）、黑龙江、吉林、辽宁、内蒙古、天津、河北、山西、河南、宁夏、甘肃、安徽、湖北、江西、四川；古北区广布。

（370）拟二星蝽 *Eysarcoris annnamita* **Breddin, 1909**

分布：陕西（佛坪、镇巴、镇坪）、北京、天津、山西、山东、河南、甘肃、江苏、安徽、浙江、湖北、江西、湖南、福建、广东、海南、广西、四川、贵州、云南、西藏；朝鲜，日本，越南。

（371）二星蝽 *Eysarcoris guttiger* **（Thunberg, 1783）**

分布：陕西（留坝、佛坪）、黑龙江、辽宁、内蒙古、河北、山西、山东、河南、宁夏、甘肃、江苏、安徽、浙江、湖北、江西、湖南、福建、台湾、广东、海南、广西、四川、贵州、云南、西藏；朝鲜，日本，尼泊尔，斯里兰卡。

（372）广二星蝽 *Eysarcoris ventralis* **（Westwood, 1837）**

分布：陕西（汉中）、辽宁、北京、天津、河北、山西、山东、河南、新疆、安徽、浙江、湖北、江西、福建、台湾、广东、海南、广西、四川、贵州、云南；古北区广布。

208. 茶翅蝽属 *Halyomorpha* Mayr, 1864

（373）茶翅蝽 *Halyomorpha halys* **（Stål, 1855）**

分布：陕西（秦岭）、黑龙江、吉林、辽宁、内蒙古、河北、山西、河南、江苏、安徽、浙江、湖北、江西、湖南、福建、台湾、广东、广西、四川、贵州、云南、西藏；朝鲜，日本。

209. 全蝽属 *Homalogonia* Jakovlev, 1876

（374）全蝽指名亚种 *Homalogonia obtusa obtusa* **（Walker, 1868）**

分布：陕西(周至、凤县、留坝)、黑龙江、吉林、辽宁、内蒙古、河北、河南、山东、甘肃、江苏、浙江、湖北、江西、福建，广东、广西、四川、贵州、云南、西藏；俄罗斯东部，朝鲜，日本，印度。

(375) 陕甘全蝽 *Homalogonia sordida* Zheng, 1994

分布：陕西(周至、黄龙)、甘肃。

210．玉蝽属 *Hoplistodera* Westwood，1837

(376) 玉蝽 *Hoplistodera fergussoni* Distant，1911

分布：陕西(凤县、宁陕)、安徽、浙江、湖北、江西、湖南、福建、广东、海南、广西、四川、贵州、云南、西藏。

(377) 红玉蝽 *Hoplistodera pulchra* Yang，1934

分布：陕西(秦岭)、甘肃、安徽、浙江、湖北、江西、湖南、福建、广东、海南、广西、四川、贵州、云南、西藏。

211．广蝽属 *Laprius* Stål，1861

(378) 广蝽 *Laprius varicornis*（Dallas，1851）

分布：陕西(秦岭)、山东、河南、江苏、安徽、浙江、湖北、江西、湖南、福建、广东、海南、广西、四川、贵州、云南；日本，越南，缅甸，印度，巴基斯坦，菲律宾。

212．弯角蝽属 *Lelia* Walker，1867

(379) 弯角蝽 *Lelia decempunctata*（Motschulsky，1860）

分布：陕西(佛坪、黄龙)、黑龙江、吉林、辽宁、内蒙古、天津、山东、甘肃、安徽、浙江、湖北、江西、湖南、四川、贵州、云南、西藏；俄罗斯东部，朝鲜，日本。

213．曼蝽属 *Menida* Motschulsky，1861

(380) 北曼蝽 *Menida disjecta*（Uhler，1860）

分布：陕西(凤县、留坝、佛坪)、黑龙江、辽宁、内蒙古、天津、河北、河南、山东、甘肃、青海、新疆、浙江、湖北、江西、湖南、台湾、广东、广西、重庆、四川、贵州、云南、西藏；俄罗斯东部，朝鲜，日本。

(381) 紫蓝曼蝽 *Menida violacea* Motschulsky，1861

分布：陕西(凤县、佛坪)、吉林、辽宁、内蒙古、河北、山西、河南、山东、甘肃、江苏、安徽、浙江、福建、湖北、江西、湖南、台湾、广东、广西、四川、贵州、云南；俄罗斯东部，朝鲜，日本，印度。

214．舌蝽属 *Neottiglossa* Kirby，1837

（382）小舌蝽 *Neottiglossa pusilla*（Gmelin，1790）

分布：陕西（凤县）、黑龙江、吉林、内蒙古、河北、山西、甘肃、新疆；古北区广布。

215．绿蝽属 *Nezara* Amyot *et* Serville，1843

（383）黑须稻绿蝽 *Nezara antennata* Scott，1874

分布：陕西（凤县）、河北、山西、河南、甘肃、新疆、江苏、湖北、江西、湖南、福建、台湾、广东、海南、广西、四川、贵州、云南、西藏；朝鲜，日本，印度，斯里兰卡，菲律宾。

（384）稻绿蝽 *Nezara viridula*（Linnaeus，1758）

分布：陕西（秦岭）、河北、山西、河南、山东、宁夏、江苏、安徽、浙江、湖北、江西、湖南、福建、广东、海南、广西、四川、贵州、云南、西藏；全世界广布。

216．褐蝽属 *Niphe* Stål，1867

（385）稻褐蝽 *Niphe elongata*（Dallas，1851）

分布：陕西（秦岭）、河南、江苏、安徽、浙江、湖北、江西、湖南、台湾、广东、海南、广西、四川、贵州、云南、西藏；日本，缅甸，印度，菲律宾。

217．浩蝽属 *Okeanos* Distant，1911

（386）浩蝽 *Okeanos quelpartensis* Distant，1911

分布：陕西（凤县）、吉林、河北、甘肃、湖北、江西、湖南、四川、云南；俄罗斯东部，朝鲜。

218．碧蝽属 *Palomena* Mulsant *et* Rey，1866

（387）川甘碧蝽 *Palomena chapana*（Distant，1921）

分布：陕西（凤县、留坝）、河北、宁夏、甘肃、浙江、湖北、湖南、四川、云南、西藏；越南，缅甸，尼泊尔。

（388）宽碧蝽 *Palomena viridissima*（Poda，1761）

分布：陕西（黄龙、神木）、黑龙江、吉林、内蒙古、天津、河北、山西、山东、宁夏、甘肃、青海、云南、贵州；古北区广布。

219. 真蝽属 *Pentatoma* Olivier, 1789

（389）脊腹真蝽 *Pentatoma carinata* Yang, 1934
　　分布：陕西（留坝）、甘肃、江西、湖南、福建、广西，贵州、云南。

（390）斜纹真蝽 *Pentatoma illuminata* (Distant, 1890)
　　分布：陕西（秦岭）、湖北。

（391）日本真蝽 *Pentatoma japonica* (Distant, 1882)
　　分布：陕西（周至、凤县）、黑龙江、吉林、辽宁、内蒙古、甘肃、青海、浙江、湖北、湖南、福建、贵州、云南；俄罗斯东部，朝鲜，日本。

（392）拟太白真蝽 *Pentatoma parataibaiensis* Liu *et* Zheng, 1995
　　分布：陕西（太白山）、宁夏、甘肃。

（393）红足真蝽 *Pentatoma rufipes* (Linnaeus, 1758)
　　分布：陕西（凤县）、黑龙江、吉林、辽宁、内蒙古、河北、山西、宁夏、甘肃、青海、新疆、四川、西藏；印度，古北区广布。

（394）褐真蝽 *Pentatoma semiannulata* (Motschulsky, 1860)
　　分布：陕西（凤县、留坝）、黑龙江、吉林、辽宁、内蒙古、河北、山西、河南、宁夏、甘肃、青海、江苏、浙江、湖北、江西、湖南、四川、贵州；蒙古，俄罗斯东部，朝鲜，日本。

（395）太白真蝽 *Pentatoma taibaiensis* Zheng *et* Ling, 1983
　　分布：陕西（太白、眉县）。

（396）绿角真蝽 *Pentatoma viridicornuta* He *et* Zheng, 2006
　　分布：陕西（眉县、佛坪）、湖北、四川。

220. 壁蝽属 *Piezodorus* Fieber, 1860

（397）壁蝽 *Piezodorus hybneri* (Gmelin, 1790)
　　分布：陕西（秦岭）、山西、河南、山东、江苏、安徽、湖北、福建、广东、广西、四川；古北区广布，东南亚，非洲。

221. 莽蝽属 *Placosternum* Amyot *et* Serville, 1843

（398）斯兰莽蝽 *Placosternum alces* Stål, 1876
　　分布：陕西（秦岭）、云南；印度，斯里兰卡，巴基斯坦。

（399）褐莽蝽 *Placosternum esakii* Miyamoto, 1990
　　分布：陕西（留坝）、天津、山东、甘肃、福建。

222. 珀蝽属 *Plautia* Stål, 1865

（400）庐山珀蝽 *Plautia lushanica lushanica* Yang, 1934
　　分布：陕西（黄龙）、山西，河南、浙江、湖北、江西、福建、四川、贵州、云南。

（401）邻珀蝽 *Plautia propinqua* Liu et Zheng, 1994
　　分布：陕西（留坝、佛坪）、甘肃、湖北、广西、四川、贵州、云南。

（402）斯氏珀蝽 *Plautia stali* Scott, 1874
　　分布：陕西（周至、佛坪）、吉林、辽宁、河北、山西、河南、山东、甘肃、江苏、福建、湖北、江西、湖南、广东、广西、贵州；俄罗斯，朝鲜，日本，美国（夏威夷）。

223. 珠蝽属 *Rubiconia* Dohrn, 1860

（403）圆颊珠蝽 *Rubiconia peltata* Jakovlev, 1890
　　分布：陕西（周至）、黑龙江、吉林、辽宁、内蒙古、河北、山西、河南、山东、甘肃、安徽、浙江、湖北、江西、湖南、四川；俄罗斯东部，朝鲜，日本。

224. 点蝽属 *Tolumnia* Stål, 1867

（404）横带点蝽 *Tolumnia basalis*（Dallas, 1851）
　　分布：陕西（秦岭）、浙江、江西、福建、广东、海南、广西、贵州、云南；越南，印度尼西亚。

（405）点蝽 *Tolumnia latipes*（Dallas, 1851）
　　分布：陕西（秦岭）、山西、河南、安徽、浙江、湖北、江西、湖南、福建、台湾、广东、海南、广西、四川、贵州、云南、西藏；印度，马来西亚，印度尼西亚。

225. 突蝽属 *Udonga* Distant, 1921

（406）突蝽 *Udonga spinidens* Distant, 1921
　　分布：陕西（秦岭）、山西、浙江、湖北、江西、湖南、福建、广东、海南、澳门、广西、贵州、云南、西藏；老挝。

（三）舌蝽亚科 Podopinae

226. 滴蝽属 *Dybowskyia* Jakovlev, 1876

（407）滴蝽 *Dybowskyia reticulata*（Dallas, 1851）
　　分布：陕西（佛坪、西乡、镇巴、镇坪）、黑龙江、吉林、辽宁、内蒙古、河南、江苏、安徽、浙江、湖北、江西、湖南、福建、广东、海南、广西、四川、贵州；俄罗斯，韩国，日本，哈萨克斯坦，欧洲。

227．条蝽属 *Graphosoma* Laporte，1833

（408）赤条蝽 *Graphosoma rubrolineatum*（Westwood，1837）

分布：陕西（凤县、眉县、西乡、延安）、黑龙江、吉林、辽宁、内蒙古、天津、河北、山西、河南、山东、甘肃、江苏、浙江、湖北、、江西、湖南、广东、广西、四川、贵州、云南；蒙古，俄罗斯，韩国，日本。

228．黑蝽属 *Scotinophara* Stål，1868

（409）弯刺黑蝽 *Scotinophara horvathi* Distant，1883

分布：陕西（宁陕）、河北、河南、山东、江苏、安徽、浙江、湖北、江西、湖南、福建、台湾、广东、海南、广西、四川、贵州；韩国，日本，印度，斯里兰卡，东南亚。

三十六、龟蝽科 Plataspidae

229．圆龟蝽属 *Coptosoma* Laporte，1832

（410）双列圆龟蝽 *Coptosoma bifaria* Montandon，1896

分布：陕西（凤县、留坝、宁陕）、北京、山西、河南、宁夏、甘肃、安徽、湖北、江西、湖南、福建、广西、四川、贵州。

（411）翘头圆龟蝽 *Coptosoma capitatum* Jakovlev，1880

分布：陕西（宁陕）、黑龙江、吉林、内蒙古、河北、宁夏、甘肃、湖北；俄罗斯，朝鲜。

（412）多变圆龟蝽 *Coptosoma variegata*（Herrich-Schäffer，1838）

分布：陕西（秦岭）、山西、河南、山东、安徽、浙江、江西、福建、广东、四川、贵州、云南、西藏；越南，缅甸，印度，马来西亚，印度尼西亚，帝汶岛，巴布亚新几内亚，澳大利亚。

230．豆龟蝽属 *Megacopta* Hsiao et Jen，1977

（413）筛豆龟蝽 *Megacopta cribraria*（Fabricius，1798）

分布：陕西（秦岭）、天津、河北、山西、山东、上海、江苏、浙江、安徽、湖北、江西、湖南、福建、台湾、广东、海南、澳门、广西、四川、贵州、云南、西藏；朝鲜，日本，越南，泰国，缅甸，印度，孟加拉国，斯里兰卡，印度尼西亚，澳大利亚。

(414) 狄豆龟蝽 *Megacopta distanti*（Montandon，1893）

分布：陕西（秦岭）、北京、河北、河南、甘肃、浙江、湖南、江西、福建、广西、四川、贵州、云南、西藏；印度。

(415) 和豆龟蝽 *Megacopta horvathi*（Montandon，1894）

分布：陕西（眉县）、河南、甘肃、浙江、湖北、湖南、福建、台湾、广东、广西、四川、贵州、云南。

(416) 褐斑豆龟蝽 *Megacopta spadicea* Liu *et* Xue，2017

分布：陕西（城固）、河北、河南、浙江、湖北、广西、四川。

三十七、盾蝽科 Scutelleridae

（一）扁盾蝽亚科 Eurygastrinae

231．扁盾蝽属 *Eurygaster* Laporte，1833

(417) 扁盾蝽 *Eurygaster testudinaria testudinaria*（Geoffroy，1785）

分布：陕西（长安、周至、武功、太白、凤县、留坝、佛坪、宁陕、安康）、黑龙江、吉林、辽宁、内蒙古、北京、天津、河北、山西、山东、河南、宁夏、甘肃、青海、新疆、江苏、安徽、浙江、湖北、江西、湖南、福建、广东、重庆、四川、贵州；蒙古，俄罗斯，朝鲜，韩国，日本，中亚地区，非洲北部，欧洲。

（二）盾蝽亚科 Scutellerinae

232．宽盾蝽属 *Poecilocoris* Dallas，1848

(418) 金绿宽盾蝽 *Poecilocoris lewisi* Distant，1833

分布：陕西（周至）、黑龙江、吉林、辽宁、北京、天津、河北、山西、河南、山东、甘肃、江苏、安徽、浙江、湖北、江西、湖南、台湾、广东、重庆、四川、贵州、云南；俄罗斯（远东），朝鲜，韩国，日本。

三十八、荔蝽科 Tessaratomidae

233．硕蝽属 *Eurostus* Dallas，1851

(419) 硕蝽 *Eurostus validus* Dallas，1851

分布：陕西（长安、周至、佛坪、宁陕、安康、平利、白河）、天津、河北、山东、江苏、安徽、浙江、湖北、江西、湖南、福建、台湾、广东、海南、香港、广西、四川、贵州、云南；老挝。

三十九、异蝽科 Urostylidae

234. 绿壮异蝽属 *Chlochela* Kerzhner，1966

（420）黄绿壮异蝽 *Chlochela flavoannulata*（Stål，1854）

分布：陕西、北京、宁夏、河北、黑龙江、吉林、山西、四川；朝鲜，韩国，日本。

235. 华异蝽属 *Tessaromerus* kirkaldy，1908

（421）四星华异蝽 *Tessaromerus quadriaticulatus* Kirkaldy，1908

分布：陕西（秦岭）、湖北、云南。

（422）陕西华异蝽 *Tessaromerus shaanxiensis* Zheng，1982

分布：陕西。

236. 壮异蝽属 *Urochela* Dallas，1850

（423）拟壮异蝽 *Urochela caudatus*（Yang，1939）

分布：陕西（留坝）、山西、宁夏、甘肃、湖北、四川、贵州、云南。

（424）亮壮异蝽 *Urochela distincta* Distant，1900

分布：陕西（凤县）、山西、河南、甘肃、安徽、浙江、湖北、江西、湖南、福建、广西、四川、贵州、云南。

（425）花壮异蝽 *Urochela luteovaria* Distant，1881

分布：陕西（凤县、留坝、南郑、神木）、辽宁、天津、河北、山西、河南、山东、甘肃、浙江、湖北、江西、福建、台湾、广西、四川、贵州、云南；日本。

（426）黄壮异蝽 *Urochela flavoannulata*（Stål，1854）

分布：陕西（宁陕）、黑龙江、吉林、北京、河北、山西、宁夏、甘肃、四川；朝鲜，韩国，日本。

（427）喜马拉雅壮异蝽 *Urochela himalayaaensis* Yang，1938

分布：陕西（西乡）、广西、四川、云南；喜马拉雅地区。

（428）红足壮异蝽 *Urochela quadrinotata*（Reuter，1881）

分布：陕西（秦岭、神木）、黑龙江、吉林、辽宁、内蒙古、北京、河北、山西。

（429）黑足壮异蝽 *Urochela rubra* Yang，1938

分布：陕西（秦岭、紫阳）、湖北、福建、广西、四川、西藏。

（430）膜斑壮异蝽 *Urochela rufiventris* Hsiao *et* Ching，1977

分布：陕西（西乡）。

（431）黄脊壮异蝽 *Urochela tunglingensis* Yang，1939

分布：陕西(秦岭、甘泉)、辽宁、北京、天津、河北、宁夏、甘肃、四川、西藏；朝鲜，韩国。

237. 娇异蝽属 *Urostylis* Westwood, 1837

(432) 环斑娇异蝽 *Urostylis annulicornis* Scott, 1874
分布：陕西(留坝、南郑、宁陕)、黑龙江、吉林、内蒙古、天津、河北、河南、甘肃、浙江、湖北、广西、四川；蒙古，俄罗斯，朝鲜，日本。

(433) 平刺突娇异蝽 *Urostylis lateralis* Walker, 1867
分布：陕西(留坝、佛坪、宁陕)、吉林、河北、湖北；俄罗斯，朝鲜，韩国，印度。

(434) 秦岭娇异蝽 *Urostylis qinlingensis* Zheng, 1982
分布：陕西(秦岭)。

(435) 匙突娇异蝽 *Urostylis striicornis* Scott, 1874
分布：陕西(秦岭)、甘肃、浙江、四川、贵州；俄罗斯，日本。

(436) 平匙娇异蝽 *Urostylis trullata* Kerzhner, 1966
分布：陕西(留坝、佛坪)、湖北；俄罗斯，朝鲜，韩国。

(437) 黑门娇异蝽 *Urostylis westwoodi* Scott, 1874
分布：陕西(南郑)、山东、浙江、湖北、湖南、四川、云南；朝鲜，韩国，日本。

(438) 淡娇异蝽 *Urostylis yangi* Maa, 1947
分布：陕西(周至)、河南、甘肃、江苏、安徽、浙江、湖北、江西、湖南、福建、四川、贵州、云南。

同翅亚目 Homoptera

XV. 角蝉总科 Membracoidea

四十、叶蝉科 Cicadellidae

(一) 大叶蝉亚科 Cicadellinae

238. 条大叶蝉属 *Atkinsoniella* Distant, 1908

(439) 双斑条大叶蝉 *Atkinsoniella bimanculata* Cai et Shen, 1998
分布：陕西(宁陕)、河南、浙江。

（440）条翅条大叶蝉 *Atkinsoniella grahami* Young，1986

分布：陕西（宁陕）、湖北、四川、贵州、云南。

（441）隐纹条大叶蝉 *Atkinsoniclla thalia*（Distant，1918）

分布：陕西（太白、佛坪）、河北、河南、浙江、湖北、江西、湖南、福建、海南、广西、四川、贵州；泰国，缅甸，印度。

239．凹大叶蝉属 *Bothrogonia* Melichar，1926

（442）黑尾凹大叶蝉 *Bothrogonia ferruginea*（Fabricius，1787）

分布：陕西（略阳、留坝、洋县、佛坪）、黑龙江、吉林、辽宁、天津、河北、山东、河南、甘肃、青海、江苏、上海、安徽、浙江、湖北、江西、湖南、福建、台湾、广东、香港、广西、重庆、四川、贵州、云南、西藏；韩国，日本，越南，老挝，泰国，柬埔寨，缅甸，印度，南非。

240．大叶蝉属 *Cicadella* Latreille，1817

（443）大青叶蝉 *Cicadella viridis*（Linnaeus，1758）

分布：陕西（太白、佛坪），中国广布；世界广布。

241．边大叶蝉属 *Kolla* Distant，1908

（444）白边大叶蝉 *Kolla paulula*（Walker，1858）

分布：陕西（太白）、辽宁、山西、甘肃、浙江、湖北、湖南、福建、台湾、广东、香港、广西、重庆、四川、云南；日本，越南，泰国，柬埔寨，缅甸，印度，尼泊尔，孟加拉国，斯里兰卡，马来西亚，印度尼西亚。

（445）棒突边大叶蝉 *Kolla rhabdoma* Yang *et* Li，2000

分布：陕西（宁陕）、贵州。

242．透大叶蝉属 *Nanatka* Young，1986

（446）白云透大叶蝉 *Nanatka baiyunana* Cai *et* Shen，1998

分布：陕西（太白）、河南。

（447）栗条透大叶蝉 *Nanatka castenea* Cai *et* Kuoh，1995

分布：陕西（太白）、四川。

（448）黑条透大叶蝉 *Nanatka nigrilinea* Cai *et* Kuoh，1995

分布：陕西（太白）、四川。

（449）矛突透大叶蝉 *Nanatka teluma* Dai *et* Zhang，2005

分布：陕西（太白、宁陕）。

（二）杆叶蝉亚科 Hylicinae

243.　片胫叶蝉属 *Balala* Distant，1908

（450）黑面片胫叶蝉 *Balala nigrifrons* Kuoh，1992
　　　分布：陕西（留坝）、浙江、江西、贵州、云南。

244.　桨头叶蝉属 *Nacolus* Jacobi，1914

（451）桨头叶蝉 *Nacolus assamensis*（Distant，1918）
　　　分布：陕西（周至）、河南、湖北、四川、贵州、云南；印度。

（三）乌叶蝉亚科 Penthimiinae

245.　乌叶蝉属 *Penthimia* Germar，1821

（452）黄背乌叶蝉 *Penthimia flavinotum* Matsumura，1912
　　　分布：陕西（宝鸡、凤县）、湖北、台湾、四川；日本。
（453）栗斑乌叶蝉 *Penthimia rubramaculata* Kuoh，1992
　　　分布：陕西（太白、宁陕）、河北、山西、河南、宁夏、甘肃、四川、贵州。
（454）端黑乌叶蝉 *Penthimia subniger* Distant，1908
　　　分布：陕西（宁陕）、四川；印度。

246.　网背叶蝉属 *Reticuluma* Cheng *et* Li，2005

（455）指茎网背叶蝉 *Reticuluma dactyla* Fu *et* Zhang，2015
　　　分布：陕西（秦岭）。
（456）茶网背叶蝉 *Reticuluma testacea*（Kuoh，1991）
　　　分布：陕西（眉县、留坝）、河南、安徽、浙江、江西、湖南、福建、贵州、云南。

（四）耳叶蝉亚科 Ledrinae

247.　耳叶蝉属 *Ledra* Fabricius，1803

（457）窗冠耳叶蝉 *Ledra auditura* Walker，1858
　　　分布：陕西（宁陕）、东北、安徽、福建、台湾、香港；俄罗斯，朝鲜，日本。

248.　肖点叶蝉属 *Midoria* Kato，1931

（458）环突肖点叶蝉 *Midoria annulata* Cai *et* Jiang，2000

分布：陕西（凤县）、山东、贵州。

（459）褐脉肖点叶蝉 *Midoria brunnea* Cai *et* Kuoh，1995

　　分布：陕西（宁陕）、浙江。

（460）锈褐肖点叶蝉 *Midoria ferruginea* Cai *et* Kuoh，1995

　　分布：陕西（佛坪）、浙江。

249．肩叶蝉属 *Paraconfucius* Cai，1992

（461）淡缘肩叶蝉 *Paraconfucius pallidus* Cai，1992

　　分布：陕西（周至）、安徽、广东、云南。

250．片头叶蝉属 *Petalocephala* Stzål，1854

（462）红缘片头叶蝉 *Petalocephala ruformarginata* Kuoh，1984

　　分布：陕西（宁陕）、北京、浙江、江西、湖南、四川、贵州、云南。

251．角胸叶蝉属 *Tituria* Kato，1932

（463）双色角胸叶蝉 *Tituria colorata* Jacobi，1944

　　分布：陕西（眉县、凤县）、河南、浙江、湖北、广东、贵州、云南。

（464）矢茎角胸叶蝉 *Tituria sagittata* Cai *et* Shen，1999

　　分布：陕西（太白、眉县、凤县）、河南、浙江、湖北、江西、湖南、广东、四川。

（465）大麻角胸叶蝉 *Tituria sativa* Cai *et* Shen，1998

　　分布：陕西（太白、眉县、凤县、佛坪、宁陕）、北京、山西、河南。

（五）横脊叶蝉亚科 Evacanthinae

252．冠垠叶蝉属 *Boundarus* Li *et* Wang，1998

（466）黑色冠垠叶蝉 *Boundarus nigronotus* Zhang，Zhang *et* Wei，2010

　　分布：陕西（宁陕）、吉林、河南、湖北、四川、贵州。

（467）三斑冠垠叶蝉 *Boundarus trimaculatus* Li *et* Wang，1998

　　分布：陕西（户县、华阴、宁陕）、河南、四川。

253．斜脊叶蝉属 *Bundera* Distant，1908

（468）峨嵋斜脊叶蝉 *Bundera emeiana* Li *et* Wang，1994

　　分布：陕西（太白）、四川。

254. 凸冠叶蝉属 *Convexana* Li，1994

(469) 白脊凸冠叶蝉 *Convexana albicarinata* Li，1994
　　分布：陕西(长安、太白、凤县、留坝、南郑、宁陕)、河南、甘肃、浙江、湖北、湖南、福建、广西、四川、贵州。

255. 横脊叶蝉属 *Evacanthus* Le Peletier *et* Serville，1825

(470) 二点横脊叶蝉 *Evacanthus biguttatus* Kuoh，1987
　　分布：陕西(户县、眉县、宁陕)、吉林、河北、河南、甘肃、湖北、四川。

(471) 叉突横脊叶蝉 *Evacanthus bistigmanus* Li *et* Zhang，1993
　　分布：陕西(长安、户县)、河南、浙江、云南。

(472) 灰毛横脊叶蝉 *Evacnthus hairus* Li *et* Wang，1996
　　分布：陕西(太白、眉县、华阴)、甘肃、贵州。

(473) 黑面横脊叶蝉 *Evacanthus heimianus* Kuoh，1980
　　分布：陕西(周至、太白、眉县、佛坪、宁陕)、湖北、广西、四川、云南；泰国。

(474) 黄面横脊叶蝉 *Evacanthus interruptus*（Linne，1758)
　　分布：陕西(户县、眉县、凤县、留坝、宁陕)、黑龙江、吉林、河北、河南、宁夏、甘肃、新疆、湖北、广西、四川、贵州、西藏。

(475) 长刺横脊叶蝉 *Evacanthus longispinosus* Kuoh，1992
　　分布：陕西(周至、宁陕)、河南、湖北、四川。

(476) 淡黑横脊叶蝉 *Evacanthus nigrescens* Jacobi，1943
　　分布：陕西(户县、太白、眉县、宝鸡、凤县、留坝)、黑龙江、吉林、山西、河南、宁夏、甘肃、湖北、湖南、福建、广西、重庆、四川。

(477) 黄带横脊叶蝉 *Evacanthus repexus* Distant，1908
　　分布：陕西(周至、宁陕)、河南、湖北、广西、四川、贵州、云南、西藏。

256. 锥头叶蝉属 *Onukia* Matsumura，1912

(478) 黄纹锥头叶蝉 *Onukia flavimacula* Kato，1933
　　分布：陕西(留坝、佛坪、宁陕)、福建、台湾、贵州。

(479) 黄斑锥头叶蝉 *Onukia flavopunctata* Li *et* Wang，1991
　　分布：陕西(户县、华阴、宁陕)、浙江、福建、贵州。

257. 突脉叶蝉属 *Riseveinus* Li，1995

(480) 中华突脉叶蝉 *Riseveinus sinensis*（Jacobi，1944)

分布：陕西（眉县）、浙江、湖北、福建、台湾。

258．皱背叶蝉属 *Striatanus* Li *et* Wang, 1995

（481）曲突皱背叶蝉 *Striatanus curvatanus* Li *et* Wang, 1995
分布：陕西（太白）、四川、贵州。

259．角突叶蝉属 *Taperus* Li *et* Wang, 1994

（482）横带角突叶蝉 *Taperus fasciatus* Li *et* Wang, 1994
分布：陕西（留坝）、浙江、江西、湖南、福建、海南、广西、四川、贵州；越南。

（六）隐脉叶蝉亚科 Nirvaniinae

260．消室叶蝉属 *Chudania* Distant, 1908

（483）甘肃消室叶蝉 *Chudania ganana* Yang *et* Zhang, 1990
分布：陕西（南郑）、甘肃、湖南。
（484）武当消室叶蝉 *Chudania wudangana* Zhang *et* Yang, 1990
分布：陕西（留坝）、湖北、湖南、贵州。

261．凹片叶蝉属 *Concaveplana* Chen *et* Li , 1998

（485）红线凹片叶蝉 *Concaveplana rufolineata*（Kuoh, 1973）
分布：陕西（长安）、江苏、浙江、湖北、江西、湖南、广西。

262．隆额叶蝉属 *Convexfronta* Li, 1997

（486）郭氏隆额叶蝉 *Convexfronta guoi* Li, 1997
分布：陕西（留坝、宁强、宁陕）、甘肃、湖北、贵州。

263．指腹叶蝉属 *Decursusnirvana* Gao, Dai *et* Zhang, 2014

（487）端黑指腹叶蝉 *Decursusnirvana excelsa*（Melichar, 1902）
分布：陕西（留坝、宁陕）、甘肃、青海、湖北、四川、贵州、云南。

264．隐脉叶蝉属 *Nirvana* Kirkaldy, 1900

（488）宽带隐脉叶蝉 *Nirvana suturalis* Melichar, 1903
分布：陕西（佛坪）、海南、云南；日本，缅甸，印度，斯里兰卡。

265．小板叶蝉属 *Oniella* Matsumura，1912

（489）白翅小板叶蝉 *Oniella albula*（Cai *et* Shen，1998）
　　　分布：陕西（户县、南郑）、山西、河南、四川。
（490）横带小板叶蝉 *Oniella fasciata* Li *et* Wang，1992
　　　分布：陕西（华阴）、浙江、湖北、四川、贵州。
（491）白头小板叶蝉 *Oniella honesta* Melichari，1902
　　　分布：陕西（户县、太白、宁陕）、河北、山西、河南、甘肃、青海、宁夏、新疆、
　　　安徽、浙江、湖北、湖南、四川、贵州、云南；日本。
（492）陕西小板叶蝉 *Oniella shaanxiana* Gao *et* Zhang，2013
　　　分布：陕西（周至）、四川。

266．拟隐脉叶蝉属 *Sophonia* Walker，1870

（493）褐缘拟隐脉叶蝉 *Sophonia fuscomarginata* Li *et* Wang，1991
　　　分布：陕西（佛坪）、湖南、四川、贵州、云南。
（494）蔷薇拟隐脉叶蝉 *Sophonia rosea* Li *et* Wang，1991
　　　分布：陕西（太白）、贵州、云南。

（七）缘脊叶蝉亚科 Selenocephalinae

267．肖顶带叶蝉属 *Athysanopsis* Matsumura，1914

（495）八字纹肖顶带叶蝉 *Athysanopsis salicis* Matsumura，1905
　　　分布：陕西（佛坪）、吉林、河南、安徽。

268．沟顶叶蝉属 *Bhatia* Distant，1908

（496）韩国沟顶叶蝉 *Bhatia koreana*（Kwon *et* Lee，1979）
　　　分布：陕西（宁陕）；韩国。

269．阔颈叶蝉属 *Drabescoides* Kwon *et* Lee，1979

（497）阔颈叶蝉 *Drabescoides nuchalis*（Jacobi，1943）
　　　分布：陕西（眉县、凤县、宁陕）、北京、天津、河南、新疆、浙江、江西、湖南、
　　　福建、广东、广西、四川；俄罗斯，朝鲜，日本。

270．胫槽叶蝉属 *Drabescus* Stzål，1870

（498）横带胫槽叶蝉 *Drabescus albofasciatus* Cai *et* He，1998

分布：陕西（秦岭）、河南、湖北。

（499）赭胫槽叶蝉 *Drabescus ineffectus*（Walker，1858）
　　　分布：陕西（秦岭）、浙江、湖北、广西；俄罗斯，印度。

（500）细茎胫槽叶蝉 *Drabescus minipenis* Zhang，1997
　　　分布：陕西（长安、太白、眉县、宁陕）、河南、台湾、四川、云南。

（501）宽胫槽叶蝉 *Drabescus ogumae* Matsumura，1912
　　　分布：陕西（秦岭）、浙江、台湾、广东、四川、云南；日本。

（502）淡色胫槽叶蝉 *Drabescus pallidus* Matsumura，1912
　　　分布：陕西（周至、太白）、河南；朝鲜，日本。

（503）沥青胫槽叶蝉 *Drabescus piceatus* Kuoh，1985
　　　分布：陕西（周至、太白）、河南。

（504）韦氏胫槽叶蝉 *Drabescus vilbastei* Zhang *et* Webb，1996
　　　分布：陕西（宁陕）；俄罗斯，日本。

271. 管茎叶蝉属 *Fistulatus* Zhang，Zhang *et* Chen，1997

（505）中华管茎叶蝉 *Fistulatus sinensis* Zhang，1997
　　　分布：陕西（秦岭）、河南、甘肃。

272. 脊翅叶蝉属 *Parabolopona* Matsumura，1912

（506）华脊翅叶蝉 *Parabolopona chinensis* Webb，1981
　　　分布：陕西（秦岭）、湖北、四川。

（507）石原脊翅叶蝉 *Parabolopona ishihara* Webb，1981
　　　分布：陕西（秦岭）、北京、湖南、海南、广西、云南；日本。

273. 齿茎叶蝉属 *Tambocerus* Zhang *et* Webb，1996

（508）长齿茎叶蝉 *Tambocerus elongates* Shen，2008
　　　分布：陕西（太白、汉中、宁陕）、河南、安徽、湖北、湖南、福建、广东、海南、
　　　广西、四川、贵州。

（509）三角齿茎叶蝉 *Tambocerus triangulatus* Shen，2008
　　　分布：陕西（周至）、海南。

（八）小叶蝉亚科 Typhlocybinae

274. 带小叶蝉属 *Agnesiella* Dworakowska，1970

（510）核桃带小叶蝉 *Agnesiella*（*Agnesiella*）*juglandis* Chou *et* Ma，1981

分布：陕西（留坝）、云南。

275．辜小叶蝉属 *Aguriahana* Distant，1918

（511）灰褐辜小叶蝉 *Aguriahana adusta* Chiang，Hsu *et* Knight，1989
　　　分布：陕西（宁陕）、台湾、云南。

（512）核桃异辜小叶蝉 *Aguriahana dissimilis* Chou *et* Ma，1981
　　　分布：陕西（宁强）、福建、湖南。

（513）核桃辜小叶蝉 *Aguriahana juglandis* Chou *et* Ma，1981
　　　分布：陕西（留坝、宁强）、福建、四川。

（514）核桃红辜小叶蝉 *Aguriahana rubra* Chou *et* Ma，1981
　　　分布：陕西（留坝、宁强）、湖北、云南。

（515）陕西辜小叶蝉 *Aguriahana shaanxiensis* Chou *et* Ma，1981
　　　分布：陕西（留坝）。

（516）三角辜小叶蝉 *Aguriahana triangularis*（Matsumura，1932）
　　　分布：陕西（武功、汉中）、湖北、福建、台湾、广西、四川、贵州、云南；日本。

276．眼小叶蝉属 *Alebra* Fieber，1872

（517）鹅耳眼小叶蝉 *Alebra neglecta* Wagner，1940
　　　分布：陕西（长安）、河北、甘肃；俄罗斯，日本，哈萨克斯坦，欧洲。

（518）淡色眼小叶蝉 *Alebra pallida* Dworawska，1968
　　　分布：陕西（紫阳）；俄罗斯，朝鲜，韩国。

277．长柄叶蝉属 *Alebroides* Matsumura，1931

（519）异长柄叶蝉 *Alebroides discretus* Chou *et* Zhang，1987
　　　分布：陕西（太白、宁陕、黄龙）、甘肃、湖北、广西、四川。

（520）德氏长柄叶蝉 *Alebroides dworakowskae* Chou *et* Zhang，1987
　　　分布：陕西（长安、宝鸡、太白、凤县、华阴、留坝、镇巴、宁陕、石泉、紫阳、安康、旬阳、镇安）、甘肃、湖北、湖南、广西、云南。

（521）镰长柄叶蝉 *Alebroides falcatus* Sohi *et* Dworakowska，1979
　　　分布：陕西（宝鸡）、四川、云南；印度。

（522）柳长柄叶蝉 *Alebroides salicis*（Vilbaste，1968）
　　　分布：陕西（秦岭）、湖南、台湾、四川、贵州、云南；俄罗斯，朝鲜。

（523）陕西长柄叶蝉 *Alebroides shaanxiensis* Chou *et* Zhang，1987
　　　分布：陕西（长安、周至、眉县、凤县、留坝、宁陕、旬阳）、甘肃、湖北。

（524）叉突长柄叶蝉 *Alebroides similis* Dworakowska，1977

　　分布：陕西（周至、武功、杨凌、太白、宝鸡、华阴）、四川、云南。

（525）波纹长柄叶蝉 *Alebroides sinuatus* Dworakowska，1980

　　分布：陕西（长安、周至、宝鸡、凤县、留坝、石泉、旬阳）；印度，尼泊尔。

（526）杨凌长柄叶蝉 *Alebroides yanglinginus* Chou *et* Zhang，1987

　　分布：陕西（杨凌、太白、凤县）、甘肃、湖北。

278．杧果叶蝉属 *Amrasca* Ghauri，1967

（527）棉叶蝉 *Amrasca biguttula*（Ishida，1913）

　　分布：陕西（秦岭）、河北、山东、河南、江苏、安徽、浙江、福建、台湾、江西、
湖北、湖南、海南、广西；阿富汗，日本，越南，印度，孟加拉国，斯里
兰卡。

279．缪小叶蝉属 *Amurta* Dworakowska，1977

（528）二斑缪小叶蝉 *Amurta bimaculata* Zhang *et* Huang，2005

　　分布：陕西（宁陕）。

280．安小叶蝉属 *Anufrievia* Dworakowska，1970

（529）拟卡安小叶蝉 *Anufrievia parisakazu* Cao *et* Zhang，2012

　　分布：陕西（周至）。

281．光小叶蝉属 *Apheliona* Kirkaldy，1907

（530）锈光小叶蝉 *Apheliona ferruginea*（Matsumura，1931）

　　分布：陕西（武功、陇县、宁强、紫阳）、浙江、湖北、湖南、台湾、广东、海南、
四川、云南；日本，泰国，印度，文莱，马来西亚，印度尼西亚。

（531）印度光小叶蝉 *Apheliona indica* Dworakowska *et* Sohi，1978

　　分布：陕西（秦岭）；印度。

282．二星叶蝉属 *Arboridia* Zachvatkin，1946

（532）核桃二星叶蝉 *Arboridia*（*Arboridia*）*agrillacea*（Anufriev，1969）

　　分布：陕西（杨凌、宁强）、山西、河南、甘肃、四川、贵州；俄罗斯。

（533）铃木二星叶蝉 *Arboridia*（*Arboridia*）*suzukii*（Matsumura，1916）

　　分布：陕西（周至）、山西；俄罗斯，朝鲜，韩国，日本。

（534）翠华山二星叶蝉 *Arboridia cuihuashana* Song *et* Li，2013

分布：陕西（西安）。

283. 偏茎叶蝉属 *Asymmetrasca* Dlabola，1958

（535）斯恩偏茎叶蝉 *Asymmetrasca cienka*（Dworakowska，1982）
分布：陕西（秦岭）、山东、河南、新疆、湖北、湖南、四川、贵州；朝鲜。

（536）枯萎偏茎叶蝉 *Asymmetrasca decedens*（Paoli，1932）
分布：陕西（周至、凤县、留坝、城固、镇巴）；俄罗斯，朝鲜，伊拉克，巴勒斯坦，埃及，塞浦路斯，斯洛伐克，意大利，法国。

（537）凯偏茎叶蝉 *Asymmetrasca kaicola*（Dworakowska，1982）
分布：陕西（西乡）、山东、湖南、海南。

（538）卢偏茎叶蝉 *Asymmetrasca lutowa*（Dworakowska，1971）
分布：陕西（杨凌）、浙江；朝鲜，印度。

（539）锐偏茎叶蝉 *Asymmetrasca rybiogon*（Dworakowska，1971）
分布：陕西（留坝、石泉、安康）、江苏、浙江、江西、湖南、福建、海南、广西、贵州、云南；朝鲜。

（540）板井偏茎叶蝉 *Asymmetrasca sakaii*（Dworakowska，1971）
分布：陕西（西乡、宁陕、紫阳）、山东、湖南、福建、四川、云南；日本，印度。

284. 奥小叶蝉属 *Austroasca* Lower，1952

（541）蒙奥小叶蝉 *Austroasca mitjaevi* Dworakowska，1970
分布：陕西（长安、周至、太白、眉县、凤县、留坝、宁强、佛坪、宁陕、石泉、紫阳、旬阳、镇安、商南）、黑龙江、山西、山东、河南、甘肃、湖南、福建、广东、广西、四川、贵州、云南；蒙古，朝鲜。

（542）棉奥小叶蝉 *Austroasca vittata*（Lethierry，1884）
分布：陕西（长安、凤县、留坝、石泉、安康、旬阳）、黑龙江、吉林、辽宁、江苏、浙江；蒙古，俄罗斯，朝鲜，日本，欧洲。

285. 博小叶蝉属 *Bolanusoides* Distant，1918

（543）陕西博小叶蝉 *Bolanusoides shaanxiensis* Zhang *et* Huang，2005
分布：陕西（汉中）。

286. 绿小叶蝉属 *Chlorita* Fieber，1872

（544）直茎绿小叶蝉 *Chlorita erecta* Dworakowska，1968
分布：陕西（秦岭）、江苏；朝鲜。

（545）圆绿小叶蝉 *Chlorita hortensis* **Dworakowska, 1977**
　　　分布：陕西（镇巴）；印度，尼泊尔。

287．迪克小叶蝉属 *Dicraneurula* **Vilbaste, 1968**

（546）迪克小叶蝉 *Dicraneurula exigua*（**Vilbaste, 1968**）
　　　分布：陕西（长安）；俄罗斯，韩国。

288．叉脉小叶蝉属 *Dikraneura* **Hardy, 1850**

（547）东方叉脉小叶蝉 *Dikraneura*（*Dikraneura*）*orientalis* **Dworakowska, 1993**
　　　分布：陕西（长安、周至、凤县、太白、眉县、华阴、留坝、宁陕、镇安、宁强）、
　　　河南、浙江、台湾、四川、云南；日本。

289．小绿叶蝉属 *Empoasca* **Walsh, 1862**

（548）缘小绿叶蝉 *Empoasca*（*Empoasca*）*affinis* **Nast, 1937**
　　　分布：陕西（太白）、甘肃、新疆；印度，欧洲。

（549）阿勒泰小绿叶蝉 *Empoasca*（*Empoasca*）*altaica* **Vilbaste, 1965**
　　　分布：陕西（宝鸡、南郑、西乡）、山东、河南、江西；蒙古，俄罗斯，朝鲜。

（550）金小绿叶蝉 *Empoasca*（*Empoasca*）*ariadnae* **Dworakowska, 1971**
　　　分布：陕西（宁陕）、湖南、广西、云南；朝鲜。

（551）叉小绿叶蝉 *Empoasca*（*Empoasca*）*furcata* **Vilbaste, 1968**
　　　分布：陕西（眉县、留坝）、湖南、福建、海南、四川、云南；日本，朝鲜。

（552）广道小绿叶蝉 *Empoasca*（*Empoasca*）*hiromichi*（**Matsumura, 1931**）
　　　分布：陕西（秦岭）、山东、江苏、浙江、湖南；日本。

（553）鸡公山小绿叶蝉 *Empoasca*（*Empoasca*）*jigongshana* **Cai** *et* **Shen, 1999**
　　　分布：陕西（略阳）、河南。

（554）松田小绿叶蝉 *Empoasca*（*Empoasca*）*matsudai* **Dworakowska, 1972**
　　　分布：陕西（南郑）、河南、湖南；朝鲜，日本。

（555）弯板小绿叶蝉 *Empoasca*（*Empoasca*）*reducata* **Dworakowska, 1976**
　　　分布：陕西（南郑、宁陕）、台湾；越南。

（556）肖克小绿叶蝉 *Empoasca*（*Empoasca*）*shokella*（**Matsumura, 1931**）
　　　分布：陕西（秦岭）、福建、台湾、广东、海南；越南。

（557）井小绿叶蝉 *Empoasca*（*Matsumurasca*）*parvifacia* **Dworakowska, 1994**
　　　分布：陕西（凤县、宁陕）、云南；印度。

290. 蒿小叶蝉属 *Eupteryx* Curtis，1829

（558） 多点蒿小叶蝉 *Eupteryx*（*Eupteryx*）*adspersa*（Herrich *et* Schaeffer，1838）

分布：陕西（留坝）；亚洲，欧洲。

（559） 蒿小叶蝉 *Eupteryx*（*Eupteryx*）*artemisiae*（Kirschbaum，1868）

分布：陕西（旬阳）；古北区，新北区，澳州区。

（560） 米蒿小叶蝉 *Eupteryx*（*Eupteryx*）*minuscula* Lindberg，1929

分布：陕西（长安）、甘肃、江苏、湖北、四川；俄罗斯，朝鲜，日本。

（561） 异蒿小叶蝉 *Eupteryx*（*Eupteryx*）*seiugata* Dlabola，1967

分布：陕西（佛坪）；蒙古。

（562） 波缘蒿小叶蝉 *Euperyx*（*Eupteryx*）*undomarginata* Lindberg，1929

分布：陕西（安康、镇安）；蒙古，俄罗斯，朝鲜。

291. 雅小叶蝉属 *Eurhadina* Haupt，1929

（563） 丽雅小叶蝉 *Eurhadina*（*Eurhadina*）*callissima* Dworakowska，1967

分布：陕西（秦岭）；蒙古，俄罗斯。

（564） 日本雅小叶蝉 *Eurhadina*（*Eurhadina*）*japonica* Dworakowska，1972

分布：陕西（宁强）、四川；日本。

（565） 玛雅小叶蝉 *Eurhadina*（*Singhardina*）*mamata* Dworakowska，1979

分布：陕西（石泉）、福建、湖南、云南；印度，尼泊尔，巴基斯坦。

292. 蕃氏小叶蝉属 *Farynala* Dworakowska，1970

（566） 核桃蕃氏小叶蝉 *Farynala malhotri* Sharma，1977

分布：陕西（宁强）、广东；印度。

293. 燕尾小叶蝉属 *Forcipata* DeLong *et* Caldwell，1936

（567） 柠檬燕尾小叶蝉 *Forcipata citrinella*（Zetterstedt，1828）

分布：陕西（西乡、紫阳、黄龙、延安）、河北；蒙古，俄罗斯，韩国，哈萨克斯坦，乌兹别克斯坦，塔吉克斯坦，欧洲，北美洲。

294. 石原叶蝉属 *Ishiharella* Dworakowska，1970

（568） 齿茎石原叶蝉 *Ishiharella dentata* Qin *et* Zhang，2004

分布：陕西（宁陕）。

295．雅氏叶蝉属 *Jacobiasca* Dworakowska，1972

（569）波宁雅氏叶蝉 *Jacobiasca boninensis*（Matsumura，1931）
　　分布：陕西（武功、杨凌、留坝、洋县、西乡、宁强、石泉、紫阳、安康）、甘肃、
　　江苏、浙江、湖南、广东、海南、广西、四川、贵州、云南；日本，越南，印度，
　　马来西亚。

296．绿叶蝉属 *Kyboasca* Zachvatkin，1953

（570）双斑绿叶蝉 *Kyboasca bipunctata*（Oshanin，1871）
　　分布：陕西（秦岭）、黑龙江、吉林、辽宁、河北、内蒙古、新疆；俄罗斯，朝
　　鲜，哈萨克斯坦，高加索，欧洲。
（571）赛绿叶蝉 *Kyboasca sexevidens* Dlabola，1967
　　分布：陕西（武功、杨凌、旬阳、镇安）、内蒙古、河北；蒙古，俄罗斯。

297．阔胸叶蝉属 *Ledeira* Dworakowska，1969

（572）纳氏阔胸叶蝉 *Ledeira knighti* Zhang，1990
　　分布：陕西（宁陕）。

298．零叶蝉属 *Limassolla* Dlabola，1965

（573）柿零叶蝉 *Limassolla diospyri* Chou et Ma，1981
　　分布：陕西（商南）、湖南。
（574）斑翅零叶蝉 *Limassolla discoloris* Zhang et Chou，1988
　　分布：陕西（旬阳、镇安）。
（575）柿散零叶蝉 *Limassolla dispunctata* Chou et Ma，1981
　　分布：陕西（秦岭）、广东。
（576）石原零叶蝉 *Limassolla ishiharai* Dworakowska，1972
　　分布：陕西（宁陕）、湖南；日本。
（577）柿小零叶蝉 *Limassolla kakii* Chou et Ma，1981
　　分布：陕西（洛南）。
（578）红斑零叶蝉 *Limassolla rubrolimbata* Zhang et Chou，1988
　　分布：陕西（宁陕）、湖南。

299．膜瓣叶蝉属 *Membranacea* Qin et Zhang，2011

（579）单片膜瓣叶蝉 *Membranacea unijugata* Qin et Zhang，2011

分布：陕西（太白）、四川。

300. 尼小叶蝉属 *Nikkotettix* Matsumura, 1931

（580）伽氏尼小叶蝉 *Nikkotettix galloisi* Matsumura, 1931
分布：陕西（太白）、浙江；日本。

（581）太白尼小叶蝉 *Nikkotettix taibaiensis* Qin *et* Zhang, 2003
分布：陕西（太白山）。

301. 蟠小叶蝉属 *Paracyba* Vilbaste, 1968

（582）褐带蟠小叶蝉 *Paraoyba soosi* Dworakowska, 1977
分布：陕西（留坝、宁强）、山东、湖南、四川、云南；越南。

302. 叉脉叶蝉属 *Schizandrasca* Anufriev, 1972

（583）优叉脉叶蝉 *Schizandrasca ussurica*（Vilbaste, 1968）
分布：陕西（宁陕）、湖北；俄罗斯，朝鲜。

303. 沙小叶蝉属 *Shaddai* Distant, 1918

（584）陕西沙小叶蝉 *Shaddai shaanxiensis* Chou *et* Ma, 1981
分布：陕西（长安、周至、太白、眉县、华阴、留坝、佛坪、宁陕、安康、镇安）、北京、宁夏、甘肃、四川。

304. 新小叶蝉属 *Singapora* Mahmood, 1967

（585）佛坪新小叶蝉 *Singapora fopingensis* Chou *et* Ma, 1981
分布：陕西（秦岭）、安徽、湖南、福建。

（586）桃一点叶蝉 *Singapora shinshana*（Matsumura, 1932）
分布：陕西（秦岭）、北京、山东、江苏、浙江、江西、湖南、台湾、广东、四川；朝鲜，韩国，日本。

305. 小叶蝉属 *Typhlocyba* Germar, 1833

（587）贝小叶蝉 *Typhlocyba babai* Ishihara, 1958
分布：陕西（秦岭）、河北、甘肃、湖北、福建、四川、云南；俄罗斯，日本。

（588）栎小叶蝉 *Typhlocyba quercus*（Fabricius, 1777）
分布：陕西（宁陕）、湖北、湖南；蒙古。

（589）斑纹栎小叶蝉 *Typhlocyba quercussimilis* Dworakowska, 1967

　　分布：陕西（秦岭）、河北、山东、甘肃、湖北、福建、广东、四川；蒙古，俄罗斯，日本。

306. 沃小叶蝉属 *Warodia* Dworakowska，1971

（590）本州沃小叶蝉 *Warodia hoso*（Matsumura，1931）

　　分布：陕西（留坝）、新疆、江苏、浙江、湖北、湖南、广西；日本。

307. 赛克叶蝉属 *Ziczacella* Anufriev，1970

（591）七河赛克叶蝉 *Ziczacella heptapotamica*（Kusnezov，1928）

　　分布：陕西（太白）、湖南、四川；俄罗斯，日本，哈萨克斯坦，吉尔吉斯斯坦，欧洲。

（592）丝赛克叶蝉 *Ziczacella steggerdai*（Ross，1965）

　　分布：陕西（杨凌）、四川；朝鲜，韩国，越南。

308. 欧小叶蝉属 *Zygina* Fieber，1866

（593）异色欧小叶蝉 *Zygina*（*Zygina*）*discolor* Horváth，1897

　　分布：陕西（秦岭）、山西、山东；哈萨克斯坦，乌兹别克斯坦，欧洲，非洲。

309. 塔叶蝉属 *Zyginella* Löw，1885

（594）苹果塔叶蝉 *Zyginella mali*（Yang，1965）

　　分布：陕西（秦岭）、内蒙古、宁夏、甘肃；俄罗斯。

（595）苹小塔叶蝉 *Zyginella minuta*（Yang，1965）

　　分布：陕西（留坝、宁强）、江苏、福建、四川。

（九）广头叶蝉亚科 Macropsinae

310. 广头叶蝉属 *Macropsis* Lewis，1834

（596）黄板广头叶蝉 *Macropsis huangbana* Li，Tishechkin，Dai *et* Li，2014

　　分布：陕西（眉县、宁陕）、云南。

（597）绿色广头叶蝉 *Macropsis lusis* Kuoh，1981

　　分布：陕西（宁陕）、山东、宁夏、甘肃、青海、新疆、广西、西藏。

（598）双带广头叶蝉 *Macropsis matsumurana* China，1925

　　分布：陕西（户县、太白、眉县、佛坪、宁陕）、山西、河南、宁夏、甘肃、台湾、海南、广西、四川、贵州、云南；日本。

（599）基斑广头叶蝉 *Macropsis warburgii* Huang，1993
　　　分布：陕西（宁陕）、吉林、内蒙古、山东、甘肃、新疆、台湾。

311．横皱叶蝉属 *Oncopsis* Burmeister，1838

（600）*Oncopsis odontoidea* Dai *et* Li，2013
　　　分布：陕西（太白）、青海、宁夏。

（601）凸斑横皱叶蝉 *Oncopsis*（*Oncopsis*）*convexus* Liu，2009
　　　分布：陕西（户县、太白）、四川。

（602）黄绿横皱叶蝉 *Oncopsis*（*Oncopsis*）*flavovirens* Kuoh，1992
　　　分布：陕西（太白）、云南。

（603）黑面横皱叶蝉 *Oncopsis*（*Oncopsis*）*nigrofaciala* Li，Dai *et* Li，2012
　　　分布：陕西（户县、太白、眉县）、山西、甘肃。

（604）锯齿横皱叶蝉 *Oncopsis*（*Oncopsis*）*serrulota* Dai *et* Li，2013
　　　分布：陕西（太白）、宁夏。

（605）太白横皱叶蝉 *Oncopsis*（*Oncopsis*）*taibaiensis* Yang *et* Zhang，2015
　　　分布：陕西（太白）。

312．尖尾叶蝉属 *Pedionis* Hamilton，1980

（606）李氏尖尾叶蝉 *Pedionis*（*Pedionis*）*lii* Zhang *et* Viraktamath，2010
　　　分布：陕西（太白）、贵州。

313．暗纹叶蝉属 *Pediopsoides* Matsumura，1912

（607）凹面暗纹叶蝉 *Pediopsoides*（*Sispocnis*）*aomians*（Kuoh，1981）
　　　分布：陕西（太白）、甘肃、青海、四川、贵州、云南、西藏。

（608）类指暗纹叶蝉 *Pediopsoides*（*Sispocnis*）*heterodigitatus* Dai *et* Zhang，2009
　　　分布：陕西（周至）、四川、云南。

（609）褐盾暗纹叶蝉 *Pediopsoides*（*Sispocnis*）*kurentsovi*（Anufriev，1977）
　　　分布：陕西（周至、宝鸡、凤县、宁陕）、北京、河北、山西、河南、浙江、福建、
　　　四川；俄罗斯，印度。

（十）叶蝉亚科 Iassinae

314．Genus *Trocniassus* Dai，Dietrich *et* Zhang，2015

（610）*Trocniassus shaanxiensis* Dai，Dietrich *et* Zhang，2015
　　　分布：陕西（户县、宁陕）。

（十一）片角叶蝉亚科 Idiocerinae

315. 角突叶蝉属 *Anidiocerus* Maldonado-Capriles，1976

（611）黄颊角突叶蝉 *Anidiocerus brevispinus* Xue *et al.*，2013
　　　分布：陕西（宁陕）。

316. 黑纹片角叶蝉属 *Koreocerus* Kwon，1985

（612）黑纹片角叶蝉 *Koreocerus koreanus*（Matsumura，1915）
　　　分布：陕西（户县）、辽宁、山西、甘肃、青海；韩国，日本。

（十二）离脉叶蝉亚科 Coelidiinae

317. 丽叶蝉属 *Calodia* Nielson，1982

（613）刺突丽叶蝉 *Calodia warei* Nielson，1982
　　　分布：陕西（秦岭）、福建、湖北、四川、贵州；越南。

318. 单突叶蝉属 *Lodiana* Nielson，1982

（614）齿片单突叶蝉 *Lodiana ritcheriina* Zhang，1990
　　　分布：陕西（长安）、北京、山西、甘肃、安徽、四川。

（十三）角顶叶蝉亚科 Deltocephalinae

319. 玛瑙叶蝉属 *Acharis* Emeljanov，1966

（615）乌苏里玛瑙叶蝉 *Acharis ussuriensis*（Melichar，1902）
　　　分布：陕西（凤县）；蒙古，朝鲜。

320. 阿可叶蝉属 *Aconurella* Ribaut，1948

（616）阿可叶蝉 *Aconurella prolixa*（Lethierry，1885）
　　　分布：陕西（秦岭）、新疆、江西、福建、台湾、广东、海南、广西、云南；日本，印度。

（617）斯比阿可叶蝉 *Aconurella sibirica*（Lethierry，1888）
　　　分布：陕西（城固）、天津、河北、山西、山东；蒙古，俄罗斯。

321. 嘎叶蝉属 *Alobaldia* Emeljanov，1972

（618）烟草嘎叶蝉 *Alobaldia tobae*（Matsumura，1902）

分布：陕西(秦岭)、黑龙江、河南、甘肃、浙江、湖北、湖南、江西、福建、广西、海南、四川、贵州、云南；俄罗斯，朝鲜，日本，北美洲。

322. 二室叶蝉属 *Balclutha* Kirkaldy，1900

(619) 白脉二室叶蝉 *Balclutha lucida*（Butler，1877）
分布：陕西(杨凌，秦岭)、浙江、福建、台湾、广东、海南、广西；日本，菲律宾，印度尼西亚，非洲，北美洲，澳洲。

(620) 斑翅二室叶蝉 *Balclutha punctata*（Fabricius，1775）
分布：陕西(武功、宝鸡、凤县、宁陕、安康)、河北、甘肃、新疆、台湾；蒙古，非洲，欧洲，北美洲，澳洲。

(621) 红脉二室叶蝉 *Balclutha rubrinervis*（Matsumura，1902）
分布：陕西(周至、武功、杨凌、太白、凤县、略阳、留坝、南郑、西乡、宁陕、紫阳)、河北、山西、河南、甘肃、安徽、浙江、湖北、江西、湖南、福建、台湾、香港、海南、广西、贵州、云南、西藏；俄罗斯，韩国，日本，斯里兰卡，瓦努阿图。

(622) 黑胸二室叶蝉 *Balclutha saltuella*（Kirschbaum，1868）
分布：陕西(合阳、武功、杨凌、留坝)、浙江、湖北、江西、湖南、福建、广东、海南、广西、四川、贵州、云南；俄罗斯，韩国，日本，印度，斯里兰卡，菲律宾，印度尼西亚，欧洲，非洲，北美洲，澳洲。

(623) 长茎二室叶蝉 *Balclutha sternalis*（Distant，1918）
分布：陕西(宝鸡、凤县、南郑、宁陕、安康)、甘肃、浙江、湖北、湖南、广东、海南、四川、云南；俄罗斯，印度。

(624) 三线二室叶蝉 *Balclutha trilineata* Linnavuori，1960
分布：陕西(秦岭)、湖南、福建、广东、海南、贵州；尼泊尔，马来西亚，非洲，加罗林群岛。

(625) 多色二室叶蝉 *Balclutha versicolor* Vilbaste，1968
分布：陕西(眉县、留坝、宁陕)、河南、甘肃、新疆、浙江、湖北、福建、四川；俄罗斯。

323. 竹叶蝉属 *Bambusana* Anufriev，1969

(626) 佛坪竹叶蝉 *Bambusana fopingensis* Dai et Zhang，2005
分布：陕西(佛坪)。

324. Genus *Bambusananus* Li et Xing，2011

(627) *Bambusananus cuihuashanensis* Yang et Chen，2013

分布：陕西（西安）。

325. 拟叉叶蝉属 *Cicadulina* China, 1926

（628）双点拟叉叶蝉 *Cicadulina*（*Cicadulina*）*bipunctata*（Melichar, 1904）
分布：陕西（宁强）、福建、台湾、广东、海南、广西、云南；日本，非洲北部，澳洲。

326. 肛突叶蝉属 *Changwhania* Kwon, 1980

（629）锡兰肛突叶蝉 *Changwhania ceylonensis*（Baker, 1925）
分布：陕西（杨凌、西乡、安康）、山东、湖北、江西、湖南、福建、广东、海南、广西、四川；韩国，印度。

327. 角顶叶蝉属 *Deltocephalus* Burmeister, 1838

（630）栅斑角顶叶蝉 *Deltocephalus vulgaris* Dash *et* Viraktamath, 1998
分布：陕西（秦岭）、浙江、湖南、江西、福建、广东、海南、广西、云南；印度。

328. 长臂叶蝉属 *Diplocolenus* Ribaut, 1947

（631）纵带长臂叶蝉 *Diplocolenus ikumae*（Matsumura, 1911）
分布：陕西（太白、眉县、宁陕）、宁夏、甘肃；俄罗斯。

329. 殃叶蝉属 *Euscelis* Brulle, 1832

（632）浅刻殃叶蝉 *Euscelis distinguendus*（Kirschbaum, 1858）
分布：陕西（太白、眉县）、宁夏；古北区。

330. 冠线叶蝉属 *Exitianus* Ball, 1929

（633）甘蔗叶蝉 *Exitianus indicus*（Distant, 1908）
分布：陕西、吉林、河南、新疆、江苏、安徽、浙江、湖北、湖南、福建、台湾、广东、海南、广西、四川、贵州、云南；日本，印度，尼泊尔，孟加拉国，斯里兰卡，菲律宾。

331. 光叶蝉属 *Futasujinus* Ishihara, 1953

（634）白脉光叶蝉 *Futasujinus amuriensis*（Metcalf, 1955）
分布：陕西（安康）、安徽；俄罗斯。

332. 刻纹叶蝉属 *Goniagnathus* Fieber, 1866

(635) 皱刻纹叶蝉 *Goniagnathus* (*Epitephra*) *rugulosus* (Haupt, 1917)

分布：陕西(秦岭，武功、清涧、定边)、黑龙江、河北、山西、山东、河南、宁夏；蒙古，俄罗斯，韩国。

333. 固拉瓦叶蝉属 *Gurawa* Distant, 1908

(636) 小头固拉瓦叶蝉 *Gurawa minorcephala* Singh-Pruthi, 1930

分布：陕西(凤县)、云南；印度。

334. 掌叶蝉属 *Handianus* Ribaut, 1942

(637) 横带掌叶蝉 *Handianus* (*Usuironus*) *limbicosta* (Jacobi, 1944)

分布：陕西(太白、眉县、宁强、镇巴、紫阳)、吉林、甘肃、河南、浙江、湖北、湖南、江西、福建、贵州；蒙古，俄罗斯，韩国，日本，非洲。

(638) 双斑掌叶蝉 *Handianus* (*Usuironus*) *limbifer* (Matsumura, 1902)

分布：陕西(眉县)、黑龙江、吉林、河南、宁夏、甘肃；俄罗斯，韩国，日本。

(639) 冠斑掌叶蝉 *Handianus* (*Usuironus*) *maculaticeps* (Reuter, 1885)

分布：陕西(秦岭、黄龙)、内蒙古；蒙古，俄罗斯，哈萨克斯坦，非洲。

335. 铲头叶蝉属 *Hecalus* Stål, 1864

(640) 褐脊铲头叶蝉 *Hecalus prasinus* (Matsumura, 1905)

分布：陕西(紫阳)、广西、云南；日本、泰国、菲律宾。

336. 拟菱纹叶蝉属 *Hishimonoides* Ishihara, 1965

(641) 弯茎拟菱纹叶蝉 *Hishimonoides recurvatis* Li, 1988

分布：陕西(略阳、留坝、南郑、汉中、洋县)、河南、甘肃、湖北、贵州。

337. 菱纹叶蝉属 *Hishimonus* Ishihara, 1953

(642) 凹缘菱纹叶蝉 *Hishimonus sellatus* (Uhler, 1896)

分布：陕西(汉中)、辽宁、山东、江苏、安徽、浙江、湖北、江西、福建、台湾、广东、香港、四川、贵州；俄罗斯，日本，印度，斯里兰卡，马来西亚。

(643) 侧刺菱纹叶蝉 *Hishimonus spiniferous* Kuoh, 1976

分布：陕西(凤县、略阳、留坝、洋县)、甘肃、湖北、四川、贵州、云南。

338. 锥头叶蝉属 *Japanaus* Ball，1931

（644）锥头叶蝉 *Japananus hyalinus*（Osborn，1900）
分布：陕西（武功、杨凌、太白、凤县、宁陕）、辽宁、湖北、江西、贵州；俄罗斯，韩国，日本，印度，欧洲，北美洲，南美洲，澳洲。

339. Genus *Jilinga* Ghauri，1974

（645）*Jilinga taibaiensis* Zhang *et* Dai，2017
分布：陕西（太白）。

340. 纤细叶蝉属 *Laburrus* Ribaut，1942

（646）叉突纤细叶蝉 *Laburrus impictifrons*（Boheman，1852）
分布：陕西（长安、眉县、宝鸡、凤县、宁强）、吉林、山西、宁夏、甘肃；古北区。

341. 二叉叶蝉属 *Macrosteles* Fieber，1866

（647）褐斑二叉叶蝉 *Macrosteles brunneus* Zhang，Lu *et* Kwon，2013
分布：陕西（宁陕）、山西、河南、甘肃、湖南、湖北、广西、四川。

（648）冠状二叉叶蝉 *Macrosteles cristatus*（Ribaut，1927）
分布：陕西（秦岭）、吉林、河北、山西、甘肃、新疆；欧洲，美洲。

（649）咕咤二叉叶蝉 *Macrosteles guttatus*（Matsumura，1915）
分布：陕西（秦岭，武功）、宁夏、青海、四川、西藏；韩国，北美洲。

（650）旋叶二叉叶蝉 *Macrosteles laevis*（Ribaut，1927）
分布：陕西（秦岭，杨凌）、黑龙江、吉林、辽宁、河北、山西、山东、新疆、湖北、海南、广西；俄罗斯，北美洲，澳洲。

（651）纳比二叉叶蝉 *Macrosteles nabiae* Kwon，2013
分布：陕西（秦岭，杨凌）、黑龙江、山西、山东、新疆；韩国，日本。

（652）四点叶蝉 *Macrosteles quadrimaculatus*（Matsumura，1900）
分布：陕西（武功、太白、留坝、汉中、城固、宁强、南郑、宁陕、石泉、紫阳、安康）、河北、甘肃、浙江、湖南、台湾、贵州；俄罗斯，朝鲜，韩国，日本。

（653）四斑点叶蝉 *Macrosteles quadripunctulatus*（Kirschbaum，1868）
分布：陕西（秦岭，杨凌）、辽宁、山东、新疆；中亚地区，中东，欧洲。

（654）细端二叉叶蝉 *Macrosteles sordidipennis*（Stzål，1885）
分布：陕西（秦岭，杨凌）、辽宁、河北、山东、青海、新疆；蒙古，俄罗斯，哈萨克斯坦，欧洲，澳洲。

（655）曲纹二叉叶蝉 *Macrosteles striifrons* **Anufriev, 1968**
　　分布：陕西（杨凌、留坝、汉中、安康）、黑龙江、辽宁、山东、甘肃、新疆、安徽、浙江、湖北、江西、湖南、福建、台湾、广东、海南、香港、广西、四川、云南；东亚地区，中亚地区。

342. 美叶蝉属 *Maiestas* Distant，1917

（656）兰花美叶蝉 *Maiestas bilineata*（**Dash** *et* **Viraktamath, 1998**）
　　分布：陕西（秦岭）、福建、广东、海南、广西；印度。

（657）电光叶蝉 *Maiestas dorsalis*（**Motschulsky, 1895**）
　　分布：陕西（西乡），中国广布；古北区，东洋区。

（658）丝美叶蝉 *Maiestas horvathi*（**Then, 1896**）
　　分布：陕西（周至、武功、凤县、宁陕）、黑龙江、辽宁、天津、河北、山东、甘肃、新疆、湖南、广东；俄罗斯，非洲北部，欧洲，澳洲。

（659）宽额美叶蝉 *Maiestas latifrons*（**Matsumura, 1902**）
　　分布：陕西（秦岭）、浙江、湖北、江西、湖南、福建、广东、海南、广西、四川、云南；俄罗斯，韩国，日本。

（660）波缘松村叶蝉 *Matsumurella minor* **Emeljanov, 1977**
　　分布：陕西（太白、宁陕、延安）、河南；蒙古。

（661）稻叶蝉 *Maiestas oryzae*（**Matsumura, 1902**）
　　分布：陕西（秦岭）、辽宁、吉林、黑龙江、内蒙古、河南、甘肃、安徽、浙江、湖北、广西、贵州；朝鲜，日本。

（662）韦氏美叶蝉 *Maiestas webbi* **Zhang** *et* **Duan, 2011**
　　分布：陕西（留坝）、福建、浙江。

343. 针叶蝉属 *Matsumuratettix* Metcalf，1952

（663）细针叶蝉 *Matsumuratettix hiroglyphicus*（**Matsumura, 1914**）
　　分布：陕西（安康）、台湾、海南。

344. 松村叶蝉属 *Matsumurella* Ishihara，1953

（664）双突松村叶蝉 *Matsumurella expansa* **Emeljanov, 1972**
　　分布：陕西（长安、武功、眉县、凤县、宁陕、黄龙、延安）、吉林、山西、河南、甘肃；蒙古。

345．斑翅叶蝉属 *Mimotettix* Matsumura, 1914

（665）黑纹斑翅叶蝉 *Mimotettix alboguttulatus*（Melichar, 1903）
　　　分布：陕西（秦岭）、河南、甘肃、湖北、湖南、台湾、海南、贵州。

（666）片脊斑翅叶蝉 *Mimotettix spinosus* Li *et* Xing, 2010
　　　分布：陕西（眉县）、贵州。

346．纹翅叶蝉属 *Nakaharanus* Ishihara, 1953

（667）葛纹翅叶蝉 *Nakaharanus maculosus* Kuoh, 1986
　　　分布：陕西（太白、眉县、略阳）、河南、甘肃、湖北、贵州。

347．叉突叶蝉属 *Neoreticulum* Dai, 2009

（668）二叉叉突叶蝉 *Neoreticulum transvittatum*（Dai, Li *et* Chen, 2006）
　　　分布：陕西（太白、凤县、略阳、洋县、宁强、宁陕、石泉）、河南、甘肃、湖北、
　　　贵州、云南。

348．黑尾叶蝉属 *Nephotettix* Matsumura, 1902

（669）黑尾叶蝉 *Nephotettix cincticeps*（Uhler, 1896）
　　　分布：陕西，中国广布；古北区，东洋区。

（670）二条黑尾叶蝉 *Nephotettix nigropictus*（Stzål, 1870）
　　　分布：陕西，中国广布；亚洲。

（671）二点黑尾叶蝉 *Nephotettix virescens*（Distant, 1908）
　　　分布：陕西，中国广布；亚洲。

349．圆纹叶蝉属 *Norva* Emeljanov, 1969

（672）齿突圆纹叶蝉 *Norva japonica* Anufriev, 1970
　　　分布：陕西（秦岭）、河南；日本。

350．饴叶蝉属 *Ophiola* Edwards, 1922

（673）尖突饴叶蝉 *Ophiola cornicula*（Marshall, 1866）
　　　分布：陕西（长安、太白、眉县、宁陕）、黑龙江、河南、甘肃、湖南、贵州；古
　　　北区。

351．东方叶蝉属 *Orientus* DeLong, 1938

（674）广文东方叶蝉 *Orientus ishidae*（Matsumura, 1902）

分布：陕西(长安、武功、凤县)；俄罗斯，朝鲜，日本，菲律宾，南美洲。

352. 拟光头叶蝉属 *Paralaevicephalus* Ishihara, 1953

(675) 细茎拟光头叶蝉 *Paralaevicephalus gracilipenis* **Dai, Zhang *et* Hu, 2005**
　　　分布：陕西(凤县、留坝、宁陕)、甘肃、福建、湖南、海南、广西、四川、贵州。

(676) 直突拟光头叶蝉 *Paralaevicephalus grossus* **Xing, Dai *et* Li, 2009**
　　　分布：陕西(秦岭)。

353. 冠带叶蝉属 *Paramesodes* Ishihara, 1953

(677) 莫干山冠带叶蝉 *Paramesodes mokanshanae* **Wilson, 1983**
　　　分布：陕西(秦岭)、甘肃、浙江、湖南、福建、广东、海南。

354. 二突叶蝉属 *Philaia* Dlabola, 1952

(678) 二突叶蝉 *Philaia jassargiforma* **Dlabola, 1952**
　　　分布：陕西(秦岭，延安)；蒙古，哈萨克斯坦，欧洲。

355. 普叶蝉属 *Platymetopius* Burmeister, 1838

(679) 朝鲜普叶蝉 *Platymetopius koreanus* **Matsumura, 1915**
　　　分布：陕西(凤县、留坝)、山西、河南。

356. 多脉叶蝉属 *Polyamia* DeLong, 1926

(680) 镰茎多脉叶蝉 *Polyamia drepananiforma* **Zhang *et* Duan, 2004**
　　　分布：陕西(安康)、海南。

357. 背突叶蝉属 *Protensus* Zhang *et* Dai, 2001

(681) 周氏背突叶蝉 *Protensus choui* **Zhang *et* Dai, 2001**
　　　分布：陕西(凤县)。

(682) 对柄背突叶蝉 *Protensus kiushiuensis* (**Vilbaste, 1967**)
　　　分布：陕西(城固、石泉)；日本。

358. 沙叶蝉属 *Psammotettix* Haupt, 1929

(683) 条沙叶蝉 *Psammotettix striatus* (**Linnaeus, 1758**)
　　　分布：陕西，中国广布；世界广布。

359. 纹叶蝉属 *Recilia* Edwards，1922

（684）花冠纹叶蝉 *Recilia coronifer*（Marshall，1866）
　　分布：陕西（凤县、留坝）、黑龙江、辽宁、天津、河北、山西、山东、河南、甘肃、湖北、湖南、广东；蒙古，俄罗斯，朝鲜，日本，欧洲。

360. 拟带叶蝉属 *Scaphoidella* Vilbaste，1968

（685）狭拟带叶蝉 *Scaphoidella stenopaea* Anufriev，1977
　　分布：陕西（武功）、黑龙江、山东；俄罗斯。

361. 带叶蝉属 *Scaphoideus* Uhler，1889

（686）白条带叶蝉 *Scaphoideus albovittatus* Matsumura，1914
　　分布：陕西（洋县）、河北、山东、河南、湖北、湖南、海南、广西、四川、贵州、云南、西藏；俄罗斯，韩国，日本。

（687）侧突带叶蝉 *Scaphoideus coliateralis* Li，2011
　　分布：陕西（秦岭）。

（688）齿茎带叶蝉 *Scaphoideus dentaedeagus* Li et Wang，2002
　　分布：陕西（秦岭）、甘肃、浙江、湖南、湖北、福建、广西、云南。

（689）阔横带叶蝉 *Scaphoideus festivus* Matsumura，1902
　　分布：陕西（武功、眉县、宁陕）、黑龙江、北京、天津、山西、河北、河南、宁夏、浙江、湖北、江西、湖南、福建、台湾、广东、海南、广西、四川、云南、贵州；韩国，日本，印度，斯里兰卡。

（690）白背带叶蝉 *Scaphoideus kumamotonis* Matsumura，1914
　　分布：陕西（太白）、河南、安徽、浙江、湖北、江西、湖南、广西、四川、贵州、云南、西藏；日本。

（691）黑瓣带叶蝉 *Scaphoideus nigrivalveus* Li et Wang，2005
　　分布：陕西（太白、凤县）、内蒙古、河南、湖北、湖南、贵州。

（692）红色带叶蝉 *Scaphoideus rufilineatus* Li，1990
　　分布：陕西（凤县）、山西、河南、湖北、四川、贵州、云南。

（693）刺板带叶蝉 *Scaphoideus spiniplateus* Li et Wang，2002
　　分布：陕西（户县）、湖北、贵州、云南。

（694）多色带叶蝉 *Scaphoideus varius* Vilbaste，1968
　　分布：陕西（户县、太白、眉县、宁陕）、河南、浙江、台湾、贵州。

362. 粗端叶蝉属 *Taurotettix* Haupt, 1929

（695）优雅粗端叶蝉 *Taurotettix elegans*（Melichar, 1900）
　　　分布：陕西（长安、宝鸡、凤县、留坝、宁陕）、吉林、内蒙古、山西、新疆、云南；蒙古，俄罗斯，朝鲜。

363. 弯茎叶蝉属 *Urganus* Dlabola, 1965

（696）弯茎叶蝉 *Urganus chosenensis*（Matsumura, 1915）
　　　分布：陕西（长安）；蒙古，俄罗斯，朝鲜。

364. 锥冠叶蝉属 *Varta* Distant, 1908

（697）红颜锥冠叶蝉 *Varta rubrofasciata* Distant, 1908
　　　分布：陕西（秦岭、武功）、台湾；印度。

365. 尖头叶蝉属 *Yanocephalus* Ishihara, 1953

（698）纵带尖头叶蝉 *Yanocephalus yanonis*（Matsumura, 1902）
　　　分布：陕西（眉县、凤县、留坝、宁陕）、甘肃、河南、湖北、湖南、福建、贵州；朝鲜，日本。

（十四）圆痕叶蝉亚科 Megophthalminae

366. 淡脉叶蝉属 *Japanagallia* Ishihara, 1955

（699）*Japanagallia decliva* Viraktamath, Dai *et* Zhang, 2012
　　　分布：陕西（周至）。
（700）*Japanagallia multispina* Viraktamath, Dai *et* Zhang, 2012
　　　分布：陕西（眉县）、广西、贵州、云南。
（701）*Japanagallia sclerotica* Viraktamath, Dai *et* Zhang, 2012
　　　分布：陕西（周至）。

367. Genus *Onukigallia* Ishihara, 1955

（702）*Onukigallia fanjingensis* Zhang *et* Li, 1999
　　　分布：陕西（眉县）、湖北、广西
（703）*Onukigallia onukii*（Matsumura, 1912）
　　　分布：陕西（长安、周至、户县、太白、眉县、凤县、华阴、留坝、南郑、宁陕）、河南、甘肃、安徽、湖北、贵州；俄罗斯，韩国，日本。

（十五）梳叶蝉亚科 Bathysmatophorinae

368. Genus *Malmaemichungia* Kwon, 1983

（704）*Malmaemichungia qinlingensis* Wei, Zhang *et* Dietrich, 2010
　　　　分布：陕西（秦岭）、甘肃。

四十一、角蝉科 Membracidae

369. 弓角蝉属 *Arcuatocornum* Yuan *et* Tian, 1995

（705）弓角蝉 *Arcuatocornum acutum* Yuan *et* Tian, 1995
　　　　分布：陕西（周至）。
（706）毛弓角蝉 *Arcuatocornum pilosum* Yuan *et* Tian, 1995
　　　　分布：陕西（太白）。

370. 秃角蝉属 *Centrotoscelus* Funkhouser, 1914

（707）细长秃角蝉 *Centrotoscelus longus* Yuan *et* Li, 2002
　　　　分布：陕西（宁陕）、北京、甘肃、贵州、云南。

371. 竖角蝉属 *Erecticornia* Yuan *et* Tian, 1997

（708）栗翅竖角蝉 *Erecticornia castanopinnae* Yuan *et* Tian, 1997
　　　　分布：陕西（太白）、山西、河南。
（709）太白竖角蝉 *Erecticornia taibaiensis* Yuan *et* Tian, 1997
　　　　分布：陕西（太白）、甘肃。

372. 圆角蝉属 *Gargara* Amyot *et* Serville, 1843

（710）黑圆角蝉 *Garara genistae*（Fabricius, 1775）
　　　　分布：陕西，中国广布（除青海外）；东半球各国，已传入美国东部一
　　　　些州。
（711）横带圆角蝉 *Gargara katoi* Metcalf *et* Wade, 1965
　　　　分布：陕西（秦岭，渭南、镇安）、黑龙江、吉林、辽宁、山东、河南、宁夏、湖
　　　　北、台湾、广东、四川；日本。
（712）太白圆角蝉 *Gargara taibaiensis* Yuan *et* Li, 2002
　　　　分布：陕西（太白）、宁夏。

373．钩冠角蝉属 *Hypsolyrium* Schmidt，1926

（713）贵州钩冠角蝉 *Hypsolyrium guizhouensis* Chou *et* Yuan，1980
　　分布：陕西（汉中）、四川、贵州。

374．犀角蝉属 *Jingkara* Chou，1964

（714）犀角蝉 *Jingkara hyalipunctata* Chou，1964
　　分布：陕西（太白、华阴、留坝）、河南、湖北、江西、福建、四川、贵州、云南。

375．卡圆角蝉属 *Kotogargara* Matssumura，1938

（715）微卡圆角蝉 *Kotogargara parvula*（Lindberg，1927）
　　分布：陕西、黑龙江、北京、河北、山西、河南、福建、四川、云南；俄罗斯。

376．矛角蝉属 *Leptobelus* Stzål，1866

（716）中北矛角蝉 *Leptobelus boreosinensis* Yuan *et* Chou，1988
　　分布：陕西（佛坪）、北京、新疆、湖北、湖南。

377．脊角蝉属 *Machaerotypus* Uhler，1896

（717）苹果红脊角蝉 *Machaerotypus mali* Chou *et* Yuan，1981
　　分布：陕西（凤县、留坝）。

（718）小红脊角蝉 *Machaerotypus rubromarginatus* Kato，1940
　　分布：陕西（秦岭）、辽宁。

（719）西伯利亚脊角蝉 *Machaerotypus sibiricus*（Lethierry，1876）
　　分布：陕西（留坝）、黑龙江、北京、山西、四川；俄罗斯，朝鲜，日本，
欧洲。

（720）太白红脊角蝉 *Machaerotypus taibaiensis* Yuan，2002
　　分布：陕西（太白）。

（721）延安红脊角蝉 *Machaerotypus yan-anensis* Chou *et* Yuan，1981
　　分布：陕西（秦岭，甘泉）。

378．耳角蝉属 *Maurya* Distant，1916

（722）瘤耳角蝉 *Maurya paradoxa*（Lethierry，1876）
　　分布：陕西、黑龙江、辽宁、北京、山东、甘肃、湖北、台湾；俄罗斯，朝鲜，
日本，印度。

（723）秦岭耳角蝉 *Maurya qinlinggensis* Yuan，1988

分布：陕西（长安、周至、太白、华阴、佛坪、宁陕）、辽宁、北京、河北、甘肃、
四川。

（724）圆齿耳角蝉 *Maurya rotundidienticula* Yuan，1988

分布：陕西（宁强）。

379．无齿角蝉属 *Nondenticentrus* Yuan *et* Chou，1992

（725）钩角无齿角蝉 *Nondenticentrus ancistricornis* Yuan *et* Zhang，2002

分布：陕西（凤县）、湖南、贵州。

（726）金黄无齿角蝉 *Nondenticentrus aureus* Yuan *et* Zhang，1998

分布：陕西（太白）、福建。

（727）弯刺无齿角蝉 *Nondenticentrus curvispineus* Chou *et* Yuan，1992

分布：陕西（太白）、甘肃、四川、云南。

（728）拟黑无齿角蝉 *Nondenticentrus paramelanicus* Zhang *et* Yuan，1998

分布：陕西（太白、宁陕）、甘肃。

（729）秦岭无齿角蝉 *Nondenticentrus qinlingensis* Yuan *et* Zhang，1998

分布：陕西（秦岭）、甘肃。

（730）刀角无齿角蝉 *Nondenticentrus scalpellicornis* Yuan *et* Zhang，2002

分布：陕西（太白、宁陕）、四川。

380．锯角蝉属 *Pantaleon* Distant，1916

（731）背峰锯角蝉 *Pantaleon dorsalis*（Matsumura，1912）

分布：陕西（周至、太白、留坝）、河北、山东、甘肃、江苏、安徽、浙江、湖北、
江西、福建、台湾、广东、广西；日本。

381．蒺刺角蝉属 *Tribulocentrus* Chou *et* Yuan，1982

（732）镇巴蒺刺角蝉 *Tribulocentrus zhenbaensis* Chou *et* Yuan，1982

分布：陕西（镇巴）、甘肃。

382．三刺角蝉属 *Tricentrus* Stzål，1866

（733）油桐三刺角蝉 *Tricentrus aleuritis* Chou，1975

分布：陕西（佛坪）、福建、广西、四川。

（734）白胸三刺角蝉 *Tricentrus allabens* Distant，1916

分布：陕西（秦岭）、江苏、浙江、台湾、西藏；缅甸，印度，马来西亚，印度
尼西亚。

（735）褐三刺角蝉 *Tricentrus brunneus* Funkhouser, 1918

　　　分布：陕西（佛坪）、山东、甘肃、广西、贵州、云南；越南，新加坡，马来西亚，印度尼西亚。

（736）油茶三刺角蝉 *Tricentrus camelloleifer* Yuan *et* Cui, 1997

　　　分布：陕西（镇安）、江西。

（737）胡颓子三刺角蝉 *Tricentrus elaeagni* Yuan *et* Fan, 1997

　　　分布：陕西（佛坪）、湖南、福建。

（738）强三刺角蝉 *Tricentrus forticornis* Funkhouser, 1929

　　　分布：陕西（秦岭）、四川、西藏；菲律宾。

（739）福建三刺角蝉 *Tricentrus fukienensis* Funkhouser, 1935

　　　分布：陕西（城固）、湖南、福建、广东、海南、云南；越南，巴基斯坦。

（740）暗脉三刺角蝉 *Tricentrus fuscovenationis* Yuan *et* Fan, 2002

　　　分布：陕西（周至）。

（741）圆三刺角蝉 *Tricentrus gargaraformis* Kato, 1928

　　　分布：陕西、台湾；日本。

（742）路氏三刺角蝉 *Tricentrus lui* Yuan *et* Fan, 2002

　　　分布：陕西（太白山）。

（743）拟基三刺角蝉 *Tricentrus pseudobasalis* Yuan *et* Fan, 2002

　　　分布：陕西（宁强）、湖南、福建、广西。

（744）秦岭三刺角蝉 *Tricentrus qinlingensis* Yuan *et* Fan, 2002

　　　分布：陕西（周至、太白）。

（745）周至三刺角蝉 *Tricentrus zhouzhiensis* Yuan *et* Fan, 2002

　　　分布：陕西（周至）。

383．截角蝉属 *Truncatocornum* Yuan *et* Tian, 1995

（746）黑截角蝉 *Truncatocornum nigrum* Yuan *et* Tian, 1995

　　　分布：陕西（留坝）。

XVI．沫蝉总科 Cercopoidea

四十二、尖胸沫蝉科 Aphrophoridae

384．尖胸沫蝉属 *Aphrophora* Germar, 1821

（747）毋忘尖胸沫蝉 *Aphrophora memorabilis* Walker, 1858

分布：陕西（长安）、江苏、安徽、浙江、湖北、湖南、江西、福建、台湾、广东、广西、四川、贵州、云南；日本。

（748）小白带尖胸沫蝉 *Aphrophora obliqua* Uhler，1896

分布：陕西（长安、太白、华阴）、河南、甘肃、安徽、浙江、湖北、江西、福建、广西、四川、贵州；日本。

（749）柳尖胸沫蝉 *Aphrophora pectoralis* Matsumura，1903

分布：陕西（秦岭）、黑龙江、吉林、内蒙古、河北、河南、甘肃、新疆、福建、四川；日本。

（750）四斑尖胸沫蝉 *Aphrophora quadriguttata* Melichar，1902

分布：陕西（眉县、华阴、宁陕）、河南、甘肃、湖北、江西、重庆、四川。

385．连脊沫蝉属 *Aphropsis* Metcalf *et* Horton，1934

（751）大连脊沫蝉 *Aphropsis gigantea* Metcalf *et* Horton，1934

分布：陕西（眉县）、山西、安徽、浙江、湖北、湖南、江西、四川、福建、贵州、云南。

386．榆沫蝉属 *Cnemidanomia* Kusnezov，1932

（752）榆沫蝉 *Cnemidanomia lugubris*（Lethierry，1876）

分布：陕西（宁陕）、黑龙江、吉林、河北、湖北；俄罗斯，韩国。

387．象沫蝉属 *Philagra* Stål，1863

（753）白纹象沫蝉 *Philagra albinotata* Uhler，1896

分布：陕西（长安、华阴、宁陕）、北京、江苏、安徽、浙江、湖北、湖南、福建、广西、四川、贵州、云南；日本。

（754）四斑象沫蝉 *Philagra quadrimaculata* Schmidt，1920

分布：陕西（眉县、华阴、宁陕）、安徽、浙江、湖北、江西、福建、广东、广西、四川、西藏。

388．秦沫蝉属 *Qinophora* Chou *et* Liang，1987

（755）中华秦沫蝉 *Qinophora sinica* Chou *et* Liang，1987

分布：陕西（太白、眉县、宁陕）、浙江、湖北、四川、贵州。

389．华沫蝉属 *Sinophora* Melichar，1902

（756）陕西华沫蝉 *Sinophora shaanxiensis* Chou *et* Liang，1986

分布:陕西(太白、宁陕)。

（757）疣胸华沫蝉 *Sinophora submacula* Metcalf *et* Horton，1934

分布：陕西(宁陕)、辽宁、山西、四川；朝鲜，日本。

四十三、沫蝉科 Cercopidae

390．曙沫蝉属 *Eoscarta* Breddin，1902

（758）褐色曙沫蝉 *Eoscarta assimilis*（Uhler，1896）

分布：陕西、黑龙江、吉林、河北、江苏、安徽、浙江、江西、福建、台湾、湖北、广东、广西、四川、贵州；俄罗斯，朝鲜，日本。

391．脊冠沫蝉属 *Kanozata* Matsumura，1940

（759）周氏脊冠沫蝉 *Kanozata choui*（Yuan *et* Wu，1992）

分布：陕西(太白、宝鸡、宁陕)、云南、西藏；越南，泰国，印度。

392．Genus *Lepyronia* Amyot *et* Serville，1843

（760）*Lepyronia coleopterata*（Linnaeus，1758）

分布：陕西(杨凌)。

393．凤沫蝉属 *Paphnutius* Distant，1916

（761）红头凤沫蝉 *Paphnutius ruficeps*（Melichar，1915）

分布：陕西(太白)、浙江、福建、江西、湖北、湖南、广东、广西、四川、贵州、云南、西藏；越南，印度。

394．拟沫蝉属 *Paracercopis* Schmidt，1925

（762）浙江拟沫蝉 *Paracercopis chekiangensis*（Ôuchi，1943）

分布：陕西(宁陕)、甘肃、湖北、福建、四川。

四十四、巢沫蝉科 Machaerotidae

395．巢沫蝉属 *Taihorina* Schumacher，1915

（763）栗巢沫蝉 *Taihorina geisha* Schumacher，1915

分布：陕西(宁陕)、吉林、辽宁、江苏、安徽、湖北、福建、四川、贵州；朝鲜。

（764）*Taihorina sparsuta*（Jacobi，1944）

分布：陕西、山西、福建。

XVII. 蝉总科 Cicadoidea

四十五、蝉科 Cicadidae

（一）副蝉亚科 Tettigadinae

396. 枯蝉属 *Subpsaltria* Chen，1943

（765）枯蝉 *Subpsaltria yangi* Chen，1943
分布：陕西（武功、咸阳、韩城、铜川、凤县、延安）、宁夏。

（二）姬蝉亚科 Cicadettinae

397. 姬蝉属 *Cicadetta* Kolenati，1857

（766）山西姬蝉 *Cicadetta shansiensis*（Esaki *et* Ishihara，1950）
分布：陕西（长安、周至、太白、眉县、宁陕、洛南）、北京、河北、山西、山东、甘肃、浙江、湖北、四川。

398. 碧蝉属 *Hea* Distant，1906

（767）周氏碧蝉 *Hea choui* Lei，1992
分布：陕西（宁陕）、江西、湖南、福建、广西。

399. 红蝉属 *Huechys* Amyot *et* Audinet-Serville，1843

（768）红蝉 *Huechys sanguine*（de Geer，1773）
分布：陕西（城固）、江苏、浙江、江西、湖南、福建、台湾、广东、海南、香港、广西、四川、贵州、云南；泰国，缅甸，印度，菲律宾，马来西亚。

400. 哑蝉属 *Karenia* Distant，1888

（769）合哑蝉 *Karenia caelatata* Distant，1890
分布：陕西（凤县、留坝、佛坪、宁陕）、山西、河南、湖北、湖南、福建、广西、四川。

401. 指蝉属 *Kosemia* Kolenati，1857

（770）栗色指蝉 *Kosemia castaneous* Qi，Hayashi *et* Wei，2015

分布：陕西（武功、太白、凤县）。

（771）褐指蝉 *Kosemia fuscoclavalis*（Chen, 1943）

分布：陕西（长安、户县、周至）、西藏。

（772）关中指蝉 *Kosemia guanzhongensis* Qi, Hayashi *et* Wei, 2015

分布：陕西（周至、武功、杨凌、太白）。

（773）雅氏指蝉 *Kosemia yamashitai*（Esaki *et* Ishihara, 1950）

分布：陕西（太白、凤县、宁陕）、山西、宁夏、甘肃、湖北。

402. 草蝉属 *Mogannia* Amyot *et* Serville, 1843

（774）绿草蝉 *Mogannia hebes*（Walker, 1858）

分布：陕西（城固、宁强、安康）、浙江、福建、海南、广西、重庆、四川；朝鲜，日本。

403. 蟪蝉属 *Tettigetta* Kolenati, 1857

（775）韩国草蟪蝉 *Tettigetta isshikii*（Kato, 1926）

分布：陕西（长安、周至、太白、凤县）、吉林、河北、北京、辽宁、宁夏、山东。

（三）蝉亚科 Cicadinae

404. 蟭蝉属 *Auritibicen* Lee, 2015

（776）蟭蝉 *Auritibicen* sp.

分布：陕西（华阴）。

405. 蚱蝉属 *Cryptotympana* Stål, 1861

（777）蚱蝉 *Cryptotympana atrata*（Fabricius, 1775）

分布：陕西（蓝田、武功、太白、眉县、佛坪、宁陕）、河北、山东、浙江、湖北、湖南、福建、台湾、广东、海南、广西、四川、云南；越南，老挝。

406. 真宁蝉属 *Euterpnosia* Matsumura, 1917

（778）真宁蝉 *Euterpnosia chibensis* Matsumura, 1917

分布：陕西（太白）、广西、云南；日本。

407. 透翅蝉属 *Hyalessa* China, 1925

（779）斑透翅蝉 *Hyalessa maculaticollis*（Motschulsky, 1866）

分布：陕西（长安、蓝田、周至、太白、眉县、凤县、华阴、留坝、佛坪、宁陕、商洛)、辽宁、北京、河北、山东、河南、甘肃、新疆、江苏、安徽、浙江、湖北、江西、湖南、台湾、四川、贵州;俄罗斯,朝鲜,日本。

408．加藤蝉属 *Katoa* Ouchi, 1938

(780) 太白加藤蝉 *Katoa taibaiensis* Lei *et* Chou, 1995

分布:陕西(太白)。

409．寒蝉属 *Meimuna* Distant, 1905

(781) 周氏寒蝉 *Meimuna choui* Lei, 1994

分布:陕西。

(782) 蒙古寒蝉 *Meimuna mongolica* (Distant, 1881)

分布:陕西(长安、太白、宁陕)、辽宁、内蒙古、北京、河北、河南、江苏、安徽、浙江、江西、湖南、福建、广东、广西;蒙古,韩国,越南。

(783) 松寒蝉 *Meimuna opalifera* (Walker, 1850)

分布:陕西(留坝、佛坪、宁陕、安康)、河北、山东、河南、安徽、浙江、湖北、江西、湖南、福建、台湾、澳门、广东、广西、贵州;韩国,日本。

410．马蝉属 *Platylomia* Stål, 1870

(784) 陕西马蝉 *Platylomia shaanxiensis* Wang *et* Wei, 2014

分布:陕西(洋县)。

411．螗蜩属 *Platypleura* Amyot *et* Serville, 1843

(785) 螗蜩 *Platypleura kaempferi* (Fabricius, 1794)

分布:陕西(周至、太白、眉县、凤县、佛坪、宁陕)、辽宁、北京、天津、河北、山西、山东、河南、宁夏、甘肃、江苏、上海、安徽、浙江、湖北、江西、湖南、福建、台湾、广东、广西、四川、重庆、贵州、云南。

412．毛螗蜩属 *Suisha* Kato, 1927

(786) 毛螗蜩 *Suisha coreana* (Matsumura, 1927)

分布:陕西(周至)、甘肃、江苏、浙江、湖南;朝鲜,日本。

413．日宁蝉属 *Yezoterpnosia* Matsumura, 1917

(787) 黑瓣日宁蝉 *Yezoterpnosia nigricosta* (Motschulsky, 1866)

分布:陕西(周至、太白、眉县)、湖北;俄罗斯,日本。

（788）小黑日宁蝉 *Yezoterpnosia obscura*（Kato，1938）

分布：陕西（洋县）、江苏、江西、福建。

（789）陕西日宁蝉 *Yezoterpnosia shaanxiensis*（Sanborn，2006）

分布：陕西（太白）。

XVIII. 蜡蝉总科 Fulgoroidea

四十六、象蜡蝉科 Dictyopharidae

414．象蜡蝉属 *Dictyophara* Germar，1833

（790）东北象蜡蝉 *Dictyophara nekkana* Matsumura，1940

分布：陕西（华阴）、黑龙江、吉林、辽宁、内蒙古、北京、天津、河北、山西、山东、甘肃；蒙古，俄罗斯，朝鲜。

415．长头象蜡蝉属 *Doryphorina* Melichar，1912

（791）*Doryphorina conglobatus* Zheng，Yang *et* Chen，2014

分布：陕西（西安）。

416．彩象蜡蝉属 *Raivuna* Fennah，1978

（792）中华彩象蜡蝉 *Raivuna sinica*（Walker，1851）

分布：陕西（宁陕）、北京、天津、河北、上海、江西、海南、香港、重庆；朝鲜，日本，泰国，老挝。

417．鼻象蜡蝉属 *Saigona* Matsumura，1910

（793）黑唇鼻象蜡蝉 *Saigona fuscoclypeata* Liang *et* Song，2006

分布：陕西（宁陕）、甘肃、湖北。

（794）中华鼻象蜡蝉 *Saigona sinicola* Liang *et* Song，2006

分布：陕西（长安、华阴、佛坪）、湖北。

四十七、菱蜡蝉科 Cixiidae

418．冠脊菱蜡蝉属 *Oecleopsis* Emeljanov，1971

（795）锥冠脊菱蜡蝉 *Oecleopsis spinosus* Guo，Wang *et* Feng，2009

分布：陕西（佛坪）。

（796）天台冠脊菱蜡蝉 *Oecleopsis tiantaiensis* Guo，Wang *et* Feng，2009
　　分布：陕西（佛坪、汉中）。

（797）武夷冠脊菱蜡蝉 *Oecleopsis wuyiensis* Guo，Wang *et* Feng，2009
　　分布：陕西（佛坪）、河南、湖南、福建。

419．瑞脊菱蜡蝉属 *Reptalus* Emeljanov，1971

（798）四带瑞脊菱蜡蝉 *Reptalus quadricinctus*（Matsumura，1914）
　　分布：陕西（眉县、佛坪、宁强、宁陕、石泉）、吉林、安徽、浙江、湖北、湖南、福建；俄罗斯，日本。

四十八、颖蜡蝉科 Achilidae

420．卡颖蜡蝉属 *Caristianus* Distant，1916

（799）佛坪卡颖蜡蝉 *Caristianus fopingensis* Chou，Yuan *et* Wang，1994
　　分布：陕西（佛坪）。

（800）紫阳卡颖蜡蝉 *Caristianus ziyangensis* Chou，Yuan *et* Wang，1994
　　分布：陕西（紫阳、略阳）、云南。

421．栲颖蜡蝉属 *Kosalya* Distant，1906

（801）*Kosalya curvusanusa* Long *et* Chen，2013
　　分布：陕西（周至、宁强）。

422．马颖蜡蝉属 *Magadha* Distant，1906

（802）*Magadha fennahi* Liang，2007
　　分布：陕西（太白）、湖北、四川。

（803）陕西马颖蜡蝉 *Magadha shaanxiensis* Chou *et* Wang，1985
　　分布：陕西（周至）。

（804）太白马颖蜡蝉 *Magadha taibaishanensis* Wang，1989
　　分布：陕西（太白）。

四十九、脉蜡蝉科 Meenopliidae

423．粒脉蜡蝉属 *Nisia* Melichar，1903

（805）雪白粒脉蜡蝉 *Nisia atrovenosa*（Lethierry，1888）

分布：陕西(佛坪)、江苏、浙江、湖南、江西、福建、台湾、广东、四川、贵州；朝鲜，日本，印度，斯里兰卡，巴基斯坦，新加坡，菲律宾，印度尼西亚，欧洲，非洲，澳洲。

五十、袖蜡蝉科 Derbidae

424. 红袖蜡蝉属 *Diostrombus* Uhler, 1896

(806) 红袖蜡蝉 *Diostrombus politus* Uhler, 1896

分布：陕西(宁强、山阳)、辽宁、甘肃、浙江、福建、台湾、海南、四川、贵州、云南；朝鲜，韩国，日本。

425. 幂袖蜡蝉属 *Mysidioides* Matsumura, 1905

(807) 札幌幂袖蜡蝉 *Mysidioides sapporoensis* (Matsumura, 1900)

分布：陕西(太白)、黑龙江、台湾；俄罗斯，朝鲜，日本。

426. 广袖蜡蝉属 *Rhotana* Walker, 1857

(808) 台湾广袖蜡蝉 *Rhotana formosana* Matsumura, 1914

分布：陕西(佛坪)、福建、台湾。

427. 寡室袖蜡蝉属 *Vekunta* Distant, 1906

(809) 兰屿寡室袖蜡蝉 *Vekunta kotoshoni* Matsumura, 1940

分布：陕西(太白)、北京、台湾、四川。

428. 长袖蜡蝉属 *Zoraida* Kirkaldy, 1900

(810) 湖北长袖蜡蝉 *Zoraida* (*Zoraida*) *hubeiensis* Chou *et* Huang, 1985

分布：陕西(眉县)、湖北、广西。

五十一、广蜡蝉科 Ricaniidae

429. 疏广蜡蝉属 *Euricania* Melichar, 1898

(811) 透明疏广蜡蝉 *Euricania clara* Kato, 1932

分布：陕西(户县、武功、杨凌、商州)；日本。

430. 宽广蜡蝉属 *Pochazia* Amyot *et* Serville, 1843

(812) 电光宽广蜡蝉 *Pochzia zizzata* Chou *et* Lu, 1977

分布：陕西（长安、周至、太白、眉县、凤县）、甘肃、新疆、湖北、福建。

431．广蜡蝉属 *Ricania* Germar，1818

（813）八点广蜡蝉 *Ricania speculum*（Walker，1851）
　　分布：陕西（周至、武功、杨凌、太白、眉县、凤县、华阴、宁陕、紫阳、山阳、商南）、河南、江苏、上海、浙江、湖北、湖南、福建、台湾、广东、广西、四川、贵州、云南；越南，印度，尼泊尔，斯里兰卡，菲律宾，印度尼西亚。

（814）柿广蜡蝉 *Ricania sublimbata* Jacbi，1915
　　分布：陕西（杨凌、商州）、黑龙江、山东、福建、台湾、广东。

五十二、蛾蜡蝉科 Flatidae

432．碧蛾蜡蝉属 *Geisha* Kirkaldy，1900

（815）秦岭碧蛾蜡蝉 *Geisha qinlingensis* Wang，Che *et* Yuan，2005
　　分布：陕西（长安、户县）。

433．缘蛾蜡蝉属 *Salurnis* Stål，1870

（816）褐缘蛾蜡蝉 *Salurnis marginella*（Guérin-Méneville，1829）
　　分布：陕西（周至）、河南、江苏、安徽、湖北、江西、湖南、福建、台湾、广东、海南、澳门、广西、重庆、四川；越南，印度，马来西亚，印度尼西亚。

五十三、瓢蜡蝉科 Issidae

434．巨齿瓢蜡蝉属 *Dentatissus* Chen，Zhang *et* Chang，2014

（817）恶性巨齿瓢蜡蝉 *Dentatissus damnosa*（Chou *et* Lu，1985）
　　分布：陕西（武功、眉县）、北京、山西、江苏、安徽、湖北、贵州、云南。

435．顶角瓢蜡蝉属 *Kodaianella* Fennah，1956

（818）*Kodaianella machete* Zhang *et* Chen，2010
　　分布：陕西、河南、贵州。

436．鼻瓢蜡蝉属 *Narinosus* Gnezdilov *et* Wilson，2005

（819）鼻瓢蜡蝉 *Narinosus nativus* Gnezdilov *et* Wilson，2005

分布：陕西(华阴、秦岭)、河北、山东、湖北。

五十四、颜蜡蝉科 Eurybtachidae

437．珞颜蜡蝉属 *Loxocephala* Schaum，1850

(820) 褶皱珞颜蜡蝉 *Loxocephala rugosa* Wang *et* Wang，2013
分布：陕西(太白)。

(821) 中华珞颜蜡蝉 *Loxocephala sinica* Chou *et* Huang，1985
分布：陕西(长安、户县、太白、眉县、宝鸡、凤县、华阴、留坝、汉中、佛坪、宁陕)、河南、甘肃。

五十五、扁蜡蝉科 Tropiduchidae

438．拟条扁蜡蝉属 *Catullioides* Bierman，1910

(822) 白斑拟条扁蜡蝉 *Catullioides albosignatus*（Distant，1906）
分布：陕西(石泉)、安徽、浙江、湖南、福建、台湾、海南、云南；日本，印度尼西亚。

439．鳖扁蜡蝉属 *Cixiopsis* Matsumura，1900

(823) 鳖扁蜡蝉 *Cixiopsis punctatus* Matsumura，1900
分布：陕西(长安、佛坪)、黑龙江、福建、广西、四川；日本。

440．傲扁蜡蝉属 *Ommatissus* Fieber，1872

(824) 罗浮傲扁蜡蝉 *Ommatissus lofouensis* Fieber，1876
分布：陕西(长安、周至)、天津、山西、福建、四川；日本。

441．笠扁蜡蝉属 *Trypetimorpha* Costa，1862

(825) 比笠扁蜡蝉 *Trypetimorpha biermani*（Dammerman，1910）
分布：陕西(佛坪)、山西、山东、安徽、台湾；印度，菲律宾，马来西亚。

442．斧扁蜡蝉属 *Zema* Fennah，1956

(826) 斧扁蜡蝉 *Zema gressitti* Fennah，1956
分布：陕西(凤县、留坝、南郑、城固、镇巴、西乡、紫阳、镇安)、甘肃、湖北、广西、四川、云南、西藏；尼泊尔。

五十六、蜡蝉科 Fulgoridae

443. 斑衣蜡蝉属 *Lycorma* Stål, 1863

(827) 斑衣蜡蝉 *Lycorma delicatula*（White, 1845）
分布：陕西（杨凌、眉县）、河北、山西、山东、河南、江苏、安徽、浙江、台湾、广东、云南；韩国，日本，越南，印度。

五十七、飞虱科 Delphacidae

444. 锥飞虱属 *Asiraca* Latreille, 1796

(828) 周氏锥飞虱 *Asiraca choui*（Yuan *et* Wang, 1992）
分布：陕西（凤县）。

445. 竹飞虱属 *Bambusiphaga* Huang *et* Ding, 1979

(829) *Bambusiphaga bakeri*（Muir, 1919）
分布：陕西（武功）、广东、海南。

(830) 太白竹飞虱 *Bambusiphaga taibaiensis* Qin, Liu *et* Lin, 2012
分布：陕西（太白、眉县）。

446. 纹翅飞虱属 *Cemus* Fennah, 1964

(831) 黑斑纹翅飞虱 *Cemus nigropunctatus*（Matsumura, 1940）
分布：陕西（杨凌、武功）、吉林、河北、甘肃、江苏、安徽、浙江、江西、湖南、福建、台湾、广东、广西、海南、四川、贵州、云南；韩国，日本。

447. 大褐飞虱属 *Changeondelphax* Kwon, 1982

(832) 大褐飞虱 *Changeondelphax velitchkovskyi*（Melichar, 1913）
分布：陕西（凤县）、黑龙江、吉林、辽宁、内蒙古、宁夏、甘肃、河北、河南、江苏、安徽；俄罗斯，韩国，日本。

448. 绿飞虱属 *Chloriona* Fieber, 1866

(833) 芦苇绿飞虱 *Chloriona tateyamana* Matsumura, 1935
分布：陕西（秦岭、杨凌）、黑龙江、辽宁、甘肃、河北、山东、河南、江苏、上海、安徽、台湾；蒙古，俄罗斯，韩国。

449.　短头飞虱属 *Epeurysa* Matsumura，1900

（834）短头飞虱 *Epeurysa nawaii* Matsumura，1900

分布：陕西（武功、眉县、陇县、留坝、佛坪、西乡）、河南、甘肃、江苏、安徽、浙江、江西、湖南、湖北、福建、台湾、广东、广西、海南、四川、贵州、云南；俄罗斯，日本，斯里兰卡。

450.　斑飞虱属 *Euides* Fieber，1866

（835）大斑飞虱 *Euides speciosa*（Boheman，1866）

分布：陕西（秦岭，武功）、吉林、河北、江苏、上海；俄罗斯，韩国，日本，欧洲。

451.　镰飞虱属 *Falcotoya* Fennah，1969

（836）琴镰飞虱 *Falcotoya lyaeformis*（Matsumura，1900）

分布：陕西（西乡）、江苏、浙江、福建、贵州；韩国，日本，北美洲，澳洲。

452.　芳飞虱属 *Fangdelphax* Ding，2006

（837）贡山芳飞虱 *Fangdelphax gongshanensis* Ding，2006

分布：陕西（眉县）、云南。

453.　叉飞虱属 *Garaga* Anufriev，1977

（838）荻叉飞虱 *Garaga miscanthi* Ding et al.，1994

分布：陕西（洋县）、吉林、甘肃、河北、江苏、浙江、安徽、湖北、江西、湖南、福建；日本。

454.　带背飞虱属 *Himeunka* Matsumura et Ishihara，1945

（839）带背飞虱 *Himeunka tateyamaeua*（Matsumura，1935）

分布：陕西（佛坪）、安徽、浙江、江西、湖南、福建、广东、海南、广西、贵州；日本。

455.　古北飞虱属 *Javesella* Fennah，1963

（840）疑古北飞虱 *Javesella dubia*（Kirschbaum，1868）

分布：陕西（太白、宁陕）、黑龙江、吉林、内蒙古、甘肃、新疆；俄罗斯，欧洲。

456. 长跗飞虱属 *Kakuna* Matsumura, 1935

(841) 太白长跗飞虱 *Kakuna taibaiensis* Ren *et* Qin, 2014
分布: 陕西 (太白)。

457. 灰飞虱属 *Laodelphax* Fennah, 1963

(842) 灰飞虱 *Laodelphax striatellus* (Fallén, 1826)
分布: 陕西 (武功、紫阳), 中国广布; 菲律宾, 印度尼西亚, 东亚, 欧洲,
非洲北部。

458. 劳里飞虱属 *Lauriana* Ren *et* Qin, 2014

(843) 端刺劳里飞虱 *Lauriana senticosa* Ren *et* Qin, 2014
分布: 陕西 (宝鸡)、四川。

459. 美伽飞虱属 *Megadelphax* Wagner, 1963

(844) 坎氏美伽飞虱 *Megadelphax kangauzi* Anufriev, 1970
分布: 陕西 (周至、户县、太白、宁陕)、内蒙古、甘肃; 俄罗斯。

460. 单突飞虱属 *Monospinodelphax* Ding, 2006

(845) 单突飞虱 *Monospinodelphax dantur* (Kuoh, 1980)
分布: 陕西 (紫阳)、河北、江苏、安徽、浙江、湖北、江西、湖南、福建、台湾、
广东、广西、海南、云南; 韩国。

461. 小褐飞虱属 *Muellerianella* Wagner, 1963

(846) 拟小褐飞虱 *Muellerianella extrusa* (Scott, 1871)
分布: 陕西 (太白、眉县)、吉林、甘肃、江苏、台湾; 欧洲。

462. 缪氏飞虱属 *Muirodelphax* Wagner, 1963

(847) 具条缪氏飞虱 *Muirodelphax nigrostriata* (Kusnezov, 1929)
分布: 陕西 (太白、眉县)、吉林、内蒙古、甘肃; 俄罗斯。

463. 偏角飞虱属 *Neobelocera* Ding *et* Yang, 1986

(848) 汉阴偏角飞虱 *Neobelocera hanyinensis* Qin *et* Yuan, 1998
分布: 陕西 (安康)。

464. 新叉飞虱属 *Neodicranotropis* Yang, 1989

(849) 东眼山新叉飞虱 *Neodicranotropis tungyaanensis* Yang, 1989

分布：陕西(秦岭、陇县)、浙江、台湾。

465. 淡脊飞虱属 *Neuterthron* Ding, 2006

(850) 截形淡脊飞虱 *Neuterthron truncatulum* Qin, 2007

分布：陕西(户县、眉县)。

466. 褐飞虱属 *Nilaparvata* Distant, 1906

(851) 拟褐飞虱 *Nilaparvata bakeri*（Muir, 1917）

分布：陕西(杨凌、石泉)、吉林、江苏、江西、河南、安徽、浙江、湖南、湖北、福建、台湾、广东、广西、海南、四川、云南、贵州；韩国，日本，泰国，印度，菲律宾，马来西亚，印度尼西亚。

(852) 褐飞虱 *Nilaparvata lugens*（Stål, 1854）

分布：陕西(武功、杨凌、太白、凤县、汉中、佛坪、西乡、宁陕、石泉、紫阳、商南)、吉林、辽宁、北京、天津、河北、山西、山东、河南、宁夏、甘肃、江苏、上海、安徽、浙江、湖北、江西、湖南、福建、台湾、广东、海南、香港、澳门、广西、重庆、四川、贵州、云南、西藏；俄罗斯，韩国，日本，澳洲，太平洋岛屿。

(853) 伪褐飞虱 *Nilaparvata muiri* China, 1925

分布：陕西(西乡)、吉林、河南、江苏、安徽、浙江、江西、湖南、湖北、福建、台湾、广东、海南、广西、四川、贵州、云南；韩国，日本，越南。

467. 欧尼飞虱属 *Onidodelphax* Yang, 1989

(854) 锯茎欧尼飞虱 *Onidodelphax serratus* Yang, 1989

分布：陕西(秦岭，杨凌)、福建、台湾、云南。

468. 东洋飞虱属 *Orientoya* Chen et Ding, 2001

(855) 东洋飞虱 *Orientoya orientalis* Chen et Ding, 2001

分布：陕西(西乡)、江苏、浙江、贵州。

469. 派罗飞虱属 *Paradelphacodes* Wagner, 1963

(856) 沼泽派罗飞虱 *Paradelphacodes paludosa*（Flor, 1861）

分布：陕西(太白)、黑龙江、吉林、宁夏、甘肃、河北、山东、河南、湖北、江苏、安徽、浙江、江西；俄罗斯，韩国，日本，欧洲。

470．片足飞虱属 *Peliades* Jacobi，1928

（857）觸口片足飞虱 *Peliades chukouensis* **Yang，1989**
　　分布：陕西（秦岭，杨凌）、台湾。

471．扁角飞虱属 *Perkinsiella* Kirkaldy，1903

（858）甘蔗扁角飞虱 *Perkinsiella saccharicida* **Kirkaldy，1903**
　　分布：陕西（紫阳）、安徽、福建、台湾、广东、广西、海南、贵州、云南；日本，马来西亚，印度尼西亚，欧洲，非洲，北美洲，澳洲。

（859）中华扁角飞虱 *Perkinsiella sinensis* **Kirkaldy，1907**
　　分布：陕西（武功、杨凌、紫阳）、安徽、浙江、江西、台湾、广东、广西；日本，印度，印度尼西亚，澳洲。

472．白背飞虱属 *Sogatella* Fennah，1963

（860）白背飞虱 *Sogatella furcifera*（Horváth，1899）
　　分布：陕西（长安、周至、杨凌、太白、眉县、留坝、汉中、佛坪、宁陕、石泉、紫阳、商南）、黑龙江、吉林、辽宁、内蒙古、北京、天津、河北、山西、山东、河南、宁夏、甘肃、青海、江苏、上海、安徽、浙江、湖北、江西、湖南、福建、台湾、广东、海南、香港、澳门、广西、重庆、四川、贵州、云南、西藏；蒙古，韩国，日本，越南，泰国，印度，尼泊尔，斯里兰卡，巴基斯坦，菲律宾，马来西亚，印度尼西亚，沙特阿拉伯，非洲，澳洲。

（861）烟翅白背飞虱 *Sogatella kolophon*（Kirkaldy，1907）
　　分布：陕西（周至、佛坪）、江苏、安徽、浙江、江西、福建、台湾、广东、海南、广西、四川、贵州、云南、西藏；韩国，日本，老挝，泰国，柬埔寨，印度，斯里兰卡，菲律宾，马来西亚，印度尼西亚，非洲，北美洲，澳洲。

（862）稗飞虱 *Sogatella vibix*（Haupt，1927）
　　分布：陕西（长安、周至、武功、眉县、留坝、汉中、佛坪、紫阳）、吉林、辽宁、河北、甘肃、河南、山东、江苏、安徽、浙江、湖南、湖北、江西、福建、台湾、广东、广西、海南、四川、贵州、云南；蒙古，俄罗斯，韩国，日本，越南，老挝，泰国，柬埔寨，印度，巴基斯坦，新加坡，菲律宾，马来西亚，印度尼西亚，阿富汗，土耳其，伊拉克，伊朗，约旦，黎巴嫩，以色列，沙特阿拉伯，欧洲，非洲，澳洲。

473. 匙顶飞虱属 *Tropidocephala* Stål, 1853

(863) 二刺匙顶飞虱 *Tropidocephala brunnipennis* Signoret, 1860

分布：陕西(眉县)、甘肃、江苏、安徽、浙江、江西、湖南、福建、台湾、广东、广西、海南、四川、贵州、云南；韩国，日本，印度，斯里兰卡，菲律宾，马来西亚，印度尼西亚，欧洲，非洲，澳洲。

474. 白脊飞虱属 *Unkanodes* Fennah, 1956

(864) 白脊飞虱 *Unkanodes sapporona* (Matsumura, 1935)

分布：陕西(武功、周至)、黑龙江、吉林、辽宁、甘肃、河北、山东、河南、江苏、安徽、浙江、湖北、江西、湖南、福建、台湾、广东、广西、海南、四川、贵州、云南、西藏；俄罗斯，韩国，日本。

XIX. 木虱总科 Psylloidea

五十八、斑木虱科 Aphalaridae

475. 隆脉木虱属 *Agonoscena* Enderlein, 1914

(865) 黄连木隆脉木虱 *Agonoscena cyphonopistae* Li, 1994

分布：陕西(略阳)、山东。

476. 斑木虱属 *Aphalara* Förster, 1848

(866) 萹蓄斑木虱 *Aphalara polygoni* Förster, 1848

分布：陕西(太白山)、黑龙江、吉林、北京、河北、内蒙古、山西、宁夏、甘肃、青海、四川、西藏；北美洲。

477. 边木虱属 *Craspedolepta* Enderlein, 1921

(867) 宽翅边木虱 *Craspedolepta euryoptera* Li, 2011

分布：陕西(凤县)。

(868) 白翅边木虱 *Craspedolepta galactoptera* Li, 2011

分布：陕西、四川、甘肃、吉林、内蒙古、宁夏、山西。

(869) 无斑边木虱 *Craspedolepta immaculata* Li, 1990

分布：陕西(秦岭)、黑龙江、吉林、内蒙古、山西、河南、宁夏、甘肃、四川。

(870) 白条边木虱 *Craspedolepta leucotaenia* Li, 2005

分布：陕西(秦岭、南郑、镇巴)、甘肃、湖北、四川、贵州、云南。

(871) 多点边木虱 *Craspedolepta multispina* Loginova, 1963

分布：陕西(太白、南郑、佛坪)、黑龙江、山西、河南、宁夏、甘肃、四川；中亚。

(872) 云斑边木虱 *Craspedolepta nebulosa* (Zetterstedt, 1828)

分布：陕西(太白、眉县)；全北区(除非洲北部)。

(873) 九斑边木虱 *Craspedolepta novenipunctata* Li, 2011

分布：陕西(太白)。

(874) 多斑点边木虱 *Craspedolepta polysticta* Li, 2011

分布：陕西(秦岭)、吉林、山西、宁夏。

(875) 小斑点边木虱 *Craspedolepta puncticulata* Li, 2011

分布：陕西。

(876) 顶斑边木虱 *Craspedolepta terminata* Loginova, 1962

分布：陕西(秦岭)、河北、河南、甘肃；蒙古，俄罗斯，中亚，欧洲。

五十九、扁木虱科 Liviidae

478. 巴木虱属 *Bharatiana* Mathur, 1973

(877) 香椿巴木虱 *Bharatiana octospinosa* Mathur, 1973

分布：陕西(佛坪、洋县、商南)、河南、甘肃、湖南、广西、四川、贵州。

479. 拱木虱属 *Camarotoscena* Haupt, 1935

(878) 私拱木虱 *Camarotoscena personata* Loginova, 1975

分布：陕西(周至)、北京、河北、新疆；俄罗斯。

480. 扁木虱属 *Livia* Latreille, 1802

(879) 宽带扁木虱 *Livia latifasca* Li, 2005

分布：陕西(秦岭)。

六十、丽木虱科 Calophyidae

481. 丽木虱属 *Calophya* Löw, 1878

(880) 八斑丽木虱 *Calophya octimaculata* Li, 2011

分布：陕西。

（881）黄栌丽木虱 *Calophya rhois*（Löw, 1877）

分布：陕西（周至、眉县）、吉林、北京、河北、山西、山东、宁夏、甘肃、安徽、浙江、湖北、湖南、重庆；俄罗斯，土耳其，欧洲。

六十一、木虱科 Psyllidae

482.　异脉木虱属 *Anomoneura* Schwarz, 1896

（882）桑异脉木虱 *Anomoneura mori* Schwarz, 1896

分布：陕西（旬阳）、辽宁、内蒙古、北京、山西、山东、河南、湖北、湖南、四川；俄罗斯，朝鲜，韩国，日本。

483.　喀木虱属 *Cacopsylla* Ossiannilsson, 1970

（883）胡颓子黄喀木虱 *Cacopsylla aurantica* Li, 2005

分布：陕西（佛坪）、山西、甘肃、西藏。

（884）垂柳喀木虱 *Cacopsylla babylonica* Li *et* Yang, 1991

分布：陕西（周至）、河北、山西、宁夏、甘肃、广西、重庆、四川、贵州、云南。

（885）中国梨喀木虱 *Cacopsylla chinensis*（Yang *et* Li, 1981）

分布：陕西（佛坪、镇巴）、吉林、辽宁、内蒙古、北京、河北、山西、山东、宁夏、甘肃、新疆、安徽、湖北、台湾、广东、贵州。

（886）木通红喀木虱 *Cacopsylla coccinae*（Kuwayama, 1908）

分布：陕西（周至、眉县、佛坪）、甘肃、江苏、浙江、江西、湖南、福建、台湾；韩国，日本。

（887）*Cacopsylla fluctisalicis* Li, 2011

分布：陕西。

（888）絮斑喀木虱 *Cacopsylla gossypinmaculata* Li, 2011

分布：陕西（凤县、佛坪）、北京、山西。

（889）圆颊喀木虱 *Cacopsylla gyrogenna* Li, 2011

分布：陕西。

（890）明脉喀木虱 *Cacopsylla hyalinonemae* Li *et* Yang, 1989

分布：陕西（华阴）。

（891）舟形喀木虱 *Cacopsylla lembodes* Li, 2005

分布：陕西（秦岭）。

（892）茶条槭喀木虱 *Cacopsylla lineaticeps*（Kwon, 1983）

分布：陕西（户县）、吉林、辽宁、宁夏、甘肃。

（893）脊头喀木虱 *Cacopsylla liricapita* Li，2011
　　　分布：陕西（眉县）、黑龙江、吉林、辽宁、北京、河北、山西。

（894）乳锥喀木虱 *Cacopsylla mamillata* Li *et* Yang，1989
　　　分布：陕西（凤县）、吉林、辽宁、内蒙古、河北、宁夏、甘肃。

（895）偃松刺喀木虱 *Cacopsylla multispinia* Li，2011
　　　分布：陕西（眉县）、山西、宁夏、西藏。

（896）青杆红喀木虱 *Cacopsylla piceiaurantia* Li，2011
　　　分布：陕西（周至、凤县）、山西、宁夏。

（897）秦岭喀木虱 *Cacopsylla qinlingielaeagnae* Li，2005
　　　分布：陕西（秦岭）。

（898）柳红喀木虱 *Cacopsylla salicirubera* Li，2011
　　　分布：陕西、山西。

（899）陕红喀木虱 *Cacopsylla shaanxirubra* Li *et* Yang，1989
　　　分布：陕西（周至、眉县、佛坪）、甘肃。

（900）柱锥红喀木虱 *Cacopsylla stylatigenibra* Li *et* Yang，1989
　　　分布：陕西（佛坪）。

（901）太白山喀木虱 *Cacopsylla taibaishanensis* Li，2011
　　　分布：陕西（太白）。

（902）四条喀木虱 *Cacopsylla tetrotaenialis*（Li *et* Yang，1989）
　　　分布：陕西（华县）。

（903）蹄斑喀木虱 *Cacopsylla ungulatimaculae* Li *et* Yang，1989
　　　分布：陕西（太白、眉县）。

（904）轮纹喀木虱 *Cacopsylla verticillida* Li *et* Yang，1989
　　　分布：陕西（秦岭，宝鸡）、河南、宁夏、甘肃。

（905）普通柳喀木虱 *Cacopsylla vulgaisalicis* Li，2011
　　　分布：陕西、河北、甘肃、湖北。

484．云实木虱属 *Colophorina* Capener，1973

（906）多点云实木虱 *Colophorina polystici*（Li *et* Yang，1989）
　　　分布：陕西（佛坪）、北京、湖北。

（907）武侯氏云实木虱 *Colophorina wuhoi*（Li，1997）
　　　分布：陕西（勉县）、湖北。

485．豆木虱属 *Cyamophila* Loginova，1976

（908）马蹄针豆木虱 *Cyamophila viccifoliae*（Yang *et* Li，1984）

分布：陕西（太白山，略阳）、北京、山西、甘肃、贵州、云南。

（909）槐豆木虱 *Cyamophila willieti*（**Wu, 1932**）

分布：陕西（周至、户县、太白、眉县、略阳）、吉林、内蒙古、北京、河北、山西、山东、宁夏、甘肃、江苏、安徽、湖北、湖南、广东、贵州、云南。

486．木虱属 *Psylla* **Geoffroy, 1762**

（910）槭木虱 *Psylla aceris* **Loginova, 1964**

分布：陕西（太白山）、山西、宁夏；俄罗斯，中亚。

（911）长尾木虱 *Psylla mecoura* **Li, 2011**

分布：陕西。

（912）大肛木虱 *Psylla megaloproctae* **Li** *et* **Yang, 1989**

分布：陕西（眉县）。

六十二、个木虱科 Triozidae

487．线角木虱属 *Bactericera* **Puton，1876**

（913）黄花蒿线角木虱 *Bactericera artemisicola*（**Li, 1995**）

分布：陕西（太白山，佛坪）、黑龙江、吉林、北京、山西、宁夏、甘肃、湖北。

（914）二星黑线角木虱 *Bactericera bimaculata*（**Li, 1989**）

分布：陕西（太白）、河北。

（915）黄肛线角木虱 *Bactericera xanthoprocta* **Li, 2005**

分布：陕西（周至）。

488．前个木虱属 *Epitrioza* **Kuwayama, 1910**

（916）陕西前个木虱 *Epitrioza shaanxina* **Yang** *et* **Li, 1981**

分布：陕西（秦岭）。

489．象个木虱属 *Neorhinopsylla* **Drohojowska，2006**

（917）太白山象个木虱 *Neorhinopsylla taibaishanana* **Li, 2011**

分布：陕西（太白山）。

490．毛个木虱属 *Trichochermes* **Kirkaldy, 1904**

（918）中华毛个木虱 *Trichochermes sinicus* **Yang** *et* **Li, 1985**

分布：陕西（秦岭）、吉林、辽宁、北京、河北、山西、河南、宁夏、甘肃、湖北。

（919）冻绿毛个木虱 *Trichochermes utilis* **Yang *et* Li，1985**

　　分布：陕西（秦岭）。

491.　个木虱属 *Trioza* Förster，1848

（920）弯尾个木虱 *Trioza camplurigra* **Li，1989**

　　分布：陕西（太白）。

492.　邻个木虱属 *Triozopsis* Li，2005

（921）华山邻个木虱 *Triozopsis huashanicus* **Li，2011**

　　分布：陕西（华阴）。

（922）马尾松邻个木虱 *Triozopsis massonianus* **Li，2011**

　　分布：陕西、河南。

493.　三毛个木虱属 *Trisetitrioza* Li，1995

（923）太白山三毛个木虱 *Trisetitrioza taibaishanana*（**Li，2011**）

　　分布：陕西（眉县）。

XX.　粉虱总科 Aleyrodoidea

六十三、粉虱科 Aleyrodidae

494.　刺粉虱属 *Aleurocanthus* Quaintance *et* Baker，1914

（924）黑刺粉虱 *Aleurocanthus spiniferus* **Quaintance，1903**

　　分布：陕西（城固）、河北、山东、河南、江苏、上海、安徽、浙江、湖北、江西、湖南、福建、台湾、广东、海南、广西、重庆、四川、贵州、云南；韩国，印度，印度尼西亚，伊朗，欧洲，非洲。

495.　棒粉虱属 *Aleuroclava* Singh，1931

（925）珊瑚棒粉虱 *Aleuroclava aucubae*（**Kuwana，1911**）

　　分布：陕西（城固）、山东、河南、甘肃、江苏、上海、浙江、江西、湖南、福建、重庆、四川；日本。

496. 扁禾粉虱属 _Aleurochiton_ Tullgren, 1907

(926) 东方扁禾粉虱 _Aleurochiton orientalis_ Danzig, 1966
　　分布：陕西（城固）；俄罗斯（远东）。

497. 三叶粉虱属 _Aleurolobus_ Quaintance _et_ Baker, 1914

(927) 日本三叶粉虱 _Aleurolobus japonicus_ Takanashi, 1954
　　分布：陕西（宁陕）、台湾；日本。

(928) 四川三叶粉虱 _Aleurolobus szechwanensis_ Young, 1942
　　分布：陕西（城固）、河南、江苏、浙江、福建、重庆、四川。

498. 小粉虱属 _Bemisia_ Quaintance _et_ Baker, 1914

(929) 非洲小粉虱 _Bemisia afer_（Priesner _et_ Hosny, 1934）
　　分布：陕西（洋县）、北京、河南、新疆；印度，巴基斯坦，伊朗，非洲，欧洲。

(930) 烟粉虱 _Bemisia tabaci_（Gennadius, 1889）
　　分布：陕西（杨凌、宁陕）、黑龙江、吉林、辽宁、北京、天津、河北、山西、山东、河南、宁夏、甘肃、新疆、江苏、上海、安徽、浙江、湖北、江西、湖南、福建、台湾、广东、海南、香港、澳门、广西、重庆、四川、贵州、云南；韩国，日本，印度，斯里兰卡，伊朗，格鲁吉亚，非洲，欧洲，北美洲，南美洲。

499. 裸粉虱属 _Dialeurodes_ Cockerell, 1902

(931) 橘绿粉虱 _Dialeurodes citri_（Ashmead, 1885）
　　分布：陕西（宝鸡、城固、洋县、佛坪、宁陕）、吉林、辽宁、北京、天津、河北、山西、山东、河南、江苏、上海、安徽、浙江、湖北、江西、湖南、福建、台湾、广东、广西、重庆；韩国，印度，伊朗，北美洲。

XXI. 蚜总科 Aphidoidea

六十四、根瘤蚜科 Phylloxeridae

500. 葡萄根瘤蚜属 _Daktulosphaira_ Shimer, 1866

(932) 葡萄根瘤蚜 _Daktulosphaira vitifoliae_（Fitch, 1851）

分布：陕西（秦岭）、辽宁、山东、甘肃、上海、台湾、云南；亚洲，非洲，欧洲，北美洲，南美洲，澳洲。

六十五、蚜科 Aphididae

（一）蚜亚科 Aphidinae

501. 无网长管蚜属 *Acyrthosiphon* Mordvilko，1914

（933）豌豆蚜 *Acyrthosiphon pisum*（Harris，1776）
分布：陕西，中国广布；世界广布。

502. 忍冬圆尾蚜属 *Amphicercidus* Oestlund，1923

（934）日本忍冬圆尾蚜 *Amphicercidus japonicus*（Hori，1927）
分布：陕西（西安）、辽宁；俄罗斯，韩国，日本，印度，北美洲。

503. 蚜属 *Aphis* Linnaeus，1758

（935）豆蚜 *Aphis craccivora* Koch，1854
分布：陕西、黑龙江、吉林、辽宁、内蒙古、北京、天津、河北；世界广布。

（936）甜菜蚜 *Aphis fabae* Scopoli，1763
分布：陕西、吉林、辽宁、北京、甘肃、新疆、福建；非洲，欧洲，北美洲，南美洲。

（937）大豆蚜 *Aphis glycines* Matsumura，1917
分布：陕西、黑龙江、吉林、辽宁、北京、天津、河北、山西、山东、河南、宁夏、浙江、湖北、台湾、广东；俄罗斯，朝鲜，日本，泰国，马来西亚，北美洲。

（938）棉蚜 *Aphis gossypii* Glover，1877
分布：陕西，中国广布；俄罗斯，朝鲜，日本，印度，泰国，马来西亚，印度尼西亚，非洲，北美洲。

（939）苹果蚜 *Aphis pomi* de Geer，1773
分布：陕西、内蒙古、新疆、台湾；俄罗斯，韩国，日本，欧洲，北美洲。

（940）绣线菊蚜 *Aphis spiraecola* Patch，1914
分布：陕西（宝鸡、榆林）、内蒙古、河北、山东、河南、甘肃、新疆、浙江、台湾；朝鲜，日本，美洲。

504．短尾蚜属 *Brachycaudus* van der Goot，1913

（941）李短尾蚜 *Brachycaudus helichrysi*（Kaltenbach，1843）

分布：陕西（秦岭，榆林）、黑龙江、吉林、辽宁、内蒙古、北京、天津、河北、山东、河南、甘肃、新疆、浙江、福建、台湾、云南；世界广布。

505．短棒蚜属 *Brevicoryne* van der Goot，1915

（942）甘蓝蚜 *Brevicoryne brassicae*（Linnaeus，1758）

分布：陕西、黑龙江、吉林、辽宁、内蒙古、河北、宁夏、甘肃、青海、新疆、湖北、湖南、福建、台湾、四川、云南；俄罗斯，朝鲜，日本，土耳其，叙利亚，黎巴嫩，伊拉克，欧洲，非洲，北美洲，南美洲，澳洲。

506．钉毛蚜属 *Capitophorus* van der Goot，1913

（943）胡颓子钉毛蚜 *Capitophorus elaeagni*（del Guercio，1894）

分布：陕西（西安、南郑）、辽宁、北京、天津、山东、青海、新疆、湖北、湖南、福建、台湾、四川；日本，欧洲，非洲，北美洲，澳洲。

507．二尾蚜属 *Cavariella* del Guercio，1911

（944）柳二尾蚜 *Cavariella salicicola*（Matsumura，1917）

分布：陕西（西安、武功）、吉林、辽宁、内蒙古、北京、河北、天津、山东、河南、宁夏、甘肃、青海、江苏、浙江、江西、台湾、广东、云南、西藏；俄罗斯，朝鲜，日本。

508．丁化长管蚜属 *Chitinosiphon* Yuan *et* Xue，1992

（945）丁化长管蚜 *Chitinosiphum abdomenigrum* Yuan *et* Xue，1992

分布：陕西（南郑）。

509．卡蚜属 *Coloradoa* Wilson，1910

（946）蒿卡蚜 *Coloradoa campestrella* Ossiannilsson，1959

分布：陕西（西安）、辽宁、山东、甘肃、湖南、福建、云南；韩国，日本，巴基斯坦，欧洲。

510.　大尾蚜属 *Hyalopterus* Koch, 1854

（947）**桃粉大尾蚜** *Hyalopterus pruni* （Geoffroy, 1762）
　　分布：陕西，中国广布；世界广布。

511.　旌瘤蚜属 *Jacksonia* Theobald, 1923

（948）**膨管旌瘤蚜** *Jacksonia gibbera* Qiao, Li, Zhang *et* Su, 2013
　　分布：陕西（周至）。

512.　十蚜属 *Lipaphis* Mordvilko, 1928

（949）**萝卜蚜** *Lipaphis erysimi* （Kaltenbach, 1843）
　　分布：陕西（宝鸡）、黑龙江、吉林、辽宁、内蒙古、北京、河北、天津、山东、河
　　南、宁夏、甘肃、新疆、江苏、上海、浙江、湖南、福建、台湾、广东、四川、云南、
　　西藏；俄罗斯，朝鲜，日本，印度，印度尼西亚，以色列，伊拉克，非洲，
　　北美洲。

513.　长尾蚜属 *Longicaudus* van der Goot, 1913

（950）**月季长尾蚜** *Longicaudus trirhodus* （Walker, 1849）
　　分布：陕西、黑龙江、吉林、辽宁、北京、河北、山东、河南、甘肃、青海、江苏、
　　湖南；蒙古，俄罗斯，朝鲜，日本，欧洲，北美洲。

514.　小长管蚜属 *Macrosiphoniella* del Guercio, 1911

（951）**水蒿小长管蚜** *Macrosiphoniella kuwayamai* Takahashi, 1941
　　分布：陕西（留坝）、黑龙江、吉林、辽宁、北京、河北、贵州；俄罗斯，朝鲜，
　　日本。

（952）**伪蒿小长管蚜** *Macrosiphoniella pseudoartemisiae* Shinji, 1933
　　分布：陕西、吉林、辽宁、内蒙古、河北、山东、甘肃、青海、新疆、福建、四川、
　　云南、西藏；朝鲜，日本。

（953）**菊小长管蚜** *Macrosiphoniella sanborni* （Gillette, 1908）
　　分布：陕西，中国广布；世界广布。

（954）**鸡儿肠小长管蚜** *Macrosiphoniella yomenae* （Shinji, 1922）
　　分布：陕西、辽宁、北京、河北、新疆、浙江、福建、台湾、四川；俄罗斯，韩

国，日本，印度尼西亚。

515．长管蚜属 *Macrosiphum* Passerini，1860

（955）蔷薇长管蚜 *Macrosiphum rosae*（Linnaeus，1758）
分布：陕西、甘肃、辽宁、北京、河北、天津、浙江、新疆；世界广布。

516．指瘤蚜属 *Matsumuraja* Schumacher，1921

（956）居悬钩子指瘤蚜 *Matsumuraja rubicola* Takahashi，1927
分布：陕西（秦岭，杨凌）、台湾、贵州；日本。

517．色蚜属 *Melanaphis* van der Goot，1917

（957）高粱蚜 *Melanaphis sacchari*（Zehntner，1897）
分布：陕西、黑龙江、吉林、辽宁、内蒙古、北京、河北、山东、河南、江苏、安徽、浙江、湖北、湖南、台湾、广东、云南；朝鲜，日本，印度，泰国，菲律宾，马来西亚，印度尼西亚，非洲，北美洲，澳洲。

518．无网蚜属 *Metopolophium* Mordvilko，1914

（958）麦无网蚜 *Metopolophium dirhodum*（Walker，1849）
分布：陕西、甘肃、北京、河北、河南、宁夏、青海、新疆、福建、云南、西藏；亚洲北部，欧洲。

519．冠蚜属 *Myzaphis* van der Goot，1913

（959）月季冠蚜 *Myzaphis rosarum*（Kaltenbach，1843）
分布：陕西、辽宁、内蒙古、北京、甘肃、青海、新疆、贵州、云南；日本，欧洲，澳洲。

520．瘤蚜属 *Myzus* Passerini，1860

（960）金针瘤蚜 *Myzus hemerocallis* Takahashi，1921
分布：陕西、北京、河北、河南、甘肃、青海、台湾、广东；日本。

（961）杏瘤蚜 *Myzus mumecola*（Matsumura，1917）
分布：陕西、黑龙江、辽宁、内蒙古、北京、河北、河南、甘肃、青海、新疆、福建、台湾、四川；俄罗斯，日本。

（962）桃蚜 *Myzus persicae*（Sulzer，1776）

　　分布：陕西，中国广布；世界广布。

521. 新弓翅蚜属 *Neotoxoptera* Theobald，1915

（963）葱蚜 *Neotoxoptera formosana*（Takahashi，1921）

　　分布：陕西（西安、宁陕）、辽宁、北京、河北、台湾、四川、贵州、云南；世界广布。

522. 圆瘤蚜属 *Ovatus* van der Goot，1913

（964）山楂圆瘤蚜 *Ovatus crataegarius*（Walker，1850）

　　分布：陕西、黑龙江、辽宁、北京、河北、江苏、山东、河南、甘肃、新疆、浙江、台湾、云南；俄罗斯，朝鲜，日本，印度，欧洲，北美洲。

（965）苹果瘤蚜 *Ovatus malisuctus*（Matsumura，1918）

　　分布：陕西、黑龙江、吉林、辽宁、北京、河北、山东、甘肃、江苏、福建、广西、云南；朝鲜，日本。

523. 交脉蚜属 *Pentalonia* Coquerel，1859

（966）香蕉交脉蚜 *Pentalonia nigronervosa* Coquerel，1859

　　分布：陕西（西安）、福建、台湾、广东、海南、云南；世界广布。

524. 疣蚜属 *Phorodon* Passerini，1860

（967）大麻疣蚜 *Phorodon cannabis* Passerini，1860

　　分布：陕西（秦岭，榆林）、黑龙江、吉林、辽宁、河北、山东、甘肃；韩国，日本，欧洲。

（968）葎草疣蚜 *Phorodon humuli japonensis* Takahashi，1965

　　分布：陕西、黑龙江、吉林、辽宁、北京、河北、山东、甘肃；俄罗斯，朝鲜，日本。

（969）葎草叶疣蚜 *Phorodon humulifoliae* Tseng *et* Tao，1938

　　分布：陕西、辽宁、北京、甘肃、台湾、四川。

525. 稠钉毛蚜属 *Pleotrichophorus* Börner，1930

（970）萎蒿稠钉毛蚜 *Pleotrichophorus glandulosus*（Kaltenbach，1846）

　　分布：陕西、辽宁、北京、河北、甘肃、浙江、湖北、湖南；俄罗斯，朝鲜，日本，欧洲，北美洲。

526. 蔷无网蚜属 *Rhodobium* Hille Ris Lambers, 1947

(971) 蔷无网蚜 *Rhodobium porosum*（Sanderson, 1900）
　　分布：陕西、河北、甘肃、新疆、台湾；越南，印度，欧洲，非洲，北美洲，南美洲。

527. 缢管蚜属 *Rhopalosiphum* Koch, 1854

(972) 玉米蚜 *Rhopalosiphum maidis*（Fitch, 1861）
　　分布：陕西，中国广布；世界广布。

(973) 禾谷缢管蚜 *Rhopalosiphum padi*（Linnaeus, 1758）
　　分布：陕西，中国广布；蒙古，俄罗斯，朝鲜，日本，约旦，欧洲，非洲，北美洲，澳洲。

(974) 红腹缢管蚜 *Rhopalosiphum rufiabdominale*（Sasaki, 1899）
　　分布：陕西、吉林、辽宁、北京、河北、新疆、浙江、湖南、福建、台湾；朝鲜，日本，中东，非洲，北美洲，南美洲。

528. 二叉蚜属 *Schizaphis* Börner, 1931

(975) 麦二叉蚜 *Schizaphis graminum*（Rondani, 1852）
　　分布：陕西、黑龙江、内蒙古、北京、河北、山西、山东、河南、宁夏、甘肃、新疆、江苏、浙江、福建、台湾、云南；蒙古，俄罗斯，朝鲜，日本，印度，中亚，非洲，地中海地区，北美洲，南美洲。

529. 谷网蚜属 *Sitobion* Mordvilko, 1914

(976) 麦长管蚜 *Sitobion avenae*（Fabricius）
　　分布：陕西,全国各产麦区均有分布；欧洲，非洲，非美洲。

(977) 荻草谷网蚜 *Sitobion miscanthi*（Takahashi, 1921）
　　分布：陕西、黑龙江、吉林、辽宁、内蒙古、北京、河北、天津、宁夏、甘肃、青海、新疆、浙江、福建、台湾、广东、四川；北美洲，澳洲。

530. 瘤头蚜属 *Tuberocephalus* Shinji, 1929

(978) 樱桃瘿瘤头蚜 *Tuberocephalus higansakurae*（Monzen, 1927）

分布：陕西、北京、河北、河南、浙江；日本。

（979）腊子口瘤头蚜 *Tuberocephalus lazikouensis* Zhang，Chen，Zhong *et* Li，1999

分布：陕西（周至）、甘肃。

（980）桃瘤头蚜 *Tuberocephalus momonis*（Matsumura，1917）

分布：陕西、辽宁、北京、河北、山东、河南、甘肃、江苏、浙江、江西、福建、台湾；俄罗斯，朝鲜，日本。

531．指网管蚜属 *Uroleucon* Mordvilko，1914

（981）红花指管蚜 *Uroleucon gobonis*（Matsumura，1917）

分布：陕西（西安、宁陕）、黑龙江、吉林、辽宁、北京、河北、天津、山东、河南、宁夏、甘肃、新疆、江苏、浙江、台湾、福建；俄罗斯，朝鲜，日本，印度，印度尼西亚。

（982）居莴苣指管蚜 *Uroleucon lactucicola*（Strand，1929）

分布：陕西（留坝）、甘肃、新疆、浙江、台湾、四川；日本。

（983）苣荬指管蚜 *Uroleucon sonchi*（Linnaeus，1767）

分布：陕西、黑龙江、辽宁、河北、甘肃、青海、新疆；全北区广布。

（二）伪短痣蚜亚科 Aiceoninae

532．Genus *Aiceona* Takahashi，1921

（984）*Aiceona japonica* Takahashi，1960

分布：陕西；日本。

（三）角斑蚜亚科 Calaphidinae

533．黑斑蚜属 *Chromaphis* Walker，1870

（985）核桃黑斑蚜 *Chromaphis juglandicola*（Kaltenbach，1843）

分布：陕西、辽宁、河北、山西、甘肃、新疆；印度，中亚，中东，欧洲，非洲，北美洲。

534．绵斑蚜属 *Euceraphis* Walker，1870

（986）桦绵斑蚜 *Euceraphis punctipennis*（Zetterstedt，1828）

分布：陕西、黑龙江、吉林、辽宁、内蒙古、北京、河北、甘肃、青海、台湾；蒙古，俄罗斯，日本，欧洲，北美洲，澳洲。

535．新黑斑蚜属 *Neochromaphis* Takahashi, 1921

（987）榛新黑斑蚜 *Neochromaphis coryli* Takahashi, 1961
分布：陕西（宁陕）、黑龙江、吉林、辽宁、河北；俄罗斯，朝鲜，日本。

536．凸唇斑蚜属 *Takecallis* Matsumura, 1917

（988）竹梢凸唇斑蚜 *Takecallis taiwanus*（Takahashi, 1926）
分布：陕西（西安）、山东、江苏、上海、浙江、台湾、四川、云南；日本，欧洲，北美洲，澳洲。

537．彩斑蚜属 *Therioaphis* Walker, 1870

（989）来氏彩斑蚜 *Therioaphis riehmi*（Börner, 1949）
分布：陕西（秦岭，榆林）、黑龙江、甘肃；俄罗斯，欧洲，北美洲。

（990）三叶草彩斑蚜 *Therioaphis trifolii*（Monell, 1882）
分布：陕西（秦岭，泾阳，榆林）、吉林、辽宁、北京、山东、河南、甘肃、新疆、江苏、云南；俄罗斯，印度，中亚，中东，欧洲，非洲，北美洲。

538．侧棘斑蚜属 *Tuberculatus* Mordvilko, 1894

（991）缘瘤栗斑蚜 *Tuberculatus margituberculatus*（Zhang *et* Zhong, 1981）
分布：陕西（宁陕）、辽宁、北京、河北、山东、浙江、湖南、江西、福建、广西、云南。

（992）台栎侧棘斑蚜 *Tuberculatus querciformosanus*（Takahashi, 1921）
分布：陕西（宁陕）、辽宁、北京、河北、山东、台湾；俄罗斯，朝鲜，日本。

（四）毛蚜亚科 Chaitophorinae

539．毛蚜属 *Chaitophorus* Koch, 1854

（993）白毛蚜 *Chaitophorus populialbae*（Boyer de Fonscolombe, 1841）
分布：陕西（宝鸡）、辽宁、北京、河北、山东、河南；中亚，欧洲，非洲北部，北美洲。

（994）柳黑毛蚜 *Chaitophorus saliniger* Shinji, 1924

　　　分布：陕西（西安）、黑龙江、吉林、辽宁、北京、河北、山西、山东、河南、宁夏、江苏、上海、浙江、湖北、湖南、江西、福建、台湾、广西、四川、贵州、云南；俄罗斯，日本。

（五）镰管蚜亚科 Drepanosiphinae

540．桠镰管蚜属 *Yamatocallis* Matsumura，1917

（995）吸槭桠镰管蚜 *Yamatocallis acerisucta* Qiao *et* Zhang，2001
　　　分布：陕西（西安）。

（六）瘿绵蚜亚科 Eriosomatinae

541．Genus *Aphidounguis* Takahashi，1963

（996）*Aphidounguis pomiradicola* Zhang *et* Hu，1999
　　　分布：陕西（乾县）。

542．绵蚜属 *Eriosoma* Leach，1818

（997）苹果绵蚜 *Eriosoma lanigerum*（Hausmann，1802）
　　　分布：陕西、辽宁、山东、云南、西藏；世界广布。

（998）榆绵蚜 *Eriosoma lanuginosum dilanuginosum* Zhang，1980
　　　分布：陕西（秦岭、乾县）、辽宁、北京、河北、山东、浙江。

（999）土贵绵蚜 *Eriosoma togrogum* Zhang，1997
　　　分布：陕西（秦岭、乾县）、内蒙古。

543．铁倍蚜属 *Kaburagia* Takagi，1937

（1000）肚倍蚜 *Kaburagia rhusicola* Takagi，1937
　　　分布：陕西（宁陕、山阳）、湖北、湖南、四川、贵州、云南。

544．圆角倍蚜属 *Nurudea* Matsumura，1917

（1001）周氏倍花蚜 *Nurudea choui*（Xiang，1980）
　　　分布：陕西（南郑、城固）。

（1002）圆角倍蚜 *Nurudea ibofushi* Matsumura，1917
　　　分布：陕西、湖南、四川、贵州；日本。

（1003）铁倍花蚜 *Nurudea meitanensis*（Tsai *et* Tang, 1946）

分布：陕西、湖南、贵州、四川。

（1004）倍花蚜 *Nurudea shiraii* Matsumura, 1917

分布：陕西、浙江、湖北、湖南、台湾、广西、四川、贵州、云南；日本。

（1005）红倍花蚜 *Nurudea yanoniella*（Matsumura, 1917）

分布：陕西、浙江、湖北、湖南、台湾、四川、贵州；日本。

545. 拟根蚜属 *Paracletus* von Heyden, 1837

（1006）麦拟根蚜 *Paracletus cimiciformis* von Heyden, 1837

分布：陕西（西安、永寿）、河北、山东、甘肃；亚洲，非洲北部，欧洲。

546. 瘿绵蚜属 *Pemphigus* Hartig, 1839

（1007）白杨瘿绵蚜 *Pemphigus napaeus* Buckton, 1896

分布：陕西（秦岭，咸阳、渭南、榆林）、山东；印度。

547. 卷叶绵蚜属 *Prociphilus* Koch, 1857

（1008）梨卷叶绵蚜 *Prociphilus kuwanai* Monzen, 1927

分布：陕西、辽宁、山西、四川、云南；俄罗斯，朝鲜，日本。

（1009）女贞卷叶绵蚜 *Prociphilus ligustrifoliae*（Tseng *et* Tao, 1938）

分布：陕西、四川、贵州、云南。

548. 倍蚜属 *Schlechtendalia* Lichtenstein, 1883

（1010）角倍蚜 *Schlechtendalia chinensis*（Bell, 1851）

分布：陕西、河南、江苏、安徽、浙江、湖北、江西、湖南、福建、台湾、广东、广西、四川、贵州、云南；朝鲜，日本。

（1011）红小铁枣倍蚜 *Schlechtendalia elongallis*（Tsai *et* Tang, 1946）

分布：陕西、湖北、湖南、四川、贵州。

（1012）米倍蚜 *Schlechtendalia microgallis*（Xiang, 1980）

分布：陕西（城固）。

（1013）倍蛋蚜 *Schlechtendalia peitan*（Tsai *et* Tang, 1946）

分布：陕西、湖北、湖南、四川、贵州、云南。

549. 拟爪绵蚜属 *Siciunguis* Zhang *et* Qiao，1999

（1014）九绵蚜 *Siciunguis novena* Zhang *et* Hu，1999
    分布：陕西（乾县）。

550. 斯绵蚜属 *Smynthurodes* Westwood，1849

（1015）菜豆根蚜 *Smynthurodes betae* Westwood，1849
    分布：陕西，中国广布；日本，中亚，欧洲，北美洲，澳洲。

551. 四脉绵蚜属 *Tetraneura* Hartig，1841

（1016）秋四脉绵蚜 *Tetraneura akinire* Sasaki，1904
    分布：陕西、甘肃、黑龙江、吉林、辽宁、内蒙古、北京、天津、河北、山西、山东、河南、宁夏、新疆、江苏、上海、浙江、湖北、湖南、福建、台湾、广西、云南；蒙古，俄罗斯，朝鲜，日本，欧洲，北美洲。

（七）毛管蚜亚科 Greenideinae

552. 毛管蚜属 *Greenidea* Schouteden，1905

（1017）库毛管蚜 *Greenidea kuwanai*（Pergande，1906）
    分布：陕西（周至）、黑龙江、辽宁、北京、河北、山东、安徽、浙江、台湾、广西、四川、贵州、云南、西藏；俄罗斯，韩国，日本。

（八）扁蚜亚科 Hormaphidinae

553. 粉虱蚜属 *Aleurodaphis* van der Goot，1917

（1018）艾纳香粉虱蚜 *Aleurodaphis blumeae* van der Goot，1917
    分布：陕西（杨凌、南郑）、山东、浙江、江西、湖南、台湾、广西、四川、贵州、云南；韩国，日本，菲律宾，马来西亚，印度尼西亚。

（1019）米甘草粉虱蚜 *Aleurodaphis mikaniae* Takahashi，1925
    分布：陕西（周至、眉县、佛坪）、湖南、台湾、四川、贵州、云南；日本。

554. 粉角蚜属 *Ceratovacuna* Zehntner，1897

（1020）林栖粉角蚜 *Ceratovacuna silvestrii*（Takanashi，1927）

分布：陕西（周至）、湖北、福建、贵州、云南、台湾；印度。

555. 毛角蚜属 *Chaitoregma* Hille Ris Lambers *et* Basu, 1966

(1021) 塔毛角蚜 *Chaitoregma tattakana*（Takahashi, 1925）

分布：陕西、湖北、湖南、台湾、四川、贵州、云南；印度。

(九) 大蚜亚科 Lachninae

556. 长足大蚜属 *Cinara* Curtis, 1835

(1022) 楔斑长足大蚜 *Cinara cuneomaculata*（del Guercio, 1909）

分布：陕西（秦岭）、黑龙江、吉林、辽宁、内蒙古、北京、河北、新疆、四川；蒙古，欧洲。

(1023) 马尾松长足大蚜 *Cinara formosana*（Takahashi, 1924）

分布：陕西（西安、秦岭）、吉林、辽宁、内蒙古、北京、河北、山东、宁夏、甘肃、青海、新疆、江苏、安徽、浙江、湖北、江西、湖南、福建、台湾、广东、广西、重庆、四川、贵州、云南；韩国，日本。

(1024) 落叶松长足大蚜 *Cinara laricis*（Hartig, 1839）

分布：陕西（眉县）、黑龙江、吉林、辽宁、北京、河北、甘肃、新疆、四川、西藏；蒙古，俄罗斯，韩国，日本，欧洲，北美洲。

(1025) 毛角长足大蚜 *Cinara pilicornis*（Hartig, 1841）

分布：陕西（秦岭）、黑龙江、吉林、辽宁、北京、河北、山西、甘肃、新疆、四川；俄罗斯，日本，欧洲，北美洲，澳洲。

(1026) 松长足大蚜 *Cinara pinea*（Mordvilko, 1895）

分布：陕西（佛坪）、黑龙江、吉林、辽宁、内蒙古、山东、甘肃、青海、新疆、浙江、台湾、四川、贵州、云南、西藏；蒙古，俄罗斯，欧洲，北美洲。

(1027) 华山松长足大蚜 *Cinara piniarmandicola* Zhang, Zhang *et* Zhong, 1993

分布：陕西（秦岭）、辽宁、北京、河北、湖南、四川、云南。

(1028) 居松长足大蚜 *Cinara pinihabitans*（Mordvilko, 1895）

分布：陕西（秦岭）、辽宁、北京、甘肃；俄罗斯，欧洲。

(1029) 柏长足大蚜 *Cinara tujafilina*（del Guercio, 1909）

分布：陕西（眉县、佛坪、黄龙）、辽宁、内蒙古、北京、河北、山东、河南、宁夏、甘肃、新疆、江苏、上海、湖南、江西、福建、台湾、广东、广西、四川、贵州、云南、西藏；朝鲜，日本，尼泊尔，巴基斯坦，土耳其，欧洲，非洲，北美洲，澳洲。

557．长大蚜属 *Eulachnus* del Guercio，1909

（1030）吸松长大蚜 *Eulachnus pinisuctus* Zhang，Chen，Zhong *et* Li，1999

分布：陕西（留坝）、甘肃。

558．大蚜属 *Lachnus* Burmeister，1835

（1031）栲大蚜 *Lachnus quercihabitans*（Takahashi，1924）

分布：陕西、辽宁、河北、山西、广东、海南、广西、云南；日本。

（1032）辽栎大蚜 *Lachnus siniquercus* Zhang，1982

分布：陕西（紫阳）、吉林、辽宁、北京、河北、新疆、湖北、四川、贵州、云南、西藏。

（1033）板栗大蚜 *Lachnus tropicalis*（van der Goot，1916）

分布：陕西（留坝、佛坪）、吉林、辽宁、内蒙古、北京、河北、山东、河南、江苏、浙江、湖北、江西、福建、台湾、广东、海南、广西、四川、贵州、云南；朝鲜，日本，马来西亚。

559．瘤大蚜属 *Tuberolachnus* Mordvilko，1909

（1034）柳瘤大蚜 *Tuberolachnus salignus*（Gmelin，1790）

分布：陕西（泾阳、宁陕、靖边、榆林、神木）、黑龙江、吉林、辽宁、内蒙古、北京、河北、山东、河南、宁夏、甘肃、青海、新疆、江苏、上海、浙江、福建、台湾、四川、云南、西藏；朝鲜，日本，印度，伊拉克，黎巴嫩，以色列，土耳其，欧洲，非洲，美洲。

（十）平翅绵蚜亚科 Phloeomyzinae

560．平翅绵蚜属 *Phloeomyzus* Horvath，1896

（1035）杨平翅绵蚜 *Phloeomyzus passerinii zhangwuensis* Zhang，1982

分布：陕西、黑龙江、吉林、辽宁、内蒙古、北京、河北、山东、宁夏、甘肃、青海；蒙古，俄罗斯，伊朗，土耳其，欧洲，非洲，北美洲，南美洲。

XXII. 蚧总科 Coccoidea

六十六、盾蚧科 Diaspididae

（一）盾蚧亚科 Diaspidinae

561. 白轮蚧属 *Aulacaspis* Cockerell, 1893

（1036）胡颓子白轮蚧 *Aulacaspis difficilis*（Cockerell, 1896）

分布：陕西（秦岭）、山西、甘肃、浙江、台湾、云南；日本。

（1037）玫瑰白轮蚧 *Aulacaspis rosae*（Boughé, 1833）

分布：陕西（秦岭）、内蒙古、山西、河北、河南、江苏、浙江、湖南、江西、福建、台湾、广东、海南、四川、西藏；日本，欧洲，北美洲，南美洲，澳洲。

（1038）月季白轮蚧 *Aulacaspis rosarum* Borchsenius, 1958

分布：陕西（西安、武功、杨凌）、内蒙古、北京、山东、甘肃、江苏、浙江、江西、湖南、福建、广东、广西、四川、云南；印度，澳洲。

（1039）乌桕白轮蚧 *Aulacaspis thoracica*（Robinson, 1917）

分布：陕西（西安、周至、杨凌、武功）、北京、河南、宁夏、安徽、浙江、福建、广东、香港、广西、四川；菲律宾，澳洲。

562. 围盾蚧属 *Fiorinia* Targioni-Tozzetti, 1868

（1040）松围盾蚧 *Fiorinia pinicola* Maskell, 1897

分布：陕西（秦岭，杨凌）、浙江、湖南、福建、台湾、广东、香港、海南、广西、云南；日本，欧洲，北美洲。

（1041）茶围盾蚧 *Fiorinia theae* Green, 1900

分布：陕西（秦岭）、福建、台湾、广东、香港、广西、云南；日本，印度，尼泊尔，菲律宾，马来西亚，北美洲，南美洲。

563. 竹盾蚧属 *Greenaspis* MacGillivray, 1921

（1042）竹盾蚧 *Greenaspis elongata*（Green, 1896）

分布：陕西（秦岭）、安徽、福建、台湾、广东、四川、云南；日本，泰国，印度，菲律宾，非洲。

564.　牡蛎蚧属 *Lepidosaphes* Shimer, 1868

（1043）紫牡蛎蚧 *Lepidosaphes beckii*（Newman, 1869）

　　　分布：陕西（城固）、河北、江苏、安徽、浙江、湖北、江西、湖南、福建、广东、海南、香港、广西、四川、云南；亚洲，欧洲，非洲，美洲，澳洲。

（1044）柏牡蛎蚧 *Lepidosaphes cupressi* Borchsenius, 1958

　　　分布：陕西（武功、城固）、江苏、福建、广东、广西、四川、云南；日本。

（1045）榧牡蛎蚧 *Lepidosaphes okitsuensis* Kuwana, 1925

　　　分布：陕西（秦岭）、北京、山东、浙江；日本。

（1046）榆牡蛎蚧 *Lepidosaphes ulmi*（Linnaeus, 1758）

　　　分布：陕西（秦岭、汉中）、黑龙江、吉林、辽宁、河北、山西、山东、河南、宁夏、新疆、江苏、安徽、浙江、湖北、江西、湖南、福建、台湾、广东、广西、四川、云南、西藏；世界广布。

565.　并盾蚧属 *Pinnaspis* Cockerell, 1892

（1047）楝木并盾蚧 *Pinnaspis indivisa* Ferris, 1950

　　　分布：陕西（宁陕）、云南。

（1048）单叶并盾蚧 *Pinnaspis uniloba*（Kuwana, 1909）

　　　分布：陕西（秦岭）、河南、江苏、浙江、湖北、江西、福建、台湾、广东、广西、四川、贵州、云南；日本，印度，北美洲。

566.　拟轮蚧属 *Pseudaulacaspis* MacGillivray, 1921

（1049）考氏拟轮蚧 *Pseudaulacaspis cockerelli*（Cooley, 1897）

　　　分布：陕西（宝鸡）、内蒙古、山东、河南、浙江、广东、香港、广西、四川、云南；非洲，北美洲，南美洲，澳洲。

（1050）桑拟轮蚧 *Pseudaulacaspis pentagona*（Targioni-Tozzetti, 1886）

　　　分布：陕西（西安、蓝田）、黑龙江、内蒙古、北京、河北、山东、河南、宁夏、甘肃、新疆、江苏、安徽、浙江、湖北、江西、湖南、福建、台湾、广东、香港、广西、四川、云南、西藏；世界广布。

（1051）高桥拟轮蚧 *Pseudaulacaspis takahashii*（Ferris, 1955）

　　　分布：陕西（杨凌、眉县）、福建、台湾；尼泊尔。

567．釉雪盾蚧属 *Unachionaspis* MacGillivray，1921

（1052）**纺锤釉盾蚧** *Unachionaspis tenuis*（Maskell，1897）
　　　　分布：陕西（周至、杨凌）、浙江、福建、四川、贵州；俄罗斯，日本。

568．矢尖蚧属 *Unaspis* MacGillivray，1921

（1053）**橘矢尖蚧** *Unaspis citri*（Comstock，1883）
　　　　分布：陕西（周至）、浙江、湖北、台湾、广东、海南、广西、四川；世界广布。

（1054）**卫矛矢尖蚧** *Unaspis euonymi*（Comstock，1881）
　　　　分布：陕西（秦岭）、内蒙古、山西、山东、甘肃、江苏、湖北、湖南、广东、广
　　　　西、四川、西藏；世界广布。

（1055）**矢尖蚧** *Unaspis yanonensis*（Kuwana，1923）
　　　　分布：陕西（秦岭、南郑、城固）、福建、广东、广西、贵州、湖南、湖北、江西、
　　　　四川、云南、浙江、香港、安徽、甘肃、河北、河南、内蒙古、西藏、台湾；韩
　　　　国，日本，越南，泰国，缅甸，印度，菲律宾，马来西亚，印度尼西亚，斐
　　　　济，巴基斯坦，欧洲，非洲，澳洲。

（二）圆盾蚧亚科 Aspidiotinae

569．肾圆盾蚧属 *Aonidiella* Berlese *et* Leonardi，1895

（1056）**紫衫肾圆盾蚧** *Aonidiella taxus* Leonardi，1906
　　　　分布：陕西（秦岭）、河南、台湾；日本，菲律宾，欧洲，北美洲，南美洲。

570．金顶圆盾蚧属 *Chrysomphalus* Ashmead，1880

（1057）**拟褐圆金顶盾蚧** *Chrysomphalus bifasciculatus* Ferris，1938
　　　　分布：陕西（城固）、河南、台湾；蒙古，韩国，日本，越南，欧洲，北
　　　　美洲。

571．灰圆盾蚧属 *Diaspidiotus* Berlese *et* Leonardi，1896

（1058）**梨灰圆盾蚧** *Diaspidiotus perniciosus*（Comstock，1881）
　　　　分布：陕西（秦岭、宝鸡）、黑龙江、吉林、辽宁、内蒙古、河北、山东、河南、
　　　　新疆、江苏、安徽、浙江、湖北、江西、台湾、广东、四川；蒙古，俄罗斯，韩
　　　　国，日本，越南，印度，尼泊尔，巴基斯坦，阿富汗，土耳其，塔吉克斯

坦，乌兹别克斯坦，土库曼斯坦，欧洲，非洲南部，北美洲，南美洲，澳洲。

572. 等角圆盾蚧属 *Dynaspidiotus* Thiem *et* Germeck，1934

（1059）冬青等角圆盾蚧 *Dynaspidiotus britannicus*（Newstead，1896）

　　分布：陕西（秦岭）；俄罗斯，伊朗，以色列，欧洲，非洲，北美洲，南美洲。

573. 豁齿盾蚧属 *Froggattiella* Leonardi，1900

（1060）须豁齿盾蚧 *Froggattiella penicillata*（Green，1905）

　　分布：陕西（秦岭、咸阳）、河南、台湾、香港；印度，菲律宾，伊拉克，非洲南部，北美洲。

574. 刺圆盾蚧属 *Octaspidiotus* MacGillivray，1921

（1061）楠刺圆盾蚧 *Octaspidiotus stauntoniae*（Takahashi，1933）

　　分布：陕西（汉中、城固、宁陕）、台湾；蒙古，日本，越南，菲律宾，北美洲。

575. 网纹盾蚧属 *Pseudaonidia* Cockerell，1897

（1062）三叶网纹圆盾蚧 *Pseudaonidia trilobitiformis*（Green，1896）

　　分布：陕西（武功、汉中、城固）、台湾、香港；越南，泰国，印度，菲律宾，巴基斯坦，印度尼西亚，非洲，北美洲，南美洲，澳大利亚，斐济。

六十七、粉蚧科 Pseudococcidae

576. 安粉蚧属 *Antonina* Signoret，1875

（1063）白尾安粉蚧 *Antonina crawi* Cockerell，1900

　　分布：陕西（秦岭）、河南、湖北、福建、台湾、广东、香港、西藏；亚洲，欧洲，非洲，澳洲。

（1064）九龙安粉蚧 *Antonina graminis*（Maskell，1897）

　　分布：陕西（秦岭）、河南、湖北、福建、台湾、广东、香港、西藏；亚州，欧洲，非洲，澳洲。

577. 蚁粉蚧属 *Formicococcus* Takahashi，1928

（1065）毛竹蚁粉蚧 *Formicococcus bambusus*（Takashi，1930）

　　　　分布：陕西（宝鸡）、浙江、贵州。

（1066）杨凌蚁粉蚧 *Formicococcus yanglingensis* **Wu** *et* **Zheng, 2001**
　　　　分布：陕西（杨凌）。

578．巢粉蚧属 *Nesticoccus* Tang, 1977

（1067）竹巢粉蚧 *Nesticoccus sinensis* **Tang, 1977**
　　　　分布：陕西（周至）、山西、山东、江苏、上海、安徽、浙江、福建。

579．堆粉蚧属 *Nipaecoccus* Šulc, 1945

（1068）柑橘堆粉蚧 *Nipaecoccus viridis*（Newstead, 1894）
　　　　分布：陕西（周至）、内蒙古、湖南、香港；日本，越南，印度，尼泊尔，斯
　　　　里兰卡，新加坡，菲律宾，马来西亚，印度尼西亚，以色列，伊朗，非洲，
　　　　北美洲，澳洲。

580．拟锯粉蚧属 *Paraserrolecanium* Wu, 2010

（1069）箭竹拟锯粉蚧 *Paraserrolecanium fargesii* **Wu, 2010**
　　　　分布：陕西（凤县）。

581．绵粉蚧属 *Phenacoccus* Cockerell, 1893

（1070）柿树绵粉蚧 *Phenacoccus pergandei* **Cockerell, 1896**
　　　　分布：陕西（秦岭）、山西；日本。

582．锯粉蚧属 *Serrolecanium* Shinji, 1935

（1071）卡氏锯粉蚧 *Serrolecanium kawaii* **Hendricks** *et* **Kosztarab, 1999**
　　　　分布：陕西（宁陕）、安徽；日本。

六十八、链蚧科 Asterolecaniidae

　　583．竹链蚧属 *Bambusaspis* Cockerell, 1902

（1072）半球竹链蚧 *Bambusaspis hemisphaerica*（Kuwana, 1916）
　　　　分布：陕西（周至）、安徽、湖南、浙江、广东；日本，北美洲。

　　584．寡链蚧属 *Pauroaspis* Tang *et* Hao, 1995

（1073）竹竿寡链蚧 *Pauroaspis rutilan*（Wu, 1983）
　　　　分布：陕西（周至）、安徽。

六十九、绵蚧科 Monophlebidae

585. 草履蚧属 *Drosicha* Walker, 1858

（1074）草履蚧 *Drosicha corpulenta*（Kuwana, 1902）
分布：陕西（杨凌、洋县）。

七十、珠蚧科 Margarodidae

586. 松干蚧属 *Matsucoccus* Cockerell, 1909

（1075）中华松干蚧 *Matsucoccus sinensis* Chen, 1937
分布：陕西（南郑、柞水）、河南、江苏、贵州。

587. 新珠蚧属 *Neomargarodes* Green, 1914

（1076）花生新珠蚧 *Neomargarodes gossypii* Yang, 1979
分布：陕西、河北、山东、河南。

七十一、毡蚧科 Eriococcidae

588. 白毡蚧属 *Asiacornococcus* Tang *et* Hao, 1995

（1077）柿树白毡蚧 *Asiacornococcus kaki*（Kuwana, 1931）
分布：陕西（户县）、黑龙江、吉林、辽宁、北京、河北、山西、山东、河南、云南、安徽、浙江、湖北、湖南、广东、广西、四川、贵州、西藏。

589. 毡蚧属 *Eriococcus* Targioni-Tozzetti, 1868

（1078）绣线菊毡蚧 *Eriococcus isacanthus*（Danzig, 1975）
分布：陕西（秦岭）、山西、河南；俄罗斯，韩国。

（1079）紫薇毡蚧 *Eriococcus lagerstroemiae* Kuwana, 1907
分布：陕西（华县）、辽宁、内蒙古、河北、山东、宁夏、甘肃、青海、新疆、江苏、江西、四川、贵州；蒙古，韩国，日本，非洲，欧洲。

590. 大盘毡蚧属 *Macroporicoccus* Nan *et* Wu, 2013

（1080）榆大盘毡蚧 *Macroporicoccus ulmi*（Tang *et* Hao, 1995）
分布：陕西（秦岭）、北京、天津、山西。

七十二、蜡蚧科 Coccidae

（一）软蜡蚧亚科 Coccinae

591．软蜡蚧属 *Coccus* Linnaeus，1758

（1081）褐软蜡蚧 *Coccus hesperidum* Linnaeus，1758
分布：陕西（武功、宝鸡、宁陕）、山西、湖南、台湾、四川、西藏；世界广布。

592．木坚蜡蚧属 *Parthenolecanium* Šulc，1908

（1082）桃木坚蜡蚧 *Parthenolecanium persicae*（Fabricius，1776）
分布：陕西（宝鸡、眉县）、山西、浙江、湖南、香港；俄罗斯，朝鲜，日本，印度，斯里兰卡，巴基斯坦，阿富汗，土耳其，伊朗，以色列，欧洲，非洲，北美洲，澳洲。

（二）蜡蚧亚科 Ceroplastinae

593．蜡蚧属 *Ceroplastes* Gray，1828

（1083）日本龟蜡蚧 *Ceroplastes japonicas*（Green，1921）
分布：陕西（秦岭）、辽宁、天津、山西、上海、浙江、湖北、湖南、云南；俄罗斯，朝鲜，日本，欧洲。

（1084）伪角蜡蚧 *Ceroplastes pseudoceriferus* Green，1935
分布：陕西（秦岭）、河南、湖南、台湾、西藏；韩国，印度，斯里兰卡，澳洲。

（1085）红蜡蚧 *Ceroplastes rubens* Maskell，1893
分布：陕西（城固、周至）、山西、河南、湖南、台湾、香港、云南、西藏；韩国，日本，泰国，印度，斯里兰卡，马来西亚，印度尼西亚，非洲，北美洲，澳洲。

（三）球坚蜡蚧亚科 Eulecaniinae

594．毛球蜡蚧属 *Didesmococcus* Borchsenius，1953

（1086）朝鲜毛球蜡蚧 *Didesmococcus koreanus* Borchsenius，1955
分布：陕西（周至）、内蒙古；韩国。

七十三、旌蚧科 Ortheziidae

595．旌蚧属 *Orthezia* Bosc d'Antic，1784

（1087）艾旌蚧 *Orthezia yashushii* Kuwana，1923

分布：陕西(宁陕)、山西、台湾；俄罗斯，韩国，日本，土耳其。

啮目 Psocoptera

一、重啮科 Amphientomidae

1. 色重啮属 *Seopsis* Enderlein，1906

（1）长鳞色重啮 *Seopsis longisquama* Li，2002
分布：陕西(宁陕)。

（2）大色重啮 *Seopsis magna* Li，2002
分布：陕西(勉县)。

（3）秦岭色重啮 *Seopsis qinlingensis* Li，2002
分布：陕西(秦岭)。

2. 刺重啮属 *Stimulopalpus* Enderlein，1906

（4）盾形刺重啮 *Stimulopalpus peltatus* Li，2002
分布：陕西(周至、武功)。

二、单啮科 Caeciliusidae

3. 无眼单啮属 *Anoculaticaecilius* Li，1997

（5）川陕无眼单啮 *Anoculaticaecilius chuanshaanicus* Li，1977
分布：陕西(南郑)、四川。

4. 单啮属 *Caecilius* Curtis，1837

（6）褐痣单啮 *Caecilius brunneistigmus* Li，2002
分布：陕西(南郑)。

（7）广布单啮 *Caecilius divulgatus* Li，2002
分布：陕西(镇巴)、甘肃、广西。

（8）长球单啮 *Caecilius longiglobis* Li，2002
分布：陕西(秦岭)。

（9）窄纵带单蜡 *Caecilius persimilaris*（Thornton *et* Wong, 1996）

分布：陕西（佛坪）、浙江、湖北、湖南、福建、广东、广西、海南、香港、云南；印度。

（10）斜红斑单蜡 *Caecilius plagioerythrinus* Li, 1993

分布：陕西（秦岭）、浙江、广东、广西、贵州。

（11）秦岭单蜡 *Caecilius qinlingensis* Li, 2002

分布：陕西（秦岭）。

（12）箭形单蜡 *Caecilius sagittalis* Li, 2002

分布：陕西（南郑）。

（13）张良氏单蜡 *Caecilius zhangliangi* Li, 2002

分布：陕西（留坝）。

三、狭蜡科 Stenopsocidae

5. 雕蜡属 *Graphopsocus* Koble, 1880

（14）琴雕蜡 *Graphosocus panduratus* Li, 1989

分布：陕西（秦岭）。

（15）陕西雕蜡 *Graphopsocus shaanxiensis* Li, 1989

分布：陕西（洋县、镇巴）。

6. 狭蜡属 *Stenopsocus* Hagen, 1866

（16）雅狭蜡 *Stenopsocus bellatulus* Li, 1989

分布：陕西（留坝）。

（17）短径狭蜡 *Stenopsocus brachycladus* Li, 2002

分布：陕西（洋县）。

（18）黄额狭蜡 *Stenopsocus flavifrons* Li, 1989

分布：陕西（佛坪）。

（19）斑额狭蜡 *Stenopsocus frontalis* Li, 1989

分布：陕西（佛坪）。

（20）叉斑狭蜡 *Stenopsocus furcimaculatus*（Li, 2002）

分布：陕西（华县）、宁夏。

（21）多角狭蜡 *Stenopsocus polyceratus* Li, 2002

分布：陕西（秦岭）、宁夏。

（22）径斑狭蠓 *Stenopsocus radimaculatus* Li, 1989
　　　分布：陕西（留坝）。

（23）喜温狭蠓 *Stenopsocus thermophilus* Li, 2002
　　　分布：陕西（洋县）。

（24）横带狭蠓 *Stenopsocus zonatus* Li, 1989
　　　分布：陕西（周至）。

四、双蠓科 Amphipsocidae

7. 华双蠓属 *Siniamphipsocus* Li, 1997

（25）二条华双蠓 *Siniamphipsocus bilinearis* Li, 2002
　　　分布：陕西（秦岭）。

五、半蠓科 Hemipsocidae

8. 后半蠓属 *Metahemipsocus* Li, 1995

（26）二斑后半蠓 *Metahemipsocus bimaculatus* Li, 2002
　　　分布：陕西（留坝）。

六、外蠓科 Ectopsocidae

9. 邻外蠓属 *Ectopsocopsis* Badonnel, 1955

（27）黄头邻外蠓 *Ectopsocopsis luteolicapitus* Li, 2002
　　　分布：陕西（洋县、镇巴）。

10. 外蠓属 *Ectopsocus* McLachlan, 1899

（28）纵带外蠓 *Ectopsocus longitudinalis* Li, 2002
　　　分布：陕西（留坝）。

（29）直叶外蠓 *Ectopsocus strictifoliatus* Li, 2002
　　　分布：陕西（南郑）。

七、叉蠓科 Pseudocaeciliidae

11. 双突围蠓属 *Diplopsocus* Li *et* Mockford, 1993

（30）白斑双突围蠓 *Diplopsocus albostigmus* Li *et* Mockford, 1993

分布：陕西（宁陕）。

（31）菱翅双突围啮 *Diplopsocus rhombeus* Li *et* Mockford，1993

分布：陕西（秦岭）。

（32）凹缘双突围啮 *Diplopsocus scrobiculatus* Li，2002

分布：陕西（秦岭）。

12．异叉啮属 *Heterocaecilius* Lee *et* Thorton，1967

（33）华西异叉啮 *Heterocaecilius huaxiensis* Li，2002

分布：陕西（秦岭）。

13．角叉啮属 *Kerocaecilius* Li，2002

（34）楼观台角叉啮 *Kerocaecilius louguantaiensis* Li，2002

分布：陕西（周至）。

（35）褐缘角叉啮 *Kerocaecilius phaeolomus* Li，2002

分布：陕西（佛坪）。

14．华叉啮属 *Sinelipsocus* Li，1992

（36）杨氏华叉啮 *Sinelipsocus yangi* Li，1992

分布：陕西（周至）。

八、围啮科 Peripsocidae

15．围啮属 *Peripsocus* Hagen，1866

（37）晋陕围啮 *Peripspcus jinshaanensis* Li，2002

分布：陕西（秦岭）、山西。

（38）楼观台围啮 *Peripsocus louguantaiensis* Li，2002

分布：陕西（周至）。

（39）斜突围啮 *Peripsocus plagiotropus* Li，2002

分布：陕西（秦岭）。

（40）武侯氏围啮 *Peripsocus wuhoi* Li，2002

分布：陕西（勉县）。

（41）张良氏围啮 *Peripsocus zhangliangi* Li，2002

分布：陕西（留坝）。

九、蝎科 Psocidae

16. 蓓蝎属 *Blaste* Kolbe，1883

（42）拟枝蓓蝎 *Blaste smilivirgata* Li，1989
分布：陕西（南郑）。

17. 点麻蝎属 *Loensia* Enderlein，1924

（43）双角点麻蝎 *Loensia binalis* Li，2002
分布：陕西（宁陕）。

18. 昧蝎属 *Metylophorus* Pearman，1932

（44）普通昧蝎 *Metylophorus plebius* Li，2002
分布：陕西（秦岭）、吉林、山西、甘肃、浙江、湖北、湖南、广西、四川。

19. 拟新蝎属 *Neopsocopsis* Badonnel，1936

（45）粗角拟新蝎 *Neopsocopsis hirticornis*（Reuter，1893）
分布：陕西（周至）、内蒙古、河北、北京、山西、宁夏、湖北、湖南；欧洲。

20. 触蝎属 *Psococerastis* Pearman，1932

（46）大突触蝎 *Psococerastis magniprocessus* Li，2005
分布：陕西（周至）、甘肃。
（47）粗茎触蝎 *Psococerastis stulticaulis* Li，1989
分布：陕西（佛坪）、内蒙古、山西、甘肃、安徽、湖北、贵州。

21. 联蝎属 *Symbiopsocus* Li，1997

（48）四突联蝎 *Symbiopsocus quadripartitus* Li，2002
分布：陕西（宁陕）。

缨翅目 Thysanoptera

锯尾亚目 Terebrantia

一、纹蓟马科 Aeolothripidae

1. 纹蓟马属 *Aeolothrips* Haliday，1836

（1）横纹蓟马 *Aeolothrips fasciatus*（Linnaeus，1758）

分布：陕西（太白、眉县、凤县、宁陕）、黑龙江、辽宁、内蒙古、北京、河北、河南、宁夏、甘肃、江苏、湖北、四川、云南、西藏。

二、蓟马科 Thripidae

（一）棍蓟马亚科 Dendrothripinae

2. 棍蓟马属 *Dendrothrips* Uzel，1895

（2）茶棍蓟马 *Dendrothrips minowai* Priesner，1935
分布：陕西（安康）、湖南、广东、海南、广西、贵州；朝鲜，日本。

3. 伪棍蓟马属 *Pseudodendrothrips* Schmutz，1913

（3）桑伪棍蓟马 *Pseudodendrothrips mori*（Niwa，1908）
分布：陕西（洛南）、北京、河北、河南、江苏、浙江、湖北、湖南、福建、台湾、广东、海南、广西；朝鲜，日本，北美洲。

（二）针蓟马亚科 Panchaetothripinae

4. 领针蓟马属 *Helionothrips* Bagnall，1932

（4）安领针蓟马 *Helionothrips aino*（Ishida，1931）
分布：陕西（秦岭）、河南、江西、福建、台湾、广东、广西、云南；朝鲜，日本。

（5）木领针蓟马 *Helionothrips mube* Kudô，1992
分布：陕西（太白山）、台湾；日本。

5. 缺缨针蓟马属 *Phibalothrips* Hood，1918

（6）二色缺缨针蓟马 *Phibalothrips peringueyi*（Faure，1925）
分布：陕西（佛坪）、河南、福建、广东、海南、广西、云南；印度，非洲。

（三）绢蓟马亚科 Sericothripinae

6. 裂绢蓟马属 *Hydatothrips* Karny，1913

（7）基裂绢蓟马 *Hydatothrips proximus* Bhatti，1973
分布：陕西（长安）；印度。

7. 绢蓟马属 *Sericothrips* Haliday，1836

（8）后稷绢蓟马 *Sericothrips houjii*（Chou *et* Feng，1990）

分布：陕西（长安、武功、太白）、北京、河南。

（四）蓟马亚科 Thripinae

8．呆蓟马属 *Anaphothrips* Uzel，1895

（9）玉米黄呆蓟马 *Anaphothrips obscurus*（Müller，1776）
　　分布：陕西（杨陵）、内蒙古、河北、山西、河南、宁夏、甘肃、新疆、江苏、浙江、福建、台湾、广东、海南、四川、贵州、西藏；蒙古，俄罗斯，朝鲜，日本，马来西亚，埃及，摩洛哥，欧洲，美国，加拿大，澳大利亚，新西兰。

9．缺翅蓟马属 *Aptinothrips* Haliday，1836

（10）芒缺翅蓟马 *Aptinothrips stylifer* Trybom，1894
　　分布：陕西（宁陕）、西藏、宁夏；世界温带地区广布。

10．巴蓟马属 *Bathrips* Bhatti，1962

（11）*Bathrips jasminae* Ananthakrishnan，1968
　　分布：陕西；印度。

11．指蓟马属 *Chirothrips* Haliday，1836

（12）非洲指蓟马 *Chirothrips africanus* Prisner，1932
　　分布：陕西（太白山）、西藏；印度，塞浦路斯，非洲。

（13）周氏指蓟马 *Chirothrips choui* Feng，1996
　　分布：陕西（秦岭）。

（14）袖指蓟马 *Chirothrips manicatus*（Haliday，1836）
　　分布：陕西（长安）、吉林、辽宁、内蒙古、河北、河南、宁夏、台湾；蒙古，朝鲜，日本，欧洲，北美洲，澳大利亚，新西兰。

12．梳蓟马属 *Ctenothrips* Franklin，1907

（15）*Ctenothrips dissimilis* Hu *et* Feng，2014
　　分布：陕西（太白山）。

（16）太白梳蓟马 *Ctenothrips taibaishanensis* Feng *et* Zhang，2003
　　分布：陕西（长安、户县、太白）。

13．棘蓟马属 *Echinothrips* Moulton，1911

（17）美洲棘蓟马 *Echinothrips americanus* Morgan，1913

分布：陕西（杨凌）、北京、海南；俄罗斯，日本，泰国，欧洲，非洲，北美洲，澳洲。

14. 片膜蓟马属 *Ernothrips* Bhatti，1967

（18）裂片膜蓟马 *Ernothrips lobatus*（Bhatti，1967）

分布：陕西（眉县）、河南、湖北、湖南、台湾、海南；印度。

（19）纵纹片膜蓟马 *Ernothrips longitudinalis* Zhou，Zhang *et* Feng，2008

分布：陕西（汉阴、安康）、河南、湖北。

15. 花蓟马属 *Frankliniella* Karny，1910

（20）山楂花蓟马 *Frankliniella hawksworthi* O'Neill，1970

分布：陕西（杨凌）；美国。

（21）花蓟马 *Frankliniella intonsa*（Trybom，1895）

分布：陕西（武功、太白、佛坪）、黑龙江、吉林、辽宁、内蒙古、北京、河北、山东、河南、宁夏、甘肃、新疆、江苏、安徽、浙江、湖北、江西、湖南、福建、台湾、广东、海南、广西、四川、贵州、云南、西藏；蒙古，俄罗斯，朝鲜，日本，印度，格鲁吉亚，欧洲。

（22）西花蓟马 *Frankliniella occidentalis*（Pergande，1895）

分布：陕西（咸阳）、北京、山东、河南、江苏、安徽、浙江、湖北、福建、广东、海南、广西、重庆、四川、贵州、云南；世界广布。

（23）禾蓟马 *Franklininella tenuicornis*（Uzel，1895）

分布：陕西（杨凌、太白）、黑龙江、吉林、辽宁、内蒙古、北京、河北、山西、山东、河南、宁夏、甘肃、青海、新疆、江苏、湖北、江西、湖南、福建、台湾、广东、广西、四川、贵州、云南、西藏；蒙古，朝鲜，日本，巴基斯坦，欧洲，加拿大，美国。

16. 腹齿蓟马属 *Fulmekiola* Karny，1925

（24）蔗腹齿蓟马 *Fulmekiola serrata*（Kobus，1892）

分布：陕西（太白山）、江苏、浙江、湖南、福建、台湾、广东、海南、广西、四川、云南；日本，越南，印度，孟加拉国，菲律宾，巴基斯坦，马来西亚，印度尼西亚，毛里求斯。

17. 大蓟马属 *Megalurothrips* Bagnall，1915

（25）端大蓟马 *Megalurothrips distalis*（Karny，1913）

分布：陕西（武功、杨凌、太白）、辽宁、河北、山东、河南、江苏、湖北、湖南、福建、台湾、广东、海南、广西、四川、贵州、云南、西藏；朝鲜，日本，斯里兰卡，菲律宾，印度尼西亚，斐济。

（26）等鬃大蓟马 *Megalurothrips equaletae* Feng, Chao *et* Ma, 1999

分布：陕西（太白山）。

（27）灰褐大蓟马 *Megalurothrips grisbrunneus* Feng, Chou *et* Li, 1995

分布：陕西（杨凌）。

（28）蒿坪大蓟马 *Megalurothrips haopingensis* Feng, Chao *et* Ma, 1999

分布：陕西（眉县）。

（29）普通大蓟马 *Megalurothrips usitatus*（Bagnall, 1913）

分布：陕西（凤县）、湖北、台湾、广西、云南；日本，印度，斯里兰卡，菲律宾，澳大利亚。

18．小头蓟马属 *Microcephalothrips* Bagnall, 1926

（30）腹小头蓟马 *Microcephalothrips abdominalis*（Crawford, 1910）

分布：陕西（杨凌）、北京、河南、江苏、上海、浙江、湖北、湖南、福建、台湾、广东、海南、广西、四川、贵州、云南；朝鲜，日本，印度，菲律宾，新西兰，印度尼西亚，非洲，澳洲。

（31）中华小头蓟马 *Microcephalothrips chinensis* Feng, Nan *et* Guo, 1998

分布：陕西（杨凌）、河南。

（32）杨陵小头蓟马 *Microcephalothrips yanglingensis* Feng *et* Zhang, 2002

分布：陕西（杨凌）。

19．齿蓟马属 *Odontothrips* Amyot *et* Serville, 1843

（33）*Odontothrips hani* Hu, Mirab-balou, Chen *et* Feng, 2012

分布：陕西、北京。

（34）间齿蓟马 *Odontothrips intermedius*（Uzel, 1895）

分布：陕西（宁陕）、北京；俄罗斯，欧洲，澳洲。

（35）牛角花齿蓟马 *Odontothrips loti*（Haliday, 1852）

分布：陕西（太白山）、内蒙古、河北、山西、山东、河南、宁夏、甘肃；蒙古，俄罗斯，日本，欧洲，北美洲。

（36）五毛齿蓟马 *Odontothrips pentatrichopus* Han *et* Cui, 1992

分布：陕西（汉中，洋县）、四川。

20．硬蓟马属 *Scirtothrips* Shull，1909

（37）茶黄硬蓟马 *Scirtothrips dorsalis* Hood，1919

　　分布：陕西（安康）、河南、江苏、安徽、浙江、福建、台湾、广东、海南、广西、云南；日本，印度，巴基斯坦，马来西亚，印度尼西亚，非洲，澳洲。

21．食螨蓟马属 *Scolothrips* Hinds，1902

（38）塔六点蓟马 *Scolothrips takahashii* Priesner，1950

　　分布：陕西（武功）、北京、河北、山东、河南、江苏、浙江、湖北、湖南、福建、台湾、广东、海南、广西、四川、云南。

22．直鬃蓟马属 *Stenchaetothrips* Bagnall，1926

（39）稻直鬃蓟马 *Stenchaetothrips biformis*（Bagnall，1913）

　　分布：陕西（佛坪、宁陕）、辽宁、河北、河南、宁夏、江苏、浙江、湖北、江西、湖南、福建、台湾、广东、海南、广西、四川、贵州、云南；朝鲜，日本，泰国，越南，尼泊尔，印度，孟加拉国，斯里兰卡，巴基斯坦，菲律宾，马来西亚，印度尼西亚，罗马尼亚，英国，巴西。

23．带蓟马属 *Taeniothrips* Amyot *et* Serville，1843

（40）油加律带蓟马 *Taeniothrips eucharii*（Whetzel，1923）

　　分布：陕西（杨陵）、北京、浙江、台湾、广东、海南、香港、广西；日本，美国，百慕大群岛。

（41）大带蓟马 *Taeniothrips major* Bagnall，1916

　　分布：陕西（太白山）、西藏；朝鲜，印度。

（42）鹊带蓟马 *Taeniothrips picipes*（Zetterstedt，1828）

　　分布：陕西（长安、太白）、河南；朝鲜，日本，欧洲，澳大利亚。

24．蓟马属 *Thrips* Linnaeus，1758

（43）葱韭蓟马 *Thrips alliorum*（Priesner，1935）

　　分布：陕西（勉县、汉阴、洛川、延安、绥德）、辽宁、河北、山东、宁夏、新疆、江苏、浙江、福建、台湾、广东、海南、广西、贵州；朝鲜，日本，美国。

（44）杜鹃蓟马 *Thrips andrewsi*（Bagnall，1921）

　　分布：陕西（长安、杨陵）、河南、江苏、浙江、湖北、湖南、广东、海南、广西、四川、云南；日本，印度。

（45）黑蓟马 *Thrips atratus* Haliday，1836

分布：陕西（太白山）、新疆；蒙古，俄罗斯，朝鲜，格鲁吉亚，欧洲，美国，加拿大。

（46）短角蓟马 *Thrips brevicornis* Priesner，1920

分布：陕西（凤县、勉县、汉中、延安、黄龙）、山东、河南、甘肃、广西、四川、云南；蒙古，俄罗斯，欧洲。

（47）色蓟马 *Thrips coloratus* Schmutz，1913

分布：陕西（杨陵、宁陕）、河南、浙江、湖北、江西、湖南、台湾、广东、海南、广西、四川、贵州、云南、西藏；朝鲜，日本，尼泊尔，印度，巴基斯坦，斯里兰卡，印度尼西亚，新几内亚，澳大利亚。

（48）八节黄蓟马 *Thrips flavidulus*（Bagnall，1923）

分布：陕西（汉中、安康）、辽宁、河北、山东、河南、宁夏、甘肃、江苏、浙江、湖北、江西、湖南、福建、台湾、广东、海南、广西、四川、贵州、云南、西藏；朝鲜，日本，尼泊尔，印度，斯里兰卡，东南亚。

（49）黄蓟马 *Thrips flavus* Schrank，1776

分布：陕西（长安、凤县）、河北、河南、江苏、浙江、湖北、湖南、福建、台湾、广东、海南、广西、贵州、云南；亚洲，欧洲，北美洲，马德拉群岛，马拉维。

（50）黄胸蓟马 *Thrips hawaiiensis*（Morgan，1913）

分布：陕西（杨陵、绥德，太白山）、河南、甘肃、江苏、浙江、湖北、湖南、台湾、广东、海南、广西、四川、云南、西藏；朝鲜，日本，越南，泰国，印度，孟加拉国，斯里兰卡，菲律宾，马来西亚，新加坡，印度尼西亚，巴基斯坦，新西兰，澳大利亚，巴布亚新几内亚，北美洲。

（51）大蓟马 *Thrips major* Uzel，1895

分布：陕西（淳化、杨陵、延安）、内蒙古、宁夏、甘肃、新疆；蒙古，俄罗斯，巴基斯坦，摩洛哥，欧洲，大洋洲个别岛屿。

（52）黑毛蓟马 *Thrips nigropilosus* Uzel，1895

分布：陕西（周至）、黑龙江、江苏、广东、四川；朝鲜，日本，土耳其，欧洲，非洲北部，美国，斐济，澳大利亚，新西兰。

（53）双附鬃蓟马 *Thrips pillichi* Priesner，1924

分布：陕西（太白）、甘肃、四川、西藏；欧洲。

（54）烟蓟马 *Thrips tabaci* Lindeman，1889

分布：陕西（长安、杨陵、凤县、洛川、黄龙、绥德）、吉林、辽宁、内蒙古、河北、山西、山东、河南、宁夏、甘肃、新疆、江苏、湖北、湖南、台湾、广东、海南、广西、四川、贵州、云南、西藏；世界广布。

(55) 蒲公英蓟马 *Thrips trehernei* **Priesner**，1927

分布：陕西(长安)、内蒙古、甘肃、青海、湖北；俄罗斯，欧洲，加拿大，美国。

管尾亚目 Tubulifera

三、管蓟马科 Phlaeothripidae

(一)灵管蓟马亚科 Idolothripinae

25．肚管蓟马属 *Gastrothrips* **Hood**，1912

(56) 宽盾肚管蓟马 *Gastrothrips eurypelta* **Cao，Guo** *et* **Feng**，2009

分布：陕西(长安、绥德)、河北。

26．岛管蓟马属 *Nesothrips* **Kirkaldy**，1907

(57) 短颈岛管蓟马 *Nesothrips brevicollis* (**Bagnall**，1914)

分布：陕西(眉县)、天津、山西、河南、浙江、湖北、湖南、福建、台湾、海南；日本，印度，菲律宾，印度尼西亚，毛里求斯，美国，斐济。

(二)管蓟马亚科 Phlaeothripinae

27．简管蓟马属 *Haplothrips* **Amyot** *et* **Serville**，1843

(58) 稻简管蓟马 *Haplothrips* (*Haplothrips*) *aculeatus* (**Fabricius**，1803)

分布：陕西(秦岭)、黑龙江、吉林、辽宁、内蒙古、北京、河北、山西、河南、宁夏、甘肃、新疆、江苏、安徽、湖北、湖南、福建、台湾、广东、海南、广西、四川、贵州、云南、西藏；俄罗斯，朝鲜，日本，东南亚，欧洲西部。

(59) 华简管蓟马 *Haplothrips* (*Haplothrips*) *chinensis* **Priesner**，1933

分布：陕西(汉中、柞水)、吉林、北京、河北、山西、河南、宁夏、新疆、江苏、安徽、浙江、湖北、湖南、福建、台湾、广东、海南、广西、贵州、云南、西藏；朝鲜，日本。

(60) 麦简管蓟马 *Haplothrips* (*Haplothrips*) *tritici* (**Kurdjumov**，1912)

分布：陕西(汉阴)，黄河以北广布；俄罗斯，朝鲜，欧洲。

28．器管蓟马属 *Hoplothrips* **Amyot** *et* **Serville**，1843

(61) 日本器管蓟马 *Hoplothrips japonicus* (**Karny**，1913)

分布：陕西（汉阴）、江苏、江西、福建、广东、海南；日本。

广翅目 Megaloptera

一、齿蛉科 Corydalidae

（一）齿蛉亚科 Corydalinae

1. 巨齿蛉属 *Acanthacorydalis* van der Weele，1907

（1）东方巨齿蛉 *Acanthacorydalis orientalis*（McLachlan，1899）
分布：陕西（周至、太白、留坝、佛坪、洋县、旬阳、柞水、丹凤、镇安）、北京、天津、河北、山西、河南、甘肃、湖北、湖南、福建、广东、重庆、四川、云南。

2. 齿蛉属 *Neoneuromus* van der Weele，1909

（2）普通齿蛉 *Neoneuromus ignobilis* Navás，1932
分布：陕西（佛坪）、山西、安徽、浙江、湖北、江西、湖南、福建、广东、广西、重庆、四川、贵州；越南。

3. 星齿蛉属 *Protohermes* van der Weele，1907

（3）尖突星齿蛉 *Protohermes acutatus* Liu，Hayashi *et* Yang，2007
分布：陕西（佛坪、旬阳）、湖北、重庆。

（4）湖北星齿蛉 *Protohermes hubeiensis* Yang *et* Yang，1992
分布：陕西（洋县）、湖北。

（5）炎黄星齿蛉 *Protohermes xanthodes* Navás，1913
分布：陕西（佛坪、洋县、旬阳、柞水、镇安、丹凤）、辽宁、北京、河北、山西、山东、河南、甘肃、安徽、浙江、湖北、江西、湖南、广东、广西、重庆、四川、贵州、云南；俄罗斯，朝鲜，韩国。

（二）鱼蛉亚科 Chauliodinae

4. 斑鱼蛉属 *Neochauliodes* van der Weele，1909

（6）缘点斑鱼蛉 *Neochauliodes bowringi*（McLachlan，1867）
分布：陕西（太白山）、江西、湖南、福建、广东、海南、香港、广西、贵州；越南。

（7）碎斑鱼蛉 *Neochauliodes parasparsus* Liu *et* Yang，2005
分布：陕西（周至、佛坪、宁陕、旬阳、柞水、镇安、丹凤）、山西、河南、甘肃、湖北、湖南、四川。

（8）圆端斑鱼蛉 *Neochauliodes rotundatus* **Tjeder，1937**

分布：陕西（佛坪、旬阳、柞水、镇安）、黑龙江、北京、河北、河南、甘肃、湖北、重庆、四川。

（9）小碎斑鱼蛉 *Neochauliodes sparsus* **Liu** *et* **Yang，2005**

分布：陕西（丹凤）、山东、河南、福建。

5．华鱼蛉属 *Sinochauliodes* **Liu** *et* **Yang，2006**

（10）灰翅华鱼蛉 *Sinochauliodes griseus*（**Yang** *et* **Yang，1992**）

分布：陕西（洋县）、浙江。

二、泥蛉科 Sialidae

6．泥蛉属 *Sialis* **Latreille，1802**

（11）河南泥蛉 *Sialis henanensis* **Liu** *et* **Yang，2006**

分布：陕西（周至）、河南。

蛇蛉目 Raphidioptera

一、盲蛇蛉科 Inocelliidae

1．华盲蛇蛉属 *Sininocellia* **Yang，1985**

（1）集昆华盲蛇蛉 *Sininocellia chikun* **Liu，Aspöck，Zhan** *et* **Aspöck，2012**

分布：陕西（宁陕）、河南。

二、蛇蛉科 Raphidiidae

2．Genus *Mongoloraphidia* **Aspöck** *et* **Aspöck，1968**

（2）*Mongoloraphidia duomilia*（**Yang，1998**）

分布：陕西（华阴）。

脉翅目 Neuroptera

一、粉蛉科 Coniopterygidae

   1. 粉蛉属 *Coniopteryx* Curtis, 1834

    （1）阿氏粉蛉 *Coniopteryx*（*Coniopteryx*）*aspoecki* Kis, 1967
     分布：陕西（秦岭）、吉林、内蒙古、北京、河北、山西、河南、宁夏、甘肃、上海、浙江、贵州；蒙古，欧洲。

    （2）爪角粉蛉 *Coniopteryx*（*Coniopteryx*）*prehensilis* Murphy *et* Lee, 1971
     分布：陕西（镇巴）、浙江、江西、福建、广西、四川、云南；印度，新加坡。

    （3）圣洁粉蛉 *Coniopteryx*（*Coniopteryx*）*pygmaea* Enderlein, 1906
     分布：陕西（秦岭）、辽宁、内蒙古、北京、河北、山西、宁夏、甘肃、浙江；亚洲，中东地区，欧洲。

   2. 啮粉蛉属 *Conwentzia* Enderlein, 1905

    （4）中华啮粉蛉 *Conwentzia sinica* Yang, 1974
     分布：陕西（周至、太白）、吉林、辽宁、河北、山西、甘肃、江苏、浙江、福建、广东、广西、云南。

   3. 重粉蛉属 *Semidalis* Enderlein, 1905

    （5）广重粉蛉 *Semidalis aleyrodiformis*（Stephens, 1836）
     分布：陕西（秦岭、周至）、吉林、辽宁、内蒙古、北京、天津、河北、山西、山东、河南、宁夏、甘肃、新疆、江苏、上海、安徽、浙江、湖北、江西、福建、广东、海南、香港、广西、重庆、四川、贵州、云南、西藏；日本，泰国，印度，尼泊尔，哈萨克斯坦，欧洲。

二、泽蛉科 Nevrorthidae

   4. 汉泽蛉属 *Nipponeurorthus* Nakahara, 1958

    （6）秦汉泽蛉 *Nipponeurorthus qinicus* Yang in Chen, 1998
     分布：陕西（安康）。

三、溪蛉科 Osmylidae

5. 异溪蛉属 *Heterosmylus* Krüger, 1913

(7) *Heterosmylus processus* Dong, Xu, Jia, Liu *et* Wang, 2016
分布：陕西(太白)。

(8) 神农异溪蛉 *Heterosmylus shennonganus* Yang, 1997
分布：陕西(宁陕)、河南、湖北、重庆。

(9) 卧龙异溪蛉 *Heterosmylus wolonganus* Yang, 1992
分布：陕西(宁陕)、河南、甘肃、四川。

6. 离溪蛉属 *Lysmus* Navás, 1911

(10) 胜利离溪蛉 *Lysmus victus* Yang, 1997
分布：陕西(秦岭)、河北、甘肃、浙江、湖北、湖南、贵州。

7. Genus *Osmylus* Latreille, 1802

(11) *Osmylus shaanxiensis* Xu, Wang *et* Liu, 2016
分布：陕西(周至)、甘肃。

四、栉角蛉科 Dilaridae

8. 栉角蛉属 *Dilar* Rambur, 1838

(12) 深斑栉角蛉 *Dilar spectabilis* Zhang, Liu, Aspöck *et* Aspöck, 2014
分布：陕西(太白、眉县、佛坪)、河南、宁夏、甘肃。

(13) 太白栉角蛉 *Dilar taibaishanus* Zhang, Liu, Aspöck *et* Aspöck, 2014
分布：陕西(眉县)。

五、螳蛉科 Mantispidae

9. 优螳蛉属 *Eumantispa* Okamoto, 1910

(14) 汉优螳蛉 *Eumantispa harmandi* (Navás, 1909)
分布：陕西(留坝、佛坪、洋县、宁陕)、吉林、北京、河北、湖北、湖南、台湾、四川；俄罗斯，韩国，日本，越南。

六、褐蛉科 Hemerobiidae

10. 钩翅褐蛉属 *Drepanepteryx* Leach，1815

（15）钩翅褐蛉 *Drepanepteryx phalaenoides*（Linnaeus，1758）

分布：陕西（宁陕）、黑龙江、吉林、北京；俄罗斯，日本，德国，瑞典，罗马尼亚。

11. 脉褐蛉属 *Micromus* Rambur，1842

（16）角纹脉褐蛉 *Micromus angulatus*（Stephens，1836）

分布：陕西（秦岭）、内蒙古、北京、河北、河南、宁夏、浙江、湖北、台湾、云南；日本，英国。

（17）点线脉褐蛉 *Micromus linearis* Hagen，1858

分布：陕西（柞水）、内蒙古、河南、宁夏、甘肃、浙江、湖北、江西、湖南、福建、台湾、广西、重庆、四川、贵州、云南、西藏；俄罗斯，日本，斯里兰卡。

（18）花斑脉褐蛉 *Micromus variegatus*（Fabricius，1793）

分布：陕西（秦岭）、河南、浙江、湖北、四川；日本，英国，加拿大。

12. 脉线蛉属 *Neuronema* McLachlan，1869

（19）薄叶脉线蛉 *Neuronema laminatum* Tjeder，1936

分布：陕西（太白山）、黑龙江、吉林、辽宁、内蒙古、北京、河北、山西、河南、宁夏、甘肃、安徽、湖北、湖南、福建、四川；俄罗斯。

（20）*Neuronema ypsilum* Zhao，Yan *et* Liu，2013

分布：陕西、北京。

七、草蛉科 Chrysopidae

13. 草蛉属 *Chrysopa* Leach，1815

（21）兜草蛉 *Chrysopa calathina* Yang *et* Yang，1989

分布：陕西（甘泉）。

（22）丽草蛉 *Chrysopa formosa* Brauer，1851

分布：陕西（武功、太白山）、黑龙江、吉林、辽宁、内蒙古、北京、河北、山西、山东、河南、宁夏、甘肃、青海、新疆、江苏、安徽、浙江、湖北、江西、湖南、福建、广东、四川、贵州、云南、西藏；蒙古，俄罗斯，朝鲜，日本，欧洲。

（23）多斑草蛉 *Chrysopa intima* McLachlan，1893

分布：陕西（秦岭）、黑龙江、吉林、辽宁、内蒙古、山西、甘肃、湖北、四川、云南；俄罗斯，朝鲜，日本，欧洲。

（24）大草蛉 *Chrysopa pallens*（**Rambur, 1838**）

分布：陕西（西安、周至、武功、南郑、宁陕、商南）、黑龙江、吉林、辽宁、内蒙古、北京、河北、山西、山东、河南、宁夏、甘肃、新疆、江苏、安徽、浙江、湖北、江西、湖南、福建、台湾、广东、海南、广西、四川、贵州、云南；俄罗斯，朝鲜，日本，欧洲。

（25）叶色草蛉 *Chrysopa phyllochroma* **Wesmael, 1841**

分布：陕西（秦岭）、黑龙江、吉林、辽宁、内蒙古、北京、河北、山西、河南、宁夏、甘肃、新疆、山东、江苏、安徽、浙江、湖北、湖南、福建、四川、西藏；俄罗斯，朝鲜，日本，欧洲。

14．通草蛉属 *Chrysoperla* **Steinmann, 1964**

（26）普通草蛉 *Chrysoperla carnea*（**Stephens, 1836**）

分布：陕西（长安）、内蒙古、北京、河北、山西、山东、河南、新疆、上海、安徽、湖北、广东、广西、四川、云南；古北区。

（27）日本通草蛉 *Chrysoperla nipponensis*（**Okamoto, 1914**）

分布：陕西（长安、周至、武功、凤县）、黑龙江、吉林、辽宁、内蒙古、北京、河北、山西、山东、甘肃、江苏、浙江、福建、广东、海南、广西、四川、贵州、云南；蒙古，俄罗斯，朝鲜，日本，菲律宾。

（28）秦通草蛉 *Chrysoperla qinlingensis* **Yang** *et* **Yang, 1989**

分布：陕西（秦岭）。

（29）突通草蛉 *Chrysoperla thelephora* **Yang** *et* **Yang, 1989**

分布：陕西（眉县）。

（30）榆林通草蛉 *Chrysoperla yulinica* **Yang** *et* **Yang, 1989**

分布：陕西（榆林）。

15．线草蛉属 *Cunctochrysa* **Hölzel, 1970**

（31）白线草蛉 *Cunctochrysa albolineata*（**Killington, 1935**）

分布：陕西（武功）、北京、山西、湖北、江西、福建、四川、贵州、云南、西藏；俄罗斯，欧洲。

（32）中华线草蛉 *Cunctochrysa sinica* **Yang** *et* **Yang, 1989**

分布：陕西（太白山）。

16. 玛草蛉属 *Mallada* Navás, 1924

（33）亚非玛草蛉 *Mallada desjardinsi*（Navás, 1911）
　　分布：陕西（周至）、浙江、湖北、江西、湖南、福建、台湾、广东、海南、广西、四
川、贵州、云南；东洋区，非洲区。

17. 尼草蛉属 *Nineta* Navás, 1912

（34）多尼草蛉 *Nineta abunda* Yang *et* Yang, 1989
　　分布：陕西（甘泉）。

（35）陕西尼草蛉 *Nineta shaanxiensis* Yang *et* Yang, 1989
　　分布：陕西（太白、宁陕）。

（36）玉带尼草蛉 *Nineta vittata*（Wesmael, 1841）
　　分布：陕西（宁强）、黑龙江、内蒙古、宁夏、湖北、湖南、台湾、四川；俄罗斯，
朝鲜，日本，欧洲。

18. 幻草蛉属 *Nothochrysa* McLachlan, 1868

（37）中华幻草蛉 *Nothochrysa sinica* Yang, 1986
　　分布：陕西（西安、宁陕）、宁夏、甘肃、湖北。

19. 叉草蛉属 *Pseudomallada* Tsukaguchi, 1995

（38）香叉草蛉 *Pseudomallada aromatica*（Yang *et* Yang, 1989）
　　分布：陕西（周至）。

（39）脊背叉草蛉 *Pseudomallada carinata*（Dong, Cui *et* Yang, 2004）
　　分布：陕西（宁陕）、甘肃。

（40）周氏叉草蛉 *Pseudomallada choui*（Yang *et* Yang, 1989）
　　分布：陕西（太白、凤县、留坝、宁陕）、黑龙江、甘肃、湖北、云南。

（41）红面叉草蛉 *Pseudomallada flammefrontata*（Yang *et* Yang, 1990）
　　分布：陕西（宁陕）、甘肃、福建、云南。

（42）震旦叉草蛉 *Pseudomallada heudei*（Navás, 1934）
　　分布：陕西（佛坪）、江苏、海南、云南。

（43）华山叉草蛉 *Pseudomallada huashanensis*（Yang *et* Yang, 1989）
　　分布：陕西（华阴）、甘肃。

（44）鄂叉草蛉 *Pseudomallada hubeiana*（Yang *et* Wang, 1990）
　　分布：陕西（勉县）、湖北、云南。

（45）跃叉草蛉 *Pseudomallada ignea*（**Yang** *et* **Yang, 1990**）
分布：陕西（宁陕）、海南、云南。

（46）重斑叉草蛉 *Pseudomallada illota*（**Navás, 1908**）
分布：陕西（周至、留坝、佛坪）、北京、河南、甘肃、湖北、四川。

（47）间绿叉草蛉 *Pseudomallada mediata*（**Yang** *et* **Yang, 1993**）
分布：陕西（洋县）、贵州、西藏。

（48）秦岭叉草蛉 *Pseudomallada qinlingensis*（**Yang** *et* **Yang, 1989**）
分布：陕西（秦岭）、甘肃、安徽、湖北、四川。

（49）春叉草蛉 *Pseudomallada verna*（**Yang** *et* **Yang, 1989**）
分布：陕西（长安）、甘肃、云南。

20．饰草蛉属 *Semachrysa* **Brooks, 1983**

（50）延安饰草蛉 *Semachrysa yananica* **Yang** *et* **Yang, 1989**
分布：陕西（延安）。

21．俗草蛉属 *Suarius* **Navás, 1914**

（51）华山俗草蛉 *Suarius huashanensis* **Yang** *et* **Yang, 1989**
分布：陕西（华阴）。

（52）黄褐俗草蛉 *Suarius yasumatsui*（**Kuwayama, 1962**）
分布：陕西（武功、周至）、甘肃、新疆、安徽、福建、广西。

八、蚁蛉科 Myrmeleontidae

22．帛蚁蛉属 *Bullanga* **Navás, 1917**

（53）长裳帛蚁蛉 *Bullanga florida*（**Navás, 1913**）
分布：陕西（镇巴）、河南、浙江、湖北、湖南、福建、四川、贵州、云南；印度尼西亚。

23．树蚁蛉属 *Dendroleon* **Brauer, 1866**

（54）褐纹树蚁蛉 *Dendroleon pantherinus*（**Fabricius, 1787**）
分布：陕西（周至、佛坪、洋县）、内蒙古、北京、河北、山西、山东、宁夏、甘肃、浙江、湖北、福建；欧洲。

24．距蚁蛉属 *Distoleon* **Banks, 1910**

（55）黑斑距蚁蛉 *Distoleon nigricans*（**Matsumura, 1905**）

分布：陕西(周至)、北京、河北、山东、河南、安徽、浙江、湖北、湖南、福建、贵州；韩国，日本。

25．溪蚁蛉属 *Epacanthaclisis* Okamoto，1910

（56）陆溪蚁蛉 *Epacanthaclisis continentalis* Esben-Petersen，1935

分布：陕西(宁陕)、北京、河南、海南、四川、云南、西藏；阿富汗，印度，塔吉克斯坦。

（57）闽溪蚁蛉 *Epacanthaclisis minanus*（Yang，1999）

分布：陕西(周至)、浙江、湖北、福建、广西、贵州、

（58）宁陕溪蚁蛉 *Epacanthaclisis ningshanus* Wan *et* Wang，2010

分布：陕西(佛坪、宁陕)。

26．东蚁蛉属 *Euroleon* Esben-Petersen，1918

（59）朝鲜东蚁蛉 *Euroleon coreanus*（Okamoto，1926）

分布：陕西(秦岭)、辽宁、内蒙古、北京、河北、山西、山东、河南、宁夏、甘肃、新疆、湖北、湖南、四川、贵州；蒙古，朝鲜。

27．锦蚁蛉属 *Gatzara* Navás，1915

（60）小华锦蚁蛉 *Gatzara decorilla*（Yang，1997）

分布：陕西(宁陕)、河南、甘肃、浙江、湖北。

28．双蚁蛉属 *Mesonemurus* Navás，1920

（61）蒙双蚁蛉 *Mesonemurus mongolicus* Hölzel，1970

分布：陕西(佛坪)、内蒙古、宁夏、青海；蒙古。

29．蚁蛉属 *Myrmeleon* Linnaeus，1767

（62）钩臀蚁蛉 *Mymeleon bore*（Tjeder，1941）

分布：陕西(太白)、北京、河北、山西、山东、河南、湖北、福建、台湾、四川；俄罗斯，韩国，日本，欧洲，澳大利亚。

（63）狭翅蚁蛉 *Myrmeleon trivialis* Gerstaecker，1885

分布：陕西(佛坪)、河南、广西、贵州、云南、西藏；泰国，印度，尼泊尔，巴基斯坦。

九、蝶角蛉科 Ascalaphidae

（一）裂眼蝶角蛉亚科 Ascalaphinae

30. 锯角蝶角蛉属 *Acheron* Lefèbvre，1842

（64）锯角蝶角蛉 *Acheron trux*（Walker，1853）

分布：陕西（镇巴）、河南、浙江、湖北、江西、湖南、福建、台湾、海南、广西、四川、贵州、云南、西藏；日本，泰国，缅甸，印度，不丹，孟加拉国，马来西亚。

31. 丽蝶角蛉属 *Libelloides* Schäffer，1763

（65）黄花丽蝶角蛉 *Libelloides sibiricus*（Eversmann，1850）

分布：陕西（周至）、吉林、辽宁、内蒙古、北京、河北、山西、山东、河南、甘肃；俄罗斯，朝鲜。

32. 玛蝶角蛉属 *Maezous* Ábrahám，2008

（66）狭翅玛蝶角蛉 *Maezous umbrosus*（Esben-Petersen，1913）

分布：陕西（眉县、佛坪）、河南、浙江、湖北、江西、湖南、广西、四川、贵州、云南。

（二）完眼蝶角蛉亚科 Haplogleniinae

33. 原完眼蝶角蛉属 *Protidricerus* van der Weele，1908

（67）原完眼蝶角蛉 *Protidricerus exilis*（McLachlan，1894）

分布：陕西（眉县）、甘肃、湖北、四川、云南。

毛翅目 Trichoptera

环须亚目 Annulipalpia

一、纹石蛾科 Hydropsychidae

1. 弓石蛾属 *Arctopsyche* McLachlan，1868

（1）带刺弓石蛾 *Arctopsyche spinescens* Gui *et* Yang，2000

分布：陕西(凤县、宁陕)。

2．短脉纹石蛾属 *Cheumatopsyche* Wallengren，1891

(2) 条尾短脉纹石蛾 *Cheumatopsyche albofasciata*（McLachlan，1872）
分布：陕西(留坝、佛坪)、黑龙江、吉林、河北、甘肃、江苏、安徽、浙江、湖北；俄罗斯。

(3) *Cheumatopsyche faniel* Malicky，2015
分布：陕西。

(4) 挂墩短脉纹石蛾 *Cheumatopsyche guadunica* Li，1988
分布：陕西(宁陕)、甘肃、福建、四川。

(5) *Cheumatopsyche infascia* Martynov，1934
分布：陕西；俄罗斯，朝鲜，韩国，日本。

(6) *Cheumatopsyche jeliel* Malicky，2015
分布：陕西。

3．Genus *Homoplectra* Ross，1938

(7) *Homoplectra meyi* Malicky，2015
分布：陕西。

4．纹石蛾属 *Hydropsyche* Pictet，1834

(8) 柯隆纹石蛾 *Hydropsyche columnata* Martynov，1931
分布：陕西(太白、佛坪)、北京、河南、江西、四川、贵州、云南。

(9) 度龙纹石蛾 *Hydropsyche dolon* Malicky *et* Mey，2000
分布：陕西(太白、佛坪、宁陕)、甘肃。

(10) 福地纹石蛾 *Hydropsyche futiel* Malicky，2012
分布：陕西(周至)。

(11) 鳝茎纹石蛾 *Hydropsyche pellucidula*（Curtis，1834）
分布：陕西(宁陕)、甘肃、上海；欧洲，中东，美国。

(12) 截茎纹石蛾 *Hydropsyche penicillata* Martynov，1931
分布：陕西(凤县、眉县)、山西、福建、四川、云南。

(13) 三孔纹石蛾 *Hydropsyche trifora* Li *et* Tian，1990
分布：陕西(眉县)、河南、安徽、江西、贵州。

(14) 瓦尔纹石蛾 *Hydropsyche valvata* Martynov，1927
分布：陕西(太白、眉县)、黑龙江、安徽、浙江、湖北、云南；蒙古，俄罗斯，朝鲜，韩国，哈萨克斯坦。

5. 绒弓石蛾属 *Parapsyche* Betten，1934

（15）亚洲绒弓石蛾 *Parapsyche asiatica* Schmid，1959
　　分布：陕西（太白山）。

二、等翅石蛾科 Philopotamidae

6. 短室等翅石蛾属 *Dolophilodes* Ulmer，1909

（16）弯背短室等翅石蛾 *Dolophilodes retrocurvata* Sun *et* Malicky，2002
　　分布：陕西（宁陕）、河南。

7. 栉等翅石蛾属 *Kisaura* Ross，1956

（17）亚氏栉等翅石蛾 *Kisaura adamickai* Sun *et* Malicky，2002
　　分布：陕西（眉县、宝鸡、留坝、佛坪）、河南、甘肃、浙江。
（18）阿萌栉等翅石蛾 *Kisaura almoel* Malicky，2012
　　分布：陕西（太白山）。
（19）陕西栉等翅石蛾 *Kisaura shaanxiensis* Sun *et* Malicky，2002
　　分布：陕西（宁陕）。

8. 蠕形等翅石蛾属 *Wormaldia* McLachlan，1865

（20）裂背蠕形等翅石蛾 *Wormaldia dissecta* Sun *et* Malicky，2002
　　分布：陕西（留坝）。
（21）方肢蠕形等翅石蛾 *Wormaldia quadrata* Sun *et* Malicky，2002
　　分布：陕西（宁陕）、河南。

三、角石蛾科 Stenopsychidae

9. 角石蛾属 *Stenopsyche* McLachlan，1866

（22）阿那角石蛾 *Stenopsyche anaximander* Malicky，2011
　　分布：陕西（秦岭）。
（23）狭窄角石蛾 *Stenopsyche angustata* Martynov，1930
　　分布：陕西（周至）、甘肃、浙江、江西、湖南、福建、广东、广西、四川。
（24）格氏角石蛾 *Stenopsyche grahami* Martynov，1931

分布：陕西（周至）、甘肃、湖北、四川、云南、西藏。

（25）纳氏角石蛾 *Stenopsyche navasi* Ulmer，1925

分布：陕西（太白山）、天津、山东、甘肃、浙江、湖北、广西、四川、云南、西藏；老挝。

（26）宁陕角石蛾 *Stenopsyche ningshanensis* Xu，Wang *et* Sun，2014

分布：陕西（宁陕）。

（27）短毛角石蛾 *Stenopsyche pubescens* Schmid，1959

分布：陕西（太白山）。

（28）圆突角石蛾 *Stenopsyche rotundata* Schmid，1965

分布：陕西（太白山）、山东、浙江。

（29）西顿角石蛾 *Stenopsyche sidon* Malicky，2012

分布：陕西（西安，秦岭）。

（30）单枝角石蛾 *Stenopsyche simplex* Schmid，1959

分布：陕西（太白山）。

（31）细弯角石蛾 *Stenopsyche sinuolata* Xu，Sun *et* Wang，2013

分布：陕西（留坝、宁陕）。

（32）天目山角石蛾 *Stenopsyche tienmushanensis* Hwang，1957

分布：陕西（太白、佛坪）、甘肃、安徽、浙江、湖南、广西、贵州。

（33）短脊角石蛾 *Stenopsyche triangularis* Schmid，1959

分布：陕西（太白山，宁陕）。

四、多距石蛾科 Polycentropodidae

10. 闭径多距石蛾属 *Nyctiophylax* Brauer，1865

（34）等叶闭径多距石蛾 *Nyctiophylax adaequatus* Wang *et* Yang，1997

分布：陕西（宝鸡）、河南、广东、广西、贵州。

11. 缘脉多距石蛾属 *Plectrocnemia* Stephen，1836

（35）锄形缘脉多距石蛾 *Plectrocnemia hoenei* Schmid，1965

分布：陕西（眉县）、山西、安徽、浙江、江西、广东、广西。

（36）铅山缘脉多距石蛾 *Plectrocnemia qianshanensis* Morse，Zhong *et* Yang，2012

分布：陕西（佛坪）、安徽、江西。

12. 缺叉多距石蛾属 *Polyplectropus* Ulmer，1905

（37）南京缺叉多距石蛾 *Polyplectropus nanjingensis* Li *et* Morse，1997

分布：陕西（华阴）、江苏。

五、蝶石蛾科 Psychomyiidae

13．蝶石蛾属 *Psychomyia* Latreille，1829

（38）安德列蝶石蛾 *Psychomyia adriel* Malicky，2012
　　分布：陕西（宁陕）。

（39）亚里蝶石蛾 *Psychomyia aristophanes* Malicky，2011
　　分布：陕西（秦岭）。

（40）*Psychomyia pensottii* Malicky，2015
　　分布：陕西（秦岭）。

14．齿叉蝶石蛾属 *Tinodes* Curtis，1834

（41）*Tinodes asoriel* Malicky，2015
　　分布：陕西。

（42）三突齿叉蝶石蛾 *Tinodes gamsiel* Malicky，2012
　　分布：陕西（周至）。

完须亚目 Integripalpia

六、长角石蛾科 Leptoceridae

15．Genus *Setodes* Rambur，1842

（43）*Setodes drusiel* Malicky，2017
　　分布：陕西。

16．叉长角石蛾属 *Triaenodes* McLachlan，1865

（44）秦岭叉长角石蛾 *Triaenodes qinglingensis* Yang *et* Morse，2000
　　分布：陕西（秦岭）、安徽、江西、福建、四川；日本，泰国，老挝。

七、锚石蛾科 Limnocentropodidae

17．锚石蛾属 *Limnocentropus* Ulmer，1907

（45）弓臂锚石蛾 *Limnocentropus arcuatus* Yang *et* Morse，2005

分布：陕西（眉县）、甘肃。

八、齿角石蛾科 Odontoceridae

18. 奇齿角石蛾属 *Lannapsyche* Malicky，1989

（46）四川奇齿角石蛾 *Lannapsyche setschuana* Malicky *et* Chantaramongkol，1995
分布：陕西（周至、凤县、宁陕）、四川。

19. 滨齿角石蛾属 *Marilia* Muller，1880

（47）端突滨齿角石蛾 *Marilia albofusca* Schmid，1959
分布：陕西（秦岭）、广东、广西、云南；尼泊尔。

20. 裸齿角石蛾属 *Psilotreta* Banks，1899

（48）秦岭裸齿角石蛾 *Psilotreta quinglingshanensis* Mey *et* Yang，2001
分布：陕西（太白山）、四川。

九、幻石蛾科 Apataniidae

21. 幻石蛾属 *Apatania* Kolenati，1848

（49）梳毛幻石蛾 *Apatania pectinella* Mey *et* Yang，1998
分布：陕西（周至、宝鸡）。

（50）辛氏幻石蛾 *Apatania siniaevi* Mey *et* Yang，2001
分布：陕西（周至）。

（51）北京幻石蛾 *Apatania yenchingensis* Ulmer，1932
分布：陕西（凤县）、北京。

22. 腹突幻石蛾 *Apatidelia* Mosely，1942

（52）耶吉腹突幻石蛾 *Apatidelia egibiel* Malicky，2012
分布：陕西（周至、大巴山）。

十、瘤石蛾科 Goeridae

23. 瘤石蛾属 *Goera* Stephens，1829

（53）阿美瘤石蛾 *Goera almesiel* Malicky，2012

　　　　分布：陕西(周至)。

(54) *Goera choriel* **Malicky, 2017**
　　　　分布：陕西。

(55) 广岐瘤石蛾 *Goera diversa* **Yang, 1997**
　　　　分布：陕西(周至)、山西、河南。

(56) 赫末瘤石蛾 *Goera hermodorus* **Malicky, 2011**
　　　　分布：陕西(秦岭)。

(57) *Goera sardiel* **Malicky, 2017**
　　　　分布：陕西。

十一、沼石蛾科 Limnephilidae

　　24. 弧缘石蛾属 *Anabolia* Stephens, 1837

(58) 亚方弧缘沼石蛾 *Anabolia subquadrata* **Martynov, 1930**
　　　　分布：陕西(眉县)。

(59) 太白弧缘沼石蛾 *Anabolia taibaishanica* **Mey *et* Yang, 2001**
　　　　分布：陕西(周至)。

　　25. 多斑沼石蛾属 *Lenarchus* Martynov, 1914

(60) 矩形多斑沼石蛾 *Lenarchus recotangulatus* **Mey *et* Yang, 2001**
　　　　分布：陕西(周至)。

　　26. 沼石蛾属 *Limnephilus* Leach, 1815

(61) 颚肢沼石蛾 *Limnephilus mandibulus* **Yang *et* Yang, 2005**
　　　　分布：陕西(周至)、甘肃。

　　27. 长须沼石蛾属 *Nothopsyche* Banks, 1906

(62) 双色长须沼石蛾 *Nothopsyche bicolorata* **Mey *et* Yang, 2001**
　　　　分布：陕西(太白山)。

(63) 细齿长须沼石蛾 *Nothopsyche dentinosa* **Mey *et* Yang, 2001**
　　　　分布：陕西(太白山)。

　　28. 伪突石蛾属 *Pseudostenophylax* Martynov, 1909

(64) 毛头伪突沼石蛾 *Pseudostenophylax capitatus* **Yang *et* Yang, 2005**

分布：陕西（宁陕）。

（65）背角伪突沼石蛾 *Pseudostenophylax dorsoproceris* **Leng** *et* **Yang，1997**

　　　分布：陕西（周至、宝鸡）、河南。

（66）柯里顿伪突沼石蛾 *Pseudostenophylax kriton* **Malicky，2011**

　　　分布：陕西（秦岭）。

（67）*Pseudostenophylax nachiel* **Malicky，2013**

　　　分布：陕西。

（68）*Pseudostenophylax oeniel* **Malicky，2013**

　　　分布：陕西。

（69）苏氏伪突沼石蛾 *Pseudostenophylax sokrates* **Malicky，2011**

　　　分布：陕西（秦岭）。

（70）新月伪突沼石蛾 *Pseudostenophylax sophar* **Schmid，1991**

　　　分布：陕西（太白山）。

（71）*Pseudostenophylax suni* **Malicky，2015**

　　　分布：陕西。

（72）独角伪突沼石蛾 *Pseudostenophylax unicornis* **Mey** *et* **Yang，2001**

　　　分布：陕西（周至、宝鸡）。

（73）*Pseudostenophylax yangae* **Malicky，2015**

　　　分布：陕西。

29.　溪沼石蛾属 *Rivulophilus* Nishmoto，Nozaki *et* Ruiter，2000

（74）大陆溪沼石蛾 *Rivulophilus continentis* **Mey** *et* **Yang，2001**

　　　分布：陕西（周至、宝鸡）。

十二、宽翅石蛾科 Thremmatidae

30.　新宽石蛾属 *Neophylax* McLachlan，1871

（75）黄褐新宽石蛾 *Neophylax flavus* **Mey** *et* **Yang，2001**

　　　分布：陕西（周至、太白）、四川。

十三、短石蛾科 Brachycentridae

31.　小短石蛾属 *Micrasema* McLachlan，1876

（76）法努小短石蛾 *Micrasema fanuel* **Malicky，2012**

分布：陕西（周至）。

十四、鳞石蛾科 Lepidostomatidae

32. 鳞石蛾属 *Lepidostoma* Rambur，1842

（77）发达鳞石蛾 *Lepidostoma fadahel* Malicky，2012
分布：陕西（周至）。

（78）黄氏鳞石蛾 *Lepidostoma huangi* Yang *et* Weaver，2002
分布：陕西（宝鸡）、贵州。

（79）长毛鳞石蛾 *Lepidostoma longipilosum* （Schmid，1965）
分布：陕西（宁陕）、河南、青海、安徽、湖北、四川、云南。

（80）西尼加鳞石蛾 *Lepidostoma seneca* Malicky，2011
分布：陕西（秦岭）。

十五、石蛾科 Phryganeidae

33. 褐纹石蛾属 *Eubasilissa* Martynov，1930

（81）老子褐纹石蛾 *Eubasilissa laotzi* Mey *et* Yang，2001
分布：陕西（周至）。

（82）橙褐纹石蛾 *Eubasilissa mandarina* Schmid，1959
分布：陕西（太白、宁陕）、辽宁、河南、甘肃、四川。

（83）莫氏褐纹石蛾 *Eubasilissa morsei* Yang *et* Yang，2006
分布：陕西（眉县）、甘肃。

（84）深色褐纹石蛾 *Eubasilissa regina* （McLachlan，1871）
分布：陕西（周至）、山东、河南、台湾、四川、云南、西藏；俄罗斯，日本，印度。

十六、拟石蛾科 Phryganopsychidae

34. 拟石蛾属 *Phryganopsyche* Wiggins，1959

（85）宽羽拟石蛾 *Phryganopsyche latipennis* （Banks，1906）
分布：陕西（周至）、安徽、浙江、江西、福建；俄罗斯（远东南部），日本，越南，泰国，缅甸，印度。

尖须亚目 Spicipalpia

十七、水石蛾科 Hydrobiosidae

35. Genus *Apsilochorema* Ulmer, 1907

(86) *Apsilochorema dellabrunai* Malicky, 2015
分布: 陕西。

十八、舌石蛾科 Glossosomatidae

36. Genus *Agapetus* Curtis, 1834

(87) *Agapetus galloi* Malicky, 2015
分布: 陕西。

37. 舌石蛾属 *Glossosoma* Curtis, 1834

(88) 大码舌石蛾 *Glossosoma damabiah* Malicky, 2012
分布: 陕西(周至)。
(89) 异卷带长肢舌石蛾 *Glossosoma disparile* Yang *et* Morse, 2002
分布: 陕西(宁陕)。
(90) 宽叶长肢舌石蛾 *Glossosoma phyllon* Yang *et* Morse, 2002
分布: 陕西(宁陕)。
(91) 陕西舌石蛾 *Glossosoma shaanxiense* Yang *et* Morse, 2002
分布: 陕西(周至)。
(92) *Glossosoma spinosum* Morse *et* Yang, 2005
分布: 陕西、甘肃。
(93) 拟等叶舌石蛾 *Glossosoma subaequale* Schmid, 1971
分布: 陕西(周至、宁陕)、河南、福建。
(94) 卷带长肢舌石蛾 *Glossosoma tortum* Yang *et* Morse, 2002
分布: 陕西(留坝、宁陕)、甘肃。

十九、原石蛾科 Rhyacophilidae

38. 喜原石蛾属 *Himalopsyche* Banks, 1940

(95) 丹喜原石蛾 *Himalopsyche danael* Malicky, 2012

分布：陕西(秦岭)。

39．原石蛾属 *Rhyacophila* Pictet，1834

(96) 喇叭原石蛾 *Rhyacophila bucina* Malicky *et* Sun，2002
分布：陕西(周至、宁陕)。

(97) 钳形原石蛾 *Rhyacophila forcipata* Malicky *et* Sun，2002
分布：陕西(周至、宝鸡、留坝、宁陕)。

(98) 暗色原石蛾 *Rhyacophila furva* Malicky *et* Sun，2002
分布：陕西(宁陕)。

(99) 莫氏原石蛾 *Rhyacophila morsei* Malicky *et* Sun，2002
分布：陕西(宁陕)、甘肃。

(100) *Rhyacophila quadrifida* Sun *et* Yang，1995
分布：陕西、北京。

(101) 陕西原石蛾 *Rhyacophila shaanxiensis* Malicky *et* Sun，2002
分布：陕西(宝鸡、宁陕)。

(102) 单节原石蛾 *Rhyacophila unisegmentalis* Malicky *et* Sun，2002
分布：陕西(宁陕)。

(103) 花瓶原石蛾 *Rhyacophila vascula* Malicky *et* Sun，2002
分布：陕西(留坝、宁陕)。

长翅目 Mecoptera

一、蚊蝎蛉科 Bittacidae

1．蚊蝎蛉属 *Bittacus* Latreille，1805

(1) 双叉蚊蝎蛉 *Bittacus bifurcatus* Hua *et* Tan，2008
分布：陕西(户县、眉县)。

(2) 周氏蚊蝎蛉 *Bittacus choui* Hua *et* Tan，2007
分布：陕西(南郑)。

(3) 环带蚊蝎蛉 *Bittacus cirratus* Tjeder，1956
分布：陕西(周至、太白、眉县、凤县、佛坪)、黑龙江、吉林、江苏、浙江、湖北、江西。

(4) 淡黄蚊蝎蛉 *Bittacus flavidus* Huang *et* Hua，2005

　　　　分布：陕西（太白、眉县、宁陕）、湖北。

　（5）暗蚊蝎蛉 *Bittacus obscurus* **Huang** *et* **Hua，2005**
　　　　分布：陕西（凤县、宁陕）、河南、湖北、四川、云南。

　（6）扁蚊蝎蛉 *Bittacus planus* **Cheng，1949**
　　　　分布：陕西（长安、户县、太白、华阴、佛坪、宁陕）、河南。

　（7）净翅蚊蝎蛉 *Bittacus puripennatus* **Cai** *et* **Hua，2006**
　　　　分布：陕西（汉中）。

　（8）纹翅蚊蝎蛉 *Bittacus strigatus* **Hua** *et* **Chou，1998**
　　　　分布：陕西（周至、太白、眉县、宁陕）、河南。

　（9）四边蚊蝎蛉 *Bittacus trapezoideus* **Huang** *et* **Hua，2005**
　　　　分布：陕西（宝鸡、凤县、宁陕）、甘肃、湖北。

　2. 地蚊蝎蛉属 *Terrobittacus* **Tan** *et* **Hua，2009**

　（10）具刺地蚊蝎蛉 *Terrobittacus echinatus*（**Hua** *et* **Huang，2008**）
　　　　分布：陕西（长安、佛坪）、河南、福建。

　（11）缠绕地蚊蝎蛉 *Terrobittacus implicatus*（**Huang** *et* **Hua，2006**）
　　　　分布：陕西（秦岭）。

二、蝎蛉科 **Panorpidae**

　3. 单角蝎蛉属 *Cerapanorpa* **Gao，Ma** *et* **Hua，2016**

　（12）二角单角蝎蛉 *Cerapanorpa bicornifera*（**Chou** *et* **Wang，1981**）
　　　　分布：陕西（秦岭）。

　（13）短角单角蝎蛉 *Cerapanorpa brevicornis*（**Hua** *et* **Li，2007**）
　　　　分布：陕西（太白、凤县、南郑、宁陕）、湖北、四川。

　（14）拜尔斯单角蝎蛉 *Cerapanorpa byersi*（**Hua** *et* **Huang，2007**）
　　　　分布：陕西（太白）、甘肃。

　（15）拟华山单角蝎蛉 *Cerapanorpa dubia*（**Chou** *et* **Wang，1981**）
　　　　分布：陕西（太白、凤县、华阴、宁陕）、河南、宁夏、甘肃。

　（16）华山单角蝎蛉 *Cerapanorpa emarginata*（**Cheng，1949**）
　　　　分布：陕西（长安、凤县、华阴、宁陕）、河南、甘肃、湖北。

　（17）南五台单角蝎蛉 *Cerapanorpa nanwutaina*（**Chou，1981**）
　　　　分布：陕西（长安、周至、太白、宁陕）、甘肃、湖北。

　（18）太白单角蝎蛉 *Cerapanorpa obtusa*（**Cheng，1949**）

分布：陕西(太白、眉县、凤县)、宁夏、甘肃。

(19) *Cerapanorpa protrudens* Gao, Ma *et* Hua, 2016

　　分布：陕西。

(20) 任氏单角蝎蛉 *Cerapanorpa reni* (Chou, 1981)

　　分布：陕西(周至、太白、宁陕)。

(21) 弯曲单角蝎蛉 *Cerapanorpa sinuata* Gao, Ma *et* Hua, 2016

　　分布：陕西(宁陕)。

4.　双角蝎蛉属 *Dicerapanorpa* Zhong *et* Hua, 2013

(22) 大双角蝎蛉 *Dicerapanorpa magna* (Chou, 1981)

　　分布：陕西(周至、太白、宁陕)、甘肃。

5.　叉蝎蛉属 *Furcatopanorpa* Ma *et* Hua, 2011

(23) 长瓣叉蝎蛉 *Furcatopanorpa longihypovalva* (Hua *et* Cai, 2009)

　　分布：陕西(周至、太白、凤县、留坝、南郑、镇坪)、甘肃、湖北。

6.　新蝎蛉属 *Neopanorpa* Weele, 1909

(24) 黎坪新蝎蛉 *Neopanorpa lipingensis* Cai *et* Hua, 2009

　　分布：陕西(黎坪)、甘肃。

(25) 河南新蝎蛉 *Neopanorpa longiprocessa* Hua *et* Chou, 1997

　　分布：陕西(宁陕)、河南。

(26) 路氏新蝎蛉 *Neopanorpa lui* Chou *et* Ran, 1981

　　分布：陕西(太白、凤县、留坝、南郑)、甘肃。

(27) 申氏新蝎蛉 *Neopanorpa sheni* Hua *et* Chou, 1997

　　分布：陕西(宁陕)、河南。

7.　蝎蛉属 *Panorpa* Linnaeus, 1758

(28) *Panorpa biclada* Zhang *et* Hua, 2012

　　分布：陕西(岚皋)、湖北。

(29) 双带蝎蛉 *Panorpa bifasciata* Chou *et* Wang, 1981

　　分布：陕西(长安、户县、眉县、凤县、留坝、南郑、宁陕)、河南、湖北。

(30) 郑氏蝎蛉 *Panorpa chengi* Chou, 1981

　　分布：陕西(周至、太白、眉县、凤县、华阴、宁陕)、甘肃。

(31) 淡色蝎蛉 *Panorpa decolorata* Chou *et* Wang, 1981

分布:陕西(太白、眉县、宁陕)、河南、湖北。

(32) 淡黄蝎蛉 *Panorpa fulvastra* **Chou, 1981**
分布:陕西(太白、眉县、凤县、留坝、南郑、佛坪)、甘肃。

(33) 新刺蝎蛉 *Panorpa neospinosa* **Chou et Wang, 1981**
分布:陕西(周至、凤县)、甘肃。

(34) 秦岭蝎蛉 *Panorpa qinlingensis* **Chou et Ran, 1981**
分布:陕西(凤县、留坝、南郑)。

(35) 六刺蝎蛉 *Panorpa sexspinosa* **Cheng, 1949**
分布:陕西(长安、周至、太白、凤县、宁陕)、河南、甘肃、湖北。

(36) 山阳蝎蛉 *Panorpa shanyangensis* **Chou et Wang, 1981**
分布:陕西(山阳)。

8. 华蝎蛉属 *Sinopanorpa* **Cai et Hua, 2009**

(37) 南宫山华蝎蛉 *Sinopanorpa nangongshana* **Cai et Hua, 2008**
分布:陕西(岚皋)。

(38) 染翅华蝎蛉 *Sinopanorpa tincta*(**Navás, 1931**)
分布:陕西(太白、眉县、留坝、南郑、宁陕)、甘肃。

鞘翅目 Coleoptera

藻食亚目 Myxophaga

一、淘甲科 Torridincolidae

1. 佐藤淘甲属 *Satonius* **Endrödy-Younga, 1997**

(1) 佐藤淘甲 *Satonius* **sp.**
分布:陕西(秦岭)。

肉食亚目 Adephaga

二、壁甲科 Aspidytidae

2. 秦壁甲属 *Sinaspidytes* **Balke, Beutel et Ribera, 2015**

(2) 乌拉秦壁甲 *Sinaspidytes wrasei*(**Balke, Ribera et Beutel, 2003**)

分布：陕西(华阴)。

三、梭甲科 Haliplidae

3．梭甲属 *Haliplus* Latreillle，1802

(3) 变斑梭甲 *Haliplus*（*Liaphlus*）*diruptus* J. Balfour-Browne，1947

分布：陕西(长安)、黑龙江、辽宁、北京、天津、山东、上海、江苏、安徽、湖北、湖南、福建、台湾、海南、香港、贵州、云南;俄罗斯(远东)，朝鲜，日本，越南，缅甸，印度。

(4) *Haliplus*（*Haliplus*）*harminae* Vondel，1990

分布：陕西(长安)、湖北、湖南。

(5) 瑞氏梭甲 *Haliplus*（*Haliplus*）*regimbarti* Zaitzev，1908

分布：陕西(长安)、河南、山东、江苏、安徽、浙江、湖北、江西、湖南、福建、台湾、广东、广西、贵州、云南。

(6) 简梭甲 *Haliplus*（*Haliplus*）*simplex* Clark，1863

分布：陕西(长安)、黑龙江、吉林、辽宁、内蒙古、北京、山东、江苏、安徽、浙江、广东;俄罗斯，朝鲜，日本。

4．水梭属 *Peltodytes* Régimbart，1879

(7) 北京水梭 *Peltodytes*（*Peltodytes*）*pekinensis* Vondel，1992

分布：陕西(西安)、辽宁、北京、河北、天津、山东、浙江、福建、广东;俄罗斯(远东)。

(8) 中华水梭 *Peltodytes*（*Peltodytes*）*sinensis*（Hope，1845）

分布：陕西(西安)、吉林、辽宁、北京、河北、天津、河南、山东、上海、江苏、安徽、浙江、湖北、江西、湖南、福建、台湾、广东、海南、广西、重庆、四川、贵州、云南;朝鲜，日本，越南，菲律宾。

四、伪龙虱科 Noteridae

5．伪龙虱属 *Noterus* Clairville，1806

(9) *Noterus clavicornis*（De Geek，1774）

分布：陕西(秦岭)、黑龙江、新疆;欧洲。

(10) 日本伪龙虱 *Noterus japonicus* Sharp，1873

分布：陕西(秦岭)、黑龙江、吉林、辽宁、北京、河北、内蒙古、山东、上海、江苏、湖北、江西、福建、广东、海南、香港、广西、贵州、云南；俄罗斯(远东)，朝鲜，日本。

五、豉甲科 Gyrinidae

6. 豉甲属 *Gyrinus* O. F. Müller，1764

（11）四川豉甲 *Gyrinus*（*Gyrinus*）*szechuanensis* Ochs，1929
分布：陕西(秦岭)、甘肃、上海、四川。

7. 毛豉甲属 *Orechochilus* Eschscholtz 1833

（12）暗毛豉甲 *Orectochilus*（*Patrus*）*obscuriceps* Régimbart，1907
分布：陕西(秦岭)、四川。

六、龙虱科 Dytiscidae

8. 端毛龙虱属 *Agabus* Leach，1817

（13）等端毛龙虱 *Agabus aequalis* Sharp，1882
分布：陕西(凤县)、吉林、甘肃、四川；俄罗斯。

（14）*Agabus fulvipennis* Régimbart，1899
分布：陕西(秦岭)、河北、山西、湖北、江西、台湾、四川。

（15）瑞氏端毛龙虱 *Agabus regimbarti* Zaitzev，1906
分布：陕西(凤县)、黑龙江、辽宁、北京、河北、山西、山东、甘肃、江西、四川、贵州、西藏。

9. Genus *Bidessus* Sharp，1882

（16）*Bidessus unistriatus*（Goeze，1777）
分布：陕西(秦岭)、河北；蒙古，俄罗斯，哈萨克斯坦，欧洲。

10. Genus *Eretes* Castelnau，1833

（17）*Eretes sticticus*（Linnaeus，1767）
分布：陕西(秦岭)、黑龙江、辽宁、北京、河北、山西、山东、上海、江苏、浙江、湖北、福建、台湾、海南、四川、云南；突尼斯，欧洲。

11. Genus *Hydaticus* Leach，1817

（18）*Hydaticus bowringii* Clark，1864

分布：陕西(秦岭)、辽宁、北京、河北、山东、江苏、安徽、浙江、湖北、江西、四川、云南；日本。

12. Genus *Hydroglyphus* Motschulsky, 1853

(19) *Hydroglyphus licenti* (Feng, 1936)

分布：陕西（秦岭）、黑龙江、北京、天津、甘肃、新疆、浙江、江西、湖南、广东、广西、四川、贵州。

(20) *Hydroglyphus regimbarti* (Gschwendtner, 1936)

分布：陕西（秦岭）、广西、四川、贵州、云南；印度。

(21) *Hydroglyphus traessarti* (Feng, 1936)

分布：陕西（秦岭）、黑龙江、天津、河北、江苏、浙江、湖北、江西、湖南、福建、广东、广西、四川、贵州、云南。

13. Genus *Hydrovatus* Motschulsky, 1853

(22) *Hydrovatus acuminatus* Motschulsky, 1859

分布：陕西(秦岭)、江苏、湖北、江西、湖南、福建、台湾、广东、海南、广西、云南；古北区。

14. Genus *Hygrotus* Stephens, 1828

(23) *Hygrotus* (*Coelambus*) *caspius* (Wehncke, 1875)

分布：陕西（秦岭）、内蒙古、甘肃、新疆；俄罗斯。

(24) *Hygrotus* (*Leptolambus*) *impressopunctatus* (Schaller, 1783)

分布：陕西（秦岭）、黑龙江、辽宁、河北、新疆；全北区分布。

15. Genus *Hyphydrus* Illiger, 1802

(25) *Hyphydrus japonicus* Sharp, 1873

分布：陕西（秦岭）、吉林、辽宁、河北、河南、上海、湖南、台湾、四川、贵州、云南；韩国，日本。

16. Genus *Ilybius* Erichson, 1832

(26) *Ilybius apicalis* Sharp, 1873

分布：陕西(秦岭)、吉林、辽宁、北京、河北、山西、甘肃、上海、江苏、湖北、江西、四川；俄罗斯、韩国、日本。

(27) *Ilybius cinctus* Sharp, 1878

分布：陕西（秦岭）、黑龙江、吉林、辽宁、天津、河北、甘肃、新疆、江苏、湖北、广西、四川、云南；乌兹别克斯坦。

17. 粒龙虱属 *Laccophilus* Leach，1815

（28）圆眼粒龙虱 *Laccophilus difficilis* Sharp，1873

分布：陕西（宁陕）、黑龙江、吉林、辽宁、北京、山东、江苏、上海、浙江、湖北、湖南、福建、广东、海南、四川、贵州、云南；日本。

18. Genus *Nebrioporus* Régimbart，1906

（29）*Nebrioporus airumlus*（Kolenati，1845）

分布：陕西（秦岭）、黑龙江、辽宁、内蒙古、北京、河北、河南、山东、甘肃、新疆、江苏、四川、贵州、云南；俄罗斯，印度，中亚地区，欧洲。

19. 宽缘龙虱属 *Platambus* Thomson，1859

（30）密纹宽缘龙虱 *Platambus angulicollis*（Régimbart，1899）

分布：陕西（佛坪）、内蒙古、北京、河北、四川、西藏；蒙古。

（31）黄边宽缘龙虱 *Platambus excoffieri* Régimbart，1899

分布：陕西（佛坪、宁陕）、河北、山东、甘肃、浙江、湖南、海南、四川、贵州、云南、西藏。

（32）五岭山宽缘龙虱 *Platambus wulingshanensis* Brancucci，2005

分布：陕西（佛坪）、湖北、湖南。

（33）雅安宽缘龙虱 *Platambus yaanensis* Nilsson，2003

分布：陕西（宁陕）、四川。

20. 短胸龙虱属 *Platynectes* Régimbart，1879

（34）大斑短胸龙虱 *Platynectes dissimillis* Sharp，1873

分布：陕西（秦岭）、浙江、湖北、江西、湖南、福建、台湾、广东、香港、贵州；日本，缅甸。

（35）大短胸龙虱 *Platynectes major* Nilsson，1998

分布：陕西（宁陕）、安徽、浙江、江西、湖南、福建、广东、贵州、云南；日本，越南，泰国。

七、步甲科 Carabidae

21．Genus *Acupalpus* Latreille，1829

（36）*Acupalpus laferi* Kataev *et* Jaeger，1997

　　分布：陕西（秦岭）、黑龙江、甘肃；俄罗斯（远东）。

22．Genus *Agonotrechus* Jeannel，1923

（37）*Agonotrechus sinicola* Deuve，1989

　　分布：陕西（秦岭）。

23．暗步甲属 *Amara* Bonelli，1810

（38）雅暗步甲 *Amara congrua* Morawitz，1862

　　分布：陕西（周至、宁陕）、黑龙江、吉林、辽宁、北京、河北、内蒙古、甘肃、山东、上海、浙江、江西、福建、台湾、香港、云南；俄罗斯（远东），朝鲜，日本，东南亚。

（39）*Amara dabashanica* Hieke，2002

　　分布：陕西（秦岭）、湖北。

（40）大卫暗步甲 *Amara davidi* Tschitschérine，1897

　　分布：陕西（周至）、青海、四川、云南。

（41）异暗步甲 *Amara dissimilis* Tschitschérine，1894

　　分布：陕西（周至、宁陕）、甘肃、青海、四川、云南、西藏。

（42）亮暗步甲 *Amara lucidissima* Baliani，1932

　　分布：陕西（宁陕）、福建、台湾、四川、云南。

（43）大背胸暗步甲 *Amara macronota* Solsky，1875

　　分布：陕西（周至）、黑龙江、吉林、河北、山东、甘肃、河南、浙江、湖北、江西、广西、四川、贵州、云南；俄罗斯（西伯利亚），朝鲜，日本。

（44）陕西暗步甲 *Amara shaanxiensis* Hieke，2002

　　分布：陕西（秦岭）、湖北、四川、云南。

24．纤步甲属 *Anchomenus* Bonelli，1810

（45）淡足纤步甲 *Anchomenus leucopus* Bates，1873

　　分布：陕西（佛坪）、山西、甘肃、福建、台湾、广西；朝鲜，日本。

25．安步甲属 *Andrewesius* Andrewes，1939

（46）茹氏安步甲 *Andrewesius rougemonti* Morvan，1997
　　分布：陕西（周至、眉县、宁陕）、甘肃。

（47）田氏安步甲 *Andrewesius tiani* Morvan，2010
　　分布：陕西（秦岭）。

26．斑步甲属 *Anisodactylus* Dejean，1829

（48）圆角斑步甲 *Anisodactylus*（*Anisodactylus*）*emarginatus* Ito，2003
　　分布：陕西（宁陕）。

（49）点翅斑步甲 *Anisodactylus punctatipennis* Morawitz，1862
　　分布：陕西（宁陕）、甘肃、江苏、安徽、浙江、湖北、福建、广西、四川、贵州、云南；俄罗斯，朝鲜，日本。

（50）三叉斑步甲 *Anisodactylus tricuspidatus* Morawitz，1863
　　分布：陕西（佛坪）、河北、安徽、浙江、湖北、湖南、福建、台湾、贵州；朝鲜，日本。

27．弧缘步甲属 *Archastes* Jedlička，1935

（51）单弧缘步甲 *Archastes solitarius* Ledoux *et* Roux，1999
　　分布：陕西（周至、眉县）。

28．长颈步甲属 *Archicolliuris* Liebke，1931

（52）双斑长颈步甲 *Archicolliuris bimaculata*（Redtenbacher，1934）
　　分布：陕西（佛坪）、浙江、福建、广东、四川、贵州、云南；日本，东南亚。

29．原隘步甲属 *Archipatrobus* Zamotajlov，1992

（53）黄足原隘步甲 *Archipatrobus flavipes*（Motschulsky，1864）
　　分布：陕西（周至）、吉林、北京、河北、河南、宁夏、甘肃、江苏、上海、安徽、浙江、江西、湖南、四川、云南；朝鲜，日本。

30．山丽步甲属 *Aristochroa* Tschitschérine，1898

（54）军山丽步甲 *Aristochroa militaris* Sciaky *et* Wrase，1997

分布：陕西（周至、眉县、宁陕）。

31．山绿步甲属 *Aristochroodes* Marcilhac，1993

（55）瑞山绿步甲东部亚种 *Aristochroodes reginae orientalis* Sciaky *et* Wrase，1997
分布：陕西（宁陕）、宁夏。指名亚种分布于甘肃。

32．虎步甲属 *Asaphidion* Gozis，1886

（56）粒虎步甲 *Asaphidion granulatus* Andrewes，1925
分布：陕西（周至、宁陕）、四川。

（57）半亮虎步甲 *Asaphidion semilucidus*（Motschulsky，1862）
分布：陕西（华阴）、北京、河北、山东；俄罗斯（远东），日本。

33．捷步甲属 *Badister* Clairville，1806

（58）小边捷步甲 *Badister marginellus* Bates，1873
分布：陕西（佛坪）、北京、甘肃、浙江、湖北、湖南、四川；俄罗斯（远东），
日本。

34．锥须步甲属 *Bembidion* Latreille，1802

（59）*Bembidion*（*Bembidionetolitzkya*）*pavesii* Toledano *et* Schmidt，2008
分布：陕西（秦岭）、青海、四川。

（60）拟光背锥须步甲 *Bembidion lissonotoides* Kirschenhofer，1989
分布：秦岭（周至、佛坪）、甘肃、浙江、贵州。

（61）尼罗锥须步甲 *Bembidion niloticum batesi*（Putzeys，1875）
分布：秦岭（周至、柞水），中国广布；朝鲜，日本，东南亚。

（62）*Bembidion*（*Ocydromus*）*joachimschmidti* Toledano，2008
分布：陕西（秦岭）、湖北。

（63）*Bembidion*（*Ocydromus*）*kucerai* Toledano，2008
分布：陕西（秦岭）、湖北。

（64）*Bembidion*（*Ocydromus*）*nonaginta* Toledano，2008
分布：陕西（秦岭）、湖北。

（65）*Bembidion*（*Ocydromus*）*radians shaanxianum* Toledano，2000
分布：陕西（周至）。

（66）*Bembidion*（*Plataphus*）*plutenkoi* Toledano，2008

　　分布：陕西（秦岭）、湖北。

（67）原锥须步甲 *Bembidion proteron* Netolitzky，1920

　　分布：陕西（周至、佛坪）、山西、甘肃、江西、贵州。

35. 怠步甲属 *Bradycellus* Erichson，1837

（68）纤怠步甲 *Bradycellus anchomenoides* Bates，1873

　　分布：陕西（周至）、上海、福建、四川、云南；印度，不丹，东南亚。

（69）小怠步甲 *Bradycellus fimbriatus* Bates，1873

　　分布：陕西（宁陕）、河北、山西、山东、浙江、江西、四川、云南；日本。

（70）舒氏怠步甲 *Bradycellus schuelkei* Jaeger *et* Wrase，1996

　　分布：陕西（秦岭）。

（71）圆角怠步甲 *Bradycellus subditus*（Lewis，1879）

　　分布：陕西（周至、佛坪）、湖北、四川；日本。

36. 球胸步甲属 *Broscosoma* Rosenhauer，1846

（72）微球胸步甲 *Broscosoma valainisi* Barševskis，2010

　　分布：陕西（眉县）。

37. 丽步甲属 *Calleida* Latreille，1824

（73）中华丽步甲 *Calleida chinensis* Jedlička，1934

　　分布：陕西（佛坪）、河北、河南、甘肃、江苏、上海、安徽、浙江、湖北、江西、湖南、福建、广东、重庆、四川、贵州。

（74）福建丽步甲 *Calleida fukiensis* Jedlička，1963

　　分布：陕西（佛坪）、河南、浙江、湖北、江西、湖南、福建、广东、广西、贵州。

38. 星步甲属 *Calosoma* Weber，1801

（75）大星步甲 *Calosoma maximoviczi* Morawitz，1863

　　分布：陕西（宁陕）、甘肃、辽宁、内蒙古、河北、山西、山东、河南、安徽、浙江、湖北、江西、福建、台湾、四川、云南；俄罗斯，朝鲜，日本。

39. 大步甲属 *Carabus* Linné，1758

（76）绿妖步甲 *Carabus*（*Acoptolabrus*）*haeckeli* Brezina *et* Imura，1997

分布：陕西（周至、眉县）。

（77）*Carabus*（*Acoptopterus*）*kucerai* **Deuve**，**1997**

分布：陕西（略阳）。

（78）米仓大步甲 *Carabus*（*Acoptopterus*）*pseudolatipennis* **Deuve**，**1991**

分布：陕西（周至、太白、洋县、宁陕）、甘肃、湖北、重庆、四川。

（79）*Carabus*（*Acoptopterus*）*pseudolatipennis huayangzhen* **Cavazzuti**，**1999**

分布：陕西（洋县）。

（80）*Carabus*（*Acoptopterus*）*pseudolatipennis lantianensis* **Cavazzuti**，**1999**

分布：陕西（蓝田）。

（81）*Carabus*（*Acoptopterus*）*pseudolatipennis qinlingicus* **Deuve**，**1998**

分布：陕西（宁陕）。

（82）*Carabus*（*Acoptopterus*）*pseudolatipennis yangxianensis* **Deuve**，**1999**

分布：陕西（洋县）。

（83）*Carabus*（*Acoptopterus*）*pseudolatipennis yingpanjienus* **Cavazzuti**，**1999**

分布：陕西（柞水）。

（84）警大步甲 *Carabus*（*Acoptopterus*）*vigil* **Semenov**，**1898**

分布：陕西（周至、户县、眉县、洋县）、河南、甘肃、浙江、湖北、江西、四川。

（85）*Carabus*（*Acoptopterus*）*vigil cordulatus* **Cavazzuti**，**1999**

分布：陕西（洋县）。

（86）*Carabus*（*Acoptopterus*）*vigil pseudoparis* **Deuve**，**1991**

分布：陕西（杨凌）。

（87）*Carabus*（*Acoptopterus*）*vigil quercinus* **Cavazzuti**，**1999**

分布：陕西（铜川）。

（88）*Carabus*（*Acoptopterus*）*vigil xunyangbaensis* **Deuve**，**2000**

分布：陕西（宁陕）。

（89）*Carabus*（*Apotomopterus*）*casaleianus cogitatum* **Cavazzuti**，**2004**

分布：陕西（秦岭）。

（90）点胸大步甲 *Carabus*（*Apotomopterus*）*grossefoveatus*（**Hauser**，**1913**）

分布：陕西（蓝田、凤县、留坝、眉县、宁陕）、甘肃、四川。

（91）*Carabus*（*Apotomopterus*）*grossefoveatus zhongnanshan* **Kleinfeld** *et* **Schutze**，**1997**

分布：陕西（长安）。

（92）延大步甲 *Carabus*（*Apotomopterus*）*protenes* Bates，1889

　　　分布：陕西（长安、蓝田、周至、眉县、宁陕、洋县）、河南、甘肃、湖北、湖南、四川、贵州、云南。

（93）*Carabus*（*Carabus*）*arvensis praesensum* Cavazzuti，1999

　　　分布：陕西（铜川）。

（94）*Carabus*（*Coptolabrodes*）*haeckeli* Brezina *et* Imura，1997

　　　分布：陕西（秦岭）。

（95）*Carabus*（*Coptolabrus*）*elysii idai* Kleinfeld，2000

　　　分布：陕西（汉阴）。

（96）*Carabus*（*Coptolabrus*）*formosus akane* Imura *et* Yamaya，1994

　　　分布：陕西（铜川）。

（97）*Carabus*（*Coptolabrus*）*formosus brockmanni* Kleinfeld *et* Schutze，1997

　　　分布：陕西（秦岭，临潼）。

（98）*Carabus*（*Coptolabrus*）*formosus fimbriatus* Cavazzuti，1999

　　　分布：陕西（镇安）。

（99）*Carabus*（*Coptolabrus*）*pustulifer shangzhouicus* Deuve *et* Li，2003

　　　分布：陕西（商州）。

（100）圆粒大步甲 *Carabus*（*Damaster*）*formosus* Semenov，1887

　　　分布：陕西（长安、蓝田）、甘肃、青海、湖北、重庆、四川。

（101）微大步甲 *Carabus*（*Eccoptolabrus*）*exiguus* Semenov，1898

　　　分布：陕西（周至）、宁夏、甘肃、青海、四川。

（102）*Carabus*（*Eccoptolabrus*）*exiguus fanianus* Imura，1993

　　　分布：陕西（秦岭）。

（103）悟空大步甲 *Carabus*（*Eccoptolabrus*）*sunwukong* Imura，1993

　　　分布：陕西（周至、宁陕）、河南。

（104）*Carabus*（*Eucarabus*）*choui* Deuve，1989

　　　分布：陕西（秦岭）。

（105）*Carabus*（*Hypsocarabus*）*latro qinlingensis* Imura，1993

　　　分布：陕西（秦岭）。

（106）秦大步甲 *Carabus*（*Hypsocarabus*）*qinlingensis* Imura，1993

　　　分布：陕西（长安）。

（107）太白大步甲 *Carabus*（*Hypsocarabus*）*taibaiensis* Kleinfeld，2001

分布：陕西（太白）、宁夏、甘肃。

（108）*Carabus*（*Lasiocoptolabrus*）*sunwukong* Imura，1993

分布：陕西（秦岭）。

（109）*Carabus*（*Leptocarabus*）*marcilhaci qinlingimontanus* Imura，1998

分布：陕西（周至）。

（110）*Carabus*（*Leptocarabus*）*marcilhaci romanellus* Imura，1999

分布：陕西（商洛）、河南。

（111）*Carabus*（*Leptocarabus*）*marcilhaci taibai* Cavazzuti *et* Rapuzzi，2009

分布：陕西（太白）。

（112）*Carabus*（*Leptocarabus*）*marcilhaci xunyangbanus* Imura，1998

分布：陕西（宁陕）。

（113）阳子大步甲 *Carabus*（*Leptocarabus*）*yokoae* Deuve，1988

分布：陕西（周至、户县、太白、宁陕、洋县）、甘肃、湖北、重庆、四川。

（114）革大步甲 *Carabus*（*Morphocarabus*）*coriaceipennis* Chaudoir，1863

分布：陕西（周至）、山西、山东。

（115）*Carabus*（*Morphocarabus*）*coriaceipennis taibaimontanus* Imura，1994

分布：陕西（太白山）。

（116）八戒大步甲 *Carabus*（*Morphocarabus*）*zhubajie* Imura，1993

分布：陕西（周至）、山西、河南、甘肃。

（117）*Carabus*（*Oreocarabus*）*blumenthaliellus hualongensis* Deuve *et* Tian，2010

分布：陕西（秦岭、黄陵）。

（118）*Carabus*（*Oreocarabus*）*taibaiensis* Kleinfeld，2001

分布：陕西（太白）。

（119）碎纹大步甲 *Carabus*（*Pagocarabus*）*crassesculptus* Kraatz，1881

分布：陕西（长安、周至、户县、太白、宁陕、洋县）、北京、河北、山西、河南、甘肃、青海、四川；蒙古。

（120）*Carabus*（*Pagocarabus*）*crassesculptus articervix* Cavazzuti，1999

分布：陕西（宁陕）。

（121）*Carabus*（*Pagocarabus*）*crassesculptus qunqingicolor* Imura，1993

分布：陕西（秦岭）。

（122）*Carabus*（*Pagocarabus*）*crassesculptus shimenicus* Cavazzuti，1999

分布：陕西（铜川）。

（123）周氏大步甲 *Carabus* （*Piocarabus*）*choui* Deuve, 1989

分布：陕西（周至、太白、眉县）。

（124）北协大步甲 *Carabus* （*Piocarabus*）*kitawakianus* Imura, 1993

分布：陕西（周至、洋县、宁陕）、河南。

（125）南五台大步甲 *Carabus* （*Piocarabus*） *nanwutai* *Kleinfeld*, **Korell** *et* **Wrase**, **1996**

分布：陕西（长安、周至、太白、眉县、宁陕）。

（126）莱氏大步甲 *Carabus* （*Piocarabus*）*reitterianus* Breuning, 1932

分布：陕西（太白、凤县、宝鸡、略阳）、宁夏、甘肃、四川。

（127）泰坦大步甲 *Carabus* （*Piocarabus*）*titanus* Breuning, 1933

分布：陕西（蓝田、周至、眉县、凤县、华县、宁陕）、河南、甘肃、重庆、四川。

（128）*Carabus* （*Pseudocranion*）*absonus* Cavazzuti et Rapuzzi, 2005

分布：陕西（秦岭）。

（129）巅大步甲 *Carabus* （*Pseudocranion*）*kitawakiellus* Imura, 1995

分布：陕西（周至、眉县）。

（130）太白山大步甲 *Carabus* （*Pseudocranion*）*taibaishanicus* Deuve, 1989

分布：陕西（长安、周至、宁陕）。

（131）*Carabus* （*Pseudocranion*）*taibaishanicus fani* Imura, 1993

分布：陕西（秦岭）。

（132）*Carabus* （*Pseudocranion*）*taibaishanicus pressicollis* Cavazzuti, 1999

分布：陕西（宁陕）。

（133）*Carabus* （*Qinlingocarabus*）*blumenthaliellus magniventris* Cavazzuti, 1999

分布：陕西（宁陕）。

（134）*Carabus* （*Qinlingocarabus*）*kitawakianus* Imura, 1993

分布：陕西（秦岭）。

（135）*Carabus* （*Qinlingocarabus*）*kitawakianus huoditangicus* Cavazzuti, 1999

分布：陕西（宁陕）。

（136）*Carabus* （*Qinlingocarabus*）*nanwutai* Kleinfeld, Korell et Wrase, 1996

分布：陕西（长安）。

（137）*Carabus* （*Qinlingocarabus*）*reitterianus fengxianicus* Cavazzuti, 2003

分布：陕西（凤县）。

（138）*Carabus* （*Qinlingocarabus*）*reitterianus wulongdongicus* Deuve, 2010

分布：陕西（秦岭）。

（139）刻翅大步甲 *Carabus*（*Scambocarabus*）*sculptipennis* **Chaudoir**，**1877**

分布：陕西（太白）、北京、河北、山西、河南、甘肃、青海；蒙古。

（140）*Carabus*（*Scambocarabus*）*sculptipennis tongchuanensis* **Imura**，**1994**

分布：陕西（铜川）。

（141）*Carabus*（*Scambocarabus*）*shaanxicus* **Deuve** *et* **Imura**，**1990**

分布：陕西（秦岭）。

（142）*Carabus*（*Shunichiocarabus*）*uenoianus confectus* **Cavazzutip**，**1999**

分布：陕西（石泉）。

（143）陕大步甲 *Carabus*（*Tomocarabus*）*shaanxiensis* **Deuve**，**1991**

分布：陕西（长安、周至、户县、太白、华县、宁陕）、河南、甘肃、重庆、四川。

（144）*Carabus*（*Tomocarabus*）*shaheshang* **Imura**，**1993**

分布：陕西（秦岭）。

40. 华隘步甲属 *Chinapenetretus* Kurnakov，1963

（145）大华隘步甲 *Chinapenetretus*（*Grandipenetretus*）*major* **Zamolajlov** *et* **Sciaky**，**1997**

分布：陕西（周至、眉县、宁陕）。

（146）*Chinapenetretus*（*Grandipenetretus*）*major taibaiensis* **Zamolajlov** *et* **Sciaky**，**1999**

分布：陕西（周至）。

41. 青步甲属 *Chlaenius* Bonelli，1810

（147）大脊青步甲 *Chlaenius costiger* **Chaudoir**，**1856**

分布：陕西（长安、太白、凤县、留坝、佛坪、镇巴）、江苏、安徽、湖北、江西、湖南、福建、广西、四川、贵州、云南；朝鲜，日本，越南，老挝，柬埔寨，缅甸，印度。

（148）毛胸青步甲 *Chlaenius naeviger* **Morawitz**，**1862**

分布：陕西（留坝）、辽宁、北京、河南、浙江、湖北、重庆、贵州、云南；俄罗斯。

（149）陕西青步甲 *Chlaenius*（*Chlaeniellus*）*shaanxinensis* **Kirschenhofer**，**2004**

分布：陕西（秦岭）。

（150）*Chlaenius*（*Litochlaenius*）*wrasei*（**Kirschenhofer**，**1997**）

分布：陕西（秦岭）、甘肃。

（151）小黄缘青步甲 *Chlaenius spoliatus*（Rossi, 1792）

　分布：陕西（周至、潼关、渭南、安康）、黑龙江、辽宁、内蒙古、北京、天津、河北、山西、河南、甘肃、新疆、湖北、江西、云南；俄罗斯，欧洲。

（152）逗斑青步甲 *Chlaenius virgulifer* Chaudoir, 1876

　分布：陕西（洋县、镇巴）、北京、河北、江苏、安徽、浙江、湖北、江西、湖南、福建、台湾、广东、广西、四川、贵州、云南；朝鲜，日本，东南亚。

（153）陕跗青步甲 *Chlaenius wrasei* Kirschenhofer, 1997

　分布：陕西（周至、留坝、镇巴）、甘肃、湖北、重庆。

42. 小蝼步甲属 *Clivina* Latreille, 1802

（154）栗小蝼甲 *Clivina castanea* Westwood, 1837

　分布：陕西（佛坪）、河北、山东、河南、新疆、江苏、浙江、湖北、江西、湖南、福建、台湾、广东、海南、广西、四川、贵州、云南；朝鲜，东南亚，印度，斯里兰卡，新几内亚，澳大利亚。

43. 蜗步甲属 *Cychrus* Fabricius, 1794

（155）双棘蜗步甲 *Cychrus bispinosus* Deuve, 1989

　分布：陕西（周至、宁陕）、山西、河南、甘肃、湖北、四川。

（156）*Cychrus bispinosus baojiensis* Imura, 1993

　分布：陕西（宝鸡）。

（157）*Cychrus bispinosus biceratops* Cavazzuti, 1999

　分布：陕西（铜川）。

（158）*Cychrus bispinosus fopinganus* Cavazzuti, 1999

　分布：陕西（佛坪）。

（159）*Cychrus bispinosus huxianensis* Imura, 1993

　分布：陕西（华县）。

（160）*Cychrus colasi* Deuve, 1993

　分布：陕西（秦岭）。

（161）*Cychrus furumii gracilicollis* Deuve *et* Tian, 2000

　分布：陕西（秦岭）。

（162）*Cychrus marcilhaci haeckeli* Deuve, 1997

分布：陕西（周至）。

（163）*Cychrus puetzi* Kleinfeld，Korell *et* Wrase，1996

分布：陕西（秦岭）。

（164）中华蜗步甲 *Cychrus sinicus* Deuve，1989

分布：陕西（周至、宁陕）、宁夏。

（165）*Cychrus sinicus prolapsoides* Deuve，2000

分布：陕西（宁陕）。

（166）*Cychrus sinicus prolapsus* Cavazzuti，1999

分布：陕西（宁陕）。

44.　猛步甲属 *Cymindis* Latreille，1806

（167）半猛步甲 *Cymindis daimio* Bates，1873

分布：陕西（佛坪）、吉林、辽宁、河北、甘肃；蒙古，俄罗斯，朝鲜，日本。

45.　蠋步甲属 *Dolichus* Bonelli，1810

（168）红斑蠋步甲 *Dolichus halensis* Schaller，1783

分布：陕西（周至、眉县、佛坪），全国广布；俄罗斯，朝鲜，日本，欧洲。

46.　长胸步甲属 *Doliodactyla* Sciaky *et* Wrase，1998

（169）简氏长胸步甲 *Doliodactyla janatai* Sciaky *et* Wrase，1998

分布：陕西（周至、眉县）。

47.　真肉步甲属 *Eobroscus* Kryzhanovskij，1951

（170）卢氏肉步甲 *Eobroscus lutschiniki*（Roubal，1928）

分布：陕西（周至），东北；俄罗斯（远东），日本。

48.　Genus *Epaphius* Stephens，1827

（171）*Epaphius castificus* Moravec *et* Wrase，1998

分布：陕西（宁陕）。

（172）*Epaphius castificua taibaicola* Deuve，2001

分布：陕西（周至）。

（173）*Epaphius dorsistriatus*（Morawitz，1862）

分布：陕西（西安、周至）、黑龙江、辽宁、河北、甘肃、青海。

（174）*Epaphius qinlingensis* Moravec *et* Wrase，1998

分布：陕西（宁陕）。

49.　婪步甲属 *Harpalus* Latreille，1802

（175）棒婪步甲 *Harpalus bungii* Chaudoir，1844

分布：陕西（周至、宁陕）、黑龙江、辽宁、内蒙古、河北、山西、四川；蒙古，俄罗斯（西伯利亚），朝鲜，日本。

（176）铜绿婪步甲 *Harpalus chalcentus* Bates，1873

分布：陕西（周至）、吉林、河北、山东、宁夏、甘肃、江苏、浙江、湖北、湖南、福建、广东、广西、四川、贵州、云南；朝鲜，日本。

（177）直角婪步甲 *Harpalus corporosus* （Motschulsky，1861）

分布：陕西（周至）、黑龙江、辽宁、内蒙古、河北、宁夏、甘肃、湖北、西藏；日本。

（178）*Harpalus crates* Bates，1883

分布：陕西（周至）、辽宁、山西、山东、宁夏、青海、江苏、四川；俄罗斯，朝鲜，日本。

（179）大卫婪步甲 *Harpalus davidi* （Tschitschérine，1897）

分布：陕西（眉县、镇巴）、河北、山西、山东、河南、甘肃、江苏、安徽、浙江、湖北、四川；朝鲜，日本。

（180）*Harpalus froelichi* Stum，1818

分布：陕西（西安）。

（181）毛婪步甲 *Harpalus griseus* （Panzer，1796）

分布：陕西（周至、佛坪、宁陕），全国广布；蒙古，俄罗斯，朝鲜，日本，东南亚，欧洲。

（182）*Harpalus* （*Harpalus*） *chasanensis* Lafer，1989

分布：陕西（周至）、青海、江苏；俄罗斯，朝鲜，韩国。

（183）*Harpalus* （*Harpalus*） *obtusus inschanicus* Breit，1914

分布：陕西（西安）、内蒙古、河北、甘肃。

（184）肖毛婪步甲 *Harpalus jureceki* （Jedlička，1928）

分布：陕西（佛坪）、黑龙江、吉林、辽宁、内蒙古、河北、甘肃、安徽、浙江、湖北、江西、湖南、福建、四川、贵州、云南；俄罗斯，朝鲜，日本。

（185）*Harpalus microdemas* Schauberger，1932

分布：陕西（西安、周至、临潼）、吉林、河北、河南、甘肃。

（186）黄鞘婪步甲 *Harpalus pallidipennis* Morawitz，1862

分布：陕西（周至、户县）、河北、山东、甘肃、福建、广西、四川、西藏；蒙古，
俄罗斯，朝鲜。

（187）草原婪步甲 *Harpalus pastor* Motschulsky，1844

分布：陕西（佛坪、宁陕）、黑龙江、辽宁、内蒙古、河北、山西、山东、甘肃、湖
北、湖南、福建、广东、广西、贵州；俄罗斯，朝鲜，日本。

（188）普氏婪步甲 *Harpalus plancyi* Tschitschérine，1897

分布：陕西（周至）、辽宁、河北。

（189）*Harpalus*（*Pseudoophonus*）*calceatus*（Duftschmid，1812）

分布：陕西（西安、周至）、辽宁、山西、广西；古北区。

（190）*Harpalus*（*Pseudoophonus*）*coreanus*（Tschitscherine，1895）

分布：陕西（周至）、辽宁、内蒙古、山西、甘肃、河南、上海、安徽、浙江、湖
北、广东、福建、四川；蒙古，俄罗斯，朝鲜。

（191）*Harpalus*（*Pseudoophonus*）*davidianus* Tschitscherine，1903

分布：陕西（周至）、辽宁、河北、山西、山东、宁夏、青海；蒙古，朝鲜。

（192）*Harpalus*（*Pseudoophonus*）*eous* Tschitscherine，1901

分布：陕西（周至）、辽宁、甘肃、宁夏、江苏、上海、云南；朝鲜，日本。

（193）*Harpalus puetzi* Kataev *et* Wrase，1997

分布：陕西（秦岭）。

（194）*Harpalus roninus* Bates，1873

分布：陕西（周至）、辽宁、上海、江苏、四川；俄罗斯，日本。

（195）*Harpalus rubripes*（Duftschmid，1812）

分布：陕西（周至）、山西；日本，全北区。

（196）单齿婪步甲 *Harpalus simplicidens* Schauberger，1929

分布：陕西（咸阳、潼关）、黑龙江、吉林、内蒙古、河北、山西、河南、甘肃、江
苏、安徽、江西、四川、西藏；蒙古，俄罗斯，朝鲜，日本。

（197）*Harpalus tangutorum* Kataev，1993

分布：陕西（秦岭）、山西、甘肃、青海、四川；蒙古，俄罗斯。

（198）三齿婪步甲 *Harpalus tridens* Morawitz，1862

分布：陕西（佛坪、宁陕）、辽宁、甘肃、江苏、安徽、浙江、湖北、江西、湖南、

福建、四川、贵州;朝鲜,日本,越南,老挝,柬埔寨,印度。

（199）乌苏里婪步甲 *Harpalus ussuriensis* Chaudoir，1863

　　分布:陕西(留坝、佛坪、宁陕)、黑龙江、吉林、辽宁、河北、山西、山东、甘肃、青海、江苏、湖北、湖南、四川;俄罗斯,朝鲜,日本。

（200）*Harpalus*（*Zangoharpalus*）*tinctulus luteicornoides* Breit，1913

　　分布:陕西(周至)、上海、江苏、浙江、江西、福建、台湾、广西、四川;朝鲜,日本,越南。

50．Genus *Holosoma* Semenov，1889

（201）*Holosoma sciakyi* Kirschenhofer，1995

　　分布:陕西(秦岭)。

51．毛盆步甲属 *Lachnolebia* Maindron，1905

（202）筛毛盆步甲 *Lachnolebia cribricollis*（Morawitz，1862）

　　分布:陕西(佛坪)、黑龙江、吉林、辽宁、河北、新疆、江苏、浙江、湖北、江西、湖南、福建、广西、四川、云南;俄罗斯,朝鲜,日本。

52．盆步甲属 *Lebia* Latreille，1802

（203）大巴山盆步甲 *Lebia dabashanensis* Kirschenhofer，2009

　　分布:陕西(大巴山)、四川。

（204）腰盆步甲 *Lebia iolanthe* Bates，1883

　　分布:陕西(佛坪)、湖北、福建、台湾、海南、广西、四川、云南;日本。

（205）联斑盆步甲 *Lebia schmidtgoebeli* Lorenz，1998

　　分布:陕西(宁陕)、湖北、福建、台湾、海南、广西、四川、云南;日本。

53．光鞘步甲属 *Lebidia* Morawitz，1862

（206）眼斑光鞘步甲 *Lebidia bimaculata*（Jordan，1894）

　　分布:陕西(佛坪、宁陕、黄龙)、宁夏、甘肃、浙江、湖北、台湾、广东、贵州、重庆、四川、西藏;东南亚。

54．盗步甲属 *Leistus* Frölich，1799

（207）厚畛子盗步甲 *Leistus*（*Evanoleistus*）*houzhenzi* Farkač，1999

分布：陕西（周至、眉县、宁陕）。

（208）*Leistus*（*Evanoleistus*）*janatai* **Farkač，1999**

分布：陕西（周至）。

（209）*Leistus*（*Evanoleistus*）*jindrai* **Farkač，1999**

分布：陕西（周至）。

（210）*Leistus*（*Evanoleistus*）*kociani* **Farkač，1999**

分布：陕西（周至）。

55．劫步甲属 *Lesticus* Dejean，1828

（211）大劫步甲 *Lesticus magnus*（**Motschulsky，1860**）

分布：陕西（太白、眉县）、辽宁、北京、河北、山东、甘肃、江苏、安徽、浙江、江西、湖北、湖南、四川；朝鲜，日本。

56．蕈步甲属 *Lioptera* Chaudoir，1869

（212）花蕈步甲 *Lioptera erotyloides* **Bates，1883**

分布：陕西（佛坪）、福建、台湾、广西、云南；俄罗斯，日本，越南，老挝，柬埔寨。

57．寡行步甲属 *Loxoncus* Schmidt-Göbel，1846

（213）环带寡行步甲 *Loxoncus circumcinctus*（**Motschulsky，1858**）

分布：陕西（佛坪、宁陕）、吉林、内蒙古、河南、江苏、安徽、浙江、湖北、江西、湖南、福建、广东、四川、贵州、云南；蒙古，俄罗斯，朝鲜，日本。

58．盘步甲属 *Metacolpodes* Jeannel，1948

（214）布氏盘步甲 *Metacolpodes buchanani*（**Hope，1831**）

分布：陕西（秦岭）、吉林、河北、山东、甘肃、新疆、江苏、安徽、浙江、湖北、江西、湖南、福建、台湾、广东、四川、云南；朝鲜，日本，缅甸，印度，尼泊尔，斯里兰卡，马来西亚，菲律宾，印度尼西亚。

59．长跗步甲属 *Morphodactyla* Semonov，1889

（215）波氏长跗步甲 *Morphodactyla potanini* **Semonov，1889**

分布：陕西（周至、眉县、宁陕）、甘肃。

60. 心步甲属 *Nebria* Latreille, 1802

（216）中华心步甲 *Nebria chinensis* Bates, 1872

分布：陕西（佛坪、宁陕）、吉林、河北、山东、甘肃、新疆、江苏、安徽、浙江、湖北、江西、湖南、福建、台湾、广东、四川、贵州、云南；朝鲜，日本，缅甸，印度，尼泊尔，斯里兰卡，马来西亚，菲律宾，印度尼西亚。

（217）*Nebria*（*Eonebria*）*armata* Ledoux *et* Roux, 1999

分布：陕西（乾县）。

（218）*Nebria*（*Eonebria*）*compacta* Ledoux *et* Roux, 1999

分布：陕西（秦岭）。

（219）*Nebria*（*Eonebria*）*vicina* Ledoux *et* Roux, 1999

分布：陕西（太白山）。

（220）孪心步甲 *Nebria gemina* Ledoux, Roux *et* Wrase, 1996

分布：陕西（周至、眉县）。

（221）*Nebria wraseiana* Ledoux *et* Roux, 1996

分布：陕西。

61. 瀛步甲属 *Nipponoharpalus* Habu, 1973

（222）分瀛步甲 *Nipponoharpalus discrepans*（Morawitz, 1862）

分布：陕西（宁陕）、辽宁、北京、江苏、四川；俄罗斯，朝鲜，日本。

62. 湿步甲属 *Notiophilus* Duméril, 1806

（223）凹唇春步甲 *Notiophilus impressifrons* Morawitz, 1862

分布：陕西（华阴）、吉林、北京、山西；蒙古，俄罗斯，朝鲜，日本。

63. 爪步甲属 *Onycholabis* Bates, 1873

（224）*Oxycentrus*（*Oxycentrus*）*jelineki* Ito, 2006

分布：陕西（华阴）、北京。

（225）中华爪步甲 *Onycholabis sinensis* Bates, 1873

分布：陕西（留坝、佛坪、宁陕）、山东、甘肃、安徽、湖北、湖南、台湾、四川、贵州；日本。

64. 偏须步甲属 *Panagaeus* Latreille, 1802

（226）日本偏须步甲 *Panagaeus japonicus* Chaudoir, 1861

分布：陕西（周至）、黑龙江、吉林、河北、湖北、重庆；俄罗斯，朝鲜，日本。

65. 宽颚步甲属 *Parena* Motschulsky, 1859

（227）凹翅宽颚步甲 *Parena cavipennis*（Bates, 1873）

分布：陕西（留坝、佛坪）、河北、山东、河南、甘肃、浙江、湖北、江西、湖南、福建、台湾、贵州；日本，印度尼西亚。

（228）黑带宽颚步甲 *Parena nigrolineata* Chaudoir, 1852

分布：陕西（佛坪）、江苏、福建、台湾；日本，越南，缅甸，印度，斯里兰卡。

（229）光背宽颚步甲 *Parena perforata*（Bates, 1873）

分布：陕西（佛坪、宁陕）、北京、浙江、湖南、台湾、广西、四川、云南、西藏；俄罗斯，日本。

（230）小宽颚步甲 *Parena tripunctata*（Bates, 1873）

分布：陕西（周至、宁陕）、辽宁、北京、河北、山西、安徽、浙江、福建、云南；日本。

66. 印步甲属 *Paropisthius* Casey, 1920

（231）印度印步甲 *Paropisthius indicus*（Chaudoir, 1863）

分布：陕西（周至）、湖北、四川、云南、西藏；印度，尼泊尔，东洋区。

67. 五角步甲属 *Pentagonica* Schmidt-Göbel, 1846

（232）黛五角步甲 *Pentagonica daimiella* Bates, 1892

分布：陕西（周至）、浙江、湖北、湖南、福建、台湾、四川、云南；俄罗斯，日本。

（233）似心五角步甲 *Pentagonica subcordicollis* Bates, 1873

分布：陕西（宁陕）、台湾、广东、海南、广西。

68. 角胸步甲属 *Peronomerus* Schaum, 1854

（234）黄毛角胸步甲 *Peronomerus fumatus* Schaum, 1854

分布：陕西(户县、城固)、黑龙江、吉林、辽宁、河北、河南、甘肃、江苏、浙江、湖北、江西、湖南、广西、四川；俄罗斯(远东)，日本。

69. 炮步甲属 *Pheropsophus* Solier，1833

（235）耶炮步甲 *Pheropsophus jessoensis* **Morawitz，1862**
　　分布：陕西(太白、宁陕)、黑龙江、吉林、辽宁、河北、山东、甘肃、江苏、浙江、湖北、江西、湖南、福建、广东、广西、四川、贵州、云南；朝鲜，日本，越南，老挝，柬埔寨。

70. 锯步甲属 *Pistosia* Motschulsky，1865

（236）直角锯步甲 *Pristosia elevata* **Lindroth，1956**
　　分布：陕西(眉县、宁陕)、上海。

（237）*Pristosia*（*Paradolichus*）*schnelli* **Lassalle，2009**
　　分布：陕西(秦岭)。

（238）波氏锯步甲 *Pristosia potanini*（**Semenov，1889**）
　　分布：陕西(眉县)、甘肃、青海、四川。

（239）沟翅锯步甲 *Pristosia sulcipennis* **Fairmaire，1889**
　　分布：陕西(周至、宁陕)、安徽、四川。

71. 寒步甲属 *Psychristus* Andrewes，1930

（240）莱氏寒步甲 *Psychristus lewisi*（**Schauberger，1933**）
　　分布：陕西(宁陕)、四川、云南；日本。

72. 通缘步甲属 *Pterostichus* Bonelli，1810

（241）铜绿通缘步甲 *Pterostichus*（*Bothriopterus*）*aeneocupreus*（**Fairmaire，1887**）
　　分布：陕西(宁陕)、甘肃、四川、云南、西藏；印度，尼泊尔，不丹。

（242）亮通缘步甲 *Pterostichus*（*Bothriopterus*）*subovatus*（**Motschulsky，1860**）
　　分布：陕西(宁陕)、黑龙江、吉林、北京、河北、山东、河南、甘肃、湖北、四川、云南；俄罗斯(远东)，朝鲜，日本，不丹。

（243）砂琉通缘步甲 *Pterostichus*（*Morphohaptoderus*）*clepsydra* **Sciaky et Wrase，1997**

分布：陕西(周至、宁陕)。

(244) 孔子通缘步甲 *Pterostichus* (*Morphohaptoderus*) *confucius* Sciaky et Wrase, 1997

　　分布：陕西(周至、宁陕)。

(245) 敦达通缘步甲 *Pterostichus* (*Morphohaptoderus*) *dundai* Sciaky, 1994

　　分布：陕西(周至、宁陕)、宁夏。

(246) 格氏通缘步甲 *Pterostichus* (*Morphohaptoderus*) *geberti* Sciaky *et* Wrase, 1997

　　分布：陕西(周至、宁陕)、宁夏。

(247) 华山通缘步甲 *Pterostichus* (*Morphohaptoderus*) *huashanus* Sciaky, 1994

　　分布：陕西(华阴)。

(248) 亚氏通缘步甲 *Pterostichus* (*Morphohaptoderus*) *janatai* Sciaky et Wrase, 1997

　　分布：陕西(周至、宁陕)。

(249) 岭山通缘步甲 *Pterostichus* (*Morphohaptoderus*) *lingshanus* Sciaky et Wrase, 1997

　　分布：陕西(周至、宁陕)。

(250) 明通缘步甲 *Pterostichus* (*Morphohaptoderus*) *ming* Sciaky *et* Wrase, 1997

　　分布：陕西(洋县)。

(251) 米罗通缘步甲 *Pterostichus* (*Morphohaptoderus*) *miroslavi* Sciaky et Wrase, 1997

　　分布：陕西(周至)。

(252) 许氏通缘步甲 *Pterostichus* (*Morphohaptoderus*) *schuelkei* Sciaky et Wrase, 1997

　　分布：陕西(周至、佛坪、宁陕)。

(253) 神农架通缘步甲 *Pterostichus* (*Morphohaptoderus*) *shennongjianus* Facchini *et* Sciaky, 2003

　　分布：陕西(秦岭)、湖北。

(254) 卡特通缘步甲指名亚种 *Pterostichus* (*Neohaploderus*) *catei catei* Sciaky et Wrase, 1997

　　分布：陕西(华阴)。

(255) 卡特通缘步甲圆胸亚种 *Pterostichus* (*Neohaploderus*) *catei rotundithorax* Sciaky *et* Wrase, 1997

分布：陕西（周至、宁陕、柞水）。

（256）重通缘步甲 *Pterostichus*（*Neohaptoderus*）*gravis* **Jedlička，1939**

分布：陕西（周至）、宁夏、甘肃。

（257）克莱氏通缘步甲 *Pterostichus*（*Neohaploderus*）*kleinfeldianus* **Sciaky** *et*
Wrase，1997

分布：陕西（眉县）、宁夏。

（258）火鸡通缘步甲 *Pterostichus*（*Orientostichus*）*gallopavo* **Sciaky** *et* **Wrase，1997**

分布：陕西（周至，华山）、河南。

（259）润通缘步甲 *Pterostichus*（*Rhagadus*）*laevipunctatus*（**Tschitschérine，1889**）

分布：陕西（宁陕）、宁夏、甘肃、四川、云南。

（260）刻纹通缘步甲 *Pterostichus*（*Sinoreophilus*）*scalptus* **Sciaky** *et* **Wrase，1997**

分布：陕西（眉县、宁陕）。

（261）狭通缘步甲 *Pterostichus*（*Sinoreophilus*）*strigosus* **Sciaky** *et* **Wrase，1997**

分布：陕西（周至、眉县、宁陕）、宁夏。

（262）*Pterostichus*（*Sinosteropus*）*cathaicus* **Sciaky，1994**

分布：陕西（华阴）。

（263）宽颊通缘步甲阔头亚种 *Pterostichus*（*Sinosteropus*）*latitemporis inflaticeps*
Sciaky *et* **Wrase，1997**

分布：陕西（宁陕）。

（264）宽颊通缘步甲指名亚种 *Pterostichus*（*Sinosteropus*）*latitemporis latitempo-*
ris **Sciaky** *et* **Wrase，1997**

分布：陕西（周至）。

（265）小胸通缘步甲 *Pterostichus*（*Tschitscherinea*）*parvicollis* **Sciaky** *et* **Wrase，1997**

分布：陕西（洋县）。

73.　掘步甲属 *Scalidion* Schmidt-Göbel，1846

（266）黄掘步甲 *Scalidion xanthophanum*（**Bates，1888**）

分布：陕西（宁陕）、浙江、湖北、江西、湖南、福建、广东、广西、四川、贵州、
云南；越南。

74.　蝼步甲属 *Scarites* Fabricius，1775

（267）单齿蝼步甲 *Scarites terricola pacificus* **Bates，1873**

分布：陕西(周至)、黑龙江、吉林、辽宁、内蒙古、河北、山东、河南、甘肃、新疆、江苏、安徽、浙江、湖北、湖南、福建、台湾、广东、广西、四川、贵州；俄罗斯，朝鲜，日本。

75. 狭胸步甲属 *Stenolophus* Dejean, 1821

(268) 背黑狭胸步甲 *Stenolophus connotatus* Bates, 1873
　　分布：陕西(周至、宁陕)、河北、山西、河南、新疆、江苏、湖北、江西、福建、广西、四川；日本。

76. 长颚步甲属 *Stomis* Clairville, 1806

(269) 德氏长颚步甲陕西亚种 *Stomis deuvei shaanxianus* Sciaky et Wrase, 1997
　　分布：陕西(周至、宁陕)。

(270) 细长颚步甲 *Stomis exilis* Sciaky et Wrase, 1997
　　分布：陕西(华阴、宁陕)。

(271) *Stomis fallettii* Facchini, 2003
　　分布：陕西(秦岭)。

(272) 太白山长颚步甲 *Stomis* (*Stomis*) *taibashanensis* Lassalle, 2003
　　分布：陕西(太白山)。

77. 斯步甲属 *Straneostichus* Sciaky, 1994

(273) 黑氏斯步甲 *Straneostichus haeckeli* Sciaky et Wrase, 1997
　　分布：陕西(眉县)。

(274) 皮茨斯步甲 *Straneostichus puetzi* Sciaky et Wrase, 1997
　　分布：陕西(洋县、镇安)。

(275) 维氏斯步甲紫色亚种 *Straneostichus vignai violaceus* Sciaky et Wrase, 1997
　　分布：陕西(周至、宁陕)。

78. 梨须步甲属 *Synuchus* Gyllenhal, 1810

(276) 大梨须步甲 *Synuchus major* Lindroth, 1956
　　分布：陕西(宁陕)、河北、山东、安徽、浙江、湖南。

(277) 网纹梨须步甲 *Synuchus nitidus reticulatus* Lindroth, 1956
　　分布：秦岭(宁陕)、吉林、河北、江苏、安徽、浙江、湖北、江西、福建。

79.苔步甲属 *Taicona* Bates，1873

（278）金绿苔步甲 *Taicona aurata* Bates，1873
　　　分布：陕西（佛坪）、台湾、广东；日本。

80. Genus *Trechus* Clairville，1806

（279）*Trechus amicorum* Moravec *et* Wrase，1998
　　　分布：陕西（洋县）。

（280）*Trechus atomus* Moravec *et* Wrase，1998
　　　分布：陕西（宁陕）。

（281）*Trechus houzhenziensis* Deuve，2001
　　　分布：陕西（周至）。

（282）*Trechus muscorum* Moravec *et* Wrase，1998
　　　分布：陕西（宁陕）。

（283）*Trechus puetzi* Moravec *et* Wrase，1998
　　　分布：陕西（洋县）。

（284）*Trechus schuelkei* Moravec *et* Wrase，1998
　　　分布：陕西（宁陕）。

（285）*Trechus shaanxiensis* Moravec *et* Wrase，1998
　　　分布：陕西（宁陕）。

81.列毛步甲属 *Trichotichnus* Morawitz，1863

（286）尖胸列毛步甲 *Trichotichnus*（*Amaroschesis*）*acuticollis* Ito，2001
　　　分布：陕西（宁陕、镇坪）。

（287）渡边列毛步甲 *Trichotichnus*（*Amaroschesis*）*watanabei* Ito，2002
　　　分布：陕西（宁陕）。

（288）普列毛步甲 *Trichotichnus*（*Trichotichnus*）*nishioi* Habu，1961
　　　分布：陕西（周至、留坝、佛坪、宁陕）、北京，中国东部广布；日本。

（289）*Trichotichnus*（*Trichotichnus*）*norikoae* Ito，2001
　　　分布：陕西（秦岭）。

（290）*Trichotichnus*（*Trichotichnus*）*planicollis* Ito，2006
　　　分布：陕西（秦岭）、内蒙古、北京、河北。

（291）雅列毛步甲 *Trichotichnus*（*Trichotichnus*）*pseudocongruus* Ito，2001

分布：陕西(周至、佛坪、宁陕)。

82．艳步甲属 *Trigonognatha* Motschulsky，1858

（292）心胸艳步甲 *Trigonognatha cordicollis* Sciaky *et* Wrase，1997

分布：陕西(华阴、宁陕)、河南、宁夏、甘肃。

（293）朝鲜艳步甲 *Trigonognatha coreana*（Tschitschérine，1895）

分布：陕西(宁陕)、辽宁；朝鲜，日本。

（294）库氏艳步甲 *Trigonognatha kutscherai* Sciaky *et* Wrase，1997

分布：陕西(略阳)。

（295）宽胸艳步甲 *Trigonognatha latibasis* Sciaky *et* Wrase，1997

分布：陕西(周至)。

（296）*Trigonognatha schuetzei* Sciaky *et* Wrase，1997

分布：陕西(华阴)。

（297）斯氏艳步甲 *Trigonognatha straneoi* Sciaky *et* Wrase，1997

分布：陕西(佛坪、宁陕)、宁夏、湖北。

83．Genus *Ushijimaella* Ueno，1980

（298）*Ushijimaella silvatica* Moravec *et* Wrase，1998

分布：陕西(周至)。

（299）*Ushijimaella uenoi* Moravec *et* Wrase，1998

分布：陕西(周至)。

八、虎甲科 Cicindelidae

84．虎甲属 *Cicindela* Linnaeus，1758

（300）戴维虎甲 *Cicindela*（*Cylindera*）*davidi davidi*（Fairmaire，1887）

分布：陕西、云南。

（301）芽斑虎甲 *Cicindela*（*Cylindera*）*gemmata gemmata* Faldermann，1835

分布：陕西；日本。

（302）星斑虎甲 *Cicindela*（*Ifasina*）*kaleea kaleea*（Bates，1866）

分布：陕西、台湾；泰国，东亚广布。

（303）中华虎甲 *Cicindela*（*Sophiodela*）*chinensis chinensis*（Geer，1774）
　　　分布：陕西；日本。

85. 长颈虎甲属 *Neocollyris* Horn，1901

（304）*Neocollyris*（*Isocollyris*）*naviauxi* Sawada *et* Wiesner，2003
　　　分布：陕西。

（305）*Neocollyris*（*Isocollyris*）*septentrionalis* Naviaux，1999
　　　分布：陕西（周至）。

多食亚目 Polyphaga

Ⅰ. 牙甲总科 Hydrophiloidea

九、牙甲科 Hydrophilidae

86. Genus *Cercyon* Thomson，1853

（306）*Cercyon*（*Cercyon*）*terminatus*（Marsham，1802）
　　　分布：陕西（秦岭）；俄罗斯，欧洲，北美洲。

（307）*Cercyon*（*Paracycreon*）*laminatus* Sharp，1873
　　　分布：陕西（秦岭）、上海、浙江、湖北、湖南、台湾、广东、香港、广西、四川；俄罗斯，日本，欧洲，智利。

87. 平胸牙甲属 *Crenitis* Bedel，1881

（308）茎突平胸牙甲 *Crenitis*（*Crenitis*）*convexa* Ji *et* Komarek，2003
　　　分布：陕西（周至、宁陕）、四川、云南。

（309）陕西平胸牙甲 *Crenitis*（*Crenitis*）*shaanxiensis* Ji *et* Komarek，2003
　　　分布：陕西（秦岭）、四川。

88. Genus *Enochrus* Thomson，1859

（310）*Enochrus*（*Holcophilydrus*）*simulans*（Sharp，1873）
　　　分布：陕西（秦岭）、黑龙江、吉林、辽宁、内蒙古、北京、天津、河北、陕西、上海、湖北、四川；俄罗斯，韩国，日本。

89. 水龟甲属 _Hydrocassis_ Fairmaires, 1878

(311) 条纹水龟甲 _Hydrocassis scapulata_ Fairmaire, 1878
　　分布：陕西(周至、凤县、佛坪、宁陕)、甘肃、四川。

90. 长节牙甲属 _Laccobius_ Erichson, 1837

(312) _Laccobius_ (_Cyclolaccobius_) _nitidus_ Gentili, 1984
　　分布：陕西(户县、华阴)、安徽、浙江、湖南、江西、福建、四川。

(313) 秦岭长节牙甲 _Laccobius_ (_Glyptolaccobius_) _qinlingensis_ Jia, Gentili _et_ Fikáček, 2013
　　分布：陕西(户县、华阴)。

(314) _Laccobius_ (_Laccobius_) _binotatus_ Orchymont, 1934
　　分布：陕西(西安、户县、华阴)、黑龙江、内蒙古、北京、甘肃、青海、安徽、浙江、湖北、湖南、重庆、四川、云南;俄罗斯，朝鲜，韩国。

(315) _Laccobius_ (_Laccobius_) _colon_ (Stephens, 1829)
　　分布：陕西(西安、户县、华阴)、内蒙古、天津、宁夏、新疆;俄罗斯，伊朗，欧洲。

(316) _Laccobius_ (_Laccobius_) _minutus_ (Linnaeus, 1758)
　　分布：陕西(武功)、黑龙江、内蒙古、新疆;蒙古，俄罗斯，中亚地区，欧洲。

(317) _Laccobius_ (_Microlaccobius_) _elegans_ Gentili, 1979
　　分布：陕西(秦岭)、河北、山东、福建、四川、云南;越南，老挝，泰国。

(318) 美丽长节牙甲 _Laccobius_ (_Microlaccobius_) _formosus_ Gentili, 1979
　　分布：陕西(柞水)、湖北、江西、湖南、广东、海南、广西;俄罗斯，越南，泰国。

(319) _Laccobius_ (_Microlaccobius_) _fragilis_ Nakane, 1966
　　分布：陕西(秦岭)、辽宁、甘肃、台湾;俄罗斯，朝鲜，日本。

(320) 哈氏长节牙甲 _Laccobius_ (_Microlaccobius_) _hammondi_ Gentili, 1984
　　分布：陕西(西安、长安、宁陕)、辽宁、北京、山东、甘肃、安徽、浙江、湖北、江西、湖南、福建、台湾、广东、广西、四川、贵州。

(321) 越南长节牙甲 _Laccobius_ (_Microlaccobius_) _tonkinensis_ Gentili, 1979

分布：陕西（周至）；越南，老挝，泰国。

91．Genus *Pachysternum* Motschulsky，1863

（322）*Pachysternum rugosum* Fikáček，Jia *et* Prokin，2012
分布：陕西（太白）、甘肃。

十、扁圆甲科 Sphaeritidae

92．扁圆甲属 *Sphaerites* Duftschmid，1805

（323）*Sphaerites dimidiatus* Jureček，1934
分布：陕西（周至）、甘肃、四川。
（324）*Sphaerites opacus* Löbl *et* Háva，2002
分布：陕西（太白）。

Ⅱ．隐翅虫总科 Staphylinoidea

十一、葬甲科 Silphidae

93．尸葬甲属 *Necrodes* Leach，1815

（325）滨尸葬甲 *Necrodes littoralis*（**Linnaeus，1758**）
分布：陕西（周至、佛坪、宁陕）、黑龙江、吉林、辽宁、北京、天津、河北、甘肃、青海、新疆、安徽、浙江、湖北、江西、湖南、福建、广东、广西、四川、贵州、云南、西藏。

94．覆葬甲属 *Necrophila* Kirby *et* Spence，1828

（326）红胸丽葬甲 *Necrophila*（*Calosilpha*）*brunnicollis*（**Kraatz，1877**）
分布：陕西（周至、留坝）、黑龙江、吉林、辽宁、内蒙古、北京、河北、山西、甘肃、浙江、湖北、江西、湖南、台湾、广东、海南、广西、四川、贵州、云南。
（327）蓝带真葬甲 *Necrophila*（*Eusilpha*）*cyaneocincta*（**Fairmaire，1878**）
分布：陕西（留坝）、四川。

95．覆葬甲属 *Nicrophorus* Fabricius，1775

（328）黑覆葬甲 *Nicrophorus concolor* Kraatz，1877

分布：陕西（周至）、黑龙江、吉林、辽宁、内蒙古、北京、天津、河北、山西、山东、河南、宁夏、甘肃、青海、新疆、江苏、安徽、浙江、湖北、江西、湖南、福建、台湾、广东、海南、广西、重庆、四川、贵州、云南、西藏。

（329）尼覆葬甲 *Nicrophorus nepalensis* **Hope , 1831**

分布：陕西（周至、宁陕、柞水）、黑龙江、吉林、辽宁、内蒙古、北京、天津、河北、山西、山东、河南、甘肃、青海、新疆、江苏、安徽、浙江、湖北、江西、湖南、福建、台湾、广东、海南、广西、四川、贵州、云南、西藏。

（330）史氏覆葬甲 *Nicrophorus schawalleri* **Sikes** *et* **Madge , 2006**

分布：陕西（周至）、甘肃、青海、四川。

96．媪葬甲属 *Oiceoptoma* Leach, 1815

（331）红胸媪葬甲 *Oiceoptoma subrufum*（**Lewis, 1888**）

分布：陕西（周至、留坝）、黑龙江、吉林、辽宁、内蒙古、北京、河北、甘肃、浙江、四川；俄罗斯，朝鲜，日本。

97．冥葬甲属 *Ptomascopus* Kraatz, 1876

（332）黑冥葬甲 *Ptomascopus morio* **Kraatz, 1877**

分布：陕西（留坝）、黑龙江、北京、河北、台湾。

98．葬甲属 *Silpha* Linnaeus, 1758

（333）隆葬甲 *Silpha businskyorum* **Hava , Schneider** *et* **Ruzicka, 1999**

分布：陕西（周至、华阴、宁陕）。

（334）隧葬甲 *Silpha perforata* **Gebler, 1832**

分布：陕西（太白、黄陵）、黑龙江、辽宁、内蒙古、北京、河北、山西、江西。

（335）秦岭葬甲 *Silpha qinlinga* **Schawaller, 1996**

分布：陕西（周至、宁陕、佛坪）、湖北。

99．亡葬甲属 *Thanatophilus* Leach, 1815

（336）皱亡葬甲 *Thanatophilus rugosus*（**Linnaeus, 1758**）

分布：陕西（周至）、黑龙江、辽宁、北京、宁夏、甘肃、青海、新疆、四川、云南、西藏。

十二、球蕈甲科 Leiodidae

100. Genus *Agathidium* Panzer, 1797

(337) *Agathidium* (*Agathidium*) *brunneipenne* Angelini *et* De Marzo, 1998
分布: 陕西(秦岭)、湖北、四川。

(338) *Agathidium* (*Agathidium*) *huaense* Angelini *et* Marzo, 1998
分布: 陕西(华阴)。

(339) *Agathidium* (*Agathidium*) *inerme* Angelini *et* De Marzo, 1998
分布: 陕西(秦岭)、湖北。

(340) *Agathidium* (*Agathidium*) *lugubre* Angelini *et* De Marzo, 1998
分布: 陕西(秦岭)、湖北、江西、四川、广西。

(341) *Agathidium* (*Agathidium*) *nigritulum* Angelini, 2001
分布: 陕西(秦岭)。

(342) *Agathidium* (*Agathidium*) *puetzi* Angelini *et* Švec, 2000
分布: 陕西(秦岭)。

(343) *Agathidium* (*Agathidium*) *shuelkeicum* Angelini, 2001
分布: 陕西(秦岭)。

(344) *Agathidium* (*Agathidium*) *smetanaicum* Angelini, 2001
分布: 陕西(秦岭)。

(345) *Agathidium* (*Agathidium*) *tschungi* Angelini, 2001
分布: 陕西(秦岭)。

(346) *Agathidium* (*Agathidium*) *vagum* Angelini *et* De Marzo, 1998
分布: 陕西(秦岭)、广西。

(347) *Agathidium* (*Agathidium*) *zdeneki* Angelini, 2001
分布: 陕西(秦岭)、湖北。

(348) *Agathidium* (*Macroceble*) *macrocephalum* Angelini, 2001
分布: 陕西(秦岭)。

(349) *Agathidium* (*Macroceble*) *newtoni* Angelini, 2001
分布: 陕西(秦岭)。

(350) *Agathidium* (*Macroceble*) *sescentesimum* Angelini, 2001
分布: 陕西(秦岭)。

(351) *Agathidium* (*Macroceble*) *truncatum* Angelini, 2001

分布：陕西(秦岭)、四川。

(352) *Agathidium* (*Macroceble*) *venustum* Angelini *et* De Marzo, 1995

分布：陕西(秦岭)、台湾、香港、广西。

(353) *Agathidium* (*Neoceble*) *dundai* Angelini *et* Švec, 1994

分布：陕西(太白山)、四川、云南。

(354) *Agathidium* (*Neoceble*) *jonathani* Angelini, 2001

分布：陕西(秦岭)。

(355) *Agathidium* (*Neoceble*) *shaanxiense* Angelini *et* Švec, 2000

分布：陕西(秦岭)。

101. Genus *Anemadus* Reitter, 1885

(356) *Anemadus schuelkei* Perreau, 2002

分布：陕西(秦岭)。

102. Genus *Anisotoma* Panzer, 1797

(357) *Anisotoma pseudobecvari* Angelini *et* Švec, 1995

分布：陕西(秦岭)、云南。

103. Genus *Catops* Paykull, 1798

(358) *Catops sasajii* Nishikawa, 2007

分布：陕西(秦岭)、湖北、四川、云南。

104. Genus *Choleva* Latreille, 1796

(359) *Choleva* (*Choleva*) *schuelkei* Ruzicka *et* Vavra, 2003

分布：陕西(秦岭)。

105. Genus *Colenisia* Fauvel, 1903

(360) *Colenisia similata* Angelini *et* Švec, 1994

分布：陕西(秦岭)、云南。

106. Genus *Cyrtoplastus* Reitter, 1884

(361) *Cyrtoplastus chinensis* Angelini *et* Švec, 1994

分布：陕西(秦岭)、北京、湖北、四川。

(362) *Cyrtoplastus cooteri* **Angelini, 2001**

分布：陕西(秦岭)。

(363) *Cyrtoplastus schuelkei* **Angelini** *et* **Švec, 2000**

分布：陕西(秦岭)、四川。

107. Genus *Leiodes* Latreille, 1796

(364) *Leiodes nikodymi* **Švec, 1991**

分布：陕西(秦岭)、甘肃、四川、云南。

(365) *Leiodes schuelkei* **Švec, 2000**

分布：陕西(秦岭)。

(366) *Leiodes semipunctata* **Švec, 2000**

分布：陕西(华阴)、湖北。

(367) *Leiodes sichuanica* **Švec, 2000**

分布：陕西(秦岭)、四川。

108. Genus *Mesocatops* Szymczakowski, 1961

(368) *Mesocatops imitator* (**Schweiger, 1956**)

分布：陕西(秦岭)、福建、四川、云南。

109. Genus *Pseudcolenis* Reitter, 1884

(369) *Pseudcolenis* (*Pseudcolenis*) *dilatata* **Angelini** *et* **Švec, 2000**

分布：陕西(秦岭)、湖北、四川、云南。

(370) *Pseudcolenis* (*Pseudcolenis*) *hilleri* **Reitter, 1884**

分布：陕西(秦岭)、吉林、福建、云南;朝鲜,韩国,日本。

(371) *Pseudcolenis* (*Pseudcolenis*) *laticornis* **Angelini** *et* **Švec, 2000**

分布：陕西(秦岭)、湖北、云南。

(372) *Pseudcolenis* (*Pseudcolenis*) *shannae* **Angelini** *et* **Švec, 2000**

分布：陕西(秦岭)、湖北。

(373) *Pseudcolenis* (*Pseudcolenis*) *strigosa* (**Portevin, 1905**)

分布：陕西(秦岭)、四川;印度,尼泊尔。

十三、平唇水龟科 Hydraenidae

110. Genus *Ochthebius* Leach, 1815

（374）*Ochthebius*（*Ochthebius*）*satoi* Nakane, 1965

　　分布：陕西(周至)、吉林、辽宁、内蒙古、河南、山东、台湾;蒙古，俄罗斯，日本，哈萨克斯坦。

十四、觅葬甲科 Agyrtidae

111. Genus *Apteroloma* Hatch, 1927

（375）*Apteroloma kozlovi* Semenov-Tian-Shanskij *et* Znojko in Semenov-Tian-Shanskij, 1932

　　分布：陕西（周至、华阴）、北京、河北、山西、青海;朝鲜，韩国。

（376）*Apteroloma potanini*（Semenov, 1893）

　　分布：陕西（华阴）、山西、河南、甘肃、宁夏、青海、湖北、四川;俄罗斯，朝鲜。

（377）*Apteroloma qinlingense* Rougemont, 2001

　　分布：陕西（长安、周至）。

十五、隐翅虫科 Staphylinidae

（一）前角隐翅虫亚科 Aleocharinae

112. Genus *Acrotona* Thomson, 1859

（378）*Acrotona*（*Acrotona*）*appulsinoides*（Pace, 1998）

　　分布：陕西(长安)。

（379）*Acrotona*（*Acrotona*）*nanjingensis*（Pace, 1998）

　　分布：陕西(秦岭)、江苏、云南。

（380）*Acrotona*（*Acrotona*）*qinlingicola*（Pace, 2011）

　　分布：陕西(周至、佛坪)。

（381）*Acrotona*（*Acrotona*）*suspiciosa suspiciosa*（Motschulsky, 1860）

　　分布：陕西(秦岭)、北京、甘肃、新疆、贵州、云南;朝鲜，印度，斯里兰卡。

（382）*Acrotona*（*Acrotona*）*vicaria*（**Kraatz，1859**）

分布：陕西（秦岭）、北京、浙江、湖北、广东、香港、四川、云南；朝鲜，日本，印度，尼泊尔，非洲。

（383）*Acrotona*（*Acrotona*）*xishanensis*（**Pace，1998**）

分布：陕西（秦岭）、辽宁、北京、河北、河南、江苏、四川。

113. Genus *Aleochara* Gravenhorst，1802

（384）*Aleochara*（*Aleochara*）*curtula*（**Goeze，1777**）

分布：陕西（秦岭）、辽宁、北京、甘肃、四川、重庆；蒙古，俄罗斯，朝鲜，日本，乌兹别克斯坦，哈萨克斯坦，格鲁吉亚，欧洲，非洲，北美洲，南美洲。

（385）*Aleochara*（*Aleochara*）*huamontis* **Pace，2013**

分布：陕西（华阴）。

（386）*Aleochara*（*Aleochara*）*irigaster* **Pace，2013**

分布：陕西（秦岭、镇安）、四川。

（387）*Aleochara*（*Aleochara*）*niasiana* **Cameron，1925**

分布：陕西（秦岭）、台湾、香港；印度。

（388）*Aleochara*（*Coprochara*）*bipustulata*（**Linnaeus，1760**）

分布：陕西（秦岭）、北京、安徽、云南；蒙古，俄罗斯，印度，尼泊尔，巴基斯坦，阿富汗，中亚地区，欧洲，非洲。

（389）*Aleochara*（*Coprochara*）*verna* **Say，1833**

分布：陕西（秦岭）、黑龙江、新疆；蒙古，俄罗斯，朝鲜，日本，印度，尼泊尔，阿富汗，中亚地区，以色列，欧洲，非洲，北美洲。

（390）*Aleochara*（*Xenochara*）*asiatica* **Kraatz，1859**

分布：陕西（秦岭）、台湾、香港、四川；韩国，日本，印度，尼泊尔，斯里兰卡。

（391）*Aleochara*（*Xenochara*）*imaginosa* **Pace，2003**

分布：陕西（秦岭）；马来西亚。

（392）*Aleochara*（*Xenochara*）*sichuanicola* **Pace，2013**

分布：陕西（秦岭）、四川。

114. 艾拉隐翅虫属 *Aloconota* Thomson，1858

（393）*Aloconota*（*Aloconota*）*invisa* **Pace，1987**

分布：陕西(秦岭)、湖北、四川；尼泊尔。

(394) *Aloconota* (*Aloconota*) *umbonis* **Pace, 2004**

分布：陕西(秦岭)、湖北、四川。

(395) *Aloconota* (*Aloconota*) *uncinata* (**Pace, 1987**)

分布：陕西(秦岭)；尼泊尔。

(396) 厚畛子艾拉隐翅虫 *Aloconota houzhenziensis* **Pace, 2011**

分布：陕西(周至)。

115. Genus *Amarochara* Thomson, 1858

(397) *Amarochara* (*Amarochara*) *armata* **Assing, 2002**

分布：陕西(秦岭)、四川。

(398) *Amarochara* (*Lasiochara*) *sororcula* **Cameron, 1939**

分布：陕西(秦岭)；印度。

116. Genus *Amischa* Thomson, 1858

(399) *Amischa rougemonti* **Pace, 1998**

分布：陕西(长安)、山西、甘肃。

117. Genus *Anaulacaspis* Ganglbauer, 1895

(400) *Anaulacaspis beijingensis* (**Pace, 1998**)

分布：陕西(秦岭)、北京。

(401) *Anaulacaspis schuelkei* (**Assing, 2001**)

分布：陕西(宁陕)。

118. 赤首隐翅虫属 *Apimela* Mulsant *et* Rey, 1874

(402) 粗粒赤首隐翅虫 *Apimela glarearum* **Pace, 2012**

分布：陕西(周至)。

(403) *Apimela sinofluminis* **Pace, 2012**

分布：陕西(周至)。

119. 暗纹隐翅虫属 *Atheta* Thomson, 1858

(404) *Atheta* (*Atheta*) *coriaria* (**Kraatz, 1856**)

分布：陕西（秦岭）、北京、河北、香港、云南；朝鲜，日本，印度，欧洲，非洲。

（405）*Atheta*（*Atheta*）*hammondi* Pace，1987

　　分布：陕西（秦岭）、云南；印度。

（406）*Atheta*（*Atheta*）*paralaevicauda* Pace，2004

　　分布：陕西（秦岭）、四川。

（407）*Atheta*（*Atheta*）*sauteri* Bernhauer，1907

　　分布：陕西（秦岭）、北京、江苏、浙江、台湾、广东、香港、四川、贵州；朝鲜，日本，印度，尼泊尔。

（408）*Atheta*（*Bessobia*）*sinonigra* Pace，2011

　　分布：陕西（宁陕）。

（409）*Atheta*（*Datostiba*）*lewisiana* Cameron，1933

　　分布：陕西（秦岭）、北京、山西、江苏、浙江、广东、香港、四川、云南；朝鲜，日本，尼泊尔，巴基斯坦。

（410）*Atheta*（*Datomicra*）*sordiduloides sordiduloides* Cameron，1939

　　分布：陕西（秦岭）、甘肃；印度，尼泊尔。

（411）*Atheta*（*Datomicra*）*viduoides* Pace，1998

　　分布：陕西（秦岭）、云南；印度。

（412）*Atheta*（*Datomicra*）*xinlongensis* Pace，1998

　　分布：陕西（秦岭）、甘肃、四川、云南。

（413）*Atheta*（*Dimetrota*）*gonggana*（Pace，1998）

　　分布：陕西（秦岭）、湖北、四川、云南。

（414）贵州暗纹隐翅虫 *Atheta*（*Dimetrota*）*guizhouensis* Pace，1993

　　分布：陕西（秦岭）、浙江、四川、贵州。

（415）*Atheta*（*Dimetrota*）*huamontis* Pace，2011

　　分布：陕西（华阴）。

（416）*Atheta*（*Dimetrota*）*muta* Pace，1998

　　分布：陕西（长安）。

（417）秦岭暗纹隐翅虫 *Atheta*（*Dimetrota*）*qinlingensis* Pace，2011

　　分布：陕西（周至）。

（418）*Atheta*（*Dimetrota*）*reitteriana* Bernhauer，1939

　　分布：陕西（秦岭）、台湾、广东；日本，印度，尼泊尔。

（419）*Atheta*（*Dimetrota*）*robustina* **Pace，2011**

　　分布：陕西（周至、佛坪）。

（420）*Atheta*（*Dimetrota*）*salamannai* **Pace，1998**

　　分布：陕西（长安）。

（421）*Atheta*（*Dimetrota*）*sinorufipennis* **Pace，2011**

　　分布：陕西（宁陕）。

（422）*Atheta*（*Dimetrota*）*subsericans* **Cameron，1939**

　　分布：陕西（秦岭）、四川、云南；朝鲜，印度，尼泊尔。

（423）*Atheta*（*Dimetrota*）*suburumqiensis* **Pace，2011**

　　分布：陕西（宁陕）。

（424）*Atheta*（*Ekkliatheta*）*aniiensis* **Pace，2004**

　　分布：陕西（秦岭）、浙江、湖北。

（425）*Atheta*（*Microdota*）*acrotonotheca* **Pace，2011**

　　分布：陕西（周至）。

（426）*Atheta*（*Microdota*）*amicula*（**Stephens，1832**）

　　分布：陕西（秦岭）、北京；俄罗斯，朝鲜，欧洲，非洲，北美洲，南美洲。

（427）异首暗纹隐翅虫 *Atheta*（*Microdota*）*elisa* **Assing，2002**

　　分布：陕西（镇坪）。

（428）*Atheta*（*Microdota*）*geostiboides* **Assing，2004**

　　分布：陕西（秦岭）、云南。

（429）*Atheta*（*Microdota*）*kirantorum* **Pace，1990**

　　分布：陕西（秦岭）；尼泊尔。

（430）*Atheta*（*Microdota*）*placita* **Cameron，1939**

　　分布：陕西（秦岭）、湖北、四川、云南；印度，尼泊尔。

（431）*Atheta*（*Microdota*）*pseudonana* **Pace，2011**

　　分布：陕西（宁陕）。

（432）普氏暗纹隐翅虫 *Atheta*（*Microdota*）*puetzi* **Pace，1999**

　　分布：陕西（周至）。

（433）*Atheta*（*Mocyta*）*subclientula* **Cameron，1939**

　　分布：陕西（秦岭）、北京、四川；印度，尼泊尔，哈萨克斯坦。

（434）*Atheta*（*Oxypodera*）*sinorelicta* **Pace，2011**

　　分布：陕西（宁陕）。

（435）*Atheta*（*Philhygra*）*sinobifalcifera* Pace，2011
　　　分布：陕西（宁陕）。

（436）*Atheta*（*Philhygra*）*taibaimontis* Pace，2011
　　　分布：陕西（周至）。

（437）*Atheta*（*Poromicrodota*）*sororcula* Cameron，1939
　　　分布：陕西（秦岭）、湖北；印度，尼泊尔。

（438）*Atheta*（*Poromicrodota*）*subamicula* Cameron，1939
　　　分布：陕西（秦岭）；印度，尼泊尔。

（439）*Atheta*（*Sipalatheta*）*nitidearmata* Pace，2011
　　　分布：陕西（周至）。

120. 奥塔隐翅虫属 *Autalia* Leach，1819

（440）狭肩奥塔隐翅虫 *Autalia imbecilla* Assing，2003
　　　分布：陕西（镇坪）。

121. Genus *Bellatheta* Roubal，1928

（441）*Bellatheta huamontis* Pace，2011
　　　分布：陕西（华阴）。

122. Genus *Brachida* Mulsant *et* Rey，1871

（442）*Brachida koreana* Paśnik，2001
　　　分布：陕西（秦岭）、四川；朝鲜。

123. Genus *Brachyusa* Mulsant *et* Rey，1874

（443）*Brachyusa rougemonti* Pace，1998
　　　分布：陕西（长安）。

124. 带隐翅虫属 *Cordalia* Jacobs，1925

（444）舒克带隐翅虫 *Cordalia schuelkei* Assing，2001
　　　分布：陕西（秦岭）。

125. 宽隐翅虫属 *Encephalus* Stephens，1832

（445）中华宽隐翅虫 *Encephalus sinensis* Pace，2003

分布：陕西（周至）。

（446）盾宽隐翅虫 *Encephalus umbonatus* Pace, 2003

　　　分布：陕西（秦岭）、四川。

126. 宽胸隐翅虫属 *Euryusa* Erichson, 1837

（447）微宽胸隐翅虫 *Euryusa*（*Ectolabrus*）*minor* Maruyama *et* Hlavač, 2002

　　　分布：陕西（秦岭）；日本。

127. 法拉隐翅虫属 *Falagria* Leach, 1819

（448）卡萨法拉隐翅虫 *Falagria caesa* Erichson, 1837

　　　分布：陕西（秦岭）、辽宁、北京、河北、山东、甘肃、新疆、广东、香港；俄罗斯，朝鲜，日本，印度，尼泊尔，中亚地区，以色列，欧洲，非洲，北美洲。

128. 壳隐翅虫属 *Gastropaga* Bernhauer, 1915

（449）中华壳隐翅虫 *Gastropaga*（*Rougemontia*）*siamensis*（Pace, 1986）

　　　分布：陕西（秦岭）、北京、广东、香港、四川；泰国。

129. 鳗长隐翅虫属 *Gyrophaena* Mannerheim, 1830

（450）忆鳗长隐翅虫 *Gyrophaena absurdior* Pace, 2003

　　　分布：陕西（秦岭）、四川、云南。

（451）质鳗长隐翅虫 *Gyrophaena aequalitatis* Pace, 2010

　　　分布：陕西（周至、佛坪）、湖北。

（452）扩鳗长隐翅虫 *Gyrophaena amplificationis* Pace, 2010

　　　分布：陕西（秦岭、镇坪）、湖北。

（453）黑鳗长隐翅虫 *Gyrophaena anguinea* Pace, 2003

　　　分布：陕西（秦岭）、四川。

（454）角鳗长隐翅虫 *Gyrophaena cervicornis* Pace, 2003

　　　分布：陕西（周至）。

（455）牙鳗长隐翅虫 *Gyrophaena cervicornoides* Pace, 2010

　　　分布：陕西（周至）。

（456）华山鳗长隐翅虫 *Gyrophaena discoidea* Pace, 2003

　　　分布：陕西（华阴）。

（457）易鳗长隐翅虫 *Gyrophaena facilis* Pace，1998

　　分布：陕西（秦岭）、四川。

（458）靓鳗长隐翅虫 *Gyrophaena glareicola* Pace，2010

　　分布：陕西（周至）。

（459）滴鳗长隐翅虫 *Gyrophaena guttula* Pace，2010

　　分布：陕西（周至、佛坪）、四川。

（460）帕鳗长隐翅虫 *Gyrophaena（Gyrophaena）pasniki* Assing，2005

　　分布：陕西（秦岭）、黑龙江、湖北、云南;朝鲜。

（461）纹鳗长隐翅虫 *Gyrophaena（Gyrophaena）vidua* Pace，1998

　　分布：陕西（秦岭）、甘肃。

（462）中华鳗长隐翅虫 *Gyrophaena（Gyrophaena）xinlongensis* Smetana，2004

　　分布：陕西（秦岭）、甘肃。

（463）腹鳗长隐翅虫 *Gyrophaena imperita* Pace，2010

　　分布：陕西（周至、佛坪）、四川。

（464）马侬鳗长隐翅虫 *Gyrophaena monospina* Pace，2003

　　分布：陕西（秦岭）、四川。

（465）蒙查鳗长隐翅虫 *Gyrophaena munca* Pace，2010

　　分布：陕西（周至、佛坪）、湖北。

（466）龙骨鳗长隐翅虫 *Gyrophaena osdraconis* Pace，2010

　　分布：陕西（周至）、江西。

（467）佩鳗长隐翅虫 *Gyrophaena pileusmeni* Pace，2007

　　分布：陕西（秦岭）、台湾。

（468）多齿鳗长隐翅虫 *Gyrophaena pluridenticulata* Pace，2010

　　分布：陕西（秦岭）、湖北。

（469）舒克鳗长隐翅虫 *Gyrophaena schuelkei* Pace，2003

　　分布：陕西（周至）、北京、湖北。

（470）红鳗长隐翅虫 *Gyrophaena schuelkeiana* Pace，2010

　　分布：陕西（周至、佛坪）。

（471）森田鳗长隐翅虫 *Gyrophaena sentiens* Pace，2003

　　分布：陕西（周至）、四川。

（472）陕西鳗长隐翅虫 *Gyrophaena shaanxiensis* Pace，2003

　　分布：陕西（周至）。

（473）简鳗长隐翅虫 *Gyrophaena simplicitatis* Pace, 2003
　　　分布：陕西（周至）、江西、湖北、四川。

（474）须鳗长隐翅虫 *Gyrophaena sinoclaricornis* Pace, 2010
　　　分布：陕西（周至、佛坪）。

（475）华鳗长隐翅虫 *Gyrophaena sinodilatata* Pace, 2010
　　　分布：陕西（周至、佛坪）、四川。

（476）渺鳗长隐翅虫 *Gyrophaena sinoplicatella* Pace, 2010
　　　分布：陕西（周至）。

（477）镐鳗长隐翅虫 *Gyrophaena xianensis* Pace, 2003
　　　分布：陕西（周至）、湖北、四川。

（478）萨氏鳗长隐翅虫 *Gyrophaena zanettii* Pace, 2010
　　　分布：陕西（周至）、四川。

（479）扎噶鳗长隐翅虫 *Gyrophaena zhagaensis* Pace, 2003
　　　分布：陕西（秦岭）、湖北、四川。

（480）镇坪鳗长隐翅虫 *Gyrophaena zhenpingensis* Pace, 2010
　　　分布：陕西（镇坪）、湖北、四川。

（481）棕翅鳗长隐翅虫 *Gyrophaena zhouzhicola* Pace, 2010
　　　分布：陕西（周至、佛坪）、湖北。

（482）周至鳗长隐翅虫 *Gyrophaena zhouzhiensis* Pace, 2003
　　　分布：陕西（周至）。

130.　短跗隐翅虫属 *Hydrosmecta* Thomson, 1858

（483）中华短跗隐翅虫 *Hydrosmecta sinica* Pace, 2011
　　　分布：陕西（周至）。

131.　屈爪隐翅虫属 *Hygrochara* Cameron, 1939

（484）中华屈爪隐翅虫 *Hygrochara sinica* Pace, 2012
　　　分布：陕西（华阴）。

132.　柔隐翅虫属 *Lasiosomina* Pace, 1990

（485）魏柔隐翅虫 *Lasiosomina weiensis* Pace, 2011
　　　分布：陕西（西安）。

133. 纤隐翅虫属 *Leptusa* Kraatz, 1856

（486）滑纹纤隐翅虫 *Leptusa（Akratopisalia）limata* Assing, 2002
　　　分布: 陕西(周至、佛坪、洋县)、北京、湖北。

（487）秦岭纤隐翅虫 *Leptusa（Akratopisalia）qinlingensis* Pace, 1999
　　　分布: 陕西(周至、宁陕、洋县)。

（488）镐纤隐翅虫 *Leptusa（Akratopisalia）xianensis* Pace, 1999
　　　分布: 陕西(长安、宁陕)。

（489）中华纤隐翅虫 *Leptusa（Aphaireleptusa）chinensis* Pace, 1997
　　　分布: 陕西(宁陕、镇坪)、四川、云南。

（490）米卡纤隐翅虫 *Leptusa（Aphaireleptusa）michai* Assing, 2002
　　　分布: 陕西(周至、佛坪)。

（491）舒克纤隐翅虫 *Leptusa（Chondrelytropisalia）schuelkei* Pace, 1999
　　　分布: 陕西(周至)。

（492）蓉纤隐翅虫 *Leptusa（Drepanoleptusa）chengduensis* Pace, 2001
　　　分布: 陕西(长安)、四川。

（493）密点纤隐翅虫 *Leptusa（Dysleptusa）sinorum* Pace, 2001
　　　分布: 陕西(周至)。

（494）盲纤隐翅虫 *Leptusa excaecata* Assing, 2002
　　　分布: 陕西(镇坪)。

（495）刺茎纤隐翅虫 *Leptusa（Heteroleptusa）flagellate* Assing, 2002
　　　分布: 陕西(洋县)。

（496）刺凸纤隐翅虫 *Leptusa（Heteroleptusa）hastate* Assing, 2002
　　　分布: 陕西(镇坪)。

（497）陕西纤隐翅虫 *Leptusa（Heteroleptusa）shaanxiensis* Pace, 1999
　　　分布: 陕西(周至)、四川。

134. 隐头隐翅虫属 *Leucocraspedum* Kraatz, 1859

（498）中华隐头隐翅虫 *Leucocraspedum sinofestivum* Pace, 2010
　　　分布: 陕西(秦岭)、四川。

135. 异腹隐翅虫属 *Liogluta* Thomson, 1858

（499）岸异腹隐翅虫 *Liogluta lacustris* Pace, 1998

　　　　分布：陕西（秦岭）、四川、云南。

（500）孔茎异腹隐翅虫 *Liogluta magnumforamen* Pace，2011

　　　　分布：陕西（周至）。

（501）秦岭异腹隐翅虫 *Liogluta qinlingensis* Pace，2011

　　　　分布：陕西（周至）。

（502）钩茎异腹隐翅虫 *Liogluta rostrumaquilae* Pace，2011

　　　　分布：陕西（周至）。

（503）洁鞘异腹隐翅虫 *Liogluta sinoclaripennis* Pace，2011

　　　　分布：陕西（周至）。

（504）夏河腹隐翅虫 *Liogluta xiaheorum* Pace，1998

　　　　分布：陕西（秦岭）、甘肃。

136. 绒隐翅虫属 *Myllaena* Erichson，1837

（505）华山绒隐翅虫 *Myllaena huamontis* Pace，2010

　　　　分布：陕西（华阴）。

（506）硕绒隐翅虫 *Myllaena major* Pace，2010

　　　　分布：陕西（华阴）。

（507）舒克绒隐翅虫 *Myllaena schuelkei* Pace，2010

　　　　分布：陕西（华阴）。

（508）美绒隐翅虫 *Myllaena speciosa* Pace，1998

　　　　分布：陕西（镇坪）、湖北、四川、云南。

（509）云南绒隐翅虫 *Myllaena yunnanensis* Pace，1993

　　　　分布：陕西（镇坪）、湖北、四川、云南。

137. 蚁隐翅虫属 *Myrmecocephalus* MacLeay，1873

（510）浙江蚁隐翅虫 *Myrmecocephalus zhejiangensis*（Pace，1998）

　　　　分布：陕西（长安）、浙江。

138. 适热隐翅虫属 *Nehemitropia* Lohse，1971

（511）黄翅适热隐翅虫 *Nehemitropia lividipennis*（Mannerheim，1830）

　　　　分布：陕西（秦岭）、北京、河北、河南、甘肃、浙江、台湾、云南；朝鲜，日本，
　　　　印度，阿富汗，中亚地区，欧洲，非洲。

139．新隐翅虫属 *Neoleptusa* Cameron，1939

（512）舒克新翅虫 *Neoleptusa schuelkei* Pace，2004
　　　　分布：陕西（华阴）。

140．蝎隐翅虫属 *Nepalota* Pace，1987

（513）中华蝎隐翅虫 *Nepalota chinensis* Pace，1998
　　　　分布：陕西（周至、华阴、佛坪、镇坪）、浙江、云南。
（514）甘肃蝎隐翅虫 *Nepalota gansuensis* Pace，1998
　　　　分布：陕西（周至、眉县、华阴、佛坪、宁陕、镇坪）、甘肃、湖北、四川。
（515）斯氏蝎隐翅虫 *Nepalota smetanai* Pace，1998
　　　　分布：陕西（周至、眉县、华阴、佛坪、宁陕、镇坪）、甘肃、湖北、四川、云南。

141．脊隐翅虫属 *Ocalea* Erichson，1837

（516）中脊隐翅虫 *Ocalea intermediides* Newton，2015
　　　　分布：陕西（镇坪）。
（517）片脊隐翅虫 *Ocalea lobifera* Pace，2012
　　　　分布：陕西（周至、佛坪）。
（518）巨脊隐翅虫 *Ocalea magna* Pace，2012
　　　　分布：陕西（镇坪）。
（519）陕西脊隐翅虫 *Ocalea shaanxiensis* Pace，2012
　　　　分布：陕西（周至）。

142．暗隐翅虫属 *Orphnebius* Motschulsky，1858

（520）锥角暗隐翅虫 *Orphnebius conicornis* Assing，2006
　　　　分布：陕西（镇坪）、四川。
（521）峰暗隐翅虫 *Orphnebius gibber* Assing，2006
　　　　分布：陕西（太白山）、云南。
（522）舒克暗隐翅虫 *Orphnebius schuelkei* Assing，2006
　　　　分布：陕西（镇坪）、四川。

143．锐足隐翅虫属 *Oxypoda* Mannerheim，1830

（523）双拱锐足隐翅虫 *Oxypoda*（*Bessopora*）*bisinuata* Pace，1999

分布：陕西（秦岭）、甘肃、四川、云南。

（524）连锐足隐翅虫 *Oxypoda*（*Bessopora*）*connexa* Cameron，1939

分布：陕西（秦岭）、湖北、四川、云南；印度，尼泊尔。

（525）丰锐足隐翅虫 *Oxypoda*（*Bessopora*）*festiva* Pace，1999

分布：陕西（秦岭）、北京。

（526）贡嘎锐足隐翅虫 *Oxypoda*（*Bessopora*）*gonggaensis* Pace，1999

分布：陕西（秦岭）、四川。

（527）宽锐足隐翅虫 *Oxypoda*（*Bessopora*）*latesentiens* Pace，2012

分布：陕西（秦岭）、四川。

（528）小黄锐足隐翅虫 *Oxypoda*（*Bessopora*）*microlutea* Pace，2012

分布：陕西（周至）。

（529）棕红锐足隐翅虫 *Oxypoda*（*Bessopora*）*mutella* Pace，1999

分布：陕西（长安）、四川。

（530）南五台锐足隐翅虫 *Oxypoda*（*Bessopora*）*nanwutaiensis* Pace，2012

分布：陕西（长安）。

（531）比邻锐足隐翅虫 *Oxypoda*（*Bessopora*）*proxima* Cameron，1939

分布：陕西（秦岭）、四川；印度，尼泊尔，巴基斯坦。

（532）陕西锐足隐翅虫 *Oxypoda*（*Bessopora*）*saanxicola* Pace，1999

分布：陕西（西安）。

（533）太白锐足隐翅虫 *Oxypoda*（*Bessopora*）*taibaimontis* Pace，2012

分布：陕西（周至）。

144. 网纹隐翅虫属 *Pelioptera* Kraatz，1857

（534）陕西网纹隐翅虫 *Pelioptera*（*Geostibida*）*shaanxiensis* Pace，2011

分布：陕西（周至、佛坪）。

（535）云南网纹隐翅虫 *Pelioptera*（*Geostibida*）*yunnanensis* Pace，1993

分布：陕西（镇坪）、云南。

（536）*Pelioptera*（*Pelioptera*）*opaca* Kraatz，1857

分布：陕西（秦岭）、北京、湖北、台湾、香港、广西、四川、云南；朝鲜，日本，印度，尼泊尔，欧洲，非洲。

145. Genus *Porocallus* Sharp，1888

（537）*Porocallus insignis* Sharp，1888

分布：陕西（秦岭）、北京、江西、四川；俄罗斯，朝鲜，日本。

146. Genus *Pseudatheta* Cameron, 1920

（538）*Pseudatheta ghoropanensis ghoropanensis* Pace, 1989
　　分布：陕西（秦岭）、云南；尼泊尔。

（539）*Pseudatheta thailandensis* Pace, 1992
　　分布：陕西（秦岭）；泰国。

147. Genus *Pseudoplandria* Fenyes, 1921

（540）*Pseudoplandria cordis* Pace, 2013
　　分布：陕西（秦岭）、四川。

148. 锤角隐翅虫属 *Rhopalocerina* Reitter, 1909

（541）中华锤角隐翅虫 *Rhopalocerina sinica* Assing, 2012
　　分布：陕西（眉县）

149. 仰鼻隐翅虫属 *Silusa* Erichson, 1837

（542）颚仰鼻隐翅虫 *Silusa mandibulata* Assing, 2011
　　分布：陕西（镇坪）。

（543）陕西仰鼻隐翅虫 *Silusa shaanxiensis* Pace, 2004
　　分布：陕西（华阴）。

（544）四川仰鼻隐翅虫 *Silusa*（*Silusa*）*sichuanensis* Pace, 2004
　　分布：陕西（秦岭）、四川、云南。

150. 喵隐翅虫属 *Sinofeluva* Pace, 2012

（545）秦岭喵隐翅虫 *Sinofeluva qinlingmontis* Pace, 2012
　　分布：陕西（周至）。

151. Genus *Smetanaetha* Pace, 1992

（546）*Smetanaetha*（*Smetanaetha*）*smetanai* Pace, 1999
　　分布：陕西（秦岭）、湖北、四川、云南。

152. 壮颚隐翅虫属 *Sternotropa* Cameron，1920

（547）大巴山壮颚隐翅虫 *Sternotropa dabamontis* Pace，2010
　　　　分布：陕西（镇坪）。

153. Genus *Tachyusa* Erichson，1837

（548）*Tachyusa orientis* Bernhauer，1938
　　　　分布：陕西（秦岭）、黑龙江、北京、江苏、浑南、四川；朝鲜，日本。

（549）*Tachyusa wei* Pace，1993
　　　　分布：陕西（秦岭）、黑龙江、北京、河北；朝鲜，日本。

154. 宽角隐翅虫属 *Tetrabothrus* Bernhauer，1915

（550）中华宽角隐翅虫 *Tetrabothrus chinensis* Pace，2012
　　　　分布：陕西（镇坪）、湖北、重庆。

155. Genus *Tinotus* Sharp，1883

（551）*Tinotus indicus* Cameron，1939
　　　　分布：陕西（秦岭）、湖北；印度。

（552）*Tinotus rougemontianus* Pace，1999
　　　　分布：陕西（秦岭）、四川、云南。

156. 角隐翅虫属 *Trichoglossina* Pace，1987

（553）九角隐翅虫 *Trichoglossina nona* Pace，2012
　　　　分布：陕西（镇坪）。

（554）太白角隐翅虫 *Trichoglossina taibaiensis* Pace，2012
　　　　分布：陕西（周至）。

157. 弯翅隐翅虫属 *Tropimenelytron* Pace，1983

（555）秦岭弯翅隐翅虫 *Tropimenelytron qinlingmontis* Pace，2011
　　　　分布：陕西（周至）。

158. 箭胸隐翅虫属 *Zyras* Stephens，1835

（556）黑角箭胸隐翅虫 *Zyras*（*Zyras*）*nigricornis* Assing，2016

分布：陕西(宁陕、镇坪)、甘肃、青海、湖北、四川。

（557）*Zyras*（*Zyras*）*restitutus* Pace，1993

分布：陕西(秦岭)、四川。

（558）陕西箭胸隐翅虫 *Zyras*（*Zyras*）*shaanxiensis* Pace，1998

分布：陕西(长安、周至、华阴、佛坪、镇坪)、甘肃、湖北、四川、云南。

（559）*Zyras*（*Zyras*）*songanus* Pace，1993

分布：陕西(秦岭)、北京、山西、湖北、云南。

（560）*Zyras*（*Zyras*）*wei* Pace，1993

分布：陕西(秦岭)、湖北、台湾、四川、贵州、云南。

（二）拟葬隐翅虫亚科 Apateticinae

159．节隐翅虫属 *Nodynus* Waterhouse，1876

（561）卡氏节隐翅虫 *Nodynus kasaharai* Hayashi，2002

分布：陕西(宁陕)。

（三）丽隐翅虫亚科 Euaesthetinae

160．壤隐翅虫属 *Edaphosoma* Scheerpeltz，1976

（562）舒克壤隐翅虫 *Edaphosoma schuelkei* Puthz，2010

分布：陕西(宁陕)。

（563）中华壤隐翅虫 *Edaphosoma sinense* Puthz，2010

分布：陕西(宁陕)。

161．土隐翅虫属 *Edaphus* Motschulsky，1856

（564）日本土隐翅虫 *Edaphus japonicus* Sharp，1889

分布：陕西(秦岭)、山西、上海、江苏、安徽、浙江、福建、湖北、贵州；俄罗斯，朝鲜，日本。

162．窄头隐翅虫属 *Stictocranius* LeConte，1866

（565）中华窄头隐翅虫 *Stictocranius chinensis* Puthz，1974

分布：陕西(秦岭)、四川。

（566）密点窄头隐翅虫 *Stictocranius sparsepunctatus* Puthz，2011

分布：陕西(周至、佛坪)。

（四）片足隐翅虫亚科 Habrocerinae

163. 片足隐翅虫属 *Habrocerus* Erichson，1839

（567）舒克片足隐翅虫 *Habrocerus schuelkei* Assing *et* Wunderle，1996
分布：陕西（周至）。

（五）铠甲亚科 Micropeplinae

164. 脊铠甲属 *Cerapeplus* Löbl *et* Burckhardt，1988

（568）中华脊铠甲 *Cerapeplus sinensis* Löbl，1997
分布：陕西（华阴）。

（六）四眼隐翅虫亚科 Omaliinae

165. 异茎隐翅虫属 *Caloboreaphilus* Zerche，1990

（569）哈氏异茎隐翅虫 *Caloboreaphilus hammondi* Zerche，1990
分布：陕西（长安）。

166. 刺颚隐翅虫属 *Coryphium* Stephens，1834

（570）太白刺颚隐翅虫 *Coryphium taibaiensis* Li，Li *et* Zhao，2007
分布：陕西（太白山）。

167. 藏尾隐翅虫属 *Deinopteroloma* Jansson，1947

（571）细藏尾隐翅虫 *Deinopteroloma gracile* Smetana，2001
分布：陕西（周至）。

168. 长跗隐翅虫属 *Eusphalerum* Kraatz，1857

（572）马氏长跗隐翅虫 *Eusphalerum michaeli* Zanetti，2004
分布：陕西（秦岭、大巴山）。

169. 地隐翅虫属 *Geodromicus* Redtenbacher，1857

（573）黄纹地隐翅虫 *Geodromicus cupreostigma* Rougemont *et* Schillhammer，2010
分布：陕西（周至）。

170. 凸胸隐翅虫属 *Haida* Keen，1897

（574）佐藤凸胸隐翅虫 *Haida satoi* Smetana，2003

分布：陕西(秦岭，镇坪)。

171. 盗隐翅虫属 *Lesteva* Latreille, 1797

(575) 大巴山盗隐翅虫 *Lesteva dabashanensis* Rougemont, 2000
　　分布：陕西(岚皋)。

(576) 红边盗隐翅虫 *Lesteva rufimarginata* Rougemont, 2000
　　分布：陕西(宁陕)。

(577) 七斑盗隐翅虫 *Lesteva septemmaculata* Rougemont, 2000
　　分布：陕西(洛南)。

172. 弧翅隐翅虫属 *Trigonodemus* LeConte, 1863

(578) 舒克弧翅隐翅虫 *Trigonodemus schuelkei* Smetana, 1996
　　分布：陕西(周至)。

(七) 异形隐翅虫亚科 Oxytelinae

173. Genus *Carpelimus* Leach, 1819

(579) *Carpelimus* (*Carpelimus*) *indicus* (Kraatz, 1859)
　　分布：陕西(秦岭)、北京、山东、浙江、广东、香港、海南、广西、四川、贵州、云南；日本，越南，泰国，缅甸，印度，尼泊尔，斯里兰卡，巴基斯坦，阿富汗，菲律宾，马来西亚，印度尼西亚，澳大利亚。

(580) *Carpelimus* (*Carpelimus*) *obesus* (Kiesenwetter, 1844)
　　分布：陕西(秦岭)、黑龙江、北京、山西；蒙古，俄罗斯，中亚地区，欧洲，非洲，澳大利亚，北美洲。

(581) *Carpelimus* (*Carpelimus*) *pusillus* (Gravenhorst, 1802)
　　分布：陕西(秦岭)、辽宁、北京、山东；俄罗斯，日本，阿富汗，中亚地区，欧洲，非洲，澳大利亚，北美洲。

(582) *Carpelimus* (*Troginus*) *atomus* (Saulcy, 1865)
　　分布：陕西(秦岭)、北京、河北、浙江、湖北、湖南、福建、台湾、广东、香港、四川、贵州、云南；日本，尼泊尔，巴基斯坦，阿富汗，欧洲，非洲。

(583) *Carpelimus* (*Troginus*) *fujiensis* Gildenkov, 2002
　　分布：陕西(秦岭)、四川；日本。

(584) *Carpelimus* (*Trogophloeus*) *schuelkei* Gildenkov, 2013
　　分布：陕西(周至)。

174. 喜高隐翅虫属 *Ochthephilus* Mulsant *et* Rey, 1856

（585）阿辛喜高隐翅虫 *Ochthephilus assingi* Makranczy, 2014
　　　分布：陕西（留坝）、湖北、云南。

（586）迷喜高隐翅虫 *Ochthephilus enigmaticus* Makranczy, 2014
　　　分布：陕西（周至）。

（587）混喜高隐翅虫 *Ochthephilus vulgaris*（Watanabe *et* Shibata, 1961）
　　　分布：陕西（秦岭）、山西、青海、台湾；朝鲜，日本。

（588）泽氏喜高隐翅虫 *Ochthephilus zerchei* Makranczy, 2014
　　　分布：陕西（秦岭）、四川；尼泊尔。

175. 背筋隐翅虫属 *Oxytelus* Gravenhorst, 1802

（589）哀牢山背筋隐翅虫 *Oxytelus ailaoshanicus* Lü *et* Zhou, 2012
　　　分布：陕西（眉县）、四川、云南。

（590）八戒背筋隐翅虫 *Oxytelus bajiei* Lü *et* Zhou, 2012
　　　分布：陕西（宁陕）、湖北、湖南、广西、四川、云南。

（591）黑背筋隐翅虫 *Oxytelus*（*Oxytelus*）*piceus*（Linnaeus, 1767）
　　　分布：陕西（太白山）、黑龙江、吉林、辽宁、内蒙古、北京、河北、天津、陕西、宁夏、新疆、江苏、上海、安徽、浙江、江西、福建、广西、重庆、四川、贵州、云南、西藏；蒙古，俄罗斯，朝鲜，日本，中亚地区，欧洲，非洲。

（592）点背筋隐翅虫 *Oxytelus*（*Tanycraerus*）*punctipennis* Fauvel, 1905
　　　分布：陕西（长安）、湖北、四川、西藏；缅甸，印度，孟加拉，巴基斯坦。

176. 脊胸隐翅虫属 *Anotylus* Thomson, 1859

（593）*Anotylus anguliceps*（Cameron, 1930）
　　　分布：陕西（秦岭）；印度尼西亚。

（594）额缝脊胸隐翅虫 *Anotylus armifrons*（Cameron, 1940）
　　　分布：陕西（佛坪）、浙江、香港、云南。

（595）粗毛脊胸隐翅虫 *Anotylus hirtulus*（Eppelsheim, 1895）
　　　分布：陕西（华阴）、江苏、浙江、四川、云南；缅甸，印度，尼泊尔，巴基斯坦。

（596）钻纹脊胸隐翅虫 *Anotylus latiusculus latiusculus*（Kraatz, 1859）
　　　分布：陕西（秦岭）、吉林、辽宁、河北、山东、江苏、上海、浙江、福建、台湾、广东、香港、广西；日本，巴基斯坦，菲律宾，印度尼西亚，中亚地区，欧洲，非洲，南美洲。

（597）*Anotylus megacephalus*（Fauvel，1904）

分布：陕西（秦岭）；印度，孟加拉国，巴基斯坦。

（598）钝脊胸隐翅虫 *Anotylus myrmecophilus*（Cameron，1914）

分布：陕西（秦岭）、中国西南地区广布；印度，巴基斯坦。

（599）*Anotylus nitidulus*（Gravenhorst，1802）

分布：陕西（秦岭）；蒙古，俄罗斯，印度，巴基斯坦，阿富汗，中亚地区，欧洲，非洲，北美洲，南美洲。

177. Genus *Platystethus* Mannerheim，1830

（600）*Platystethus*（*Craetopycrus*）*nitens*（Sahlberg，1832）

分布：陕西（秦岭）、黑龙江、甘肃、宁夏；蒙古，俄罗斯，印度，巴基斯坦，阿富汗，中亚地区，以色列，欧洲，非洲。

（601）*Platystethus*（*Platystethus*）*arenarius*（Geoffroy，1785）

分布：陕西（秦岭）、四川；俄罗斯，中亚地区，欧洲，非洲。

178. Genus *Thinobius* Kiesenwetter，1844

（602）*Thinobius*（*Thinobius*）*brevipennis* Kiesenwetter，1850

分布：陕西（秦岭）、四川；俄罗斯，土耳其，以色列，欧洲。

（603）*Thinobius*（*Thinobius*）*longipennis*（Heer，1841）

分布：陕西（秦岭）；蒙古，俄罗斯，欧洲。

179. Genus *Thinodromus* Kraatz，1857

（604）*Thinodromus*（*Thinodromus*）*schuelkei* Gildenkov，2000

分布：陕西（秦岭）、湖北、四川。

（八）毒隐翅虫亚科 Paederinae

180. 拟截隐翅虫属 *Hypomedon* Mulsant *et* Rey，1878

（605）黄拟截隐翅虫 *Hypomedon debilicornis*（Wollaston，1857）

分布：陕西（秦岭）、河北、台湾、四川；韩国，日本，印度，尼泊尔，不丹，伊朗，欧洲，非洲。

181. 隆线隐翅虫属 *Lathrobium* Gravenhorst，1802

（606）短叶隆线隐翅虫 *Lathrobium*（*Lathrobium*）*brevilobatum* Assing，2013

分布：陕西（周至、宁陕）。

（607）短片隆线隐翅虫 *Lathrobium*（*Lathrobium*）*brevitergale* Assing，2013

分布：陕西（洋县、佛坪、宁陕）。

（608）弯片隆线隐翅虫 *Lathrobium*（*Lathrobium*）*concameratum* Assing，2013

分布：陕西（周至、洋县）。

（609）弯刺隆线隐翅虫 *Lathrobium*（*Lathrobium*）*crassispinosum* Assing，2013

分布：陕西（南郑、汉中）。

（610）椭隆线隐翅虫 *Lathrobium*（*Lathrobium*）*declive* Assing，2013

分布：陕西（周至）。

（611）赤翅隆线隐翅虫 *Lathrobium*（*Lathrobium*）*dignum* Sharp，1874

分布：陕西（西安）、辽宁、甘肃、江苏、湖北；俄罗斯，朝鲜，日本。

（612）迷离隆线隐翅虫 *Lathrobium*（*Lathrobium*）*effeminatum* Assing，2013

分布：陕西（周至、洋县、佛坪、宁陕）。

（613）异形隆线隐翅虫 *Lathrobium*（*Lathrobium*）*heteromorphum* Chen，Li *et* Zhao，2005

分布：陕西（宝鸡）。

（614）华隆线隐翅虫 *Lathrobium*（*Lathrobium*）*huaense* Assing，2013

分布：陕西（华阴）。

（615）马氏隆线隐翅虫 *Lathrobium*（*Lathrobium*）*mawenliae* Peng *et* Li，2013

分布：陕西（宁陕）。

（616）陕西隆线隐翅虫 *Lathrobium*（*Lathrobium*）*shaanxiensis* Chen，Li *et* Zhao，2005

分布：陕西（宝鸡、眉县）。

（617）中华隆线隐翅虫 *Lathrobium*（*Lathrobium*）*sinense* Herman，2003

分布：陕西（西安、周至、佛坪、洋县、宁陕、南郑）、甘肃、江苏、浙江、湖北、四川；日本。

（618）普隆线隐翅虫 *Lathrobium*（*Lathrobium*）*sociabile* Assing，2013

分布：陕西（长安、佛坪）。

（619）盖隆线隐翅虫 *Lathrobium*（*Lathrobium*）*tectiforme* Assing，2013

分布：陕西（周至、洋县、佛坪）。

（620）异节隆线隐翅虫 *Lathrobium*（*Lathrobium*）*varisternale* Assing，2013

分布：陕西（眉县）。

182. 黑首隐翅虫 *Lithocharis* Dejean，1833

（621）黯黑首隐翅虫 *Lithocharis nigriceps* Kraatz，1859

分布：陕西（秦岭）、浙江、台湾、四川；朝鲜，日本，印度，斯里兰卡，哈萨克斯坦，欧洲，北美洲。

183. 双线隐翅虫属 *Lobrathium* Mulsant *et* Rey, 1878

（622）棒针双线隐翅虫 *Lobrathium configens* Assing, 2012
分布：陕西（周至）、四川、云南。

（623）钝双线隐翅虫 *Lobrathium*（*Lobrathium*）*hebeatum* Zheng, 1988
分布：陕西（佛坪、洋县）、河南、甘肃、宁夏、四川、云南。

（624）香港双线隐翅虫 *Lobrathium*（*Lobrathium*）*hongkongense*（Bernhauer, 1931）
分布：陕西（长安、略阳）、江苏、浙江、湖北、福建、台湾、香港、广西、四川、贵州、云南；日本。

（625）扭双线隐翅虫 *Lobrathium*（*Lobrathium*）*tortile* Zheng, 1988
分布：陕西（周至、太白、南郑）、甘肃、湖北、四川、贵州。

（626）舒克双线隐翅虫 *Lobrathium schuelkei* Assing, 2012
分布：陕西（周至）。

（627）铲双线隐翅虫 *Lobrathium spathulatum* Assing, 2012
分布：陕西（略阳、南郑）、浙江、湖北、四川。

184. 离中隐翅虫属 *Medon* Stephens, 1833

（628）陕西离中隐翅虫 *Medon shaanxiensis* Assing, 2013
分布：陕西（华阴）。

185. 四齿隐翅虫属 *Nazeris* Fauvel, 1873

（629）侧突四齿隐翅虫 *Nazeris cultellatus* Assing, 2013
分布：陕西（周至、华阴、佛坪、洋县、宁陕）、河南、安徽。

（630）黄氏四齿隐翅虫 *Nazeris huanghaoi* Hu *et* Li, 2010
分布：陕西（周至、眉县、宁陕）。

（631）陕西四齿隐翅虫 *Nazeris shaanxiensis* Hu *et* Li, 2010
分布：陕西（周至、佛坪）。

186. Genus *Ophryomedon* Wasmann, 1916

（632）*Ophryomedon crenatus* Wasmann, 1916
分布：陕西（秦岭）；日本，印度，马来西亚。

187. 毒隐翅虫属 *Paederus* Fabricius, 1775

(633) 连毒隐翅虫 *Paederus*（*Harpopaederus*）*agnatus* Eppelsheim, 1889
　　分布：陕西（周至、洋县）、甘肃。

(634) 果毒隐翅虫 *Paederus*（*Harpopaederus*）*apfelsinicus* Willers, 2001
　　分布：陕西（镇坪）、湖北。

(635) 短突毒隐翅虫 *Paederus*（*Harpopaederus*）*brevior* Li, Solodovnikov *et* Zhou, 2014
　　分布：陕西（宁陕）。

(636) 孔夫子毒隐翅虫 *Paederus*（*Harpopaederus*）*konfuzius* Willers, 2001
　　分布：陕西（周至、眉县、佛坪、宁陕）。

(637) 梭毒隐翅虫 *Paederus*（*Heteropaederus*）*fuscipes fuscipes* Curtis, 1826
　　分布：陕西（太白山）、北京、湖北、台湾、香港、广西、四川、云南；朝鲜，日本，印度，尼泊尔，欧洲，非洲。

(638) 细尖毒隐翅虫 *Paederus*（*Heteropaederus*）*gracilacutus* Li *et* Zhou, 2007
　　分布：陕西（周至）、甘肃。

(639) *Paederus licenti* Bernhauer, 1938
　　分布：陕西（秦岭）、甘肃、四川。

188. Genus *Pseudolathra* Casey, 1905

(640) *Pseudolathra*（*Allolathra*）*regularis*（Sharp, 1889）
　　分布：陕西（秦岭）、北京、江苏、浙江、四川、云南；日本。

189. 皱纹隐翅虫属 *Rugilus* Leach, 1819

(641) 锡兰皱纹隐翅虫 *Rugilus*（*Eurystilicus*）*ceylanensis*（Kraatz, 1859）
　　分布：陕西（秦岭）、江苏、安徽、福建、台湾、广西、四川、云南；朝鲜，日本，印度，尼泊尔，不丹，斯里兰卡，澳大利亚，北美洲。

(642) 红棕皱纹隐翅虫 *Rugilus*（*Eurystilicus*）*rufescens*（Sharp, 1874）
　　分布：陕西（佛坪）、黑龙江、北京、河北、山西、江苏、浙江、湖北、湖南、台湾、广西；俄罗斯，朝鲜，日本，印度，缅甸。

(643) 西姆拉皱纹隐翅虫 *Rugilus*（*Eurystilicus*）*simlaensis*（Cameron, 1931）
　　分布：陕西（宁陕）、湖北、台湾、四川、云南；印度，尼泊尔，不丹。

(644) 柔毛皱纹隐翅虫 *Rugilus*（*Eurystilicus*）*velutinus*（Fauvel, 1895）
　　分布：陕西（宁陕、南郑）、浙江、湖北、福建、广西、四川；越南，老挝，泰国，印度，缅甸，尼泊尔。

（645）大巴山皱纹隐翅虫 *Rugilus*（*Rugilus*）*dabaicus* Assing，2012

　　分布：陕西（佛坪、宁陕）、湖北。

（646）细突皱纹隐翅虫 *Rugilus*（*Rugilus*）*fodens* Assing，2012

　　分布：陕西（南郑）、四川。

（647）甘肃皱纹隐翅虫 *Rugilus*（*Rugilus*）*gansuensis* Rougemont，1998

　　分布：陕西（周至、南郑）、甘肃、四川。

（648）黄氏皱纹隐翅虫 *Rugilus*（*Rugilus*）*huanghaoi* Hu，Song *et* Li，2015

　　分布：陕西（周至、眉县）。

（649）腹纹皱纹隐翅虫 *Rugilus*（*Rugilus*）*reticulatus* Assing，2012

　　分布：陕西（周至、眉县、太白、佛坪）、河南。

190. Genus *Scopaeus* Erichson，1839

（650）*Scopaeus*（*Scopaeus*）*limbatus* Kraatz，1859

　　分布：陕西（秦岭）、北京、河北、河南、台湾、广东、香港、广西；日本，印度，尼泊尔，不丹，斯里兰卡，巴基斯坦。

（651）*Scopaeus*（*Scopaeus*）*trapeziceps* Frisch，2003

　　分布：陕西（秦岭）、北京；韩国，日本。

（652）*Scopaeus*（*Scopaeus*）*virilis* Sharp，1874

　　分布：陕西（秦岭）、辽宁、北京、上海、江西、山东、河南、台湾、四川；韩国，日本。

191. 隆齿隐翅虫属 *Stilicoderus* Sharp，1889

（653）短角隆齿隐翅虫 *Stilicoderus angulatus* Assing，2013

　　分布：陕西（秦岭）、甘肃、云南。

（654）日本隆齿隐翅虫 *Stilicoderus japonicus* Shibata，1968

　　分布：陕西（周至、佛坪、洋县）、河南、甘肃、湖北、四川、云南；日本。

（655）*Stilicoderus minor* Cameron，1931

　　分布：陕西（秦岭）、甘肃、云南；印度，尼泊尔，不丹。

（656）曲喙隆齿隐翅虫 *Stilicoderus psittacus* Assing，2013

　　分布：陕西（周至）、湖北、湖南、重庆、四川、云南。

（657）交错隆齿隐翅虫 *Stilicoderus signatus* Sharp，1889

　　分布：陕西（周至、洋县）、甘肃、江苏、湖北、福建、四川；日本。

192. 苏隐翅虫属 *Sunius* Stephens, 1829

（658）心苏隐翅虫 *Sunius cordiformis* Assing, 2002
　　　分布：陕西（长安、华阴）、北京、四川、云南。

（659）叉苏隐翅虫 *Sunius furcillatus* Assing, 2002
　　　分布：陕西（西安、临潼、华阴、镇坪）、湖北、四川。

（九）蚁甲亚科 Pselaphinae

193. Genus *Bryaxis* Kugelann, 1794

（660）*Bryaxis fictor* Kurbatov *et* Löbl, 1998
　　　分布：陕西（长安）。

（661）*Bryaxis sacrificus* Kurbatov *et* Löbl, 1995
　　　分布：陕西（华阴）、湖北。

194. 拟蚁甲属 *Labomimus* Sharp, 1883

（662）类突拟蚁甲 *Labomimus paratorus* Yin *et* Li, 2012
　　　分布：陕西（佛坪、宁陕）。

（663）舒克氏拟蚁甲 *Labomimus schuelkei* Yin *et* Li, 2012
　　　分布：陕西（华阴、洛南）。

195. 毛蚁甲属 *Lasinus* Sharp, 1874

（664）中华毛蚁甲 *Lasinus sinicus* Bekchiev, Hlaváč *et* Nomura, 2013
　　　分布：陕西（长安）、甘肃、湖北、广西。

196. 长角蚁甲属 *Pselaphodes* Westwood, 1870

（665）野村氏长角蚁甲 *Pselaphodes nomurai* Yin, Li *et* Zhao, 2010
　　　分布：陕西（周至、佛坪、洋县、镇坪）、河南、湖北。

197. 糙蚁甲属 *Sathytes* Westwood, 1870

（666）长角糙蚁甲 *Sathytes longitrabis* Yin *et* Li, 2012
　　　分布：陕西（周至）。

198. Genus *Tychus* Leach, 1817

（667）*Tychus tkatchevi* Sabella *et* Kurbatov, 2002

分布：陕西(秦岭)；韩国。

（十）背脊隐翅虫亚科 **Pseudopsinae**

199. 背脊隐翅虫属 *Pseudopsis* Newman，1834

（668）丝背脊隐翅虫 *Pseudopsis filum* **Zerche，2003**
分布：陕西(周至、佛坪)。

（669）*Pseudopsis gansuensis* **Zerche，1998**
分布：陕西(秦岭)、甘肃。

（670）珀氏背脊隐翅虫 *Pseudopsis puetzi* **Zerche，1998**
分布：陕西(宁陕)。

（十一）出尾蕈甲亚科 **Scaphidiinae**

200. 脊出尾蕈甲属 *Ascaphium* Lewis，1893

（671）异脊出尾蕈甲 *Ascaphium alienum* **Tang *et* Li，2009**
分布：陕西(太白)、湖北。

（672）黄氏脊出尾蕈甲 *Ascaphium huanghaoi* **Tang *et* Li，2009**
分布：陕西(周至)。

（673）小脊出尾蕈甲 *Ascaphium parvulum* **Tang *et* Li，2009**
分布：陕西(周至)。

201. 小出尾蕈甲属 *Baeocera* Erichson，1845

（674）弗郎小出尾蕈甲 *Baeocera franzi*（**Löbl，1973**）
分布：陕西(秦岭)、江苏、湖北、福建、四川、云南；泰国。

（675）弗氏小出尾蕈甲 *Baeocera freyi* **Löbl，1966**
分布：陕西(秦岭)；俄罗斯，朝鲜，韩国。

（676）哈氏小出尾蕈甲 *Baeocera hammondi* **Löbl，1984**
分布：陕西(长安)。

（677）华山小出尾蕈甲 *Baeocera huashana* **Löbl，1999**
分布：陕西(华阴)。

202. 缩头出尾蕈甲属 *Cyparium* Erichson，1845

（678）米卡缩头出尾蕈甲 *Cyparium mikado* **Achard，1923**
分布：陕西(秦岭)、北京；韩国，日本。

（679）西伯利亚缩头出尾蕈甲 *Cyparium sibiricum* Solsky，1871
　　　分布：陕西（秦岭）、四川、云南；俄罗斯（远东）。

203. Genus *Deleaster* Erichson，1839

（680）*Deleaster pekinensis* Fairmaire，1893
　　　分布：陕西（秦岭）、辽宁、北京。

204. 背出尾蕈甲属 *Episcaphium* Lewis，1893

（681）常卿背出尾蕈甲 *Episcaphium changchini* Sheng *et* Gu，2009
　　　分布：陕西（周至）。

205. 出尾蕈甲属 *Scaphidium* Olivier，1790

（682）伪出尾蕈甲 *Scaphidium falsum* He，Tang *et* Li，2008
　　　分布：陕西（周至、柞水）、北京。
（683）伯仲出尾蕈甲 *Scaphidium frater* He，Tang *et* Li，2008
　　　分布：陕西（周至）。
（684）舒克出尾蕈甲 *Scaphidium schuelkei* Löbl，1999
　　　分布：陕西（周至、户县、眉县）、湖北、重庆、四川。
（685）点斑出尾蕈甲 *Scaphidium stigmatinotum* Löbl，1999
　　　分布：陕西（周至、柞水）、江苏、安徽、浙江、湖北、湖南、福建、广东、广西、
　　　四川、云南。
（686）周氏出尾蕈甲 *Scaphidium zhoushuni* He，Tang *et* Li，2009
　　　分布：陕西（周至、户县）、重庆。

206. 尖须出尾蕈甲属 *Scaphisoma* Leach，1815

（687）米卡尖须出尾蕈甲 *Scaphisoma michaeli* Löbl，2003
　　　分布：陕西（周至、佛坪）。
（688）外来尖须出尾蕈甲 *Scaphisoma migrator* Löbl，2000
　　　分布：陕西（华阴）、湖北、四川。
（689）变尖须出尾蕈甲 *Scaphisoma mutator* Löbl，2000
　　　分布：陕西（秦岭）、四川。
（690）寻常尖须出尾蕈甲 *Scaphisoma notatum* Löbl，1986
　　　分布：陕西（秦岭）、湖北、四川、云南；印度，尼泊尔，巴基斯坦。
（691）巨蛇尖须出尾蕈甲 *Scaphisoma serpens* Löbl，2000

分布：陕西(周至)。

207．凸背出尾蕈甲属 *Scaphobaeocera* Csiki，1909

（692）似缘凸背出尾蕈甲 *Scaphobaeocera cognata* Löbl，1984
　　　分布：陕西(秦岭)、四川、云南；印度，尼泊尔。

(十二)苔甲亚科 Scydmaeninae

208．卵苔甲属 *Cephennodes* Reitter，1884

（693）腹突卵苔甲 *Cephennodes*（*Cephennodes*）*abdominalis* Jałoszyński，2007
　　　分布：陕西(秦岭、镇坪)、四川。
（694）矢尾卵苔甲 *Cephennodes*（*Cephennodes*）*caudatus* Jałoszyński，2007
　　　分布：陕西(华阴)。
（695）叶足卵苔甲 *Cephennodes*（*Cephennodes*）*kopeipes* Jałoszyński，2007
　　　分布：陕西(镇坪)、四川。
（696）异腹突卵苔甲 *Cephennodes*（*Cephennodes*）*parabdominalis* Jałoszyński，2007
　　　分布：陕西(华阴)。
（697）突尾卵苔甲 *Cephennodes*（*Cephtnnodes*）*subcaudatus* Jałoszyński，2007
　　　分布：陕西(宁陕)。
（698）斧形卵苔甲 *Cephennodes*（*Fusionodes*）*ascipenis* Jałoszyński，2007
　　　分布：陕西(周至、佛坪、洋县)。
（699）光额卵苔甲 *Cephennodes*（*Fusionodes*）*lustrifrons* Jałoszyński，2007
　　　分布：陕西(镇坪)。
（700）扩胸卵苔甲 *Cephennodes*（*Fusionodes*）*transversicollis* Jałoszyński，2007
　　　分布：陕西(镇坪)。

209．钩颚苔甲属 *Stenichnus* Thomson，1859

（701）大巴山钩颚苔甲 *Stenichnus*（*Stenichnus*）*dabanus* Jałoszyński，2009
　　　分布：陕西(秦岭、镇坪)、四川。

(十三)隐翅虫亚科 Staphylininae

210．异黄隐翅虫属 *Achemia* Bordoni，2003

（702）舒克氏异黄隐翅虫 *Achemia schuelkeiana* Bordoni，2003

分布：陕西（镇坪）、四川。

211. 圆翅隐翅虫属 *Amichrotus* Sharp, 1889

（703）渡边氏圆翅隐翅虫 *Amichrotus watanabei* Hayashi, 2002
　　　分布：陕西（宁陕）。

212. 短须隐翅虫属 *Anisolinus* Sharp, 1889

（704）佐藤氏短须隐翅虫 *Anisolinus satoi* Hayashi, 2003
　　　分布：陕西（宁陕）。

213. 狭胸隐翅虫属 *Apostenolinus* Bernhauer, 1934

（705）脊头狭胸隐翅虫 *Apostenolinus cariniceps*（Bernhauer, 1934）
　　　分布：陕西（秦岭）、四川、云南。

214. 沟迅隐翅虫属 *Aulacocypus* Müller, 1925

（706）卡氏沟迅隐翅虫 *Aulacocypus cavazzutii* Smetana, 2003
　　　分布：陕西（柞水）、湖北。
（707）*Aulacocypus kansuensis*（Bernhauer, 1933）
　　　分布：陕西（秦岭）、甘肃、云南。
（708）熊猫沟迅隐翅虫 *Aulacocypus panda* Smetana, 2003
　　　分布：陕西（佛坪、宁陕、镇坪）。
（709）普氏沟迅隐翅虫 *Aulacocypus puetzi* Smetana, 2003
　　　分布：陕西（华阴、镇坪）、湖北、四川。

215. 尖胸隐翅虫属 *Bisnius* Stephens, 1829

（710）弓尖胸隐翅虫 *Bisnius parcus*（Sharp, 1874）
　　　分布：陕西（眉县）、辽宁、北京、山东、宁夏、江西、四川、云南；蒙古，俄罗斯，韩国，日本，澳大利亚，北美洲。
（711）徐氏尖胸隐翅虫 *Bisnius xuae* Li *et* Zhou, 2010
　　　分布：陕西（周至）、宁夏、湖北、四川。

216. 嗜肉隐翅虫属 *Creophilus* Leach, 1819

（712）大嗜肉隐翅虫 *Creophilus maxillosus maxillosus*（Linnaeus, 1758）
　　　分布：陕西（西安）、黑龙江、吉林、辽宁、内蒙古、北京、山西、香港、四川、云南;蒙古，俄罗斯，朝鲜，日本，印度，尼泊尔，不丹，巴基斯坦，阿富汗，中亚地区，欧洲，非洲，北美洲，南美洲。

217. 圆头隐翅虫 *Dinothenarus* Thomson，1858

（713）斯氏圆头隐翅虫 *Dinothenarus*（*Dinothenarus*）*smetanai* Hayashi，2012
分布：陕西（秦岭）、四川。

218. Genus *Eccoptolonthus* Bernhauer，1912

（714）*Eccoptolonthus rutiliventris*（Sharp，1874）
分布：陕西（秦岭）、北京、辽宁、吉林、宁夏、俄罗斯，韩国，日本，尼泊尔，哈萨克斯坦。

219. 伊里隐翅虫属 *Erichsonius* Fauvel，1874

（715）日本伊里隐翅虫 *Erichsonius*（*Sectophilonthus*）*japonicus*（Cameron，1933）
分布：陕西（秦岭）、北京、新疆;俄罗斯，朝鲜，日本。

220. 佳隐翅属 *Gabrius* Stephens，1829

（716）红佳隐翅虫 *Gabrius hong* Li，Schillhammer *et* Zhou，2010
分布：陕西（周至、佛坪、宁陕、镇平）、宁夏。
（717）拟佳隐翅虫 *Gabrius invisus* Li，Schillhammer *et* Zhou，2012
分布：陕西（西安、长安、周至、太白、佛坪）、北京、河南、浙江、湖北、湖南、四川。
（718）曲茎佳隐翅虫 *Gabrius tortilis* Li，Schillhammer *et* Zhou，2010
分布：陕西（太白、宁陕）、宁夏、湖北、四川、云南、西藏。

221. 歧隐翅虫属 *Hesperosoma* Scheerpeltz，1965

（719）中华歧隐翅虫 *Hesperosoma*（*Hesperosoma*）*chinense* Hayashi，2002
分布：陕西（周至、佛坪、宁陕、镇平）、湖北、四川。

222. 狭须隐翅虫属 *Heterothops* Stephens，1829

（720）黄缘狭须隐翅虫 *Heterothops cognatus* Sharp，1874
分布：陕西（秦岭）、辽宁;韩国，日本。
（721）石原狭须隐翅虫 *Heterothops ishiharai* Ito，1994

分布：陕西（秦岭）、四川；日本。

223. 拟短须隐翅虫属 *Hybridolinus* Schillhammer, 1998

（722）斯氏拟短须隐翅虫 *Hybridolinus smetanai* Schillhammer, 2003
　　分布：陕西（周至）。

224. 宽颈隐翅虫属 *Hypnogyra* Casey, 1906

（723）四川宽颈隐翅虫 *Hypnogyra sichuanica* Bordoni, 2003
　　分布：陕西（周至、佛坪）、四川、云南。

225. 印度肩隐翅虫属 *Indoquedius* Blackwelder, 1952

（724）双角印度肩隐翅虫 *Indoquedius bicornutus* Zhao et Zhou, 2010
　　分布：陕西（秦岭）、四川、云南。

（725）朱诺印度肩隐翅虫 *Indoquedius juno*（Sharp, 1874）
　　分布：陕西（周至、佛坪、宁陕）、河北、湖北、重庆、四川；韩国，日本。

226. 瘦首隐翅虫属 *Medhiama* Bordoni, 2002

（726）普氏瘦首隐翅虫 *Medhiama puetzi* Bordoni, 2003
　　分布：陕西（秦岭）、湖北、四川。

（727）四川瘦首隐翅虫 *Medhiama sichuanica* Bordoni, 2003
　　分布：陕西（秦岭）、四川、云南。

（728）*Medhiama wallstromae* Bordoni, 2003
　　分布：陕西（秦岭）、云南。

227. 硕黄隐翅虫属 *Megalinus* Mulsant, 1877

（729）波氏硕黄隐翅虫 *Megalinus boki*（Bordoni, 2000）
　　分布：陕西（长安、华阴、佛坪）、山西、浙江、四川、贵州、云南。

（730）高山硕黄隐翅虫 *Megalinus montanicus*（Bordoni, 2003）
　　分布：陕西（周至、佛坪、宁陕、洛南）、河南、湖北、四川。

228. 长迅隐翅虫属 *Miobdelus* Sharp, 1889

（731）黑角星点隐翅虫 *Miobdelus atricornis* Smetana, 2001
　　分布：陕西（秦岭）、甘肃、四川、云南。

（732）埃氏星点隐翅虫 *Miobdelus eppelsheimi*（Reitter, 1887）

　　　　分布：陕西（秦岭）、黑龙江、甘肃、青海、四川、云南、西藏。

（733）硕长迅隐翅虫 *Miobdelus insignitus* Smetana，2011
　　　　分布：陕西（秦岭、镇坪）、四川。

（734）纤长迅隐翅虫 *Miobdelus tenuis* Smetana，2005
　　　　分布：陕西（秦岭、大巴山）。

229.　纤隐翅虫属 *Nepalinus* Coiffait，1975

（735）束翅纤隐翅虫 *Nepalinus parcipennis*（Bernhauer，1933）
　　　　分布：陕西（长安）、山西、甘肃、四川。

230.　并线隐翅虫属 *Nudobius* Thomson，1860

（736）临安并线隐翅虫 *Nudobius linanensis* Bordoni，2009
　　　　分布：陕西（秦岭）、浙江、湖北。

（737）异茎并线隐翅虫 *Nudobius mirificus* Bordoni，2003
　　　　分布：陕西（秦岭、镇坪）、四川。

（738）黑腹并线隐翅虫 *Nudobius nigriventris* Zheng，1994
　　　　分布：陕西（周至）、河南、重庆、四川、云南。

231.　迅隐翅虫属 *Ocypus* Leach，1819

（739）刺迅隐翅虫 *Ocypus*（*Pseudocypus*）*dolon* Smetana，2007
　　　　分布：陕西（周至、岚皋）。

（740）格氏迅隐翅虫指名亚种 *Ocypus*（*Pseudocypus*）*graeseri graeseri* Eppelsheim，1887
　　　　分布：陕西（秦岭）、黑龙江、北京、河北、青海；蒙古，俄罗斯（远东）。

（741）贾氏迅隐翅虫 *Ocypus*（*Pseudocypus*）*jelineki* Smetana，2009
　　　　分布：陕西（长安、周至、户县、佛坪）、河南、湖北。

（742）米氏迅隐翅虫 *Ocypus*（*Pseudocypus*）*menander* Smetana，2007
　　　　分布：陕西（周至、岚皋）、四川。

（743）尼氏迅隐翅虫 *Ocypus*（*Pseudocypus*）*neocles* Smetana，2007
　　　　分布：陕西（周至、佛坪、柞水）、河南。

（744）棕黑迅隐翅虫 *Ocypus*（*Pseudocypus*）*nigroaeneus* Sharp，1889
　　　　分布：陕西（秦岭）、黑龙江、吉林、辽宁、内蒙古、甘肃、四川；蒙古，俄罗斯，朝鲜，日本。

（745）罗氏迅隐翅虫 *Ocypus*（*Pseudocypus*）*rhinton* Smetana，2007

　　分布：陕西（周至、佛坪、宁陕）。

（746）赛氏迅隐翅虫 *Ocypus*（*Pseudocypus*）*semenowi* Reitter，1887

　　分布：陕西（周至）、甘肃、青海、四川。

232. 直缝隐翅虫属 *Othius* Stephens，1829

（747）宽腹直缝隐翅虫甘肃亚种 *Othius latus gansuensis* Assing，1999

　　分布：陕西（秦岭）、甘肃、青海。

（748）宽腹直缝隐翅虫指名亚种 *Othius latus latus* Sharp，1874

　　分布：陕西（秦岭）、辽宁、青海、上海、浙江、湖南；俄罗斯，日本。

（749）长唇直缝隐翅虫 *Othius longilabris* Assing，2003

　　分布：陕西（秦岭、镇坪）。

（750）中直缝隐翅虫 *Othius medius* Sharp，1874

　　分布：陕西（秦岭）、辽宁、甘肃、上海；韩国，日本。

（751）刻点直缝隐翅虫 *Othius punctatus* Bernhauer，1923

　　分布：陕西（秦岭）、山东、甘肃、浙江、湖北、湖南、台湾、四川、贵州。

（752）红尾直缝隐翅虫 *Othius rufocaudatus* Assing，2013

　　分布：陕西（秦岭）、浙江。

（753）舒克直缝隐翅虫 *Othius schuelkei* Assing，2003

　　分布：陕西（秦岭）、湖北。

233. Genus *Phacophallus* Coiffait，1956

（754）*Phacophallus flavipennis*（Kraatz，1859）

　　分布：陕西（秦岭）、台湾、香港、云南；日本，印度，尼泊尔，斯里兰卡，马来西亚，非洲，澳大利亚。

（755）*Phacophallus japonicus*（Cameron，1933）

　　分布：陕西（秦岭）、辽宁、北京、河南、江苏、浙江、福建、香港、广西、四川、云南；韩国，日本。

234. 菲隐翅虫属 *Philonthus* Stephens，1829

（756）银腹菲隐翅虫 *Philonthus fasciventris* Schillhammer，2003

　　分布：陕西（周至）、四川。

（757）亮毛菲隐翅虫 *Philonthus*（*Philonthus*）*aeneipennis* Boheman，1858

　　分布：陕西（秦岭）、辽宁、北京、河北、江苏、浙江、台湾、香港、海南、四川、云南；韩国，日本，印度，尼泊尔，不丹，印度尼西亚，巴基斯坦，阿富汗，伊朗，非洲，澳大利亚。

（758）蓝毛菲隐翅虫 *Philonthus*（*Philonthus*）*azuripennis* **Cameron, 1928**
　　分布：陕西（秦岭）、甘肃、青海、四川、云南、西藏；印度，尼泊尔，不丹。

（759）褪色菲隐翅虫 *Philonthus*（*Philonthus*）*decoloratus* **Kirshenblat, 1933**
　　分布：陕西（秦岭）、黑龙江、山西、甘肃、四川、云南、西藏；蒙古，俄罗斯，朝鲜，日本。

（760）吉氏菲隐翅虫 *Philonthus*（*Philonthus*）*ghilarovi* **Tikhomirova, 1973**
　　分布：陕西（秦岭）、北京、河北、山西；俄罗斯（远东）。

（761）混色菲隐翅虫 *Philonthus*（*Philonthus*）*ildefonso* **Schillhammer, 2003**
　　分布：陕西（秦岭）、北京、河北、山西；俄罗斯（远东）。

（762）日本菲隐翅虫 *Philonthus*（*Philonthus*）*japonicus* **Sharp, 1874**
　　分布：陕西（秦岭）、黑龙江、辽宁、北京、山西、甘肃、新疆；俄罗斯，朝鲜，日本。

（763）蓝菲隐翅虫 *Philonthus*（*Philonthus*）*lan* **Schillhammer, 1998**
　　分布：陕西（秦岭）、北京、河北、山西；俄罗斯（远东）。

（764）*Philonthus*（*Philonthus*）*mercurii* **Tikhomirova, 1973**
　　分布：陕西（秦岭）、北京、湖北；俄罗斯，韩国，

（765）*Philonthus*（*Philonthus*）*minutus* **Boheman, 1848**
　　分布：陕西（秦岭）、辽宁、北京、河北、新疆、广西、台湾、香港；朝鲜，韩国，日本，越南，印度，缅甸，斯里兰卡，马来西亚，新加坡，印度尼西亚，巴基斯坦，欧洲，非洲，澳大利亚。

（766）大黑菲隐翅虫 *Philonthus*（*Philonthus*）*oberti* **Eppelsheim, 1889**
　　分布：陕西（秦岭）、黑龙江、辽宁、北京、山西、甘肃、浙江、福建、重庆、四川、云南；蒙古，俄罗斯，朝鲜，日本。

（767）红毛菲隐翅虫 *Philonthus*（*Philonthus*）*purpuripennis* **Reitter, 1887**
　　分布：陕西（秦岭）、甘肃、青海、新疆、湖北、四川、云南、西藏；印度，尼泊尔。

（768）矩菲隐翅虫 *Philonthus*（*Philonthus*）*rectangulus* **Sharp, 1874**
　　分布：陕西（秦岭）、黑龙江、吉林、北京、河北、山西、甘肃、新疆、浙江、台湾、香港、广西、四川、云南；蒙古，俄罗斯，韩国，日本，尼泊尔，不丹，阿富汗，中亚地区，欧洲，非洲，北美洲。

（769）*Philonthus*（*Philonthus*）*rotundicollis*（**Ménétriès, 1832**）
　　分布：陕西（秦岭）、黑龙江、青海、新疆、四川；蒙古，俄罗斯，朝鲜，日本，巴基斯坦，阿富汗，中亚地区，欧洲。

（770）*Philonthus*（*Philonthus*）*saphyreus* **Schillhammer**，2000
　　分布：陕西（秦岭）、湖北、四川。

（771）*Philonthus*（*Philonthus*）*simpliciventris* **Bernhauer**，1933
　　分布：陕西（秦岭）、北京、山西、甘肃、福建、台湾、重庆、四川、云南；印度，
尼泊尔。

（772）*Philonthus*（*Philonthus*）*spadiceus* **Sharp**，1889
　　分布：陕西（秦岭）；韩国，日本。

（773）*Philonthus*（*Philonthus*）*tardus* **Kraatz**，1859
　　分布：陕西（秦岭）、浙江、台湾、香港、四川；朝鲜，日本，斯里兰卡，非洲。

235．原迅隐翅虫属 *Protocypus* **Muller**，1923

（774）猫原迅隐翅虫 *Protocypus felis* **Smetana**，2005
　　分布：陕西（秦岭、岚皋）。

（775）宽腹原迅隐翅虫 *Protocypus lativentris* **Smetana**，2005
　　分布：陕西（秦岭、岚皋）。

（776）狼原迅隐翅虫 *Protocypus lupus* **Smetana**，2005
　　分布：陕西（长安、周至、户县、太白、佛坪、宁陕、镇坪）、甘肃、湖北、重庆、
四川。

（777）獾原迅隐翅虫 *Protocypus meles* **Smetana**，2005
　　分布：陕西（秦岭、岚皋）。

（778）狐原迅隐翅虫 *Protocypus vulpes* **Smetana**，2005
　　分布：陕西（华阴）。

（779）沃氏原迅隐翅虫 *Protocypus wrasei* **Smetana**，2005
　　分布：陕西（秦岭、镇坪）。

236．伪东方隐翅虫属 *Pseudorientis* **Watanabe**，1970

（780）圆头伪东方隐翅虫 *Pseudorientis rotundiceps* **Smetana**，2002
　　分布：陕西（秦岭）、湖北。

237．Genus *Quedionuchus* **Sharp**，1884

（781）*Quedionuchus reitterianus*（**Bernhauer**，1934）
　　分布：陕西（秦岭）、湖南、四川、云南。

238．肩隐翅虫属 *Quedius* **Stephens**，1829

（782）代氏肩隐翅虫 *Quedius*（*Distichalius*）*daedalus* **Smetana**，2008

分布：陕西(眉县、佛坪)、四川、云南。

（783）尖肩隐翅虫 *Quedius*（*Distichalius*）*iaculifer* Smetana，2015
　　分布：陕西(眉县)、甘肃。

（784）裘氏肩隐翅虫 *Quedius*（*Distichalius*）*gyges* Smetana，2008
　　分布：陕西(周至、紫阳、镇坪)、甘肃、青海、云南。

（785）黄肩肩隐翅虫 *Quedius*（*Distichalius*）*quinctius* Smetana，1998
　　分布：陕西(周至)、北京、四川。

（786）强肩隐翅虫 *Quedius*（*Distichalius*）*stouraci* Hromádka，2003
　　分布：陕西(周至、宁陕)、青海。

（787）*Quedius dohertyi* Cameron，1932
　　分布：陕西(秦岭)、湖北、四川、贵州、云南；印度，尼泊尔。

（788）邻肩隐翅虫 *Quedius*（*Microsaurus*）*adjacens* Cameron，1926
　　分布：陕西(长安、宁陕)、湖南、四川；印度。

（789）须肩隐翅虫 *Quedius*（*Microsaurus*）*antennalis* Cameron，1932
　　分布：陕西(秦岭、镇坪)、河南、甘肃、湖北、福建、海南、四川、贵州；印度。

（790）毕氏肩隐翅虫 *Quedius*（*Microsaurus*）*beesoni* Cameron，1932
　　分布：陕西(秦岭、镇坪)、上海、浙江、湖北、福建、台湾、广西、重庆、四川、贵州、云南；印度，尼泊尔。

（791）克里肩隐翅虫 *Quedius*（*Microsaurus*）*chremes* Smetana，1996
　　分布：陕西(周至、宁陕)、山西、甘肃、湖北、四川。

（792）狄库斯肩隐翅虫 *Quedius*（*Microsaurus*）*decius* Smetana，1996
　　分布：陕西(秦岭)、湖北、四川。

（793）妒肩隐翅虫 *Quedius*（*Microsaurus*）*duh* Smetana，2001
　　分布：陕西(宁陕)。

（794）宽叶肩隐翅虫 *Quedius*（*Microsaurus*）*germanorum* Smetana，1997
　　分布：陕西(周至、宁陕)。

（795）贵肩隐翅虫 *Quedius*（*Microsaurus*）*guey* Smetana，2001
　　分布：陕西(周至、留坝)。

（796）郝氏肩隐翅虫 *Quedius*（*Microsaurus*）*holzschuhi* Smetana，1999
　　分布：陕西(宁陕)、四川、贵州；老挝。

（797）混肩隐翅虫 *Quedius*（*Microsaurus*）*huenn* Smetana，2002
　　分布：陕西(镇坪)。

（798）续肩隐翅虫 *Quedius*（*Microsaurus*）*inquietus*（Champion，1925）
　　分布：陕西(宁陕)、湖北、四川、云南；印度，尼泊尔。

（799）傀肩隐翅虫 *Quedius*（*Microsaurus*）*koei* Smetana，1999
　　　分布：陕西（宁陕）。

（800）斜肩隐翅虫 *Quedius*（*Microsaurus*）*liau* Smetana，1999
　　　分布：陕西（宁陕）。

（801）挪威肩隐翅虫 *Quedius*（*Microsaurus*）*norvegorum* Smetana，2015
　　　分布：陕西（眉县）。

（802）细肩隐翅虫 *Quedius*（*Microsaurus*）*puer* Smetana，2014
　　　分布：陕西（秦岭）。

（803）然肩隐翅虫 *Quedius*（*Microsaurus*）*raan* Smetana，2002
　　　分布：陕西（华阴）。

（804）舒克肩隐翅虫 *Quedius*（*Microsaurus*）*schuelkei* Smetana，1997
　　　分布：陕西（临潼、华阴、宁陕）。

（805）祖肩隐翅虫 *Quedius*（*Microsaurus*）*tzwu* Smetana，2002
　　　分布：陕西（镇坪）。

（806）红须肩隐翅虫 *Quedius*（*Raphirus*）*barbarossa* Smetana，2002
　　　分布：陕西（周至、镇坪）、湖北。

（807）双斑肩隐翅虫 *Quedius*（*Raphirus*）*bisignatus* Smetana，2002
　　　分布：陕西（周至）。

（808）丽翅肩隐翅虫 *Quedius*（*Raphirus*）*caelestis* Smetana，1996
　　　分布：陕西（宁陕）、湖南、四川、云南。

（809）艾俄肩隐翅虫 *Quedius*（*Raphirus*）*io* Smetana，2008
　　　分布：陕西（宁陕）。

（810）金德拉肩隐翅虫 *Quedius*（*Raphirus*）*jindrai* Smetana，1998
　　　分布：陕西（周至、镇坪）、湖北、四川。

（811）广肩隐翅虫 *Quedius*（*Raphirus*）*maculiventris* Bernhauer，1934
　　　分布：陕西（秦岭）、浙江、湖北、福建、重庆、四川、贵州、云南。

（812）普氏肩隐翅虫 *Quedius*（*Raphirus*）*puetzi* Smetana，1998
　　　分布：陕西（华阴）、湖北、云南。

（813）齿角肩隐翅虫 *Quedius*（*Velleius*）*dilatatus*（Fabricius，1787）
　　　分布：陕西（太白山）、辽宁、北京；俄罗斯，韩国，日本，土耳其，欧洲。

（814）叉角肩隐翅虫 *Quedius*（*Velleius*）*sagittalis* Zhao *et* Zhou，2015
　　　分布：陕西（眉县）。

239. Genus *Rabigus* Mulsant *et* Rey，1876

（815）*Rabigus inconstans*（Sharp，1889）

分布：陕西（秦岭）、辽宁、吉林；蒙古，俄罗斯，朝鲜，日本。

240. 球茎隐翅虫属 *Sphaerobulbus* Smetana，2003

（816）黄斑球茎隐翅虫 *Sphaerobulbus ornatus* Smetana，2006
分布：陕西（周至）、四川。

（817）黑足球茎隐翅虫 *Sphaerobulbus rex* Smetana，2005
分布：陕西（镇坪）、湖北、四川。

241. Genus *Stenistoderus* Jacquelin du Val，1856

（818）*Stenistoderus*（*Stenistoderus*）*sinicus* Bordoni，2000
分布：陕西（秦岭）、北京、河北、山西、江西、四川；朝鲜。

242. 沟颚隐翅虫属 *Trichocosmetes* Kraatz，1859

（819）黑沟颚隐翅虫 *Trichocosmetes inexspectatus* Schillhammer，2001
分布：陕西（宁陕）。

243. Genus *Xanthophius* Motschulsky，1860

（820）*Xanthophius angustus* Sharp，1874
分布：陕西（秦岭）、辽宁、福建、台湾、广东；韩国，日本。

244. Genus *Yunna* Bordoni，2002

（821）*Yunna micophora* Bordoni，2002
分布：陕西（秦岭）、云南。

（822）*Yunna rubens* Bordoni，2002
分布：陕西（秦岭）、广西、四川、云南。

245. 云隐翅虫属 *Yunnella* Bordoni，2002

（823）多刺云隐翅虫 *Yunnella spinosa* Bordoni，2003
分布：陕西（周至、佛坪）、四川。

246. Genus *Zeteotomus* Jacquelin du Val，1856

（824）*Zeteotomus dilatipennis*（Kirshenblat，1948）
分布：陕西（秦岭）、黑龙江、山西；俄罗斯。

（十四）突眼隐翅虫亚科 Steninae

247. 束毛隐翅虫属 *Dianous* Leach，1819

（825）钝尖束毛隐翅虫 *Dianous acutus* Zheng，1994

分布：陕西（秦岭）、湖北、四川。

（826）负债束毛隐翅虫 *Dianous aerator* Puthz，2016

分布：陕西（周至、佛坪）、湖北、江西、湖南、广西、四川。

（827）斑氏束毛隐翅虫 *Dianous banghaasi* Bernhauer，1916

分布：陕西（秦岭）、山西、河南、山东、上海、浙江、江西、湖南、福建、广东、
广西、四川、贵州；韩国。

（828）中华束毛隐翅虫 *Dianous chinensis* Bernhauer，1916

分布：陕西（秦岭）、河南、山东、浙江、江西。

（829）疑束毛隐翅虫 *Dianous dubiosus* Puthz，2000

分布：陕西（周至、岚皋）、湖北、广西、四川、贵州。

248. 突眼隐翅虫属 *Stenus* Latreille，1797

（830）异腹突眼隐翅虫 *Stenus*（*Hemistenus*）*alioventralis* Tang *et* Puthz，2009

分布：陕西（太白、眉县）。

（831）阿里山突眼隐翅虫 *Stenus*（*Hemistenus*）*arisanus* Cameron，1949

分布：陕西（秦岭）、甘肃、青海、湖北、台湾、四川、云南。

（832）喇叭突眼隐翅虫 *Stenus*（*Hemistenus*）*bucinifer* Puthz，2012

分布：陕西（周至）。

（833）同黑突眼隐翅虫 *Stenus*（*Hemistenus*）*conseminiger* Zhao *et* Zhou，2006

分布：陕西（太白山）。

（834）污色突眼隐翅虫 *Stenus*（*Hemistenus*）*contaminatus* Puthz，1981

分布：陕西（秦岭）、湖北、广西、四川、云南；越南，泰国，缅甸。

（835）幸运突眼隐翅虫 *Stenus*（*Hemistenus*）*fortunatoris* Tang *et* Puthz，2009

分布：陕西（太白）。

（836）暗腹突眼隐翅虫 *Stenus*（*Hemistenus*）*rugipennis* Sharp，1874

分布：陕西（秦岭）、山西、福建、台湾、四川、贵州；俄罗斯，朝鲜，日本，
土库曼斯坦。

（837）刺腹突眼隐翅虫 *Stenus*（*Hemistenus*）*scopulus* Zheng，1992

分布：陕西（佛坪）、四川、云南。

（838）太白山突眼隐翅虫 *Stenus*（*Hemistenus*）*taibaishanus* **Tang** *et* **Puthz**，**2009**
　　分布：陕西（太白、眉县）。

（839）变茎突眼隐翅虫 *Stenus*（*Hemistenus*）*variunguis* **Feldmann**，**2007**
　　分布：陕西（宁陕）、青海、四川、云南。

（840）闪蓝突眼隐翅虫 *Stenus*（*Hemistenus*）*viridanus* **Champion**，**1925**
　　分布：陕西（秦岭）、湖北、四川、贵州；印度，不丹，巴基斯坦。

（841）虎突眼隐翅虫 *Stenus*（*Hypostenus*）*cicindeloides*（**Schaller**，**1783**）
　　分布：陕西（秦岭）、黑龙江、辽宁、吉林、北京、江苏、湖北、江西、湖南、福建、台湾、香港、广西、四川、贵州、云南；蒙古，俄罗斯，朝鲜，日本，越南，哈萨克斯坦，中亚地区，欧洲。

（842）密点突眼隐翅虫 *Stenus*（*Hypostenus*）*confertus* **Sharp**，**1889**
　　分布：陕西（秦岭）、浙江；朝鲜，日本。

（843）亲缘突眼隐翅虫 *Stenus*（*Hypostenus*）*frater* **Benick**，**1916**
　　分布：陕西（秦岭）、湖南、广东、香港、四川、云南；越南，印度尼西亚。

（844）胡氏突眼隐翅虫 *Stenus*（*Hypostenus*）*hui* **Tang** *et* **Puthz**，**2009**
　　分布：陕西（周至、眉县、佛坪）。

（845）莫卡托突眼隐翅虫 *Stenus*（*Hypostenus*）*mercator* **Sharp**，**1889**
　　分布：陕西（秦岭）、辽宁、北京、内蒙古、山东、上海、江苏、浙江、江西、福建；蒙古，俄罗斯，朝鲜，日本。

（846）黑头突眼隐翅虫 *Stenus*（*Hypostenus*）*nigriceps* **Tang** *et* **Puthz**，**2009**
　　分布：陕西（周至、太白、眉县、佛坪）。

（847）漆黑突眼隐翅虫 *Stenus*（*Hypostenus*）*nigritus* **Tang**，**Li** *et* **Zhao**，**2005**
　　分布：陕西（太白）。

（848）特氏突眼隐翅虫 *Stenus*（*Hypostenus*）*turnai* **Puthz**，**2013**
　　分布：陕西（秦岭）、湖北、四川。

（849）异突眼隐翅虫 *Stenus*（*Stenus*）*alienus* **Sharp**，**1874**
　　分布：陕西（秦岭）、北京、山西、青海、台湾；蒙古，俄罗斯，韩国，日本。

（850）丽额突眼隐翅虫 *Stenus*（*Stenus*）*calliceps* **Bernhauer**，**1916**
　　分布：陕西（汉中）、北京、山东、甘肃、湖北、江西、福建；朝鲜，日本。

（851）斑突眼隐翅虫 *Stenus*（*Stenus*）*comma comma* **LeConte**，**1863**
　　分布：陕西（秦岭）、黑龙江、吉林、辽宁、河北、内蒙古、山西、甘肃、宁夏、青海、新疆、江苏、湖北、四川；蒙古，俄罗斯，朝鲜，日本，中亚地区，欧洲，北美洲。

（852）伪骗突眼隐翅虫 *Stenus*（*Stenus*）*deceptiosus* Puthz, 2008

分布：陕西(西安)、辽宁、北京、河北、山西、宁夏；朝鲜。

（853）分离突眼隐翅虫 *Stenus*（*Stenus*）*distans* Sharp, 1889

分布：陕西(佛坪)、北京、山西、河南、浙江、福建、台湾、四川、贵州；韩国，日本。

（854）东方突眼隐翅虫 *Stenus*（*Stenus*）*eurous* Puthz, 1980

分布：陕西(秦岭)、山东、安徽、浙江、湖北、台湾、广东、海南、香港。

（855）伪赝突眼隐翅虫 *Stenus*（*Stenus*）*falsator* Puthz, 2008

分布：陕西(太白山)、黑龙江、吉林、北京、内蒙古、宁夏；俄罗斯，朝鲜。

（856）伯仲突眼隐翅虫 *Stenus*（*Stenus*）*fraterculus* Puthz, 1980

分布：陕西(眉县)、湖南、四川、云南。

（857）华北突眼隐翅虫 *Stenus*（*Stenus*）*huabeiensis* Rougemont, 2001

分布：陕西(秦岭)、北京、山西、湖北。

（858）腹毛突眼隐翅虫 *Stenus*（*Stenus*）*lanuginosipes* Puthz, 2010

分布：陕西(镇坪)、四川。

（859）阑氏突眼隐翅虫 *Stenus*（*Stenus*）*lewisius pseudoater* Bernhauer, 1938

分布：陕西(周至)、黑龙江、辽宁、北京、天津、河北、山西、河南、江苏、上海、浙江；朝鲜。

（860）小黑突眼隐翅虫指名亚种 *Stenus*（*Stenus*）*melanarius melanarius* Stephens, 1833

分布：陕西(西安、周至，太白山)、黑龙江、吉林、辽宁、北京、天津、山西、河南、宁夏、上海、江苏、安徽、浙江、江西、湖南、福建、台湾、广东、海南、广西、四川、贵州、云南；蒙古，俄罗斯，朝鲜，日本，伊朗，中亚地区，欧洲，北美洲。

（861）晦色突眼隐翅虫 *Stenus*（*Stenus*）*morio* Gravenhorst, 1806

分布：陕西(西安，太白山)、黑龙江、辽宁、河北、山西、甘肃、青海、湖北、西藏；蒙古，俄罗斯，朝鲜，伊朗，中亚地区，欧洲，北美洲。

（862）拟尊贵突眼隐翅虫 *Stenus*（*Stenus*）*paradoxus* Bernhauer, 1916

分布：陕西(秦岭)、黑龙江、吉林、辽宁、北京、内蒙古、山西、青海；蒙古、俄罗斯。

（863）壮股突眼隐翅虫 *Stenus*（*Stenus*）*pernanus* Puthz, 2006

分布：陕西(周至、佛坪)。

（864）伪铅色突眼隐翅虫 *Stenus*（*Stenus*）*plumbivestis* Puthz, 2008

分布：陕西(佛坪)、山西、湖北、台湾。

（865）微毛突眼隐翅虫 *Stenus*（*Stenus*）*pubiformis* Puthz，2012
　　　分布：陕西（秦岭）、辽宁、山西、山东、上海、浙江；俄罗斯，朝鲜。

（866）郊野突眼隐翅虫 *Stenus*（*Stenus*）*ruralis* Erichson，1840
　　　分布：陕西（太白山）、黑龙江、吉林、辽宁、山西；蒙古，俄罗斯，朝鲜，日本，哈萨克斯坦，欧洲。

（867）隐秘突眼隐翅虫 *Stenus*（*Stenus*）*secretus* Bernhauer，1915
　　　分布：陕西（西安）、黑龙江、吉林、辽宁、内蒙古、北京、河北、山西、河南、甘肃、宁夏；蒙古，俄罗斯，朝鲜。

（868）性突眼隐翅虫 *Stenus*（*Stenus*）*sexualis* Sharp，1874
　　　分布：陕西（南郑）、北京、河北、山西、上海、江苏、浙江、四川、贵州；日本，老挝。

（869）竖毛突眼隐翅虫 *Stenus*（*Tesnus*）*hirtiventris* Sharp，1889
　　　分布：陕西（南郑）、山西、江苏、浙江；日本。

（870）多毛突眼隐翅虫 *Stenus*（*Tesnus*）*pilosiventris* Bernhauer，1915
　　　分布：陕西（西安）、黑龙江、辽宁、北京、河北、山东、甘肃、宁夏、上海、江苏、浙江、江西、湖南、四川；俄罗斯，朝鲜，日本。

（十五）尖腹隐翅虫亚科 Tachyporinae

249．锥须隐翅虫属 *Bolitobius* Leach，1819

（871）陕西锥须隐翅虫 *Bolitobius shaanxiensis* Schülke，2000
　　　分布：陕西（周至、太白）。

250．长足隐翅虫属 *Derops* Sharp，1889

（872）亮腹长足隐翅虫 *Derops nitidipennis* Schülke，2000
　　　分布：陕西（周至）、湖南、贵州。

251．毛须隐翅虫属 *Ischnosoma* Stephens，1829

（873）阿布毛须隐翅虫 *Ischnosoma absalon* Kocian，2003
　　　分布：陕西（太白山，留坝、佛坪）。

（874）波氏毛须隐翅虫 *Ischnosoma bohaci* Kocian，2003
　　　分布：陕西（太白山，佛坪）、甘肃、浙江、福建、台湾。

（875）肩斑毛须隐翅虫 *Ischnosoma bolitobioides*（Bernhauer，1923）
　　　分布：陕西（秦岭）、浙江、台湾、四川；日本，泰国。

（876）盘毛须隐翅虫 *Ischnosoma discoidale discoidale*（Sharp, 1888）

分布：陕西（佛坪）、黑龙江、贵州；日本、泰国。

（877）双列毛须隐翅虫 *Ischnosoma duplicatum*（Sharp, 1888）

分布：陕西（佛坪）、浙江、台湾、贵州；俄罗斯，日本，泰国，印度，尼泊尔。

（878）伊娃毛须隐翅虫 *Ischnosoma evae* Kocian, 2003

分布：陕西（太白）、四川、云南。

（879）小斑毛须隐翅虫 *Ischnosoma fusciventre*（Tichomirova, 1973）

分布：陕西（秦岭）、吉林；俄罗斯，日本。

（880）黑角毛须隐翅虫 *Ischnosoma maderi*（Bernhauer, 1943）

分布：陕西（佛坪）、黑龙江、北京、四川、云南。

（881）伪凸背毛须隐翅虫指名亚种 *Ischnosoma quadriguttatum quadriguttatum*（Champion, 1923）

分布：陕西（太白、佛坪）、浙江、台湾、香港、四川、云南；泰国，缅甸，印度，尼泊尔，巴基斯坦，印度尼西亚。

（882）太白毛须隐翅虫 *Ischnosoma taibaiensis* Zhu, Li *et* Zhao, 2005

分布：陕西（太白山）。

252. Genus *Tachinus* Gravenhorst, 1802

（883）*Tachinus*（*Tachinoderus*）*beckeri* Ullrich, 1975

分布：陕西（秦岭）、四川。

（884）*Tachinus*（*Tachinus*）*hujiayaoi* Feng, Li *et* Schülke, 2013

分布：陕西（太白）。

（885）*Tachinus*（*Tachinus*）*javanus* Cameron, 1937

分布：陕西（秦岭）、湖北、福建、四川；俄罗斯，日本，印度，印度尼西亚。

（886）*Tachinus*（*Tachinus*）*licenti* Bernhauer, 1938

分布：陕西（秦岭）、西藏。

（887）*Tachinus*（*Tachinus*）*lii* Schülke, 2005

分布：陕西（秦岭）、四川、云南。

（888）*Tachinus*（*Tachinus*）*marginatus*（Fabricius, 1792）

分布：陕西（秦岭）黑龙江、辽宁、河北、内蒙古、山西、甘肃、青海、四川、西藏；蒙古，俄罗斯，朝鲜，欧洲。

（889）*Tachinus*（*Tachinus*）*robustus* Zhao, Li *et* Zhang, 2003

分布：陕西（秦岭）、甘肃、四川。

Ⅲ．金龟总科 Scarabaeoidea

十六、粪金龟科 Geotrupidae

（一）隆金龟亚科 Bolboceratinae

253．勒隆金龟属 *Bolbelasmus* Boucomont，1911

（890）插勒隆金龟 *Bolbelasmus coreanus* Kolbe，1886
分布：陕西（周至）、甘肃、安徽、浙江、福建、四川、贵州、云南、台湾；朝鲜，泰国，印度。

（二）粪金龟亚科 Geotrupinae

254．武粪金龟属 *Enoplotrupes* Lucas，1869

（891）华武粪金龟 *Enoplotrupes sinensis* Lucas，1869
分布：陕西（佛坪）、甘肃、湖南、四川、云南。

255．奥粪金龟属 *Odontotrypes* Fairmaire，1887

（892）*Odontotrypes*（*Odontotrypes*）*cheni* Ochi，Kon *et* Bai，2017
分布：陕西（太白）。

（893）秦岭奥粪金龟 *Odontotrypes qinling* Král，Malý *et* Schneider，2001
分布：陕西（长安）。

（894）吴氏奥粪金龟 *Odontotrypes uenoi*（Masumoto，1995）
分布：陕西（秦岭）。

256．福粪金龟属 *Phelotrupes* Jekel，1866

（895）双色福粪金龟 *Phelotrupes*（*Chromogeotrupes*）*bicolor*（Fairmaire，1888）
分布：陕西（佛坪）、四川、云南。

（896）伊氏福粪金龟 *Phelotrupes*（*Phelotrupes*）*imurai*（Masumoto，1995）
分布：陕西（佛坪）。

（897）*Phelotrupes*（*Phelotrupes*）*weiweei* Ochi，Kon *et* Bai，2017
分布：陕西（宁陕）。

十七、绒毛金龟科 Glaphyridae

257. 长角绒毛金龟属 *Amphicoma* Latreille，1807

（898）*Amphicoma dundai* Nikodym，2005
　　分布：陕西（秦岭）。

（899）泛长角绒毛金龟 *Amphicoma fairmairei*（Semenov，1891）
　　分布：陕西（留坝）、甘肃、山西。

（900）*Amphicoma schneideri* Nikodym，2005
　　分布：陕西（秦岭）、四川。

十八、锹甲科 Lucanidae

258. 盾锹甲属 *Aegus* MacLeay，1819

（901）粤盾锹甲 *Aegus kuangtungensis* Nagel，1925
　　分布：陕西（镇巴）、浙江、湖南、福建、广东、四川。

259. 角锹甲属 *Ceruchus* MacLeay，1819

（902）米勒角锹甲 *Ceruchus minor* Tanikado *et* Okuda，1994
　　分布：陕西（长安、户县）。

260. 环锹甲属 *Cyclommatus* Parry，1863

（903）艾斯环锹甲 *Cyclommatus elsae* Kriesche，1920
　　分布：陕西（镇巴）、甘肃、浙江、湖北、湖南、福建、广东、广西、四川、贵州。

261. 刀锹甲属 *Dorcus* Macleay，1819

（904）双齿刀锹甲 *Dorcus davidi*（Séguy，1954）
　　分布：陕西（镇巴）、四川。

（905）锈色刀锹甲 *Dorcus velutinus* Thomson，1862
　　分布：陕西（凤县）、河北、甘肃、湖南、福建、台湾、广西、四川。

（906）吴氏刀锹甲 *Dorcus wui* Huang *et* Chen，2013
　　分布：陕西（西安、户县）。

262. 小刀锹甲属 *Falcicornis* Planet，1894

（907）拟戟小刀锹甲 *Falcicornis taibaishanensis*（Schenk，2008）

分布：陕西（太白山）、广西。

263．半刀锹甲属 *Hemisodorcus* Thomson，1862

（908）锐齿半刀锹甲 *Hemisodorcus haitschunus*（Didier *et* Séguy，1952）
分布：陕西（周至、太白、宁陕）、浙江、湖北、福建。

264．锹甲属 *Lucanus* Scopoli，1763

（909）*Lucanus hildegardae* Zilioli，2002
分布：陕西（秦岭）。

（910）斑股锹甲华北亚种 *Lucanus maculifemoratus dybowskyi* Parry，1873
分布：陕西（周至、凤县、留坝、佛坪、宁陕、铜川）、吉林、辽宁、北京、河北、甘肃、河南、安徽、湖北；俄罗斯，朝鲜。

（911）*Lucanus suzumurai* Fujita，2010
分布：陕西（秦岭）、广东、广西。

（912）九峰锹甲 *Lucanus szetschuanicus* Hanus，1932
分布：陕西（太白山）、湖南、四川、重庆。

265．新锹甲属 *Neolucanus* Thomson，1862

（913）陕西新锹甲 *Neolucanus shaanxiensis* Schenk，2008
分布：陕西（周至）。

266．磲锹甲属 *Nigidius* MacLeay，1819

（914）长磲锹甲 *Nigidius elongatus* Boileau，1902
分布：陕西（紫阳）、四川、云南；缅甸。

267．奥锹甲属 *Odontolabis* Hope，1842

（915）华美奥锹甲 *Odontolabis fallaciosa* Boileau，1901
分布：陕西（秦岭、紫阳）；湖北，湖南，广东，广西，贵州。

268．璃锹甲属 *Platycerus* Geoffroy，1762

（916）巴山琉璃锹 *Platycerus bashanicus* Imura *et* Tanikado，1998
分布：陕西（秦岭）、四川、重庆。

（917）布氏琉璃锹甲 *Platycerus businskyi* Imura，1996

分布：陕西（宁陕）。

（918）洪氏琉璃锹秦岭亚种 *Platycerus hongwonpyoi qinlingensis* Imura *et* Choe，1993

分布：陕西（长安、户县）。

（919）永幡琉璃锹 *Platycerus nagahatai* Imura，2008

分布：陕西（周至、佛坪）。

（920）细纹琉璃锹指名亚种 *Platycerus rugosus rugosus* Okuda，1997

分布：陕西（大巴山、米仓山）、湖北、重庆。

（921）铁锈琉璃锹 *Platycerus tabanai tabanai* Tanikado *et* Okuda，1994

分布：陕西（长安、户县）。

（922）铁锈琉璃锹太白山亚种 *Platycerus tabanai taibaishanensis* Okuda，2003

分布：陕西（太白）。

（923）太白琉璃锹 *Platycerus yingqii* Huang *et* Chen，2009

分布：陕西（眉县）。

269．柱锹甲属 *Prismognathus* Motschulsky，1860

（924）戴维柱锹甲指名亚种 *Prismognathus davidis davidis* Deyrolle，1878

分布：陕西（眉县、宁陕）、北京、河北、河南、甘肃、青海、四川。

270．前锹甲属 *Prosopocoilus* Hope *et* Westwood，1845

（925）黄褐前锹甲 *Prosopocoilus blanchardi*（Parry，1873）

分布：陕西（佛坪、汉中、镇巴、紫阳）、天津、北京、河北、河南、甘肃、江苏、浙江、湖北、广西、四川。

271．扁锹甲属 *Serrognathus* Motschulsky，1861

（926）大扁锹甲华南亚种 *Serrognathus titanus platymelus*（Saunders，1854）

分布：陕西（西安、镇巴）、河南、上海、江苏、安徽、浙江、湖北、江西、湖南、福建、广东、广西。

十九、金龟科 Scarabaeidae

（一）蜉金龟亚科 Aphodiinae

272．蜉金龟属 *Aphodius* Illiger，1798

（927）雅蜉金龟 *Aphodius*（*Aphodius*）*elegans* Allibert，1847

分布：陕西（镇巴）、甘肃、浙江、湖北、江西、福建、台湾、四川、云南、西藏；俄罗斯（远东），日本，越南。

（928）后蜉金龟 *Aphodius*（*Teuchestes*）*analis*（Fabricius, 1787）

分布：陕西（周至、佛坪）、甘肃、上海、江苏、浙江、安徽、湖北、江西、湖南、福建、台湾、广东、广西、海南、四川、贵州、云南；朝鲜，日本，尼泊尔，埃塞俄比亚，澳大利亚，南非。

273. Genus *Phaeaphodius* Reitter, 1892

（929）*Phaeaphodius plutenkoi*（Kral, 2002）

分布：陕西（周至）、甘肃。

（930）*Phaeaphodius rectus*（Motschulsky, 1866）

分布：陕西（周至）、黑龙江、吉林、辽宁、内蒙古、北京、河南、山东、甘肃、青海、新疆、江苏、湖北、福建、台湾、四川、西藏；蒙古，俄罗斯，朝鲜，韩国，中亚地区，欧洲，北美洲。

（二）犀金龟亚科 Dynastinae

274. 叉犀金龟属 *Allomyrina* Arrow, 1911

（931）双叉犀金龟指名亚种 *Allomyrina dichotoma dichotoma*（Linnaeus, 1771）

分布：陕西（留坝、佛坪、宁陕）、吉林、河北、山西、山东、河南、甘肃、上海、江苏、安徽、浙江、湖北、江西、湖南、福建、台湾、香港、广东、海南、广西、四川、贵州、云南；朝鲜，日本，老挝。

275. 禾犀金龟属 *Pentodon* Hope, 1837

（932）阔胸禾犀金龟 *Pentodon quadridens mongolicus* Motschulsky, 1894

分布：陕西（秦岭）、吉林、辽宁、内蒙古、湖北、山西、山东、河南、甘肃、新疆、江苏、安徽、浙江、湖北、湖南。

（三）臂金龟亚科 Euchirinae

276. 彩臂金龟属 *Cheirotonus* Hope, 1841

（933）阳彩臂金龟 *Cheirotonus jansani* Jordan, 1898

分布：陕西（秦岭）、安徽、江苏、浙江、江西、湖南、福建、广东、海南、广西、四川、贵州、云南、西藏；越南。

（四）鳃金龟亚科 Melolonthinae

277．毛绢金龟属 *Anomalophylla* Reitter，1887

（934）华山毛绢金龟 *Anomalophylla huashanica* Ahrens，2005
分布：陕西（周至、华阴、宁陕）、山西、四川。

（935）秦岭毛绢金龟 *Anomalophylla qinlingensis* Ahrens，2005
分布：陕西（宁陕）。

278．阿鳃金龟属 *Apogonia* Kirby，1819

（936）华阿鳃金龟 *Apogonia chinensis* Moser，1918
分布：陕西（秦岭）、吉林、辽宁、河北、山西、山东、河南、甘肃、湖北；朝鲜。

（937）黑阿鳃金龟 *Apogonia cupreoviridis* Kolbe，1886
分布：陕西（秦岭）、黑龙江、辽宁、河北、山西、山东、河南、安徽、甘肃；朝鲜，日本。

279．婆鳃金龟属 *Brahmina* Blanchard，1851

（938）发婆鳃金龟 *Brahmina faldermanni* Kraatz，1892
分布：陕西（秦岭）、辽宁、北京、河北、山西、甘肃；俄罗斯。

（939）波婆鳃金龟 *Brahmina potanini*（Semenov，1891）
分布：陕西（佛坪、宁陕）、山西、甘肃、青海、四川；尼泊尔。

280．双缺鳃金龟属 *Diphycerus* Fairmaire，1878

（940）毛双缺鳃金龟 *Diphycerus davidis* Fairmaire，1878
分布：陕西（周至）、山西、河南。

281．臀绢金龟属 *Gastroserica* Brenske，1897

（941）陕西臀绢金龟 *Gastroserica shaanxiana* Ahrens *et* Pacholátko，2003
分布：陕西（镇巴）。

282．平爪鳃金龟属 *Ectinohoplia* Redtenbacher，1867

（942）红脚平爪鳃金龟 *Ectinohoplia rufipes* Motschulsky，1860
分布：陕西（秦岭）、黑龙江、吉林、辽宁、山西、甘肃；俄罗斯，朝鲜。

283. 齿爪鳃金龟属 *Holotrichia* Hope, 1837

（943）额臀大黑鳃金龟 *Holotrichia convexopyga* Moser, 1913

分布：陕西(秦岭)、甘肃、江西；韩国，日本。

（944）华北大黑鳃金龟 *Holotrichia oblita* (Faldermann, 1835)

分布：陕西(周至)、黑龙江、北京、河北、山东、河南、甘肃、江苏、安徽、四川；俄罗斯，韩国，日本。

（945）峨眉齿爪鳃金龟 *Holotrichia omeia* Chang, 1965

分布：陕西(佛坪)、四川。

（946）暗黑鳃金龟 *Holotrichia parallela* Motschulsky, 1854

分布：陕西(周至)、黑龙江、山东、河南、甘肃、上海、安徽、四川；俄罗斯，朝鲜，韩国，日本，东洋区广布。

（947）铅灰齿爪鳃金龟 *Holotrichia plumbea* Hope, 1845

分布：陕西(秦岭)、甘肃、浙江、台湾、广东。

（948）似齿爪鳃金龟 *Holotrichia similis* Medvedev, 1951

分布：陕西(周至)、黑龙江、吉林、辽宁、内蒙古、河北、山西、山东、甘肃。

284. 单爪鳃金龟属 *Hoplia* Illiger, 1803

（949）戴单爪鳃金龟 *Hoplia davidis* Fairmaire, 1887

分布：陕西(秦岭)、辽宁、内蒙古、北京、河北、河南、甘肃、青海、四川。

285. 码绢金龟属 *Maladera* Mulsant *et* Rey, 1871

（950）毁灭码绢金龟 *Maladera* (*Cephaloserica*) *perniciosa* (Brenske, 1898)

分布：陕西(宁陕)、四川、云南；缅甸，尼泊尔。

（951）阔胫码绢金龟 *Maladera* (*Cephaloserica*) *verticalis* (Fairmaire, 1888)

分布：陕西(周至、佛坪)、黑龙江、吉林、辽宁、北京、河北、山西、山东、河南、甘肃、浙江、湖北、福建、广东、四川、贵州、云南；蒙古，朝鲜，韩国。

（952）东方码绢金龟 *Maladera* (*Omaladera*) *orientalis* (Motschulsky, 1858)

分布：陕西(佛坪)、吉林、辽宁、内蒙古、北京、河北、山西、山东、宁夏、甘肃、江苏、上海、安徽、浙江、湖北、湖南、福建、台湾、广东、海南；蒙古，俄罗斯，朝鲜，日本。

286. 新绢金龟属 *Neoserica* Brenske, 1894

（953）太平新绢金龟 *Neoserica* (s. l.) *taipingensis* Ahrens, Liu, Fabrizi *et* Yang, 2014

分布：陕西（眉县、佛坪、泾阳）。

（954）施秉新绢金龟 *Neoserica*（s. str.）*shibingensis* **Ahrens, 2003**
分布：陕西（宁陕）、湖北、贵州。

287. 日本绢金龟属 *Nipponoserica* Nomura, 1973

（955）克氏日本绢金龟 *Nipponoserica koltzei*（**Reitter, 1897**）
分布：陕西（周至、佛坪）、甘肃、湖北、西藏；俄罗斯，韩国。

（956）沟腹日本绢金龟 *Nipponoserica sulciventris* **Ahrens, 2004**
分布：陕西（周至、佛坪、泾阳）、甘肃、湖北、四川。

288. 云鳃金龟属 *Polyphylla* Harris, 1841

（957）小云鳃金龟 *Polyphylla gracilicornis* **Blanchard, 1871**
分布：陕西（秦岭）、内蒙古、河北、河南、宁夏、青海、甘肃、四川。

（958）大云鳃金龟 *Polyphylla*（*Gynexophylla*）*laticollis chinensis* **Fairmaire, 1888**
分布：陕西（秦岭）、黑龙江、吉林、辽宁、内蒙古、北京、河北、山西、山东、河南、甘肃、江苏、安徽、四川、云南、西藏；朝鲜，日本。

289. 黄鳃金龟属 *Pseudosymmachia* Dalla Torre, 1912

（959）小黄鳃金龟 *Pseudosymmachia flavescens*（**Brenske, 1892**）
分布：陕西（秦岭）、北京、河北、山西、山东、河南、甘肃、江苏、浙江；中亚。

290. 绢金龟属 *Serica* MacLeay, 1819

（960）格氏绢金龟 *Serica feisintsiensis* **Ahrens, 2007**
分布：陕西（佛坪、宁强）、甘肃、四川。

（961）贝氏绢金龟 *Serica*（*Serica*）*benesi* **Ahrens, 2005**
分布：陕西（周至）、甘肃、青海、四川。

（962）海氏绢金龟 *Serica*（*Serica*）*heydeni*（**Reitter, 1896**）
分布：陕西（周至、宝鸡、太白、宁陕）、甘肃、青海、湖北、四川。

（963）黑斑绢金龟 *Serica*（*Serica*）*nigromaculosa* **Fairmaire, 1891**
分布：陕西（周至）、甘肃、四川。

（964）似玫瑰绢金龟 *Serica*（*Serica*）*plutenkoi* **Ahrens, 2005**
分布：陕西（周至）、湖北。

（965）普氏绢金龟 *Serica*（*Serica*）*puetzi* **Ahrens, 2005**

分布：陕西（周至）、四川。

（966）秦岭绢金龟 *Serica*（*Serica*）*qinlingshanica* Ahrens，2005
　　　分布：陕西（周至、宁陕）、四川。

（967）陕西绢金龟 *Serica*（*Serica*）*shaanxiensis* Ahrens，2005
　　　分布：陕西（周至、佛坪、宁陕）、甘肃、四川。

（968）苏氏绢金龟 *Serica*（*Serica*）*sudhausi* Ahrens，2005
　　　分布：陕西（周至）。

（969）太白山绢金龟 *Serica*（*Serica*）*taibashanica* Ahrens，2005
　　　分布：陕西（周至）。

（970）成都绢金龟 *Serica*（*Taiwanoserica*）*chengtuensis* Ahrens，2009
　　　分布：陕西（留坝）、四川。

291．长角绢金龟属 *Tetraserica* Ahrens，2004

（971）四姑娘山长角绢金龟 *Tetraserica sigulianshanica* Liu，Fabrizi，Yang *et* Ahrens，2014
　　　分布：陕西（佛坪、宁陕、岚皋）、甘肃、四川。

（五）丽金龟亚科 Rutelinae

292．喙丽金龟属 *Adoretus* Dejean，1833

（972）毛斑喙丽金龟 *Adoretus*（*Lepadoretus*）*tenuimaculatus* Waterhouse，1875
　　　分布：陕西（眉县）、辽宁、福建、台湾、广东、贵州；俄罗斯，朝鲜，韩国，日本。

293．异丽金龟属 *Anomala* Samouelle，1819

（973）铜绿异丽金龟 *Anomala corpulenta* Motschulsky，1854
　　　分布：陕西（周至、佛坪）、黑龙江、吉林、辽宁、内蒙古、河北、山西、山东、河南、宁夏、甘肃、江苏、上海、安徽、浙江、湖北、江西、湖南、福建、四川、贵州、西藏；蒙古，朝鲜，韩国。

（974）漆黑异丽金龟 *Anomala ebenina* Fairmaire，1886
　　　分布：陕西（佛坪）、河北、山西、甘肃、浙江、湖北、湖南、福建、四川、贵州、云南。

（975）*Anomala exoletoides* Lin，2000
　　　分布：陕西（武功）。

（976）黄股异丽金龟 *Anomala flavofemorata* **Lin, 1989**

分布：陕西（安康）。

（977）砂臀异丽金龟 *Anomala granulicauda* **Lin, 1989**

分布：陕西（宁陕）、山西、四川。

（978）短缘异丽金龟 *Anomala mongolica brevilimbata* **Lin, 1989**

分布：陕西（洋县、汉中、西乡）、安徽、福建、四川。

（979）斜点异丽金龟 *Anomala obliquipunctata* **Lin, 1989**

分布：陕西（安康）。

（980）皱唇异丽金龟 *Anomala rugiclypea* **Lin, 1989**

分布：陕西（佛坪、洋县、宁陕、镇安、汉中、宁强、紫阳）、山西、湖北、江西、湖南、福建、广东、海南、广西、四川、云南。

（981）弱脊异丽金龟 *Anomala sulcipennis*（Faldermann, 1835）

分布：陕西（周至、佛坪、柞水）、河北、河南、江苏、浙江、湖北、江西、湖南、福建、广东、香港、广西、四川、贵州。

（982）三带异丽金龟 *Anomala trivirgata* **Fairmaire, 1888**

分布：陕西（佛坪、柞水）、山西、甘肃、湖北、江西、福建、四川、贵州、云南；越南，尼泊尔，不丹。

294. Genus *Bunbunius* Nomura, 1970

（983）*Bunbunius sinensis* **Keith, 2005**

分布：陕西（周至）、甘肃、湖北。

295. 矛丽金龟属 *Callistethus* Blanchard, 1851

（984）蓝边矛丽金龟 *Callistethus plagiicollis plagiicollis*（Fairmaire, 1886）

分布：陕西（周至、佛坪、宁陕、柞水）、辽宁、北京、河北、山西、河南、江苏、安徽、浙江、湖北、江西、湖南、福建、广东、广西、四川、贵州、云南、西藏；蒙古，俄罗斯，朝鲜，韩国，越南。

296. 彩丽金龟属 *Mimela* Kirby, 1823

（985）弯股彩丽金龟 *Mimela excisipes* **Reitter, 1903**

分布：陕西（佛坪）、山东、河南、江苏、安徽、浙江、湖北、江西、湖南、福建、台湾、广东、四川。

（986）粗绿彩丽金龟 *Mimela holosericea holosericea*（Fabricius, 1787）

分布：陕西(佛坪、宁陕)、黑龙江、吉林、辽宁、内蒙古、北京、河北、山西、青海；俄罗斯，蒙古，朝鲜。

（987）陕草绿彩丽金龟 *Mimela passerinii mediana* **Lin，1993**

分布：陕西(周至、留坝、佛坪、宁陕)、湖北。

（988）墨绿彩丽金龟 *Mimela splendens*（Gyllenhal，1817）

分布：陕西(佛坪)、东北、河北、山东、安徽、浙江、湖北、江西、湖南、福建、台湾、广东、广西、四川、贵州、云南；朝鲜，日本，越南。

297. 发丽金龟属 *Phyllopertha* **Stephens，1830**

（989）双带发丽金龟 *Phyllopertha bifasciata* **Lin，1966**

分布：陕西(周至)、北京。

（990）园林发丽金龟 *Phyllopertha horticola*（Linnaeus，1758）

分布：陕西(周至、佛坪、宁陕)、黑龙江、吉林、辽宁、内蒙古、河北、山西、青海、新疆、西藏；蒙古，俄罗斯，朝鲜，中亚，欧洲。

298. 弧丽金龟属 *Popillia* **Dejean，1821**

（991）棉花弧丽金龟 *Popillia mutans* **Newman，1838**

分布：陕西(周至、太白、佛坪、宁陕、柞水)、吉林、辽宁、内蒙古、北京、河北、山西、山东、河南、宁夏、甘肃、江苏、安徽、浙江、湖北、江西、湖南、福建、台湾、广东、海南、广西、四川、贵州、云南；俄罗斯，朝鲜。

（992）曲带弧丽金龟 *Popillia pustulata* **Fairmaire，1887**

分布：陕西(勉县)、山西、山东、江苏、安徽、浙江、福建、湖北、江西、湖南、广东、广西、四川、贵州、云南。

（993）中华弧丽金龟 *Popillia quadriguttata*（Fabricius，1787）

分布：陕西(山阳)、黑龙江、吉林、辽宁、内蒙古、北京、河北、山西、山东、河南、宁夏、甘肃、青海、江苏、上海、安徽、浙江、湖北、江西、湖南、福建、台湾、广东、广西、四川、贵州、云南；俄罗斯，朝鲜，韩国。

299. 苹毛丽金龟属 *Proagopertha* **Reitter，1903**

（994）苹毛丽金龟 *Proagopertha lucidula*（Faldermann，1835）

分布：陕西(周至)、黑龙江、吉林、辽宁、内蒙古、河北、山西、山东、河南、甘肃、江苏、安徽、四川；俄罗斯，朝鲜，韩国。

（六）蜣螂亚科 Scarabaeinae

300.凯蜣螂属 *Caccobius* Thomson，1863

（995）日本凯蜣螂 *Caccobius*（*Caccobius*）*jessoensis* Harold，1867
分布：陕西（周至）、河南、甘肃、广西、四川、云南；日本。

（996）恺氏毛凯蜣螂 *Caccobius*（*Caccophilus*）*kelleri*（Olsoufieff，1907）
分布：陕西（周至、佛坪）、北京、辽宁、河南、宁夏、甘肃；俄罗斯，朝鲜。

（997）污毛凯蜣螂 *Caccobius*（*Caccophilus*）*sordidus* Harold，1886
分布：陕西（周至、临潼）、黑龙江、北京、河南、甘肃；俄罗斯，朝鲜，韩国。

301.利蜣螂属 *Liatongus* Reitter，1892

（998）亮利蜣螂 *Liatongus phanaeoides*（Westwood，1840）
分布：陕西（秦岭）、河北、山西、河南、福建、台湾、四川、贵州、云南；朝鲜，韩国，日本，越南，老挝，缅甸，印度，孟加拉，巴基斯坦，阿富汗。

302.嗡蜣螂属 *Onthophagus* Latreille，1802

（999）考氏艾嗡蜣螂 *Onthophagus*（*Altonthophagus*）*kozlovi* Kabakov，1990
分布：陕西（周至、太白）、山西、甘肃、四川、西藏。

（1000）翅驼嗡蜣螂 *Onthophagus*（*Gibbonthophagus*）*atripennis* Waterhouse，1875
分布：陕西（秦岭）、内蒙古、北京、天津、河北、山西、山东、福建、四川；俄罗斯，朝鲜，韩国，日本。

（1001）*Onthophagus*（*Gibbonthophagus*）*solivagus* Harold，1886
分布：陕西（周至）。

（1002）背纹后嗡蜣螂 *Onthophagus*（*Matashia*）*dorsofasciatus* Fairmaire，1893
分布：陕西（秦岭）、四川、贵州；越南。

（1003）黑玉后嗡蜣螂 *Onthophagus*（*Matashia*）*gagates* Hope，1831
分布：陕西（华阴）、浙江、福建、台湾、四川、云南、西藏；老挝，印度，尼泊尔。

（1004）*Onthophagus*（*Matashia*）*japonicus* Harold，1874
分布：陕西（临潼）；俄罗斯，日本。

（1005）*Onthophagus*（*Matashia*）*potanini* Kabakov，1979
分布：陕西（太白）、辽宁、四川、云南。

（1006）*Onthophagus*（*Matashia*）*sycophanta* Fairmaire，1887

分布：陕西（周至、太白）、甘肃、四川、云南。

303. 蜣螂属 *Scarabaeus* Linnaeus, 1758

（1007）台风蜣螂 *Scarabaeus*（*Scarabaeus*）*typhon* Fischer von Waldheim, 1823
分布：陕西（眉县）、黑龙江、吉林、辽宁、内蒙古、宁夏、甘肃、新疆、河北、北京、天津、山西、山东、河南、江苏、江西、湖南、福建、西藏；蒙古，俄罗斯，朝鲜，日本，印度，阿富汗，伊朗，乌兹别克斯坦，土库曼斯坦，哈萨克斯坦，土耳其，以色列，巴勒斯坦，约旦，黎巴嫩，塞浦路斯，南斯拉夫，叙利亚，亚美尼亚，欧洲，非洲。

304. 司蜣螂属 *Sinodrepanus* Simonis, 1985

（1008）猫司蜣螂 *Sinodrepanus rex*（Boucomont, 1912）
分布：陕西（周至）、北京、湖南、福建、广东、海南、四川、贵州、云南；越南，老挝，泰国，印度。

305. 西蜣螂属 *Sisyphus* Latreille, 1807

（1009）赛氏西蜣螂 *Sisyphus*（*Sisyphus*）*schaefferi*（Linnaeus, 1758）
分布：陕西（秦岭）、黑龙江、吉林、辽宁、内蒙古、北京、河北、山西、河南、四川；俄罗斯，朝鲜，伊朗，土库曼斯坦，哈萨克斯坦，土耳其，阿塞拜疆，欧洲。

306. Genus *Synapsis* Bates, 1868

（1010）*Synapsis davidis* Fairmaire in Deyrolle *et* Fairmaire, 1878
分布：陕西（周至）、甘肃、福建、四川；越南。

（七）花金龟亚科 Cetoniinae

307. 锈花金龟属 *Anthracophora* Burmeister, 1842

（1011）褐锈花金龟 *Anthracophora rusticola* Burmeister, 1842
分布：陕西（佛坪）、辽宁、北京、河北、河南、甘肃、江苏、上海、浙江、江西、湖南、海南、香港、广西、四川、云南。

308. 臀花金龟属 *Campsiura* Hope, 1831

（1012）赭翅臀花金龟 *Campsiura*（*Campsiura*）*mirabilis*（Faldermann, 1835）

分布：陕西(太白、镇巴)、辽宁、北京、河北、山西、甘肃、湖北、广东、四川、贵州、云南。

309. 花金龟属 *Cetonia* Fabricius, 1775

(1013) 长毛花金龟 *Cetonia*（*Eucetonia*）*magnifica*（Ballion, 1871）
分布：陕西(太白、黄龙)、黑龙江、吉林、辽宁、北京、河北、山西。

310. 鳞花金龟属 *Cosmiomorpha* Saunders, 1852

(1014) 沥斑鳞花金龟 *Cosmiomorpha*（*Cosmiomorpha*）*decliva* Janson, 1890
分布：陕西(秦岭、米仓山)、山西、浙江、湖北、江西、湖南、福建、四川。

311. Genus *Dasyvalgus* kolbe, 1904

(1015) *Dasyvalgus benesi* Ricchiardi, 2015
分布：陕西(略阳、佛坪)、甘肃、湖北、四川。

312. 鹿花金龟属 *Dicronocephalus* Hope, 1831

(1016) 宽带鹿花金龟 *Dicronocephalus adamsi* Pascoe, 1863
分布：陕西(秦岭)、山西。

(1017) *Dicronocephalus adamsi drumonti* Legrand, 2005
分布：陕西(秦岭)、四川。

(1018) 光斑鹿花金龟 *Dicrornocephalus dabryi* Auzoux, 1869
分布：陕西(周至、太白、凤县)、北京、山西、甘肃、湖北、四川、云南。

(1019) 黄粉鹿花金龟 *Dicronocephalus wallichii bourgoini* Pouillaude, 1914
分布：陕西(安康，秦岭、米仓山)、河北、山东、江苏、湖北、广西、四川、云南。

313. 丽花金龟属 *Euselates* Thomson, 1880

(1020) 穆平丽花金龟 *Euselates*（*Euselastes*）*moupinensis*（Fairmaire, 1891）
分布：陕西(宁陕)、浙江、江西、福建、台湾、广西、四川。

314. 青花金龟属 *Gametis* Burmeister, 1842

(1021) 小青花金龟 *Gametis jucunda*（Faldermann, 1835）
分布：陕西(周至、佛坪、镇巴、紫阳、黄陵)、黑龙江、吉林、辽宁、内蒙古、北京、天津、河北、山西、山东、河南、宁夏、甘肃、青海、新疆、江苏、上海、安徽、浙江、湖北、江西、湖南、福建、台湾、广东、海南、香港、澳门、广西、重庆、四川、贵州、云南、西藏。

315. 短突花金龟属 *Glycyphana* Burmeister，1842

（1022）黄斑短突花金龟 *Glycyphana*（*Glycyphana*）*fulvistemma* Motschulsky，1858
　　　分布：陕西（周至、佛坪、宁陕、柞水）、甘肃、安徽、浙江、湖北、湖南、福建、海南、四川、贵州、云南。

316. 毛斑金龟属 *Lasiotrichius* Reitter，1899

（1023）短毛斑金龟花野亚种 *Lasiotrichius succinctus hananoi*（Sawada，1943）
　　　分布：陕西（秦岭）、甘肃、浙江、四川。

317. 背角花金龟属 *Neophaedimus* Lucas，1870

（1024）褐斑背角花金龟 *Neophaedimus auzouxi* Lucas，1870
　　　分布：陕西（太白、武功、华阴）、甘肃、四川。

318. 环斑金龟属 *Paratrichius* Janson，1881

（1025）*Paratrichius kucerai* Krajcik，2007
　　　分布：陕西（秦岭）。
（1026）三浦环斑金龟 *Paratrichius riekoae* Iwase，1996
　　　分布：陕西（秦岭）。
（1027）虎皮环斑金龟 *Paratrichius tigris* Iwase，1996
　　　分布：陕西（秦岭）。

319. 贝花金龟属 *Petrovizia* Mikšić，1965

（1028）皱贝花金龟 *Petrovizia guillotii*（Fairmaire，1891）
　　　分布：陕西（周至）、甘肃、四川、云南。

320. 星花金龟属 *Protaetia* Burmeister，1842

（1029）凸星花金龟 *Protaetia*（*Calopotosia*）*orientalis*（Gory et Percheron，1833）
　　　分布：陕西（周至、安康、镇安）、北京、河北、山东、江苏、上海、安徽、浙江、湖北、江西、湖南、福建、广东、海南、香港、广西、重庆、四川、贵州、云南；日本。

（1030）光星花金龟 *Protaetia*（*Chrysopotosia*）*mandschuriensis*（Schürhoff，1933）

分布：陕西（留坝、佛坪、宁陕）、辽宁、北京、河北、山西、河南、安徽、浙江、湖北、四川、云南。

（1031）肋凹缘花金龟 *Protaetia*（*Dicranobia*）*potanini potanini*（Kraatz，1889）

分布：陕西（周至、凤县）、河南、甘肃、四川、贵州。

（1032）白星花金龟 *Protaetia*（*Liocola*）*brevitarsis*（Lewis，1879）

分布：陕西（秦岭，铜川）、黑龙江、吉林、辽宁、内蒙古、北京、河北、山西、山东、河南、甘肃、江苏、上海、安徽、浙江、湖北、江西、湖南、福建、广东、海南、广西。

（1033）多纹星花金龟 *Protaetia*（*Netocia*）*famelica*（Janson，1879）

分布：陕西（黄龙山）、黑龙江、吉林、辽宁、北京、河北、山西、山东、河南、青海、江苏、浙江、湖北、广西、四川。

321. 伪阔花金龟属 *Pseudotorynorrhina* Mikšic，1967

（1034）横纹伪阔花金龟 *Pseudotorynorrhina fortunei*（Saunders，1852）

分布：陕西（镇巴）、浙江、江西、湖南、福建、海南、广西、四川、贵州、云南。

（1035）日铜伪阔花金龟 *Pseudotorynorrhina japonica*（Hope，1841）

分布：陕西（秦岭，佛坪、安康）、江苏、浙江、湖北、江西、福建、四川。

322. 罗花金龟属 *Rhomborhina* Hope，1837

（1036）长胸罗花金龟 *Rhomborhina*（*Pseudorhomborrhina*）*fuscipes* Fairmaire，1893

分布：陕西（秦岭，镇巴）、广西、四川。

（1037）红后罗花金龟 *Rhomborhina*（*Rhomborhina*）*mellyi diffusa* Fairmaire，1897

分布：陕西（镇巴）、四川。

（1038）丽罗花金龟 *Rhomborhina*（*Rhomborhina*）*resplendens resplendens*（Swartz，1817）

分布：陕西（宁陕）、浙江、江西、福建、海南、广西、云南。

323. Genus *Sinoliocola* Alexis *et* Delpont，1998

（1039）*Sinoliocola pulverisata* Devecis，2004

分布：陕西（秦岭）、青海。

324. 阔花金龟属 *Torynorrhina* Arrow，1907

（1040）黄毛阔花金龟 *Torynorrhina fulvopilosa*（Moser，1911）

分布：陕西（秦岭，镇巴）、安徽、浙江、江西、湖南、福建、广西、四川、贵州。

325. 唇花金龟属 *Trigonophorus* Hope，1831

（1041）绿唇花金龟 *Trigonophorus（Trigonophorus）rothschildii* Fairmaire，1891
分布：陕西（秦岭，镇巴）、河南、四川。

二十、沼甲科 Scirtidae

326. Genus *Odeles* Klausnitzer，2004

（1042）*Odeles necopinata* Klausnitzer，2011
分布：陕西（宁陕）。

二十一、吉丁科 Buprestidae

327. Genus *Acmaeodera* Eschscboltz，1829

（1043）*Acmaeodera medvedevi* Volkovitsh，1976
分布：陕西（秦岭）、山西；蒙古。

328. 窄吉丁属 *Agrilus* Curtis，1825

（1044）*Agrilus（Agrilus）suturicuspidatus* Jendek，2007
分布：陕西（略阳、佛坪、宁陕）、北京、安徽、贵州、云南。

（1045）*Agrilus（Agrilus）suvorovi* Obenberger，1935
分布：陕西（秦岭）、黑龙江、吉林、内蒙古、山西；蒙古，俄罗斯，朝鲜，韩国，哈萨克斯坦，土耳其，欧洲。

（1046）*Agrilus（Agrilus）tazoei* Kurosawa，1985
分布：陕西（秦岭）；日本。

（1047）*Agrilus（Agrilus）tsushimanus* Kurosawa，1963
分布：陕西（秦岭）、河南、贵州；日本。

（1048）*Agrilus（Agrilus）viduus* Kerremans，1914
分布：陕西（秦岭）、内蒙古、北京、河北、山西、山东、甘肃、广东、四川；蒙古，俄罗斯，朝鲜，韩国。

（1049）*Agrilus（Agrilus）viridis*（Linnaeus，1758）
分布：陕西（秦岭）、黑龙江、吉林、辽宁、内蒙古、北京、河北、山西、河南、山东、新疆、湖北;蒙古,俄罗斯,日本,中亚地区,欧洲,非洲。

(1050) *Agrilus* (*Anambus*) *cyaneoniger* Saunders, 1873

分布:陕西(周至、宁陕)、吉林、内蒙古、河北、山西、浙江、江西、海南、四川、贵州、云南;俄罗斯,朝鲜,韩国,日本,越南,印度。

(1051) *Agrilus* (*Austragrilus*) *kurumi* Kurosawa, 1957

分布:陕西(秦岭);日本。

(1052) *Agrilus* (*Austragrilus*) *mallotiellus* Kurosawa, 1985

分布:陕西(秦岭);俄罗斯,日本。

(1053) *Agrilus bituberculatus* Jendek, 2007

分布:陕西(长安、略阳、宝鸡)、内蒙古、北京、河北、福建、云南。

(1054) *Agrilus brevinotus* Jendek, 2011

分布:陕西(秦岭)、山西、甘肃、四川。

(1055) *Agrilus businskorum* Jendek, 2011

分布:陕西(秦岭)。

(1056) *Agrilus caudicula* Jendek, 2011

分布:陕西(秦岭)、四川、贵州。

(1057) *Agrilus chaetocoxalis* Jendek, 2011

分布:陕西(秦岭)、湖北。

(1058) *Agrilus chekiangensis* Gebhardt, 1928

分布:陕西(秦岭)、浙江、江西、湖南、福建、四川、云南;日本。

(1059) *Agrilus cordicollis* Jendek, 2011

分布:陕西(秦岭)。

(1060) *Agrilus* (*Dentagrilus*) *cyanescens cyanescens* Ratzeburg, 1837

分布:陕西(秦岭)、山西;俄罗斯,朝鲜,韩国,中亚地区,欧洲,北美洲。

(1061) *Agrilus* (*Dentagrilus*) *gussakovskiji* Alexeev, 1981

分布:陕西(秦岭)、新疆;俄罗斯。

(1062) *Agrilus diao* Jendek, 2011

分布:陕西(秦岭)。

(1063) *Agrilus euonymi* Toyama, 1985

分布:陕西(秦岭)、河南、上海;俄罗斯,朝鲜,韩国,日本。

(1064) *Agrilus fleischeri* Obenberger, 1925

分布:陕西(秦岭)、黑龙江、北京、四川;俄罗斯,朝鲜,韩国,日本,哈萨克斯坦。

（1065）*Agrilus foliatus* Jendek，2007

　　分布：陕西（略阳）、四川、贵州。

（1066）*Agrilus foramenifer* Jendek，2011

　　分布：陕西（秦岭）、四川、云南。

（1067）*Agrilus huashanus* Jendek，2001

　　分布：陕西（华阴）、四川。

（1068）*Agrilus hui* Jendek，2011

　　分布：陕西（秦岭）、河南。

（1069）*Agrilus jaminae* Baudon，1968

　　分布：陕西（秦岭）、云南；老挝，泰国，印度，不丹。

（1070）*Agrilus kucerai* Jendek，2011

　　分布：陕西（秦岭）、湖北。

（1071）*Agrilus madeci* Baudon，1968

　　分布：陕西（秦岭）、河南、台湾；韩国，日本，老挝。

（1072）*Agrilus malloti* Thery，1930

　　分布：陕西（秦岭）、云南；越南，老挝，泰国，印度。

（1073）*Agrilus manchu* Jendek，2011

　　分布：陕西（秦岭）、河南、云南；老挝。

（1074）*Agrilus marginicollis* Saunders，1873

　　分布：陕西（秦岭）、河南、浙江、湖北；俄罗斯，朝鲜，韩国，日本。

（1075）*Agrilus mio* Jendek，2011

　　分布：陕西（秦岭）、湖北。

（1076）*Agrilus muscarius* Kerremans，1895

　　分布：陕西（秦岭）、四川、云南；越南，老挝，泰国，缅甸，印度，尼泊尔，斯里兰卡。

（1077）*Agrilus niisatoi* Toyama，1987

　　分布：陕西（秦岭）、江西、福建、台湾、贵州；日本。

（1078）*Agrilus nipponigena* Obenberger，1935

　　分布：陕西（华阴）、辽宁、河北、陕西、河南、山东、浙江；日本。

（1079）*Agrilus notoclavus* Jendek，2000

　　分布：陕西（周至、略阳、宁陕）、河南。

（1080）*Agrilus*（*Orientagrilus*）*tempestivus* Lewis，1893

　　分布：陕西（秦岭）、辽宁、内蒙古、河北、河南、湖南；俄罗斯，日本。

（1081）*Agrilus ornatoides* Jendek，2011

分布：陕西（秦岭）、河北。

（1082）*Agrilus plagiatus* Ganglbauer，1890

分布：陕西（秦岭）、甘肃、四川。

（1083）*Agrilus plasoni plasoni* Obenberger，1917

分布：陕西（秦岭）、浙江、湖北、江西、湖南、福建、广西、贵州、云南；韩国，越南，老挝。

（1084）*Agrilus pleurostigmus* Jendek，2011

分布：陕西（秦岭）。

（1085）*Agrilus pliculipennis* Obenberger，1940

分布：陕西（秦岭）、河南、江西、湖南、福建、贵州。

（1086）*Agrilus pseudograminis* Jendek，2007

分布：陕西（宁陕）。

（1087）*Agrilus*（*Pseudoquercagrilus*）*asiaticus* Kerremans，1898

分布：陕西（秦岭）、北京、河北、江西、四川，东北地区；俄罗斯，朝鲜，韩国，日本。

（1088）*Agrilus pusillesculptus* Obenberger，1940

分布：陕西（秦岭）、浙江。

（1089）*Agrilus qinling* Jendek，2000

分布：陕西（宁陕）。

（1090）*Agrilus qinlingcola* Jendek，2011

分布：陕西（秦岭）。

（1091）*Agrilus*（*Quercuagrilus*）*adelphinus* Kerremans，1895

分布：陕西（秦岭）、河北、山西、安徽、四川、云南、西藏；俄罗斯，朝鲜，韩国，日本。

（1092）*Agrilus*（*Quercuagrilus*）*fissus* Obenberger，1917

分布：陕西（秦岭）、黑龙江、北京、山西、山东、四川；俄罗斯，朝鲜，韩国，日本。

（1093）*Agrilus*（*Quercuagrilus*）*friebi* Obenberger，1922

分布：陕西（秦岭）、黑龙江、吉林、辽宁、北京、甘肃、江苏、安徽、四川；俄罗斯，朝鲜，日本。

（1094）*Agrilus*（*Quercuagrilus*）*ribbei* Kiesenwetter，1879

分布：陕西（秦岭）、黑龙江、吉林、辽宁、内蒙古、河北、山西、河南、湖北、四川；俄罗斯，朝鲜，韩国，日本。

（1095）*Agrilus*（*Quercuagrilus*）*ussuricola* Obenberger，1924

分布：陕西（秦岭）、黑龙江、吉林、山西；俄罗斯，朝鲜，韩国，日本。

（1096）*Agrilus*（*Robertius*）*cupes* Lewis，1893

分布：陕西（秦岭）、山西；日本。

（1097）*Agrilus*（*Robertius*）*moerens* Saunders，1873

分布：陕西（秦岭）、黑龙江、内蒙古、北京、河北、山西、甘肃、四川；俄罗斯，朝鲜，韩国，日本。

（1098）*Agrilus*（*Robertius*）*pekinensis pekinensis* Obenberger，1924

分布：陕西（秦岭）、黑龙江、内蒙古、北京、新疆、浙江、福建；俄罗斯，朝鲜，哈萨克斯坦。

（1099）*Agrilus*（*Robertius*）*pratensis*（Ratzeburg，1837）

分布：陕西（秦岭）、内蒙古、河北、新疆；蒙古，俄罗斯，哈萨克斯坦，土耳其，欧洲。

（1100）*Agrilus*（*Robertius*）*soudeki* Obenberger，1926

分布：陕西（秦岭）、黑龙江、山西；俄罗斯，朝鲜。

（1101）*Agrilus sagittifer* Jendek，2011

分布：陕西（秦岭）、河南。

（1102）*Agrilus satoi* Kurosawa，1954

分布：陕西（秦岭）、江西、台湾；日本。

（1103）*Agrilus sentis* Jendek，2011

分布：陕西（秦岭）。

（1104）*Agrilus shan* Jendek，2011

分布：陕西（秦岭）。

（1105）*Agrilus*（*Sinagrilus*）*andrusi* Baudon，1968

分布：陕西（秦岭）；老挝。

（1106）*Agrilus*（*Sinagrilus*）*rivalieri* Descarpentries *et* Villiers，1963

分布：陕西（秦岭）、湖南、贵州；越南，老挝，泰国。

（1107）*Agrilus smaragdinus habros* Jendek，2011

分布：陕西（秦岭）。

（1108）*Agrilus sospes* Lewis，1893

分布：陕西（秦岭）、辽宁、陕西、河南、湖北、四川；朝鲜，韩国，日本。

（1109）*Agrilus spiculum* Jendek，2011

分布：陕西（秦岭）、山西、四川。

（1110）*Agrilus subrobustus* Saunders，1873

分布：陕西（西安、华阴）、内蒙古、安徽、湖北、江西、湖南、福建、台湾、四川、贵州、云南;蒙古,韩国,日本,北美洲。

(1111) *Agrilus suturiccuspidatus* **Jendek, 2007**

分布:陕西(秦岭)、北京、安徽、贵州。

(1112) *Agrilus terracotta* **Jendek, 2011**

分布:陕西(秦岭)、浙江;越南,印度。

(1113) *Agrilus varius* **Kerremans, 1895**

分布:陕西(秦岭)、河南、山东、安徽、湖北、四川;俄罗斯,韩国。

(1114) *Agrilus (Xeragrilus) ecarinatus* **Marseul, 1866**

分布:陕西(秦岭)、黑龙江、吉林、辽宁、内蒙古、北京、河北、山西、甘肃、四川、西藏;俄罗斯,朝鲜,韩国,哈萨克斯坦。

(1115) *Agrilus zanthoxylumi* **Li, 1989**

分布:陕西(秦岭)、山东、甘肃、浙江、湖北、云南。

(1116) *Agrilus zhui* **Jendek, 2011**

分布:陕西(秦岭)。

329. Genus *Anthaxia* Eschscholtz 1829

(1117) *Anthaxia cratomerella* **Bily *et* Svoboda, 2001**

分布:陕西(略阳)。

(1118) *Anthaxia dundai* **Bily, 1992**

分布:陕西(秦岭)。

(1119) *Anthaxia huashanica huashanica* **Bily, 1993**

分布:陕西(华阴)。

(1120) *Anthaxia kucerai* **Bily *et* Svoboda, 2001**

分布:陕西(略阳)。

330. Genus *Bellamyina* Bily, 1994

(1121) *Bellamyina hunanensis* (**Peng, 1992**)

分布:陕西(秦岭)、湖南、四川、云南。

331. Genus *Buprestis* Linnaeus, 1758

(1122) *Buprestis haemorrhoidalis sibirica* **Fleischer, 1887**

分布:陕西(秦岭)、黑龙江、内蒙古、新疆、湖南、四川、云南;蒙古,俄罗斯,朝鲜,哈萨克斯坦。

332. Genus *Chalcophora* Dejean, 1833

（1123）*Chalcophora yunnana nonfriedi* Obenberger, 1935

分布：陕西（秦岭）、河南、湖北、江西、湖南、福建、广东、广西、四川、贵州。

333. 纹吉丁属 *Coraebus* Gory *et* Laporte, 1839

（1124）拟窄纹吉丁 *Coraebus acutus* Thomson, 1879

分布：陕西（长安、眉县）、河南、宁夏、甘肃、上海、安徽、浙江、湖北、江西、湖南、福建、广东、广西、四川、贵州、云南；越南。

（1125）*Coraebus aequalipennis* Fairmaire, 1888

分布：陕西（秦岭）、北京、河南、上海、江苏、浙江、江西、四川、云南、西藏。

（1126）蓝绿纹吉丁 *Coraebus amabilis* Kerremans, 1895

分布：陕西（佛坪）、浙江、湖南、海南、四川、云南；印度，尼泊尔。

（1127）铜胸纹吉丁 *Coraebus cloueti* Théry, 1895

分布：陕西（佛坪、镇安）、山西、山东、甘肃、河南、安徽、江苏、上海、浙江、湖北、江西、湖南、福建、台湾、广西、四川、贵州、云南、西藏；越南。

（1128）小纹吉丁 *Coraebus diminutus* Gebhardt, 1928

分布：陕西（华阴）、山西、江苏、上海、浙江、湖北、江西、湖南、福建、台湾、广东、广西、四川、贵州、云南；日本，越南，老挝，泰国。

（1129）江苏纹吉丁 *Coraebus kiangsuanus* Obenberger, 1934

分布：陕西（太白）、江苏、湖北、湖南、四川；俄罗斯。

（1130）*Coraebus klickai* Obenberger, 1930

分布：陕西（秦岭）、湖北、云南。

（1131）麻点纹吉丁 *Coraebus leucospilotus* Bourgoin, 1922

分布：陕西（眉县、佛坪）、江西、湖南、福建、台湾、广东、香港、广西、四川、云南；越南，老挝。

（1132）窄纹吉丁 *Coraebus quadriundulatus* Motschulsky, 1866

分布：陕西（佛坪）、甘肃、浙江、湖北、江西、湖南、福建、四川、贵州、云南、西藏；日本，印度。

（1133）黄胸圆纹吉丁 *Coraebus sauteri* Kerremans, 1912

分布：陕西（眉县）、山西、河南、甘肃、安徽、浙江、湖北、江西、湖南、福建、台湾、广东、广西、重庆、四川、贵州、云南、西藏；印度，尼泊尔。

（1134）*Coraebus spectabiliformis* Kubáň, 1995

分布：陕西（秦岭）、四川、贵州。

（1135）*Coraebus yanshanensis* Peng，1991
　　分布：陕西（秦岭）、湖北、四川。

334. Genus *Lamprodila* Motschulsky，1860

（1136）*Lamprodila elongata*（Kerremans，1895）
　　分布：陕西（秦岭）、江西、湖南、福建、广东、四川、贵州、云南。

（1137）*Lamprodila limbata*（Gebler，1832）
　　分布：陕西（秦岭）、黑龙江、辽宁、河北、山西、河南、甘肃、宁夏、青海、新疆、江苏、浙江、湖北、江西；蒙古，俄罗斯。

（1138）*Lamprodila nobilissima nobilissima*（Mannerheim，1852）
　　分布：陕西（秦岭）、内蒙古；蒙古，俄罗斯，日本。

（1139）*Lamprodila provostii*（Fairmaire，1887）
　　分布：陕西（秦岭）、内蒙古、北京、天津、河北、浙江、江西、福建。

（1140）*Lamprodila subcoerulea*（Kerremans，1895）
　　分布：陕西（秦岭）、山西、福建、贵州、云南；印度。

（1141）*Lamprodila tschitscherini*（Semenov，1895）
　　分布：陕西（秦岭）、四川，东北地区；俄罗斯，朝鲜。

（1142）*Lamprodila virgata*（Motschulsky，1859）
　　分布：陕西（秦岭）、黑龙江、内蒙古、安徽、湖北、江西、四川、云南；蒙古，俄罗斯，朝鲜，韩国，日本。

335. Genus *Melanophila* Eschscholtz，1829

（1143）*Melanophila acuminata*（de Geer，1774）
　　分布：陕西（秦岭）、内蒙古、甘肃、新疆、湖北、云南、西藏，东北地区；蒙古，俄罗斯，印度，尼泊尔，东亚地区，欧洲，非洲，北美洲，南美洲。

336. Genus *Meliboeus* Deyrolle，1864

（1144）*Meliboeus anticerugosus* Obenberger，1944
　　分布：陕西（秦岭）、江西。

337. Genus *Nalanda* Théry，1904

（1145）*Nalanda mandarina*（Obenberger，1927）
　　分布：陕西（秦岭）、山东、安徽、浙江、江西、福建、四川、贵州。

338．Genus *Phaenops* Dejean，1833

（1146）*Phaenops yin* Kuban *et* Bily，2009
分布：陕西（秦岭）。

339．Genus *Poecilonota* Eschscboltz，1829

（1147）*Poecilonota variolosa chinensis* Thery，1926
分布：陕西（秦岭）、辽宁、内蒙古、北京、河北、山西、山东、湖北；日本。

340．花斑吉丁属 *Ptosima* Dejean，1833

（1148）四黄斑吉丁 *Ptosima chinensis* Marseul，1867
分布：陕西（太白）、北京、河北、山西、河南、甘肃、江苏、上海、湖北、江西、湖南、福建、台湾、广东、广西、贵州、云南；朝鲜，韩国，日本。

Ⅳ．丸甲总科 Byrrhoidea

二十二、丸甲科 Byrrhidae

341．Genus *Byrrhochomus* Fabbri，2002

（1149）*Byrrhochomus shaanxianus* Fabbri，2002
分布：陕西（秦岭）。

342．丸甲属 *Byrrhus* Linnaeus，1767

（1150）布鲁诺饰丸甲 *Byrrhus*（*Ornatobyrrhus*）*brunoi* Fabbri，2001
分布：陕西（周至）。

（1151）大巴山饰丸甲 *Byrrhus*（*Ornatobyrrhus*）*dabashanensis* Püetz，2007
分布：陕西（紫阳）。

（1152）厚畛子饰丸甲 *Byrrhus*（*Ornatobyrrhus*）*houzhenziensis* Püetz，2007
分布：陕西（周至）。

（1153）路氏饰丸甲 *Byrrhus*（*Ornatobyrrhus*）*luiginegrettoi* Fabbri，2000
分布：陕西（周至）。

（1154）普氏饰丸甲 *Byrrhus*（*Ornatobyrrhus*）*plutenkoi* Püetz，2007
分布：陕西（周至、佛坪）。

（1155）秦饰丸甲 *Byrrhus*（*Ornatobyrrhus*）*qin* Püetz，2007

分布：陕西（周至）。

（1156）秦岭饰丸甲曲基亚种 *Byrrhus*（*Ornatobyrrhus*）*qinlingicus crispisulcans* （**Fabbri**，**2003**）

分布：陕西（安康）、重庆、四川。

（1157）秦岭饰丸甲秦岭亚种 *Byrrhus*（*Ornatobyrrhus*）*qinlingicus qinlingicus* **Fabbri**，**2001**

分布：陕西（周至）。

（1158）商饰丸甲 *Byrrhus*（*Ornatobyrrhus*）*shang* **Püetz**，**2007**

分布：陕西（周至）。

（1159）太白山饰丸甲 *Byrrhus*（*Ornatobyrrhus*）*taibaishanensis* **Püetz**，**2007**

分布：陕西（周至、太白）。

（1160）周氏饰丸甲 *Byrrhus*（*Ornatobyrrhus*）*zhou* **Püetz**，**2007**

分布：陕西（周至、太白）。

343. 刺丸甲属 *Curimopsis* **Ganglbauer**，**1902**

（1161）太白山刺丸甲 *Curimopsis*（*Curimopsis*）*taibaishanensis* **Puetz**，**2007**

分布：陕西（周至、太白）。

344. 斑丸甲属 *Cytilus* **Erichson**，**1847**

（1162）暗斑丸甲 *Cytilus avunculus* **Fairmaire**，**1887**

分布：陕西（周至、镇坪）、四川、云南。

345. 类丸甲属 *Morphobyrrhulus* **Püetz**，**2007**

（1163）陕西类丸甲 *Morphobyrrhulus shaanxianus*（**Fabbri**，**2003**）

分布：陕西（宁陕）。

346. 素丸甲属 *Simplocaria* **Stephens**，**1829**

（1164）秦岭素丸甲 *Simplocaria*（*Simplocaria*）*qinlingensis* **Püetz**，**2007**

分布：陕西（宁陕）。

（1165）许氏素丸甲 *Simplocaria*（*Simplocaria*）*schuelkei* **Püetz**，**2007**

分布：陕西（镇坪）。

二十三、溪泥甲科 **Elmidae**

347. Genus *Heterlimnius* **Hinton**，**1935**

（1166）*Heterlimnius shepardi* **Kamite**，**2009**

分布：陕西(秦岭)、四川、贵州。

二十四、扁泥甲科 Psephenidae

348. Genus *Heibrianax* Lee *et* Yang，1999

(1167) *Heibrianax sichuanus* Lee，Sato *et* Yang，1999
分布：陕西(长安)、四川。

二十五、长泥甲科 Heteroceridae

349. Genus *Augyles* Schiödte，1866

(1168) *Augyles* (*Littorimus*) *interspidulus* (Charpentier，1979)
分布：陕西(秦岭)；蒙古。

二十六、掣爪泥甲科 Eulichadidae

350. Genus *Eulichas* Jacobson，1913

(1169) *Eulichas dudgeoni* Jäch，1995
分布：陕西(秦岭)、湖北、江西、福建、广东、香港、广西、四川。

Ⅴ. 叩甲总科 Elateroidea

二十七、叩甲科 Elateridae

351. 锥尾叩甲属 *Agriotes* Eschscholtz，1829

(1170) 赫氏锥尾叩甲 *Agriotes* (*Agriotes*) *hedini* Fleutiaux，1936
分布：陕西(周至、太白、华县、留坝、佛坪、宁陕、丹凤)、山西、甘肃、湖北、四川、云南。

(1171) *Agriotes* (*Agriotes*) *maculatus* Platia，2007
分布：陕西(秦岭)、湖北、湖南、福建、广东、广西。

(1172) 拟暗色锥尾叩甲 *Agriotes* (*Agriotes*) *pseudobscurus* Platia，2007
分布：陕西(宁陕)、甘肃、湖北。

(1173) 细胸锥尾叩甲 *Agriotes* (*Agriotes*) *subvittatus* Motschulsky，1859
分布：陕西(佛坪)、黑龙江、吉林、辽宁、北京、天津、河北、内蒙古、山西、山东、河南、宁夏、甘肃、青海、新疆、江苏、安徽、浙江、湖北、福建、广西、四川;俄罗斯，朝鲜，日本。

352. 槽缝叩甲属 *Agrypnus* Eschscholtz，1829

(1174) 泥红槽缝叩甲 *Agrypnus argillaceus*（Solsky，1871）

分布：陕西（留坝、佛坪、宁陕）、吉林、辽宁、北京、内蒙古、山西、河南、甘肃、湖北、福建、台湾、海南、广西、重庆、四川、贵州、云南、西藏;蒙古，俄罗斯（西伯利亚），朝鲜，越南，柬埔寨。

(1175) 双瘤槽缝叩甲 *Agrypnus bipapulatus*（Candèze，1865）

分布：陕西（佛坪）、黑龙江、吉林、辽宁、内蒙古、山西、河南、甘肃、江苏、湖北、江西、福建、台湾、广西、重庆、四川、贵州、云南;日本。

(1176) 暗色槽缝叩甲 *Agrypnus musculus*（Candèze，1857）

分布：陕西（佛坪）、山西、甘肃、江苏、浙江、湖北、江西、福建、广东、海南、香港、四川;日本。

353. 锥胸叩甲属 *Ampedus* Dejean，1833

(1177) 库氏锥胸叩甲 *Ampedus*（*Ampedus*）*kucerai* Schimmel，2003

分布：陕西（周至、宁陕）、四川。

(1178) 骊山锥胸叩甲 *Ampedus*（*Ampedus*）*lishanensis* Schimmel，2007

分布：陕西（临潼）。

(1179) 赤翅锥胸叩甲 *Ampedus*（*Ampedus*）*masculatus* Öhira，1966

分布：陕西（宁陕）、湖北、台湾、西藏。

354. 孤叶叩甲属 *Anchastelater* Fleutiaux，1928

(1180) 陕西孤叶叩甲 *Anchastelater shaanxiensis* Schimmel，2007

分布：陕西（略阳）;朝鲜。

355. 筛胸叩甲属 *Athousius* Reitter，1905

(1181) 霍氏筛胸叩甲 *Athousius holdereri*（Reitter，1900）

分布：陕西（留坝）、甘肃、青海、新疆、西藏。

(1182) 陕西筛胸叩甲 *Athousius shaanxiensis* Schimmel *et* Tarnawski，2008

分布：陕西（周至、宝鸡、太白、略阳）。

(1183) 武当筛胸叩甲 *Athousius wudanganus* Kishii *et* Jiang，1996

分布：陕西（留坝、佛坪）、甘肃、湖北。

356. 斑叩甲属 *Cryptalaus* Ôhira，1967

（1184）眼纹斑叩甲 *Cryptalaus larvatus*（Candèze，1874）

分布：陕西（佛坪）、江苏、上海、浙江、江西、湖南、福建、台湾、广东、海南、广西、重庆、四川、云南；日本，越南，老挝，孟加拉国，印度尼西亚。

357. 杆叩甲属 *Dalopius* Eshscholtz，1829

（1185）怜杆叩甲 *Dalopius humilis* Platia，2009

分布：陕西（宝鸡、太白）。

（1186）独模杆叩甲 *Dalopius solitarius* Platia，2009

分布：陕西（西安、宁陕）。

358. 筒叩甲属 *Ectinus* Eschscholtz，1829

（1187）扁额筒叩甲 *Ectinus frontalis* Platia，2007

分布：陕西（西安、宝鸡、太白、宁陕）。

（1188）多模筒叩甲 *Ectinus numerosus* Platia，2007

分布：陕西（宝鸡、太白、华阴）、北京、山西、甘肃、湖北、四川。

359. 尖额叩甲属 *Glyphonyx* Candèze，1863

（1189）长翅尖额叩甲 *Glyphonyx longipennis* Ôhira，1966

分布：陕西（留坝）、甘肃、台湾。

（1190）红胸尖额叩甲 *Glyphonyx rubricollis* Miwa，1928

分布：陕西（宁陕）、甘肃、台湾、四川。

360. Genus *Gnathodicrus* Fleutiaux，1934

（1191）*Gnathodicrus kubani* Schimmel *et* Tarnawski，2006

分布：陕西（秦岭）、云南。

361. 胖叩甲属 *Hypnoidus* Dillwyn，1829

（1192）短胸胖叩甲 *Hypnoidus brevicollis* Dolin *et* Cate，2002

分布：陕西（周至、太白）、云南。

（1193）椭体胖叩甲 *Hypnoidus obovatus* Dolin *et* Cate，2003

分布：陕西（宁陕）。

362. 鳞叩甲属 *Lacon* Laporte, 1838

（1194）凸胸鳞叩甲 *Lacon rotundicollis* Kishii *et* Jiang, 1994
　　　　分布：陕西（留坝、宁陕）、甘肃。

363. 三齿叩甲属 *Lanecarus* Ôhira, 1962

（1195）中华三齿叩甲 *Lanecarus sinensis*（Fleutiaux, 1934）
　　　　分布：陕西（略阳）、甘肃、重庆、四川。

364. 梗叩甲属 *Limoniscus* Reitter, 1905

（1196）库氏梗叩甲 *Limoniscus kucerai* Schimmel, 2006
　　　　分布：陕西（略阳）。
（1197）陕西梗叩甲 *Limoniscus shaanxiensis* Schimmel, 2006
　　　　分布：陕西（宝鸡、略阳）。

365. 双脊叩甲属 *Ludioschema* Reitter, 1891

（1198）暗足双脊叩甲 *Ludioschema obscuripes*（Gyllenhal, 1817）
　　　　分布：陕西（佛坪）、河北、内蒙古、甘肃、江苏、安徽、浙江、湖北、江西、湖
　　　　南、福建、台湾、广东、香港、广西、重庆、四川、云南、西藏；俄罗斯，朝鲜，
　　　　日本，越南，印度。

366. 梳爪叩甲属 *Melanotus* Eschscholtz, 1829

（1199）安康梳爪叩甲 *Melanotus*（*Melanotus*）*ankangensis* Platia *et* Schimmel, 2004
　　　　分布：陕西（安康）、湖北。
（1200）华山梳爪叩甲 *Melanotus*（*Melanotus*）*fiumii* Platia *et* Schimmel, 2001
　　　　分布：陕西（太白、华阴）。
（1201）古氏梳爪叩甲 *Melanotus*（*Melanotus*）*gudenzii* Platia *et* Schimmel, 2001
　　　　分布：陕西（长安、略阳、华阴、秦岭）、甘肃、湖南、四川、贵州。
（1202）湖南梳爪叩甲 *Melanotus*（*Melanotus*）*hunanensis* Platia *et* Schimmel, 2001
　　　　分布：陕西（略阳）、河南、湖南。
（1203）太行梳爪叩甲 *Melanotus*（*Melanotus*）*knizeki* Platia, 2005
　　　　分布：陕西（略阳）、河北。
（1204）冀北梳爪叩甲 *Melanotus*（*Melanotus*）*kolibaci* Platia *et* Schimmel, 2002
　　　　分布：陕西（宝鸡）、河南、甘肃。

（1205）*Melanotus*（*Melanotus*）*piceipennis* Platia *et* Schimmel，2004
　　　分布：陕西。

（1206）太白山梳爪叩甲 *Melanotus*（*Melanotus*）*plutenkoi* Platia，2007
　　　分布：陕西（周至、略阳、太白、镇坪）、湖北、福建。

（1207）拟窄梳爪叩甲 *Melanotus*（*Melanotus*）*pseudoarctus* Platia *et* Schimmel，2001
　　　分布：陕西（略阳）、北京、四川。

（1208）拟筛头梳爪叩甲 *Melanotus*（*Melanotus*）*pseudolegatus* Platia *et* Schimmel，2001
　　　分布：陕西（略阳）、福建。

（1209）陕西梳爪叩甲 *Melanotus*（*Melanotus*）*shaanxianus* Platia，2007
　　　分布：陕西（略阳）、福建。

（1210）亚棘梳爪叩甲 *Melanotus*（*Melanotus*）*subspinosus* Platia *et* Schimmel，2001
　　　分布：陕西（宁陕、丹凤）、山西、湖北、福建、四川、云南；尼泊尔。

（1211）卧龙梳爪叩甲 *Melanotus*（*Melanotus*）*zhilongensis* Platia *et* Schimmel，2001
　　　分布：陕西（周至、太白）、河南、四川。

367．刻角叩甲属 *Mulsanteus* Gozis，1875

（1212）陕西刻角叩甲 *Mulsanteus shaanxiensis* Schimmel *et* Tarnawski，2007
　　　分布：陕西（略阳）。

368．行体叩甲属 *Nipponoelater* Kishii，1985

（1213）中华行体叩甲 *Nipponoelater sinensis*（Candèze，1882）
　　　分布：陕西（略阳）、辽宁、江西、福建、广东、四川、贵州、云南。

369．奇叩甲属 *Nothodes* LeConte，1861

（1214）中华奇叩甲 *Nothodes sinensis* Platia，2009
　　　分布：陕西（宝鸡、太白）、甘肃。

370．副叩甲属 *Parathous* Fleutiaux，1918

（1215）血色副叩甲 *Parathous sanguineus* Fleutiaux，1918
　　　分布：陕西（周至、太白）、湖北、重庆、四川；越南，柬埔寨。

371．梳角叩甲属 *Pectocera* Hope，1842

（1216）库氏梳角叩甲 *Pectocera kucerai* Schimmel，2006

分布：陕西（略阳）、河南。

372. 薄叩甲属 *Penia* Laporte，1838

（1217）厄氏薄叩甲 *Penia erberi* Schimmel，2006
　　　　分布：陕西（略阳）、四川。

（1218）鄂西薄叩甲 *Penia gauchoana* Schimmel，2006
　　　　分布：陕西（华阴、宁陕）、湖北。

（1219）陕西薄叩甲 *Penia shaanxiana* Schimmel，2006
　　　　分布：陕西（略阳）。

373. 齿爪叩甲属 *Platynychus* Motschulsky，1858

（1220）伪齿爪叩甲 *Platynychus*（*Platynychus*）*nothus*（Candèze，1865）
　　　　分布：陕西（宁陕）、北京、河北、河南、甘肃、江苏、湖北、江西、福建、重庆、
　　　　四川、贵州；日本，孟加拉国。

374. Genus *Podeonius* Kiesenwetter，1858

（1221）*Podeonius shaanxianus* Schimmel，2003
　　　　分布：陕西（秦岭）。

375. 弓背叩甲属 *Priopus* Laporte，1840

（1222）刺角弓背叩甲 *Priopus angulatus*（*Candèze*，1860）
　　　　分布：陕西（佛坪）、甘肃、河南、江苏、浙江、湖北、江西、湖南、福建、台湾、
　　　　广东、海南、香港、重庆、四川、贵州；越南，老挝，泰国，柬埔寨，马来西
　　　　亚，新加坡。

376. 微叩甲属 *Quasimus* Gozis，1886

（1223）云南微叩甲 *Quasimus yunnanus* Schimmel *et* Tarnawski，2009
　　　　分布：陕西（宁陕）、四川、云南。

377. Genus *Rainerus* Platia，2007

（1224）*Rainerus bocakorum* Platia，2007
　　　　分布：陕西、云南。

（1225）*Rainerus mertliki* Platia，2007
　　　　分布：陕西、甘肃。

378．毛叩甲属 *Sericus* Eschscholtz，1829

（1226）西氏毛叩甲 *Sericus*（*Sericoderma*）*siteki* **Platia** *et* **Gudenzi，2006**
　　　分布：陕西（周至、太白）、四川、西藏。

（1227）*Sericus*（*Sericoderma*）*spinosus* **Platia** *et* **Gudenzi，2006**
　　　分布：陕西（秦岭）、湖北。

（1228）瓦氏毛叩甲 *Sericus*（*Sericoderma*）*vavrai* **Platia** *et* **Gudenzi，2006**
　　　分布：陕西（宁陕、镇坪）、河南。

379．截额叩甲属 *Silesis* Candèze，1863

（1229）神农架截额叩甲 *Silesis erberi* **Platia，2006**
　　　分布：陕西（宝鸡）、湖北、四川。

380．脊角叩甲属 *Stenagostus* C. G. Thomson，1859

（1230）横带脊角叩甲 *Stenagostus umbratilis*（Lewis，1894）
　　　分布：陕西（宁陕）、甘肃；韩国，日本。

381．高地叩甲属 *Tarnawskianus* Schimmel *et* Platia，2007

（1231）特纳高地叩甲 *Tarnawskianus turnai* **Schimmel** *et* **Platia，2007**
　　　分布：陕西（太白山）、河南。

382．猛叩甲属 *Tetrigus* Candèze，1857

（1232）莱氏猛叩甲 *Tetrigus lewisi* **Candèze，1873**
　　　分布：陕西（佛坪）、辽宁、北京、河北、山东、河南、甘肃、新疆、江苏、上海、浙江、湖北、湖南、福建、台湾、广东、广西、云南；朝鲜，日本，越南，老挝。

383．钟胸叩甲属 *Tropihypnus* Reitter，1905

（1233）略阳钟胸叩甲 *Tropihypnus lueangensis* **Schimmel** *et* **Tarnawski，2008**
　　　分布：陕西（略阳）、四川。

（1234）秦岭钟胸叩甲 *Tropihypnus petrae* **Schimmel** *et* **Tarnawski，2008**
　　　分布：陕西（周至、略阳、佛坪、宁陕、柞水）、福建。

384．短角叩甲属 *Vuilletus* Fleutiaux，1940

（1235）中华短角叩甲 *Vuilletus sinensis* **Platia，2008**

分布：陕西（宁陕）、湖北、四川。

385．土叩甲属 *Xanthopenthes* Fleutiaux，1928

（1236）粒翅土叩甲 *Xanthopenthes granulipennis*（Miwa，1929）
　　分布：陕西（佛坪）、甘肃、江苏、浙江、湖北、江西、福建、台湾、广东、广西、
　　重庆、四川、贵州；日本。

386．玲珑叩甲属 *Zorochros* C. G. Thomson，1859

（1237）周至玲珑叩甲 *Zorochros*（*Zorochros*）*wrasei* Dolin，1999
　　分布：陕西（周至）。

二十八、红萤科 Lycidae

387．奇胸红萤属 *Cautires* Waterhouse，1879

（1238）警奇胸红萤 *Cautires procautiroides* Kazantsev，2002
　　分布：陕西（周至）、甘肃、四川。

388．纹红萤属 *Conderis* Waterhouse，1879

（1239）伪康纹红萤 *Conderis pseudoconderoides* Kazantsev，2002
　　分布：陕西（周至）、甘肃。

389．Genus *Dihammatus* Waterhouse，1879

（1240）*Dihammatus xunyanbanensis* Bocakova，2003
　　分布：陕西（宁陕）。

390．Genus *Libnetis* Waterhouse，1878

（1241）*Libnetis fodingshanensis* Bocakova，2000
　　分布：陕西（石泉）、贵州。
（1242）*Libnetis xunyanbanensis* Bocakova，2003
　　分布：陕西（宁陕）。

391．吻红萤属 *Lycostomus* Motschulsky，1860

（1243）秦岭吻红萤 *Lycostomus tsinlingensis* Kazantsev，2002
　　分布：陕西（周至）、甘肃。

392. 窄胸红萤属 *Lyponia* Waterhouse，1878

（1244）陕西窄胸红萤 *Lyponia*（*Lyponia*）*shaanxiensis* Kazantsev，2002
分布：陕西（周至）。

（1245）秦岭窄胸红萤 *Lyponia*（*Poniella*）*qinlingensis* Li，Bocak *et* Pang，2015
分布：陕西（宁陕）。

393. 硕红萤属 *Macrolycus* Waterhouse，1878

（1246）鲍氏硕红萤 *Macrolycus*（*Cerceros*）*bocakorum* Kazantsev，2001
分布：陕西（周至）、四川。

（1247）丝角硕红萤 *Macrolycus*（*Cerceros*）*galinae* Kazantsev，2000
分布：陕西（眉县）、四川。

（1248）穆氏硕红萤 *Macrolycus*（*Cerceros*）*murzini* Kazantsev，2001
分布：陕西（太白、宁陕）、四川。

（1249）陕西硕红萤 *Macrolycus*（*Macrolycus*）*shaanxiensis* Kazantsev，2001
分布：陕西（周至）、甘肃。

394. Genus *Ochinoeus* Kubecek，Bray *et* Bocak，2015

（1250）*Ochinoeus xunyanbaensis* Kubecek，Bray *et* Bocak，2015
分布：陕西（宁陕）。

395. Genus *Plateros* Bourgeois，1879

（1251）*Plateros shaanxiensis* Kazantsev，2004
分布：陕西（秦岭）。

二十九、萤科 Lampyridae

396. Genus *Diaphanes* Motschulsky，1853

（1252）*Diaphanes serotinus* E. Olivier，1907
分布：陕西（秦岭）；斯里兰卡。

三十、囊花萤科 Malachiidae

397. Genus *Anthocomus* Erichson，1840

（1253）*Anthocomus cyaneipennis*（Wittmer，1940）

分布：陕西（秦岭）、江苏、上海。

398. Genus *Attalus* Erichson, 1840

（1254）*Attalus huashanensis* Wittmer, 1999
分布：陕西（华阴）。

399. Genus *Intybia* Pascoe, 1866

（1255）*Intybia viridithorax shaanxiensis* Wittmer, 1997
分布：陕西（华阴）。

三十一、细花萤科 Prionoceridae

400. Genus *Lobonyx* Jacquelin du Val, 1859

（1256）*Lobonyx guerryi*（Pic, 1920）
分布：陕西（宁陕）、甘肃、四川、云南、西藏；缅甸，印度。

三十二、拟花萤科 Dasytidae

401. Genus *Dasytidius* Schilsky, 1896

（1257）*Dasytidius turnai* Majer, 1996
分布：陕西（西安、华阴）。

三十三、花萤科 Cantharidae

402. 亚齿花萤属 *Asiopodabrus* Wittmer, 1982

（1258）垂氏亚齿花萤 *Asiopodabrus tryznai*（Švihla, 2004）
分布：陕西（周至）。

403. 花萤属 *Cantharis* Linnaeus, 1758

（1259）棕翅花萤 *Cantharis*（*Cantharis*）*brunneipennis* Heyden, 1889
分布：陕西（周至）、黑龙江、山西、甘肃、四川；蒙古，俄罗斯（远东）。

（1260）金氏花萤 *Cantharis*（*Cantharis*）*jindrai* Švihla, 2004
分布：陕西（周至）。

（1261）倪氏花萤 *Cantharis*（*Cantharis*）*knizeki* Švihla，2004
　　分布：陕西（石泉）、河北。

（1262）小斑花萤 *Cantharis*（*Cantharis*）*minutemaculata* Wittmer，1997
　　分布：陕西（丹凤、镇安）、山西。

（1263）红缘花萤 *Cantharis*（*Cantharis*）*rufa* Linnaeus，1758
　　分布：陕西（武功）、黑龙江、青海、新疆；蒙古，俄罗斯，朝鲜，中亚地区，
　　欧洲，北美洲。

（1264）黑斑花萤 *Cantahris*（*Cyrtomoptila*）*plagiata* Heyden，1889
　　分布：陕西（周至、佛坪、宁陕）、甘肃；俄罗斯（远东），日本，朝鲜。

404．赛花萤属 *Cyrebion* Fairmaire，1891

（1265）细角赛花萤 *Cyrebion gracilicornis* Y. Yang *et* X. Yang，2010
　　分布：陕西（留坝）、甘肃、湖北。

405．异角花萤属 *Fissocantharis* Pic，1921

（1266）裂板异角花萤 *Fissocantharis fissa*（Wittmer，1997）
　　分布：陕西（长安、眉县、太白、山阳、宁陕、丹凤）、湖北、四川。

（1267）萨氏异角花萤 *Fissocantharis safraneki*（Švihla，2004）
　　分布：陕西（宝鸡、眉县）。

（1268）*Fissocantharis safranekimima* Y. Yang *et* X. Yang，2015
　　分布：陕西（秦岭）。

（1269）淡黄异角花萤 *Fissocantharis semifumata*（Fairmaire，1889）
　　分布：陕西（长安、眉县、太白）、甘肃、四川。

（1270）*Fissocantharis septangula* Y. Yang *et* X. Yang，2015
　　分布：陕西（秦岭）。

（1271）陕西异角花萤 *Fissocantharis shaanxiensis*（Wittmer，1995）
　　分布：陕西（镇巴、山阳、镇安）。

406．缢胸花萤属 *Leiothorax* Wittmer，1978

（1272）黑红缢胸花萤 *Leiothorax atrosanguineus* Švihla，2005
　　分布：陕西（宁陕）。

407．异花萤属 *Lycocerus* Gorham，1889

（1273）斑胸异花萤 *Lycocerus asperipennis*（Fairmaire，1891）

分布：陕西（佛坪、柞水、丹凤）、山西、河南、甘肃、湖北、四川、贵州、云南。

（1274）双带异花萤 *Lycocerus bilineatus*（Wittmer，1995）

分布：陕西（南郑、紫阳、镇安、丹凤）、江苏、上海、湖北、江西、贵州。

（1275）华中异花萤 *Lycocerus centrochinensis*（Švihla，2004）

分布：陕西（周至、凤县、宁陕、镇安）、湖北。

（1276）洼胸异花萤 *Lycocerus confossicollis*（Fairmaire，1891）

分布：陕西（长安）、湖北。

（1277）何氏异花萤 *Lycocerus hedini*（Pic，1933）

分布：陕西（周至、留坝、宁陕）、甘肃、四川、云南。

（1278）黑头异花萤 *Lycocerus inopaciceps*（Pic，1926）

分布：陕西（凤县、留坝）、四川。

（1279）吉氏异花萤 *Lycocerus jelineki*（Švihla，2004）

分布：陕西（眉县、太白）、湖北。

（1280）胶州异花萤 *Lycocerus kiontochananus*（Pic，1921）

分布：陕西（宁陕、柞水、丹凤）、天津、山东、河南、甘肃、湖北。

（1281）库氏异花萤 *Lycocerus kubani*（Švihla，2004）

分布：陕西（太白、岚皋）。

（1282）小黑异花萤 *Lycocerus minutonitidus*（Wittmer，1995）

分布：陕西（宁陕）、四川。

（1283）牟平异花萤 *Lycocerus moupinensis*（Pic，1926）

分布：陕西（宁陕）、四川。

（1284）南坪异花萤 *Lycocerus nanpingensis*（Wittmer，1995）

分布：陕西（周至）、四川。

（1285）红胸异花萤 *Lycocerus pubicollis*（Heyden，1889）

分布：陕西（丹凤）、河北、甘肃、四川。

408. 圆胸花萤属 *Prothemus* Champion，1926

（1286）中华圆胸花萤 *Prothemus chinensis* Wittmer，1987

分布：陕西（周至、户县、眉县、太白）、浙江、台湾、广西。

（1287）黑斑圆胸花萤 *Prothemus maculithorax* Wittmer，1997

分布：陕西（岚皋）、湖北。

（1288）紫翅圆胸花萤 *Prothemus purpureipennis*（Gorham，1889）

分布：陕西（凤县、眉县、太白、佛坪、柞水、丹凤）、山西、江西、福建。

409．丝角花萤属 *Rhagonycha* Eschscholtz，1830

（1289）甘肃丝角花萤 *Rhagonycha*（*Rhagonycha*）*gansuensis* Švihla，1995
分布：陕西（周至）、甘肃、四川。

（1290）金氏丝角花萤 *Rhagonycha*（*Rhagonycha*）*jindrai* Švihla，2002
分布：陕西（长安、眉县、太白）。

（1291）萨氏丝角花萤 *Rhagonycha*（*Rhagonycha*）*safraneki* Švihla，2002
分布：陕西（周至）、四川。

（1292）威州丝角花萤 *Rhagonycha*（*Rhagonycha*）*weichowensis* Wittmer，1997
分布：陕西（周至、凤县、留坝、宁陕）、四川。

410．狭胸花萤属 *Stenothemus* Bourgeois，1907

（1293）柏氏狭胸花萤陕西亚种 *Stenothemus benesi shaanxiensis* Švihla，2004
分布：陕西（周至）。

（1294）双色狭胸花萤 *Stenothemus diffusus* Wittmer，1974
分布：陕西（宁陕）、四川；缅甸。

（1295）顿氏狭胸花萤 *Stenothemus dundai* Švihla，2004
分布：陕西（留坝）、甘肃、新疆、四川。

411．台湾花萤属 *Taiwanocantharis* Wittmer，1984

（1296）传氏台湾花萤 *Taiwanocantharis drahuska*（Švihla，2004）
分布：陕西（周至）、宁夏、甘肃、四川。

412．道花萤属 *Taocantharis* Švihla，2011

（1297）布氏道花萤 *Taocantharis businskae*（Wittmer，1997）
分布：陕西（周至、宁陕）、湖北。

413．丽花萤属 *Themus* Motschulsky，1857

（1298）哈氏丽花萤 *Themus*（*Haplothemus*）*hackeli* Švihla，2004
分布：陕西（秦岭）、甘肃。

（1299）何氏丽花萤 *Themus*（*Haplothemus*）*hedini* Pic，1933
分布：陕西（周至、宁陕）、甘肃、四川。

（1300）利氏丽花萤 *Themus*（*Haplothemus*）*licenti* Pic，1938

　　　　分布：陕西（周至、留坝、佛坪、宁陕、柞水）、北京、河北、山西、河南、四川。

（1301）斯氏丽花萤 *Themus*（*Haplothemus*）*schneideri* Švihla, 2004

　　　　分布：陕西（眉县）、四川。

（1302）青丽花萤 *Themus*（*Telephorops*）*coelestis*（Gorham, 1889）

　　　　分布：陕西（佛坪、柞水）、河南、甘肃、安徽、浙江、湖北、江西、湖南、福建、海南、广西、四川、贵州。

（1303）糙翅丽花萤 *Themus*（*Telephorops*）*impressipennis*（**Fairmaire, 1886**）

　　　　分布：陕西（眉县、宁陕、南郑、柞水）、河南、甘肃、江苏、安徽、浙江、湖北、江西、湖南、福建、台湾、广西、四川、贵州、云南。

（1304）考氏丽花萤 *Themus*（*Themus*）*corayi* Wittmer, 1983

　　　　分布：陕西（丹凤，陕西、河南交界处）、福建。

（1305）黄足丽花萤 *Themus*（*Themus*）*luteipes* Pic, 1938

　　　　分布：陕西（周至、凤县、太白、宁陕、柞水）、河北、甘肃。

（1306）华丽花萤 *Themus*（*Themus*）*regalis*（Gorham, 1889）

　　　　分布：陕西（佛坪、宁陕、柞水）、江西、福建、四川、云南；越南。

（1307）陕西丽花萤 *Themus*（*Themus*）*shensianus* Wittmer, 1983

　　　　分布：陕西（周至、眉县、太白、佛坪、柞水）。

（1308）黑斑丽花萤 *Themus*（*Themus*）*stigmaticus*（**Fairmaire, 1888**）

　　　　分布：陕西（周至、留坝、宁陕）内蒙古、北京、河北、甘肃、青海、江西。

（1309）砖胸丽花萤 *Themus*（*Themus*）*testaceicollis* Wittmer, 1983

　　　　分布：陕西（凤县、太白、留坝、佛坪）、甘肃、湖北、四川。

三十四、伪郭公虫科 Derodontidae

414. Genus *Laricobius* Rosenhauer, 1846

（1310）*Laricobius mirabilis* Háva *et* Jelínek, 1999

　　　　分布：陕西（太白山）、四川、云南。

Ⅵ. 长蠹总科 Bostrichoidea

三十五、皮蠹科 Dermestidae

415. 圆皮蠹属 *Anthrenus* O. F. Müller, 1764

（1311）小圆皮蠹 *Anthrenus*（*Anthrenus*）*verbasci*（**Linnaeus, 1767**）

分布：陕西(秦岭)、黑龙江、辽宁、内蒙古、河北、河南、山东、甘肃、宁夏、青海、新疆、江苏、安徽、浙江、湖北、江西、湖南、广东、广西、四川、贵州、云南;爱尔兰,美国,智利。

(1312) **金黄圆皮蠹** *Anthrenus*（*Florilinus*）*flavidus* **Solsky,1876**

分布：陕西(秦岭)、新疆,中国北方;乌兹别克斯坦,澳大利亚。

(1313) **秦岭圆皮蠹** *Anthrenus*（*Florilinus*）*qinlingensis* **Hava,2004**

分布：陕西(宁陕)。

(1314) **日本圆皮蠹** *Anthrenus nipponensis* **Kalik** *et* **Ohbayashi,1985**

分布：陕西(秦岭)、黑龙江、辽宁、内蒙古、河北、河南、山东、新疆、浙江、四川;日本。

(1315) **红圆皮蠹** *Anthrenus picturatus hintoni* **Mroczkowski,1952**

分布：陕西(秦岭)、辽宁、内蒙古、河北、山东、甘肃、宁夏、青海、新疆、湖南、四川。

416. 皮蠹属 *Dermestes* Linnaeus,1758

(1316) **沟翅皮蠹** *Dermestes freudei* **Kalik** *et* **Ohbayashi,1982**

分布：陕西(秦岭)、黑龙江、内蒙古、河北、河南、江西、广东、四川。

(1317) **拟白腹皮蠹** *Dermestes frischii* **Kugelann,1792**

分布：陕西(佛坪)、黑龙江、吉林、辽宁、内蒙古、河北、山西、河南、山东、甘肃、宁夏、青海、新疆、浙江、湖南、福建、四川、云南;不丹,乌克兰,非洲北部,北美洲,秘鲁。

(1318) **金边皮蠹** *Dermestes laniarius* **Illiger,1802**

分布：陕西(秦岭);俄罗斯,欧洲北部。

(1319) **白腹皮蠹** *Dermestes maculatus*（**Degeer,1774**）

分布：陕西(佛坪),中国广布;巴基斯坦,欧洲,非洲。

(1320) **陕西皮蠹** *Dermestes shaanxiensis* **Cao,1987**

分布：陕西(勉县)、台湾。

(1321) **西伯利亚皮蠹** *Dermestes sibiricus* **Erichson,1848**

分布：陕西(秦岭)、黑龙江、内蒙古、河北、新疆、台湾。

(1322) **赤毛皮蠹** *Dermestes tessellatocollis*（**Motschulsky,1860**）

分布：陕西(秦岭)、黑龙江、吉林、辽宁、内蒙古、河北、山西、河南、山东、甘肃、宁夏、青海、新疆、江苏、浙江、福建、广西、四川、贵州、云南;尼泊尔。

417．蠊蛸皮蠹属 *Thaumaglossa* Redtenbacher，1868

（1323）无斑蠊蛸皮蠹 *Thaumaglossa hilleri* **Reitter，1881**
　　分布：陕西（华阴、宁陕）、台湾、广西；日本，印度，尼泊尔，菲律宾。

（1324）远东蠊蛸皮蠹 *Thaumaglossa ovivora*（**Matsumura *et* Yokoyama，1928**）
　　分布：陕西（秦岭）、黑龙江、辽宁、河北、山西、河南、山东、江苏、浙江、湖
南、福建、台湾、广西、四川、云南；日本。

418．圆胸皮蠹属 *Thorictodes* Reitter，1875

（1325）小圆胸皮蠹 *Thorictodes heydeni* **Reitter，1875**
　　分布：陕西（秦岭）、内蒙古、甘肃、江苏、浙江、江西、湖南、福建、广东、广
西、四川、贵州、云南；黎巴嫩，法国，非洲北部。

419．长毛皮蠹属 *Trinodes* Dejean，1821

（1326）中华长毛皮蠹 *Trinodes sinensis* **Fairmaire，1886**
　　分布：陕西（秦岭）、江西、四川。

420．斑皮蠹属 *Trogoderma* Dejean，1821

（1327）花斑皮蠹 *Trogoderma variabile* **Ballion，1878**
　　分布：陕西（秦岭）、黑龙江、辽宁、内蒙古、河北、山西、河南、浙江、湖南、
广东、四川、贵州；吉尔吉斯斯坦，捷克，澳大利亚。

三十六、蛛甲科 Ptinidae

421．Genus *Clada* Pascoe，1887

（1328）*Clada*（*Clada*）*kucerai* **Zahradník，2013**
　　分布：陕西（略阳）。

422．Genus *Cyphoniptus* Bellés，1991

（1329）*Cyphoniptus sulcithorax*（**Pic，1899**）
　　分布：陕西（秦岭）、河南、浙江、广西、四川、贵州、云南、西藏。

423．Genus *Indanobium* Español，1970

（1330）*Indanobium chinensis* **Zahradník，2013**

分布：陕西（略阳）。

424. Genus *Ptilinus* Geoffroy, 1762

（1331）*Ptilinus similis* Zahradník, 2013
　　分布：陕西（商南）、河南。

425. Genus *Ptinomorphus* Mulsant *et* Rey, 1868

（1332）*Ptinomorphus tryznai* Zahradník, 2013
　　分布：陕西（太白）。

426. Genus *Pseudeurostus* Heyden, 1906

（1333）*Pseudeurostus hilleri*（Reitter, 1877）
　　分布：陕西（秦岭）、黑龙江、吉林、辽宁、内蒙古、河北、山西、河南、甘肃、宁夏、青海、上海、江苏、安徽、浙江、湖北、江西、湖南、福建、广东、四川、贵州；波兰。

427. Genus *Ptilineurus* Reitter, 1901

（1334）*Ptilineurus marmoratus*（Reitter, 1877）
　　分布：陕西（秦岭）、黑龙江、吉林、辽宁、内蒙古、河北、山西、河南、山东、江苏、安徽、湖北、江西、湖南、台湾、广东、广西、四川、贵州、云南。

（1335）*Ptilineurus pictipennis*（Fairmaire, 1895）
　　分布：陕西（秦岭）、江苏、湖北、四川。

428. Genus *Stagetus* Wollaston, 1861

（1336）*Stagetus chinensis* Zahradník, 2012
　　分布：陕西（略阳）。

429. Genus *Stegobium* Motschulsky, 1860

（1337）*Stegobium paniceum*（Linnaeus, 1758）
　　分布：陕西（秦岭）、黑龙江、吉林、辽宁、内蒙古、北京、天津、河北、山西、河南、山东、甘肃、宁夏、青海、新疆、上海、江苏、安徽、浙江、湖北、江西、湖南、福建、台湾、广东、海南、广西、四川、贵州、云南、西藏；俄罗斯，欧洲，澳大利亚。

Ⅶ. 郭公甲总科 Cleroidea

三十七、郭公甲科 Cleridae

430. 郭公甲属 *Clerus* Geoffroy, 1762

（1338）普通郭公甲 *Clerus dealbatus*（**Kraatz, 1879**）

分布：陕西(周至、柞水)、黑龙江、吉林、辽宁、内蒙古、北京、河北、山西、山东、江苏、上海、浙江、福建、广东、四川、贵州、云南、西藏；俄罗斯，朝鲜，韩国，印度。

431. 尸郭公甲属 *Necrobia* Olivier, 1795

（1339）赤颈尸郭公甲 *Necrobia ruficollis*（**Fabricius, 1775**）

分布：陕西(秦岭)、黑龙江、甘肃、新疆、山东、江苏、上海、安徽、浙江、湖北、江西、湖南、福建、台湾、广东、海南、广西、重庆、四川、贵州、云南；韩国，日本，越南，欧洲，非州北部。

（1340）赤足尸郭公甲 *Necrobia rufipes*（**de Geer, 1775**）

分布：陕西(秦岭)、黑龙江、内蒙古、甘肃、新疆、山西、山东、上海、浙江、湖北、江西、湖南、福建、广东、海南、广西、四川、贵州、云南；蒙古，俄罗斯，韩国，日本，印度，伊朗，沙特阿拉伯，塔吉克斯坦，土耳其，欧洲。

432. 细郭公甲属 *Tarsostenus* spinola, 1844

（1341）玉带细郭公甲 *Tarsostenus univittatus*（**Rossi, 1792**）

分布：陕西(秦岭)、河北、湖北、台湾、广东、海南、广西、四川、贵州、云南；越南，韩国，日本，印度，欧洲，非洲北部。

433. 筒郭公甲属 *Tenerus* Laporte de Castelnau, 1836

（1342）斑胸筒郭公甲 *Tenerus maculicollis*（**Lewis, 1892**）

分布：陕西(佛坪、宁陕)、河南、浙江、江西、湖南、台湾；日本。

434. 劫郭公甲属 *Thanasimus* Latreille, 1806

（1343）不丹劫郭公甲 *Thanasimus bhutanensis* Gerstmeier, 2009

分布：陕西(周至)、云南、西藏；不丹。

435. 猛郭公甲属 *Tillus* Olivier, 1790

(1344) 光洁猛郭公甲 *Tillus nitidus* (Schenkling, 1916)
分布：陕西(周至)、河南、甘肃、安徽、浙江、台湾、海南、四川、贵州。

436. 毛郭公甲属 *Trichodes* Herbst, 1792

(1345) 中华毛郭公甲 *Trichodes sinae* Chevrolat, 1874
分布：陕西(长安、周至、宝鸡、佛坪、宁陕)、黑龙江、吉林、辽宁、内蒙古、北京、天津、河北、山西、山东、河南、宁夏、甘肃、青海、新疆、江苏、上海、安徽、浙江、湖北、江西、湖南、福建、广东、广西、重庆、四川、贵州、云南、西藏；蒙古，俄罗斯、韩国。

437. 番郭公甲属 *Xenorthrius* Gorham, 1892

(1346) 盘斑番郭公甲 *Xenorthrius discoidalis* (Fairmaire, 1891)
分布：陕西(宁陕)、辽宁、湖北。

Ⅷ. 扁甲总科 Cucujoidea

三十八、大蕈甲科 Erotylidae

438. 沟蕈甲属 *Aulacochilus* Chevrolat, 1836

(1347) 月斑沟蕈甲 *Aulacochilus luniferus* (Guérin-Méneville, 1841)
分布：陕西(宁陕)、北京、河北、河南、浙江、广西、四川、云南、西藏；马来西亚，印度尼西亚。

439. Genus *Cryptophilus* Reitter, 1873

(1348) *Cryptophilus quadrisignatus* Motschulsky, 1860
分布：陕西(秦岭)；俄罗斯，日本。

440. 艾蕈甲属 *Episcapha* Lacordaire, 1842

(1349) 黄带艾蕈甲 *Episcapha* (*Episcapha*) *flavofasciata* (Reitter, 1879)
分布：陕西(柞水)、山西、河南、四川；俄罗斯(东西伯利亚)，韩国。

(1350) 光滑艾蕈甲 *Episcapha* (*Episcapha*) *psiloides* Bedel, 1918
分布：陕西(留坝)；越南，老挝。

三十九、拟叩甲科 Languriidae

441. 新拟叩甲属 *Caenolanguria* Gorham，1887

（1351）华新拟叩甲 *Caenolanguria sinensis* Zia，1933
分布：陕西（镇安）、广西、四川、云南。

442. 异安拟叩甲属 *Neanadastus* Zia，1959

（1352）细异安拟叩甲 *Neanadastus gracilis* Zia，1959
分布：陕西（旬阳、镇安）、四川。

443. 毒拟叩甲属 *Paederolanguria* Mader，1939

（1353）隔色毒拟叩甲 *Paederolanguria alternata*（Zia，1959）
分布：陕西（宝鸡）、浙江。

444. 特拟叩甲属 *Tetraphala* Sturm，1843

（1354）长特拟叩甲 *Tetraphala elongata*（Fabricius，1801）
分布：陕西（柞水）、浙江、福建、台湾、广西、四川、贵州、云南。
（1355）环特拟叩甲 *Tetraphala collaris*（Crotch，1876）
分布：陕西（柞水）、北京、浙江、江西、福建、台湾、海南、四川、贵州、云南、西藏。

四十、蜡斑甲科 Helotidae

445. Genus *Metahelotella* Kirejtshuk，2000

（1356）*Metahelotella sprecherae* Lee，2009
分布：陕西（佛坪、宁陕）。

四十一、隐食甲科 Cryptophagidae

446. Genus *Atomaria* Stephens，1829

（1357）*Atomaria convexiuscula* Reitter，1888
分布：陕西（秦岭）、黑龙江、河北、江苏；俄罗斯，朝鲜。
（1358）*Atomaria lederi* C. Johnson，1970

分布：陕西（秦岭）、黑龙江、辽宁、内蒙古、北京、河北、山东、甘肃、上海、浙江、湖北、福建、台湾、广东、贵州、四川、云南；蒙古，俄罗斯，朝鲜，缅甸，印度，尼泊尔，不丹，孟加拉国，加拿大。

（1359）*Atomaria lewisi* **Reitter，1877**

分布：陕西（秦岭）、黑龙江、内蒙古、北京、河北、山东、甘肃、上海、浙江、台湾、四川、云南；蒙古，俄罗斯，朝鲜，缅甸，印度，尼泊尔，不丹，孟加拉国。

（1360）*Atomaria plecta* **Lyubarsky，1995**

分布：陕西（华阴）、四川；印度，尼泊尔。

447．Genus *Cryptophagus* Herbst，1792

（1361）*Cryptophagus dilutus* **Reitter，1874**

分布：陕西（临潼）、黑龙江、内蒙古、广西、云南；蒙古，俄罗斯，朝鲜，日本，尼泊尔，中亚地区，新北区。

（1362）*Cryptophagus fusciclavis* **Bruce，1943**

分布：陕西（华阴）、浙江、湖北、福建、四川。

（1363）*Cryptophagus klapperichi* **Bruce，1943**

分布：陕西（华阴）、浙江、福建。

（1364）*Cryptophagus pseudoschmidti* **Woodroffe，1970**

分布：陕西（华阴）、内蒙古；蒙古，俄罗斯，哈萨克斯坦。

448．Genus *Henotiderus* Reitter，1877

（1365）*Henotiderus centromaculatus* **Reitter，1877**

分布：陕西（华阴）、江苏；俄罗斯，日本，新北区。

449．Genus *Himascelis* Sengupta，1978

（1366）*Himascelis chinensis*（**Nikitsky，1996**）

分布：陕西（华阴）。

450．Genus *Micrambe* Thomson，1863

（1367）*Micrambe bimaculata*（**Panzer，1798**）

分布：陕西（华阴）、北京、天津、河北、安徽、浙江、湖北、四川、贵州、云南；蒙古，俄罗斯，欧洲。

四十二、锯谷盗科 Silvanidae

451. 锯谷盗属 *Oryzaephilus* Ganglbauer，1899

（1368）大眼锯谷盗 *Oryzaephilus mercator*（Fauvel，1889）
分布：陕西广布，山东、甘肃、江苏、安徽、浙江、湖北、湖南、福建、广东、广西、云南、贵州；世界广布。

（1369）锯谷盗 *Oryzaephilus surinamemsis*（Linnaeus，1767）
分布：陕西广布，中国广布；世界广布。

四十三、扁谷盗科 Laemophloeidae

452. Genus *Cryptolestes* Ganglbauer，1899

（1370）锈赤扁谷盗 *Cryptolestes ferrugineus*（Stephens，1831）
分布：陕西广布；非洲。

（1371）长角扁谷盗 *Cryptolestes pusillus*（Schönherr，1791）
分布：陕西广布；非洲。

四十四、露尾甲科 Nitidulidae

（一）访花露尾甲亚科 Meligethinae

453. 菜花露尾甲属 *Meligethes* Stephens，1830

（1372）油菜花露尾甲 *Meligethes aeneus*（Fabricius，1775）
分布：陕西（周至）、甘肃、四川；爱尔兰。

（1373）长金毛菜花露尾甲 *Meligethes aurifer* Audio，Sabatelli *et* Jelínek，2014
分布：陕西（华阴）、山西。

（1374）金毛菜花露尾甲 *Meligethes auripilis* Reitter，1889
分布：陕西（宝鸡）、山西、甘肃、四川、云南、西藏。

（1375）近难菜花露尾甲 *Meligethes difficiloides* Audisio，Jelínek *et* Cooter，2005
分布：陕西（宝鸡）、云南。

（1376）黄足菜花露尾甲 *Meligethes flavimanus* Stephens，1830
分布：陕西（宁陕）；法国，英国。

（1377）优雅菜花露尾甲 *Meligethes hammondi* Kirejtshuk，1980
分布：陕西（华阴、佛坪）、河南、宁夏、湖北、四川。

（1378）似貂菜花露尾甲 *Meligethes martes* **Audio, Sabatelli** *et* **Jelínek, 2014**
　　　分布：陕西（华阴）、山西、四川。

（1379）多边菜花露尾甲 *Meligethes polyedricus* **Lin, Chen, Huang** *et* **Yang, 2015**
　　　分布：陕西（周至）。

（1380）莎氏菜花露尾甲 *Meligethes schuelkei* **Audio, Sabatelli** *et* **Jelínek, 2014**
　　　分布：陕西（宝鸡）、四川。

（1381）籽菜花露尾甲 *Meligethes semenovi* **Kirejtshuk, 1979**
　　　分布：陕西（周至）、四川；俄罗斯。

（1382）黑头菜花露尾甲 *Meligethes simulator* **Audio, Sabatelli** *et* **Jelínek, 2014**
　　　分布：陕西（周至）、甘肃。

（1383）*Meligethes shirakii* **Hisamatsu, 1956**
　　　分布：陕西（秦岭）、台湾、四川；日本。

（1384）橘黄菜花露尾甲 *Meligethes xenogynus* **Audio, Sabatelli** *et* **Jelínek, 2014**
　　　分布：陕西（周至、华阴）、四川。

（1385）堇菜花露尾甲 *Meligethes violaceus* **Reitter, 1873**
　　　分布：陕西（略阳）、安徽、浙江、湖北、江西、福建、四川、贵州、云南；俄罗斯，日本。

（二）露尾甲亚科 Nitidulinae

454. Genus *Cychramus* Kugelann, 1794

（1386）*Cychramus luteus*（Fabricius, 1787）
　　　分布：陕西（秦岭）、甘肃、四川、云南；蒙古，俄罗斯，日本，欧洲。

（1387）*Cychramus variegatus*（Herbst, 1792）
　　　分布：陕西（秦岭）、四川、云南；俄罗斯，欧洲。

455. Genus *Cyllodes* Erichson, 1843

（1388）*Cyllodes punctidorsum* **Nakane** *et* **Hisamatsu, 1955**
　　　分布：陕西（秦岭）、四川；日本。

456. Genus *Nitidula* Fabricius 1775

（1389）*Nitidula carnaria*（Schaller, 1783）
　　　分布：陕西（秦岭）、黑龙江、辽宁、内蒙古、河南、甘肃、宁夏、青海、新疆、江苏;蒙古, 俄罗斯, 欧洲, 非洲, 智利。

457. Genus *Omosita* Erichson, 1843

（1390）*Omosita colon*（Linnaeus, 1758）

分布：陕西（秦岭）、黑龙江、吉林、内蒙古、北京、河北、山西、河南、山东、甘肃、宁夏、青海、新疆、江苏、浙江、云南;俄罗斯, 欧洲。

458. Genus *Xenostrongylus* Wollaston, 1854

（1391）*Xenostrongylus variegatus* Fairmaire, 1891

分布：陕西（秦岭）、四川、云南;俄罗斯。

（三）长鞘露尾甲亚科 Epuraeinae

459. 长鞘露尾甲属 *Epuraea* Erichson, 1843

（1392）*Epuraea*（*Epuraeanella*）*hammondi* Kirejtshuk, 1992

分布：陕西（秦岭）、云南。

（1393）黑斑露尾甲 *Epuraea*（*Haptoncus*）*ocularis*（Fairmaire, 1849）

分布：陕西（杨凌）、台湾;韩国, 日本, 印度, 欧洲。

（1394）暗褐露尾甲 *Epuraea*（*Haptoncus*）*picinus*（Grouvelle, 1906）

分布：陕西（秦岭）、河北、山东、福建;马达加斯加。

（1395）*Epuraea*（*Micruria*）*aldridgei* Kirejtshuk, 1997

分布：陕西（华阴）、西藏。

（1396）*Epuraea*（*Micruria*）*mandibularis* Reitter, 1873

分布：陕西（秦岭）、黑龙江、台湾。

（四）**Subfamily Cryptarchinae**

460. Genus *Cryptarcha* Shuckard, 1840

（1397）*Cryptarcha inhalita* Reitter, 1884

分布：陕西（秦岭）;俄罗斯, 日本。

（1398）*Cryptarcha strigata*（Fabricius, 1787）

分布：陕西（秦岭）、山西、湖北;俄罗斯, 朝鲜, 日本, 中亚地区, 欧洲。

461. Genus *Glischrochilus* Reitter, 1873

（1399）*Glischrochilus*（*Librodor*）*japonius*（Motschulsky, 1857）

分布：陕西（秦岭）、山西、山东、安徽、湖北、台湾、四川、贵州、云南；俄罗斯，朝鲜，韩国，日本，尼泊尔，东洋区。

（1400）*Glischrochilus*（*Librodor*）*jelineki* Lason, 2009
分布：陕西（秦岭）、湖北。

（1401）*Glischrochilus*（*Librodor*）*pallidescriptus* Jelínek, 1999
分布：陕西（秦岭）、河南、四川、云南。

四十五、方头甲科 Cybocephalidae

462. Genus *Cybocephalus* Erichson, 1844

（1402）*Cybocephalus nipponicus* Endrödy-Younga, 1971
分布：陕西（秦岭）、北京、河北、河南、甘肃、浙江、湖北、湖南、福建、广东、海南、香港、四川、贵州、云南；韩国，日本，印度，巴基斯坦，意大利，新北区。

四十六、寄甲科 Bothrideridae

463. Genus *Dastarcus* Walker, 1858

（1403）花绒寄甲 *Dastarcus helophoroides*（Fairmaire, 1881）
分布：陕西广布，辽宁、内蒙古、北京、河北、山西、河南、山东、甘肃、宁夏、上海、江苏、安徽、湖北、广东；日本。

四十七、伪瓢虫科 Endomychidae

464. 弯伪瓢虫属 *Ancylopus* Costa, 1850

（1404）彩弯伪瓢虫亚洲亚种 *Ancylopus pictus asiaticus* Strohecker, 1972
分布：陕西（秦岭）、河南、山东、江苏、上海、浙江、江西、福建、台湾、海南、广西、四川、云南。

465. 蕈伪瓢虫属 *Mycetina* Mulsant, 1846

（1405）华丽蕈伪瓢虫 *Mycetina superba* Mader, 1941
分布：陕西（宁陕）、福建。

466. 华伪瓢虫属 *Sinocymbachus* Strohecker *et* Chûjô, 1970

（1406）狭纹华伪瓢虫 *Sinocymbachus angustefasciatus*（Pic, 1940）

　　　分布：陕西（留坝、宁陕）、四川、云南。

四十八、瓢虫科 Coccinellidae

（一）盔唇瓢虫亚科 Chilocorinae

467. 盔唇瓢虫属 *Chilocorus* Leach，1815

（1407）闪蓝红点唇瓢虫 *Chilocorus chalybeatus* Gorham，1892
　　　分布：陕西（丹凤、柞水）、安徽、浙江、江西、湖南、福建、广东、广西、四川。

（1408）红点唇瓢虫 *Chilocorus kuwanae* Silvestri，1909
　　　分布：陕西（柞水、镇安）、黑龙江、吉林、辽宁、北京、河北、山西、山东、河南、宁夏、甘肃、江苏、上海、安徽、浙江、湖北、江西、湖南、福建、广东、香港、广西、四川、贵州、云南；朝鲜，日本，美国（引入），意大利。

468. 光缘瓢虫属 *Exochomus* Redtenbacher，1843

（1409）蒙古光瓢虫 *Exochomus mongol* Barovsky，1922
　　　分布：陕西（华县）、黑龙江、辽宁、内蒙古、北京、河北、宁夏、山西、山东、江苏；蒙古，俄罗斯远东地区，韩国。

469. 广盾瓢虫属 *Platynaspis* Redtenbacher，1843

（1410）艳色广盾瓢虫 *Platynaspis lewisii* Crotch，1873
　　　分布：陕西（洛南、镇安）、山西、山东、甘肃、江苏、上海、浙江、湖北、江西、福建、台湾、广东、海南、广西、云南；朝鲜，日本，缅甸，印度。

（1411）四斑广盾瓢虫 *Platynaspis maculosa* Weise，1910
　　　分布：陕西（旬阳、柞水、山阳、丹凤）、山西、山东、河南、甘肃、江苏、安徽、浙江、湖北、江西、福建、台湾、广东、海南、香港、广西、四川、贵州、云南；越南。

470. 黑缘光瓢虫属 *Xanthocorus* Miyatake，1970

（1412）黑缝光瓢虫 *Xanthocorus nigrosuturarius* Li *et* Ren，2015
　　　分布：陕西（佛坪）、湖北、四川。

（二）小毛瓢虫亚科 Scymninae

471. 小毛瓢虫属 *Scymnus* Kugelann，1794

（1413）*Scymnus*（*Neopullus*）*babai* Sasaji，1971

分布：陕西（秦岭）、黑龙江、吉林、辽宁、北京、河北、山西、河南、山东、江苏、上海、安徽、浙江、湖北、湖南、福建、海南、重庆、四川、云南；朝鲜，日本。

（1414）*Scymnus*（*Neopullus*）*hoffmanni* **Weise，1879**

分布：陕西（秦岭）、吉林、辽宁、内蒙古、北京、河北、河南、山东、江苏、上海、安徽、浙江、湖北、江西、湖南、福建、台湾、广东、海南、香港、广西、四川、云南、西藏；朝鲜，日本，越南。

（1415）宁陕毛瓢虫 *Scymnus*（*Neopullus*）*ningshanensis* **Yu** *et* **Yao，2000**

分布：陕西（宁陕）、四川。

（1416）*Scymnus*（*Pullus*）*ancontophyllus* **Ren** *et* **Pang，1993**

分布：陕西（秦岭）、天津、河北、山西、甘肃、安徽、浙江、湖北、四川、云南。

（1417）双旋小瓢虫 *Scymnus*（*Pullus*）*bistortus* **Yu，1995**

分布：陕西（长安）、安徽、台湾、广西、西藏。

（1418）*Scymnus*（*Pullus*）*dorcatomoides* **Weise，1879**

分布：陕西（秦岭）、河南、安徽、福建、台湾、四川；日本，越南。

（1419）河源小瓢虫 *Scymnus*（*Pullus*）*heyuanus* **Yu，2000**

分布：陕西（佛坪）、山西、河南、宁夏、甘肃、安徽、浙江、湖北、贵州、云南。

（1420）日本小瓢虫 *Scymus*（*Pullus*）*japonicus* **Weise，1879**

分布：陕西（宁陕）、安徽、浙江、湖北、江西、湖南、福建、广东、海南、四川、贵州、云南；日本。

（1421）矛端小瓢虫 *Scymnus*（*Pullus*）*lonchiatus* **Pang** *et* **Huang，1985**

分布：陕西（长安、凤县、佛坪）、河南、甘肃、安徽、浙江、湖北、江西、福建、重庆、四川、贵州、云南。

（1422）后斑小瓢虫 *Scymnus*（*Pullus*）*posticalis* **Sicard，1912**

分布：陕西（长安、凤县、佛坪）、山西、河南、甘肃、安徽、浙江、湖北、江西、福建、台湾、广东、海南、广西、四川、贵州、云南、西藏；日本，缅甸，越南。

（1423）端手小瓢虫 *Scymnus*（*Pullus*）*takabayashii*（**Ohta，1929**）

分布：陕西（佛坪）、湖北、江西、湖南、福建、广东、广西、四川、贵州、云南；日本。

（1424）哑铃小瓢虫 *Scymnus*（*Pullus*）*yaling* **Yu，1999**

分布：陕西（长安）、河南、宁夏、湖北。

（1425）*Scymnus*（*Scymnus*）*apiciflavus*（**Motschulsky，1858**）

分布：陕西（秦岭）、湖南、海南、重庆；越南，印度。

（1426）长毛小毛瓢虫 *Scymnus*（*Scymnus*）*crinitus* **Fürsch，1966**

　　　分布：陕西（长安）、辽宁、河北、山西、河南、宁夏、甘肃、湖北、重庆、四川。

（1427）长爪小毛瓢虫 *Scymnus*（*Scymnus*）*dolichonychus* Yu *et* Pang，1994

　　　分布：陕西（佛坪）、河南、安徽、浙江、湖北、江西、湖南、四川、贵州、云南。

（1428）线管小毛瓢虫 *Scymnus*（*Scymnus*）*grammicus* Yu，1995

　　　分布：陕西（佛坪）、台湾。

（1429）*Scymnus*（*Scymnus*）*inderihensis* Mulsant，1850

　　　分布：陕西（秦岭）、内蒙古、河北、山西、河南、山东、新疆；蒙古，俄罗斯，土耳其，卡扎克斯坦，巴勒斯坦，叙利亚，意大利。

（1430）肥厚小毛瓢虫 *Scymnus*（*Scymnus*）*pinguis* Yu，1999

　　　分布：陕西（长安、佛坪）、河南、湖北、江西、湖南、广东、广西、四川、贵州。

（1431）*Scymnus*（*Scymnus*）*schmidti* Fürsch，1958

　　　分布：陕西（秦岭）、内蒙古、河北、山东、甘肃、宁夏、新疆、福建、贵州；德国，法国。

472. 食螨瓢虫属 *Stethorus* Weise，1885

（1432）阿穆尔食螨瓢虫 *Stethorus*（*Allostethorus*）*amurensis* Iablokoff-Khnzorian，1972

　　　分布：陕西（眉县）、辽宁、北京、山西、河南、湖北；俄罗斯，韩国。

（1433）束管食螨瓢虫 *Stethorus*（*Allostethorus*）*chengi* Sasaji，1968

　　　分布：陕西（眉县）、安徽、浙江、湖北、江西、湖南、台湾、四川、贵州。

（1434）*Horniolus fortunatus*（Lewis，1896）

　　　分布：陕西（宁强）、日本。

（三）瓢虫亚科 Coccinellinae

473. 大丽瓢虫属 *Adalia* Mulsant，1846

（1435）二星瓢虫 *Adalia bipunctata*（Linnaeus，1758）

　　　分布：陕西（西安）、黑龙江、吉林、辽宁、北京、河北、山西、山东、河南、宁夏、甘肃、新疆、江苏、浙江、江西、福建、四川、云南、西藏；亚洲，欧洲，非洲北部和中部，北美洲。

474. 异斑瓢虫属 *Aiolocaria* Crotch，1871

（1436）六斑异瓢虫 *Aiolocaria hexaspilota*（Hope，1831）

　　　分布：陕西（镇安、丹凤）、吉林、内蒙古、北京、河北、河南、甘肃、湖北、福建、台湾、四川、贵州、西藏；俄罗斯，朝鲜，日本，缅甸，印度，尼泊尔，克什米尔地区。

475. 裸瓢虫属 *Calvia* Musant, 1846

（1437） 三纹裸瓢虫 *Calvia championorum* Booth, 1997

分布：陕西（长安、华县、镇安、丹凤）、甘肃、台湾、四川、云南；印度。

（1438） 枝斑裸瓢虫 *Calvia hauseri*（Mader, 1930）

分布：陕西（留坝、佛坪）、河南、甘肃、台湾、四川、贵州、云南；锡金。

（1439） 四斑裸瓢虫 *Calvia muiri*（Timberlake, 1943）

分布：陕西（长安、华县、柞水、镇安、丹凤）、北京、河北、山西、河南、浙江、福建、台湾、广东、广西、重庆、四川、贵州、云南；日本。

（1440） 十四星裸瓢虫 *Calvia quatuordecimguttata*（Linnaeus, 1758）

分布：陕西（华县、柞水、镇安、山阳、丹凤）、黑龙江、吉林、内蒙古、北京、河北、山西、甘肃、湖北、台湾、四川、云南、西藏；俄罗斯，朝鲜，日本，欧洲，北美洲。

（1441） 十五星裸瓢虫 *Calvia quindecimguttata*（Fabricius, 1777）

分布：陕西（旬阳、镇安）、山西、河南、甘肃、江苏、浙江、安徽、湖北、江西、湖南、福建、台湾、广东、香港、广西、四川、贵州、云南；俄罗斯，朝鲜，日本，印度，欧洲。

476. 宽柄月瓢虫属 *Chilomenes* Crotch, 1874

（1442） 六斑月瓢虫 *Chilomenes sexmaculatus*（Fabricius, 1781）

分布：陕西（华县、旬阳、柞水、山阳）、黑龙江、吉林、辽宁、山东、河南、甘肃、江苏、浙江、江西、湖南、福建、台湾、广东、海南、香港、广西、四川、贵州、云南；日本，泰国，印度，阿富汗，伊朗，斯里兰卡，柬埔寨，菲律宾，马来西亚，印度尼西亚，密克罗尼西亚，新几内亚。

477. 瓢虫属 *Coccinella* Linnaeus, 1758

（1443） 华日瓢虫 *Coccinella ainu* Lewis, 1896

分布：陕西（凤县、黄龙）、宁夏、甘肃、四川、贵州；俄罗斯，朝鲜，日本。

（1444） 纵条瓢虫 *Coccinella longifasciata* Liu, 1962

分布：陕西（留坝、佛坪、宁陕）、河北、宁夏、甘肃、青海、新疆、四川、西藏；蒙古。

（1445） 黄绣瓢虫 *Coccinella luteopicta*（Mulsant, 1866）

分布：陕西（凤县）、四川、云南、西藏；印度，尼泊尔，不丹。

（1446）七星瓢虫 Coccinella septempunctata Linnaeus，1758

　　分布：陕西（华县、旬阳、柞水、镇安、山阳、丹凤）、黑龙江、吉林、北京、河北、河南、新疆、福建、台湾、广东、海南、广西、四川、贵州、云南；蒙古，俄罗斯，朝鲜，日本，印度，欧洲。

（1447）横斑瓢虫 Coccinella transversoguttata Faldermann，1835

　　分布：陕西（华县、山阳、丹凤）、黑龙江、内蒙古、河北、山西、河南、甘肃、青海、新疆、四川、云南、西藏；俄罗斯，中亚地区，欧洲，北美洲。

（1448）横带瓢虫 Coccinella trifasciata Linaeus，1758

　　分布：陕西（宁陕）、黑龙江、内蒙古、河北、宁夏、甘肃、青海、新疆、四川、西藏；蒙古，俄罗斯，北美洲。

478．长隆瓢虫属 Coccinula Dobzhansky，1925

（1449）中国双七星瓢虫 Coccinula sinensis Weise，1889

　　分布：陕西（华县、旬阳、柞水、镇安、山阳、丹凤）、黑龙江、吉林、辽宁、内蒙古、北京、河北、山西、山东、河南、宁夏、甘肃、江西、四川；俄罗斯（远东地区），朝鲜，韩国，蒙古，日本。

479．黄菌瓢虫属 Halyzia Mulsant，1846

（1450）十六斑黄菌瓢虫 Halyzia sedecimguttata（Linnaeus，1758）

　　分布：陕西（旬阳、柞水、镇安）、辽宁、吉林、内蒙古、河北、甘肃、新疆、台湾、四川、云南；蒙古，俄罗斯，朝鲜，日本，中亚地区，欧洲。

（1451）梵文菌瓢虫 Halyzia sanscrita Mulsant，1853

　　分布：陕西（宁陕）、河北、山西、河南、甘肃、江苏、浙江、福建、湖南、台湾、广西、四川、贵州、云南、西藏；印度，也门，不丹。

480．和谐瓢虫属 Harmonia Mulsant，1850

（1452）异色瓢虫 Harmonia axyridis（Pallas，1773）

　　分布：陕西（华县、旬阳、柞水、镇安、山阳、丹凤），中国（除广东南部及香港无分布外）广布；蒙古，俄罗斯，朝鲜，日本，越南，引入或扩散到欧洲、北美洲和南美洲。

（1453）四斑瓢虫 Harmonia quadripunctata（Pontoppidan，1763）

　　分布：陕西（长安、留坝）、四川、云南；俄罗斯（远东），欧洲，美国东部（引入）。

（1454）隐斑瓢虫 Harmonia yedoensis（Takizawa，1917）

分布：陕西(镇安、山阳、丹凤)、北京、河北、山东、河南、浙江、江西、湖南、福建、台湾、广东、香港、广西、四川、贵州、云南；朝鲜，日本，越南。

481. 长足瓢虫属 *Hippodamia* Chevrolat, 1836

(1455) 黑斑突角瓢虫 *Hippodamia potanini* (Weise, 1889)
　　分布：陕西(镇安)、宁夏、甘肃、江苏、湖北、四川、云南、西藏。

(1456) 多异瓢虫 *Hippodamia variegate* (Goeze, 1777)
　　分布：陕西(镇安)、吉林、辽宁、内蒙古、北京、河北、山西、山东、河南、宁夏、甘肃、青海、新疆、福建、四川、云南、西藏；日本，印度，古北区，非洲东部。

482. 素菌瓢虫属 *Illeis* Mulsant, 1850

(1457) 陕西素菌瓢虫 *Illeis shensiensis* Timberlake, 1943
　　分布：陕西(旬阳、镇安、山阳)、河北、河南、湖北、福建、台湾、海南、广西、贵州、云南。

483. 盘瓢虫属 *Lemnia* Mulsant, 1850

(1458) 周缘盘瓢虫 *Lemnia circumvelata* (Mulsant, 1853)
　　分布：陕西(柞水、镇安、山阳、丹凤)、河南、甘肃、浙江、湖南、台湾、广东、四川、贵州；尼泊尔。

(1459) 黄斑盘瓢虫 *Lemnia saucia* (Mulsant, 1850)
　　分布：陕西(旬阳)、内蒙古、山东、河南、甘肃、上海、浙江、江西、湖南、福建、台湾、广东、海南、香港、广西、四川、贵州、云南；日本，泰国，印度，尼泊尔，菲律宾。

484. 大菌瓢虫属 *Macroilleis* Miyatake, 1965

(1460) 白条菌瓢虫 *Macroilleis hauseri* (Mader, 1930)
　　分布：陕西(柞水、镇安、丹凤)、河南、甘肃、湖北、湖南、福建、台湾、海南、广西、四川、贵州、云南、西藏；印度，不丹。

485. 中齿瓢虫属 *Myzia* Mulsant, 1846

(1461) 黑中齿瓢虫 *Mysia gebleri* (Crotch, 1874)
　　分布：陕西(宝鸡、宁陕、丹凤)、黑龙江、内蒙古、北京、宁夏、甘肃、贵州；蒙古，俄罗斯，日本。

486. 小巧瓢虫属 *Oenopia* Mulsant，1850

（1462）双六巧瓢虫 *Oenopia billieti*（Mulsant，1853）

　　分布：陕西（凤县、太白）、甘肃、四川、云南、西藏；印度，克什米尔地区。

（1463）十二斑巧瓢虫 *Oenopia bissexnotata*（Mulsant，1850）

　　分布：陕西（柞水、镇安、丹凤）、黑龙江、吉林、辽宁、河北、山东、甘肃、青海、新疆、湖北、四川、贵州、云南；俄罗斯。

（1464）粗网巧瓢虫 *Oenopia chinensis*（Weise，1912）

　　分布：陕西（镇安）、山东、江苏、上海、浙江、湖南、福建、台湾、广东、广西、四川、贵州、云南。

（1465）黄缘巧瓢虫 *Oenopia sauzeti* Mulsant，1866

　　分布：陕西（旬阳、柞水、镇安、山阳、丹凤）、河南、甘肃、湖北、福建、台湾、广东、广西、四川、贵州、云南、西藏；越南，缅甸，印度。

（1466）梯斑巧瓢虫 *Oenopia scalaris*（Timberlake，1943）

　　分布：陕西（丹凤）、北京、河北、山西、山东、河南、福建、台湾、广东、广西、贵州；朝鲜，韩国，日本，越南，密克罗尼西亚，夏威夷地区。

（1467）六斑巧瓢虫 *Oenopia sexmaculata* Jing，1986

　　分布：陕西（佛坪）、湖北、广西、四川、贵州。

（1468）点斑巧瓢虫 *Oenopia signatella*（Mulsant，1866）

　　分布：陕西（镇安）、广西、四川、云南、西藏；缅甸，印度。

487. 星盘瓢虫属 *Phrynocaria* Timberlake，1943

（1469）小圆纹裸瓢虫 *Phrynocaria circinatella*（Jing，1992）

　　分布：陕西（柞水、镇安）、四川、云南。

488. 龟纹瓢虫属 *Propylea* Mulsant，1846

（1470）龟纹瓢虫 *Propylea japonica*（Thunberg，1781）

　　分布：陕西（华县、旬阳、柞水、镇安、山阳、丹凤）、黑龙江、吉林、辽宁、内蒙古、北京、河北、山东、河南、宁夏、甘肃、新疆、江苏、上海、浙江、湖北、江西、湖南、福建、台湾、海南、广东、广西、四川、贵州、云南；俄罗斯，日本，印度。

（1471）黄宝盘瓢虫 *Propylea luteopustulata*（Mulsant，1850）

　　分布：陕西（佛坪、旬阳、柞水、镇安、山阳、丹凤）、河南、湖南、福建、台湾、广东、广西、四川、贵州、云南、西藏；泰国，缅甸，印度，锡金，尼泊尔，不丹。

489．食菌瓢虫属 *Psyllobora* Chevrolat，1836

（1472）二十二星菌瓢虫 *Psyllobora vigintiduopunctata*（Linnaeus，1758）
　　分布：陕西（华阴、华县）、黑龙江、内蒙古、北京、河北、山西、山东、河南、甘肃、新疆、湖北；蒙古，俄罗斯，朝鲜，欧洲，中亚地区，非洲北部。

490．新红瓢虫属 *Singhikalia* Kapur，1963

（1473）十二斑新红瓢虫 *Singhikalia duodecimguttata* Xiao，1993
　　分布：陕西（柞水、镇安、山阳）、湖北、湖南、四川、贵州。

491．新丽瓢虫属 *Synona* Pope，1989

（1474）红颈瓢虫 *Synona consanguinea*（Poorani，Ślipiński *et* Booth，2008）
　　分布：陕西（华县、山阳）、甘肃、湖北、湖南、福建、台湾、广东、广西、四川、贵州、云南、西藏；越南，印度，斯里兰卡，菲律宾。

492．褐菌瓢虫属 *Vibidia* Mulsant，1846

（1475）十二斑褐菌瓢虫 *Vibidia duodecimguttata*（Poda，1761）
　　分布：陕西（华县、镇安、山阳）、吉林、北京、河北、河南、甘肃、青海、上海、湖南、福建、广西、四川、贵州、云南；蒙古，俄罗斯，朝鲜，日本，越南，西亚地区，中亚地区，欧洲。

493．黄壮瓢虫属 *Xanthadalia* Crotch，1874

（1476）滇黄壮瓢虫 *Xanthadalia hiekei* Iablokoff-Khnzorian，1977
　　分布：陕西（太白）、四川、云南、西藏。

（四）红瓢虫亚科 Coccidulinae

494．红瓢虫属 *Rodolia* Mulsant，1850

（1477）红环瓢虫 *Rodolia limbata*（Motschulsky，1866）
　　分布：陕西（周至、丹凤）、黑龙江、吉林、辽宁、北京、天津、河北、山西、山东、河南、江苏、浙江、广东、广西、四川、贵州、云南；俄罗斯（西伯利亚），蒙古，朝鲜，日本。

（1478）四斑红瓢虫 *Rodolia quadrimaculata* Mader，1939
　　分布：陕西（镇安、山阳、丹凤）、安徽、浙江、江西、湖南、福建、台湾、海南、贵州；日本。

495. 粒眼瓢虫属 *Sumnius* Weise，1892

（1479） 云南粒眼瓢虫 *Sumnius yunnanus* Mader，1955
　　　　分布：陕西（镇安）、北京、云南。

（五） Subfamily Microweiseinae

496. Genus *Serangium* Blackburn，1889

（1480） *Serangium japonicum* Chapin，1940
　　　　分布：陕西（秦岭，杨凌）、上海、安徽、浙江、湖北、湖南、福建、台湾、广东、海南、广西、重庆、四川、贵州、云南；日本。

（六） 小艳瓢虫亚科 Sticholotidinae

497. 长唇瓢虫属 *Shirozuella* Sasaji，1967

（1481） 双斑长唇瓢虫 *Shirozuella bimaculata* Yu，2000
　　　　分布：陕西（宁陕）、河南、甘肃。

（七） 食植瓢虫亚科 Epilachninae

498. 小崎齿瓢虫属 *Afidentula* Kapur，1955

（1482） 十五斑崎齿瓢虫 *Afidentula quinquedecemguttata*（Dieke，1947）
　　　　分布：陕西（太白）、四川、贵州、云南、西藏。

499. 长崎齿瓢虫属 *Afissula* Kapur，1955

（1483） 河南长崎齿瓢虫 *Afissula henanica* Yu，2000
　　　　分布：陕西（秦岭）、河南。

500. 食植瓢虫属 *Epilachna* Chevrolat，1837

（1484） 尖锐食植瓢虫 *Epilachna acuta*（Weise，1900）
　　　　分布：陕西（长安、周至、宁陕、旬阳、柞水、镇安、山阳、丹凤）、河南、甘肃、江苏、湖北、台湾。

（1485） 瓜茄瓢虫 *Epilachna admirabilis* Crotch，1874
　　　　分布：陕西（周至、长安、柞水、丹凤）、河南、江苏、安徽、浙江、湖北、福建、台湾、海南、广西、四川、云南；日本，越南，泰国，缅甸，印度，尼泊尔，孟加拉国。

（1486）安徽食植瓢虫 *Epilachna anhweiana*（Dieke, 1947）

　　分布：陕西（长安）、河南、江苏、安徽、浙江、湖北、江西、湖南、广东、广西、贵州、云南。

（1487）端生食植瓢虫 *Epilachna apicilaris* Yu, 2000

　　分布：陕西（长安、佛坪）、河南、甘肃、湖北。

（1488）新月食植瓢虫 *Epilachna bicrescens*（Dieke, 1947）

　　分布：陕西（佛坪）、安徽、湖北、湖南、四川、贵州。

（1489）中华食植瓢虫 *Epilachna chinensis*（Weise, 1912）

　　分布：陕西（周至、旬阳、镇安、山阳）、河南、安徽、湖北、江西、福建、台湾、广东、广西、贵州、云南；日本。

（1490）*Epilachna convexa*（Dieke, 1947）

　　分布：陕西（秦岭）、广东、四川、贵州。

（1491）*Epilachna dobzhanskyi*（Dieke, 1947）

　　分布：陕西（秦岭）、江苏、湖北、四川。

（1492）*Epilachna echinata* Pang *et* Ślipiński, 2012

　　分布：陕西（秦岭）、四川。

（1493）峨眉食植瓢虫 *Epilachna emeiensis* Zeng, 2000

　　分布：陕西（周至、佛坪、宁陕）、河南、湖北、四川、贵州。

（1494）九斑食植瓢虫 *Epilachna freyana* Bielawski, 1965

　　分布：陕西（佛坪）、福建、海南、四川、云南。

（1495）菱斑食植瓢虫 *Epilachna insignis* Gorham, 1892

　　分布：陕西（眉县、镇安）、山西、河南、安徽、浙江、江西、湖南、福建、广东、广西、四川、贵州、云南。

（1496）眼斑食植瓢虫 *Epilachna ocellatae-maculata*（Mader, 1930）

　　分布：陕西（柞水、镇安、丹凤）、湖北、四川、贵州、云南。

（1497）艾菊瓢虫 *Epilachna plicata* Weise, 1889

　　分布：陕西（长安、周至、佛坪、旬阳、柞水、镇安）、河南、甘肃、四川、云南。

（1498）端尖食植瓢虫 *Epilachna quadricollis*（Dieke, 1947）

　　分布：陕西（山阳、丹凤）、天津、河北、山东、江苏、浙江、江西、福建、广东、广西、四川。

501. 裂臀瓢虫属 *Henosepilachna* Li, 1961

（1499）马铃薯瓢虫 *Henosepilachna vigintioctomaculata*（Motschulsky, 1857）

　　分布：陕西（周至、留坝）、黑龙江、吉林、辽宁、河北、山西、山东、河南、甘肃、江苏、浙江、湖北、广西、四川、贵州、云南、西藏；俄罗斯，朝鲜，日本。

(1500) 茄二十八星瓢虫 *Henosepilachna vigintioctopunctata*（**Fabricius，1775**）
分布：陕西（眉县）、河北、山东、河南、江苏、浙江、安徽、四川、江西、福建、台湾、广东、香港、海南、广西、贵州、云南、西藏；日本，泰国，缅甸，印度，尼泊尔，不丹，印度尼西亚，新几内亚，澳大利亚。

502. Genus *Uniparodentata* Wang *et* Cao，1993

(1501) *Uniparodentata malleforma*（**Peng，Pang *et* Ren，2002**）
分布：陕西（宁陕）、湖南。

（八）显盾瓢虫亚科 Hyperaspinae

503. 瓢虫属 *Hyperaspis* Redtenbacher，1843

(1502) 黑背显盾瓢虫 *Hyperaspis amurernsis* **Weise，1887**
分布：陕西（镇安）、河南、浙江、湖北；俄罗斯。

(1503) 亚洲显盾瓢虫 *Hyperaspis asiatica* **Lewis，1896**
分布：陕西（华县）、黑龙江、吉林、辽宁、河北、山东、江苏、浙江；日本。

(1504) 六斑显盾瓢虫 *Hyperaspis gyotokui* **Kamiya，1963**
分布：陕西（华县）、河北；日本。

(1505) 四斑显盾瓢虫 *Hyperaspis leechi* **Miyatake，1961**
分布：陕西（宁陕）、福建；蒙古，俄罗斯（西伯利亚），朝鲜。

四十九、薪甲科 Latridiidae

504. 光鞘薪甲属 *Corticaria* Marsham，1802

(1506) 铁锈光鞘薪甲 *Corticaria ferruginea* **Marsham，1802**
分布：陕西（周至）、黑龙江、安徽；蒙古，俄罗斯，欧洲。

505. 肖花薪甲属 *Corticarina* Reitter，1881

(1507) 小肖花薪甲 *Corticarina minuta*（**Fabricius，1792**）
分布：陕西（周至）、黑龙江、河北；欧洲，新北区。

(1508) 拟肖花薪甲 *Corticarina similata*（**Gyllenhal，1827**）
分布：陕西（周至）、湖南；欧洲，土耳其，乌克兰。

506．花薪甲属 *Cortinicara* Johnson，1975

（1509）隆背花薪甲 *Cortinicara gibbosa*（Herbst，1793）
　　　分布：陕西（周至）、河北、湖北。

507．龙骨薪甲属 *Enicmus* Thomson，1859

（1510）皱纹龙骨薪甲 *Enicmus rugosus*（Herbst，1793）
　　　分布：陕西（太白、留坝）、黑龙江；蒙古，俄罗斯，伊朗，英国，奥地利，北
美洲。

508．长跗薪甲属 *Melanophthalma* Motschulsky，1866

（1511）类长跗薪甲 *Melanophthalma similis* Mika，2000
　　　分布：陕西（周至）、河南、湖南、福建；泰国。

IX．拟步甲总科 Tenebrionoidea

五十、长朽木甲科 Melandryidae

509．Genus *Mikadonius* Lewis，1895

（1512）*Mikadonius gracilis* Lewis，1895
　　　分布：陕西（大巴山）、河南、湖南、四川；韩国，日本。

510．Genus *Stenoxylita* Nomura，1959

（1513）*Stenoxylita trialbofasciata*（Hayashi *et* Katô，1956）
　　　分布：陕西（大巴山）；日本。

五十一、花蚤科 Mordellidae

511．带花蚤属 *Glipa* Le Conte，1859

（1514）白盾带花蚤 *Glipa alboscutellata* Kono，1934
　　　分布：陕西（太白、佛坪）。

（1515）台湾带花蚤 *Glipa formosana* Pic，1911
　　　分布：陕西（佛坪、宁陕）。

（1516）皮氏带花蚤 *Glipa pici* Ermisch，1940

分布：陕西（留坝、柞水）、上海、浙江、福建、台湾、海南、广西、四川、贵州、云南；日本，越南。

512. 姬花蚤属 *Mordellistena* Costa, 1854

（1517）向日葵姬花蚤 *Mordellistena parvuliformis* Stsñhegoleva-Barovskaja, 1930
　　　　分布：陕西（周至）；俄罗斯，日本。

（1518）杨氏姬花蚤 *Mordellistena yangi* Yang, 1995
　　　　分布：陕西（周至）、河北。

513. 伪花蚤属 *Pseudotolida* Ermisch, 1950

（1519）中华异须花蚤 *Pseudotolida sinica* Fan *et* Yang, 1995
　　　　分布：陕西（长安、太白、宁陕）、浙江。

514. 阻花蚤属 *Variimorda* Mequignon, 1946

（1520）黄斑花蚤 *Variimorda flavimana*（Marseul, 1876）
　　　　分布：陕西（周至、佛坪）、湖北、福建、台湾、广东、四川、贵州；日本。

（1521）*Variimorda*（*Variimorda*）*takakuwai* Horak, 2009
　　　　分布：陕西（秦岭）。

515. Genus *Sinopalpus* Horak, 2007

（1522）*Sinopalpus maculatus* Horak, 2007
　　　　分布：陕西（秦岭）。

五十二、幽甲科 Zopheridae

516. Genus *Phellopsis* LeConte, 1862

（1523）*Phellopsis chinensis*（Semenow, 1893）
　　　　分布：陕西（周至）、甘肃、四川。

五十三、拟步甲科 Tenebrionidae

517. 琵甲属 *Blaps* Fabricius, 1775

（1524）尖角琵甲 *Blaps acutangula* Ren *et* Wang, 2001
　　　　分布：陕西（铜川）、宁夏。

（1525）中华琵甲 *Blaps*（*Blaps*）*chinensis*（Faldermann，1835）

　　分布：陕西（宁陕）、辽宁、内蒙古、北京、河北、山西、山东、河南、甘肃、湖北、江西。

（1526）周氏琵甲 *Blaps*（*Blaps*）*choui* Ren *et* Wang，2001

　　分布：陕西（太白山）。

（1527）四川琵甲 *Blaps*（*Blaps*）*sztschwana* Schuster，1923

　　分布：陕西（留坝）、四川、贵州、云南。

518．扁足甲属 *Blindus* Mulsant *et* Rey，1853

（1528）瘦直扁足甲 *Blindus strigosus*（Faldermann，1835）

　　分布：陕西（华县、镇安）、辽宁、内蒙古、北京、河北；俄罗斯，朝鲜，韩国。

519．角伪叶甲属 *Cerogria* Borchmann，1909

（1529）普通角伪叶甲 *Cerogria*（*Cerogria*）*popularis* Borchmann，1937

　　分布：陕西（佛坪、南郑、旬阳、宁强、汤坪、岚皋）、山东、河南、甘肃、浙江、湖北、福建、广西、重庆、四川、贵州、云南。

520．隐毒甲属 *Cryphaeus* Klug，1833

（1530）短毛隐毒甲 *Cryphaeus barbellatus* Wu *et* Ren，2008

　　分布：陕西（周至、镇安）、河南、安徽。

521．栉甲属 *Cteniopinus* Seidlitz，1896

（1531）棕毛栉甲 *Cteniopinus*（*Cteniopinus*）*brunneicapilus* Yu *et* Ren，1997

　　分布：陕西（宁陕）、宁夏。

（1532）杂色栉甲 *Cteniopinus*（*Cteniopinus*）*hypocrita*（Marseul，1876）

　　分布：陕西（华县、镇安）、北京、河北、河南、甘肃、湖北、江西、湖南、福建、广东、广西、四川、贵州、西藏；朝鲜，韩国，日本。

（1533）波氏栉甲 *Cteniopinus*（*Cteniopinus*）*potanini* Heyd，1889

　　分布：陕西（佛坪、山阳、丹凤）、北京、河北、河南、甘肃、上海、江西、湖南、福建、广西、四川、西藏；朝鲜，韩国，日本。

（1534）隆背栉甲 *Cteniopinus*（*Cteniopinus*）*protuberans* Yu *et* Ren，1997

　　分布：陕西（留坝、宁陕）。

（1535）红色栉甲 *Cteniopinus*（*Cteniopinus*）*ruber* Pic，1923

　　分布：陕西（柞水、镇安）、甘肃、海南、广西、四川、贵州、云南。

（1536）窄跗栉甲 *Cteniopinus*（*Cteniopinus*）*tenuitarsis* **Borchmann，1930**
　　分布：陕西（周至、宁陕）、内蒙古、河南、宁夏、甘肃；朝鲜。

（1537）吉林栉甲 *Cteniopinus*（*Cteniopinus*）*tschiliensis* **Borchmann，1930**
　　分布：陕西（留坝、柞水、旬阳、镇安）、吉林、内蒙古、河北；蒙古，俄罗斯。

（1538）异角栉甲 *Cteniopinus*（*Cteniopinus*）*varicornis* **Ren et Bai，2005**
　　分布：陕西（留坝、宁陕）、甘肃。

522. 斑舌甲属 *Derispia* **Lewis，1894**

（1539）多斑舌甲 *Derispia maculipennis*（**Marseul，1876**）
　　分布：陕西（镇安）、湖南、福建、广西、四川；日本。

523. 角舌甲属 *Derispiola* **Kaszab，1946**

（1540）独角舌甲 *Derispiola unicornis* **Kaszab，1946**
　　分布：陕西（柞水、镇安、山阳）、山东、河南、浙江、湖北、江西、湖南、福建、
　　广东、广西、贵州、云南；老挝。

524. 菌甲属 *Diaperis* **Geoffroy，1762**

（1541）刘氏菌甲 *Diaperis lewisi lewisi* **Bates，1873**
　　分布：陕西（山阳）、河南、浙江、湖北、台湾、香港、广西、贵州；日本，越
　　南，老挝，缅甸。

525. Genus *Dichillus* **Jacquelin Du Val，1861**

（1542）*Dichillus*（*Dichillinus*）*ganquanensis* **Ren，1999**
　　分布：陕西（甘泉）。

526. 土甲属 *Gonocephalum* **Solier，1834**

（1543）双齿土甲 *Gonocephalum*（*Gonocephalum*）*coriaceum* **Motschulsky，1858**
　　分布：陕西（华县、佛坪、洋县、宁陕、柞水、镇安、山阳）、内蒙古、河北、山
　　西、河南、甘肃、新疆、浙江、湖南、福建、台湾、广西、广东、四川、贵州；朝
　　鲜，日本，尼泊尔。

（1544）弯胫土甲 *Gonocephalum*（*Gonocephalum*）*curvicolle* **Reitter，1889**
　　分布：陕西（佛坪）、内蒙古、山西、甘肃、新疆、湖北、四川、西藏；蒙古，
　　印度。

（1545）网目土甲 *Gonocephalum*（*Gonocephalum*）*reticulatum* **Motschulsky，1854**

分布：陕西（宁陕）、黑龙江、吉林、内蒙古、北京、天津、河北、山西、河南、宁夏、甘肃、青海、江苏、上海；蒙古，朝鲜，韩国。

（1546）亚刺土甲 *Gonocephalum*（*Gonocephalum*）*subspinosum*（**Fairmaire，1894**）

分布：陕西（佛坪）、江苏、湖北、湖南、福建、台湾、广东、四川、贵州、云南、西藏；缅甸，印度，尼泊尔。

527．异土甲属 *Heterotarsus* **Latreille，1829**

（1547）隆线异土甲 *Heterotarsus carinula* **Marseul，1876**

分布：陕西（华县）、山东、甘肃、江苏、安徽、浙江、湖北、福建、台湾、海南、四川、贵州；俄罗斯（亚洲领土），朝鲜，韩国，日本。

528．莱甲属 *Laena* **Dejean，1821**

（1548）二点莱甲 *Laena bifoveolata* **Reitter，1889**

分布：陕西（秦岭，宁陕）、甘肃、湖北、四川。

（1549）沣河莱甲 *Laena fengileana* **Masumoto，1996**

分布：陕西（西安，秦岭）。

（1550）太白山莱甲 *Laena houzhenzica* **Schawaller，2001**

分布：陕西（周至、镇坪）。

（1551）郎木寺莱甲 *Laena langmusica* **Schawaller，2001**

分布：陕西（周至）、四川。

（1552）秦岭莱甲 *Laena qinlingica* **Schawaller，2001**

分布：陕西（周至，秦岭）、四川。

529．伪叶甲属 *Lagria* **Fabricius，1775**

（1553）黑胸伪叶甲 *Lagria nigricollis* **Hope，1843**

分布：陕西（留坝）、黑龙江、吉林、辽宁、北京、河北、山西、河南、宁夏、青海、新疆、安徽、浙江、湖北、江西、湖南、福建、重庆、四川；俄罗斯，朝鲜，日本。

530．小垫甲属 *Luprops* **Hope，1833**

（1554）东方小垫甲 *Luprops orientalis*（**Motschulsky，1868**）

分布：陕西（秦岭）、黑龙江、吉林、辽宁、内蒙古、河北、山西、河南、甘肃、宁夏、江苏、浙江、湖北、江西、福建、台湾、海南、四川；蒙古，朝鲜，韩国，日本，东洋区。

531. 毛土甲属 *Mesomorphus* Miedel, 1880

（1555）扁毛土甲 *Mesomorphu villiger*（Blanchard, 1853）
分布：陕西（华县）、黑龙江、辽宁、内蒙古、河北、山西、山东、河南、宁夏、江苏、安徽、湖北、湖南、福建、台湾、广东、香港、广西、海南、四川、贵州、云南；俄罗斯，韩国，日本，印度，尼泊尔，阿富汗。

532. 小鳖甲属 *Microdera* Eschscholtz, 1831

（1556）神木小鳖甲 *Microdera*（*Dordanea*）*shenmuana* Ren, 1999
分布：陕西（神木）。

533. 齿角伪叶甲属 *Odontocera* Audinet-Serville, 1833

（1557）六斑齿角伪叶甲 *Odontocera hexamaculatus* Chen *et* Yuan, 1996
分布：陕西（眉县）。

（1558）秦岭齿角伪叶甲 *Odontocera qinglingensis* Chen *et* Yuan, 1996
分布：陕西（眉县）。

534. 沙土甲属 *Opatrum* Fabricius, 1775

（1559）类沙土甲 *Opatrum*（*Opatrum*）*subaratum* Faldermann, 1835
分布：陕西（太白、山阳）、黑龙江、吉林、辽宁、内蒙古、河北、山西、山东、河南、宁夏、甘肃、青海、安徽、湖北、江西、湖南、台湾、广西、四川、贵州；蒙古，俄罗斯，朝鲜，韩国，日本。

535. Genus *Platyscelis* Latreille, 1818

（1560）*Platyscelis*（*Acutoodescelis*）*emmerichi*（Kaszab, 1940）
分布：陕西（周至、太白）。

（1561）*Platyscelis*（*Acutoodescelis*）*punctatissima*（Fairmaire, 1886）
分布：陕西（丹凤）、内蒙古、北京、天津、河北、山西、新疆。

（1562）*Platyscelis*（*Acutoodescelis*）*pyripenis*（Ren, 1999）
分布：陕西（佛坪、宁陕）。

536. 邻烁甲属 *Plesiophthalmus* Motsehulsky, 1858

（1563）长茎邻烁甲 *Plesiophthalmus longipes* Pic, 1938

分布：陕西（留坝、宁陕、柞水、镇安、丹凤）、福建、重庆、贵州、云南、西藏。

537．Genus *Scaphidema* Redtenbacher，1849

（1564）*Scaphidema shaanxicum* Schawaller，2008
　　分布：陕西（秦岭）。

538．齿甲属 *Uloma* Dejean，1821

（1565）梁氏齿甲 *Uloma liangi* Ren et Liu，2004
　　分布：陕西（留坝）、云南。

五十四、芫菁科 Meloidae

539．豆芫菁属 *Epicauta* Dejean，1834

（1566）短翅豆芫菁 *Epicauta*（*Epicauta*）*aptera* Kaszab，1952
　　分布：陕西（旬阳、柞水、镇安）、甘肃、浙江、福建、江西、广西、海南、重庆、四川、贵州、云南。

（1567）扁角豆芫菁 *Epicauta*（*Epicauta*）*impressicornis*（Pic，1913）
　　分布：陕西（佛坪）、甘肃、重庆、贵州、云南；日本，越南，老挝。

（1568）西北豆芫菁 *Epicauta*（*Epicauta*）*sibirica*（Pallas，1773）
　　分布：陕西（略阳、华县、留坝、佛坪、山阳、洛南）、黑龙江、吉林、辽宁、内蒙古、北京、河北、山西、山东、河南、宁夏、甘肃、青海、新疆、江苏、安徽、浙江、四川、西藏；蒙古，俄罗斯，朝鲜，韩国，日本，哈萨克斯坦。

540．绿芫菁属 *Lytta* Fabricius，1775

（1569）沟胸绿芫菁 *Lytta*（*Asiolytta*）*fissicollis*（Fairmaire，1886）
　　分布：陕西（留坝、宁陕）、河南、甘肃、四川、贵州、云南、西藏。

541．窄栉芫菁属 *Zonitoschema* Péringuey，1909

（1570）日本窄栉芫菁 *Zonitoschema japonica*（Pic，1910）
　　分布：陕西（佛坪）、甘肃、上海、浙江、台湾；朝鲜，韩国，日本。

（1571）大黄窄栉芫菁 *Zonitoschema macroxantha*（Faimaire，1887）
　　分布：陕西（镇安）、浙江、云南；菲律宾，印度尼西亚（苏门答腊）。

五十五、赤翅甲科 Pyrochroidae

542. Genus *Phyllocladus* Blair, 1914

（1572）*Phyllocladus kasantsevi* Young, 2005

分布：陕西（秦岭）、甘肃。

543. Genus *Sinodendroides* Young, 2005

（1573）*Sinodendroides chinensis* Young, 2005

分布：陕西（秦岭）、甘肃。

五十六、蚁形甲科 Anthicidae

544. Genus *Anthicomorphus* Lewis, 1895

（1574）*Anthicomorphus mimicus* Telnov, 2006

分布：陕西（周至）。

545. Genus *Stricticollis* Marseul, 1879

（1575）*Stricticollis aemulus*（Krekich-Strassoldo, 1914）

分布：陕西（周至、佛坪）、福建。

五十七、拟天牛科 Oedemeridae

546. Genus *Dryopomera* Fairmaire, 1897

（1576）*Dryopomera*（*Dryopomera*）*havai* Svihla, 2001

分布：陕西（秦岭）。

547. Genus *Indasclera* Švihla, 1980

（1577）*Indasclera incostata*（Pic, 1926）

分布：陕西（秦岭）、甘肃、四川、西藏；缅甸。

548. Genus *Oedemera* Olivier, 1789

（1578）*Oedemera*（*Oedemera*）*centrochinensis* Svihla, 1999

分布：陕西（略阳）、四川。

（1579）*Oedemera*（*Oedemera*）*qinlingensis* Svihla，1999
分布：陕西（宁陕）。

（1580）*Oedemera pallidipes shaanxiensis* Svihla，2003
分布：陕西（秦岭）。

（1581）*Oedemera satoi* Svihla，2003
分布：陕西（秦岭）。

五十八、暗天牛科 Vesperidae

549. 芫天牛属 *Mantitheus* Fairmaire，1889

（1582）芫天牛 *Mantitheus pekinensis* Fairmaire，1889
分布：陕西（西安、武功、旬邑、商洛、铜川、合阳、洛川）、黑龙江、内蒙古、北京、河北、山西、山东、河南、江苏、福建、广东、广西；蒙古。

550. 狭胸天牛属 *Philus* Saunders，1853

（1583）狭胸天牛 *Philus antennatus*（Gyllenhal，1817）
分布：陕西（秦岭）、河北、山东、河南、江苏、上海、安徽、浙江、湖北、江西、湖南、福建、台湾、广东、海南、香港、广西、贵州；印度。

（1584）短胸狭胸天牛 *Philus curticollis* Pic，1930
分布：陕西（秦岭），中国中部、南部广布；老挝。

（1585）蔗狭胸天牛 *Philus pallescens pallescens* Bates，1866
分布：陕西（紫阳）、内蒙古、河南、浙江、江西、湖南、福建、台湾、广东、香港、广西、四川、贵州；日本。

五十九、瘦天牛科 Disteniidae

551. 须天牛属 *Cyrtonops* White，1853

（1586）靴须天牛 *Cyrtonops caliginosus* Holzschuh，2016
分布：陕西（华阴、紫阳）。

552. 瘦天牛属 *Distenia* Lepeletier *et* Audinet-Serville，1828

（1587）东方瘦天牛 *Distenia*（*Distenia*）*orientalis* Bi *et* Lin，2013
分布：陕西（宁陕）、山西、浙江、江西、福建、广东。

（1588）细点瘦天牛 *Distenia*（*Distenia*）*punctulatoides* Hubweber, 2010

分布：陕西（宁陕、汉中）。

六十、天牛科 Cerambycidae

（一）锯天牛亚科 Prioninae

553. 裸角天牛属 *Aegosoma* Audinet-Serville, 1832

（1589）隐脊裸角天牛 *Aegosoma ornaticolle* White, 1853

分布：陕西（秦岭）、甘肃、山东、湖北、福建、台湾、广东、海南、重庆、四川、贵州、云南、西藏；老挝，缅甸，印度，尼泊尔，不丹。

（1590）中华裸角天牛 *Aegosoma sinicum sinicum* White, 1853

分布：陕西（周至、凤县、宝鸡、眉县、太白、武功、留坝、佛坪、勉县、安康、柞水、清涧、榆林、志丹）、黑龙江、吉林、辽宁、内蒙古、北京、天津、河北、山西、山东、河南、甘肃、江苏、上海、安徽、浙江、湖北、江西、湖南、福建、台湾、海南、广西、四川、贵州、云南；俄罗斯，朝鲜，韩国，日本，越南，老挝，泰国，缅甸。

554. 本天牛属 *Bandar* Lameere, 1912

（1591）本天牛 *Bandar pascoei pascoei*（Lansberge, 1884）

分布：陕西（旬阳）、河北、安徽、浙江、湖北、湖南、福建、广东、海南、广西、四川、贵州、云南、西藏；越南，泰国，缅甸，印度，不丹，尼泊尔，马来西亚，印度尼西亚。

555. 坚天牛属 *Callipogon* Audinet-Serville, 1832

（1592）大山坚天牛 *Callipogon*（*Eoxenus*）*relictus* Semenov, 1899

分布：陕西（秦岭南坡）、黑龙江、吉林、辽宁、内蒙古、天津、河北、山西、甘肃；俄罗斯，朝鲜，韩国，日本。

556. 土天牛属 *Dorysthenes* Vigors, 1826

（1593）曲牙土天牛 *Dorysthenes*（*Cyrtognathus*）*hydropicus*（Pascoe, 1857）

分布：陕西（礼泉）、内蒙古、北京、天津、河北、山东、河南、甘肃、江苏、上海、浙江、湖北、江西、湖南、台湾、海南、香港、广西、贵州。

（1594）大牙土天牛 *Dorysthenes* （*Cyrtognathus*） *paradoxus* （Faldermann，1833）

分布：陕西（长安、周至、陇县、太白、扶风、武功、咸阳、泾阳、华阴、勉县、宁陕、铜川、宜君、黄陵、宜川、延安、定边、合阳）、吉林、辽宁、内蒙古、天津、河北、山西、山东、河南、宁夏、甘肃、青海、江苏、安徽、浙江、湖北、江西、香港、四川、贵州；蒙古，俄罗斯，朝鲜，韩国。

（1595）沟翅土天牛 *Dorysthenes* （*Prionomimus*） *fossatus* （Pascoe，1857）

分布：陕西（佛坪、宁陕、安康、旬阳、白河、镇坪）、河南、青海、安徽、浙江、湖北、江西、湖南、福建、海南、广西、四川、贵州。

557. 锯天牛属 *Prionus* Geoffroy，1762

（1596）娄氏皱胸锯天牛 *Prionus delavayi lorenci* Drumont *et* Komiya，2006

分布：陕西（略阳）、浙江、湖北、江西、福建、广东、四川、贵州、云南、西藏。

（1597）岛锯天牛 *Prionus insularis insularis* Motschulsky，1858

分布：陕西（洋县、勉县、黄陵）、黑龙江、吉林、辽宁、内蒙古、北京、天津、河北、山西、山东、河南、甘肃、新疆、江苏、安徽、浙江、湖北、江西、湖南、福建、台湾、香港、四川、贵州、云南；俄罗斯，朝鲜，韩国。

（1598）库氏锯天牛 *Prionus kucerai* Drumont *et* Komiya，2006

分布：陕西（周至、陇县、太白、勉县、佛坪、宁陕、南郑）、山西、河南、宁夏、甘肃。

（1599）叶角锯天牛 *Prionus laminicornis* Fairmaire，1897

分布：陕西（宁陕）、天津、河北、四川。

558. 接眼天牛属 *Priotyrannus* Thomson，1857

（1600）桔根接眼天牛 *Priotyrannus* （*Chollides*） *closteroides* （Thomson，1877）

分布：陕西（镇巴，陕南）、辽宁、内蒙古、天津、河南、江苏、安徽、浙江、湖北、江西、湖南、福建、台湾、广东、海南、香港、广西、重庆、四川、贵州、云南；日本，越南。

559. 扁角天牛属 *Sarmydus* Pascoe，1867

（1601）扁角天牛 *Sarmydus antennatus* Pascoe，1867

分布：陕西（秦岭）、江西、湖南、福建、台湾、广东、海南、广西、云南；越南，老挝，泰国，缅甸，印度，不丹，尼泊尔，马来西亚，印度尼西亚。

560. 刺胸薄翅天牛属 *Spinimegopis* K. Ohbayashi, 1963

（1602）华氏刺胸薄翅天牛 *Spinimegopis huai* Komiya *et* Drumont, 2007
　　　分布：陕西（秦岭，镇巴）、湖北、福建、四川。

（二）花天牛亚科 Lepturinae

561. 刺尾花天牛属 *Acanthoptura* Fairmaire, 1894

（1603）刺尾花天牛属 未定种 *Acanthoptura* **cf.** *spinipennis*
　　　分布：陕西（勉县）。

562. Genus *Gnathacmaeops* Danilevsky, 2014

（1604）*Gnathacmaeops septentrionis*（Thomson, 1866）
　　　分布：陕西（秦岭）、黑龙江、吉林、辽宁、内蒙古、新疆；蒙古，俄罗斯，朝
　　　鲜，韩国，日本，中亚地区，欧洲。

563. Genus *Acmaeops* LeConte, 1850

（1605）*Acmaeops smaragdulus*（Fabricius, 1792）
　　　分布：陕西（秦岭）、黑龙江、吉林、辽宁、内蒙古、新疆；蒙古，俄罗斯，朝
　　　鲜，韩国，中亚地区，欧洲。

564. 伪花天牛属 *Anastrangalia* Casey, 1924

（1606）东亚伪花天牛 *Anastrangalia dissimilis dissimilis*（Fairmaire, 1899）
　　　分布：陕西（周至、太白、佛坪、宁陕）、北京、青海、湖南、福建、台湾、四川、
　　　云南；日本。
（1607）大陆暗伪花天牛 *Anastrangalia scotodes continentalis*（Plavilstshikov,
　　　1936）
　　　分布：陕西（宁陕）、东北、宁夏、四川；俄罗斯，朝鲜，韩国。

565. 突肩花天牛属 *Anoploderomorpha* Pic, 1901

（1608）炭黑突肩花天牛 *Anoploderomorpha carbonaria* Holzschuh, 1993
　　　分布：陕西（周至、佛坪、洋县）。

566. 银花天牛属 *Carilia* Mulsant，1863

（1609）陕银花天牛 *Carilia filiola*（Holzschuh，1998）
　　　分布：陕西（宁陕）。

（1610）亮绿银花天牛 *Carilia lucidivirens*（Holzschuh，1998）
　　　分布：陕西（宁陕）。

（1611）瘤胸银花天牛 *Carilia tuberculicollis*（Blanchard，1871）
　　　分布：陕西（周至、陇县、凤县、华阴、宁陕）、黑龙江、内蒙古、河南、湖北、
　　　福建、四川、西藏。

（1612）俄蓝银花天牛 *Carilia virginea aemula*（Mannerheim，1852）
　　　分布：陕西（宁陕）、黑龙江、吉林、内蒙古、北京、山西、宁夏、湖北；蒙古，
　　　俄罗斯，哈萨克斯坦，欧洲。

567. 毛角花天牛属 *Corennys* Bates，1884

（1613）湖北毛角花天牛 *Corennys caduca* Holzschuh，1998
　　　分布：陕西（周至、留坝、宁陕）、湖北。

（1614）*Corennys conspicua*（Gahan，1906）
　　　分布：陕西（秦岭）、河北、山西、海南、四川、云南、西藏；缅甸，印度，
　　　不丹。

568. 截翅眼花天牛属 *Dinoptera* Mulsant，1863

（1615）叶甲截翅眼花天牛 *Dinoptera chrysomelina* Holzschuh，2003
　　　分布：陕西（宁陕）。

（1616）甘肃截翅眼花天牛 *Dinoptera lota* Holzschuh，1998
　　　分布：陕西（周至）、甘肃。

（1617）小截翅眼花天牛 *Dinoptera minuta minuta*（Gebler，1832）
　　　分布：陕西（秦岭）、黑龙江、吉林、辽宁、内蒙古、北京、河北、山西、山东、
　　　河南、宁夏、浙江、江西、广西；俄罗斯，朝鲜，韩国。

569. 欧眼花天牛属 *Euracmaeops* Danilevsky，2014

（1618）红缘欧眼花天牛 *Euracmaeops septentrionis*（Thomson C. G.，1866）
　　　分布：陕西（秦岭）、黑龙江、吉林、辽宁、内蒙古、新疆；蒙古，俄罗斯，朝
　　　鲜，韩国，日本，哈萨克斯坦，欧洲。

（1619）灰绿欧眼花天牛 *Euracmaeops smaragdulus*（Fabricius, 1793）

分布：陕西（秦岭）、黑龙江、吉林、辽宁、内蒙古、新疆；蒙古，俄罗斯，朝鲜，韩国，哈萨克斯坦，欧洲。

570. 真花天牛属 *Eustrangalis* Bates, 1884

（1620）灰绿真花天牛 *Eustrangalis aeneipennis*（Fairmaire, 1889）

分布：陕西（周至、宁陕）、湖北、四川、云南；越南。

（1621）黑条真花天牛 *Eustrangalis latericollis* Wang *et* Chiang, 1994

分布：陕西（周至、镇巴）、湖北。

（1622）*Eustrangalis viridipennis* Gressitt, 1935

分布：陕西（秦岭）、湖北、台湾、四川。

571. 瘤花天牛属 *Gaurotina* Ganglbauer, 1889

（1623）黄胸瘤花天牛 *Gaurotina nitida* Gressitt, 1951

分布：陕西（秦岭）、宁夏、甘肃。

（1624）瘤花天牛 *Gaurotina superba* Ganglbauer, 1889

分布：陕西（秦岭）、甘肃、四川、云南。

572. 直花天牛属 *Grammoptera* Dejean, 1835

（1625）柔直花天牛 *Grammoptera*（*Neoencyclops*）*lenis*（Holzschuh, 1999）

分布：陕西（宁陕）。

（1626）陕直花天牛 *Grammoptera*（*Neoencyclops*）*paucula*（Holzschuh, 1999）

分布：陕西（宁陕）。

573. 厚畛花天牛属 *Houzhenzia* N. Ohbayashi *et* Lin, 2012

（1627）厚畛花天牛 *Houzhenzia cheni* N. Ohbayashi *et* Lin, 2012

分布：陕西（周至）。

574. 日瘦花天牛属 *Japanostrangalia* Nakane *et* K. Ohbayashi, 1957

（1628）半环日瘦花天牛 *Japanostrangalia basiplicata*（Fairmaire, 1889）

分布：陕西（周至、武功、太白、留坝）、浙江、湖北、江西、湖南、福建、广东、四川、贵州。

575. 金古花天牛属 *Kanekoa* Matsushita *et* Tamanuki, 1942

（1629）毛金古花天牛 *Kanekoa piligera* Holzschuh, 2003
　　　　分布：陕西（宁陕）、四川。

576. 大头花天牛属 *Katarinia* Holzschuh, 1991

（1630）穆尔大头花天牛 *Katarinia murzini* Mirosnikov, 2015
　　　　分布：陕西（周至）。

577. 圆眼花天牛属 *Lemula* Bates, 1884

（1631）黄腹圆眼花天牛 *Lemula coerulea* Gressitt, 1939
　　　　分布：陕西（周至）、浙江、福建。

578. 细花天牛属 *Leptostrangalia* Nakane *et* K. Ohbayashi, 1959

（1632）陕西细花天牛 *Leptostrangalia shaanxiana* Holzschuh, 1992
　　　　分布：陕西（华阴）。

579. 花天牛属 *Leptura* Linnaeus, 1758

（1633）橡黑花天牛 *Leptura aethiops* Poda, 1761
　　　　分布：陕西（周至）、黑龙江、吉林、北京、河北、青海、江西、福建、广西、云
　　　　南；蒙古，俄罗斯，朝鲜，韩国，日本，哈萨克斯坦，伊朗，土耳其，阿塞
　　　　拜疆，乔治亚苏维埃社会主义共和国，亚美尼亚，欧洲。

（1634）曲纹花天牛 *Leptura annularis* Fabricius, 1801
　　　　分布：陕西（周至、陇县、太白、勉县、杨凌、宁陕、丹凤、黄陵、石泉）、黑龙
　　　　江、吉林、辽宁、内蒙古、北京、河北、山西、山东、甘肃、宁夏、安徽、浙江、江
　　　　西、四川；蒙古，俄罗斯，朝鲜，日本，哈萨克斯坦，欧洲。

（1635）金丝花天牛 *Leptura aurosericans* Fairmaire, 1895
　　　　分布：陕西（宁陕）、河南、浙江、湖北、江西、湖南、福建、广东、广西、四川、
　　　　贵州、云南；日本，越南，老挝，泰国。

（1636）十二斑花天牛 *Leptura duodecimguttata* Fabricius, 1801
　　　　分布：陕西（周至、陇县、太白）、黑龙江、吉林、辽宁、内蒙古、北京、河北、
　　　　河南、青海、浙江、福建、四川；蒙古，俄罗斯，朝鲜，韩国，日本，哈萨克
　　　　斯坦。

（1637）阶梯花天牛 *Leptura gradatula* Holzschuh，2006

　　分布：陕西（周至、宁陕）、甘肃、安徽、广西、四川。

（1638）花天牛 *Leptura quadrifasciata quadrifasciata* Linnaeus，1758

　　分布：陕西（眉县）、青海、新疆、四川；蒙古，俄罗斯，朝鲜，哈萨克斯坦，

土耳其，欧洲。

（1639）花天牛 *Leptura* sp.

　　分布：陕西（周至）。

580．类花天牛属 *Metastrangalis* Hayashi，1960

（1640）二点类华花天牛 *Metastrangalis thibetana*（Blanchard，1871）

　　分布：陕西（凤县、眉县、太白、武功、留坝、洋县）、河南、浙江、湖北、江西、

湖南、福建、四川、贵州、云南、西藏。

581．小花天牛属 *Nanostrangalia* Nakane *et* K．Ohbayashi，1959

（1641）小花天牛 *Nanostrangalia* sp．nr．*binhana*

　　分布：陕西（太白）。

582．拟拉花天牛属 *Neorhamnusium* Hayashi，1976

（1642）皱鞘拟拉花天牛 *Neorhamnusium rugosipenne*（Pic，1939）

　　分布：陕西（黄陵）、山西。

（1643）陕西拟拉花天牛 *Neorhamnusium shaanxiensis* Miroshnikov *et* Lin，2015

　　分布：陕西（宁陕）。

583．扁花天牛属 *Nivelliomorpha* Boppe，1921

（1644）扁花天牛 *Nivelliomorpha inequalithorax*（Pic，1902）

　　分布：陕西（西安、榆林）、内蒙古、北京、河北、山西、宁夏。

584．厚花天牛属 *Pachyta* Dejean，1821

（1645）双斑厚花天牛 *Pachyta bicuneata* Motschulsky，1860

　　分布：陕西（宁陕）、黑龙江、吉林、甘肃；蒙古，俄罗斯，朝鲜，韩国，

日本。

（1646）松厚花天牛 *Pachyta lamed*（Linnaeus，1758）

　　分布：陕西（秦岭）、吉林、内蒙古、甘肃、青海、新疆；蒙古，俄罗斯，朝鲜，

韩国，日本，欧洲。

（1647）黄带厚花天牛 *Pachyta mediofasciata* Pic，1936

　　分布：陕西（长安、周至、太白、勉县、洋县、宁陕、镇安、石泉）、吉林、内蒙古、河北、青海。

（1648）厚花天牛 *Pachyta quadrimaculata*（Linnaeus，1758）

　　分布：陕西（秦岭）、黑龙江、吉林、河北、宁夏、甘肃、青海、新疆；俄罗斯，蒙古，哈萨克斯坦；欧洲。

585．拟金花天牛属 *Paragaurotes* Plavilstshikov，1921

（1649）*Paragaurotes doris*（Bates，1884）

　　分布：陕西（秦岭）；朝鲜，日本。

（1650）绿胫拟金花天牛 *Paragaurotes fairmairei*（Aurivillius，1912）

　　分布：陕西（周至、佛坪、宁陕、石泉）、宁夏、四川。

（1651）凹缘拟金花天牛 *Paragaurotes ussuriensis*（Blessig，1873）

　　分布：陕西（宁陕）、黑龙江、吉林、辽宁、河北；俄罗斯，朝鲜，韩国。

586．方花天牛属 *Paranaspia* Matsushita *et* Tamanuki，1955

（1652）陕方花天牛 *Paranaspia erythromelas* Holzschuh，2003

　　分布：陕西（佛坪）。

587．异花天牛属 *Parastrangalis* Ganglbauer，1889

（1653）双异花天牛 *Parastrangalis bisbidentata* Holzschuh，2007

　　分布：陕西（宁陕）。

（1654）浙异花天牛 *Parastrangalis chekianga*（Gressitt，1939）

　　分布：陕西（秦岭）、浙江、福建。

（1655）密点异花天牛 *Parastrangalis crebrepunctata*（Gressitt，1939）

　　分布：陕西（洋县）、浙江、湖北、湖南、福建、广西、四川、贵州、云南。

（1656）淡黄异花天牛 *Parastrangalis pallescens* Holzschuh，1993

　　分布：陕西（华阴）、甘肃。

（1657）雕纹异花天牛 *Parastrangalis sculptilis* Holzschuh，1991

　　分布：陕西（武功、宁陕）、台湾、四川；老挝。

588．驼花天牛属 *Pidonia* Mulsant，1863

（1658）陕西驼花天牛 *Pidonia*（*Omphalodera*）*changi* Hayashi，1971

分布：陕西(周至、佛坪、宁陕)。

(1659) 脊胸驼花天牛 *Pidonia* (*Omphalodera*) *heudei* (Gressitt, 1939)

分布：陕西(周至、户县、柞水)、浙江。

(1660) 黑角驼花天牛 *Pidonia* (*Pseudopidonia*) *amurensis* Pic, 1900

分布：陕西(宁陕)、吉林；俄罗斯，朝鲜，韩国。

(1661) 齿驼花天牛 *Pidonia* (*Pseudopidonia*) *dentipes* Holzschuh, 1998

分布：陕西(太白、宁陕)。

(1662) 陕驼花天牛 *Pidonia* (*Pseudopidonia*) *hamifera* Holzschuh, 1998

分布：陕西(周至、留坝、佛坪、宁陕)。

(1663) 苍白驼花天牛 *Pidonia* (*Pseudopidonia*) *palleola* Holzschuh, 1991

分布：陕西(周至、佛坪)、四川。

(1664) 秦岭驼花天牛 *Pidonia* (*Pseudopidonia*) *qinlingana* Holzschuh, 1998

分布：陕西(周至、佛坪、宁陕)。

589. 拟矩胸花天牛属 *Pseudalosterna* Plavilstshikov, 1934

(1665) 二点拟矩胸花天牛 *Pseudalosterna binotata* (Gressitt, 1935)

分布：台湾。

(1666) 楔拟矩胸花天牛 *Pseudalosterna cuneata* Holzschuh, 1999

分布：陕西(凤县、丹凤)、湖北、四川。

(1667) 陕西拟矩胸花天牛 *Pseudalosterna longigena* Holzschuh, 2003

分布：陕西(华阴、宁陕)。

(1668) 特氏拟矩胸花天牛 *Pseudalosterna tryznai* Holzschuh, 1999

分布：陕西(宝鸡、黄陵)。

590. 皮花天牛属 *Rhagium* Fabricius, 1775

(1669) 密皱皮花天牛 *Rhagium inquisitor rugipenne* Reitter, 1898

分布：陕西(眉县、太白)、黑龙江、吉林、辽宁、内蒙古、甘肃、新疆、浙江、江西、云南；蒙古，俄罗斯，朝鲜，韩国。

(1670) 日松皮花天牛 *Rhagium* (*Rhagium*) *japonicum* Bates, 1884

分布：陕西(留坝、宁陕，陕南)、黑龙江、甘肃、新疆、浙江、江西；蒙古，俄罗斯，朝鲜，日本。

591. 肩花天牛属 *Rhondia* Gahan，1906

（1671）斑胸肩花天牛 *Rhondia maculithorax* Pu，1992

分布：陕西（太白、宁陕）、宁夏、湖北、四川。

（1672）钝肩花天牛 *Rhondia placida* Heller，1923

分布：陕西（周至、眉县、太白、宁陕、石泉）、湖北、四川。

（1673）*Rhondia pugnax*（Dohrn，1878）

分布：陕西（秦岭）、湖北、广东、四川、西藏；蒙古，缅甸，印度。

592. 脊花天牛属 *Stenocorus* Geoffroy，1762

（1674）黄条脊花天牛 *Stenocorus longevittatus*（Fairmaire，1887）

分布：陕西（铜川、黄龙）、北京、河北、山西、青海。

（1675）脊花天牛 *Stenocorus*（*Stenocorus*）*meridianus*（Linnaeus，1758）

分布：陕西（周至、黄陵、宜君）；蒙古，俄罗斯，朝鲜，韩国，哈萨克斯坦，土耳其，叙利亚，欧洲。

593. 斑花天牛属 *Stictoleptura* Casey，1924

（1676）赤杨斑花天牛 *Stictoleptura*（*Aredolpona*）*dichroa*（Blanchard，1871）

分布：陕西（长安、蓝田、太白、留坝、勉县、宁陕、镇平、商洛、宜川、黄陵）、黑龙江、吉林、河北、山西、山东、河南、安徽、浙江、湖北、江西、湖南、福建、四川、贵州；俄罗斯，朝鲜，韩国，日本。

（1677）*Stictoleptura*（*Aredolpona*）*rubra*（Linnaeus，1758）

分布：陕西（秦岭）、吉林、浙江、四川；俄罗斯，欧洲，非洲，北美洲。

（1678）黑角斑花天牛 *Stictoleptura*（*Aredolpona*）*succedanea*（Lewis，1879）

分布：陕西（周至、太白、华县、留坝、勉县、佛坪、洋县、宁陕、丹凤、南郑、洛南、石泉）、黑龙江、吉林、北京、河北、山西、甘肃、安徽、浙江、湖北、江西、湖南、福建、四川；俄罗斯，朝鲜，韩国，日本。

（1679）色角斑花天牛 *Stictoleptura*（*Variileptura*）*variicornis*（Dalman，1817）

分布：陕西、黑龙江、吉林、内蒙古、河北、新疆；俄罗斯，蒙古，朝鲜，韩国，日本，哈萨克斯坦，欧洲。

594. 瘦花天牛属 *Strangalia* Dejean，1835

（1680）蚤瘦花天牛 *Strangalia fortunei* Pascoe，1858

分布：陕西（周至、户县、眉县、太白、佛坪）、辽宁、北京、天津、河北、河南、江苏、上海、安徽、浙江、湖北、江西、湖南、福建、广东、广西、重庆、四川、贵州。

595. 宽尾花天牛属 *Strangalomorpha* Solsky, 1873

（1681）浙江宽尾花天牛 *Strangalomorpha chekianga*（Gressitt, 1939）
　　分布：陕西（秦岭）、浙江、福建、台湾。

（1682）甘肃宽尾花天牛 *Strangalomorpha signaticornis*（Ganglbauer, 1889）
　　分布：陕西（宁陕）、甘肃。

596. 勒特天牛属 *Teledapalpus* Miroshnikov, 2000

（1683）陕勒特天牛 *Teledapalpus cremarius*（Holzschuh, 1999）
　　分布：陕西（周至、宁陕）。

（1684）佐罗勒特天牛 *Teledapalpus zolotichini* Miroshnikov, 2000
　　分布：陕西（太白、眉县）。

597. Genus *Teledapus* Pascoe, 1871

（1685）*Teledapus cremiarius* Holzschuh, 1999
　　分布：陕西（太白山）。

（三）椎天牛亚科 Spondylidinae

598. 梗天牛属 *Arhopalus* Audinet-Serville, 1834

（1686）江苏梗天牛 *Arhopalus angustus* Gressitt, 1951
　　分布：陕西（宁陕）、江苏、上海。

（1687）三脊梗天牛 *Arhopalus exoticus*（Sharp, 1905）
　　分布：陕西（宁陕）、台湾、云南；越南，老挝，缅甸，尼泊尔。

（1688）梗天牛 *Arhopalus rusticus*（Linnaeus, 1758）
　　分布：陕西（周至、略阳、武功、华县、潼关、留坝、勉县、佛坪、洋县、宁陕、镇安、丹凤、山阳、石泉、宁强、合阳、延安、铜川、黄陵、宜君）、黑龙江、吉林、辽宁、内蒙古、北京、天津、河北、山西、山东、河南、宁夏、甘肃、浙江、湖北、江西、福建、海南、四川、贵州、云南；蒙古，俄罗斯，朝鲜，韩国，日本，塔吉克斯坦，哈萨克斯坦，欧洲，北美洲，澳洲，非洲北部。

599. 幽天牛属 *Asemum* Eschscholtz, 1830

(1689) 脊鞘幽天牛 *Asemum striatum*（Linnaeus, 1758）

　　　　分布：陕西（长安、周至、蓝田、太白、勉县、洋县、宁陕、安康、商洛、宜川、宜君、黄陵、旬邑、石泉、平利）、黑龙江、吉林、辽宁、内蒙古、北京、天津、河北、山西、山东、宁夏、甘肃、青海、新疆、浙江、四川、云南；蒙古，俄罗斯，朝鲜，韩国，日本，吉尔吉斯斯坦，哈萨克斯坦，土耳其，阿塞拜疆，格鲁吉亚，叙利亚，亚美尼亚，欧洲，澳大利亚，北美洲。

600. 截尾天牛属 *Atimia* Haldeman, 1847

(1690) 平切截尾天牛 *Atimia truncatella* Holzschuh, 2007

　　　　分布：陕西（略阳、志丹）、云南。

601. 塞幽天牛属 *Cephalallus* Sharp, 1905

(1691) 赤塞幽天牛 *Cephalallus unicolor*（Gahan, 1906）

　　　　分布：陕西（留坝）、吉林、河南、江苏、上海、浙江、湖北、江西、湖南、福建、台湾、广东、海南、香港、四川、贵州、云南；蒙古，朝鲜，韩国，日本，老挝，缅甸，印度。

602. 大幽天牛属 *Megasemum* Kraatz, 1879

(1692) 大幽天牛 *Megasemum quadricostulatum* Kraatz, 1879

　　　　分布：陕西（周至、留坝、勉县、宁陕、汉中）、黑龙江、吉林、辽宁、湖北、江西、福建、台湾；俄罗斯，朝鲜，韩国，日本。

603. 椎天牛属 *Spondylis* Fabricius, 1775

(1693) 短角椎天牛 *Spondylis sinensis* Nonfried, 1892

　　　　分布：陕西（留坝、佛坪、洋县、宁陕、石泉）、黑龙江、内蒙古、北京、河北、河南、江苏、安徽、浙江、湖北、江西、湖南、福建、台湾、广东、海南、香港、广西、四川、贵州、云南。

604. 断眼天牛属 *Tetropium* Kirby, 1837

(1694) 光胸断眼天牛 *Tetropium castaneum*（Linnaeus, 1758）

　　　　分布：陕西（宁陕）、黑龙江、吉林、内蒙古、天津、河北、山西、宁夏、甘肃、青海、新疆、浙江、福建、云南;蒙古,俄罗斯,朝鲜,韩国,日本,哈萨克斯坦,土耳其;欧洲。

(四) 膜花天牛亚科 Necydalinae

605. 膜花天牛属 *Necydalis* Linnaeus, 1758

(1695) 点胸膜花天牛 *Necydalis*(*Necydalis*)*lateralis* Pic, 1939
分布:陕西(秦岭)、内蒙古、北京、河北、宁夏。

(1696) 膜花天牛 *Necydalis*(*Necydalis*)*major* Linnaeus, 1758
分布:陕西(秦岭)、新疆;蒙古,俄罗斯,日本,哈萨克斯坦,欧洲。

606. 蜂花天牛属 *Ulochaetes* LeConte, 1854

(1697) 黄腹蜂花天牛 *Ulochaetes vacca* Holzschuh, 1982
分布:陕西(宁陕)、四川、云南、西藏;不丹。

(五) 锯花天牛亚科 Dorcasominae

607. 锯花天牛属 *Apatophysis* Chevrolat, 1860

(1698) 异常锯花天牛 *Apatophysis insolita* Miroshnikov *et* Lin, 2017
分布:陕西(长安、周至、凤县、留坝、佛坪、宁陕、柞水)、河南、江西、湖南。

608. 台突花天牛属 *Formosotoxotus* Hayashi, 1960

(1699) 库氏台突花天牛 *Formosotoxotus kucerai* Rapuzzi *et* Sama, 2014
分布:陕西(略阳)。

(六) 天牛亚科 Cerambycinae

609. 闪光天牛属 *Aeolesthes* Gahan, 1890

(1700) 皱胸闪光天牛 *Aeolesthes*(*Aeolesthes*)*holosericea*(Fabricius, 1787)
分布:陕西(秦岭)、河南、福建、广东、海南、香港、广西、重庆、四川、云南;老挝,泰国,缅甸,印度,巴基斯坦,斯里兰卡,菲律宾,马来西亚,印度尼西亚。

(1701) 中华闪光天牛 *Aeolesthes*(*Aeolesthes*)*sinensis* Gahan, 1890
分布:陕西(凤县、宁陕、安康、丹凤、镇巴、镇安、西乡)、河南、湖北、江西、湖南、福建、台湾、广东、海南、香港、广西、四川、贵州、云南;老挝,缅甸,印度，巴基斯坦，哈萨克斯坦。

（1702）金绒闪光天牛 *Aeolesthes*（*Pseudaeolesthes*）*chrysothrix chrysothrix*（**Bates，1873**）

分布：陕西（周至、太白、武功、宁陕、山阳）、北京、河北、山东、河南、浙江、台湾、贵州；韩国，日本。

（1703）藏金绒闪光天牛 *Aeolesthes*（*Pseudaeolesthes*）*chrysothrix tibetanus*（**Gressitt，1942**）

分布：陕西（周至、商南）、海南、广西、四川、贵州、云南、西藏。

（1704）红绒闪光天牛 *Aeolesthes*（*Pseudaeolesthes*）*ningshanensis* **Chiang，1981**

分布：陕西（宁陕）。

610. 肖亚天牛属 *Amarysius* Fairmaire，1888

（1705）四川肖亚天牛 *Amarysius minax* **Holzschuh，1998**

分布：陕西（周至、佛坪、宁陕）、甘肃、四川。

（1706）肖亚天牛 *Amarysius sanguinipennis*（**Blessig，1872**）

分布：陕西（秦岭）、辽宁、内蒙古、河北、浙江、湖北；蒙古，俄罗斯，朝鲜，韩国，日本，哈萨克斯坦；欧洲。

611. 纹虎天牛属 *Anaglyptus* Mulsant，1839

（1707）邻纹虎天牛 *Anaglyptus vicinulus* **Holzschuh，1999**

分布：陕西（周至、太白、眉县、华阴）、北京、山西、河南、宁夏、甘肃、湖北、重庆、四川。

612. 亚天牛属 *Anoplistes* Audinet-Serville，1834

（1708）红缘亚天牛 *Anoplistes halodendri pirus*（**Arakawa，1932**）

分布：陕西（凤县、陇县、宝鸡、武功、乾县、黄陵、洛川、延安、定边、榆林）、黑龙江、吉林、辽宁、内蒙古、北京、河北、山西、山东、河南、宁夏、甘肃、青海、新疆、江苏、浙江、湖北、江西、湖南、台湾、贵州；蒙古，俄罗斯，朝鲜，韩国，欧洲。

613. 柄天牛属 *Aphrodisium* Thomson，1864

（1709）黄颈柄天牛 *Aphrodisium*（*Aphrodisium*）*faldermannii faldermannii*（**Saunders，1853**）

分布：陕西（西安）、内蒙古、河南、江苏、浙江、湖北、江西、湖南、福建、广东、四川、云南；蒙古，俄罗斯，韩国。

（1710）皱绿柄天牛 *Aphrodisium*（*Aphrodisium*）*gibbicolle*（White，1853）

分布：陕西（周至、安康）、江苏、安徽、浙江、江西、湖南、福建、台湾、广东、海南、广西、四川、贵州、云南；越南，老挝，泰国，印度，孟加拉国，柬埔寨。

（1711）皱胸柄天牛 *Aphrodisium*（*Aphrodisium*）*implicatum implicatum*（Pic，1920）

分布：陕西（佛坪、宁强）、云南；印度。

614．颈天牛属 *Aromia* Audinet-Serville，1834

（1712）桃红颈天牛 *Aromia bungii*（Faldermann，1835）

分布：陕西（蓝田、陇县、凤县、宝鸡、勉县、佛坪、洋县、宁陕、安康、商县、洛南、黄陵、延安、延长）、黑龙江、吉林、辽宁、内蒙古、北京、河北、山西、山东、河南、甘肃、江苏、安徽、浙江、湖北、湖南、福建、广东、海南、香港、广西、重庆、四川、贵州、云南；蒙古，朝鲜，韩国。

（1713）杨红颈天牛 *Aromia moschata orientalis* Plavilstshikov，1933

分布：陕西（长安、安康、宜君、宜川、榆林、神木）、黑龙江、吉林、辽宁、内蒙古、北京、河北、河南、甘肃、浙江、福建；蒙古，俄罗斯，朝鲜，韩国，日本。

615．小扁天牛属 *Callidiellum* Linsley，1940

（1714）红翅小扁天牛 *Callidiellum rufipennis*（Motschulsky，1861）

分布：陕西（秦岭）、天津、河北、河南、甘肃、江西、台湾；俄罗斯，韩国，日本，欧洲。

616．球虎天牛属 *Calloides* LeConte，1873

（1715）黄带球虎天牛 *Calloides magnificus*（Pic，1916）

分布：陕西（华山）、河北、山西、山东、四川。

617．扁胸天牛属 *Callidium* Fabricius，1775

（1716）长翅扁胸天牛 *Callidium*（*Palaeocallidium*）*chlorizans*（Solsky，1871）

分布：陕西（秦岭）、黑龙江、吉林、辽宁、内蒙古、河北、山西、河南、宁夏、甘肃;蒙古,俄罗斯,朝鲜,日本。

618. 卡扁天牛属 *Callimoxys* Kraatz, 1863

（1717）东方卡扁天牛 *Callimoxys retusifer* Holzschuh, 1999

分布:陕西(周至)、湖北。

619. 弧胫天牛属 *Callimus* Mulsant, 1846

（1718）圆尾弧胫天牛 *Callimus* (*Nathriopterus*) *shensiensis* (Gressitt, 1951)

分布:陕西(太白)。

（1719）截尾弧胫天牛 *Callimus* (*Nathriopterus*) *truncatipennis* (Gressitt, 1948)

分布:陕西(秦岭)。

620. 拟柄天牛属 *Cataphrodisium* Aurivillius, 1907

（1720）拟柄天牛 *Cataphrodisium rubripenne* (Hope, 1842)

分布:陕西(凤县)、山东、江苏、湖北、福建、台湾、广东、四川、贵州、云南;印度,孟加拉国。

621. 蜡天牛属 *Ceresium* Newman, 1842

（1721）斑胸华蜡天牛 *Ceresium sinicum ornaticolle* Pic, 1907

分布:陕西(山阳)、江苏、湖北、江西、湖南、福建、广东、广西、四川、贵州、云南、西藏;越南,老挝。

（1722）华蜡天牛 *Ceresium sinicum sinicum* White, 1855

分布:陕西(周至、商洛)、北京、河北、山东、河南、山西、江苏、安徽、浙江、湖北、江西、湖南、福建、台湾、广东、海南、广西、重庆、四川、贵州、云南、西藏;日本,泰国。

622. 绿天牛属 *Chelidonium* Thomson, 1864

（1723）绿天牛 *Chelidonium argentatum* (Dalman, 1817)

分布:陕西(秦岭)、河南、江苏、安徽、浙江、江西、湖南、福建、广东、海南、香港、广西、四川、云南;越南,老挝,缅甸,印度,斯里兰卡。

（1724）中沟绿天牛 *Chelidonium impressicolle* Plavilstshikov, 1934

分布:陕西(宁陕、安康、石泉)、广东、四川、云南。

623. 长绿天牛属 *Chloridolum* Thomson, 1864

(1725) 黄胸长绿天牛 *Chloridolum*（*Chloridolum*）*sieversi*（Ganglbauer, 1887）
分布：陕西（周至）、黑龙江、吉林、河南、湖北；俄罗斯，朝鲜，韩国。

(1726) 红缘长绿天牛 *Chloridolum*（*Leontium*）*lameeri*（Pic, 1900）
分布：陕西（周至、眉县、太白、佛坪、洋县、丹凤）、山东、河南、甘肃、江苏、上海、安徽、浙江、湖北、江西、湖南、福建、台湾、广西、云南；韩国。

624. 绿虎天牛属 *Chlorophorus* Chevrolat, 1863

(1727) 绿虎天牛 *Chlorophorus annularis*（Fabricius, 1787）
分布：陕西（洋县）、黑龙江、吉林、辽宁、河北、河南、江苏、安徽、浙江、湖北、湖南、福建、台湾、广东、海南、香港、广西、重庆、四川、贵州、云南、西藏；韩国，日本，越南，老挝，泰国，缅甸，印度，尼泊尔，柬埔寨，菲律宾，马来西亚，印度尼西亚。

(1728) 川绿虎天牛 *Chlorophorus apertulus* Holzschuh, 1992
分布：陕西（周至）、四川。

(1729) 槐绿虎天牛 *Chlorophorus diadema diadema*（Motschulsky, 1854）
分布：陕西（户县、凤县、陇县、宝鸡、眉县、南郑、镇巴）、黑龙江、吉林、内蒙古、北京、河北、山西、山东、河南、甘肃、江苏、安徽、浙江、湖北、江西、湖南、福建、广东、广西、四川、贵州、云南；蒙古，俄罗斯（西伯利亚），朝鲜，韩国。

(1730) 多氏绿虎天牛 *Chlorophorus douei*（Chevrolat, 1863）
分布：陕西（周至）、广东、海南、香港、广西、云南；越南，老挝，印度，尼泊尔。

(1731) *Chlorophorus duo*（Fairmaire, 1888）
分布：陕西（秦岭）、江苏、江西。

(1732) 榄绿虎天牛 *Chlorophorus eleodes*（Fairmaire, 1889）
分布：陕西（武功）、新疆、湖北、江西、广西、重庆、四川、贵州、云南、西藏。

(1733) 海南绿虎天牛 *Chlorophorus hainanicus* Gressitt, 1940
分布：陕西（秦岭）、海南。

(1734) *Chlorophorus latofasciatus*（Motschulsky, 1861）
分布：陕西（秦岭）、黑龙江、吉林、辽宁、内蒙古、河北、山西、河南、山东、甘肃、浙江、福建；蒙古，俄罗斯，朝鲜，韩国。

（1735）澳门绿虎天牛 *Chlorophorus macaumensis*（Chevrolat, 1845）

分布：陕西（秦岭）、广东、海南、香港、澳门、广西。

（1736）弧纹绿虎天牛 *Chlorophorus miwai* Gressitt, 1936

分布：陕西（户县）、黑龙江、吉林、辽宁、山东、河南、安徽、浙江、湖北、江西、湖南、福建、台湾、广东、广西、四川、贵州；朝鲜。

（1737）杨柳绿虎天牛 *Chlorophorus motschulskyi*（Ganglbauer, 1887）

分布：陕西（秦岭）、黑龙江、吉林、辽宁、内蒙古、河北、山西、山东、河南、甘肃、浙江、福建；蒙古，俄罗斯，朝鲜，韩国。

（1738）宝兴绿虎天牛 *Chlorophorus moupinensis*（Fairmaire, 1888）

分布：陕西（蓝田、太白、佛坪、洋县、丹凤）、浙江、湖北、福建、广西、四川、贵州、云南。

（1739）十四斑绿虎天牛 *Chlorophorus quatuordecimmaculatus*（Chevrolat, 1863）

分布：陕西（秦岭）、湖南、福建、广东、海南、广西、重庆、四川、贵州、云南；越南，老挝，印度，尼泊尔，巴基斯坦，阿富汗。

（1740）沙氏绿虎天牛 *Chlorophorus savioi*（Pic, 1924）

分布：陕西（周至）、河北、山西、上海、贵州；俄罗斯，朝鲜，韩国。

（1741）裂纹绿虎天牛 *Chlorophorus separatus* Gressitt, 1940

分布：陕西（安康）、河南、浙江、湖北、江西、福建、广东、海南、广西、四川、贵州、云南。

（1742）黄毛绿虎天牛 *Chlorophorus signaticollis*（Laporte *et* Gory, 1841）

分布：陕西（略阳、商南）、浙江、湖北、江西、福建、广东、贵州；日本，印度。

（1743）六斑绿虎天牛 *Chlorophorus simillimus*（Kraatz, 1879）

分布：陕西（周至、凤县、宝鸡、太白、勉县、佛坪、洋县、耀县、合阳）、黑龙江、吉林、辽宁、内蒙古、河北、山西、山东、河南、宁夏、甘肃、青海、新疆、浙江、湖北、江西、湖南、福建、广西、四川、贵州；蒙古，俄罗斯，朝鲜，韩国，日本。

（1744）绿虎天牛 *Chlorophorus* sp. nr. *hainanicus*

分布：陕西（周至）。

（1745）绿虎天牛 *Chlorophorus* sp. nr. *tredecimmaculatus*

分布：陕西（周至）。

625. 纤天牛属 *Cleomenes* Thomson, 1864

（1746）长翅纤天牛 *Cleomenes longipennis longipennis* Gressitt, 1951
　　　　分布：陕西（周至）、湖北、台湾、四川。

（1747）三带纤天牛 *Cleomenes tenuipes* Gressitt, 1939
　　　　分布：陕西（周至）、浙江、湖北、台湾、广西、云南；越南，老挝，印度，马来西亚。

626. 虎天牛属 *Clytus* Laicharting, 1784

（1748）黄胸虎天牛 *Clytus larvatus* Gressitt, 1939
　　　　分布：陕西（周至、太白）、安徽、浙江、江西。

（1749）小瘤虎天牛 *Clytus parvigranulatus* Holzschuh, 2006
　　　　分布：陕西（周至）。

627. 曲虎天牛属 *Cyrtoclytus* Ganglbauer, 1882

（1750）甘肃曲虎天牛 *Cyrtoclytus agathus* Holzschuh, 1999
　　　　分布：陕西（洋县）、甘肃。

628. 刺虎天牛属 *Demonax* Thomson, 1861

（1751）曲纹刺虎天牛 *Demonax curvofasciatus*（Gressitt, 1939）
　　　　分布：陕西（周至、柞水）、山西、河南、江苏、浙江、湖南、福建、台湾、广东、四川、贵州。

（1752）光裸刺虎天牛 *Demonax determinatus* Holzschuh, 2013
　　　　分布：陕西（秦岭）、四川、贵州。

（1753）库氏刺虎天牛 *Demonax kucerai* Holzschuh, 2006
　　　　分布：陕西（略阳）、四川。

（1754）白纹刺虎天牛 *Demonax palleolus* Holzschuh, 2006
　　　　分布：陕西（长安、佛坪、宁陕）、四川。

（1755）*Demonax savioi*（Pic, 1924）
　　　　分布：陕西（秦岭）、河北、山西、上海、贵州；俄罗斯，韩国。

（1756）首尔刺虎天牛 *Demonax seoulensis* Mitono *et* Cho, 1942
　　　　分布：陕西（周至、眉县）；韩国。

（1757）稳刺虎天牛 *Demonax stabilis* Holzschuh, 2003

分布: 陕西(宁陕)。

（1758）小寨子沟刺虎天牛 *Demonax xiaozhaizigouensis* Viktora，Liu *et* Zhang，2017

分布:陕西、四川。

629. 红胸天牛属 *Dere* White，1855

（1759）蓝黑红胸天牛 *Dere nigripennis* Holzschuh，2015

分布: 陕西(略阳、留坝、佛坪、宁陕、城固)。

（1760）松红胸天牛 *Dere reticulata* Gressitt，1942

分布: 陕西(秦岭)、北京、河南、浙江、湖北、四川、云南、西藏;老挝。

（1761）红胸天牛 *Dere thoracica* White，1855

分布: 陕西(秦岭)、黑龙江、吉林、河北、山东、河南、江苏、浙江、湖北、江西、湖南、福建、广东、广西、四川、贵州、云南;朝鲜，韩国，日本，越南，老挝。

630. 串胸天牛属 *Diplothorax* Gressitt *et* Rondon，1970

（1762）刻点串胸天牛 *Diplothorax punctator* Holzschuh，2003

分布: 陕西(略阳)。

631. 钝天牛属 *Dundaia* Holzschuh，1993

（1763）钝天牛 *Dundaia subtuberculata*（Pu，1992）

分布: 陕西(周至、佛坪)、四川。

632. 拟裂眼天牛属 *Dymasius* Thomson，1864

（1764）陕拟裂眼天牛 *Dymasius*（*Dymasius*）*miser* Holzschuh，2005

分布: 陕西(宁陕)。

633. 黑绒天牛属 *Embrikstrandia* Plavilstshikov，1931

（1765）二斑黑绒天牛 *Embrikstrandia bimaculata*（White，1853）

分布: 陕西(凤县、山阳、商县)、山东、河南、江苏、浙江、湖北、江西、湖南、福建、台湾、广东、香港、广西、四川、贵州、云南;越南。

634. 红天牛属 *Erythrus* White，1853

（1766）油茶红天牛 *Erythrus blairi* Gressitt，1939

分布：陕西（华阴）、河南、江苏、浙江、湖北、江西、湖南、福建、台湾、广东、海南、广西、贵州、云南。

（1767）红天牛 *Erythrus championi* White, 1853

分布：陕西（秦岭）、河南、江苏、浙江、湖北、江西、湖南、福建、台湾、广东、海南、香港、广西、四川、贵州、云南；老挝，柬埔寨。

（1768）弧斑红天牛 *Erythrus fortunei* White, 1853

分布：陕西（周至、凤县、留坝）、河北、河南、江苏、上海、浙江、湖北、江西、湖南、福建、台湾、广东、香港、广西、四川、贵州、云南。

635. 五瘤天牛属 *Falsanoplistes* Pic, 1915

（1769）五瘤天牛 *Falsanoplistes guerryi* Pic, 1915

分布：陕西（旬阳）、江苏、四川、贵州、云南、西藏。

636. 短翅天牛属 *Glaphyra* Newman, 1840

（1770）黄跗短翅天牛 *Glaphyra*（*Glaphyra*）*gilvitarsis* Holzschuh, 2006

分布：陕西（宁陕）。

（1771）淡黄短翅天牛 *Glaphyra*（*Glaphyra*）*lecta* Holzschuh, 2006

分布：陕西（宁陕）。

（1772）锯齿短翅天牛 *Glaphyra*（*Glaphyra*）*serra* Holzschuh, 2006

分布：陕西（宁陕）、四川；韩国。

（1773）川短翅天牛 *Glaphyra*（*Yamatoglaphyra*）*aemulata* Holzschuh, 1998

分布：陕西（周至）、甘肃、四川。

637. 小天牛属 *Gracilia* Audinet-Serville, 1834

（1774）小天牛 *Gracilia minuta*（Fabricius, 1781）

分布：陕西（南部）、河南；俄罗斯，日本，伊朗，哈萨克斯坦，土耳其，阿塞拜疆，格鲁吉亚，亚美尼亚，欧洲，北美洲，澳洲，非洲。

638. 格虎天牛属 *Grammographus* Chevrolat, 1863

（1775）散愈斑格虎天牛 *Grammographus notabilis cuneatus*（Fairmaire, 1888）

分布：陕西（周至、太白、留坝、佛坪、洋县、宁陕、镇安、西乡）、河南、湖北、广东、四川、云南。

639. 西虎天牛属 *Hesperoclytus* Holzschuh, 1986

（1776）巴氏西虎天牛 *Hesperoclytus bozanoi* Pesarini *et* Sabbadini, 1997
　　　分布：陕西（宁陕）、四川。

640. 毛足天牛属 *Kunbir* Lameere, 1890

（1777）双色大黑毛足天牛 *Kunbir atripes bicoloripes* Holzschuh, 2015
　　　分布：陕西（略阳）、四川。

（1778）陕西毛足天牛 *Kunbir pilosipes* Holzschuh, 2003
　　　分布：陕西（白河）、湖北、湖南。

641. 美英天牛属 *Meiyingia* Holzschuh, 2010

（1779）美英天牛 *Meiyingia paradoxa* Holzschuh, 2010
　　　分布：陕西（宁陕）、河南。

642. 短萎鞘天牛属 *Molorchoepania* Pic, 1949

（1780）陕短萎鞘天牛 *Molorchoepania viticola* Holzschuh, 1998
　　　分布：陕西（略阳）。

643. 短鞘天牛属 *Molorchus* Fabricius, 1793

（1781）太白短鞘天牛 *Molorchus*（*Molorchus*）*changi* Gressitt, 1951
　　　分布：陕西（秦岭）、四川。

（1782）诈短鞘天牛 *Molorchus*（*Molorchus*）*fraudator* Pesarini *et* Sabbadini, 1997
　　　分布：陕西（周至）、四川。

（1783）冷杉短鞘天牛 *Molorchus*（*Molorchus*）*minor*（Linnaeus, 1758）
　　　分布：陕西（秦岭）、黑龙江、辽宁、北京、河北、甘肃、青海、新疆；蒙古，俄罗斯，朝鲜，韩国，哈萨克斯坦，土耳其，欧洲。

（1784）蔷薇短鞘天牛 *Molorchus*（*Nathrioglaphyra*）*liui* Gressitt, 1948
　　　分布：陕西（秦岭，延安）、甘肃、浙江、湖北、湖南、四川、云南。

644. 尼辛天牛属 *Nysina* Gahan, 1906

（1785）红足尼辛天牛 *Nysina grahami*（Gressitt, 1939）
　　　分布：陕西（周至）、河南、湖北、江西、湖南、福建、广东、广西、重庆、四川、贵州、云南、西藏。

645. 侧沟天牛属 *Obrium* Dejean, 1821

（1786）陕西侧沟天牛 *Obrium fractum* Holzschuh, 2003

分布：陕西（宁陕）。

（1787）侧沟天牛 *Obrium* sp.

分布：陕西（山阳）。

646. 茶色天牛属 *Oplatocera* White, 1853

（1788）茶色天牛 *Oplatocera*（*Epioplatocera*）sp. nr. *oberthuri*

分布：陕西（宁陕、汉中）。

647. 赤天牛属 *Oupyrrhidium* Pic, 1900

（1789）赤天牛 *Oupyrrhidium cinnabarinum*（Blessig, 1872）

分布：陕西（太白、华阴）、黑龙江、吉林、辽宁、山东、河南；俄罗斯，朝鲜，韩国。

648. 拟虎天牛属 *Paraclytus* Bates, 1884

（1790）白角拟虎天牛 *Paraclytus apicicornis*（Gressitt, 1937）

分布：陕西（秦岭）、甘肃、江西、湖南、福建、广西、四川、贵州。

（1791）川拟虎天牛 *Paraclytus primus* Holzschuh, 1992

分布：陕西（周至、宝鸡、宁陕），四川。

（1792）陕拟虎天牛 *Paraclytus shaanxiensis* Holzschuh, 2003

分布：陕西（太白、宁陕）、湖北、四川。

649. 球胸天牛属 *Paramimistena* Fisher, 1940

（1793）小球胸天牛 *Paramimistena enterolobii* Gressitt *et* Rondon, 1970

分布：陕西（秦岭）；老挝，泰国。

650. 跗虎天牛属 *Perissus* Chevrolat, 1863

（1794）宝鸡跗虎天牛 *Perissus delectus* Gressitt, 1951

分布：陕西（周至、宝鸡）。

（1795）暗色跗虎天牛 *Perissus fairmairei* Gressitt, 1940

分布：陕西（华阴）、内蒙古、北京、河北、河南；朝鲜，韩国。

（1796）川跗虎天牛 *Perissus intersectus* Holzschuh，2003

分布：陕西（周至、略阳、太白、宁陕）、四川、西藏。

（1797）斑胸跗虎天牛 *Perissus multifenestratus*（Pic，1926）

分布：陕西（周至），中国广布。

（1798）三条跗虎天牛 *Perissus rhaphumoides* Gressitt，1940

分布：陕西（周至）、河南、江苏。

651．棍腿天牛属 *Phymatodes* Mulsant，1839

（1799）中带棍腿天牛 *Phymatodes*（*Paraphymatodes*）*mediofasciatum* Pic，1933

分布：陕西（秦岭）、江苏、上海、江西、贵州；俄罗斯，朝鲜，韩国。

（1800）红胸棍腿天牛 *Phymatodes*（*Phymatodellus*）*infasciatus*（Pic，1935）

分布：陕西（秦岭）、山东、江苏、上海、福建、江西；俄罗斯，朝鲜，韩国，日本。

（1801）绿翅棍腿天牛 *Phymatodes*（*Phymatodellus*）*zemlinae* Plavilstshikov *et* Anufriev，1964

分布：陕西（周至）、黑龙江；俄罗斯，朝鲜，韩国。

（1802）江苏棍腿天牛 *Phymatodes*（*Poecilium*）*savioi* Pic，1935

分布：陕西（周至、商南）、江苏、上海。

652．丽虎天牛属 *Plagionotus* Mulsant，1842

（1803）红肩丽虎天牛 *Plagionotus christophi*（Kraatz，1879）

分布：陕西（周至、陇县、太白、黄陵、横山）、黑龙江、吉林、辽宁、北京、河北、河南、安徽、湖北；俄罗斯，朝鲜，韩国，日本。

（1804）栎丽虎天牛 *Plagionotus pulcher*（Blessig，1872）

分布：陕西（秦岭、黄陵、延安、横山）、黑龙江、吉林、河北、山西、宁夏；俄罗斯、朝鲜，韩国，日本。

653．多带天牛属 *Polyzonus* Dejean，1835

（1805）多带天牛 *Polyzonus*（*Polyzonus*）*fasciatus*（Fabricius，1781）

分布：陕西（长安、太白、华阴、宁陕、丹凤）、黑龙江、吉林、辽宁、内蒙古、北京、河北、山西、山东、河南、宁夏、甘肃、青海、江苏、安徽、浙江、湖北、江西、湖南、福建、广东、香港、广西、贵州；蒙古，俄罗斯，朝鲜，韩国。

654. 长跗天牛属 *Prothema* Pascoe，1856

（1806）长跗天牛 *Prothema signatum* Pascoe，1856
分布：陕西（周至）、河南、浙江、江西、湖南、福建、广东、海南、广西、贵州、西藏；越南，老挝。

655. 肖扁胸天牛属 *Pseudocallidium* Plavilstshikov，1934

（1807）肖扁胸天牛 *Pseudocallidium violaceum* Plavilstshikov，1934
分布：陕西（周至）、四川。

656. 紫天牛属 *Purpuricenus* Dejean，1821

（1808）缺缘紫天牛 *Purpuricenus globiger globiger* Fairmaire，1888
分布：陕西（周至、略阳、太白、佛坪）、辽宁、北京、河北、山西、江西。

（1809）帽斑紫天牛 *Purpuricenus lituratus* Ganglbauer，1887
分布：陕西（眉县、武功、华阴、汉中、商南）、吉林、辽宁、北京、河北、河南、甘肃、江苏、湖北、江西、湖南、广西、贵州、云南；俄罗斯，朝鲜，韩国，日本。

（1810）黄带紫天牛 *Purpuricenus malaccensis*（Lacordaire，1869）
分布：陕西（秦岭）、广东、海南、云南；老挝，泰国，缅甸，印度，马来西亚，印度尼西亚。

（1811）*Purpuricenus*（*Purpuricenus*）*petasifer* Fairmaire，1888
分布：陕西（秦岭）、吉林、辽宁、河北、甘肃、江苏、湖北、江西、贵州、云南；俄罗斯，朝鲜，日本。

（1812）圆斑紫天牛 *Purpuricenus sideriger sideriger* Fairmaire，1888
分布：陕西（长安、周至、略阳）、辽宁、河北、河南、江苏、浙江、湖北、江西、湖南、福建、广东、广西、四川、贵州、云南；韩国。

（1813）二点紫天牛 *Purpuricenus spectabilis* Motschulsky，1858
分布：陕西（西安、周至）、辽宁、河北、河南、甘肃、江苏、浙江、湖北、江西、湖南、福建、台湾、四川、贵州、云南；韩国，日本。

（1814）中华竹紫天牛 *Purpuricenus temminckii sinensis* White，1853
分布：陕西（秦岭）、辽宁、河北、河南、江苏、上海、浙江、湖北、江西、湖南、福建、台湾、广东、广西、四川、贵州、云南；韩国，日本，老挝。

657. 折天牛属 *Pyrestes* Pascoe，1857

（1815）折天牛 *Pyrestes haematicus* Pascoe，1857

分布：陕西(留坝)、河南、江苏、安徽、浙江、湖北、江西、湖南、福建、台湾、广东、香港、贵州、云南;韩国，日本。

（1816）五斑折天牛 *Pyrestes quinquesignatus* Fairmaire, 1889
分布：陕西(周至、户县、凤县)。

658. 林虎天牛属 *Rhabdoclytus* Ganglbauer, 1889

（1817）陕林虎天牛 *Rhabdoclytus alternans* (Holzschuh, 2003)
分布：陕西(宁陕)。

659. 艳虎天牛属 *Rhaphuma* Pascoe, 1858

（1818）短斑艳虎天牛 *Rhaphuma albicolon* Holzschuh, 2006
分布：陕西(长安)。

（1819）斜尾艳虎天牛 *Rhaphuma binhensis* (Pic, 1922)
分布：陕西(秦岭)、辽宁、海南、四川;越南，老挝。

（1820）连环艳虎天牛 *Rhaphuma elongata* Gressitt, 1940
分布：陕西(周至、太白)、山西、河南、浙江、湖北、江西、湖南、海南、四川、贵州。

（1821）管纹艳虎天牛 *Rhaphuma horsfieldi* (White, 1855)
分布：陕西(秦岭)、台湾、广西、四川、贵州、云南;越南，老挝，缅甸，印度，尼泊尔，印度尼西亚。

（1822）鳞艳虎天牛 *Rhaphuma squamulifera* Holzschuh, 2016
分布：陕西(略阳、宁陕)、四川。

（1823）赤褐艳虎天牛 *Rhaphuma ustulatula* Holzschuh, 2006
分布：陕西(宁陕)。

660. 脊胸天牛属 *Rhytidodera* White, 1853

（1824）脊胸天牛 *Rhytidodera bowringii* White, 1853
分布：陕西(秦岭)、河南、安徽、湖北、江西、湖南、福建、广东、海南、香港、广西、四川、贵州、云南;缅甸，印度，尼泊尔，印度尼西亚。

（1825）灰斑脊胸天牛 *Rhytidodera griseofasciata* Pic, 1912
分布：陕西(周至、佛坪、宁陕、柞水)、河南、云南。

661. 扁鞘天牛属 *Ropalopus* Mulsant, 1839

（1826）赤胸扁鞘天牛 *Ropalopus* (*Prorrhopalopus*) *speciosus* Plavilstshikov, 1915

分布：陕西(周至)、黑龙江、吉林、辽宁；俄罗斯。

662. 丽天牛属 *Rosalia* Audinet-Serville, 1834

(1827) 柳丽天牛 *Rosalia*（*Rosalia*）*batesi* Harold, 1877
　　　分布：陕西(秦岭)、台湾、四川；朝鲜，日本。

(1828) 蓝丽天牛 *Rosalia*（*Rosalia*）*coelestis* Semenov, 1911
　　　分布：陕西(宝鸡)、黑龙江、吉林、北京、河北、山东、河南、广西、四川、西藏；俄罗斯，朝鲜，韩国。

663. 施华天牛属 *Schwarzerium* Matsushita, 1933

(1829) 榆施华天牛 *Schwarzerium*（*Schwarzerium*）*provostii*（Faiimaire, 1887）
　　　分布：陕西(长安、周至、武功、大荔)、辽宁、北京、山西、山东、河南、湖北；韩国。

664. 筒虎天牛属 *Sclethrus* Newman, 1842

(1830) 窄筒虎天牛 *Sclethrus stenocylindrus* Fairmaire, 1895
　　　分布：陕西(南郑)、湖南、广东、海南、广西、重庆、云南；越南，老挝，泰国，缅甸。

665. 杉天牛属 *Semanotus* Mulsant, 1839

(1831) 双条杉天牛 *Semanotus bifasciatus*（Motschulsky, 1875）
　　　分布：陕西(周至、武功、咸阳、宁陕、安康、商南、延安、神木)、内蒙古、北京、河北、山西、山东、河南、甘肃、青海、江苏、上海、安徽、浙江、湖北、江西、福建、台湾、广东、广西、四川、贵州、云南；蒙古，俄罗斯，朝鲜，韩国，日本。

(1832) 粗鞘杉天牛 *Semanotus sinoauster* Gressitt, 1951
　　　分布：陕西(平利)、河北、江苏、安徽、浙江、湖北、江西、湖南、福建、台湾、广东、广西、重庆、四川、贵州、云南；老挝。

666. 华肿角天牛属 *Sinopachys* Sama, 1999

(1833) 华肿角天牛 *Sinopachys mandarinus*（Gressitt, 1939）
　　　分布：陕西(周至、凤县、华阴、汉中、安康、商县、洛南、商南、石泉、紫阳、宁强、西乡)、山西、河南、湖北、湖南、四川。

667. 狭天牛属 *Stenhomalus* White, 1855

（1834）复纹狭天牛 *Stenhomalus complicatus* Gressitt, 1948
分布：陕西(周至、凤县、太白)、山西、广西、四川、云南。

（1835）狭天牛 *Stenhomalus fenestratus* White, 1855
分布：陕西(洋县)、福建、台湾、广东、四川;越南, 老挝, 泰国, 缅甸, 印度, 尼泊尔。

（1836）江苏狭天牛 *Stenhomalus incongruus incongruus* Gressitt, 1939
分布：陕西(华阴)、北京、江苏、上海。

（1837）台湾狭天牛 *Stenhomalus taiwanus* Matsushita, 1933
分布：陕西(宝鸡)、辽宁、河北、山西、河南、湖北、台湾、四川;朝鲜、韩国、日本。

（1838）狭天牛 *Stenhomalus* sp.
分布：陕西(宁陕)。

668. 瘦棍腿天牛属 *Stenodryas* Bates, 1873

（1839）筒胸瘦棍腿天牛 *Stenodryas cylindricollis* Gressitt, 1951
分布：陕西(秦岭)、河北、台湾(?)、云南。

（1840）点瘦棍腿天牛 *Stenodryas punctatella* Holzschuh, 1999
分布：陕西(周至)、湖北。

669. 拟蜡天牛属 *Stenygrinum* Bates, 1873

（1841）拟蜡天牛 *Stenygrinum quadrinotatum* Bates, 1873
分布：陕西(西安、太白、凤县、留坝、佛坪、洋县、宁陕、柞水、镇安、山阳)、黑龙江、吉林、辽宁、内蒙古、北京、天津、河北、山东、河南、甘肃、江苏、安徽、浙江、湖北、江西、湖南、福建、台湾、广东、广西、重庆、四川、贵州、云南;蒙古, 俄罗斯, 朝鲜; 韩国, 日本, 越南, 老挝, 泰国, 缅甸, 印度。

670. 特虎天牛属 *Teratoclytus* Zaitzev, 1937

（1842）陕特虎天牛 *Teratoclytus simplicior* Holzschuh, 1992
分布：陕西(华阴)。

671. 锥背天牛属 *Thranius* Pascoe, 1859

（1843）黄斑多斑锥背天牛 *Thranius multinotatus signatus* Schwarzer, 1925

分布：陕西（秦岭）、浙江、湖南、福建、台湾、广东、海南、四川、云南；越南。

（1844）棕黄单锥背天牛 *Thranius simplex fulvus* Pu，1992

分布：陕西（西安、周至、留坝、佛坪、宁陕、汉中）、四川。

（1845）单锥背天牛 *Thranius simplex simplex* Gahan，1894

分布：陕西（秦岭）、湖北、四川、云南、西藏；缅甸，印度，不丹，尼泊尔。

672. 茸天牛属 *Trichoferus* Wollaston，1854

（1846）家茸天牛 *Trichoferus campestris*（Faldermann，1835）

分布：陕西（周至、凤县、宝鸡、太白、扶风、武功、留坝、佛坪、宁陕、柞水、安康、洛南、宁强、渭南、合阳、延安、榆林、兴平）、黑龙江、吉林、辽宁、内蒙古、北京、河北、山西、山东、河南、甘肃、青海、新疆、江苏、安徽、浙江、湖北、湖南、四川、贵州、云南；蒙古，俄罗斯，朝鲜，日本，中亚地区，欧洲。

（1847）*Trichoferus guerryi*（Pic，1915）

分布：陕西（秦岭）、北京、河北、山东、湖北、重庆、四川、云南；蒙古。

（1848）壮茸天牛 *Trichoferus robustipes* Holzschuh，2003

分布：陕西（留坝、宁陕、旬阳）。

（1849）甘肃茸天牛 *Trichoferus semipunctatus* Holzschuh，2003

分布：陕西（周至、武功）、北京、甘肃。

673. 刺角天牛属 *Trirachys* Hope，1841

（1850）刺角天牛 *Trirachys orientalis* Hope，1843

分布：陕西（西安、武功、商洛、合阳、西乡、紫阳）、辽宁、北京、河北、山西、山东、河南、江苏、上海、安徽、浙江、湖北、江西、福建、台湾、海南、重庆、四川、贵州；日本，老挝。

674. 脊虎天牛属 *Xylotrechus* Chevrolat，1860

（1851）秦岭脊虎天牛 *Xylotrechus boreosinicus* Gressitt，1951

分布：陕西（宝鸡、留坝）、湖北。

（1852）叉脊虎天牛 *Xylotrechus buqueti*（Laporte *et* Gory，1841）

分布：陕西（秦岭）、江西、湖南、福建、广东、海南、广西、云南、西藏；越南，老挝，泰国，缅甸，印度，菲律宾，马来西亚，印度尼西亚。

（1853）*Xylotrechus chinensis*（Chevrolat，1852）

分布：陕西（秦岭）、辽宁、河北、山西、河南、山东、甘肃、江苏、安徽、浙江、湖北、江西、福建、台湾、广东、香港、广西、四川、云南、西藏；朝鲜，韩国，日本。

（1854）桦脊虎天牛 *Xylotrechus clarinus* Bates，1884

　　分布：陕西（秦岭）、黑龙江、吉林、辽宁、内蒙古、宁夏、甘肃、湖南、福建、广东、四川；俄罗斯，朝鲜，韩国，日本。

（1855）咖啡脊虎天牛 *Xylotrechus grayii*（White，1855）

　　分布：陕西（眉县）、河北、山东、河南、甘肃、江苏、湖北、湖南、福建、台湾、广东、香港、四川、贵州、云南、西藏；韩国，日本。

（1856）显纹脊虎天牛 *Xylotrechus ibex*（Gebler，1825）

　　分布：陕西（秦岭）、黑龙江、吉林、辽宁、内蒙古、宁夏、甘肃、新疆、湖南、福建；蒙古，俄罗斯，朝鲜，韩国，哈萨克斯坦，欧洲。

（1857）核桃曲纹脊虎天牛 *Xylotrechus incurvatus contortus* Gahan，1906

　　分布：陕西（秦岭）、湖北、湖南、福建、台湾、广东、广西、四川、贵州、云南；缅甸，印度。

（1858）红黑头脊虎天牛 *Xylotrechus latefasciatus ochroceps* Gressitt，1951

　　分布：陕西（汉中）、重庆、四川、西藏。

（1859）霉脊虎天牛 *Xylotrechus mucidulus* Holzschuh，2009

　　分布：陕西（宁陕）；老挝，泰国。

（1860）四带脊虎天牛 *Xylotrechus polyzonus*（Fairmaire，1888）

　　分布：陕西（宁陕、安康）、辽宁、河北、北京、湖北、广东；俄罗斯，朝鲜，韩国。

（1861）葡脊虎天牛 *Xylotrechus pyrrhoderus* Bates，1873

　　分布：陕西（周至、凤县）、吉林、辽宁、山西、山东、甘肃、江苏、浙江、湖北、江西、福建、广东、广西、四川、贵州；朝鲜，韩国，日本。

（1862）陕脊虎天牛 *Xylotrechus retractus* Holzschuh，1998

　　分布：陕西（宁陕）。

（1863）黑胸脊虎天牛 *Xylotrechus robusticollis*（Pic，1936）

　　分布：陕西（户县、安康、紫阳）、湖北、江西、四川、贵州。

（1864）*Xylotrechus sikangensis* Greesitt，1942

　　分布：陕西（秦岭）、四川、贵州。

（1865）桑脊虎天牛 *Xylotrechus*（*Xyloclytus*）*chinensis chinensis*（Chevrolat，1852）

　　分布：陕西（西安、镇安、商南、黄陵、榆林）、辽宁、北京、河北、山西、山东、河南、甘肃、江苏、安徽、浙江、湖北、福建、台湾、广东、香港、广西、四川、西藏；朝鲜，韩国。

（1866）白蜡脊虎天牛 *Xylotrechus*（*Xylotrechus*）*rufilius* Bates，1884

分布：陕西（周至、佛坪、镇安、丹凤）、黑龙江、吉林、北京、河北、山东、河南、安徽、浙江、湖北、江西、湖南、福建、台湾、广东、海南、香港、广西、四川、云南；俄罗斯，朝鲜，韩国，日本，老挝，缅甸，印度。

（1867）宽带脊虎天牛 *Xylotrechus*（*Xylotrechus*）*yanoi* Gressitt，1934

分布：陕西（眉县）、内蒙古、北京、河北、贵州；韩国，日本。

675．双条天牛属 *Xystrocera* Audinet-Serville，1834

（1868）*Xystrocera festiva* Thomson，1861

分布：陕西（秦岭）、河北、河南、山东、江苏、安徽、浙江、湖北、江西、湖南、福建、台湾、广东、海南、广西、重庆、四川、贵州、云南；朝鲜，韩国，日本，越南，老挝，泰国，柬埔寨，缅甸，印度，尼泊尔，巴基斯坦，孟加拉国，斯里兰卡，菲律宾，马来西亚，印度尼西亚，以色列，埃及，澳大利亚。

（1869）双条天牛 *Xystrocera globosa*（Olivier，1795）

分布：陕西（凤县、略阳、武功、留坝、佛坪、洋县、宁陕、汉中、安康、镇安、丹凤、西乡、商洛、石泉、紫阳）、河北、山东、河南、甘肃、江苏、上海、安徽、浙江、湖北、江西、湖南、福建、台湾、广东、海南、广西、四川、贵州、云南；朝鲜，韩国，日本，越南，老挝，泰国，缅甸，印度，不丹，尼泊尔，巴基斯坦，以色列，孟加拉国，柬埔寨，斯里兰卡，菲律宾，马来西亚，印度尼西亚，埃及，入侵非洲和澳大利亚。

676．义虎天牛属 *Yoshiakioclytus* Niisato，2007

（1870）陕义虎天牛 *Yoshiakioclytus stigmosus*（Holzschuh，2003）

分布：陕西（宝鸡）、甘肃。

（七）沟胫天牛亚科 Lamiinae

677．锦天牛属 *Acalolepta* Pascoe，1858

（1871）咖啡锦天牛 *Acalolepta cervina*（Hope，1831）

分布：陕西（太白、华县、宁陕）、浙江、湖北、江西、福建、广东、海南、香港、广西、四川、贵州、云南、西藏；越南，老挝，缅甸，印度，尼泊尔。

（1872）寡白芒锦天牛 *Acalolepta flocculata paucisetosa*（Gressitt，1938）
　　分布：陕西（旬阳）、广西、四川、贵州。

（1873）宁陕锦天牛 *Acalolepta ningshanensis* Danilevsky，2013
　　分布：陕西（留坝、宁陕、旬阳）、湖北、四川、贵州、云南。

（1874）金绒锦天牛 *Acalolepta permutans permutans*（Pascoe，1857）
　　分布：陕西（洋县）、河南、安徽、浙江、湖北、江西、湖南、福建、台湾、广东、香港、广西、四川、贵州；越南。

（1875）绢花锦天牛 *Acalolepta sericeomicans*（Fairmaire，1889）
　　分布：陕西（陇县、白河）、江苏、安徽、浙江、广东、海南、四川、云南；越南。

（1876）双斑锦天牛 *Acalolepta sublusca*（Thomson，1857）
　　分布：陕西（西安、凤县）、北京、河北、山东、河南、江苏、上海、浙江、湖北、江西、湖南、福建、广东、海南、广西、四川、贵州；越南，老挝，柬埔寨，马来西亚，新加坡。

678. 长角天牛属 *Acanthocinus* Dejean，1821

（1877）长角天牛 *Acanthocinus aedilis*（Linnaeus，1758）
　　分布：陕西（宁陕、勉县、宜君、黄陵）、黑龙江、吉林、内蒙古、河北、山东、河南、湖北、江西；蒙古，俄罗斯，朝鲜，韩国，哈萨克斯坦，土耳其，欧洲。

（1878）小灰长角天牛 *Acanthocinus griseus*（Fabricius，1793）
　　分布：陕西（蓝田、略阳、太白、武功、留坝、勉县、佛坪、洋县、宁陕、镇安、丹凤、宜君、黄陵）、黑龙江、吉林、辽宁、内蒙古、北京、河北、河南、甘肃、宁夏、新疆、浙江、湖北、江西、福建、广东、广西、贵州；蒙古，俄罗斯，朝鲜，韩国，土耳其，叙利亚，欧洲。

679. 棘翅天牛属 *Aethalodes* Gahan，1888

（1879）棘翅天牛 *Aethalodes verrucosus verrucosus* Gahan，1888
　　分布：陕西（汉阴、紫阳）、浙江、湖北、江西、湖南、福建、广东、广西、四川、贵州；越南。

680. 多节天牛属 *Agapanthia* Audinet-Serville，1835

（1880）苜蓿多节天牛 *Agapanthia*（*Amurobia*）*amurensis* Kraatz，1879
　　分布：陕西（长安、周至、太白、杨凌、武功、华县、华阴、留坝、佛坪、洋县、柞水、镇安、山阳、洛南、黄陵）、黑龙江、吉林、内蒙古、北京、河北、山东、河南、宁夏、新疆、江苏、浙江、湖北、江西、湖南、福建、四川；蒙古，俄罗斯，朝鲜，日本。

（1881）毛角多节天牛 *Agapanthia*（*Amurobia*）*pilicornis*（Fabricius, 1787）
分布：陕西（长安）、吉林、山东、江苏、浙江、湖北、江西、四川；蒙古，俄罗斯，朝鲜，韩国，日本。

（1882）大麻多节天牛 *Agapanthia*（*Epoptes*）*daurica daurica* Ganglbauer, 1884
分布：陕西（洛南）、黑龙江、吉林、辽宁、内蒙古、新疆、湖北；蒙古，俄罗斯，朝鲜，韩国，日本。

681. 白腰天牛属 *Anaches* Pascoe, 1865

（1883）白腰天牛 *Anaches dorsalis*（Pascoe, 1858）
分布：陕西（周至、宁陕）、浙江、福建、香港、广西、重庆、四川、贵州、云南；越南，老挝，泰国，印度，尼泊尔，孟加拉国。

682. 微天牛属 *Anaesthetobrium* Pic, 1923

（1884）白微天牛 *Anaesthetobrium pallidipes* Holzschuh, 2010
分布：陕西（宁陕）。

683. 安天牛属 *Annamanum* Pic, 1925

（1885）文柱安天牛 *Annamanum wenzhui* Lin *et* Ge, 2017
分布：陕西（宁陕）、河南、湖北。

684. 星天牛属 *Anoplophora* Hope, 1839

（1886）华星天牛 *Anoplophora chinensis*（Forster, 1771）
分布：陕西（周至、太白、勉县、佛坪、洋县、柞水、山阳、商南）、吉林、辽宁、北京、河北、山西、山东、河南、甘肃、江苏、安徽、浙江、湖北、江西、湖南、福建、台湾、广东、海南、香港、广西、四川、贵州、云南；朝鲜，韩国，日本，缅甸，阿富汗，欧洲（入侵）。

（1887）蓝斑星天牛 *Anoplophora davidis*（Fairmaire, 1886）
分布：陕西（洛南、紫阳）、广西、四川、云南、西藏；越南，老挝，泰国，缅甸，柬埔寨，菲律宾。

（1888）十星星天牛 *Anoplophora decemmaculata* Pu, 1999

分布：陕西（周至）、湖北、湖南、四川。

（1889）光肩星天牛 *Anoplophora glabripennis*（Motschulsky，1854）

分布：陕西（长安、周至、陇县、杨凌、勉县、柞水、镇安、宁强）、黑龙江、吉林、辽宁、内蒙古、北京、天津、河北、山西、山东、河南、宁夏、甘肃、江苏、安徽、浙江、湖北、江西、湖南、福建、广西、四川、贵州、云南、西藏；蒙古，俄罗斯，朝鲜，韩国，日本，欧洲（入侵奥地利、捷克、法国、德国、意大利）。

（1890）楝星天牛 *Anoplophora horsfieldii*（Hope，1842）

分布：陕西（城固、安康、紫阳）、河南、江苏、安徽、浙江、湖北、江西、湖南、福建、台湾、广东、海南、广西、四川、贵州、云南；越南，泰国，印度。

（1891）拟星天牛 *Anoplophora imitator*（White，1858）

分布：陕西（秦岭）、江苏、上海、浙江、湖北、江西、湖南、福建、广东、海南、广西、四川、贵州、云南。

（1892）槐星天牛 *Anoplophora lurida*（Pascoe，1856）

分布：陕西（留坝、佛坪、宁陕、石泉）、河北、河南、甘肃、江苏、浙江、湖北、江西、湖南、台湾、广西、四川。

685. 瓜天牛属 *Apomecyna* Dejean，1821

（1893）南瓜天牛 *Apomecyna*（*Apomecyna*）*saltator*（Fabricius，1787）

分布：陕西（周至、志丹）、江苏、浙江、江西、湖北、湖南、福建、台湾、广东、香港、广西、海南、四川、贵州、云南；越南，老挝，印度，斯里兰卡，孟加拉国。

686. 粒肩天牛属 *Apriona* Chevrolat，1852

（1894）皱胸粒肩天牛 *Apriona rugicollis rugicollis* Chevrolat，1852

分布：陕西（西安、长安、陇县、凤县、武功、华县、临潼、勉县、洋县、宁陕、旬阳、镇安、安康、汉中、商县、子洲、清涧、米脂）、辽宁、北京、河北、山西、山东、河南、甘肃、青海、江苏、上海、安徽、浙江、湖北、江西、湖南、福建、台湾、广东、海南、香港、广西、四川、贵州、云南、西藏；俄罗斯，朝鲜，韩国，日本。

（1895）锈色粒肩天牛 *Apriona swainsoni swainsoni*（Hope，1840）

分布：陕西（西安、丹凤）、北京、河北、山东、河南、江苏、上海、安徽、湖北、湖南、福建、海南、广西、四川、贵州、云南；朝鲜，韩国，越南，老挝，泰国，缅甸，印度，柬埔寨。

687．簇天牛属 *Aristobia* Thomson，1868

（1896）瘤胸簇天牛 *Aristobia hispida*（Saunders，1853）
分布：陕西（西安、武功、勉县、洋县、宁陕、旬阳、平利、城固、安康、商南、石泉）、北京、河北、河南、江苏、浙江、安徽、湖北、江西、湖南、福建、台湾、广东、海南、香港、广西、四川、贵州、云南、西藏;越南。

（1897）簇天牛 *Aristobia reticulator*（Fabricius，1781）
分布：陕西（长安）、福建、广东、海南、香港、广西、云南;越南，老挝，泰国，缅甸，印度，尼泊尔，孟加拉国。

（1898）碎斑簇天牛 *Aristobia voetii* Thomson，1878
分布：陕西（安康）、河南、湖北、江西、福建、广东、海南、广西、云南;老挝，泰国，缅甸。

688．伪楔天牛属 *Asaperda* Bates，1873

（1899）伪楔天牛 *Asaperda* sp.
分布：陕西（洋县、宁陕）。

689．肖楔天牛属 *Asaperdina* Breuning，1975

（1900）棕肖楔天牛 *Asaperdina brunnea* Pesarini *et* Sabbadini，1999
分布：陕西（华阴、留坝、佛坪、丹凤）。

690．灰锦天牛属 *Astynoscelis* Pic，1904

（1901）灰锦天牛 *Astynoscelis degener*（Bates，1873）
分布：陕西（周至、凤县、太白、华县、华阴、留坝、佛坪、洋县、宁陕、柞水、洛南、山阳、丹凤、镇坪、铜川、黄陵、紫阳、石泉）、黑龙江、吉林、内蒙古、山东、甘肃、江苏、上海、浙江、湖北、江西、湖南、福建、台湾、广东、广西、重庆、四川、贵州、云南;蒙古，俄罗斯，韩国，日本。

691．原脊翅天牛属 *Atimura* Pascoe，1863

（1902）日本原脊翅天牛 *Atimura japonica* Bates，1873
分布：陕西（凤县、眉县、留坝、佛坪、宁陕）;韩国，日本，越南。

692．眼天牛属 *Bacchisa* Pascoe，1866

（1903）绿翅眼天牛 *Bacchisa*（*Atrobacchisa*）*atrocoerulea*（Gressitt，1951）

分布：陕西（宝鸡）。

（1904）黑跗眼天牛 *Bacchisa*（*Bacchisa*）*atritarsis*（Pic，1912）

分布：陕西（长安）、辽宁、山东、河南、安徽、浙江、湖北、江西、湖南、福建、台湾、广东、海南、广西、四川、贵州。

（1905）苹眼天牛 *Bacchisa*（*Bacchisa*）*dioica*（Fairmaire，1878）

分布：陕西（汉中、南郑）、四川、云南；印度。

（1906）梨眼天牛 *Bacchisa*（*Bacchisa*）*fortunei fortunei*（Thomson，1857）

分布：陕西（西安、长安、周至、凤县、勉县、汉中、城固、安康、商县、山阳、平利、丹凤、宁强、三原、安塞、志丹）、吉林、山西、山东、河南、宁夏、甘肃、青海、江苏、上海、安徽、浙江、湖北、江西、湖南、福建、广东、广西、四川、贵州；朝鲜，韩国，越南。

693. 白条天牛属 *Batocera* Dejean，1835

（1907）橙斑白条天牛 *Batocera davidis* Deyrolle，1878

分布：陕西（旬阳、南郑、商南、白河）、河南、浙江、湖北、湖南、福建、台湾、广东、海南、香港、广西、四川、贵州、云南；越南，老挝。

（1908）云斑白条天牛 *Batocera horsfieldi*（Hope，1839）

分布：陕西（蓝田、周至、凤县、勉县、宁陕、宁强、城固、安康、镇安、平利、西乡）、吉林、北京、河北、山西、山东、河南、江苏、安徽、浙江、湖北、江西、湖南、福建、广东、广西、四川、贵州、云南、西藏；越南，缅甸，印度，不丹，尼泊尔。

（1909）密点白条天牛 *Batocera lineolata* Chevrolat，1852

分布：陕西（勉县、洋县、宁陕、安康、镇安、紫阳）、河北、江苏、上海、安徽、浙江、湖北、江西、福建、台湾、广东、海南、广西、四川、贵州、云南；韩国，日本，老挝，印度。

（1910）白条天牛 *Batocera rubus*（Linnaeus，1758）

分布：陕西（华阴、宁陕）、山西、浙江、福建、台湾、广东、海南、香港、广西、四川、贵州、云南；朝鲜，韩国，日本，越南，印度，尼泊尔，巴基斯坦，菲律宾，马来西亚，印度尼西亚，沙特阿拉伯。

694. 灰天牛属 *Blepephaeus* Pascoe，1866

（1911）云纹灰天牛 *Blepephaeus infelix*（Pascoe，1856）

分布：陕西（长安）、浙江、江西、湖南、福建、广东、广西、重庆、四川、贵州；

韩国。

（1912）灰天牛 *Blepephaeus succinctor*（Chevrolat，1852）

分布：陕西（旬阳）、江苏、上海、浙江、江西、湖南、台湾、广东、海南、香港、广西、四川、云南、西藏；越南，老挝，泰国，印度，尼泊尔，孟加拉国，马来西亚。

695．短额天牛属 *Bumetopia* Pascoe，1858

（1913）二斑短额天牛 *Bumetopia oscitans* Pascoe，1858

分布：陕西（秦岭）、台湾、香港；韩国，日本。

696．缨象天牛属 *Cacia* Newman，1842

（1914）波纹缨象天牛 *Cacia*（*Ipocregyes*）*lepesmei* Gressitt，1951

分布：陕西（秦岭）、广西。

697．荣天牛属 *Clytosemia* Bates，1884

（1915）荣天牛 *Clytosemia pulchra* Bates，1884

分布：陕西（周至、陇南、眉县、留坝、佛坪、宁陕、柞水、丹凤、洛南）；俄罗斯，日本。

698．豹天牛属 *Coscinesthes* Bates，1890

（1916）豹天牛 *Coscinesthes porosa* Bates，1890

分布：陕西（长安、周至、眉县、太白、武功、华阴、佛坪、洋县）、河南、浙江、广东、四川、云南。

699．拟筛天牛属 *Cribrohammus* Breuning，1966

（1917）川拟筛天牛 *Cribrohammus fragosus* Holzschuh，1998

分布：陕西（宁陕）、四川。

700．平顶天牛属 *Cylindilla* Bates，1884

（1918）福建平顶天牛 *Cylindilla interrupta*（Gressitt，1951）

分布：陕西（眉县、佛坪、宁陕、丹凤）、福建、四川。

701．刺脊天牛属 *Dystomorphus* Pic，1926

（1919）云杉刺脊天牛 *Dystomorphus piceae* Holzschuh，2003

分布：陕西（凤县、武功、留坝、勉县、宁陕、宁强）、湖北、四川、云南。

702. 艾格天牛属 *Egesina* Pascoe，1864

（1920）沥黑艾格天牛 *Egesina*（*Egesina*）*picina* Holzschuh，2007
　　　　分布：陕西（宝鸡、宁陕）。

（1921）赭色艾格天牛 *Egesina*（*Egesina*）*umbrina* Holzschuh，2007
　　　　分布：陕西（周至、宝鸡、宁陕）、贵州。

703. 草天牛属 *Eodorcadion* Breuning，1947

（1922）细脊草天牛 *Eodorcadion*（*Eodorcadion*）*minicarinatum* Danilevsky *et* Lin，2012
　　　　分布：陕西（合阳）、安徽。

（1923）多脊草天牛 *Eodorcadion*（*Eodorcadion*）*multicarinatum*（Breuning，1943）
　　　　分布：陕西（合阳）、内蒙古、山西、甘肃、青海。

（1924）少脊草天牛 *Eodorcadion*（*Eodorcadion*）*oligocarinatum* Danilevsky，2007
　　　　分布：陕西（礼泉）、山西。

（1925）密条草天牛 *Eodorcadion*（*Eodorcadion*）*virgatum virgatum*（Motschul-sky，1854）
　　　　分布：陕西（定边、榆林）、内蒙古、北京、天津、河北、山西、宁夏、甘肃；蒙古。

（1926）拟波氏草天牛 *Eodorcadion*（*Ornatodorcadion*）*potaninellum* Danilevsky *et* Lin，2012
　　　　分布：陕西（宜川、靖边、榆林）。

（1927）拟密点草天牛 *Eodorcadion*（*Ornatodorcadion*）*pseudornatum* Danilevsky *et* Lin，2012
　　　　分布：陕西（宜川）。

704. 弱筒天牛属 *Epiglenea* Bates，1884

（1928）弱筒天牛 *Epiglenea comes* Bates，1884
　　　　分布：陕西（周至、留坝、佛坪、洋县、宁陕、柞水、石泉、安康、歧山）、河南、浙江、江西、湖南、福建、广东、广西、重庆、四川、贵州、云南；蒙古，韩国，日本，越南。

705. 拟修天牛属 *Eumecocera* Solsky，1871

（1929）拟修天牛 *Eumecocera* sp. nr. *Lineata*

分布：陕西（周至）。

706. 短节天牛属 *Eunidia* Erichson, 1843

（1930）沙氏短节天牛 *Eunidia savioi*（Pic, 1925）
分布：陕西（佛坪）、江苏、上海。

707. 真象天牛属 *Eurymesosa* Breuning, 1939

（1931）自然之翼真象天牛 *Eurymesosa ziranzhiyi* Yamasako *et* Lin, 2016
分布：陕西（佛坪、洋县）、湖北。

708. 长筒天牛属 *Euseboides* Gahan, 1893

（1932）长筒天牛 *Euseboides* sp. nr. *matsudai*
分布：陕西（宁陕）。

709. 直脊天牛属 *Eutetrapha* Bates, 1884

（1933）朱红直脊天牛 *Eutetrapha cinnabarina* Pu, 1986
分布：陕西（周至、太白、留坝、洋县、宁陕）、河北、山东、河南、甘肃、湖北。

（1934）复纹直脊天牛 *Eutetrapha complexa* Pu *et* Jin, 1991
分布：陕西（周至、宁陕）、甘肃。

（1935）更多点直脊天牛 *Eutetrapha parastigmosa* Lin *et* Yang, 2017
分布：陕西（宁陕）、河南、湖北、重庆。

（1936）直脊天牛 *Eutetrapha sedecimpunctata sedecimpunctata*（Motschulsky, 1860）
分布：陕西（秦岭）、黑龙江、吉林、辽宁、河北；俄罗斯，朝鲜，韩国，日本。

（1937）陕西直脊天牛 *Eutetrapha shaanxiana* Lin *et* Yang, 2017
分布：陕西（周至、陇县、华阴、宁陕、石泉）、湖北、甘肃。

（1938）绒线直脊天牛 *Eutetrapha velutinofasciata* Pic, 1939
分布：陕西（延安）、黑龙江、辽宁、内蒙古、北京、河北、山西。

710. 勾天牛属 *Exocentrus* Dejean, 1835

（1939）布兰勾天牛 *Exocentrus blanditus* Holzschuh, 2010
分布：陕西（略阳）。

（1940）刺勾天牛 *Exocentrus spineus* Holzschuh，2007

　　分布：陕西（太白、宁陕）、贵州。

（1941）勾天牛 *Exocentrus* **cf.** *tsushimanus*

　　分布：陕西（宝鸡、太白、耀县）；俄罗斯，韩国，日本。

（1942）榆勾天牛 *Exocentrus ulmicola* Holzschuh，2007

　　分布：陕西（周至、太白）、北京、河北。

（1943）老勾天牛 *Exocentrus vetustus* Holzschuh，2007

　　分布：陕西（宁陕）。

711. 额象天牛属 *Falsomesosella* Pic，1925

（1944）截尾额象天牛 *Falsomesosella truncatipennis* Pic，1944

　　分布：陕西（周至、眉县、佛坪）、河南、浙江、湖北。

712. 并脊天牛属 *Glenea* Newman，1842

（1945）桑并脊天牛 *Glenea*（*Glenea*）*centroguttata* Fairmaire，1897

　　分布：陕西（渭南、柞水）、河南、甘肃、福建、台湾、广东、广西、四川、贵州、
云南、西藏；日本。

（1946）拟蜥并脊天牛 *Glenea*（*Glenea*）*hauseri* Pic，1933

　　分布：陕西（宁陕）、湖南、四川、云南。

（1947）十二星并脊天牛 *Glenea*（*Glenea*）*licenti* Pic，1939

　　分布：陕西（周至、凤县、眉县、太白、留坝、佛坪、宁陕）、宁夏、甘肃、湖北、
四川。

（1948）斜斑并脊天牛 *Glenea*（*Glenea*）*obliqua* Gressitt，1939

　　分布：陕西（周至、佛坪、宁陕）、河南、安徽、浙江、湖北、福建；越南。

（1949）峨眉并脊天牛 *Glenea*（*Glenea*）*omeiensis* Chiang，1963

　　分布：陕西（秦岭）、四川。

（1950）复纹并脊天牛指名亚种 *Glenea*（*Glenea*）*pieliana pieliana* Gressitt，1939

　　分布：陕西（华阴）、浙江、湖北、江西、福建。

（1951）榆并脊天牛 *Glenea*（*Glenea*）*relicta* Pascoe，1858

　　分布：陕西（长安、周至、佛坪、宁陕、镇安）、江苏、安徽、浙江、湖北、江西、
湖南、福建、广东、海南、广西、四川、贵州；韩国，印度，越南。

（1952）眉斑并脊天牛 *Glenea*（*Stiroglenea*）*cantor*（Fabricius，1787）

　　分布：陕西（宁强）、浙江、江西、广东、海南、香港、澳门、广西、贵州、云南；

越南, 老挝, 泰国, 印度, 菲律宾。

713. 尖尾天牛属 *Graphidessa* Bates, 1884

(1953) 尖尾天牛 *Graphidessa* sp.

　　分布: 陕西(佛坪)。

714. 多毛天牛属 *Hirtaeschopalaea* Pic, 1925

(1954) 多毛天牛 *Hirtaeschopalaea albolineata* Pic, 1925

　　分布: 陕西(周至、武功、佛坪、柞水)、云南;越南, 老挝, 印度。

715. 筒胸天牛属 *Iproca* Gressitt, 1940

(1955) 筒胸天牛未知种 *Iproca* sp. nr. *flavolineata*

　　分布: 陕西(周至、眉县)。

716. 粒翅天牛属 *Lamiomimus* Kolbe, 1886

(1956) 粒翅天牛 *Lamiomimus gottschei* Kolbe, 1886

　　分布: 陕西(长安、蓝田、周至、宝鸡、杨凌、武功、佛坪、铜川、黄陵、神木)、黑龙江、吉林、辽宁、北京、河北、山西、山东、河南、甘肃、江苏、安徽、浙江、湖北、江西、湖南、广西、四川、贵州;俄罗斯, 朝鲜, 韩国。

717. 利天牛属 *Leiopus* Audinet-Serville, 1835

(1957) 红薯利天牛 *Leiopus* (*Carinopus*) *holzschuhi* Wallin, Kvamme *et* Lin, 2012

　　分布: 陕西(太白山, 宁陕)、河南、重庆、四川、贵州。

(1958) 黑带利天牛 *Leiopus* (*Carinopus*) *nigrofasciculosus* Wallin, Kwamme *et* Lin, 2012

　　分布: 陕西(宁陕)、安徽。

(1959) 眼斑利天牛 *Leiopus* (*Carinopus*) *ocellatus* Wallin, Kvamme *et* Lin, 2012

　　分布: 陕西(武功、宁陕、石泉)。

718. 瘦象天牛属 *Leptomesosa* Breuning, 1939

(1960) 瘦象天牛 *Leptomesosa cephalotes* (Pic, 1903)

　　分布: 陕西(宁陕)、四川、云南;老挝。

719. 瘤筒天牛属 *Linda* Thomson，1864

（1961）簇毛瘤筒天牛 *Linda*（*Dasylinda*）*fasciculata* Pic，1902

分布：陕西（宁陕）、四川、云南；越南。

（1962）黑角瘤筒天牛 *Linda*（*Linda*）*atricornis* Pic，1924

分布：陕西（平利）、河南、江苏、上海、浙江、湖北、江西、湖南、福建、广东、
广西、四川、贵州、云南。

（1963）瘤筒天牛 *Linda*（*Linda*）*femorata*（Chevrolat，1852）

分布：陕西（长安、周至、凤县、留坝、柞水）、河南、江苏、上海、浙江、湖北、
江西、湖南、福建、台湾、广东、广西、四川、贵州、云南。

（1964）小瘤筒天牛 *Linda*（*Linda*）*macilenta* Gressitt，1947

分布：陕西（眉县、华阴、宁陕）、四川。

（1965）黄山瘤筒天牛 *Linda*（*Linda*）*major* Gressitt，1942

分布：陕西（洋县、宁陕）、安徽、福建、贵州。

（1966）黑瘤瘤筒天牛 *Linda*（*Linda*）*subatricornis* Lin *et* Yang，2012

分布：陕西（长安、眉县、武功、勉县、宁陕、汉中、城固、商南、丹凤）、北京、
河北、宁夏、福建、重庆、四川。

720. 弱脊天牛属 *Menesia* Mulsant，1856

（1967）黄斑弱脊天牛 *Menesia flavotecta* Heyden，1886

分布：陕西（周至）、吉林、辽宁、山东、安徽；蒙古，俄罗斯，韩国，日本。

（1968）培甘弱脊天牛 *Menesia sulphurata*（Gebler，1825）

分布：陕西（周至、眉县、太白、武功、留坝、佛坪、宁陕、宁强、石泉、延安）、
北京、河北、山西、吉林、山东、宁夏、河南、湖北、四川、台湾；蒙古，俄罗
斯，朝鲜，韩国，日本，哈萨克斯坦。

（1969）陕弱脊天牛 *Menesia vitiphaga* Holzschuh，2003

分布：陕西（略阳）。

721. 象天牛属 *Mesosa* Latreille，1829

（1970）四点象天牛 *Mesosa*（*Mesosa*）*myops*（Dalman，1817）

分布：陕西（长安、周至、陇县、宝鸡、太白、留坝、勉县、洋县、宁陕、安康、
宁强、紫阳、黄陵、平利）、黑龙江、吉林、辽宁、内蒙古、河北、北京、河南、
甘肃、青海、新疆、安徽（?）、浙江（?）、湖北（?）、广东（?）、四川（?）、贵

州（？）；蒙古，俄罗斯，朝鲜，韩国，日本，哈萨克斯坦，欧洲北部。

（1971）异斑象天牛 *Mesosa*（*Mesosa*）*stictica* **Blanchard，1871**

　　分布：陕西（周至、凤县、太白、武功、华阴、佛坪、柞水、镇安、商南）、北京、山西、山东、河南、甘肃、浙江、湖北、四川、贵州、云南、西藏。

（1972）黑点象天牛 *Mesosa*（*Perimesosa*）*atrostigma* **Gressitt，1942**

　　分布：陕西（周至、凤县、佛坪）、安徽、浙江、福建、台湾、广西。

（1973）峦纹象天牛 *Mesosa*（*Perimesosa*）*irrorata* **Gressitt，1939**

　　分布：陕西（周至、凤县、宁陕）、河南、浙江、湖北、江西、湖南、福建、四川。

722. 小沟胫天牛属 *Miccolamia* **Bates，1884**

（1974）二簇小沟胫天牛 *Miccolamia bicristata* **Pesarini *et* Sabbadini，1997**

　　分布：陕西（华阴）。

（1975）污小沟胫天牛 *Miccolamia coenosa* **Holzschuh，2010**

　　分布：陕西（宝鸡）、湖北。

（1976）扁桃小沟胫天牛 *Miccolamia tonsilis* **Holzschuh，2010**

　　分布：陕西（宁陕）、甘肃。

723. 肖申天牛属 *Mimectatina* **Aurivillius，1927**

（1977）肖申天牛 *Mimectatina* **sp.**

　　分布：陕西（眉县）。

724. 拟鹿岛天牛属 *Mimocagosima* **Breuning，1968**

（1978）拟鹿岛天牛 *Mimocagosima ochreipennis* **Breuning，1968**

　　分布：陕西（武功）、云南；老挝，泰国。

725. 污天牛属 *Moechotypa* **Thomson，1864**

（1979）双簇污天牛 *Moechotypa diphysis*（**Pascoe，1871**）

　　分布：陕西（周至、眉县、太白、留坝、佛坪、洋县、宁陕、柞水、宜川、宜君）、黑龙江、吉林、辽宁、内蒙古、北京、河北、山西、河南、甘肃、安徽、浙江、湖北、江西、湖南、广西、四川、贵州；蒙古，俄罗斯，朝鲜，韩国，日本。

726. 墨天牛属 *Monochamus* **Dejean，1821**

（1980）突变墨天牛 *Monochamus abruptus* **Holzschuh，2015**

分布：陕西（周至、宝鸡、宁陕）。

（1981）松墨天牛 *Monochamus alternatus alternatus* Hope，1842

分布：陕西（武功、佛坪、洋县、宁陕、城固）、北京、河北、山东、河南、江苏、安徽、浙江、湖北、江西、湖南、福建、台湾、广东、香港、广西、四川、贵州、云南、西藏；韩国，日本，老挝。

（1982）缝刺墨天牛 *Monochamus gravidus* Pascoe，1858

分布：陕西（秦岭）、河南、山东、安徽、浙江、湖南、福建；马来西亚（婆罗洲）。

（1983）密点墨天牛 *Monochamus impluviatus* Motschulsky，1859

分布：陕西（秦岭）、黑龙江、内蒙古；蒙古，俄罗斯，朝鲜；欧洲。

（1984）红足墨天牛 *Monohammus*（*Monochamus*）*dubius* Gahan，1894

分布：陕西（镇安）、福建、广东、海南、广西、四川、贵州、云南、西藏；越南，老挝，缅甸，印度，尼泊尔。

（1985）云杉小墨天牛 *Monochamus*（*Monochamus*）*sutor longulus* Pic，1898

分布：陕西（西安）、黑龙江、吉林、内蒙古、河南、山东、青海、新疆、浙江；蒙古，俄罗斯，朝鲜，韩国，日本，哈萨克斯坦。

（1986）西藏墨天牛 *Monochamus nigromaculatus* Gressitt，1942

分布：陕西（周至、华阴、宁陕）、西藏。

（1987）直墨天牛 *Monochamus rectus* Holzschuh，2015

分布：陕西（宝鸡、宁陕、南郑）、河南。

（1988）云杉花墨天牛 *Monochamus saltuarius*（Gebler，1830）

分布：陕西（西安）、黑龙江、吉林、内蒙古、北京、河北、山西、山东、新疆、浙江、江西；蒙古，俄罗斯，朝鲜，韩国，日本，欧洲。

（1989）麻斑墨天牛 *Monochamus sparsutus* Fairmaire，1889

分布：陕西（周至、凤县，佛坪、洋县）、河南、安徽、浙江、湖北、江西、湖南、福建、台湾、四川、云南；越南，老挝，缅甸，印度，尼泊尔。

（1990）云杉大墨天牛 *Monochamus urussovii*（Fischer-Waldheim，1806）

分布：陕西（西安、长安、武功、榆林）、黑龙江、吉林、内蒙古、宁夏、新疆、河北、河南；蒙古，俄罗斯，朝鲜，韩国，日本，哈萨克斯坦，欧洲北部。

727. 巨瘤天牛属 *Morimospasma* Ganglbauer，1889

（1991）细粒巨瘤天牛 *Morimospasma granulatum* Chiang，1981

分布：陕西（周至、太白、勉县、佛坪、宁陕）。

（1992）巨瘤天牛 *Morimospasma paradoxum* Ganglbauer，1889

分布：陕西（略阳、太白、勉县、佛坪、宁陕、石泉）、宁夏、甘肃、青海、安徽、湖北、重庆、四川。

728. 日修天牛属 _Niponstenostola_ K. Ohbayashi, 1958

（1993）黑日修天牛 _Niponstenostola gressitti_ Lin _et_ Ge, 2017

分布：陕西（宝鸡）。

（1994）宝鸡日修天牛 _Niponstenostola lineata_（Gressitt, 1951）

分布：陕西（周至、宁陕）、湖北、台湾、四川。

729. 新郎天牛属 _Novorondonia_ zdikmen, 2008

（1995）两色角新郎天牛 _Novorondonia antennata_ Holzschuh, 2015

分布：陕西（略阳、佛坪）、四川。

730. 脊筒天牛属 _Nupserha_ Chevrolat, 1858

（1996）黑翅脊筒天牛 _Nupserha infantula_（Ganglbauer, 1889）

分布：陕西（周至、太白、眉县、华阴、留坝、佛坪、洋县、宁陕、柞水、镇安、山阳、丹凤、南郑）、河北、甘肃、浙江、湖北、江西、湖南、福建、广东、广西、四川、贵州、云南。

（1997）缘翅脊筒天牛 _Nupserha marginella marginella_（Bates, 1873）

分布：陕西（周至、佛坪、洛南）、吉林、山东、河南、江苏、浙江、湖北、江西，湖南、福建、台湾、广东、广西、贵州；蒙古，俄罗斯，韩国，日本。

（1998）黄腹脊筒天牛 _Nupserha testaceipes_ Pic, 1926

分布：陕西（周至、凤县、留坝、佛坪、岚皋）、黑龙江、吉林、山东、甘肃、江苏、安徽、浙江、湖北、江西、湖南、福建、广东、海南、广西、四川、贵州。

731. 筒天牛属 _Oberea_ Dejean, 1835

（1999）昏暗筒天牛 _Oberea_（_Amaurostoma_）_obscuripennis_ Pic, 1939

分布：陕西（留坝、镇安、丹凤）、山西。

（2000）黑点筒天牛 _Oberea_（_Oberea_）_atropunctata_ Pic, 1916

分布：陕西（秦岭）、安徽、浙江、湖北、江西、湖南、广东、广西、四川、贵州、云南；俄罗斯，韩国，尼泊尔。

（2001）二斑筒天牛 _Oberea_（_Oberea_）_binotaticollis binotaticollis_ Pic, 1915

分布：陕西（秦岭）、浙江、湖北、台湾、广东、广西。

（2002）黑胫筒天牛 *Oberea*（*Oberea*）*diversipes* Pic, 1919

分布：陕西（周至、佛坪）、河南、湖南、福建、广东、海南、重庆、四川、贵州、云南、西藏；越南，老挝。

（2003）短足筒天牛 *Oberea*（*Oberea*）*ferruginea*（Thunberg, 1787）

分布：陕西（秦岭）、甘肃、湖北、湖南、福建、广东、广西、四川、云南；越南，老挝，印度，尼泊尔，马来西亚。

（2004）黄黑筒天牛 *Oberea*（*Oberea*）*flavescens* Breuning, 1947

分布：陕西（周至、镇安）、四川。

（2005）台湾筒天牛 *Oberea*（*Oberea*）*formosana* Pic, 1911

分布：陕西（周至）、河南、江苏、安徽、浙江、湖北、江西、湖南、福建、台湾、广东、海南、广西、重庆、四川、贵州；韩国，越南，老挝，泰国，缅甸，印度，尼泊尔，孟加拉国，马来西亚，印度尼西亚。

（2006）暗翅筒天牛 *Oberea*（*Oberea*）*fuscipennis*（Chevrolat, 1852）

分布：陕西（周至、眉县）、河北、江苏、上海、浙江、湖北、江西、湖南、福建、台湾、广东、海南、香港、广西、四川、贵州、云南、西藏；朝鲜，韩国，日本，越南，老挝，印度，孟加拉国。

（2007）日本筒天牛 *Oberea*（*Oberea*）*japanica*（Thunberg, 1787）

分布：陕西（秦岭）、吉林、辽宁、河北、山东、河南、宁夏、江苏、浙江、湖北、江西、湖南、福建、台湾、广东、海南、广西；日本。

（2008）黑腹筒天牛 *Oberea*（*Oberea*）*nigriventris* Bates, 1873

分布：陕西（长安、周至、太白）、辽宁、内蒙古、北京、河北、山东、河南、江苏、安徽、浙江、湖北、江西、湖南、福建、台湾、广东、海南、广西、四川、贵州、云南；韩国，日本，越南，老挝，缅甸，印度，尼泊尔。

（2009）筒天牛 *Oberea*（*Oberea*）*oculata*（Linnaeus, 1758）

分布：陕西（太白、商县、定边）、黑龙江、吉林、辽宁、内蒙古、山东、新疆、湖北；蒙古，俄罗斯，哈萨克斯坦，欧洲。

（2010）拟瞳筒天牛 *Oberea*（*Oberea*）*pupillatoides* Breuning, 1947

分布：陕西（周至、太白）。

（2011）黑腹二色角筒天牛 *Oberea*（*Oberea*）*rubroantennalis* Lin *et* Ge, 2017

分布：陕西（眉县、佛坪）、四川。

（2012）红腹筒天牛 *Oberea*（*Oberea*）*rufosternalis* Breuning, 1962

分布：陕西（宁陕）、四川、云南。

（2013）天目筒天牛 *Oberea*（*Oberea*）*tienmuana* Gressitt, 1939

分布：陕西（周至、眉县、佛坪、宁陕、柞水、洛南、丹凤）、浙江。

（2014）一点筒天牛 *Oberea*（*Oberea*）*uninotaticollis* Pic，1939

分布：陕西（柞水）、浙江、江西、福建、广西、云南；越南，老挝，泰国。

（2015）条纹筒天牛 *Oberea*（*Oberea*）*vittata* Blessig，1873

分布：陕西（周至、延安），东北；蒙古，俄罗斯，韩国，日本。

（2016）凹尾筒天牛 *Oberea*（*Oberea*）*walkeri* Gahan，1894

分布：陕西（周至、眉县）、浙江、江西、湖南、福建、台湾、广东、香港、广西、四川、贵州、云南、西藏；越南，老挝，缅甸，印度。

732. 粉天牛属 *Olenecamptus* Chevrolat，1835

（2017）黑点粉天牛 *Olenecamptus clarus* Pascoe，1859

分布：陕西（凤县、洋县、宜川、延安）、北京、河北、山东、河南、江苏、安徽、浙江、湖北、江西、湖南、福建、台湾、广西、四川、贵州；朝鲜，韩国，日本。

（2018）八星粉天牛 *Olenecamptus octopustulatus*（Motschulsky，1860）

分布：陕西（周至、佛坪、宁陕、汉中、宁强、太白山）、黑龙江、吉林、辽宁、内蒙古、河南、宁夏、甘肃、江苏、上海、安徽、浙江、湖北、江西、湖南、福建、台湾、广东、海南、广西、四川、贵州；蒙古，俄罗斯，朝鲜，韩国，日本。

（2019）斜翅粉天牛 *Olenecamptus subobliteratus* Pic，1923

分布：陕西（周至、宁陕、镇巴、延安）、江苏、上海、浙江、湖北、江西、福建、台湾、湖南、四川、贵州、云南；韩国，日本。

733. 梭天牛属 *Ostedes* Pascoe，1859

（2020）宝兴梭天牛 *Ostedes binodosa* Gressitt，1945

分布：陕西（佛坪）、广东、四川。

734. 齿尾天牛属 *Parachydaeopsis* Breuning，1968

（2021）陕西齿尾天牛 *Parachydaeopsis shaanxiensis* Wang *et* Chiang，2002

分布：陕西（眉县、勉县、宁陕）。

735. 异鹿天牛属 *Paraepepeotes* Pic，1935

（2022）异鹿天牛 *Paraepepeotes breuningi* Pic，1935

分布：陕西（周至）、四川、云南、西藏；越南，老挝，缅甸，印度。

736. 双脊天牛属 *Paraglenea* Bates, 1866

（2023）双脊天牛 *Paraglenea fortunei*（Saunders, 1853）

分布：陕西（长安、略阳、宝鸡、太白、勉县、宁陕、旬阳、山阳、安康、石泉、紫阳、平利、延安）、北京、河北、河南、宁夏、江苏、上海、安徽、浙江、江西、湖南、福建、台湾、广东、广西、湖北、四川、贵州、云南；日本，越南。

（2024）椭圆双脊天牛 *Paraglenea soluta*（Ganglbauer, 1887）

分布：陕西（长安、周至、凤县、略阳、眉县、太白、武功、华阴、留坝、宁陕、柞水）、北京、河北、河南、湖北、浙江、四川。

737. 齿胫天牛属 *Paraleprodera* Breuning, 1935

（2025）蜡斑齿胫天牛 *Paraleprodera carolina*（Fairmaire, 1899）

分布：陕西（洋县）、江苏、浙江、湖北、江西、湖南、福建、台湾、重庆、四川、贵州、云南。

（2026）眼斑齿胫天牛 *Paraleprodera diophthalma*（Pascoe, 1856）

分布：陕西（周至、略阳、宝鸡、太白、留坝、佛坪、宁陕、柞水、石泉）、河北、河南、江苏、安徽、浙江、湖北、江西、湖南、福建、广西、四川、贵州、云南。

738. 凹唇天牛属 *Paranamera* Breuning, 1935

（2027）黄斑凹唇天牛 *Paranamera ankangensis* Chiang, 1981

分布：陕西（安康、旬阳）、河南。

739. 蛛天牛属 *Parechthistatus* Breuning, 1942

（2028）中华蛛天牛 *Parechthistatus chinensis* Breuning, 1942

分布：陕西（户县、太白、武功、宁陕）、河南。

740. 肖泥色天牛属 *Paruraecha* Breuning, 1935

（2029）尖尾肖泥色天牛 *Paruraecha*（*Arisania*）*acutipennis*（Gressitt, 1942）

分布：陕西（秦岭）、广东、贵州、云南。

（2030）台湾肖泥色天牛 *Paruraecha*（*Arisania*）*submarmorata*（Gressitt, 1936）

分布：陕西（宁强）、台湾。

741. 六脊天牛属 *Penthides* Matsushita, 1933

（2031） 红黄六脊天牛相似种 *Penthides* cf. *rufoflavus*
分布：陕西（太白、宁陕）。

742. 小筒天牛属 *Phytoecia* Dejean, 1835

（2032） 束翅小筒天牛 *Phytoecia*（*Cinctophytoecia*）*cinctipennis* Mannerheim, 1849
分布：陕西（周至、户县、凤县、太白、留坝、丹凤）、内蒙古、北京、河北、宁夏；蒙古，俄罗斯，朝鲜，韩国。

（2033） 铁色小筒天牛 *Phytoecia*（*Phytoecia*）*ferrea* Ganglbauer, 1887
分布：陕西（秦岭）、内蒙古、河北、北京、山西、甘肃、湖北、广东、浙江；蒙古，俄罗斯。

（2034） 菊小筒天牛 *Phytoecia*（*Phytoecia*）*rufiventris* Gautier, 1870
分布：陕西（周至、凤县、眉县、太白、武功、华阴、留坝、佛坪、城固、柞水、洛南、丹凤、白河、绥德）、黑龙江、吉林、内蒙古、北京、河北、山西、山东、河南、江苏、安徽、浙江、湖北、江西、湖南、福建、台湾、广东、广西、四川、贵州；蒙古，俄罗斯，朝鲜，韩国，日本。

743. 广翅天牛属 *Plaxomicrus* Thomson, 1857

（2035） 广翅天牛 *Plaxomicrus ellipticus* Thomson, 1857
分布：陕西（略阳、汉中、宁强）、江苏、上海、浙江、湖北、福建、广西、四川、贵州、云南；越南。

744. 芒天牛属 *Pogonocherus* Dejean, 1821

（2036） 白腰芒天牛 *Pogonocherus*（*Pogonocherus*）*dimidiatus* Blessig, 1873
分布：陕西（宁陕）、黑龙江、吉林；朝鲜，韩国，日本。

745. 驴天牛属 *Pothyne* Thomson, 1864

（2037） 驴天牛 *Pothyne* sp.
分布：陕西（佛坪）。

746. 黄星天牛属 *Psacothea* Gahan, 1888

（2038） 黄星天牛 *Psacothea hilaris*（Pascoe, 1857）

分布：陕西（长安、周至、凤县、佛坪、洋县、宁陕、镇坪、柞水、商南、镇安、南郑、镇巴、石泉）、北京、河北、河南、甘肃、江苏、安徽、浙江、湖北、江西、湖南、福建、台湾、广东、海南、广西、四川、贵州、云南；韩国，日本，越南。

747.　伪昏天牛属 *Pseudanaesthetis* Pic，1922

（2039）伪昏天牛 *Pseudanaesthetis langana* Pic，1922

分布：陕西（武功、柞水）、山东、浙江、江西、湖南、福建、广东、海南、香港、四川、贵州；越南。

（2040）伪昏天牛 *Pseudanaesthetis* sp.

分布：陕西（宁陕）。

748.　竿天牛属 *Pseudocalamobius* Kraatz，1879

（2041）线竿天牛 *Pseudocalamobius filiformis* Fairmaire，1888

分布：陕西（周至）、北京、河北、浙江、湖北、湖南、福建、台湾、海南。

（2042）红翅竿天牛 *Pseudocalamobius rufipennis* Gressitt，1942

分布：陕西（周至、留坝、佛坪、宁陕）、贵州、西藏。

（2043）竿天牛 *Pseudocalamobius* sp. 1，nr. *piceus*

分布：陕西（佛坪）。

（2044）竿天牛 *Pseudocalamobius* sp. 2，nr. *taiwanensis*

分布：陕西（周至、宁陕、镇安）。

749.　坡天牛属 *Pterolophia* Newman，1842

（2045）白带坡天牛 *Pterolophia*（*Hylobrotus*）*albanina* Gressitt，1942

分布：陕西（周至、佛坪）、黑龙江、河北、河南、甘肃、江苏、安徽、浙江、湖北、江西、湖南、福建、广西、四川。

（2046）环角坡天牛 *Pterolophia*（*Hylobrotus*）*annulata*（Chevrolat，1845）

分布：陕西（秦岭）、河北、河南、江苏、上海、浙江、湖北、江西、湖南、福建、台湾、广东、海南、香港、澳门、广西、四川、贵州、云南；韩国，日本，越南，缅甸。

（2047）点胸坡天牛 *Pterolophia*（*Pterolophia*）*maacki*（Blessig，1873）

分布：陕西（周至、留坝、旬阳、山阳）、河北、山东、上海、浙江、江西；蒙古，俄罗斯，朝鲜，韩国。

（2048）多点坡天牛 *Pterolophia*（*Pterolophia*）*multinotata* Pic，1931

分布：陕西（周至、眉县、旬阳、柞水、山阳）、东北；蒙古，俄罗斯，韩国。

（2049）齿角坡天牛 *Pterolophia*（*Pterolophia*）*serrata* Gressitt，1938

分布：陕西（周至、留坝、宁陕、旬阳、柞水）、四川。

（2050）坡天牛 *Pterolophia* **sp. nr.** *zonata*

分布：陕西（周至、略阳、眉县、宁陕）。

750．棒角天牛属 *Rhodopina* Gressitt，1951

（2051）四川棒角天牛 *Rhodopina tuberculicollis*（Gressitt，1942）

分布：陕西（勉县、宁陕）、四川。

751．角胸天牛属 *Rhopaloscelis* Blessig，1873

（2052）角胸天牛 *Rhopaloscelis unifasciatus* Blessig，1873

分布：陕西（周至、佛坪）、吉林、浙江、福建、广东、香港；蒙古，俄罗斯，朝鲜，韩国，日本。

752．方额天牛属 *Rondibilis* Thomson，1857

（2053）方额天牛 *Rondibilis*（*Rondibilis*）**sp. 1 nr.** *saperdina*

分布：陕西（眉县、太白、宁陕）。

（2054）方额天牛 *Rondibilis*（*Rondibilis*）**sp. 2 nr.** *yunnana*

分布：陕西（周至）。

753．缝角天牛属 *Ropica* Pascoe，1858

（2055）桑缝角天牛 *Ropica subnotata* Pic，1925

分布：陕西（太白、佛坪、宁陕、丹凤）、河北、山西、山东、河南、江苏、浙江、湖北、江西、福建、广东、香港、贵州、云南。

754．楔天牛属 *Saperda* Fabricius，1775

（2056）双条楔天牛 *Saperda*（*Compsidia*）*bilineatocollis* Pic，1924

分布：陕西（太白、留坝、洋县、宁陕、南郑）、河北、河南、甘肃、青海、湖北、江苏、上海、四川；俄罗斯。

（2057）青杨楔天牛 *Saperda*（*Compsidia*）*populnea*（Linnaeus，1758）

分布：陕西（长安、周至、陇县、太白、凤翔、武功、宁陕、延安、榆林、定边）、黑龙江、吉林、辽宁、内蒙古、河北、山东、河南、山西、宁夏、甘肃、新疆、江苏、安徽、湖北、福建、广东；蒙古，韩国，哈萨克斯坦，土耳其，欧洲。

（2058）绿翅楔天牛 *Saperda*（*Compsidia*）*viridipennis* Gressitt，1951

　　　　分布：陕西（周至、宝鸡、太白、勉县、宁陕）。

（2059）宝鸡楔天牛 *Saperda*（*Lopezcolonia*）*pallidipennis* Gressitt，1951

　　　　分布：陕西（长安、周至、宝鸡、眉县、太白、华阴）。

（2060）楔天牛 *Saperda*（*Saperda*）*carcharias*（Linnaeus，1758）

　　　　分布：陕西（秦岭）、吉林、黑龙江、甘肃、新疆、江苏、湖北、湖南、四川、贵州；蒙古，俄罗斯，朝鲜，韩国，哈萨克斯坦；欧洲。

（2061）尖翅楔天牛 *Saperda*（*Saperda*）*simulans* Gahan，1888

　　　　分布：陕西（白河、安康、镇巴）、吉林、江苏、江西、湖南、四川。

755. 健天牛属 *Sophronica* Blanchard，1845

（2062）健天牛 *Sophronica* sp.

　　　　分布：陕西（太白）。

756. 肖多节天牛属 *Stegenagapanthia* Pic，1924

（2063）肖多节天牛 *Stegenagapanthia albovittata* Pic，1924

　　　　分布：陕西（秦岭）、海南、广西；老挝。

757. 修天牛属 *Stenostola* Dejean，1835

（2064）黑修天牛 *Stenostola atra* Gressitt，1951

　　　　分布：陕西（太白山）。

（2065）黑斑修天牛 *Stenostola basisuturale* Gressitt，1935

　　　　分布：陕西（周至、略阳、眉县、太白、留坝、洋县、宁陕、宁强、华阳、紫阳）、四川。

（2066）宝鸡修天牛 *Stenostola pallida* Gressitt，1951

　　　　分布：陕西（周至、宝鸡、留坝、宁陕）。

758. 突尾天牛属 *Sthenias* Dejean，1835

（2067）环斑突尾天牛 *Sthenias*（*Sthenias*）*franciscanus* Thomson，1865

　　　　分布：陕西（安康）、湖南、福建、广西、云南；越南，马来西亚，印度尼西亚。

759. 隆线天牛属 *Sybrocentrura* Breuning，1947

（2068）脊隆线天牛 *Sybrocentrura costigera* Holzschuh，2010

分布：陕西（周至）。

（2069）肥隆线天牛 *Sybrocentrura fatalis* Holzschuh，2010

分布：陕西（宝鸡）。

760. 短刺天牛属 *Terinaea* Bates，1884

（2070）提利短刺天牛 *Terinaea tiliae*（Murzin，1983）

分布：陕西（周至）；俄罗斯，朝鲜，韩国。

761. 重突天牛属 *Tetraophthalmus* Dejean，1835

（2071）黄荆重突天牛 *Tetraophthalmus episcopalis*（Chevrolat，1852）

分布：陕西（长安、略阳、武功、杨凌、华县、汉中、柞水、山阳、镇巴、紫阳）、内蒙古、河北、山西、河南、新疆、江苏、上海、安徽、浙江、湖北、江西、湖南、福建、台湾、广东、香港、海南、广西、四川、贵州；韩国，日本。

762. 刺楔天牛属 *Thermistis* Pascoe，1867

（2072）刺楔天牛（黄带刺楔天牛） *Thermistis croceocincta*（Saunders，1839）

分布：陕西（凤县）、安徽、浙江、湖北、江西、湖南、福建、广东、海南、香港、广西、四川、贵州、云南；越南，泰国，印度。

763. 竖毛天牛属 *Thyestilla* Aurivillius，1923

（2073）竖毛天牛 *Thyestilla gebleri*（Faldermann，1835）

分布：陕西（长安、陇县、凤县、宝鸡、太白、眉县、武功、华县、留坝、佛坪、洋县、洛南、山阳、黄陵、宜川、黄龙、延安）、黑龙江、吉林、辽宁、内蒙古、北京、河北、山西、山东、河南、宁夏、青海、江苏、安徽、浙江、湖北、江西、湖南、福建、台湾、广东、广西、四川、贵州；蒙古，俄罗斯，朝鲜，韩国，日本。

764. 泥色天牛属 *Uraecha* Thomson，1864

（2074）樟泥色天牛 *Uraecha angusta*（Pascoe，1856）

分布：陕西（周至、留坝、洋县）、北京、河北、河南、宁夏、江苏、浙江、湖北、江西、湖南、福建、台湾、广东、广西、四川、贵州、西藏；越南。

（2075）中华泥色天牛 *Uraecha chinensis* Breuning，1935

分布：陕西（太白、武功、宁陕）、河北。

765. 木天牛属 *Xylariopsis* Bates, 1884

（2076）木天牛 *Xylariopsis mimica* Bates, 1884

分布：陕西（宁陕、延安、志丹）、北京、甘肃、江苏、上海，东北；俄罗斯，朝鲜，韩国，日本。

X. 叶甲总科 Chrysomeloidea

六十一、距甲科 Megalopodidae

（一）距甲亚科 Megalopodinae

766. 沟胸距甲属 *Poecilomorpha* Hope, 1840

（2077）蓝翅距甲 *Poecilomorpha cyanipennis*（Kraatz, 1879）

分布：陕西（宁陕）、黑龙江、辽宁、内蒙古、北京、江苏、江西、福建；俄罗斯（西伯利亚），朝鲜。

767. 突胸距甲属 *Temnaspis* Lacordaire, 1845

（2078）肩斑距甲 *Temnaspis humeralis* Jacoby, 1890

分布：陕西（宁陕）、湖北、四川。

（2079）黄距甲 *Temnaspis pallida*（Gressitt, 1942）

分布：陕西（宁陕）、浙江、江西、福建。

（2080）*Temnaspis syringa* Li *et* Liang, 2013

分布：陕西（秦岭）、北京、宁夏。

（二）小距甲亚科 Zeugophorinae

768. 小距甲属 *Zeugophora* Kunze, 1818

（2081）锚小距甲 *Zeugophora*（*Zeugophora*）*ancora* Reitter, 1900

分布：陕西（宁陕）、东北、内蒙古、宁夏、甘肃、青海；俄罗斯。

（2082）蓝小距甲 *Zeugophora*（*Zeugophora*）*cyanea* Chen, 1974

分布：陕西（宁陕）、青海、四川、云南。

（2083）*Zeugophora*（*Zeugophora*）*scutellaris* Suffrian, 1840

分布：陕西（秦岭）、黑龙江、吉林、辽宁、内蒙古、青海、新疆；俄罗斯，欧洲，北美洲。

六十二、负泥虫科 Crioceridae

（一）水叶甲亚科 Donaciinae

769. 水叶甲属 *Donacia* Fabricius, 1775

（2084）长腿水叶甲 *Donacia provosti* Fairmaire, 1885

分布：陕西（宁陕、汉中、榆林）、河北、山东、河南、江苏、安徽、浙江、江西、台湾、福建、海南、四川、广西、贵州、湖北；朝鲜，日本，俄罗斯（东西伯利亚），印度。

（二）茎甲亚科 Sagrinae

770. 茎甲属 *Sagra* Fabricius, 1792

（2085）紫茎甲 *Sagra*（*Sagrinola*）*fulgida* Weber, 1801

分布：陕西（南郑）、湖北、江西、福建、广东、广西、四川、贵州。

（三）负泥虫亚科 Criocerinae

771. 合爪负泥虫属 *Lema* Fabricius, 1798

（2086）蓝负泥虫 *Lema*（*Lema*）*concinnipennis* Baly, 1865

分布：陕西（佛坪、宁陕）、吉林、北京、河北、山西、河南、甘肃、江苏、安徽、浙江、湖北、江西、湖南、福建、台湾、广东、广西、四川、贵州、云南；朝鲜，日本，菲律宾，土耳其。

（2087）小青负泥虫 *Lema*（*Lema*）*cyanella*（Linnaeus, 1758）

分布：陕西（秦岭）、黑龙江、吉林、辽宁、内蒙古、甘肃、新疆、台湾、四川；蒙古，俄罗斯，朝鲜，哈萨克斯坦，德国，欧洲。

（2088）枸杞负泥虫 *Lema*（*Lema*）*decempunctata*（Geller, 1830）

分布：陕西（临潼）、黑龙江、吉林、北京、河北、内蒙古、山西、山东、河南、江苏、宁夏、甘肃、青海、新疆、安徽、浙江、福建、湖北、江西、湖南、广东、四川、西藏；蒙古，日本，哈萨克斯坦。

（2089）鸭跖草负泥虫 *Lema*（*Lema*）*diversa* Baly, 1873

分布：陕西（佛坪、南郑）、黑龙江、吉林、辽宁、北京、河北、山东、河南、江苏、安徽、浙江、江西、福建、广东、广西、四川、贵州；俄罗斯，朝鲜，日本。

（2090）短角负泥虫 *Lema*（*Petauristes*）*crioceroides* Jacoby, 1893

分布：陕西（宁陕）、浙江、广东、海南、广西、云南；越南，老挝，泰国，印度，缅甸。

（2091）红胸负泥虫 *Lema*（*Petauristes*）*fortunei* Baly，1859

分布：陕西（周至、长安）、北京、河北、河南、甘肃、新疆、江苏、安徽、浙江、湖北、江西、福建、台湾、广东、海南、广西、四川、贵州；朝鲜，日本。

772.　分爪负泥虫属 *Lilioceris* Reitter，1913

（2092）异负泥虫 *Lilioceris impressa*（Fabricius，1787）

分布：陕西（宁陕）、浙江、湖北、湖南、福建、台湾、广东、海南、广西、四川、贵州、云南；越南，老挝，泰国，柬埔寨，缅甸，印度，尼泊尔，斯里兰卡，菲律宾，马来西亚，印度尼西亚。

（2093）红负泥虫 *Lilioceris lateritia*（Baly，1863）

分布：陕西（宁陕）、江苏、安徽、浙江、湖北、江西、湖南、福建、广东、广西、四川、贵州。

（2094）小负泥虫 *Lilioceris minima*（Pic，1935）

分布：陕西（宁陕）、甘肃、浙江、福建、四川。

（2095）斑肩负泥虫 *Lilioceris scapularis*（Baly，1859）

分布：陕西（宁陕）、山东、河南、江苏、浙江、湖北、江西、福建、广东、海南、广西、贵州；俄罗斯，朝鲜，日本，越南。

（2096）红颈负泥虫 *Lilioceris sieversi*（Heyden，1887）

分布：陕西（秦岭）、黑龙江、吉林、北京、河北、内蒙古、浙江、湖北、江西、福建、贵州；俄罗斯，朝鲜。

（2097）中华负泥虫 *Lilioceris sinica*（Heyden，1887）

分布：陕西（留坝）、黑龙江、吉林、辽宁、北京、河北、甘肃、山东、浙江、湖北、江西、福建、广西、贵州；俄罗斯，朝鲜。

773.　禾谷负泥虫属 *Oulema* Des Gozis，1886

（2098）黑缝负泥虫 *Oulema atrosuturalis*（Pic，1923）

分布：陕西（宁陕）、山东、江苏、湖北、江西、福建、广东、海南、香港、广西、四川、云南、台湾；日本，越南，孟加拉。

（2099）*Oulema erichsoni*（Suffrian，1841）

分布：陕西（秦岭）、黑龙江、辽宁、内蒙古、河北；俄罗斯，日本，欧洲。

（2100）稻负泥虫 *Oulema oryzae*（Kuwayama，1931）

分布：陕西（宁陕）、黑龙江、吉林、辽宁、满洲里、浙江、湖北、江西、湖南、福建、广东、广西、四川、贵州、云南、台湾；俄罗斯，朝鲜，日本。

（2101）谷子负泥虫 *Oulama tristis*（Herbst，1786）

分布：陕西(周至、宁陕)、黑龙江、吉林、辽宁、内蒙古、北京、河北、山东、甘肃、湖北；蒙古，俄罗斯，朝鲜，日本，乌兹别克斯坦，哈萨克斯坦，欧洲。

(2102) 密点负泥虫 *Oulema viridula*（Gresstt，1942）

分布：陕西(宁陕)、黑龙江、吉林、北京、河北、内蒙古、山东、新疆、湖北、江西、福建；朝鲜。

六十三、肖叶甲科 Eumolpidae

(一) 隐头叶甲亚科 Cryptocephalinae

774. 隐盾叶甲属 *Adiscus* Gistel，1857

(2103) 异色隐盾叶甲 *Adiscus variabilis*（Jacoby，1890）

分布：陕西(留坝)、甘肃、新疆、湖北、广西、四川、云南。

775. 锯角肖叶甲属 *Clytra* Laicharting，1781

(2104) 黑肩锯角叶甲 *Clytra*（*Clytra*）*arida* Weise，1889

分布：陕西(周至)、黑龙江、吉林、辽宁、北京、河北、内蒙古、山西、河南、甘肃、青海、宁夏、湖北、四川；蒙古，俄罗斯，朝鲜，日本，哈萨克斯坦。

(2105) 光背锯角叶甲 *Clytra*（*Clytra*）*laeviuscula* Ratzeburg，1837

分布：陕西(周至)、黑龙江、吉林、北京、河北、内蒙古、山西、甘肃、山东、江苏、江西；俄罗斯，朝鲜，日本，欧洲。

(2106) 黑盾锯角肖叶甲亚洲亚种 *Clytra*（*Clytraria*）*atraphaxidis asiatica* Chûjô，1941

分布：陕西(周至)、黑龙江、吉林、北京、河北、内蒙古、山西、甘肃、山东、江苏、江西；俄罗斯，朝鲜，日本，欧洲。

776. 切头叶甲属 *Coptocephala* Chevrolat，1836

(2107) 东方切头叶甲 *Coptocephala orientalis* Baly，1873

分布：陕西(秦岭)、黑龙江、吉林、辽宁、北京、河北、内蒙古、山西、甘肃、青海、新疆、山东；蒙古，俄罗斯，朝鲜，日本。

777. 隐头肖叶甲属 *Cryptocephalus* Geoffroy，1762

(2108) 艾蒿隐头叶甲 *Cryptocephalus*（*Asionus*）*koltzei* Weise，1887

分布：陕西(周至、宝鸡、留坝)、黑龙江、吉林、辽宁、河北、内蒙古、山西、陕西、甘肃、河南、山东、江苏、浙江、湖北、福建;俄罗斯,朝鲜。

（2109）*Cryptocephalus*（*Asionus*）*lemniscatus* Suffrian, 1854

分布:陕西(秦岭)、黑龙江、吉林、辽宁、内蒙古、北京、天津、河北、山西、山东、新疆、江苏;蒙古,俄罗斯。

（2110）黑缝隐头叶甲黑纹亚种 *Cryptocephalus*（*Asionus*）*limbellus semenovi* Weise, 1889

分布:陕西(周至)、黑龙江、吉林、北京、天津、河北、内蒙古、山西、甘肃、青海、山东、江苏;蒙古,俄罗斯,日本。

（2111）小隐头叶甲俏亚种 *Cryptocephalus*（*Burlinius*）*exiguus amiculus* Baly, 1873

分布:陕西(留坝)、黑龙江、吉林、北京、河北、内蒙古、山西、甘肃、山东;蒙古,俄罗斯,朝鲜,日本,土耳其。

（2112）*Cryptocephalus*（*Burlinius*）*nigrofasciatus* Jacoby, 1885

分布:陕西(秦岭)、黑龙江、吉林、河北、山西、江苏、云南;俄罗斯,日本。

（2113）莽隐头叶甲 *Cryptocephalus*（*Burlinius*）*petulans* Weise, 1889

分布:陕西(周至、留坝、宁陕)、甘肃。

（2114）微隐头叶甲 *Cryptocephalus*（*Burlinius*）*vividus* Lopatin, 1997

分布:陕西(秦岭)、河北。

（2115）*Cryptocephalus*（*Cryptocephalus*）*bipunctatus cautus* Weise, 1893

分布:陕西(秦岭)、黑龙江、吉林、辽宁、内蒙古、北京、天津、河北、山西、山东、江苏、广东;俄罗斯,朝鲜。

（2116）丽隐头叶甲 *Cryptocephalus*（*Cryptocephalus*）*festivus* Jacoby, 1890

分布:陕西(留坝)、上海、江苏、浙江、湖北、江西、福建、台湾、广西、四川。

（2117）斑胸隐头叶甲 *Cryptocephalus*（*Cryptocephalus*）*halyzioides* Weise, 1889

分布:陕西(秦岭)、四川。

（2118）*Cryptocephalus*（*Cryptocephalus*）*hyacinthinus* Suffrian, 1860

分布:陕西(秦岭)、黑龙江、辽宁、山西、江苏、浙江、江西;俄罗斯,朝鲜,日本。

（2119）*Cryptocephalus*（*Cryptocephalus*）*japanus* Baly, 1873

分布:陕西(秦岭)、黑龙江、吉林、辽宁、内蒙古、北京、天津、河北、山西、山东;俄罗斯,朝鲜,日本。

（2120）斑额隐头叶甲指名亚种 *Cryptocephalus*（*Cryptocephalus*）*kulibini kulibini* Gebler, 1832

分布:陕西(周至)、黑龙江、吉林、辽宁、北京、河北、内蒙古、山西、甘肃、山东、安徽、湖北、四川;蒙古,俄罗斯,朝鲜。

（2121）斑额隐头叶甲光背亚种 *Cryptocephalus*（*Cryptocephalus*）*kulibini nasutulus* **Weise, 1889**

分布：陕西（华阴）、吉林、北京、内蒙古、甘肃、山东。

（2122）利氏隐头叶甲 *Cryptocephalus*（*Cryptocephalus*）*licenti* **Chen, 1912**

分布：陕西（太白、留坝）、河北、山西、甘肃、宁夏、山东。

（2123）双叉隐头叶甲 *Cryptocephalus*（*Cryptocephalus*）*melaphaeus* **Schöller, Smetana** *et* **Lopatin, 2010**

分布：陕西（周至、华阴、眉县、太白）、内蒙古、山西、甘肃。

（2124）宽条隐头叶甲指名亚种 *Cryptocephalus*（*Cryptocephalus*）*multiplex multiplex* **Suffrian, 1860**

分布：陕西（周至）、北京、河北、甘肃、青海、山东、江苏、浙江、湖北、江西、湖南、四川、西藏；俄罗斯，朝鲜，日本，尼泊尔。

（2125）*Cryptocephalus*（*Cryptocephalus*）*oxysternus* **Jakobson, 1896**

分布：陕西（秦岭）、辽宁、内蒙古、北京、河北；蒙古，俄罗斯。

（2126）黄头隐头叶甲 *Cryptocephalus*（*Cryptocephalus*）*parvulus* **Mülier, 1776**

分布：陕西（佛坪）、黑龙江、吉林、辽宁、内蒙古、甘肃、江苏、湖北、福建、四川；蒙古，俄罗斯，朝鲜，日本，哈萨克斯坦，欧洲。

（2127）绿蓝隐头叶甲指名亚种 *Cryptocephalus*（*Cryptocephalus*）*regalis regalis* **Gebler, 1830**

分布：陕西（周至）、黑龙江、吉林、辽宁、河北、内蒙古、山西、甘肃、青海、江苏、安徽、湖北；蒙古，俄罗斯，朝鲜，日本。

（2128）红斑隐头叶甲 *Cryptocephalus*（*Cryptocephalus*）*securus* **Weise, 1913**

分布：陕西（眉县、太白）、山西、甘肃、山东。

（2129）山西隐头叶甲 *Cryptocephalus*（*Cryptocephalus*）*shansiensis* **Chen, 1942**

分布：陕西（秦岭）、北京、河北、山西。

（2130）藏滇隐头叶甲 *Cryptocephalus*（*Cryptocephalus*）*thibetanus* **Pic, 1917**

分布：陕西（留坝）、浙江、湖北、福建、四川、云南、西藏。

（2131）斯氏隐头叶甲 *Cryptocephalus*（*Heterichnus*）*siedei* **Warchalowski, 2001**

分布：陕西（秦岭）。

778. Genus *Exomis* Weise, 1889

（2132）*Exomis peplopteroides* **Weise, 1889**

分布：陕西（秦岭）、甘肃、青海、四川、云南、西藏。

779．钳叶甲属 *Labidostomis* Germar，1822

（2133）中华钳叶甲 *Labidostomis chinensis* Lefèvre，1887
分布：陕西（华县）、黑龙江、吉林、辽宁、北京、河北、内蒙古、山西、甘肃、山东；蒙古，俄罗斯，朝鲜。

（2134）陕西钳叶甲 *Labidostomis shensiensis* Gressitt *et* Kimoto，1961
分布：陕西（华县）。

（2135）二点钳叶甲 *Labidostomis urticarum* Frivaldszky，1892
分布：陕西（秦岭）、黑龙江、吉林、辽宁、北京、河北、内蒙古、山西、甘肃、青海、山东；蒙古，俄罗斯，朝鲜。

780．短柱叶甲属 *Pachybrachis* Chevrolat，1836

（2136）花背短柱叶甲 *Pachybrachis scriptidorsum* Marseul，1875
分布：陕西（留坝）、黑龙江、吉林、辽宁、北京、河北、内蒙古、山西、甘肃、山东；蒙古，俄罗斯，朝鲜，哈萨克斯坦，土耳其，叙利亚。

781．粗足叶甲属 *Physosmaragdina* Medvedev，1971

（2137）黑额粗足叶甲 *Physosmaragdina nigrifrons*（Hope，1842）
分布：陕西（留坝、佛坪、宁陕）、辽宁、北京、河北、山西、甘肃、山东、河南、江苏、安徽、浙江、湖北、江西、湖南、福建、台湾、广东、海南、广西、四川、贵州；朝鲜，日本，东洋区。

782．光叶甲属 *Smaragdina* Chevrolat，1836

（2138）杨柳光叶甲 *Smaragdina aurita hammarstraemi*（Jacobson，1901）
分布：陕西（宁陕）、黑龙江、吉林、河北、山西、甘肃、山东；蒙古，俄罗斯，朝鲜，日本。

（2139）锗跗光叶甲 *Smaragdina blackwelderi* Gressitt *et* Kimoto，1961
分布：陕西（秦岭）、四川、西藏。

（2140）菱斑光叶甲 *Smaragdina labilis labilis*（Weise，1889）
分布：陕西（宁陕）、黑龙江、吉林、北京、河北、内蒙古、山西、甘肃、河南、山东、湖北。

（2141）光叶甲 *Smaragdina laevicollis*（Jacoby，1890）
分布：陕西（周至、留坝）、甘肃、江苏、浙江、湖北、江西、湖南、福建、四川。

（2142）酸枣光叶甲 *Smaragdina mandzhura*（Jakobson，1925）

　　分布：陕西（宝鸡、太白、武功）、黑龙江、吉林、辽宁、北京、河北、内蒙古、山西、甘肃、山东、江苏、浙江；蒙古。

（2143）梨光叶甲 *Smaragdina semiaurantiaca*（Fairmaire，1888）
　　分布：陕西（太白、宁陕）、黑龙江、吉林、辽宁、北京、河北、山东、江苏；俄罗斯，朝鲜，日本。

783.　圆眼叶甲属 *Stylosomus* Suffrian，1848

（2144）黑圆眼叶甲 *Stylosomus*（*Stylosomus*）*submetallicus* Chen，1941
　　分布：陕西（秦岭）、内蒙古、河北；蒙古。

（二）肖叶甲亚科 Eumolpinae

784.　皱鞘肖叶甲属 *Abirus* Chapuis，1874

（2145）桑皱鞘肖叶甲 *Abirus fortunei*（Baly，1861）
　　分布：陕西（秦岭）、山东、江苏、浙江、湖北、湖南、江西、福建、台湾、广东、广西、四川、贵州、云南；朝鲜，日本，越南，老挝，泰国，缅甸。

785.　厚缘肖叶甲属 *Aoria* Baly，1863

（2146）蓝厚缘肖叶甲 *Aoria*（*Aoria*）*cyanea* Chen，1940
　　分布：陕西（周至、佛坪）、甘肃。

（2147）黄厚缘肖叶甲 *Aoria*（*Aoria*）*fulva* Medvedev，2012
　　分布：陕西（华阴）。

（2148）马氏厚缘肖叶甲 *Aoria*（*Aoria*）*martensi* Medvedev，2012
　　分布：陕西（太白）。

（2149）棕红厚缘肖叶甲 *Aoria*（*Aoria*）*rufotestacea* Fairmaire，1889
　　分布：陕西（秦岭）、辽宁、河北、江苏、浙江、湖北、四川、贵州。

（2150）栗厚缘肖叶甲 *Aoria*（*Osnaparis*）*nucea*（Fairmaire，1889）
　　分布：陕西（宁陕）、北京、河北、甘肃、浙江、湖北、江西、福建、台湾、广东、海南、广西、四川、云南；日本。

786.　角胸肖叶甲属 *Basilepta* Baly，1860

（2151）褐足角胸叶甲 *Basilepta fulvipes*（Motschulsky，1860）
　　分布：陕西（周至、留坝、佛坪、宁陕）、黑龙江、辽宁、北京、河北、内蒙古、山西、宁夏、山东、江苏、浙江、湖北、江西、湖南、福建、台湾、广西、四川、贵州、云南；俄罗斯，朝鲜，日本。

787. 葡萄肖叶甲属 *Bromius* Chevrolat, 1836

(2152) 葡萄叶甲 *Bromius obscurus*（Linnaeus, 1758）

分布：陕西（周至、宁陕）、黑龙江、河北、山西、甘肃、新疆、江苏、湖南、四川、贵州、西藏；俄罗斯，朝鲜，日本，欧洲，北美洲。

788. 萝藦肖叶甲属 *Chrysochus* Chevrolat, 1837

(2153) 中华萝藦肖叶甲 *Chrysochus chinensis* Baly, 1859

分布：陕西（秦岭地区广布）、黑龙江、吉林、辽宁、河北、内蒙古、山西、甘肃、青海、山东、河南、江苏、浙江、江西；朝鲜，俄罗斯，日本。

789. 李叶甲属 *Cleoporus* Lefevre, 1884

(2154) 李叶甲 *Cleoporus variabilis*（Baly, 1874）

分布：陕西（佛坪）、黑龙江、辽宁、北京、河北、山西、山东、江苏、浙江、江西、湖南、福建、台湾、广东、海南、广西、四川、贵州、云南；俄罗斯，朝鲜，日本，越南，老挝，泰国，柬埔寨。

790. 甘薯叶甲属 *Colasposoma* Castelnau, 1833

(2155) 甘薯叶甲 *Colasposoma dauricum* Mannerheim, 1849

分布：陕西（秦岭）、黑龙江、吉林、辽宁、北京、河北、内蒙古、山西、河南、宁夏、甘肃、青海、新疆、山东、江苏、安徽、湖北、湖南、四川；蒙古，俄罗斯，朝鲜，日本。

791. 茶肖叶甲属 *Demotina* Baly, 1863

(2156) 黑斑茶肖叶甲 *Demotina piceonotata* Pic, 1929

分布：陕西（秦岭）、浙江、湖北、云南。

792. 沟顶肖叶甲属 *Heteraspis* Westwood, 1837

(2157) 萄沟顶肖叶甲 *Heteraspis lewisii*（Baly, 1874）

分布：陕西（秦岭）、河北、山东、江苏、浙江、湖北、江西、湖南、福建、台湾、广东、海南、广西、贵州、云南；日本，越南。

793. 筒胸肖叶甲属 *Lypesthes* Baly, 1863

(2158) 粉筒胸肖叶甲 *Lypesthes ater*（Motschulsky, 1861）

分布：陕西（秦岭）、浙江、湖北、江西、福建、广东、广西、四川、贵州、云南；朝鲜，日本。

794. 球肖叶甲属 *Nodina* Motschulsky，1858

（2159）中华球叶甲 *Nodina chinensis* Weise，1922

分布：陕西（秦岭）、河北、江苏、浙江、湖北、江西、福建、广东、香港、广西。

795. 豆肖叶甲属 *Pagria* Lefevre，1884

（2160）斑鞘豆肖叶甲 *Pagria signata*（Motschulsky，1858）

分布：陕西（秦岭）、黑龙江、辽宁、河北、河南、江苏、安徽、浙江、湖北、江西、福建、台湾、广东、海南、广西、四川、云南、西藏；俄罗斯，朝鲜，日本，越南，老挝，泰国，缅甸，印度，菲律宾，马来西亚，印度尼西亚。

796. 杨梢肖叶甲属 *Parnops* Jacobson，1894

（2161）杨梢肖叶甲 *Parnops glasunowi* Jakobson，1894

分布：陕西（秦岭）、辽宁、河北、内蒙古、山西、河南、甘肃、新疆；土库曼斯坦，塔吉克斯坦，乌兹别克斯坦。

797. 扁角肖叶甲属 *Platycorynus* Chevrolat，1836

（2162）四川扁角叶甲 *Platycorynus plebejus*（Weise，1889）

分布：陕西（留坝、佛坪、宁陕）、甘肃、浙江、湖北、四川、贵州、云南；老挝。

798. 毛叶甲属 *Trichochrysea* Baly，1861

（2163）大毛叶甲 *Trichochrysea imperialis*（Baly，1861）

分布：陕西（佛坪）、甘肃、江苏、浙江、湖北、江西、湖南、福建、广东、海南、广西、四川、贵州、云南；越南。

799. 黄肖叶甲属 *Xanthonia* Baly，1863

（2164）杉针黄叶甲 *Xanthonia collaris* Chen，1940

分布：陕西（周至、佛坪、宁陕）、山西、甘肃、青海、广西、四川、云南、西藏。

（2165）斑鞘黄叶甲 *Xanthonia signata* Chen，1935

分布：陕西（周至）、甘肃、湖北、四川、贵州、云南。

六十四、叶甲科 Chrysomelidae

（一）叶甲亚科 Chrysomelinae

800. 金叶甲属 *Chrysolina* Motschulsky，1758

（2166）蒿金叶甲 *Chrysolina*（*Anopachys*）*aurichalcea*（Mannerheim，1825）

分布：陕西（周至、佛坪、宁陕）、黑龙江、吉林、辽宁、北京、河北、山东、河南、甘肃、新疆、安徽、浙江、湖北、湖南、福建、台湾、广西、四川、贵州、云南；俄罗斯（西伯利亚），朝鲜，日本，缅甸，越南。

（2167）粗点薄荷金叶甲 *Chrysolina*（*Lithopteroides*）*laeviguttata* Chûjô，1958

分布：陕西（西安）、河南、湖北、福建、台湾、四川、贵州。

（2168）太白金叶甲 *Chrysolina taibaica* Chen，1961

分布：陕西（太白）。

801. 叶甲属 *Chrysomela* Linnaeus，1758

（2169）杨叶甲 *Chrysomela populi* Linnaeus，1758

分布：陕西（长安、宝鸡、华阴）、黑龙江、吉林、辽宁、北京、河北、内蒙古、山西、山东、宁夏、甘肃、青海、新疆、江苏、安徽、浙江、湖北、江西、湖南、福建、广西、四川、贵州、云南、西藏；俄罗斯（西伯利亚），朝鲜，日本，印度，亚洲，欧洲，非洲北部。

（2170）柳十八斑叶甲 *Chrysomela salicivorax*（Fairmaire，1888）

分布：陕西（秦岭）、辽宁、北京、河北、山东、甘肃、安徽、浙江、江西、四川、贵州；朝鲜。

（2171）柳二十斑叶甲 *Chrysomela vigintipunctata*（Scopoli，1763）

分布：陕西（周至、凤县、留坝、佛坪、宁陕）、吉林、辽宁、北京、河北、山西、甘肃、安徽、浙江、湖北、湖南、福建、四川、贵州、云南；俄罗斯（西伯利亚），欧洲。

802. 无缘叶甲属 *Colaphellus* Weise，1845

（2172）菜无缘叶甲 *Colaphellus bowringii*（Baly，1865）

分布：陕西（凤县、泾阳）、黑龙江、吉林、辽宁、北京、河北、内蒙古、山西、山东、河南、宁夏、甘肃、青海、江苏、浙江、湖北、江西、湖南、福建、广东、广西、四川、贵州、云南；越南。

803. 油菜叶甲属 *Entomoscelis* Chevrolat，1837

（2173）黑腹油菜叶甲 *Entomoscelis nigriventris* Daccordi *et* Yang，2009
分布：陕西（太白）、北京、山西、甘肃。

804. 扁叶甲属 *Gastrolina* Baly，1859

（2174）核桃扁叶甲 *Gastrolina depressa* Baly，1859
分布：陕西（凤县）、河南、甘肃、江苏、安徽、浙江、湖北、湖南、福建、广东、广西、四川、贵州；俄罗斯（西伯利亚），朝鲜，日本。

（2175）黑胸扁叶甲 *Gastrolina thoracica* Baly，1864
分布：陕西（平利）、黑龙江、吉林、辽宁、河北、甘肃、湖北、四川；俄罗斯（西伯利亚），朝鲜，日本。

805. 齿胫叶甲属 *Gastrophysa* Chevrolat，1837

（2176）蓼蓝齿胫叶甲 *Gastrophysa atrocyanea* Motschulsky，1860
分布：陕西（西安、杨凌）、黑龙江、辽宁、北京、河北、内蒙古、河南、甘肃、青海、江苏、上海、安徽、浙江、江西、湖南、福建、四川、云南；俄罗斯（西伯利亚），朝鲜，日本，越南。

806. 角胫叶甲属 *Gonioctena* Chevrolat，1837

（2177）十三斑角胫叶甲 *Gonioctena*（*Asiphytodecta*）*tredecimmaculata*（Jacoby，1888）
分布：陕西（华阴）、浙江、湖北、江西、湖南、福建、台湾、广西、四川、贵州、云南；越南。

（2178）曲带角胫叶甲 *Gonioctena*（*Platytodecta*）*flexuosa*（Baly，1859）
分布：陕西、甘肃、江苏、安徽、浙江、江西、福建、广东、四川。

807. 牡荆叶甲属 *Phola* Weise，1890

（2179）十八斑牡荆叶甲 *Phola octodecimguttata*（Fabricius，1775）
分布：陕西（周至、佛坪）、河北、甘肃、江苏、浙江、湖北、江西、湖南、福建、台湾、广东、海南、广西、四川、贵州；日本，印度，缅甸，越南，斯里兰卡，马来半岛，巴布亚新几内亚。

808. 弗叶甲属 *Phratora* Chevrolat, 1837

（2180）山杨弗叶甲 *Phratora costipennis* Chen, 1965
　　　分布：陕西（宁陕）。

（2181）方胸弗叶甲 *Phratora quadrithoracilis* Ge *et* Yang, 2005
　　　分布：陕西（周至）。

809. 圆叶甲属 *Plagiodera* Chevrolat, 1837

（2182）柳圆叶甲 *Plagiodera versicolora*（Laicharting, 1781）
　　　分布：陕西（宝鸡、武功）、黑龙江、吉林、辽宁、北京、天津、河北、内蒙古、
　　　山西、山东、河南、宁夏、甘肃、江苏、安徽、浙江、湖北、江西、湖南、福建、台
　　　湾、四川、贵州、云南；俄罗斯（西伯利亚），日本，印度，欧洲，非洲。

810. 固猿叶甲属 *Sclerophaedon* Weise, 1882

（2183）粗点固猿叶甲 *Sclerophaedon punctatus* Daccordi *et* Ge, 2012
　　　分布：陕西（西安）。

（二）萤叶甲亚科 Galerucinae

811. 殊角萤叶甲属 *Agetocera* Hope, 1840

（2184）丝殊角萤叶甲 *Agetocera filicornis* Laboissière, 1927
　　　分布：陕西（留坝、佛坪、宁陕）、甘肃、浙江、湖北、江西、湖南、福建、广西、
　　　四川、贵州、云南；越南。

（2185）天目殊角萤叶甲 *Agetocera parva* Chen, 1964
　　　分布：陕西（秦岭）、安徽、浙江、湖北、福建。

812. 突眼萤叶甲属 *Anadimonia* Ogloblin, 1936

（2186）小突眼萤叶甲 *Anadimonia potanini* Ogloblin, 1936
　　　分布：陕西（秦岭）、四川。

813. 阿波萤叶甲属 *Aplosonyx* Chevrolat, 1837

（2187）彩阿波萤叶甲 *Aplosonyx pictus* Chen, 1942
　　　分布：陕西（太白）、甘肃。

（2188）天平山阿波萤叶甲 *Aplosonyx tianpingshanensis* Yang，1995
　　　　分布：陕西（太白、眉县）、甘肃、湖南、湖北、贵州。

814. 异跗萤叶甲属 *Apophylia* Thomson，1858

（2189）黄额异跗萤叶甲 *Apophylia beeneni* Bezděk，2003
　　　　分布：陕西（秦岭）、黑龙江、吉林、辽宁、北京、河北、内蒙古、山西、山东、
　　　　安徽、浙江、江苏、湖北、江西、湖南、福建、台湾、广东、海南、广西、四川、贵
　　　　州、西藏；韩国，越南，老挝，泰国，厄立特里亚。

（2190）心异跗萤叶甲 *Apophylia flavovirens*（Fairmaire，1878）
　　　　分布：陕西（周至、佛坪、兴平）、吉林、河北、山西、安徽、浙江、湖北、江西、
　　　　湖南、福建、台湾、广东、海南、广西、四川、贵州；朝鲜，越南。

（2191）粗角异跗萤叶甲 *Apophylia grandicornis*（Fairmaire，1888）
　　　　分布：陕西（秦岭）、黑龙江、北京、河北、山西、山东、甘肃、四川、贵州；
　　　　朝鲜。

（2192）麦胫异跗萤叶甲 *Apophylia thalassina*（Faldermann，1835）
　　　　分布：陕西（周至、凤县、眉县、武功、佛坪）、吉林、辽宁、河北、内蒙古、山
　　　　西、宁夏、甘肃、河南、江苏、贵州；蒙古，俄罗斯，朝鲜。

（2193）黑背异跗萤叶甲 *Apophylia variicollis* Laboissière，1927
　　　　分布：陕西（秦岭）、四川、云南。

815. 小胸萤叶甲属 *Arthrotidea* Chen，1942

（2194）黄小胸萤叶甲 *Arthrotidea ruficollis* Chen，1942
　　　　分布：陕西（佛坪、宁陕）、浙江、湖北、湖南、福建、四川、贵州、云南、西藏。

816. 阿萤叶甲属 *Arthrotus* Motschulsky，1857

（2195）中华阿萤叶甲 *Arthrotus chinensis*（Baly，1879）
　　　　分布：陕西（凤县、周至、留坝、宁陕）、浙江、湖北、湖南、福建、四川、贵州。

（2196）弗瑞阿萤叶甲 *Arthrotus freyi* Gressitt *et* Kimoto，1963
　　　　分布：陕西（佛坪）、四川。

（2197）水杉阿萤叶甲 *Arthrotus nigrofasciatus*（Jacoby，1890）
　　　　分布：陕西（佛坪）、甘肃、安徽、浙江、湖北、江西、湖南、福建、广东、四川。

817. 长刺萤叶甲属 *Atrachya* Dejean，1837

（2198）双色长刺萤叶甲 *Atrachya bipartita*（Jacoby，1890）

分布：陕西（眉县、宁陕）、浙江、湖北、福建、广西、四川。

（2199）豆长刺萤叶甲 *Atrachya menetriesi*（Faldermann，1835）

分布：陕西（长安、周至、太白、凤县、武功、留坝、佛坪、宁陕）、黑龙江、吉林、河北、内蒙古、山西、甘肃、青海、江苏、浙江、湖北、江西、湖南、福建、广东、广西、四川、贵州、云南；俄罗斯（西伯利亚），日本。

（2200）红翅长刺萤叶甲 *Atrachya rubripennis* Gressitt *et* Kimoto，1963

分布：陕西（秦岭）、四川。

818. 樟萤叶甲属 *Atysa* Baly，1864

（2201）黄缘樟萤叶甲 *Atysa marginata marginata*（Hope，1831）

分布：陕西（太白、眉县、佛坪）、甘肃、浙江、湖北、福建、台湾、四川、贵州；缅甸，印度，尼泊尔，巴基斯坦。

819. 守瓜属 *Aulacophora* Chevrolat，1837

（2202）印度黄守瓜 *Aulacophora indica*（Gmelin，1790）

分布：陕西（周至、宝鸡、眉县、太白、宁陕、城固、商南、紫阳）、河北、山西、山东、河南、甘肃、上海、江苏、浙江、湖北、江西、湖南、福建、台湾、广东、广西、四川、贵州、云南、西藏；俄罗斯，朝鲜，日本，印度，不丹，尼泊尔，缅甸，越南，老挝，泰国，柬埔寨，斯里兰卡，菲律宾，巴布亚新几内亚，斐济。

（2203）黑足黑守瓜 *Aulacophora nigripennis* Motschulsky，1857

分布：陕西（周至、凤县、武功、华阴、宁陕，秦岭）、黑龙江、甘肃、河北、山西、山东、江苏、安徽、浙江、湖北、江西、湖南、福建、台湾、海南、广西、四川、贵州、云南；俄罗斯，韩国，日本，越南。

820. 波萤叶甲属 *Brachyphora* Jacoby，1890

（2204）黑条波萤叶甲 *Brachyphora nigrovittata* Jacoby，1890

分布：陕西（眉县、宁陕、紫阳）、山西、江苏、浙江、湖北、江西、湖南、福建、广东、广西、四川、贵州。

821. 凯瑞萤叶甲属 *Charaea* Baly，1878

（2205）黄腹凯瑞萤叶甲 *Charaea flaviventris*（Motschulsky，1860）

分布：陕西（周至、留坝、佛坪、石泉）、黑龙江、吉林、甘肃、安徽、浙江、湖北、江西、湖南、福建、台湾、广东、广西;俄罗斯，朝鲜，日本。

（2206）黑腹凯瑞萤叶甲 *Charaea nigriventris*（Ogloblin, 1936）
　　　分布：陕西(秦岭)、黑龙江、吉林、山西、山东、河南、四川。

822. 宽折萤叶甲属 *Clerotilia* Jacoby, 1885

（2207）端暗宽折萤叶甲 *Clerotilia terminata* Chen, 1942
　　　分布：陕西(太白)、广西。

823. 丽萤叶甲属 *Clitenella* Laboissière, 1927

（2208）丽萤叶甲 *Clitenella fulminans*（Faldermann, 1835）
　　　分布：陕西(长安、周至、眉县)、河北、内蒙古、山东、浙江、湖北、江西、湖南、福建、台湾、四川、贵州、云南;蒙古，越南。

824. 克萤叶甲属 *Cneorane* Baly, 1865

（2209）麻克萤叶甲 *Cneorane cariosipennis* Fairmaire, 1888
　　　分布：陕西(宁陕)、湖北、广东、海南、广西、四川、贵州、云南、西藏;印度，泰国。

（2210）黑足克萤叶甲 *Cneorane crassicornis* Fairmaire, 1889
　　　分布：陕西(西安、户县)、福建、四川;越南，泰国。

（2211）华丽克萤叶甲 *Cneorane elegans* Baly, 1874
　　　分布：陕西(宁陕、岚皋)、黑龙江、吉林、辽宁、北京、河北、山西、甘肃、江苏、安徽、浙江、湖北、湖南、江西、广东、广西、四川;俄罗斯，朝鲜，日本。

（2212）间克萤叶甲 *Cneorane intermedia* Fairmaire, 1889
　　　分布：陕西(岚皋)、湖北、福建、广东、广西、四川、贵州、云南、西藏。

（2213）脊刻克萤叶甲 *Cneorane rugulipennis*（Baly, 1886）
　　　分布：陕西(周至)、湖北、湖南、福建、台湾、广东、海南、贵州、四川、云南、西藏;越南，老挝，缅甸，印度，不丹，尼泊尔，巴基斯坦。

（2214）胡枝子克萤叶甲 *Cneorane violaceipennis* Allard, 1887
　　　分布：陕西(周至、凤县、太白、武功、华阴、留坝、城固、佛坪、宁陕、石泉、黄陵)、山西、江苏、浙江、湖北、湖南、福建、台湾、四川、贵州、西藏。

825. 德萤叶甲属 *Dercetina* Gressitt et Kimoto, 1963

（2215）紫兰德萤叶甲 *Dercetina carinipennis* Gressitt et Kimoto, 1963

　　分布：陕西(周至)、甘肃、浙江、福建。

(2216) 中华德萤叶甲 *Dercetina chinensis* (Weise, 1889)

　　分布：陕西(周至)、河北、甘肃、安徽、江苏、浙江、湖北、江西、湖南、福建、台湾、广东、四川、贵州、云南；越南，老挝，泰国，印度，尼泊尔。

(2217) 蓝翅德萤叶甲 *Dercetina cyanipennis* (Chen, 1942)

　　分布：陕西(秦岭)、湖北、四川。

(2218) 黑头德萤叶甲 *Dercetina viridipennis* (Duvivier, 1887)

　　分布：陕西(周至、宁陕)、云南；缅甸，尼泊尔。

826. 粗角萤叶甲属 *Diorhabda* Weise, 1883

(2219) 白茨粗角萤叶甲 *Diorhabda rybakowi* Weise, 1890

　　分布：陕西(秦岭)、内蒙古、宁夏、甘肃、新疆、四川；蒙古。

827. 曲波萤叶甲属 *Doryxenoides* Laboissière, 1927

(2220) 黑胕曲波萤叶甲 *Doryxenoides tibialis* Laboissière, 1927

　　分布：陕西(秦岭)、湖北、云南；尼泊尔。

828. 宽胸萤叶甲属 *Emathea* Baly, 1865

(2221) 四斑宽胸萤叶甲 *Emathea punctata* (Allard, 1889)

　　分布：陕西(佛坪)、甘肃、广东、海南、广西；越南。

829. 短角萤叶甲属 *Erganoides* Jacoby, 1903

(2222) 凸头短角萤叶甲 *Erganoides capito* (Weise, 1889)

　　分布：陕西(秦岭)、甘肃、湖北、四川。

830. 攸萤叶甲属 *Euliroetis* Ogloblin, 1936

(2223) 菊攸萤叶甲 *Euliroetis ornata* (Baly, 1874)

　　分布：陕西(临潼、宁陕)、黑龙江、吉林、辽宁、江苏、湖南、福建、广东、广西、四川、贵州；俄罗斯，朝鲜，日本。

(2224) 缝攸萤叶甲 *Euliroetis suturalis* (Laboissière, 1929)

　　分布：陕西(石泉)、甘肃、江苏、湖北、湖南、福建、四川、贵州、云南。

831. 窝额萤叶甲属 *Fleutiauxia* Laboissière, 1933

(2225) 桑窝额萤叶甲 *Fleutiauxia armata* (Baly, 1874)

分布：陕西（南郑）、黑龙江、吉林、河南、甘肃、浙江、湖北、湖南、四川；俄罗斯，朝鲜，日本。

（2226）灰黄窝额萤叶甲 *Fleutiauxia flavida* Yang，1993

分布：陕西（宝鸡、留坝）。

（2227）舌突窝额萤叶甲 *Fleutiauxia glossophylla* Yang，1997

分布：陕西（太白山）、湖北、四川。

832.　萤叶甲属 *Galeruca* Müller，1764

（2228）大和萤叶甲 *Galeruca dahlii*（Joannis，1866）

分布：陕西（长安、凤县）、黑龙江、新疆；土耳其，欧洲。

833.　小萤叶甲属 *Galerucella* Crotch，1873

（2229）褐背小萤叶甲 *Galerucella grisescens*（Joannis，1866）

分布：陕西（武功、佛坪、宁陕）、黑龙江、吉林、辽宁、河北、内蒙古、山东、河南、安徽、江苏、浙江、湖北、江西、湖南、福建、台湾、广东、海南、广西、四川、贵州、云南、西藏；俄罗斯，朝鲜，日本，越南。

（2230）菱角小萤叶甲 *Galerucella nipponensis*（Laboissière，1922）

分布：陕西（周至）、山东、浙江、湖北、江西、福建、台湾、广东；俄罗斯，韩国，日本。

834.　柱萤叶甲属 *Gallerucida* Motschulsky，1860

（2231）棕褐柱萤叶甲 *Gallerucida aeneomicans* Ogloblin，1936

分布：陕西（佛坪）、甘肃、四川。

（2232）二纹柱萤叶甲 *Gallerucida bifasciata* Motschulsky，1860

分布：陕西（周至、凤县、眉县、武功、华阴、宁陕）、黑龙江、吉林、辽宁、河北、河南、甘肃、江苏、浙江、湖北、江西、湖南、福建、台湾、广西、四川、贵州、云南；俄罗斯（西伯利亚），朝鲜，日本。

（2233）丽纹柱萤叶甲 *Gallerucida gloriosa*（Baly，1861）

分布：陕西（长安、周至、凤县、眉县、太白、留坝）、黑龙江、吉林、辽宁、河北、甘肃、江苏、安徽、浙江、江西、湖北、湖南、福建、广东、四川、贵州；朝鲜。

（2234）褐缘柱萤叶甲 *Gallerucida limbatella* Chen，1992

分布：陕西（周至）、河北、内蒙古；印度。

（2235）黑窝柱萤叶甲 *Gallerucida nigrofoveolata*（Fairmaive，1889）

　　　分布：陕西（周至）、甘肃、湖北、福建、四川、云南。

（2236）黑角柱萤叶甲 *Gallerucida pallida* Laboissière，1934

　　　分布：陕西（宁陕）、四川。

（2237）细角柱萤叶甲 *Gallerucida serricornis*（Fairmaire，1888）

　　　分布：陕西（周至）、台湾、四川。

835．毛丝萤叶甲属 *Hesperomorpha* Ogloblin，1936

（2238）黑毛丝萤叶甲 *Hesperomorpha potanini* Ogloblin，1936

　　　分布：陕西（宁陕）、四川。

836．平翅萤叶甲属 *Hoplosaenidea* Laboissière，1933

（2239）双色平翅萤叶甲 *Hoplosaenidea bicolor*（Gressitt *et* Kimoto，1963）

　　　分布：陕西（秦岭）。

837．日萤叶甲属 *Japonitata* Strand，1935

（2240）半黑日萤叶甲 *Japonitata bipartita* Chen *et* Jiang，1986

　　　分布：陕西（华阴）、福建、四川。

838．隶萤叶甲属 *Liroetis* Weise，1889

（2241）黄腹隶萤叶甲 *Liroetis flavipennis* Bryant，1954

　　　分布：陕西（太白、宁陕、辛林）、甘肃、四川;缅甸，印度。

（2242）莱克隶萤叶甲 *Liroetis leechi* Jacoby，1890

　　　分布：陕西（周至、留坝）、甘肃、浙江、湖北。

（2243）四川隶萤叶甲 *Liroetis sichuanensis* Jiang，1988

　　　分布：陕西（太白、辛林）、甘肃、四川、贵州。

（2244）天目山隶萤叶甲 *Liroetis tiemushannis* Jiang，1988

　　　分布：陕西（周至、留坝、宁陕）、甘肃、浙江、湖南、福建、贵州。

839．麦萤叶甲属 *Medythia* Jacoby，1886

（2245）黑条麦萤叶甲 *Medythia nigrobilineata*（Motschulsky，1860）

　　　分布：陕西（周至、太白、武功、杨凌、洛南）、黑龙江、吉林、甘肃、河北、山
东、江苏、安徽、湖北、江西、湖南、福建、台湾、广西、四川、云南;俄罗斯

（西伯利亚），朝鲜，日本，越南，印度，尼泊尔。

840. 眉毛萤叶甲属 *Menippus* Clark，1864

（2246） 宾氏眉毛萤叶甲 *Menippus beeneni* Lee et al.，2012

分布：陕西（周至、太白）、山西。

（2247） 褐眉毛萤叶甲 *Menippus sericea*（Weise，1889）

分布：陕西（佛坪、宁陕）、湖南、福建、台湾、四川。

841. 米萤叶甲属 *Mimastra* Baly，1865

（2248） 粗刻米萤叶甲 *Mimastra chennelli* Baly，1879

分布：陕西（镇巴）、浙江、湖南、广东、云南；老挝，泰国，缅甸，印度，尼泊尔，马来西亚，巴基斯坦。

（2249） 桑黄米萤叶甲 *Mimastra cyanura*（Hope，1831）

分布：陕西（镇巴）、甘肃、江苏、浙江、湖北、江西、湖南、福建、广东、广西、四川、贵州、云南；印度，尼泊尔，缅甸，克什米尔。

（2250） 黄跗米萤叶甲 *Mimastra grahami* Gressitt et Kimoto，1963

分布：陕西（宁陕、紫阳）、湖南、四川、贵州。

（2251） 叉斑米萤叶甲 *Mimastra guerryi* Laboissière，1929

分布：陕西（镇安、宁强、商南）、四川、云南；印度。

（2252） 克氏米萤叶甲 *Mimastra kremitovskyi* Bezdek，2009

分布：陕西（岚皋）、云南。

（2253） 黄缘米萤叶甲 *Mimastra limbata* Baly，1879

分布：陕西（周至、留坝、佛坪、宁陕、旬阳、镇巴）、甘肃、浙江、湖北、湖南、福建、广西、四川、贵州、云南；印度，尼泊尔。

（2254） 褐跗米萤叶甲 *Mimastra malvi* Chen，1942

分布：陕西（秦岭）、湖南、四川。

842. 长跗萤叶甲属 *Monolepta* Chevrolat，1837

（2255） 凹翅长跗萤叶甲 *Monolepta bicavipennis* Chen，1942

分布：陕西（长安、太白、武功、留坝、佛坪、宁陕、岚皋）、山西、河南、甘肃、安徽、浙江、湖北、江西、湖南、广西、贵州、云南。

（2256） 黑头长跗萤叶甲 *Monolepta capitata* Chen，1942

分布：陕西（周至、留坝、佛坪、宁陕）、湖北、湖南、福建、四川。

（2257）黑体长跗萤叶甲 *Monolepta epistomalis* Laboissiere, 1934

分布：陕西（周至、洋县）、甘肃、浙江、湖南。

（2258）二带长跗萤叶甲 *Monolepta excavata* Chûjô, 1938

分布：陕西（佛坪）、甘肃、江苏、湖北、浙江、江西、湖南、福建、台湾、广东、广西、贵州、云南。

（2259）黄带长跗萤叶甲 *Monolepta flavovittata* Chen, 1942

分布：陕西（留坝、佛坪）、河北、甘肃、湖北、福建；越南。

（2260）黑纹长跗萤叶甲 *Monolepta sexlineata* Chûjô, 1938

分布：陕西（凤县、武功、留坝、合阳、紫阳）、吉林、河北、山西、甘肃、福建、台湾、广东、海南、广西、云南；越南，老挝，泰国，柬埔寨，印度，尼泊尔，斯里兰卡。

（2261）黄斑长跗萤叶甲 *Monolepta signata*（Oliver, 1808）

分布：陕西（凤县、宝鸡、太白、武功、留坝、宁陕、洛南、商州、陕北）、黑龙江、吉林、辽宁、河北、内蒙古、山西、河南、甘肃、浙江、湖北、江西、湖南、福建、台湾、广东、香港、海南、广西、四川、贵州、云南、西藏；越南，泰国，缅甸，印度，不丹，尼泊尔，斯里兰卡。

（2262）端褐长跗萤叶甲 *Monolepta subapicalis* Gressitt et Kimoto, 1963

分布：陕西（宁陕）、甘肃、湖北、湖南、福建、贵州；越南，不丹。

（2263）拟黄翅长跗萤叶甲 *Monolepta subflavipennis* Kimoto, 1989

分布：陕西（佛坪、宁陕）、甘肃、湖北、贵州；越南。

（2264）截翅长跗萤叶甲 *Monolepta subrubra* Chen, 1942

分布：陕西（周至、凤县）、福建。

（2265）黄胸长跗萤叶甲 *Monolepta xanthodera* Chen, 1942

分布：陕西（秦岭）、甘肃、湖北、湖南、福建、台湾、四川、贵州、云南、西藏。

（2266）黑端长跗萤叶甲 *Monolepta yama* Gressitt et Kimoto, 1965

分布：陕西（宁陕）、甘肃、河南、湖北、浙江、江西、海南、四川、贵州、云南。

843. 瓢萤叶甲属 *Oides* Weber, 1801

（2267）蓝翅瓢萤叶甲 *Oides bowringii*（Baly, 1863）

分布：陕西（留坝）、浙江、湖北、江西、湖南、福建、广东、广西、四川、贵州、云南；朝鲜，日本。

（2268）十星瓢萤叶甲 *Oides decempunctata*（Billberg, 1808）

分布：陕西（长安、周至、太白、武功、华阴、柞水、紫阳）、吉林、河北、山西、山东、河南、甘肃、江苏、安徽、浙江、湖北、江西、湖南、福建、台湾、广东、海南、广西、四川、贵州；朝鲜，越南。

(2269) 宽缘瓢萤叶甲 *Oides maculata*（Olivier, 1807）

分布：陕西（长安、周至、太白、宁陕、商州）、山东、河南、江苏、安徽、浙江、湖北、江西、湖南、福建、台湾、广东、海南、广西、四川、贵州、云南；印度，尼泊尔，缅甸，越南，老挝，泰国，柬埔寨，马来西亚，印度尼西亚。

(2270) 黑跗瓢萤叶甲 *Oides tarsata*（Baly, 1865）

分布：陕西（周至、太白、宝鸡、华阴、石泉、镇安）、河北、甘肃、江苏、安徽、浙江、湖北、江西、湖南、福建、广东、海南、广西、四川、贵州、西藏；越南。

844. 凹翅萤叶甲属 *Paleosepharia* Laboissière, 1936

(2271) 考氏凹翅萤叶甲 *Paleosepharia kolthoffi* Laboissière, 1938

分布：陕西（凤县、洋县、佛坪、宁强、镇巴）、湖北、江苏、安徽、浙江、贵州。

(2272) 核桃凹翅萤叶甲 *Paleosepharia posticata* Chen, 1942

分布：陕西（凤县）、河北、湖北、四川。

845. 胫萤叶甲属 *Pallasiola* Jacobson, 1925

(2273) 阔胫萤叶甲 *Pallasiola absinthii*（Pallas, 1773）

分布：陕西（凤县、武功、留坝、城固、富县、陕北）、黑龙江、吉林、辽宁、河北、内蒙古、山西、宁夏、甘肃、青海、新疆、四川、云南、西藏；蒙古，俄罗斯，吉尔吉斯。

846. 后脊守瓜属 *Paragetocera* Laboissière, 1929

(2274) 凹胸后脊守瓜 *Paragetocera dilatipennis* Zhang *et* Yang, 2004

分布：陕西（宁陕）、湖南。

(2275) 黄腹后脊守瓜 *Paragetocera flavipes* Chen, 1942

分布：陕西（长安、太白、宁陕）、甘肃、山西、浙江、湖北、湖南、四川、云南。

(2276) 曲后脊守瓜 *Paragetocera involuta* Laboissière, 1929

分布：陕西（太白、眉县、宁陕）、湖北、台湾、四川、贵州、云南、西藏。

(2277) 黑背后脊守瓜 *Paragetocera nigricollis* Zhang *et* Yang, 2004

分布：陕西（长安、周至）、甘肃。

(2278) 黑胸后脊守瓜 *Paragetocera parvula parvula*（Laboissière, 1929）

分布：陕西（周至、太白、留坝、佛坪、宁陕）、甘肃、河南、浙江、湖北、湖南、四川、云南。

（2279）黑跗后脊守瓜 *Paragetocera tibialis* Chen，1942

　　分布：陕西（武功、佛坪、宁陕）、湖北、四川。

847．异角萤叶甲属 *Paraplotes* Laboissière，1933

（2280）褐异角萤叶甲 *Paraplotes antennalis* Chen，1942

　　分布：陕西（凤县）、山西。

848．拟守瓜属 *Paridea* Baly，1886

（2281）斑角拟守瓜 *Paridea*（*Semacia*）*angulicollis*（Motschulsky，1853）

　　分布：陕西（佛坪）、黑龙江、吉林、河北、甘肃、江苏、浙江、湖南、福建、台湾、海南；日本。

（2282）鸟尾拟守瓜 *Paridea*（*Semacia*）*avicauda*（Laboissière，1930）

　　分布：陕西（长安、凤县、太白）、湖北、湖南、福建、四川、西藏。

（2283）隆脊拟守瓜 *Paridea*（*Paridea*）*costata*（Chûjô，1935）

　　分布：陕西（佛坪）、甘肃、河北、浙江、江西、台湾、贵州。

（2284）凹缘拟守瓜 *Paridea*（*Paridea*）*epipleuralis* Chen，1942

　　分布：陕西（秦岭）、甘肃、山西。

（2285）凹翅拟守瓜 *Paridea*（*Paridea*）*foveipennis* Jacoby，1892

　　分布：陕西（佛坪）、海南、云南、西藏；越南，老挝。

（2286）中华拟守瓜 *Paridea*（*Paridea*）*sinensis* Laboissière，1930

　　分布：陕西（太白）、甘肃、江西、湖北、湖南、福建、四川、贵州、云南。

849．方胸萤叶甲属 *Proegmena* Weise，1889

（2287）褐方胸萤叶甲 *Proegmena pallidipennis* Weise，1889

　　分布：陕西（太白）、甘肃、江苏、浙江、湖北、福建、四川。

850．宽缘萤叶甲属 *Pseudosepharia* Laboissière，1936

（2288）膨宽缘萤叶甲 *Pseudosepharia dilatipennis*（Fairmaire，1889）

　　分布：陕西（留坝、宁陕）、甘肃、四川。

（2289）黑头宽缘萤叶甲 *Pseudosepharia nigriceps* Jiang，1990

　　分布：陕西（长安、留坝、宁陕）、甘肃、湖北。

851. 毛萤叶甲属 *Pyrrhalta* Joannis, 1866

(2290) 榆绿毛萤叶甲 *Pyrrhalta aenescens*（Fairmaire, 1878）

分布：陕西（长安、周至、太白、武功、华阴、留坝）、吉林、内蒙古、河北、山西、山东、河南、甘肃、江苏、台湾。

(2291) 光瘤毛萤叶甲 *Pyrrhalta corpulenta* Gressitt *et* Kimoto, 1963

分布：陕西（佛坪、宁陕）、甘肃、湖北、福建、广西。

(2292) 背毛萤叶甲 *Pyrrhalta dorsalis*（Chen, 1942）

分布：陕西（宁陕）、甘肃、山西、湖南、四川。

(2293) 黑肩毛萤叶甲 *Pyrrhalta humeralis*（Chen, 1942）

分布：陕西（周至、佛坪、宁陕）、黑龙江、吉林、辽宁、甘肃、安徽、浙江、湖北、江西、湖南、福建、台湾、广东、广西、四川；日本。

(2294) 长毛萤叶甲 *Pyrrhalta longipilosa*（Chen, 1942）

分布：陕西（秦岭）、四川。

(2295) 条纹毛萤叶甲 *Pyrrhalta luteola*（Müller, 1766）

分布：陕西（秦岭）、内蒙古、甘肃、宁夏、内蒙古；俄罗斯，塔吉克斯坦，欧洲，美国，阿尔及利亚。

(2296) 榆黄毛萤叶甲 *Pyrrhalta maculicollis*（Motschulsky, 1853）

分布：陕西（长安、周至、武功、凤县）、黑龙江、吉林、辽宁、河北、内蒙古、山西、山东、河南、甘肃、江苏、浙江、江西、福建、台湾、广东、广西；俄罗斯，朝鲜，日本。

(2297) 宁波毛萤叶甲 *Pyrrhalta ningpoensis* Gressitt *et* Kimoto, 1963

分布：陕西（宁陕）、浙江；日本。

(2298) 盾毛萤叶甲 *Pyrrhalta scutellata*（Hope, 1831）

分布：陕西（周至）、湖北、江西、湖南、福建、贵州；印度，尼泊尔，不丹。

(2299) 半黄毛萤叶甲 *Pyrrhalta semifulva*（Jacoby, 1885）

分布：陕西（宁陕）、黑龙江、吉林、辽宁、福建、台湾；俄罗斯，日本。

(2300) 韦氏毛萤叶甲 *Pyrrhalta wilcoxi* Gressitt *et* Kimoto, 1965

分布：陕西（留坝）、台湾、贵州、云南。

852. 额凹萤叶甲属 *Sermyloides* Jacoby, 1884

(2301) 横带额凹缘萤叶甲 *Sermyloides semiornata* Chen, 1942

分布：陕西（太白）、湖北、福建、广西、四川、云南。

（2302）陕西额凹缘萤叶甲 *Sermyloides shaanxiensis* Nie *et* Yang, 2017

　　　分布：陕西（周至、宁陕）。

853．陕萤叶甲属 *Shensia* Chen, 1964

（2303）亮黑陕萤叶甲 *Shensia parvula* Chen, 1964

　　　分布：陕西（太白）。

854．毛米萤叶甲属 *Trichomimastra* Weise, 1922

（2304）软鞘毛米萤叶甲 *Trichomimastra gracilipes* Gressitt *et* Kimoto, 1963

　　　分布：陕西（留坝、佛坪）、湖北、四川。

（三）跳甲亚科 Alticinae

855．跳甲属 *Altica* Geoffroy, 1762

（2305）朴草跳甲 *Altica caerulescens*（Baly, 1874）

　　　分布：陕西（佛坪）、河北、江苏、浙江、湖北、江西、湖南、福建、台湾、广东；朝鲜，日本，印度。

（2306）蓝跳甲 *Altica cyanea* Weber, 1801

　　　分布：陕西（秦岭）、甘肃、安徽、浙江、湖北、湖南、福建、四川、广东、广西、云南、西藏；日本，中南半岛，缅甸，印度，马来西亚，印度尼西亚。

（2307）老鹳草跳甲 *Altica viridicyanea*（Baly, 1874）

　　　分布：陕西（宁陕）、吉林、河北、山西、甘肃、湖北、四川、福建、广东、贵州、云南；日本，印度。

（2308）*Altica weisei*（Jacobson, 1892）

　　　分布：陕西（秦岭）、黑龙江、吉林、辽宁、内蒙古、北京、河北、山西、河南、甘肃、新疆、江苏、四川、西藏；蒙古，俄罗斯，朝鲜。

856．侧刺跳甲属 *Aphthona* Chevrolat, 1836

（2309）隆基侧刺跳甲 *Aphthona howenchuni*（Chen, 1934）

　　　分布：陕西（留坝、佛坪）、甘肃、湖北、湖南、福建、四川、贵州。

（2310）金绿侧刺跳甲 *Aphthona splendida* Weise, 1889

　　　分布：陕西（留坝）、河北、甘肃、浙江、湖北、湖南、福建、四川。

（2311）深蓝侧刺跳甲 *Aphthona varipes* Jacoby, 1890

分布：陕西（留坝、佛坪）、甘肃、湖北、湖南、福建、四川、云南；越南北部。

857. 刀刺跳甲属 *Aphthonoides* Jacoby, 1885

（2312）贝刀刺跳甲 *Aphthonoides beccarii* Jacoby, 1885

分布：陕西（柞水）、甘肃、湖北、福建、台湾、海南、四川；日本，印度尼西亚。

858. 凹唇跳甲属 *Argopus* Fischer, 1824

（2313）双齿凹唇跳甲 *Argopus bidentatus* Wang, 1992

分布：陕西（宁陕）、四川、云南。

（2314）黑足凹唇跳甲 *Argopus nigripes* Weise, 1889

分布：陕西（周至、留坝）、甘肃、四川。

（2315）黑跗凹唇跳甲 *Argopus nigritarsis* Gebler, 1823

分布：陕西（留坝）、河北、山西、山东、甘肃、湖北、江苏、浙江、江西、福建、四川、广西；俄罗斯（西伯利亚），欧洲北部。

859. 凹胫跳甲属 *Chaetocnema* Stephens, 1831

（2316）尖尾凹胫跳甲 *Chaetocnema bella*（Baly, 1876）

分布：陕西（凤县）、浙江、湖北、江西、福建、海南、广西、四川、云南；越南，缅甸。

（2317）古铜凹胫跳甲 *Chaetocnema concinnicollis*（Baly, 1874）

分布：陕西（宁陕）、黑龙江、吉林、河北、内蒙古、山东、江苏、浙江、湖北、江西、福建、台湾、海南、广西、四川；日本，越南，印度，尼泊尔，斯里兰卡。

（2318）云南凹胫跳甲 *Chaetocnema fortecostata* Chen, 1939

分布：陕西（宁陕）、湖北、重庆、四川、浙江、湖南、江西、福建、云南、广西。

（2319）栗凹胫跳甲 *Chaetocnema ingenua*（Baly, 1876）

分布：陕西（佛坪）、黑龙江、吉林、河北、内蒙古、山西、河南、宁夏、甘肃、江苏、湖北、浙江、湖南、福建、云南；日本。

（2320）寥凹胫跳甲 *Chaetocnema picipes*（Marsham, 1802）

分布：陕西（宁陕）、黑龙江、吉林、甘肃、山东、浙江、湖北、江西、福建、台湾、广西、四川、云南；俄罗斯（西伯利亚），朝鲜，日本，中亚，欧洲，北美洲。

（2321）柳凹胫跳甲 *Chaetocnema salixis* Ruan, Konstantinov *et* Yang, 2014

　　分布：陕西（洋县、华阳）、甘肃、四川。

（2322）蚤凹胫跳甲 *Chaetocnema tibialis*（Illiger, 1807）

　　分布：陕西（留坝）、河北、山西、甘肃、新疆；中亚，欧洲南部，非洲北部。

860. 沟胸跳甲属 *Crepidodera* Chevrolat, 1836

（2323）金色沟胸跳甲 *Crepidodera aurata* Masham, 1802

　　分布：陕西（周至、佛坪）、江苏、江西；俄罗斯（西伯利亚），欧洲。

（2324）黑足沟胸跳甲 *Crepidodera picipes*（Weise, 1887）

　　分布：陕西（周至、留坝、佛坪）、吉林、甘肃、湖北、四川；俄罗斯（西伯利亚）。

（2325）柳沟胸跳甲 *Crepidodera pluta*（Latreille, 1804）

　　分布：陕西（周至、留坝）、黑龙江、吉林、河北、山西、甘肃、湖北、云南、西藏；俄罗斯，朝鲜，日本，中亚，欧洲。

861. 毛跳甲属 *Epitrix* Foudras, 1859

（2326）茄毛跳甲 *Epitrix setosella*（Fairmaire, 1888）

　　分布：陕西（西安）、河北、河南、安徽、江西、湖南、福建、广西。

862. 凸顶跳甲属 *Euphitrea* Baly, 1875

（2327）苎麻凸顶跳甲 *Euphitrea nisotroides*（Chen, 1933）

　　分布：陕西（柞水）、甘肃、福建、台湾；日本。

863. 沟胫跳甲属 *Hemipyxis* Chevrolat, 1836

（2328）金绿沟胫跳甲 *Hemipyxis plagioderoides*（Motschulsky, 1860）

　　分布：陕西（眉县、柞水），全国广布；日本，东南亚。

（2329）多变沟胫跳甲 *Hemipyxis variabilis*（Jacoby, 1885）

　　分布：陕西（眉县）、甘肃、湖北、江西、湖南、福建、广西、四川、贵州、云南；缅甸，印度尼西亚。

864. 哈跳甲属 *Hermaeophaga* Foudras, 1859

（2330）黑蓝哈跳甲 *Hermaeophaga hanoiensis*（Chen, 1934）

　　分布：陕西（眉县）、甘肃、广西、四川、云南；印度。

865．丝跳甲属 *Hespera* Weise，1889

（2331）卡尔代丝跳甲 *Hespera cavaleriei* Chen，1932
　　分布：陕西（宁陕）、湖北、湖南、福建、四川、贵州、云南。

（2332）*Hespera fulvicornis* Kung *et* Chen，1954
　　分布：陕西（秦岭）、山西、四川。

（2333）波毛丝跳甲 *Hespera lomasa* Maulik，1926
　　分布：陕西（眉县），全国广布；日本、越南、缅甸、印度、斯里兰卡。

（2334）裸顶丝跳甲 *Hespera sericea* Weise，1889
　　分布：陕西（周至、留坝、佛坪、宁陕）、甘肃、湖北、湖南、四川、福建、广西、云南、西藏；越南，印度，不丹，尼泊尔。

866．肿爪跳甲属 *Hyphasis* Harold，1877

（2335）莫肿爪跳甲 *Hyphasis moseri*（Weise，1922）
　　分布：陕西（宁陕）、江西、湖南、福建、广东、海南、广西、贵州；越南。

867．方胸跳甲属 *Lipromima* Heikertinger，1924

（2336）黄方胸跳甲 *Lipromima fulvipes* Chûjô，1935
　　分布：陕西（秦岭）、浙江、江西、台湾；日本。

（2337）小方胸跳甲 *Lipromima minuta*（Jacoby，1885）
　　分布：陕西（柞水）、浙江、湖北、江西、福建、四川；日本。

868．长跳甲属 *Liprus* Motschulsky，1860

（2338）律点长跳甲 *Liprus punctatostriatus* Motschulsky，1860
　　分布：陕西（柞水）、吉林、甘肃；朝鲜，日本。

869．长跗跳甲属 *Longitarsus* Latreille，1829

（2339）蓝长跗跳甲 *Longitarsus cyanipennis* Bryant，1924
　　分布：陕西（柞水）、甘肃、青海、四川、广西、云南、西藏；印度。

（2340）滑背长跗跳甲 *Longitarsus nitidus* Jacoby，1885
　　分布：陕西（柞水）、河北、内蒙古、山东、甘肃、四川；日本。

（2341）东方长跗跳甲 *Longitarsus orientalis* Jacoby，1885
　　分布：陕西（华阳）、内蒙古、山西；日本。

（2342）细角长跗跳甲 *Longitarsus succineus*（Foudras，1859）

分布：陕西（留坝）、黑龙江、吉林、河北、山西、山东、甘肃、湖北、湖南、四川；俄罗斯（西伯利亚），日本。

（2343）*Longitarsus tsinicus* Chen，1939

分布：陕西（秦岭）、山西、山东、甘肃、四川。

870．寡毛跳甲属 *Luperomorpha* Weise，1887

（2344）*Luperomorpha nobilis* Weise，1889

分布：陕西（秦岭）、甘肃、台湾、四川、贵州；日本。

（2345）葱黄寡毛跳甲 *Luperomorpha suturalis* Chen，1938

分布：陕西（宁陕）、吉林、北京、河北、内蒙古、山西、山东、安徽、江苏、湖北。

（2346）黄胸寡毛跳甲 *Luperomorpha xanthodera*（Fairmaire，1888）

分布：陕西（周至）、山东、浙江、湖北、江西、湖南、福建、广东、四川，东北。

871．连瘤跳甲属 *Neocrepidodera* Heikertinger，1911

（2347）中华连瘤跳甲 *Neocrepidodera chinensis*（Gruev，1981）

分布：陕西（秦岭）。

（2348）里维连瘤跳甲 *Neocrepidodera laevicollis*（Jacoby，1885）

分布：陕西（宁陕）、江苏、湖北；日本。

（2349）模跗连瘤跳甲 *Neocrepidodera obscuritarsis*（Motschulsky，1859）

分布：陕西（周至）、黑龙江、浙江、湖北、贵州、四川；俄罗斯，日本。

872．九节跳甲属 *Nonarthra* Baly，1862

（2350）蓝色九节跳甲 *Nonarthra cyaneum* Baly，1874

分布：陕西（留坝、宁陕）、河北、山西、甘肃、江苏、安徽、浙江、湖北、江西、湖南、福建、台湾、广东、广西、四川、贵州、云南；日本，越南，老挝，柬埔寨。

（2351）黑胸九节跳甲 *Nonarthra nigricolle* Weise，1889

分布：陕西（秦岭）、山西、甘肃、台湾、四川、贵州。

（2352）后带九节跳甲 *Nonarthra postfasciata*（Fairmaire，1889）

分布：陕西（宁陕）、甘肃、四川。

873. 直缘跳甲属 *Ophrida* Chapuis, 1875

（2353）漆树直缘跳甲 *Ophrida scaphoides*（Baly, 1865）

　　　分布：陕西（宁陕）、甘肃、河南、江苏、安徽、浙江、湖北、江西、湖南、福建、
　　　台湾、广东、四川、贵州、云南；越南。

（2354）黄斑直缘跳甲 *Ophrida xanthospilota*（Baly, 1881）

　　　分布：陕西（宁陕）、河北、山东、甘肃、湖北、四川。

874. 曲胫跳甲属 *Pentamesa* Harold, 1876

（2355）三带曲胫跳甲 *Pentamesa trifasciata* Chen, 1935

　　　分布：陕西（凤县）、甘肃、四川、云南。

875. 粗角跳甲属 *Phygasia* Chevrolat, 1836

（2356）红胸粗角跳甲 *Phygasia ruficollis* Wang, 1993

　　　分布：陕西（秦岭）、甘肃、湖北、湖南。

876. 菜跳甲属 *Phyllotreta* Stephens, 1836

（2357）*Phyllotreta humilis* Weise, 1887

　　　分布：陕西（秦岭）、黑龙江、吉林、内蒙古、北京、河北、山西、山东、甘肃、
　　　新疆、江苏；蒙古，俄罗斯，朝鲜。

（2358）*Phyllotreta schuelkei* Döberl, 2011

　　　分布：陕西（秦岭）。

（2359）黄曲条菜跳甲 *Phyllotreta striolata*（Fabricius, 1801）

　　　分布：陕西（眉县），全国广布；朝鲜，日本，越南。

（2360）黄狭条菜跳甲 *Phyllotreta vittula*（Redtenbacher, 1849）

　　　分布：陕西（秦岭）、黑龙江、吉林、内蒙古、河北、山西、甘肃、新疆、山东、
　　　河南；俄罗斯（西伯利亚），亚洲中部，欧洲中部。

877. 潜跳甲属 *Podagricomela* Heikertinger, 1924

（2361）蓝桔潜跳甲 *Podagricomela cyanea* Chen, 1939

　　　分布：陕西（礼泉）、甘肃、江苏。

（2362）红胫潜跳甲 *Podagricomela flavitibialis* Wang, 1990

　　　分布：陕西（凤县）、甘肃、四川。

（2363）花椒潜跳甲 *Podagricomela shirahatai*（Chûjô，1957）

　　分布：陕西（宝鸡、韩城）、山西、甘肃。

878．凹缘跳甲属 *Podontia* Dalman，1824

（2364）黄色凹缘跳甲 *Podontia lutea*（Olivier，1790）

　　分布：陕西（眉县）、甘肃、浙江、湖北、江西、湖南、福建、台湾、广东、广西、四川、贵州、云南；越南，缅甸，东南亚。

879．蚤跳甲属 *Psylliodes* Latreille，1829

（2365）狭胸蚤跳甲 *Psylliodes angusticollis* Baly，1874

　　分布：陕西（留坝、宁陕）、甘肃、湖北、福建、台湾、广东、四川、贵州、云南；朝鲜，日本，越南，印度尼西亚。

（2366）大麻蚤跳甲 *Psylliodes attenuata*（Koch，1803）

　　分布：陕西（华阳）、黑龙江、吉林、辽宁、河北、内蒙古、山西、甘肃、新疆、江苏、贵州；俄罗斯（西伯利亚），朝鲜，日本，越南，欧洲。

（2367）*Psylliodes obscurofasciata* Chen，1933

　　分布：陕西（秦岭）、甘肃。

（2368）油菜蚤跳甲 *Psylliodes punctifrons* Baly，1874

　　分布：陕西（周至、留坝、佛坪、宁陕、眉县）、河北、内蒙古、山西、河南、甘肃、江苏、湖北、安徽、浙江、江西、湖南、福建、台湾、广西、四川、贵州、云南、西藏；日本，越南。

880．沟基跳甲属 *Sinocrepis* Chen，1933

（2369）木槿沟基跳甲 *Sinocrepis obscurofasciata*（Jacoby，1892）

　　分布：陕西（柞水）、河北、浙江、台湾、广西、贵州。

881．球跳甲属 *Sphaeroderma* Stephens，1831

（2370）凹球跳甲 *Sphaeroderma alternatum* Chen，1939

　　分布：陕西（柞水）、甘肃。

（2371）脊球跳甲 *Sphaeroderma carinatum* Wang，1992

　　分布：陕西（宁陕）、四川。

（2372）黑球跳甲 *Sphaeroderma nigrocephalum* Wang，1992

　　分布：陕西（眉县）、云南。

882. 瘦跳甲属 *Stenoluperus* Ogloblin，1936

（2373）日本瘦跳甲 *Stenoluperus nipponensis*（Laboissiere，1913）

　　　分布：陕西（周至、留坝、宁陕）、东北、甘肃、湖南、福建、四川、云南；俄罗斯（西伯利亚东部），朝鲜，日本。

883. 长瘤跳甲属 *Trachytetra* Sharp，1886

（2374）双齿长瘤跳甲 *Trachytetra bidentata*（Chen *et* Wang，1980）

　　　分布：陕西（留坝、佛坪、宁陕）、甘肃、湖北、四川、贵州。

六十五、铁甲科 Hispidae

（一）龟甲亚科 Cassidinae

884. 梳龟甲属 *Aspidimorpha* Hope，1840

（2375）尾斑梳龟甲 *Aspidimorpha*（*Aspidimorpha*）*chandrika* Maulik，1918
　　　分布：陕西（秦岭）、海南、云南；缅甸，印度，东南亚。

（2376）圆顶梳龟甲 *Aspidimorpha*（*Aspidimorpha*）*difformis*（Motschulsky，1860）
　　　分布：陕西（秦岭）、河北、甘肃、浙江、湖南、福建、台湾、四川、贵州；俄罗斯，韩国，日本。

885. 锯龟甲属 *Basiprionota* Chevrolat，1836

（2377）北锯龟甲 *Basiprionota bisignata*（Boheman，1862）
　　　分布：陕西（周至）、北京、河北、山西、山东、河南、甘肃、江苏、浙江、湖北、湖南、广西、贵州、云南；越南，泰国，马来西亚。

（2378）大锯龟甲 *Basiprionota chinensis*（Fabricius，1798）
　　　分布：陕西（秦岭）、江苏、浙江、江西、福建、广东、广西、四川。

886. 龟甲属 *Cassida* Linnaeus，1758

（2379）兴安台龟甲 *Cassida amurensis*（Kraatz，1879）
　　　分布：陕西（宁陕）、黑龙江、甘肃；俄罗斯，朝鲜。

（2380）南台龟甲 *Cassida australica*（Boheman，1855）

分布：陕西（秦岭小安井）、四川、云南、西藏；越南，老挝，泰国，缅甸，印度，尼泊尔。

（2381）枸杞龟甲 *Cassida deltoides* Weise, 1889

分布：陕西（武功）、河北、内蒙古、宁夏、江苏、浙江、湖南。

（2382）蒿龟甲指名亚种 *Cassida fuscorufa fuscorufa* Motschulsky, 1866

分布：陕西（周至、留坝、华阴）、黑龙江、吉林、辽宁、河北、山西、山东、河南、甘肃、江苏、浙江、湖北、江西、海南、广西、四川；俄罗斯，朝鲜，日本。

（2383）蒿龟甲浙闽亚种 *Cassida fuscorufa jacobsoni* Spaeth, 1914

分布：陕西（秦岭）、浙江、福建。

（2384）虾钳菜日龟甲 *Cassida japana* Baly, 1874

分布：陕西（佛坪）、甘肃、江西、广东。

（2385）黑条龟甲 *Cassida lineola* Creutzer, 1799

分布：陕西（华阴、宁陕）、河北、内蒙古、江苏、浙江、湖北、江西、福建、台湾、广西、四川；蒙古，俄罗斯，韩国，日本，越南，欧洲。

（2386）蒙古龟甲 *Cassida mongolica* Boheman, 1854

分布：陕西（秦岭）、河北、山东、江苏；蒙古，俄罗斯，日本。

（2387）甜菜大龟甲 *Cassida nebulosa* Linnaeus, 1758

分布：陕西（宝鸡、留坝、佛坪、宁陕）、黑龙江、吉林、辽宁、河北、内蒙古、山西、山东、宁夏、甘肃、新疆、江苏、上海、湖北、四川；俄罗斯，蒙古，韩国，日本，欧洲。

（2388）准小龟甲 *Cassida parvula* Boheman, 1854

分布：陕西（秦岭）、吉林、河北、内蒙古、山东、甘肃、青海、新疆、江苏；蒙古，俄罗斯，中亚，欧洲。

（2389）虾钳菜披龟甲 *Cassida piperata* Hope, 1842

分布：陕西（秦岭）、黑龙江、吉林、辽宁、北京、天津、河北、山东、河南、江苏、上海、浙江、湖北、江西、福建、台湾、广东、广西、四川、贵州、云南；俄罗斯，朝鲜，日本，越南，菲律宾。

（2390）密点龟甲 *Cassida rubiginosa* Müller, 1776

分布：陕西（宝鸡）、吉林、山西、青海、江苏、浙江、湖北、福建、台湾、西藏；韩国，中亚，欧洲，加拿大。

（2391）秦岭蚌龟甲 *Cassida tsinlinica* Chen et Zia, 1964

分布：陕西（宝鸡）。

（2392）山楂肋龟甲 *Cassida vespertina* Boheman, 1862

分布：陕西（秦岭）、内蒙古、浙江、湖北、湖南、福建、台湾、广东、四川；蒙古，俄罗斯，韩国，日本。

（2393）准杞龟甲 *Cassida virguncula* Weise，1889

分布：陕西（宝鸡、武功）、河北、宁夏、甘肃、青海、新疆、江苏；蒙古。

（二）铁甲亚科 Hispinae

887. 趾铁甲属 *Dactylispa* Weise，1897

（2394）锯齿叉趾铁甲 *Dactylispa angulosa*（Solsky，1871）

分布：陕西（长安、周至、太白、眉县、华阴）、黑龙江、吉林、辽宁、北京、天津、河北、山西、山东、河南、甘肃、江苏、上海、安徽、浙江、湖北、湖南、福建、台湾、广东、广西、四川、贵州、云南；俄罗斯（西伯利亚），韩国，日本。

（2395）尖齿叉趾铁甲 *Dactylispa crassicuspis* Gestro，1906

分布：陕西（秦岭）、山西、湖北、江西、湖南、福建、广东、四川、贵州、云南。

（2396）束腰扁趾铁甲 *Dactylispa excisa*（Kraatz，1879）

分布：陕西（秦岭）、吉林、江苏、安徽、浙江、湖北、福建、台湾、四川、贵州、云南；俄罗斯，韩国，日本。

888. 稻铁甲属 *Dicladispa* Gestro，1897

（2397）水稻铁甲 *Dicladispa armigera*（Olivier，1808）

分布：陕西（秦岭）、浙江、江西、福建、台湾、广东、海南、四川、云南；日本，东南亚，非洲。

XI. 象虫总科 Curculionoidea

六十六、长角象科 Anthribidae

（一）长角象亚科 Anthribinae

889. 细棒长角象属 *Acorynus* Schoenherr，1833

（2398）尖角细棒长角象 *Acorynus apicinotus* Wolfrum，1948

分布：陕西（秦岭）、福建。

890. 扁角长角象属 *Androceras* Jordan，1928

（2399）扇扁角长角象 *Androceras flabellicorne*（Sharp，1891）

分布：陕西(秦岭)、河北；俄罗斯，韩国，日本。

891. 平行长角象属 *Eucorynus* Schoenherr，1823

(2400) 粗角平行长角象 *Eucorynus crassicornis*（Fabricius，1801）
分布：陕西(秦岭)、福建、台湾、海南、香港、广西、云南；俄罗斯(东西伯利亚，远东地区)，朝鲜，韩国，日本，泰国，印度，尼泊尔，菲律宾，马来西亚，新加坡，巴基斯坦，非洲，东洋区。

892. 齿颚长角象属 *Euparius* Schoenherr，1823

(2401) 眼齿颚长角象 *Euparius oculatus oculatus*（Sharp，1891）
分布：陕西(秦岭)、台湾；俄罗斯，韩国，日本。

893. 阔喙长角象属 *Eurymycter* LeConte，1876

(2402) 乳尾阔喙长角象 *Eurymycter lacteocaudatus*（Fairmaire，1889）
分布：陕西(秦岭)、甘肃、四川。

894. 刻眼长角象属 *Opanthribus* Schilsky，1907

(2403) 格纹刻眼长角象 *Opanthribus tessellatus*（Boheman，1829）
分布：陕西(秦岭)、四川；俄罗斯，韩国，日本，欧洲，非洲。

895. 瘤角长角象属 *Ozotomerus* Perroud，1853

(2404) 日瘤角长角象 *Ozotomerus japonicus laferi* Egorov，1986
分布：陕西(秦岭)、安徽；俄罗斯，韩国。

896. 皮长角象属 *Phloeobius* Schoenherr，1823

(2405) 瘤皮长角象 *Phloeobius gibbosus* Roelofs，1879
分布：陕西(秦岭)、山西、甘肃、台湾、四川；日本，东洋区。

897. 宽喙长角象属 *Platystomos* D. H. Schneider，1791

(2406) 长跗宽喙长角象 *Platystomos sellatus longicrus* Park，Hong，Woo *et* Kwon，2001
分布：陕西(秦岭)、河北；韩国。

898．阔额长角象属 *Sphinctotropis* Kolbe，1895

（2407）凸喙阔额长角象 *Sphinctotropis laxa*（Sharp，1891）

　　分布：陕西（秦岭）、湖北、江西、福建、广东、广西、贵州；俄罗斯，韩国，日本。

899．三纹长角象属 *Tropideres* Schoenherr，1823

（2408）小斑三纹长角象 *Tropideres naevulus* Faust，1887

　　分布：陕西（秦岭）、河北、内蒙古、甘肃；俄罗斯，韩国，日本。

（二）背长角象亚科 Choraginae

900．细角长角象属 *Araecerus* Schoenherr，1823

（2409）咖啡豆象 *Araecerus fasciculatus*（de Geer，1775）

　　分布：陕西（秦岭）、辽宁、河北、内蒙古、山东、河南、甘肃、青海、江苏、安徽、浙江、湖北、江西、湖南、福建、台湾、广东、香港、广西、四川、贵州、云南；韩国，日本，土耳其，以色列，欧洲，非洲，澳大利亚，新西兰，北美洲，南美洲。

六十七、齿颚象科 Rhynchitidae

901．盾金象属 *Aspidobyctiscus* Schisky，1903

（2410）葡萄金象 *Aspidobyctiscus*（*Aspidobyctiscus*）*lacunipennis*（Jekel，1860）

　　分布：陕西（秦岭）、黑龙江、吉林、辽宁、北京、河北、山东、河南、甘肃、江苏、上海、安徽、湖北、江西、湖南、台湾、广东、香港、广西、四川；俄罗斯，朝鲜，韩国，日本，尼泊尔，东洋区。

（2411）派氏盾金象 *Aspidobyctiscus*（*Taiwanobyctiscus*）*paviei*（Aurivillius，1891）

　　分布：陕西（秦岭）、黑龙江、吉林、辽宁、河北、江苏、安徽、湖北、福建、台湾、广东、广西、四川、云南；韩国，东洋区。

902．Genus *Auletobius* Desbrochers des Loges，1869

（2412）*Auletobius*（*Auletobius*）*qinlingensis* Legalov，2010

　　分布：陕西（宁陕）。

903．金象属 *Byctiscus* C. G. Thomson，1859

（2413）压痕金卷象 *Byctiscus impressus*（Fairmaire，1900）
分布：陕西（秦岭）、甘肃、上海、安徽、浙江、湖北、江西、福建、四川、贵州。

（2414）大金象 *Byctiscus macros* Legalov，2004
分布：陕西（华阴、宁陕）、四川。

（2415）秦金象 *Byctiscus qingensis* Legalov，2009
分布：陕西（宝鸡）。

904．剪枝象属 *Cyllorhynchites* Voss，1930

（2416）橡实剪枝象基喙亚种 *Cyllorhynchites ursulus rostralis*（Voss，1930）
分布：陕西（周至、宁陕、旬阳、柞水）、辽宁、河北、河南、新疆、江西、湖南、
福建、四川、云南；东洋区。

905．切叶象属 *Deporaus* Samouelle，1819

（2417）伪切叶象 *Deporaus*（*Roelofsideporaus*）*affectatus* Faust，1887
分布：陕西（秦岭）、黑龙江、吉林、北京、河北；俄罗斯，朝鲜，日本。

906．霜象属 *Eugnamptus* Schoenherr，1839

（2418）浙江霜象 *Eugnamptus zhejiangensis* Legalov，2003
分布：陕西（秦岭）、安徽、浙江、湖北、福建。

907．文象属 *Involvulus* Schrank，1798

（2419）宝鸡文象 *Involvulus*（*Involvulus*）*baojiensis* Legalov，2007
分布：陕西（秦岭）。

（2420）丽文象 *Involvulus*（*Teretriorhynchites*）*amabilis*（Roelofs，1874）
分布：陕西（秦岭）、黑龙江、吉林、辽宁、北京、河北、山西、山东、河南、安
徽；蒙古，俄罗斯，朝鲜，韩国，日本。

908．Genus *Nelasiorhynchites* Legalov，2003

（2421）*Nelasiorhynchites ussuriensis*（Legalov，2002）
分布：陕西（太白）；俄罗斯，韩国。

909．新霜象属 *Neoeugnamptus* Legalov，2003

（2422）黑龙江新霜象 *Neoeugnamptus amurensis*（Faust，1882）

分布：陕西（秦岭）、黑龙江、吉林、北京、浙江、贵州；俄罗斯（远东），朝鲜，韩国，日本。

910．虎象属 *Rhynchites* D. H. Schneider，1791

（2423）梨虎象 *Rhynchites*（*Epirhynchites*）*heros* Roelofs，1874

分布：陕西（秦岭）、黑龙江、吉林、辽宁、北京、河北、内蒙古、山西、山东、河南、宁夏、新疆、江苏、浙江、湖北、江西、湖南、福建、广东、广西、四川、贵州、云南；蒙古，俄罗斯（东西伯利亚，远东），朝鲜，韩国，日本。

（2424）杏虎象 *Rhynchites*（*Rhynchites*）*fulgidus* Faldermann，1835

分布：陕西（秦岭）、黑龙江、吉林、辽宁、北京、河北、内蒙古、山西、山东、宁夏、甘肃、浙江、湖北、江西、湖南、福建、香港、广西、四川、贵州；蒙古，俄罗斯（东西伯利亚，远东）。

六十八、卷象科 Attelabidae

911．卷象属 *Apoderus* Olivier，1807

（2425）榛卷象 *Apoderus coryli*（Linnaeus，1758）

分布：陕西（秦岭）、黑龙江、吉林、辽宁、北京、河北、内蒙古、山西、甘肃、新疆、江苏、福建、台湾、四川、云南；蒙古，俄罗斯，朝鲜，韩国，日本，欧洲。

（2426）柯氏卷象 *Apoderus kresli* Legalov，2003

分布：陕西（秦岭）。

（2427）伪卷象 *Apoderus pseudofidus* Legalov，2003

分布：陕西（秦岭）、四川。

（2428）皱胸卷象 *Apoderus rugicollis* Schilsky，1906

分布：陕西（秦岭）、北京、湖北、福建、广西、四川、贵州、云南；印度。

912．丽卷象属 *Compsapoderus* Voss，1927

（2429）黑梢丽卷象 *Compsapoderus dimidiatus*（Faust，1890）

分布：陕西（宝鸡）、甘肃、湖北、四川。

（2430）泛红丽卷象 *Compsapoderus erythropterus*（Gmelin，1790）

分布：陕西(西安、丹凤)、黑龙江、吉林、辽宁、北京、河北、内蒙古、山东、甘肃、上海、江苏、浙江、安徽、湖北、四川;蒙古，俄罗斯，朝鲜，韩国，日本，哈萨克斯坦。

913. 细颈卷象属 *Cycnotrachelodes* Voss, 1955

(2431) 蓝细颈卷象 *Cycnotrachelodes cyanopterus* (Motschulsky, 1861)
分布：陕西(秦岭)、黑龙江、吉林、辽宁、北京、河北、山西、江苏、浙江、福建、云南;俄罗斯(东西伯利亚，远东)，朝鲜，韩国，日本。

(2432) 川细颈卷象 *Cycnotrachelodes sitchuanensis* Legalov, 2003
分布：陕西(佛坪、宁陕)、浙江、四川、云南。

914. 弓唇象属 *Cyrtolabus* Voss, 1925

(2433) 蓝弓唇象 *Cyrtolabus mutus* (Faust, 1890)
分布：陕西(秦岭)、黑龙江、河北、山西、甘肃、江苏、浙江、湖北、江西、四川、云南;俄罗斯(远东)，韩国。

915. 切象属 *Euops* Schoenherr, 1839

(2434) 华中切象 *Euops (Riedeliops) centralchinensi* (Legalov *et* Liu, 2005)
分布：陕西(秦岭)、湖北。

916. 异卷象属 *Heterapoderus* Voss, 1927

(2435) 沟纹异卷象 *Heterapoderus sulcicollis* (Jekel, 1860)
分布：陕西(秦岭)、黑龙江、江苏、上海、湖南、福建、广东、广西、四川、贵州、云南;东洋区。

917. 细卷象属 *Leptapoderus* Jekel, 1860

(2436) 黑尾细卷象 *Leptapoderus (Leptapoderidius) nigroapicatus* (Jekel, 1860)
分布：陕西(秦岭)、江苏、浙江、湖北、江西、湖南、福建、台湾、广东、广西、四川、贵州、云南;印度，东洋区。

918. 短尖角象属 *Paracycnotrachelus* Voss, 1924

(2437) 中国短尖角象 *Paracycnotrachelus chinensis* (Jekel, 1860)
分布：陕西(秦岭)、黑龙江、吉林、辽宁、北京、河北、山西、山东、河南、青海、江苏、上海、安徽、浙江、湖北、江西、福建、台湾、广东、海南、香港、四川、云南；俄罗斯(东西伯利亚，远东)，朝鲜，韩国，日本。

(2438) 似短尖角象 *Paracycnotrachelus consimilis* Voss, 1929

分布：陕西(宁陕、丹凤)、北京、河北、山东、甘肃、江苏、安徽、浙江、湖北、湖南、海南。

919. 盘斑象属 *Paroplapoderus* Voss, 1926

(2439) 尖角盘斑象陕西亚种 *Paroplapoderus*（*Erycapoderus*）*angulipennis shaanxinsis* Legalov, 2004

分布：陕西(周至)。

920. 瘤卷象属 *Phymatapoderus* Voss, 1926

(2440) 黄足瘤卷象 *Phymatapoderus euflavimanus* Legalov, 2003

分布：陕西(汉中、宁陕、柞水)、四川。

921. 腔卷象属 *Physapoderus* Jekel, 1860

(2441) 短棒腔卷象 *Physapoderus*（*Eocentrocorynus*）*breviclavus*（Legalov, 2003）

分布：陕西(西安)、云南。

922. 锐卷象属 *Tomapoderus* Voss, 1926

(2442) 榆锐卷象 *Tomapoderus ruficollis*（Fabricius, 1781）

分布：陕西（秦岭)、黑龙江、吉林、辽宁、北京、河北、内蒙古、山西、山东、安徽、台湾、贵州；蒙古，俄罗斯(东西伯利亚，远东)，朝鲜，韩国，日本。

六十九、梨象科 Apionidae

923. 梯胸象属 *Pseudopiezotrachelus* Wagner, 1907

(2443) 颈梯胸象 *Pseudopiezotrachelus collaris*（Schilsky, 1906）

分布：陕西(秦岭)、北京、山西、江苏、浙江、湖北、江西、福建、四川；俄罗斯(远东)，朝鲜，韩国，日本，尼泊尔，印度，阿富汗，澳大利亚，东洋区。

(2444) *Pseudaspidapion botanicum* Alonso-Zarazaga *et* Wang, 2011

分布：陕西(华阴)、北京。

七十、橘象科 Nanophyidae

924．橘象属 *Nanophyes* Schoenherr，1838

（2445）暗短橘象 *Nanophyes brevis obscurus* Zherikin，1981
分布：陕西(丹凤)、北京、辽宁、江苏、广西。

七十一、隐颏象科 Dryophthoridae

925．弯胫象属 *Cyrtotrachelus* Schoenherr，1838

（2446）竹直锥象 *Cyrtotrachelus thompsoni* Alonso-Zarazaga *et* Lyal，1999
分布：陕西(秦岭)、河南、江苏、浙江、湖北、江西、湖南、福建、台湾、广东、香港、广西、四川、贵州、云南；日本，印度，东洋区，非洲热带区。

926．米象属 *Sitophilus* Schoenherr，1838

（2447）玉米象 *Sitophilus zeamais* Motschulsky，1855
分布：陕西(太白、武功)、黑龙江、河南、湖北、江西、湖南、香港、广西、贵州；日本，印度，尼泊尔，不丹，伊朗，黎巴嫩，塞浦路斯，叙利亚，伊拉克，以色列，约旦，欧洲，非洲。

七十二、象虫科 Curculionidae

（一）小蠹亚科 Scolytinae

927．粗胸小蠹属 *Ambrosiodmus* Hopkins，1915

（2448）瘤细粗胸小蠹 *Ambrosiodmus rubricollis*（Eichhoff，1876）
分布：陕西(秦岭)、黑龙江、北京、河北、山西、山东、安徽、浙江、湖南、福建、台湾、四川、贵州、云南、西藏；朝鲜，韩国，日本，欧洲，澳洲区，北美洲，东洋区。

928．毛胸材小蠹属 *Anisandrus* Ferrari，1867

（2449）北方材小蠹 *Anisandrus dispar*（Fabricius，1792）
分布：陕西(秦岭)、黑龙江；蒙古，俄罗斯，朝鲜，韩国，日本，伊朗，哈萨克斯坦，土耳其，欧洲，北美洲，东洋区。

929. 缘胸小蠹属 *Cnestus* Sampson，1911

（2450）削尾缘胸小蠹 *Cnestus mutilatus*（Blandford，1894）
　　　　分布：陕西（秦岭）、安徽、浙江、福建、台湾、海南、四川、贵州、云南；韩国，
　　　　日本，北美洲，东洋区。

930. 梢小蠹属 *Cryphalus* Erichson，1836

（2451）秦岭梢小蠹 *Cryphalus chinlingensis* Tsai *et* Li，1963
　　　　分布：陕西（秦岭）、山西、四川。

（2452）桑梢小蠹 *Cryphalus exiguous* Blandford，1894
　　　　分布：陕西（秦岭）、北京、河北、山东、江苏、安徽、浙江、台湾、四川、贵州；
　　　　俄罗斯（远东地区），朝鲜，韩国，日本。

（2453）兔唇梢小蠹 *Cryphalus lepocrinus* Tsai *et* Li，1963
　　　　分布：陕西（秦岭）、四川、云南。

（2454）华山松梢小蠹 *Cryphalus lipingensis* Tsai *et* Li，1959
　　　　分布：陕西（宁陕、黎坪）、山西、海南、四川、贵州、云南。

（2455）果木梢小蠹 *Cryphalus malus* Niisima，1909
　　　　分布：陕西（秦岭）、黑龙江、辽宁；俄罗斯（远东地区），朝鲜，韩国，
　　　　日本。

（2456）伪秦岭梢小蠹 *Cryphalus pseudochinlingensis* Tsai *et* Li，1963
　　　　分布：陕西（秦岭）、山西。

（2457）伪油松梢小蠹 *Cryphalus pseudotabulaeformis* Tsai *et* Li，1963
　　　　分布：陕西（秦岭）、北京、河北、四川。

（2458）浅刻梢小蠹 *Cryphalus redikorzevi* Berger，1917
　　　　分布：陕西（秦岭）、湖北、四川、云南；俄罗斯（远东地区），朝鲜，韩国。

（2459）油松梢小蠹 *Cryphalus tabulaeformis* Tsai *et* Li，1963
　　　　分布：陕西（秦岭）、辽宁、河北、山西、浙江、四川、贵州、云南。

（2460）荚蒾梢小蠹 *Cryphalus viburni* Stark，1936
　　　　分布：陕西（秦岭）、山西；俄罗斯（远东地区）。

931. 额毛小蠹属 *Cyrtogenius* Strohmeyer，1910

（2461）额毛小蠹 *Cyrtogenius luteus*（Blandford，1894）
　　　　分布：陕西（秦岭）、山西、河南、江苏、安徽、浙江、湖北、江西、湖南、福建、
　　　　台湾、广东、海南、广西、四川、贵州、云南；韩国，日本，东洋区。

932．大小蠹属 *Dendroctonus* Erichson，1836

（2462）华山松大小蠹 *Dendroctonus armandi* **Tsai** *et* **Li，1959**
分布：陕西（宁陕、勉县、石泉、黎坪）、黑龙江、山西、河南、甘肃、湖北、湖南、四川、贵州、云南。

（2463）强大小蠹 *Dendroctonus valens* **LeConte，1857**
分布：陕西（秦岭）、河北、山西、河南；北美洲。

933．毛小蠹属 *Dryocoetes* Eichhoff，1864

（2464）肾点毛小蠹 *Dryocoetes autographus*（**Ratzeburg，1837**）
分布：陕西、黑龙江、辽宁、山西、甘肃、台湾、海南；蒙古，俄罗斯，朝鲜，韩国，日本，欧洲，北美洲，新热带区。

（2465）云杉毛小蠹 *Dryocoetes hectographus* **Reitter，1913**
分布：陕西（秦岭）、黑龙江、吉林、辽宁、山西、甘肃、青海、台湾、四川、云南、西藏；俄罗斯，朝鲜，日本，哈萨克斯坦，欧洲。

（2466）密毛小蠹 *Dryocoetes uniseriatus* **Eggers，1926**
分布：陕西（秦岭）、山西；俄罗斯（远东地区），日本。

934．根小蠹属 *Hylastes* Erichson，1836

（2467）云杉根小蠹 *Hylastes cunicularius* **Erichson，1836**
分布：陕西（秦岭）、辽宁、新疆、湖北、四川、云南；俄罗斯，朝鲜，日本，土耳其，叙利亚，欧洲，非洲北部。

（2468）黑根小蠹 *Hylastes parallelus* **Chapuis，1875**
分布：陕西（秦岭）、黑龙江、吉林、辽宁、青海、台湾、四川；俄罗斯，韩国，日本。

（2469）红松根小蠹 *Hylastes plumbeus* **Blandford，1894**
分布：陕西（秦岭）、黑龙江、吉林、辽宁、山东、台湾、四川；俄罗斯，朝鲜，韩国，欧洲。

935．海小蠹属 *Hylesinus* Fabricius，1801

（2470）水曲柳花小蠹 *Hylesinus varius*（**Fabricius，1775**）
分布：陕西（秦岭）、黑龙江、吉林、辽宁；伊朗，土耳其，欧洲，非洲北部地区。

936. 干小蠹属 *Hylurgops* LeConte, 1876

（2471）皱纹干小蠹 *Hylurgops eusulcatus* Tsai *et* Hwang, 1964

　　分布：陕西（秦岭）、四川、云南。

（2472）长毛干小蠹 *Hylurgops longipilis* Reitter, 1895

　　分布：陕西（秦岭）、黑龙江、辽宁、山西、甘肃、广西、四川、云南；俄罗斯，朝鲜，日本。

（2473）细干小蠹 *Hylurgops palliatus*（Gyllenhal, 1813）

　　分布：陕西（秦岭）、黑龙江；俄罗斯，朝鲜，韩国，日本，哈萨克斯坦，土耳其，欧洲，非洲北部，北美洲。

937. 齿小蠹属 *Ips* de Geer, 1775

（2474）十二齿小蠹 *Ips sexdentatus*（Boerner, 1766）

　　分布：陕西（留坝、勉县、石泉）、黑龙江、吉林、辽宁、河北、内蒙古、山西、河南、甘肃、湖北、四川、云南；蒙古，俄罗斯，朝鲜，韩国，日本，哈萨克斯坦，土耳其，欧洲，东洋区。

（2475）香格里拉齿小蠹 *Ips shangrila* Cognato *et* Sun, 2007

　　分布：陕西（秦岭）、甘肃、青海、四川、云南、西藏。

（2476）落叶松八齿小蠹 *Ips subelongatus*（Motschulsky, 1860）

　　分布：陕西（秦岭）、黑龙江、吉林、辽宁、内蒙古、山西、山东、河南、新疆、台湾；蒙古，俄罗斯，朝鲜，日本，欧洲。

（2477）云杉八齿小蠹 *Ips typographus*（Linnaeus, 1758）

　　分布：陕西（秦岭）、黑龙江、吉林、内蒙古、河南、甘肃、青海、新疆、四川；蒙古，俄罗斯，朝鲜，韩国，日本，哈萨克斯坦，土耳其，欧洲，非洲北部。

938. 瘤小蠹属 *Orthotomicus* Ferrari, 1867

（2478）松瘤小蠹 *Orthotomicus erosus*（Wollaston, 1857）

　　分布：陕西（秦岭）、辽宁、山西、山东、河南、江苏、安徽、湖北、江西、湖南、福建、广东、广西、四川、贵州；阿富汗，伊朗，乌兹别克斯坦，土耳其，叙利亚，以色列，约旦，欧洲，非洲北部，非洲热带地区，北美洲。

（2479）边瘤小蠹 *Orthotomicus laricis*（Fabricius, 1792）

　　分布：陕西（秦岭）、黑龙江、河北、山西；蒙古，俄罗斯（东西伯利亚，远东地区，西西伯利亚），朝鲜，韩国，日本，哈萨克斯坦，土耳其，欧洲，非洲北部。

（2480）小瘤小蠹 *Orthotomicus starki* **Spessivtsev, 1926**

　　分布：陕西（秦岭）、黑龙江、吉林、山西、青海、新疆、四川、云南；俄罗斯（东西伯利亚，远东地区，西西伯利亚），欧洲。

（2481）近瘤小蠹 *Orthotomicus suturalis*（**Gyllenhal, 1827**）

　　分布：陕西（秦岭）、吉林、辽宁、山西、青海、云南；蒙古，俄罗斯，朝鲜，韩国，日本，哈萨克斯坦，土耳其，欧洲。

939. 肤小蠹属 *Phloeosinus* Chapuis, 1869

（2482）柏肤小蠹 *Phloeosinus aubei*（**Perris, 1855**）

　　分布：陕西（秦岭）、北京、河北、山西、山东、河南、甘肃、青海、江苏、安徽、湖南、台湾、四川、贵州、云南；伊朗，土库曼斯坦，土耳其，赛普洛斯，叙利亚，以色列，欧洲，非洲北部。

（2483）微肤小蠹 *Phloeosinus hopehi* **Schedl, 1953**

　　分布：陕西（秦岭）、北京、河北、山西、宁夏、湖南、四川；韩国。

（2484）桧肤小蠹 *Phloeosinus shensi* **Tsai** *et* **Yin, 1964**

　　分布：陕西（秦岭）、山西、云南。

（2485）杉肤小蠹 *Phloeosinus sinensis* **Schedl, 1953**

　　分布：陕西（秦岭）、山西、河南、江苏、安徽、浙江、湖北、江西、湖南、福建、广东、广西、四川、贵州、云南。

940. 星坑小蠹属 *Pityogenes* Bedel, 1888

（2486）中穴星坑小蠹 *Pityogenes chalcographus*（**Linnaeus, 1760**）

　　分布：陕西（秦岭）、黑龙江、吉林、辽宁、内蒙古、新疆、四川；蒙古，俄罗斯，朝鲜，韩国，日本，土耳其，欧洲，新热带区。

（2487）暗额星坑小蠹 *Pityogenes japonicus* **Nobuchi, 1974**

　　分布：陕西（秦岭）、山西、四川、贵州、云南、西藏；日本。

（2488）月穴星坑小蠹 *Pityogenes seirindensis* **Murayama, 1929**

　　分布：陕西（秦岭）、黑龙江、辽宁、四川；俄罗斯（远东），朝鲜，韩国，日本。

941. 四眼小蠹属 *Polygraphus* Erichson, 1836

（2489）云杉四眼小蠹 *Polygraphus polygraphus*（**Linnaeus, 1758**）

　　分布：陕西（秦岭）、内蒙古、山西、甘肃、青海、四川、西藏；蒙古，俄罗斯，日本，哈萨克斯坦，土耳其，欧洲，非洲热带区。

（2490）南方四眼小蠹 *Polygraphus rudis hexiensis* Yin *et* Huang, 1996

　　分布：陕西（秦岭）、宁夏、甘肃、青海、四川、云南。

（2491）油松四眼小蠹 *Polygraphus sinensis* Eggers, 1933

　　分布：陕西（留坝、宁陕、勉县、石泉、黎坪）、山西、四川。

942. 近鳞小蠹属 *Pseudoxylechinus* Wood *et* Huang, 1986

（2492）同型近鳞小蠹 *Pseudoxylechinus uniformis* Wood *et* Huang, 1986

　　分布：陕西（秦岭）、四川。

943. 锉小蠹属 *Scolytoplatypus* C. F. C. Schaufuss, 1891

（2493）大和锉小蠹 *Scolytoplatypus mikado* Blandford, 1893

　　分布：陕西（秦岭）、福建、台湾、海南、广西、四川；朝鲜，韩国，日本，东洋区。

（2494）毛刺锉小蠹 *Scolytoplatypus raja* Blandford, 1893

　　分布：陕西（秦岭）、湖南、台湾、四川、云南、西藏；越南，泰国，印度，尼泊尔，巴基斯坦，东洋区。

（2495）扎氏锉小蠹 *Scolytoplatypus zahradniki* Knížek, 2008

　　分布：陕西（西安）、北京、四川。

944. 小蠹属 *Scolytus* Geoffroy, 1762

（2496）枸子木小蠹 *Scolytus abaensis* Tsai *et* Yin, 1962

　　分布：陕西（秦岭）、山西、宁夏、四川。

（2497）角胸小蠹 *Scolytus butovitschi* Stark, 1936

　　分布：陕西（秦岭）、黑龙江、北京、河北、内蒙古；蒙古，俄罗斯。

（2498）三刺小蠹 *Scolytus esuriens* Blandford, 1894

　　分布：陕西（秦岭）、黑龙江、吉林、河北；俄罗斯（远东地区），日本。

（2499）果树小蠹 *Scolytus japonicus* Chapuis, 1876

　　分布：陕西（秦岭）、黑龙江、吉林、辽宁、北京、河北、内蒙古、山西、江苏、上海、台湾、四川；蒙古，俄罗斯，朝鲜，韩国，日本。

（2500）脐腹小蠹 *Scolytus schevyrewi* Semenov, 1902

　　分布：陕西（秦岭）、黑龙江、吉林、辽宁、北京、河北、内蒙古、山西、山东、河南、宁夏、甘肃、青海、江苏、四川、贵州；蒙古，俄罗斯，朝鲜，韩国，塔吉克斯坦，乌兹别克斯坦，土库曼斯坦，吉尔吉斯斯坦，哈萨克斯坦，欧洲。

（2501）副脐小蠹 *Scolytus semenovi*（Spessivtsev，1919）

　　　　分布：陕西（秦岭）、黑龙江、吉林、北京、河北、山西；蒙古，俄罗斯（东西伯利亚，远东），朝鲜，韩国。

945．球小蠹属 *Sphaerotrypes* Blandford，1894

（2502）黄须球小蠹 *Sphaerotrypes coimbatorensis* Stebbing，1906

　　　　分布：陕西（秦岭）、黑龙江、北京、河北、山西、河南、安徽、湖南、四川；印度，东洋区。

（2503）胡桃球小蠹 *Sphaerotrypes juglansi* Tsai *et* Yin，1966

　　　　分布：陕西（秦岭）、山西、安徽、四川。

（2504）铁杉球小蠹 *Sphaerotrypes tsugae* Tsai *et* Yin，1966

　　　　分布：陕西（宁陕）、四川、云南。

（2505）榆球小蠹 *Sphaerotrypes ulmi* Tsai *et* Yin，1966

　　　　分布：陕西（秦岭）、山西、四川。

946．切梢小蠹属 *Tomicus* Latreille，1802

（2506）横坑切梢小蠹 *Tomicus minor*（Hartig，1834）

　　　　分布：陕西（秦岭）、黑龙江、吉林、辽宁、河北、内蒙古、山西、河南、甘肃、江苏、安徽、浙江、湖北、江西、湖南、福建、广西、四川、贵州、云南；蒙古，俄罗斯，朝鲜，韩国，日本，哈萨克斯坦，土耳其，赛普洛斯，欧洲。

（2507）多毛切梢小蠹 *Tomicus pilifer*（Spessivtsev，1919）

　　　　分布：陕西（秦岭）、黑龙江、吉林、北京、河北、内蒙古、山西、青海、湖北、四川、云南、西藏；俄罗斯（远东），朝鲜。

（2508）纵坑切梢小蠹 *Tomicus piniperda*（Linnaeus，1758）

　　　　分布：陕西（秦岭）、辽宁、山西、山东、河南、江苏、安徽、浙江、湖南、台湾、四川、云南；蒙古，俄罗斯（西西伯利亚），朝鲜，日本，土耳其，欧洲，非洲北部，北美洲，东洋区。

947．木小蠹属 *Trypodendron* Stephens，1830

（2509）黑条木小蠹 *Trypodendron lineatum*（Olivier，1795）

　　　　分布：陕西（秦岭）、黑龙江、吉林、内蒙古、山东、甘肃、青海、新疆、四川；蒙古，俄罗斯，朝鲜，韩国，日本，哈萨克斯坦，土耳其，以色列，欧洲，非洲北部，北美洲。

948. 绒盾小蠹属 *Xyleborinus* Reitter，1913

（2510）小粒绒盾小蠹 *Xyleborinus saxesenii*（Ratzeburg，1837）
分布：陕西（秦岭）、黑龙江、吉林、河北、山西、宁夏、江苏、安徽、浙江、江西、湖南、福建、台湾、广西、四川、贵州、云南、西藏；蒙古，俄罗斯，朝鲜，韩国，日本，印度，伊朗，塔吉克斯坦，土库曼斯坦，吉尔吉斯斯坦，哈萨克斯坦，土耳其，叙利亚，以色列，欧洲，非洲地区，澳洲区，北美洲，新热带区，东洋区。

949. 材小蠹属 *Xyleborus* Eichhoff，1864

（2511）凹缘材小蠹 *Xyleborus emarginatus* Eichhoff，1878
分布：陕西（秦岭）、山西、湖北、湖南、福建、台湾、四川、贵州、云南、西藏；日本，东洋区。

（2512）毛列材小蠹 *Xyleborus seriatus* Blandford，1894
分布：陕西（秦岭）、山西、四川；俄罗斯（远东），朝鲜，韩国，日本，北美洲。

950. 鳞小蠹属 *Xylechinus* Chapuis，1869

（2513）云杉鳞小蠹 *Xylechinus pilosus*（Razeburg，1837）
分布：陕西（秦岭）、黑龙江、吉林、新疆；蒙古，俄罗斯，朝鲜，日本，哈萨克斯坦，欧洲。

951. 足距小蠹属 *Xylosandrus* Reitter，1913

（2514）暗翅足距小蠹 *Xylosandrus crassiusculus*（Motschulsky，1866）
分布：陕西（秦岭）、河北、山东、安徽、浙江、湖北、湖南、台湾、广东、海南、香港、四川、贵州、云南、西藏；朝鲜，韩国，日本，印度，尼泊尔，不丹，欧洲，非洲热带区，澳洲区，北美洲，新热带区，东洋区。

（2515）光滑足距小蠹 *Xylosandrus germanus*（Blandford，1894）
分布：陕西（秦岭）、山西、河南、安徽、浙江、湖北、湖南、福建、台湾、广东、海南、广西、四川、贵州、云南、西藏；俄罗斯（远东地区），朝鲜，韩国，日本，土耳其，欧洲，北美洲，东洋区。

（二）象虫亚科 Curculioninae

952．象虫属 *Curculio* Linnaeus，1758

（2516）查氏栎象 *Curculio challeti* Pelsue *et* Zhang，2002
　　　　分布：陕西（铜川）、云南。

（2517）栗象 *Curculio davidis*（Fairmaire，1878）
　　　　分布：陕西（秦岭）、河北、内蒙古、河南、甘肃、江苏、安徽、浙江、湖北、江西、湖南、福建、广东、贵州。

（2518）三纹象 *Curculio dentipes*（Roelofs，1875）
　　　　分布：陕西（秦岭）、黑龙江、吉林、辽宁、内蒙古、北京、河北、山西、山东、河南、江苏、安徽、浙江、湖北、江西、广西、四川；俄罗斯（远东），朝鲜，韩国，日本。

（2519）榛象 *Curculio dieckmanni*（Faust，1887）
　　　　分布：陕西（秦岭）、黑龙江、吉林、辽宁、河北、青海；俄罗斯，朝鲜，韩国，日本。

（2520）*Curculio hippophes* Zhang，1992
　　　　分布：陕西（陇县）。

（2521）锡金象虫 *Curculio sikkimensis*（Heller，1927）
　　　　分布：陕西（秦岭）、吉林、辽宁、北京、河北、内蒙古、山西、河南、甘肃、云南；俄罗斯（远东），朝鲜，韩国，日本，印度，东洋区。

953．绒象属 *Demimaea* Pascoe，1870

（2522）毛簇绒象 *Demimaea fascicularis*（Roelofs，1874）
　　　　分布：陕西（宁陕、旬阳、柞水、山阳）、浙江、福建、台湾、广东；韩国，日本。

954．角突象属 *Labaninus* Morimoto，1981

（2523）梅氏角突象 *Labaninus meregallii* Pelsue，2004
　　　　分布：陕西（周至）。

（三）龟象亚科 Ceutorhynchinae

955．龟象属 *Ceutorhynchus* Germar，1824

（2524）白纹龟象 *Ceutorhynchus albosuturalis*（Roelofs，1875）
　　　　分布：陕西（武功），中国广布；俄罗斯（远东），朝鲜，韩国，日本。

（四）锥胸象亚科 Conoderinae

956．角胸象属 *Metialma* Pascoe，1871

（2525）心形角胸象 *Metialma cordata* Marshall，1948
分布：陕西（秦岭）、福建、台湾；韩国，日本，印度，东洋区。

（五）隐喙象亚科 Cryptorhynchinae

957．隐喙象属 *Cryptorhynchus* Illiger，1807

（2526）杨干隐喙象 *Cryptorhynchus lapathi*（Linnaeus，1758）
分布：陕西（宝鸡、宁陕）、黑龙江、吉林、辽宁、河北、内蒙古、新疆、台湾、
四川；俄罗斯，朝鲜，韩国，日本，欧洲，北美洲。

958．沟眶象属 *Eucryptorrhynchus* Heller，1937

（2527）臭椿沟眶象 *Eucryptorrhynchus brandti*（Harold，1880）
分布：陕西（武功、宁陕）、黑龙江、辽宁、北京、河北、山西、山东、河南、甘
肃、江苏、上海、安徽、湖北、四川；俄罗斯（远东），朝鲜，韩国，日本，东
洋区。

（2528）沟眶象 *Eucryptorrhynchus scrobiculatus*（Motschulsky，1854）
分布：陕西（周至、武功、宁陕）、辽宁、北京、天津、河北、山西、山东、河南、
甘肃、青海、江苏、上海、安徽、浙江、湖北、湖南、福建、四川、贵州；朝鲜，
韩国。

959．角胫象属 *Shirahoshizo* Morimoto，1962

（2529）球果角胫象 *Shirahoshizo coniferae* Chao，1980
分布：陕西（秦岭）、四川；日本。

（2530）长角角胫象 *Shirahoshizo flavonotatus*（Voss，1937）
分布：陕西（柞水）、江苏、上海、浙江、湖北、江西、湖南、福建、台湾、广东、
广西、四川、贵州、云南；朝鲜，日本。

（2531）多瘤角胫象 *Shirahoshizo tuberosus* Chen，1991
分布：陕西（勉县）。

（六）粗喙象亚科 Entiminae

960．遮眼象属 *Callirhopalus* Hochhuth，1851

（2532）亥象 *Callirhopalus sedakowii* Hochhuth，1851

分布：陕西（秦岭，定边）、河北、内蒙古、山西、甘肃、青海；蒙古，俄罗斯（东西伯利亚）。

961．卵象属 *Calomycterus* Roelofs，1873

（2533）棉小卵象 *Calomycterus obconicus* Chao，1974
分布：陕西（秦岭）、河北、山西、河南、江苏、浙江、湖北、广东、四川。

962．草象属 *Chloebius* Schoenherr，1826

（2534）鹿斑草象 *Chloebius aksuanus* Reitter，1915
分布：陕西（秦岭）、新疆；蒙古，哈萨克斯坦。

（2535）长毛草象 *Chloebius immeritus*（Schoenherr，1826）
分布：陕西（秦岭）、河北、内蒙古、宁夏、甘肃、新疆；蒙古，俄罗斯（西西伯利亚），塔吉克斯坦，乌兹别克斯坦，哈萨克斯坦，土耳其，欧洲。

963．绿象属 *Chlorophanus* C. R. Sahlberg，1823

（2536）隆脊绿象 *Chlorophanus lineolus* Motschulsky，1854
分布：陕西（秦岭）、辽宁、北京、河北、山东、河南、甘肃、江苏、安徽、湖北、江西、湖南、福建、台湾、广东、广西、四川、贵州、云南。

（2537）红足绿象 *Chlorophanus roseipes roseipes* Heller，1930
分布：陕西（秦岭）、甘肃、四川、云南、西藏。

（2538）西伯利亚绿象 *Chlorophanus sibiricus* Gyllenhal，1834
分布：陕西（周至）、黑龙江、吉林、辽宁、北京、河北、内蒙古、山西、宁夏、甘肃、青海、新疆、浙江、湖北、湖南、四川；蒙古，俄罗斯，朝鲜，塔吉克斯坦，哈萨克斯坦。

（2539）红背绿象 *Chlorophanus solarii* Zumpt，1937
分布：陕西（秦岭）、吉林、辽宁、河北、内蒙古、山西、青海、新疆。

964．瘤象属 *Dermatoxenus* Marshall，1916

（2540）淡灰瘤象 *Dermatoxenus caesicollis*（Gyllenhal，1833）
分布：陕西（周至、宁陕、石泉、镇巴）、江苏、安徽、浙江、江西、福建、台湾、四川、云南；韩国，日本，东洋区。

965．叶喙象属 *Diglossotrox* Lacordaire，1863

（2541）多纹叶喙象 *Diglossotrox alashanicus* Suvorov，1912

分布：陕西（秦岭）、内蒙古、宁夏。

（2542）黄柳叶喙象 *Diglossotrox mannerheimii* Lacordaire，1863

分布：陕西（秦岭）、吉林、辽宁、北京、内蒙古、甘肃；蒙古，俄罗斯（东西伯利亚）。

966．癞象属 *Episomus* Schoenherr，1823

（2543）中国癞象 *Episomus chinensis* Faust，1897

分布：陕西（西安、周至）、安徽、浙江、湖北、江西、湖南、福建、广东、香港、广西、四川、贵州、云南。

（2544）卵形癞象 *Episomus truncatirostris* Fairmaire，1889

分布：陕西（周至、户县、武功、山阳、宝丰林场）、贵州。

967．喜马象属 *Leptomias* Faust，1886

（2545）淡褐喜马象 *Leptomias humilis*（Faust，1882）

分布：陕西（秦岭）、甘肃；俄罗斯（远东地区），朝鲜，韩国。

（2546）二窝喜马象 *Leptomias schoenherri*（Faust，1881）

分布：陕西（西安）、黑龙江、吉林、辽宁、山西、甘肃；俄罗斯（远东地区），韩国，日本。

968．梅加象属 *Megamecus* Reitter，1903

（2547）黄褐梅加象 *Megamecus urbanus*（Gyllenhal，1834）

分布：陕西（秦岭）、河北、内蒙古、河南、宁夏、甘肃、青海、新疆、四川；蒙古，俄罗斯，伊朗，塔吉克斯坦，乌兹别克斯坦，土库曼斯坦，吉尔吉斯斯坦，哈萨克斯坦，欧洲。

969．长柄象属 *Mesagroicus* Schoenherr，1840

（2548）暗褐长柄象 *Mesagroicus fuscus* Chen，1991

分布：陕西（武功、甘泉）、山西。

970．土象属 *Meteutinopus* Zumpt，1931

（2549）蒙古土象 *Meteutinopus mongolicus*（Faust，1881）

分布：陕西（秦岭）、黑龙江、吉林、辽宁、内蒙古、北京、河北、山西、山东、河南、甘肃、青海、四川；蒙古，俄罗斯（东西伯利亚，远东地区），朝鲜，韩国。

971. 飞象属 *Pachyrhinus* Schoenherr, 1823

(2550) 枣飞象 *Pachyrhinus yasumatsui*（Kôno *et* Morimoto, 1960）
　　分布：陕西（武功）、辽宁、河北、山西、山东、河南、江苏。

972. 毛足象属 *Phacephorus* Schoenherr, 1840

(2551) 甜菜毛足象 *Phacephorus umbratus*（Faldermann, 1835）
　　分布：陕西（秦岭）、北京、河北、内蒙古、山西、宁夏、甘肃、青海、新疆；蒙古，俄罗斯，哈萨克斯坦。

973. 斜脊象属 *Phrixopogon* Marshall, 1941

(2552) 柑桔斜脊象 *Phrixopogon mandarinus*（Fairmaire, 1889）
　　分布：陕西（秦岭）、河南、湖北、江西、湖南、福建、广东、香港、广西；东洋区。

974. 树叶象属 *Phyllobius* Germar, 1824

(2553) 金绿树叶象 *Phyllobius*（*Subphyllobius*）*virideaeris virideaeris*（Laicharting, 1781）
　　分布：陕西（秦岭）、黑龙江、吉林、河北、内蒙古、山西、甘肃、新疆、湖北、四川；蒙古，俄罗斯，塔吉克斯坦，乌兹别克斯坦，吉尔吉斯斯坦，哈萨克斯坦，土耳其，欧洲，非洲北部。

975. 尖象属 *Phytoscaphus* Schoenherr, 1826

(2554) 棉尖象 *Phytoscaphus gossypii* Chao, 1974
　　分布：陕西（武功）、辽宁、北京、河北、内蒙古、山东、河南、甘肃、江苏、安徽、江西。

976. 球胸象属 *Piazomias* Schoenherr, 1840

(2555) 褐纹球胸象 *Piazomias bruneolineatus* Chao, 1980
　　分布：陕西（周至、户县、宝鸡、太白、眉县）、北京、河北、山西。

(2556) 半球形球胸象 *Piazomias dilaticollis* Chao, 1980
　　分布：陕西（武功、眉县、宝鸡，终南山）、山西、浙江、江西、湖南。

(2557) 长球胸象 *Piazomias elongatus* Chao, 1980
　　分布：陕西（华阴）、河北、山西、山东。

（2558）短毛球胸象 *Piazomias faldermanni* Faust, 1890

分布：陕西（秦岭）、宁夏、甘肃。

（2559）隆胸球胸象 *Piazomias globulicollis* (Faldermann, 1835)

分布：陕西（华阴）、黑龙江、吉林、辽宁、北京、河北、内蒙古、山东、河南、甘肃、江苏、安徽、江西、四川。

（2560）灯罩球胸象 *Piazomias lampoglobus* Chao, 1980

分布：陕西（武功、太白、眉县、汉中）、北京、河北、山西、山东、河南、宁夏。

（2561）三纹球胸象 *Piazomias lineicollis* Kôno et Morimoto, 1960

分布：陕西（秦岭）、河北、内蒙古、山西、河南。

（2562）长胸球胸象 *Piazomias longicollis* Chao, 1980

分布：陕西（周至）。

（2563）肥胖球胸象 *Piazomias robustus* Chao, 1980

分布：陕西（武功）。

（2564）陕西球胸象 *Piazomias shaanxiensis* Chao, 1980

分布：陕西（宝鸡、眉县）。

（2565）大球胸象 *Piazomias validus* Motschulsky, 1854

分布：陕西（武功、太白）、北京、河北、山西、山东、河南、安徽。

977. 伪锉象属 *Pseudocneorhinus* Roelofs, 1873

（2566）小伪锉象 *Pseudocneorhinus minimus* Roelofs, 1879

分布：陕西（秦岭）、吉林、北京、河北、江苏、安徽、江西、四川；韩国，日本。

（2567）瘤状伪锉象 *Pseudocneorhinus subcallosus* (Voss, 1956)

分布：陕西（留坝）、福建。

978. 根瘤象属 *Sitona* Germar, 1817

（2568）黑龙江根瘤象 *Sitona amurensis* Faust, 1882

分布：陕西（凤县）、黑龙江、辽宁、北京、河北、内蒙古、山西、宁夏、甘肃、青海、新疆、上海；俄罗斯，朝鲜，日本。

（2569）长毛根瘤象 *Sitona hispidulus* (Fabricius, 1777)

分布：陕西（秦岭）、北京、河北、内蒙古、甘肃、青海；蒙古，俄罗斯，韩国，日本，伊朗，塔吉克斯坦，哈萨克斯坦，土耳其，黎巴嫩，塞浦路斯，叙利亚，伊拉克，以色列，约旦，埃及，欧洲，非洲北部，北美洲，新热带区。

（2570）细纹根瘤象 *Sitona lineellus*（Bonsdorff，1785）

　　　分布：陕西（秦岭）、黑龙江、北京、河北、内蒙古、山西、甘肃、青海、新疆、湖北、西藏；蒙古，俄罗斯，韩国，日本，阿富汗，乌兹别克斯坦，吉尔吉斯斯坦，哈萨克斯坦，土耳其，欧洲，北美洲。

（2571）卵圆根瘤象 *Sitona ovipennis* Hochhuth，1851

　　　分布：陕西（秦岭）、甘肃；蒙古，俄罗斯，朝鲜，哈萨克斯坦。

979. 灰象属 *Sympiezomias* Faust，1887

（2572）柑桔灰象 *Sympiezomias citri* Chao，1977

　　　分布：陕西（秦岭）、江苏、安徽、浙江、湖北、江西、湖南、福建、广东、广西。

（2573）北京灰象 *Sympiezomias herzi* Faust，1887

　　　分布：陕西（秦岭）、黑龙江、吉林、北京、河北、山西、山东、河南、台湾、香港；朝鲜，韩国，日本。

（2574）大灰象 *Sympiezomias velatus*（Chevrolat，1845）

　　　分布：陕西（秦岭）、黑龙江、吉林、辽宁、北京、河北、内蒙古、山西、山东、河南、甘肃、安徽、湖北、香港、澳门、广西、四川、贵州。

（七）方喙象亚科 Lixinae

980. 阿斯象属 *Asproparthenis* Gozis，1886

（2575）甜菜阿斯象 *Asproparthenis punctiventris*（Germar，1824）

　　　分布：陕西（秦岭）、黑龙江、吉林、辽宁、内蒙古、河北、山西、山东、河南、宁夏、甘肃、新疆；俄罗斯，巴基斯坦，阿富汗，伊朗，土库曼斯坦，哈萨克斯坦，土耳其，叙利亚，以色列，欧洲，非洲北部。

981. 方喙象属 *Cleonis* Dejean，1821

（2576）中国方喙象 *Cleonis freyi*（Zumpt，1936）

　　　分布：陕西（秦岭）、黑龙江、内蒙古、北京、河北、山西、甘肃。

（2577）欧洲方喙象 *Cleonis pigra*（Scopoli，1763）

　　　分布：陕西（秦岭）、黑龙江、辽宁、内蒙古、北京、河北、山西、河南、甘肃、青海、新疆、四川；蒙古，俄罗斯，韩国，孟加拉，巴基斯坦，阿富汗，伊朗，塔吉克斯坦，乌兹别克斯坦，土库曼斯坦，吉尔吉斯斯坦，哈萨克斯坦，土耳其，伊拉克，欧洲，非洲北部，东洋区。

982. 锥喙象属 *Conorhynchus* Motschulsky，1860

（2578）粉红锥喙象 *Conorhynchus pulverulentus*（Zoubkoff，1829）

分布：陕西（秦岭）、内蒙古、宁夏、甘肃、青海、新疆；蒙古，俄罗斯，阿富汗，伊朗，乌兹别克斯坦，土库曼斯坦，吉尔吉斯斯坦，哈萨克斯坦，土耳其，欧洲。

983. 光洼象属 *Gasteroclisus* Desbrochers des Loges，1904

（2579）二结光洼象 *Gasteroclisus binodulus*（Boheman，1835）

分布：陕西（周至、宝鸡、武功、华阴）、辽宁、甘肃、江苏、浙江、福建、广东、广西、四川、云南；日本，马来西亚，印度尼西亚，巴基斯坦，东洋区。

984. 菊花象属 *Larinus* Dejean，1821

（2580）三角菊花象 *Larinus*（*Phyllonomeus*）*griseopilosus* Roelofs，1873

分布：陕西（留坝、佛坪、宁陕）、黑龙江、吉林、河北、山西、甘肃；俄罗斯（远东地区），日本，印度，东洋区。

（2581）漏芦菊花象 *Phyllonomeus scabrirostris*（Faldermann，1835）

分布：陕西（柞水）；蒙古，俄罗斯，朝鲜，韩国。

985. 白筒象属 *Liocleonus* Motschulsky，1860

（2582）柽柳白筒象 *Liocleonus clathratus*（Olivier，1807）

分布：陕西（秦岭）、内蒙古、甘肃、新疆、西藏；蒙古，巴基斯坦，阿富汗，伊朗，塔吉克斯坦，乌兹别克斯坦，土库曼斯坦，吉尔吉斯斯坦，哈萨克斯坦，土耳其，叙利亚，伊拉克，以色列，埃及西奈半岛，欧洲，非洲北部，东洋区。

986. 筒喙象属 *Lixus* Fabricius，1801

（2583）斜纹筒喙象 *Lixus*（*Dilixellus*）*obliquivittis* Voss，1937

分布：陕西（留坝、柞水）、辽宁、上海、浙江、福建、广西、四川、云南。

987. 二脊象属 *Pleurocleonus* Motschulsky，1860

（2584）二脊象 *Pleurocleonus sollicitus*（Gyllenhal，1834）

分布：陕西（秦岭）、新疆、云南、西藏；蒙古，俄罗斯，吉尔吉斯斯坦，哈萨克斯坦。

（八）魔喙象亚科 Molytinae

988．二节象属 *Aclees* Schoenherr，1835

（2585）筛孔二节象 *Aclees cribratus* Gyllenhal，1835

分布：陕西（佛坪、旬阳）、浙江、湖北、江西、湖南、福建、广西、四川、贵州、云南、西藏；欧洲，东洋区。

989．宽肩象属 *Ectatorhinus* Lacordaire，1865

（2586）宽肩象 *Ectatorhinus adamsii* Pascoe，1872

分布：陕西（周至）、山东、河南、江苏、安徽、浙江、湖北、江西、湖南、福建、台湾、广西、四川、贵州、云南、西藏；韩国，日本，东洋区。

990．树皮象属 *Hylobius* Germar，1817

（2587）欧洲松树皮象 *Hylobius*（*Callirus*）*abietis*（**Linnaeus，1758**）

分布：陕西（佛坪）、黑龙江、吉林、辽宁、河北、甘肃、青海、新疆、江苏、安徽、湖北、湖南、福建、四川、贵州、云南；俄罗斯，日本，哈萨克斯坦，欧洲。

（2588）拟长树皮象 *Hylobius*（*Callirus*）*elongatoides* Voss，1956

分布：陕西（秦岭）、浙江、福建、四川、云南。

（2589）松树皮象 *Hylobius*（*Callirus*）*haroldi* Faust，1882

分布：陕西（秦岭）、黑龙江、吉林、辽宁、河北、山西、湖北、福建、四川、云南；俄罗斯，朝鲜，韩国，日本。

991．斜纹象属 *Lepyrus* Germar，1817

（2590）波纹斜纹象 *Lepyrus japonicus* Roelofs，1873

分布：陕西（武功、宝鸡、留坝、柞水）、黑龙江、吉林、辽宁、内蒙古、北京、天津、河北、山西、山东、河南、甘肃、江苏、安徽、浙江、湖北、江西、湖南、福建、四川、贵州、云南；俄罗斯（远东），朝鲜，韩国，日本。

（2591）斑斜纹象 *Lepyrus nebulosus* Motschulsky，1860

分布：陕西（秦岭）、黑龙江、吉林、辽宁、山西、山东、香港、四川；俄罗斯

（远东），韩国，日本。

992. 雪片象属 *Niphades* Pascoe, 1871

（2592）栗雪片象 *Niphades castanea* Chao, 1980
分布：陕西（佛坪）、河南、甘肃、江西、湖南。

993. 雪象属 *Niphadomimus* Zherikhin, 1987

（2593）墨洛珀雪象 *Niphadomimus merope* Grebennikov, 2014
分布：陕西（秦岭）。

994. 棒横沟象属 *Pagiophloeus* Faust, 1892

（2594）长棒横沟象 *Pagiophloeus longiclavis*（Marshall, 1924）
分布：陕西（秦岭）、河南、湖南、广东、广西、云南；印度，东洋区。

995. 横沟象属 *Pimelocerus* Lacordaire, 1863

（2595）核桃横沟象 *Pimelocerus juglans*（Chao, 1980）
分布：陕西（秦岭）、河南、湖北、福建、四川、云南。

996. 木蠹象属 *Pissodes* Germar, 1817

（2596）红木蠹象 *Pissodes nitidus* Roelofs, 1873
分布：陕西（秦岭）、黑龙江、吉林、辽宁、河北、河南、甘肃、湖北；俄罗斯
（远东），朝鲜，韩国，日本。

997. 胸骨象属 *Sternuchopsis* Heller, 1918

（2597）短胸胸骨象 *Sternuchopsis*（*Mesalcidodes*）*trifida*（Pascoe, 1870）
分布：陕西（秦岭）、山东、河南、江苏、安徽、浙江、湖北、江西、湖南、福建、
台湾、广东、广西、四川、贵州、云南；朝鲜，韩国，日本。
（2598）核桃胸骨象 *Sternuchopsis*（*Sternuchopsis*）*juglans*（Chao, 1980）
分布：陕西（秦岭）、广西、四川、贵州、云南。
（2599）甘薯胸骨象 *Sternuchopsis waltoni*（Boheman, 1844）
分布：陕西（秦岭）、浙江、湖北、江西、湖南、福建、台湾、广东、香港、广西、
四川、云南；日本，伊朗，东洋区。

鳞翅目 Lepidoptera

大蛾类

一、蚕蛾科 Bombycidae

1. Genus *Andraca* Walker，1865

（1）*Andraca apodecta* Swinhoe，1907

　　分布：陕西（商南）、江西、福建、广西、云南；越南，老挝，泰国，菲律宾，印度尼西亚。

（2）*Andraca olivacea* Matsumura，1927

　　分布：陕西（太白）、浙江、江西、福建、台湾、湖南、广东、海南、广西；越南，缅甸。

2. 蚕蛾属 *Bombyx* Linnaeus，1758

（3）白弧野蚕蛾 *Bombyx lemeepauli* Lemée，1950

　　分布：陕西（西安、周至、太白、宝鸡、留坝、佛坪、宁陕、旬阳、商南）、甘肃、浙江、湖北、广西、四川、云南；越南，泰国。

（4）野蚕蛾 *Bombyx mandarina* Moore，1912

　　分布：陕西（西安、周至、佛坪、宁陕、大巴山）、黑龙江、吉林、辽宁、内蒙古、河北、山西、山东、河南、甘肃、江苏、安徽、湖北、江西、湖南、台湾、广东、广西、四川、云南、西藏；俄罗斯（东南部），朝鲜，日本。

3. Genus *Comparmustilia* Wang et Zolotuhin，2015

（5）*Comparmustilia semiravida*（Yang，1995）

　　分布：陕西（大巴山）、浙江、江西、福建、广东、海南、广西、四川、云南。

（6）*Comparmustilia sphingiformis*（Moore，1879）

　　分布：陕西（商南）、江西、湖南、福建、广东、广西、云南；越南，泰国，缅甸，印度，尼泊尔，马来西亚。

4．Genus *Dalailama* Staudinger，1896

（7）*Dalailama bifurca* Staudinger，1896
　　分布：陕西（周至、太白、佛坪）、青海、新疆、四川、西藏。

5．Genus *Ernolatia* Walker，1862

（8）*Ernolatia moorei*（Hutton，1865）
　　分布：陕西（周至、太白、佛坪）、浙江、台湾、广东、海南、香港、广西、四川、云南、西藏；日本，越南，泰国，缅甸，印度，尼泊尔，斯里兰卡，印度尼西亚。

6．钩翅蚕蛾属 *Mustilia* Walker，1865

（9）*Mustilia glabrata* Yang，1995
　　分布：陕西（秦岭）、广西、四川、贵州、云南、西藏；越南，泰国，缅甸。

（10）*Mustilia pai* Zolotuhin，2007
　　分布：陕西（太白）、四川。

（11）*Mustilia undulosa*（Yang *et* Mao，1995）
　　分布：陕西（太白、宁陕）、湖北、湖南、广西、四川、云南。

7．如钩蚕蛾属 *Mustilizans* Yang，1995

（12）*Mustilizans andracoides* Zolotuhin，2007
　　分布：陕西、青海、云南、西藏。

（13）*Mustilizans capella* Zolotuhin，2007
　　分布：陕西（周至、太白、佛坪、宁陕）、四川。

（14）*Mustilizans dierli*（Holloway，1987）
　　分布：陕西（大巴山）、浙江、江西、湖北、海南、四川、云南；越南，泰国，马来西亚，印度尼西亚。

（15）一点如钩蚕蛾 *Mustilizans eitschbergeri* Zolotuhin，2007
　　分布：陕西（周至、太白、佛坪、宁陕、柞水）、河南、江西、福建。

（16）一点沟翅蚕蛾 *Mustilizans hepatica*（Moore，1879）
　　分布：陕西（佛坪、宁陕）、甘肃、江西、福建、广东、海南、广西、云南、西藏；印度。

（17）神农如钩蚕蛾 *Mustilizans shennongi* Yang *et* Mao，1995
　　分布：陕西、湖北、广东、广西、四川。

8．齿翅蚕蛾属 *Oberthueria* Kirby，1892

（18）波花蚕蛾 *Oberthueria caeca*（Oberthür，1880）

分布：陕西（周至、太白、宁陕）、黑龙江、吉林、山西、河南、甘肃、浙江、福建、四川、云南；俄罗斯（远东），朝鲜，韩国。

（19）*Oberthueria jiatongae* Zolotuhin *et* Wang，2013

分布：陕西（周至、太白、佛坪，大巴山）、江西、湖北、湖南、广东、海南、广西、四川。

（20）单齿翅蚕蛾 *Oberthueria yandu* Zolotuhin *et* Wang，2013

分布：陕西（宁陕、柞水）、河南、浙江、江西、福建、广东、四川、西藏。

9．Genus *Rondotia* Moore，1885

（21）桑蟥 *Rondotia menciana* Moore，1885

分布：陕西（秦岭）、黑龙江、吉林、辽宁、内蒙古、河北、山西、山东、河南、甘肃、江苏、安徽、浙江、湖北、江西、湖南、广东、四川。

10．Genus *Rotunda* Wang *et* Zolotuhin，2015

（22）*Rotunda rotundapex*（Miyata *et* Kishida，1990）

分布：陕西（周至、太白、佛坪，大巴山）、江西、湖北、湖南、福建、台湾、广东、广西、四川；韩国，缅甸。

11．Genus *Smerkata* Zolotuhin，2007

（23）*Smerkata ulliae*（Zolotuhin，2007）

分布：陕西（太白、宝鸡）、湖南、广东。

二、大蚕蛾科 Saturniidae

12．尾大蚕蛾属 *Actias* Leach，1815

（24）*Actias angulocaudata* Naumann *et* Bouyer，1998

分布：陕西、湖北、四川、云南。

（25）曲缘尾大蚕蛾 *Actias artemis aliena*（Butler，1879）

分布：陕西（周至）、甘肃、江苏、江西。

（26）长尾大蚕蛾 *Actias dubernardi*（Oberthür，1897）

分布：陕西（太白、佛坪）、湖北、湖南、福建、广西、贵州、云南。

（27）*Actias felicis arianeae* Brechlin，2007

　　分布：陕西（秦岭）。

（28）*Actias ningpoana ningtaibaishana* Brechlin，2013

　　分布：陕西（秦岭）。

（29）红尾大蚕蛾 *Actias rhodopneuma* Rober，1925

　　分布：陕西（宁陕）、福建、广西、云南。

（30）绿尾大蚕蛾 *Actias selene ningpoana* Felder，1862

　　分布：陕西（留坝、佛坪）、吉林、辽宁、河北、河南、甘肃、江苏、浙江、湖北、江
西、湖南、福建、台湾、广东、海南、广西、四川、云南、西藏；日本。

（31）陕西大蚕蛾 *Actias shaanxiana* Brechlin，2007

　　分布：陕西（太白，大巴山）。

（32）华尾大蚕蛾 *Actias sinensis* Walker，1855

　　分布：陕西（佛坪、宁陕）、甘肃、江西、湖南、广东、海南；不丹。

13．Genus *Aglia* Ochsenheimer，1810

（33）*Aglia sinyaevi* Brechlin，2015

　　分布：陕西。

14．柞蚕属 *Antheraea* Hübner，1819

（34）明目大蚕蛾 *Antheraea frithi javanensis* Bouvier，1928

　　分布：陕西（佛坪、宁陕）、浙江、湖北、湖南、福建、云南、西藏。

（35）柞蚕 *Antheraea pernyi* Guérin-Méneville，1855

　　分布：陕西（宁陕）、黑龙江、吉林、辽宁、河北、山东、河南、江苏、浙江、湖北、
湖南、四川、贵州。

15．目大蚕蛾属 *Caligula* Moore，1862

（36）青海合目大蚕蛾 *Caligula chinghaina* Chu *et* Wang，1993

　　分布：陕西（宁陕）、青海。

（37）银杏大蚕蛾 *Caligula japonica* Moore，1862

　　分布：陕西（留坝、宁陕）、黑龙江、吉林、辽宁、河北、山东、甘肃、湖北、江西、
湖南、台湾、广东、海南、广西、四川、贵州。

16．豹大蚕蛾属 *Loepa* Moore，1860

（38）目豹大蚕蛾 *Loepa damaritis* Jordan，1911

分布:陕西(周至、宁陕)、湖南、广东、海南、四川、西藏。

（39）*Loepa melli* Naumann, Loeffler *et* Naessig, 2012

分布:陕西、福建、甘肃、湖北、江西、四川、西藏。

（40）*Loepa meyi* Naumann, 2003

分布:陕西。

（41）豹大蚕蛾 *Loepa oberthuri*（Leech, 1890）

分布:陕西(佛坪)、甘肃、湖北、江西、湖南、福建、广东、海南、四川、贵州、云南；越南，印度。

17.　Genus *Rhodinia* Staudinger, 1892

（42）*Rhodinia fugax shaanxiana* Brechlin, 2007

分布:陕西。

（43）*Rhodinia silkae* Brechlin *et* van Schayck, 2010

分布:陕西、重庆、四川、贵州。

18.　猫目大蚕蛾属 *Salassa* Moore, 1859

（44）佛坪猫目大蚕蛾 *Salassa arianae* Brechlin *et* Kitching, 2010

分布:陕西(周至、佛坪)、湖北、四川。

（45）猫目大蚕蛾 *Salassa thespis*（Leech, 1890）

分布:陕西(周至)、甘肃、湖北、湖南、福建、四川、云南、西藏。

19.　樗蚕属 *Samia* Hübner, 1819

（46）樗蚕 *Samia cynthia*（Drurvy, 1773）

分布:陕西(周至、太白、留坝、洋县、宁陕、商南)、吉林、辽宁、河北、山西、山东、河南、甘肃、江苏、安徽、湖北、浙江、江西、湖南、福建、台湾、广东、海南、四川、贵州、云南、西藏；朝鲜，日本。

20.　Genus *Saturnia* Schrank, 1802

（47）*Saturnia*（*Rinaca*）*chinensis luteoshaanxiana* Brechlin, 2011

分布:陕西。

（48）*Saturnia*（*Rinaca*）*kitchingi* Brechlin, 2001

分布:陕西(周至、太白)。

（49）*Saturnia*（*Rinaca*）*shaanxiana* Brechlin, 2009

分布:陕西。

（50）*Saturnia*（*Rinaca*）*winbrechlini* Brechlin，2000

　　　分布：陕西（周至、太白）。

（51）*Saturnia*（*Saturnia*）*taibaishanis* Brechlin，2009

　　　分布：陕西（太白山）。

三、天蛾科 Sphingidae

（一）天蛾亚科 Sphinginae

21. 面型天蛾属 *Acherontia* Laspeyres，1809

（52）鬼脸天蛾 *Acherontia lachesis lachesis*（Fabricius，1798）

　　　分布：陕西（佛坪）、吉林、北京、河北、山东、山西、河南、上海、江苏、安徽、浙江、湖北、江西、湖南、福建、台湾、广东、海南、香港、广西、四川、重庆、贵州、云南、西藏；俄罗斯，日本，印度，尼泊尔，巴基斯坦，缅甸，越南，老挝，泰国，斯里兰卡，菲律宾，马来西亚，印度尼西亚。

（53）芝麻鬼脸天蛾 *Acherontia styx*（Westwood，1847）

　　　分布：陕西（旬阳）、北京、河北、山西、山东、河南、甘肃、上海、江苏、安徽、浙江、湖北、江西、湖南、福建、台湾、广东、海南、香港、广西、四川、云南、西藏；俄罗斯，朝鲜，韩国，日本，泰国，缅甸，印度，尼泊尔，孟加拉国，斯里兰卡，巴基斯坦，马来西亚，伊拉克，沙特阿拉伯。

22. 白薯天蛾属 *Agrius* Hübner，1819

（54）白薯天蛾 *Agrius convolvuli*（Linnaeus，1758）

　　　分布：陕西（周至、佛坪、宁陕）、吉林、辽宁、内蒙古、北京、天津、河北、山西、山东、河南、甘肃、新疆、上海、江苏、安徽、浙江、湖北、江西、湖南、福建、台湾、广东、海南、香港、四川、贵州、云南、西藏；俄罗斯，朝鲜，韩国，日本，亚洲，欧洲，非洲。

23. 大背天蛾属 *Meganoton* Boisduval，1875

（55）大背天蛾 *Meganoton analis analis*（Felder，1874）

　　　分布：陕西（太白、佛坪、洋县）、甘肃、上海、安徽、浙江、湖北、江西、湖南、福建、广东、海南、广西、四川、贵州、云南、西藏；越南，泰国，缅甸，印度，尼泊尔，斯里兰卡，马来西亚。

24. 霜天蛾属 *Psilogramma* Rothschild *et* Jordan, 1903

（56）丁香天蛾 *Psilogramma increta*（Walker, 1865）

分布:陕西(周至、留坝、宁陕、汉中)、辽宁、北京、河北、山西、山东、河南、上海、江苏、浙江、湖北、江西、湖南、福建、台湾、广东、海南、香港、四川；朝鲜，韩国，日本，越南，老挝，泰国，缅甸，尼泊尔。

25. 天蛾属 *Sphinx* Linnaeus, 1758

（57）卡天蛾中华亚种 *Sphinx caligineus sinicus*（Rothschild *et* Jordan, 1903）

分布:陕西(周至、太白、留坝、佛坪、宁陕)、黑龙江、北京、天津、河北、山东、上海、江苏、安徽、浙江、湖北、湖南、广东、四川、云南；朝鲜，越南，泰国。

（58）森尾松天蛾匀灰亚种 *Sphinx morio arestus*（Jordan, 1931）

分布:陕西(周至)、黑龙江、辽宁；蒙古，俄罗斯，朝鲜，韩国，日本。

（二）目天蛾亚科 Smerinthinae

26. 鹰翅天蛾属 *Ambulyx* Westwood, 1847

（59）日本鹰翅天蛾韩国亚种 *Ambulyx japonica koreana* Inoue, 1993

分布:陕西(佛坪)、吉林、辽宁、北京、天津、河南、甘肃、湖北、湖南、江西、广东、福建、海南、四川；朝鲜，韩国。

（60）华南鹰翅天蛾 *Ambulyx kuangtungensis*（Mell, 1922）

分布:陕西(周至、留坝、佛坪、旬阳)、河南、甘肃、新疆、浙江、湖北、江西、福建、台湾、海南、广西、四川、贵州、云南、西藏；越南，泰国，缅甸。

（61）核桃鹰翅天蛾 *Ambulyx schauffelbergeri* Bremer *et* Grey, 1853

分布:陕西(周至、留坝、佛坪、宁陕、旬阳、安康)、辽宁、北京、河北、山东、河南、甘肃、上海、江苏、安徽、浙江、江西、湖北、福建、广东、海南、广西、四川、重庆、贵州、云南、西藏；日本，朝鲜，韩国，越南，印度。

（62）黄山鹰翅天蛾 *Ambulyx sericeipennis* Butler, 1875

分布:陕西(周至、太白、佛坪)、安徽、浙江、江西、福建、台湾、广东、海南、香港、广西、四川、重庆、贵州、云南；越南，老挝，泰国，柬埔寨，缅甸，印度，尼泊尔，斯里兰卡，巴基斯坦。

27. 绿天蛾属 *Callambulyx* Rothschild *et* Jordan, 1903

（63）眼斑绿天蛾 *Callambulyx junonia*（Butler, 1881）

分布:陕西(周至、留坝、佛坪、宁陕)、甘肃、湖北、湖南、江西、海南、四川、云南；越南，印度，不丹。

（64）白斑绿天蛾 *Callambulyx sinjaevi* Brechlin，2000

分布：陕西（佛坪）。

（65）榆绿天蛾 *Callambulyx tatarinovii tatarinovii*（Bremer *et* Grey，1853）

分布：陕西（周至、太白、佛坪、旬阳）、黑龙江、吉林、辽宁、内蒙古、北京、天津、河北、山西、山东、河南、宁夏、甘肃、新疆、上海、江苏、浙江、湖北、江西、湖南、福建、四川、西藏；蒙古，俄罗斯，朝鲜，韩国，日本。

28．豆天蛾属 *Clanis* Hübner，1819

（66）南方豆天蛾 *Clanis bilineata*（Walker，1866）

分布：陕西（周至、留坝、佛坪、宁陕、旬阳、柞水）、黑龙江、吉林、辽宁、内蒙、北京、天津、河北、山西、山东、河南、宁夏、甘肃、青海、新疆、上海、江苏、安徽、浙江、湖北、江西、湖南、福建、台湾、广东、海南、香港、广西、四川、重庆、贵州、云南；印度，尼泊尔。

（67）灰斑豆天蛾 *Clanis undulosa undulosa* Moore，1879

分布：陕西（宁陕、旬阳、柞水）、辽宁、北京、河北、江西、四川；俄罗斯，朝鲜，韩国。

29．月天蛾属 *Craspedortha* Mell，1922

（68）月天蛾 *Craspedortha porphyria*（Butler，1876）

分布：陕西（留坝、洋县、宁陕）、甘肃、浙江、湖北、江西、湖南、福建、台湾、广东、海南、广西、四川、云南；越南，泰国，缅甸，印度，尼泊尔。

30．齿缘天蛾属 *Cypa* Walker，1865

（69）陕西齿缘天蛾 *Cypa shaanxiana* Brechlin *et* Kitching，2014

分布：陕西（太白山）。

31．枫天蛾属 *Cypoides* Matsumura，1921

（70）枫天蛾 *Cypoides chinensis*（Rothschild *et* Jordan，1903）

分布：陕西（太白山）、甘肃、安徽、浙江、湖北、江西、湖南、福建、台湾、广东、海南、香港、广西、贵州；越南，泰国。

32．星天蛾属 *Dolbina* Staudinger，1877

（71）小星天蛾 *Dolbina exacta* Staudinger，1892

分布:陕西(洋县、宁陕)、黑龙江、北京、山西、浙江、湖北、湖南、四川、广西;俄罗斯,朝鲜,韩国,日本。

（72）大星天蛾 *Dolbina inexacta*（Walker, 1856）
分布:陕西(宝鸡、旬阳)、甘肃、浙江、江西、湖南、福建、台湾、广东、海南、四川、重庆、云南、西藏;越南,老挝,泰国,缅甸,日本,印度,尼泊尔,巴基斯坦,马来西亚,土耳其。

（73）*Dolbina paraexacta* Brechlin, 2009
分布:陕西。

33. 绒天蛾属 *Kentrochrysalis* Staudinger, 1887

（74）赫伯绒天蛾 *Kentrochrysalis heberti* Haxaire *et* Melichar, 2010
分布:陕西(佛坪)、山西、甘肃、湖北、江西。

（75）白须天蛾 *Kentrochrysalis sieversi* Alphéraky, 1897
分布:陕西(周至、佛坪)、黑龙江、吉林、辽宁、北京、河北、河南、甘肃、浙江、湖南、福建、海南、四川、云南;俄罗斯,朝鲜,韩国。

（76）女贞天蛾 *Kentrochrysalis streckeri*（Staudinger, 1880）
分布:陕西(宁陕)、黑龙江、吉林、辽宁、内蒙古、北京、河北、山西、河南、甘肃、新疆、湖北、湖南、四川;蒙古,俄罗斯,韩国,日本,英国,斯洛文尼亚。

34. 黄脉天蛾属 *Laothoe* Fabricius, 1807

（77）黄脉天蛾华夏亚种 *Laothoe amurensis sinica*（Rothschild *et* Jordan, 1903）
分布:陕西(周至、太白、佛坪、宁陕、柞水)、吉林、辽宁、北京、山西、甘肃、浙江、四川、云南、西藏;朝鲜,韩国。

（78）哈伯黄脉天蛾 *Laothoe habeli* Saldaitis, Icinskis *et* Borth, 2010
分布:陕西(太白、佛坪)、四川。

35. 蔗天蛾属 *Leucophlebia* Westwood, 1847

（79）甘蔗天蛾 *Leucophlebia lineata* Westwood, 1847
分布:陕西(太白山)、北京、天津、河北、山东、山西、江苏、浙江、江西、湖南、福建、台湾、广东、海南、香港、广西、云南;越南,泰国,印度,尼泊尔,斯里兰卡,巴基斯坦,菲律宾,马来西亚,印度尼西亚。

36. 六点天蛾属 *Marumba* Moore, 1882

（80）*Marumba centrosinica* Brechlin, 2014

分布：陕西、重庆、四川。

（81） *Marumba complacens circumcincta* **Eitschberger，2012**

分布：陕西、河南、湖北、四川。

（82） 椴六点天蛾 *Marumba dyras dyras*（**Walker，1856**）

分布：陕西（周至、佛坪、旬阳）、辽宁、北京、河北、河南、甘肃、江苏、安徽、浙江、江西、湖南、福建、台湾、广东、海南、香港、四川、贵州、云南、西藏；越南，泰国，缅甸，印度，尼泊尔，斯里兰卡，菲律宾，马来西亚。

（83） 梨六点天蛾 *Marumba gaschkewitschii complacens*（**Walker，1865**）

分布：陕西（周至、佛坪、旬阳）、甘肃、宁夏、上海、江苏、江西、浙江、湖北、湖南、福建、广东、海南、香港、广西、四川、云南、西藏；越南。

（84） 黄边六点天蛾 *Marumba maackii*（**Bremer，1861**）

分布：陕西（太白）、黑龙江、吉林、辽宁、内蒙古、北京、甘肃、浙江、湖北、广西；俄罗斯，朝鲜，韩国，日本。

（85） 枇杷六点天蛾 *Marumba spectabilis spectabilis*（**Butler，1875**）

分布：陕西（宁陕）、河南、甘肃、安徽、浙江、湖北、江西、湖南、福建、广东、海南、广西、四川、云南；越南，老挝，泰国，印度，尼泊尔。

（86） 栗六点天蛾 *Marumba sperchius*（**Ménéntriès，1857**）

分布：陕西（宁陕、柞水、旬阳）、黑龙江、吉林、辽宁、内蒙古、北京、河北、山东、河南、甘肃、江苏、安徽、浙江、湖北、江西、湖南、福建、台湾、广东、海南、广西、四川、贵州、云南；俄罗斯，朝鲜，韩国，日本，越南，老挝，泰国，印度，尼泊尔，巴基斯坦。

37. 构月天蛾属 *Parum* **Rothschild** *et* **Jordan，1903**

（87） 构月天蛾 *Parum colligata*（**Walker，1856**）

分布：陕西（周至、留坝、佛坪）、吉林、辽宁、内蒙古、北京、河北、山东、河南、青海、上海、安徽、浙江、湖北、江西、湖南、福建、台湾、广东、海南、香港、广西、四川、贵州、云南、西藏；韩国，日本，越南，泰国，缅甸，印度。

38. 盾天蛾属 *Phyllosphingia* **Swinhoe，1897**

（88） 盾天蛾 *Phyllosphingia dissimilis dissimilis*（**Bremer，1861**）

分布：陕西（周至、太白、佛坪、宁陕、柞水、旬阳）、黑龙江、吉林、辽宁、内蒙古、北京、河北、山东、河南、青海、甘肃、江苏、安徽、浙江、湖北、江西、湖南、福建、台湾、广东、海南、广西、四川、贵州；俄罗斯，朝鲜，韩国，日本，印度，菲律宾。

39．三线天蛾属 *Polyptychus* Hübner，1819

（89）中国三线天蛾陕西亚种 *Polyptychus chinensis shaanxiensis* Brechlin，2008
分布：陕西（旬阳，太白山、大巴山）。

40．目天蛾属 *Smerinthus* Latreille，1802

（90）小目天蛾 *Smerinthus minor* Mell，1937
分布：陕西（佛坪）、北京、河北、山西、湖北、湖南。

（91）蓝目天蛾 *Smerinthus planus* Walker，1856
分布：陕西（周至、佛坪）、黑龙江、吉林、辽宁、内蒙古、北京、天津、河北、山西、山东、宁夏、甘肃、新疆、上海、安徽、浙江、湖北、江西、湖南、福建、广东、四川、贵州、云南、西藏；蒙古，俄罗斯，朝鲜，韩国，日本。

41．匀天蛾属 *Sphingulus* Staudinger，1887

（92）匀天蛾 *Sphingulus mus* Staudinger，1887
分布：陕西（宁陕、旬阳）、黑龙江、辽宁、内蒙古、北京、山西、山东、河南、浙江、湖北、湖南；俄罗斯，朝鲜，韩国。

（三）长喙天蛾亚科 Macroglossinae

42．缺角天蛾属 *Acosmeryx* Boisduval，1875

（93）葡萄缺角天蛾 *Acosmeryx naga naga*（Moore，1858）
分布：陕西（秦岭）、辽宁、北京、河北、河南、山西、甘肃、安徽、浙江、江西、湖北、湖南、福建、台湾、广东、海南、四川、贵州、云南、西藏；俄罗斯，朝鲜，韩国，日本，越南，老挝，泰国，缅甸，印度，尼泊尔，巴基斯坦，马来西亚。

（94）斜带缺角天蛾 *Acosmeryx shervillii* Boisduval，1875
分布：陕西（留坝、旬阳）、福建、海南、香港、云南；越南，印度，尼泊尔，斯里兰卡，马来西亚，印度尼西亚。

43．葡萄天蛾属 *Ampelophaga* Bremer *et* Grey，1853

（95）卡西葡萄天蛾 *Ampelophaga khasiana* Rothschild，1895
分布：陕西（旬阳）、四川、云南、西藏；缅甸，印度，尼泊尔。

（96）葡萄天蛾 *Ampelophaga rubiginosa rubiginosa* Bremer *et* Grey，1853
分布：陕西（周至、太白、留坝、佛坪、洋县、宁陕）、黑龙江、吉林、辽宁、北京、天津、河北、山西、山东、河南、宁夏、上海、江苏、安徽、浙江、湖北、江西、湖南、福建、广东、海南、香港、广西、四川、重庆、云南、西藏；俄罗斯，朝鲜，韩国，日本，越南，老挝，泰国，缅甸，印度，尼泊尔，马来西亚，印度尼西亚。

44. 斑背天蛾属 Cechenena Rothschild et Jordan, 1903

(97) 条背天蛾 Cechenena lineosa (Walker, 1856)
分布:陕西(周至、太白、留坝、佛坪、宁陕)、河北、河南、甘肃、安徽、浙江、湖北、江西、湖南、福建、台湾、广东、海南、广西、四川、贵州、云南、西藏；日本，越南，泰国，印度，尼泊尔，马来西亚，印度尼西亚。

(98) 平背天蛾 Cechenena minor (Butler, 1875)
分布:陕西(旬阳)、河南、甘肃、安徽、浙江、湖北、江西、湖南、福建、台湾、广东、海南、四川、贵州、云南；日本，泰国，印度，尼泊尔，马来西亚。

45. Genus Dahira Moore, 1888

(99) Dahira kitchingi (Brechlin, 2000)
分布:陕西(太白)

(100) Dahira uljanae Brechlin et Melichar, 2006
分布:陕西。

46. 红天蛾属 Deilephila Laspeyres, 1809

(101) 红天蛾 Deilephila elpenor (Linnaeus, 1758)
分布:陕西(周至、留坝、佛坪、宁陕、旬阳)、黑龙江、吉林、辽宁、内蒙古、北京、河北、山东、山西、河南、甘肃、新疆、上海、江苏、安徽、浙江、湖北、江西、湖南、福建、台湾、四川、贵州、云南、西藏；蒙古，俄罗斯，朝鲜，韩国，日本，越南，泰国，缅甸，印度，尼泊尔，不丹，孟加拉国，欧洲，北美洲。

47. 赭尾天蛾属 Eurypteryx Felder, 1874

(102) 基点赭尾天蛾 Eurypteryx bhaga (Moore, 1866)
分布:陕西(太白山)、云南；泰国，印度，尼泊尔，马来西亚，印度尼西亚。

48. 黑边天蛾属 Hemaris Dalman, 1816

(103) 锈胸黑边天蛾 Hemaris staudingeri Leech, 1890
分布:陕西(太白山)、黑龙江、甘肃、安徽、上海、浙江、江西、湖北、湖南、广东、四川；俄罗斯。

49．白眉天蛾属 *Hyles* Hübner，1819

（104）放白眉天蛾 *Hyles exilis* Derzhavets，1979

分布：陕西（太白山）、黑龙江、内蒙古、北京、天津、河北、山东、河南；蒙古，俄罗斯。

（105）深色白眉天蛾 *Hyles gallii*（Rottemburg，1775）

分布：陕西（秦岭）、黑龙江、吉林、辽宁、内蒙古、北京、天津、河北、山东、甘肃、青海、新疆、上海、浙江、云南、西藏；蒙古，俄罗斯，朝鲜，韩国，日本，尼泊尔，欧洲，加拿大，美国。

（106）八字白眉天蛾 *Hyles livornica*（Esper，1780）

分布：陕西（秦岭）、黑龙江、吉林、辽宁、北京、河北、河南、山东、山西、宁夏、甘肃、青海、新疆、江苏、江西、湖南、台湾、四川、贵州、云南、西藏；蒙古，俄罗斯，日本，泰国，印度，非洲，欧洲，中东。

（107）霸王天蛾 *Hyles zygophylli*（Ochsenheimer，1808）

分布：陕西、新疆；蒙古，俄罗斯，土耳其，叙利亚，伊朗，哈萨克斯坦，乌兹别克斯坦，塔吉克斯坦，阿富汗。

50．长喙天蛾属 *Macroglossum* Scopoli，1777

（108）青背长喙天蛾 *Macroglossum bombylans* Boisduval，1875

分布：陕西（太白山）、北京、天津、河北、山东、河南、上海、安徽、浙江、湖北、江西、湖南、台湾、广东、海南、香港、广西、四川、重庆、贵州、云南、西藏；俄罗斯，韩国，日本，越南，泰国，尼泊尔，不丹，菲律宾。

（109）夜长喙天蛾 *Macroglossum nycteris* Kollar，1844

分布：陕西（太白山，柞水）、北京、山东、河南、甘肃、上海、浙江、湖北、江西、四川、重庆、贵州、云南、西藏；日本，缅甸，印度。

（110）小豆长喙天蛾 *Macroglossum stellatarum*（Linnaeus，1758）

分布：陕西（秦岭）、黑龙江、辽宁、内蒙古、北京、天津、河北、山西、山东、河南、甘肃、新疆、上海、浙江、江西、湖南、广东、香港、四川、西藏；蒙古，俄罗斯，朝鲜，韩国，日本。

51．锤天蛾属 *Neogurelca* Hogenes *et* Treadaway，1993

（111）三角锤天蛾 *Neogurelca himachala sangaica*（Butler，1876）

分布:陕西(秦岭)、北京、河北、上海、湖北、江西、湖南、福建、台湾、广东、香港;朝鲜,韩国,日本。

52. 斜绿天蛾属 *Pergesa* Walker, 1856

(112) 斜绿天蛾 *Pergesa acteus* (Cramer, 1779)
分布:陕西(旬阳)、安徽、江西、福建、台湾、广东、香港、海南、广西、四川、贵州、云南、西藏;日本,泰国,缅甸,印度,尼泊尔,斯里兰卡,菲律宾,马来西亚,印度尼西亚。

53. 白肩天蛾属 *Rhagastis* Rothschild *et* Jordan, 1903

(113) 迷白肩天蛾 *Rhagastis confusa* Rothschild *et* Jordan, 1903
分布:陕西(太白、宁陕)、湖南、四川、贵州、云南;越南,泰国,印度,尼泊尔。

(114) 白肩天蛾 *Rhagastis mongoliana* (Butler, 1876)
分布:陕西(佛坪、宁陕)、黑龙江、吉林、辽宁、北京、青海、上海、安徽、浙江、湖北、江西、湖南、福建、台湾、广东、海南、广西、四川、贵州;蒙古,俄罗斯,朝鲜,韩国,日本。

(115) 隐纹白肩天蛾 *Rhagastis velata* (Walker, 1866)
分布:陕西(周至、佛坪、旬阳)、台湾、贵州;泰国,印度。

54. 斜纹天蛾属 *Theretra* Hübner, 1819

(116) 雀纹天蛾 *Theretra japonica* (Boisduval, 1869)
分布:陕西(周至、佛坪、旬阳)、黑龙江、吉林、辽宁、内蒙古、北京、河北、山东、河南、甘肃、宁夏、青海、上海、江苏、安徽、浙江、湖北、江西、湖南、福建、台湾、广东、海南、广西、四川、贵州、云南;俄罗斯,朝鲜,韩国,日本。

(117) 斜纹天蛾 *Theretra clotho* (Drury, 1773)
分布:陕西(周至、佛坪)、上海、安徽、湖北、江西、湖南、浙江、福建、台湾、广东、海南、香港、广西、四川、贵州、云南;日本,越南,老挝,泰国,缅甸,印度,尼泊尔,不丹,斯里兰卡,巴基斯坦,菲律宾,马来西亚,印度尼西亚,澳大利亚。

(118) 芋双线天蛾 *Theretra oldenlandiae oldenlandiae* (Fabricius, 1775)
分布:陕西(太白、佛坪、宁陕、旬阳)、北京、河北、山东、河南、甘肃、上海、安徽、江苏、浙江、湖北、江西、湖南、福建、台湾、广东、海南、香港、广西、四川、云南、西藏;俄罗斯,朝鲜,韩国,日本,缅甸,印度,尼泊尔,不丹,斯里兰卡，巴基斯坦，菲律宾。

四、箩纹蛾科 Brahmaeidae

55. 短颚箩纹蛾属 *Brachygnatha* Zhang *et* Yang，1993

（119）短颚箩纹蛾 *Brachygnatha diastemata* Zhang *et* Yang，1993
分布：陕西（太白）。

56. 箩纹蛾属 *Brahmaea* Walker，1855

（120）角突箩纹蛾 *Brahmaea goniata* Zhang *et* Yang，1994
分布：陕西（镇安）、河南、浙江。

（121）紫光箩纹蛾 *Brahmaea porphyrio* Chu *et* Wang，1977
分布：陕西（留坝）、江苏、安徽、浙江、江西。

57. Genus *Calliprogonos* Mell，1937

（122）*Calliprogonos miraculosa* Mell，1937
分布：陕西（太白山）、四川。

五、枯叶蛾科 Lasiocampidae

58. 线枯叶蛾属 *Arguda* Moore，1879

（123）春线枯叶蛾 *Arguda era* Zolotuhin，2005
分布：陕西（周至）、四川。

59. 带枯叶蛾属 *Bharetta* Moore，1866

（124）斜带枯叶蛾 *Bharetta cinnamomea* Moore，1865
分布：陕西（眉县、宁陕）、甘肃、四川；越南，印度，尼泊尔。

60. 斑枯叶蛾属 *Cosmeptera* Lajonquiere，1979

（125）棕斑枯叶蛾 *Cosmeptera ornata* Lajonquiere，1979
分布：陕西（太白山）、四川、云南。

（126）美斑枯叶蛾 *Cosmeptera pulchra* Lajonquiere，1979
分布：陕西（周至、太白）。

61. 小枯叶蛾属 *Cosmotriche* Hübner，1820

（127）秦岭小枯叶蛾 *Cosmotriche chensiensis* Hou，1987

　　　分布:陕西(留坝、宁陕、镇安)、湖北。

（128）蓝灰小枯叶蛾 *Cosmotriche monotona monotona*（Daniel，1953）

　　　分布:陕西(太白、留坝、宁陕、商州)、河南、甘肃、青海、湖北。

62. 松毛虫属 *Dendrolimus* Germar，1812

（129）云南松毛虫 *Dendrolimus grisea*（Moore，1879）

　　　分布:陕西(留坝)、浙江、湖北、江西、湖南、福建、海南、四川、贵州、云南；
泰国，越南，印度。

（130）华山松毛虫 *Dendrolimus huashanensis* Hou，1986

　　　分布:陕西(眉县、宁陕、柞水)。

（131）宁陕松毛虫 *Dendrolimus ningshanensis* Tsai *et* Hou，1976

　　　分布:陕西(留坝、佛坪、宁陕)。

（132）秦岭松毛虫 *Dendrolimus qinlingensis* Tsai *et* Hou，1980

　　　分布:陕西(周至、太白、佛坪、洋县、宁陕)。

（133）火地松毛虫 *Dendrolimus rubripennis* Hou，1986

　　　分布:陕西(周至、佛坪、宁陕)、云南、西藏。

（134）油松毛虫 *Dendrolimus tabulaeformis* Tsai *et* Liu，1962

　　　分布:陕西(留坝、宁陕)、辽宁、河北、山西、山东、河南、甘肃、四川。

（135）旬阳松毛虫 *Dendrolimus xunyangensis* Tsai *et* Hou，1980

　　　分布:陕西(宁陕)、甘肃。

63. 翅枯叶蛾属 *Eteinopla* Lajonquiere，1979

（136）紫翅枯叶蛾 *Eteinopla narcissus* Zolotuhin，1995

　　　分布:陕西(太白、宁陕)、甘肃、湖北、广西、云南；越南，泰国，缅甸。

64. 纹枯叶蛾属 *Euthrix* Meigen，1830

（137）阿纹枯叶蛾 *Euthrix albomaculata*（Bremer，1861）

　　　分布:陕西(宁陕)、黑龙江、河南、江苏、湖北、四川；朝鲜，日本。

（138）竹纹枯叶蛾 *Euthrix laeta*（Walker，1855）

　　　分布:陕西(旬阳)、黑龙江、河北、山西、河南、甘肃、江苏、安徽、浙江、湖
北、江西、湖南、福建、台湾、广东、海南、广西、四川、云南；俄罗斯(远东)，

朝鲜，日本，越南，泰国，印度，尼泊尔，斯里兰卡，马来西亚，印度
尼西亚。

65. 褐枯叶蛾属 *Gastropacha* Ochsenheimer, 1810

(139) 杨褐枯叶蛾 *Gastropacha populifolia*（Esper, 1784）
　　分布:陕西（眉县、留坝、宁陕、旬阳）、黑龙江、辽宁、内蒙古、北京、河北、山
　　西、山东、河南、甘肃、青海、江苏、安徽、浙江、湖北、江西、湖南、广西、四川、
　　云南;俄罗斯，朝鲜，日本，欧洲。

(140) 赤李褐枯叶蛾 *Gastropacha quercifolia lucens* Mell, 1939
　　分布:陕西（太白、宁陕、柞水）、甘肃、安徽、浙江、湖北、江西、湖南、福建、
　　广东、广西、四川、贵州、云南、西藏。

66. 杂枯叶蛾属 *Kunugia* Nagano, 1917

(141) 直纹杂枯叶蛾 *Kunugia lineata*（Moore, 1879）
　　分布:陕西（宁陕）、甘肃、江西、湖南、福建、广东、广西、四川、贵州、云南、
　　西藏;印度。

(142) 太白杂枯叶蛾 *Kunugia tamsi taibaiensis*（Hou, 1986）
　　分布:陕西（周至、户县、太白、眉县、潼关、华县、宁陕、南郑、镇巴）、河南。

(143) 波纹杂枯叶蛾 *Kunugia undans undans*（Walker, 1855）
　　分布:陕西（西乡、宁陕）、河南、江苏、安徽、浙江、湖北、湖南、福建、台湾、
　　广东、广西、四川、贵州、云南、西藏;印度，巴基斯坦。

(144) 沃腾杂枯叶蛾 *Kunugia wotteni* Zolotuhin, 2005
　　分布:陕西（周至）、甘肃。

(145) 西昌杂枯叶蛾 *Kunugia xichangensis*（Tsai *et* Liu, 1962）
　　分布:陕西（西乡）、湖南、四川、贵州、云南。

67. 大枯叶蛾属 *Lebeda* Walker, 1855

(146) 油茶大枯叶蛾 *Lebeda nobilis sinina* Lajonquiere, 1979
　　分布:陕西（户县、旬阳）、河南、江苏、安徽、浙江、湖北、江西、湖南、福
　　建、广西。

68. 幕枯叶蛾属 *Malacosoma* Hübner, 1820

(147) 桦幕枯叶蛾 *Malacosoma betula* Hou, 1980
　　分布:陕西（宁陕）、甘肃。

（148）留坝幕枯叶蛾 *Malacosoma liupa* **Hou, 1980**

分布：陕西（留坝）、四川。

（149）黄褐幕枯叶蛾 *Malacosoma neustria testacea*（**Motschulsky, 1861**）

分布：陕西（太白山）、黑龙江、吉林、辽宁、内蒙古、北京、河北、山西、山东、河南、甘肃、青海、江苏、安徽、浙江、湖北、江西、湖南、台湾、四川；俄罗斯，朝鲜，日本。

69．苹枯叶蛾属 *Odonestis* Germar, 1812

（150）苹枯叶蛾 *Odonestis pruni*（**Linnaeus, 1758**）

分布：陕西（华县、留坝、佛坪、宁陕）、黑龙江、辽宁、内蒙古、北京、山西、山东、河南、甘肃、安徽、浙江、湖北、江西、湖南、福建、广西、四川、云南；朝鲜，日本，欧洲。

70．云枯叶蛾属 *Pachypasoides* Matsumura, 1927

（151）秦岭云枯叶蛾 *Pachypasoides qinlingensis*（**Hou, 1986**）

分布：陕西（户县、眉县）。

（152）柳杉云枯叶蛾 *Pachypasoides roesleri*（**Lajonquiere, 1973**）

分布：陕西（眉县）、浙江、安徽、江西、湖南、福建；越南。

71．滇枯叶蛾属 *Paradoxopla* Lajonquiere, 1976

（153）橘黄滇枯叶蛾 *Paradoxopla mandarina* **Zolotuhin *et* Witt, 2004**

分布：陕西（宁陕）、河南。

72．栎枯叶蛾属 *Paralebeda* Aurivillius, 1894

（154）东北栎枯叶蛾 *Paralebeda femorata femorata*（**Ménétriès, 1855**）

分布：陕西（太白、宝鸡、留坝、南郑、宁陕、旬阳）、黑龙江、辽宁、北京、山东、河南、甘肃、浙江、湖北、江西、湖南、广西、四川、贵州、云南；蒙古，俄罗斯，朝鲜。

73．榆枯叶蛾属 *Phyllodesma* Hübner, 1820

（155）河南榆枯叶蛾 *Phyllodesma henna* **Zolotuhint *et* Wu, 2008**

分布：陕西（周至、宁陕）、河南。

（156）白斑榆枯叶蛾 *Phyllodesma neadequata* **Zolotuhin *et* Witt, 2004**

分布：陕西（周至、留坝、佛坪）。

（157）褐榆枯叶蛾 *Phyllodesma ursulae* Zolotuhin *et* Witt，2004

分布：陕西（佛坪）。

74．杨枯叶蛾属 *Poecilocampa* Stephens，1828

（158）倪辛杨枯叶蛾 *Poecilocampa nilsinjaevi* Zolotuhin，2005

分布：陕西（太白山）。

75．黑枯叶蛾属 *Pyrosis* Oberthür，1880

（159）栎黑枯叶蛾 *Pyrosis eximia* Oberthür，1880

分布：陕西（秦岭，铜川、耀县）、山西、江苏、湖南；俄罗斯，朝鲜。

（160）杨黑枯叶蛾 *Pyrosis idiota* Graeser，1888

分布：陕西（周至、汉中、宁陕、镇安）、黑龙江、吉林、辽宁、内蒙古、北京、河北、山西；俄罗斯，朝鲜，日本。

（161）柳黑枯叶蛾 *Pyrosis rotundipennis*（de Joannis，1930）

分布：陕西（秦岭，韩城）、江西、四川、云南；越南。

（162）申氏黑枯叶蛾 *Pyrosis schintlmeisteri* Zolotuhin *et* Witt，2007

分布：陕西（周至、凤县、韩城）。

76．角枯叶蛾属 *Radhica* Moore，1879

（163）黄角枯叶蛾 *Radhica flavovittata flavovittata* Moore，1879

分布：陕西（宁陕）、安徽、浙江、湖北、福建、海南、西藏；越南，泰国，缅甸，印度，尼泊尔，马来西亚，印度尼西亚。

77．光枯叶蛾属 *Somadasys* Gaede，1932

（164）日光枯叶蛾 *Somadasys brevivenis brevivenis*（Butler，1885）

分布：陕西（佛坪、宁陕）、河南；日本。

（165）月光枯叶蛾 *Somadasys lunata* Lajonquiere，1973

分布：陕西（周至、太白、佛坪、南郑、宁陕、石泉）、河北、河南。

78．拟痕枯叶蛾属 *Syrastrenopsis* Grunberg，1914

（166）*Syrastrenopsis hun* Zolotuhin *et* Saldaitis，2014

分布：陕西。

（167）拟痕枯叶蛾 *Syrastrenopsis moltrechti* Grunberg，1914

分布：陕西（周至）、吉林、河南；俄罗斯（远东）。

79．刻缘枯叶蛾属 _Takanea_ Nagano，1917

（168）大陆刻缘枯叶蛾 _Takanea excisa yangtsei_ Lajonquiere，1973
　　　分布：陕西（佛坪、宁陕）、河南、甘肃、福建、四川、云南、西藏。

80．黄枯叶蛾属 _Trabala_ Walker，1856

（169）大黄枯叶蛾 _Trabala vishnou gigantina_ Yang，1978
　　　分布：陕西（太白、佛坪、宁陕、旬阳、柞水、商南、延安）、内蒙古、北京、山西、河南、甘肃。

六、锚纹蛾科 Callidulidae

81．锚纹蛾属 _Pterodecta_ Butler，1877

（170）锚纹蛾 _Pterodecta felderi_（Bremer，1864）
　　　分布：陕西（留坝）、甘肃、四川。

七、钩蛾科 Drapanidae

（一）圆钩蛾亚科 Cyclidiinae

82．圆钩蛾属 _Cyclidia_ Guenée，1858

（171）洋麻圆钩蛾 _Cyclidia substigmaria_（Hübner，1825）
　　　分布：陕西（周至、宁陕、柞水、旬阳）、河南、甘肃、江苏、安徽、浙江、湖北、江西、湖南、福建、台湾、广东、海南、香港、广西、四川、贵州、云南；日本，越南。

（二）波纹蛾亚科 Thyatirinae

83．影波纹蛾属 _Euparyphasma_ Fletcher，1979

（172）影波纹蛾陕西亚种 _Euparyphasma albibasis guankaiyuni_ Laszlo，G. Ronkay，L. Ronkay _et_ Witt，2007
　　　分布：陕西（太白山、宁陕）、甘肃、浙江、湖北、江西、湖南、福建、广东、广西。

（173）怪影波纹蛾 _Euparyphasma maxima_（Leech，1888）
　　　分布：陕西（周至、太白、佛坪）、浙江、湖北、湖南；朝鲜，韩国，日本。

84. 篦波纹蛾属 *Gaurena* Walker, 1865

(174) 拟花篦波纹蛾 *Gaurena gemella* Leech, 1900
分布:陕西(宁陕)、河南、甘肃、湖北、湖南、四川、云南、西藏;尼泊尔。

(175) 曲篦波纹蛾陕西亚种 *Gaurena sinuata fletcheri* Werny, 1966
分布:陕西(宁陕)、甘肃。

85. 华波纹蛾属 *Habrosyne* Hübner, 1821

(176) 齿华波纹蛾 *Habrosyne dentata* Werny, 1966
分布:陕西(周至、太白)、四川、云南。

(177) 印华波纹蛾 *Habrosyne indica* (Moore, 1867)
分布:陕西(周至、太白、凤县、宝鸡、留坝、佛坪、宁陕、柞水)、黑龙江、吉林、河北、河南、浙江、湖北、江西、湖南、福建、广东、广西、四川、云南、西藏;日本,越南,泰国,缅甸,印度,尼泊尔。

(178) 中华波纹蛾四川亚种 *Habrosyne intermedia conscripta* Warren, 1912
分布:陕西(凤县、宝鸡、宁陕)、河北、宁夏、甘肃、青海、四川、云南、西藏;印度,尼泊尔。

(179) 银华波纹蛾 *Habrosyne violacea* (Fixsen, 1887)
分布:陕西(周至、太白、留坝、宁陕)、吉林、甘肃、浙江、湖北、湖南、福建、海南、四川;俄罗斯,朝鲜,韩国。

86. 点波纹蛾属 *Horipsestis* Matsumura, 1933

(180) 点波纹蛾浙江亚种 *Horipsestis aenea minor* (Sick, 1941)
分布:陕西(周至、留坝、宁陕、柞水)、河南、甘肃、湖北、江西、湖南、福建、广西、海南、四川、云南。

87. 边波纹蛾属 *Horithyatira* Matsumura, 1933

(181) 边波纹蛾 *Horithyatira decorata* (Moore, 1881)
分布:陕西(宁陕)、湖北、广东、海南、广西、四川、贵州、云南、西藏;缅甸,印度,尼泊尔,不丹。

88. 铜波纹蛾属 *Isopsestis* Werny, 1968

(182) *Isopsestis moorei* Laszlo, G. Ronkay, L. Ronkay *et* Witt, 2007
分布:陕西、四川、云南。

（183）新铜波纹蛾 *Isopsestis naumanni* Laszlo，G. **Ronkay**，L. **Ronkay** *et* **Witt**，**2007**

　　分布：陕西（佛坪）、甘肃、湖北、广西、四川。

89.　大波纹蛾属 *Macrothyatira* Marumo，1916

（184）带大波纹蛾 *Macrothyatira fasciata*（**Houlbert，1921**）

　　分布：陕西（周至、宝鸡、宁陕）、北京、山西、河南、湖北、四川、云南、西藏。

（185）大波纹蛾陕西亚种 *Macrothyatira flavida tapaischana*（**Sick，1941**）

　　分布：陕西（周至、佛坪、宁陕）、河南、宁夏、甘肃、浙江、湖北、湖南、福建、四川、云南。

90.　米波纹蛾属 *Mimopsestis* Matsumura，1921

（186）米波纹蛾陕西亚种 *Mimopsestis basalis sinensis* Laszlo，G. **Ronkay**，L. **Ronkay** *et* **Witt**，**2007**

　　分布：陕西（太白、佛坪、宁陕）、河南、湖北、湖南。

91.　洪波纹蛾属 *Nephoploca* Yoshimoto，1988

（187）洪波纹蛾 *Nephoploca hoenei*（**Sick，1941**）

　　分布：陕西（宁陕，太白山）、甘肃、四川。

92.　异波纹蛾属 *Parapsestis* Warren，1912

（188）异波纹蛾 *Parapsestis argenteopicta*（**Oberthür，1879**）

　　分布：陕西（周至、太白、佛坪、宁陕）、吉林、河南、甘肃、浙江、湖北、江西、湖南、四川、云南；俄罗斯，朝鲜，韩国，日本。

（189）新华异波纹蛾 *Parapsestis cinerea* Laszlo，G. **Ronkay**，L. **Ronkay** *et* **Witt**，**2007**

　　分布：陕西（周至、太白、留坝、佛坪、宁陕、柞水）、河南、甘肃、浙江、湖北、广西、四川。

（190）大巴山异波纹蛾 *Parapsestis dabashana* Laszlo，G. **Ronkay**，L. **Ronkay** *et* **Witt**，**2007**

　　分布：陕西（太白，大巴山）、四川。

（191）华异波纹蛾秦岭亚种 *Parapsestis lichenea tsinlinga* Laszlo，G. **Ronkay**，L. **Ronkay** *et* **Witt**，**2007**

　　分布：陕西（周至、太白、留坝、佛坪、宁陕）、河南、浙江、湖北、福建、四川。

（192）虚斑异波纹蛾 *Parapsestis pseudomaculata*（Houlbert，1921）

分布：陕西（周至、佛坪）、甘肃、湖北、四川、云南；越南，泰国，缅甸。

（193）图异波纹蛾越南亚种 *Parapsestis tomponis almasderes* Laszlo，G. Ronkay，L. Ronkay *et* Witt，2007

分布：陕西（周至、太白、留坝、佛坪、宁陕）、河南、甘肃、湖北、湖南、福建、四川、贵州、云南；越南。

93．太波纹蛾属 *Tethea* Ochsenheimer，1816

（194）白太波纹蛾 *Tethea albicostata*（Bremer，1861）

分布：陕西（周至、佛坪）、黑龙江、吉林、河北、北京、甘肃、江苏，浙江、湖北、湖南、四川、云南；俄罗斯，朝鲜，韩国，日本。

（195）宽太波纹蛾山西亚种 *Tethea ampliata shansiensis* Werny，1966

分布：陕西（周至、太白、留坝、佛坪、宁陕、柞水）、河南、甘肃、浙江、湖北、湖南、江西、广西、四川、云南。

（196）粉太波纹蛾 *Tethea consimilis*（Warren，1912）

分布：陕西（周至、太白、佛坪、宁陕）、吉林、河南、甘肃、浙江、湖北、湖南、福建、广东、广西；俄罗斯，朝鲜，韩国，日本。

（197）长片太波纹蛾 *Tethea longisigna* Laszlo，G. Ronkay，L. Ronkay *et* Witt，2007

分布：陕西（太白、留坝、佛坪、柞水）、黑龙江、甘肃、新疆、湖北、浙江、福建、四川、云南。

（198）点太波纹蛾 *Tethea octogesima*（Butler，1878）

分布：陕西（太白山）、吉林、浙江；俄罗斯，朝鲜，韩国，日本。

（199）太波纹蛾阿穆尔亚种 *Tethea ocularis amurensis* Warren，1912

分布：陕西（周至、太白、佛坪）、黑龙江、吉林、辽宁、内蒙、北京、河北、山西、河南、宁夏、甘肃、青海、福建；蒙古，俄罗斯，朝鲜，韩国。

（200）川太波纹蛾 *Tethea punctorenalia*（Houlbert，1921）

分布：陕西（佛坪）、四川。

94．波纹蛾属 *Thyatira* Ochsenheimer，1816

（201）红波纹蛾 *Thyatira rubrescens* Werny，1966

分布：陕西（周至、太白、留坝、佛坪、宁陕、旬阳）、河南、安徽、浙江、湖北、江西、湖南、福建、广东、广西、海南、四川、云南、西藏；越南，印度，尼泊尔。

95．叉波纹蛾属 *Toelgyfaloca* Laszlo，G. Ronkay，L. Ronkay *et* Witt，2007

（202）叉波纹蛾 *Toelgyfaloca circumdata*（Houlbert，1921）
分布：陕西（秦岭，黄龙）、山西、河南、甘肃、湖北、四川、云南。

（三）钩蛾亚科 Drapaninae

96．距钩蛾属 *Agnidra* Moore，1868

（203）棕褐距钩蛾 *Agnidra brunnea* Chou *et* Xiang，1982
分布：陕西（周至、太白、宁陕）、河南、甘肃、湖北、福建、广西。

（204）窗距钩蛾 *Agnidra fenestra*（Leech，1898）
分布：陕西（太白山，宁陕）、湖北、四川、云南、西藏；缅甸。

（205）栎距钩蛾朝鲜亚种 *Agnidra scabiosa fixseni*（Bryk，1948）
分布：陕西（周至）、辽宁、吉林、北京、河南、江苏、浙江、湖北、江西、湖南、福建、台湾、广西、四川、云南；朝鲜，韩国，日本。

97．豆斑钩蛾属 *Auzata* Walker，1863

（206）中华豆斑钩蛾陕西亚种 *Auzata chinensis arcuata* Watson，1958
分布：陕西（宁陕）、四川。

（207）短线豆斑钩蛾冠毛亚种 *Auzata superba cristata* Watson，1958
分布：陕西（宁陕）、山西、浙江。

98．卑钩蛾属 *Betalbara* Matsumura，1927

（208）网卑钩蛾 *Betalbara acuminata*（Leech，1890）
分布：陕西（宁陕、留坝、商南）、湖北、四川；日本。

（209）齿线卑钩蛾陕西亚种 *Betalbara flavilinea shensiensis* Watson，1968
分布：陕西（太白山）。

（210）栎卑钩蛾 *Betalbara robusta*（Oberthür，1916）
分布：陕西（佛坪）、甘肃、湖北、福建、四川、云南。

（211）直缘卑钩蛾 *Betalbara violacea*（Butler，1889）
分布：陕西（宁陕）、吉林、浙江、湖北、湖南、福建、台湾、广东、海南、广西、四川、云南；印度。

99．美钩蛾属 *Callicilix* Butler，1885

（212）美钩蛾中国亚种 *Callicilix abraxata nguldoe*（Oberthür，1894）

分布:陕西(宁陕)、甘肃、湖南、台湾、四川、贵州、西藏。

100.丽钩蛾属 _Callidrepana_ Felder,1861

(213)泰丽钩蛾 _Callidrepana palleola_(Motschulsky,1866)
分布:陕西(宝鸡、留坝、佛坪、宁陕、商南、旬阳)、河南、甘肃、湖北、四川;
日本。

101.绮钩蛾属 _Cilix_ Leach,1815

(214)掌绮钩蛾 _Cilix tatsienluica_ Oberthür,1916
分布:陕西(佛坪、宁陕)、北京、河北、山西、河南、宁夏、湖北、四川、云南。

102.晶钩蛾属 _Deroca_ Walker,1855

(215)斑晶钩蛾陕西亚种 _Deroca inconclusa carinata_ Watson,1957
分布:陕西(太白山)。

103.钳钩蛾属 _Didymana_ Bryk,1943

(216)钳钩蛾 _Didymana bidens_(Leech,1890)
分布:陕西(宝鸡、留坝、佛坪、宁陕)、宁夏、湖北、福建、广西、四川、云南;
缅甸。

104.钩蛾属 _Drepana_ Schrank,1802

(217)一点钩蛾湖北亚种 _Drepana pallida flexuosa_ Watson,1968
分布:陕西(宁陕、柞水)、河南、甘肃、浙江、湖北、福建、广东、四川。

(218)西藏钩蛾 _Drepana rufofasciata_ Hampson,1892
分布:陕西(佛坪)、甘肃、云南、西藏;印度,尼泊尔。

105.大窗钩蛾属 _Macrauzata_ Butler,1889

(219)中华大窗钩蛾 _Macrauzata maxima chinensis_ Inoue,1960
分布:陕西(洋县、汉中、旬阳)、浙江、湖北、福建、四川。

106.铃钩蛾属 _Macrocilix_ Butler,1886

(220)短铃钩蛾 _Macrocilix mysticata brevinotata_ Watson,1968
分布:陕西(太白、宝鸡、佛坪、宁陕)、河南、甘肃、湖北、四川。

107.　线钩蛾属 *Nordstromia* Bryk，1943

（221）曲缘线钩蛾 *Nordstromia recava* Watson，1968

分布：陕西（周至、宝鸡、留坝、佛坪、宁陕）、河南、江苏、浙江、湖北、福建、云南。

108.　三线钩蛾属 *Pseudalbara* Inoue，1962

（222）三线钩蛾 *Pseudalbara parvula*（Leech，1890）

分布：陕西（留坝、佛坪、宁陕、汉中、柞水）、黑龙江、吉林、辽宁、内蒙古、河南、浙江、湖北、湖南、福建、广西、四川；俄罗斯，日本。

109.　古钩蛾属 *Sabra* Bode，1907

（223）古钩蛾 *Sabra harpagula*（Esper，1786）

分布：陕西（周至、宝鸡、佛坪、宁陕、旬阳）、黑龙江、吉林、北京、河北、山西、河南、甘肃、湖北、浙江、福建、广西、四川；俄罗斯，欧洲。

（四）山钩蛾亚科 Oretinae

110.　山钩蛾属 *Oreta* Walker，1855

（224）宏山钩蛾 *Oreta hoenei* Watson，1967

分布：陕西（太白、宝鸡、留坝、佛坪、宁陕、旬阳、柞水、商南）、黑龙江、山西、河南、宁夏、甘肃。

（225）接骨木山钩蛾 *Oreta loochooana* Swinhoe，1902

分布：陕西（宁陕）、山东、河南、甘肃、台湾；俄罗斯，日本。

（226）三棘山钩蛾 *Oreta trispina* Watson，1967

分布：陕西（太白山，宁陕）、宁夏、甘肃、四川。

（227）三刺山钩蛾 *Oreta trispinuligera* Chen，1985

分布：陕西（周至、佛坪、宁陕）、河南、甘肃、湖北、福建、广西、四川、云南。

（228）网山钩蛾秦岭亚种 *Oreta vatama tsina* Watson，1967

分布：陕西（太白山）、甘肃。

八、凤蛾科 Epicopeiidae

111.　凤蛾属 *Epicopeia* Westwood，1841

（229）榆凤蛾 *Epicopeia mencia* Moore，1874

分布:陕西(周至)、黑龙江、吉林、辽宁、河北、江苏、浙江、湖北、江西、福建、云南;朝鲜。

九、燕蛾科 Uraniidae

(一)小燕蛾亚科 Microniinae

112. 斜线燕蛾属 *Acropteris* Geyer, 1832

(230) 斜线燕蛾 *Acropteris iphiata* (Guenée, 1857)
分布:陕西(宁陕、旬阳)、江苏、浙江、西藏;俄罗斯,日本,缅甸,印度。

113. 点燕蛾属 *Pseudomicronia* Moore, 1887

(231) 三点燕蛾 *Pseudomicronia archilis* (Oberthür, 1891)
分布:陕西(旬阳)、甘肃、青海、四川、云南。

(二)蛱蛾亚科 Epipleminae

114. 蛱蛾属 *Epiplema* Herrich-Schäffer, 1855

(232) 四线白蛱蛾 *Epiplema evanescens* Alphéraky, 1897
分布:陕西(佛坪)、甘肃、四川。

(233) 后两齿蛱蛾 *Epiplema suisharyonis* Strand, 1916
分布:陕西(宝鸡、佛坪)、甘肃、浙江、湖北、福建、台湾、云南。

115. 缺角蛱蛾属 *Orudiza* Walker, 1861

(234) 棕翅缺角蛱蛾 *Orudiza andulata* Chu *et* Wang, 1994
分布:陕西(留坝)、云南、西藏。

十、尺蛾科 Geometridae

(一)灰尺蛾亚科 Ennominae

116. Genus *Aethalura* McDunnough, 1920

(235) *Aethalura chinensis* Sato *et* Wang, 2004
分布:陕西、广东、福建。

（二）星尺蛾亚科 Oenochrominae

117. 女贞尺蛾属 *Naxa* Walker, 1856

（236）女贞尺蛾 *Naxa seriaria*（Motschulsky, 1866）

分布:陕西(宁陕)、黑龙江、吉林、辽宁、北京、河北、山西、河南、宁夏、湖北、湖南、广西;俄罗斯,朝鲜,韩国,日本。

（三）姬尺蛾亚科 Sterrhinae

118. 盘雕尺蛾属 *Discoglypha* Warren, 1896

（237）中带盘雕尺蛾 *Discoglypha centrofasciaria*（Leech, 1897）

分布:陕西(佛坪)、甘肃、湖北、江西、湖南、福建、四川、云南。

119. 姬尺蛾属 *Idaea* Treitschke, 1825

（238）小红姬尺蛾 *Idaea muricata minor*（Sterneck, 1927）

分布:陕西(商南)、辽宁、北京、山东、江西、湖南、福建、四川;俄罗斯,朝鲜,韩国,日本。

120. 眼尺蛾属 *Problepsis* Lederer, 1853

（239）指眼尺蛾 *Problepsis crassinotata* Prout, L. B., 1917

分布:陕西(商南)、北京、河南、甘肃、江苏、浙江、湖北、江西、湖南、福建、台湾、广西、四川、贵州、云南、西藏;印度。

（240）佳眼尺蛾 *Problepsis eucircota* Prout, L. B., 1913

分布:陕西(商南、旬阳)、河南、甘肃、上海、浙江、湖北、江西、湖南、福建、广西、四川、贵州;朝鲜,韩国,日本。

（241）邻眼尺蛾 *Problepsis paredra* Prout, L. B., 1917

分布:陕西(旬阳)、甘肃、湖北、江西、湖南、福建、广东、广西、四川、云南。

（242）猫眼尺蛾 *Problepsis superans*（Butler, 1885）

分布:陕西(宁陕、柞水、商南)、辽宁、河北、甘肃、浙江、湖北、江西、湖南、福建、台湾、西藏;俄罗斯(东南部),朝鲜,韩国,日本。

121. 岩尺蛾属 *Scopula* Schrank, 1802

（243）明岩尺蛾 *Scopula ferrilineata*（Moore, 1888）

分布:陕西(商南)、福建;印度,尼泊尔。

（244）忍冬尺蛾 *Scopula indicataria*（Walker，1861）

　　分布:陕西(商南、旬阳)、黑龙江、吉林、北京、河北、山东、河南、甘肃、上海、湖北、江西、湖南、福建、四川。

（四）花尺蛾亚科 **Larentiinae**

122．异序尺蛾属 *Agnibesa* Moore，1888

（245）丰异序尺蛾 *Agnibesa pleopictaria* Xue，1999

　　分布:陕西(宝鸡)、湖北、四川。

（246）点线异序尺蛾 *Agnibesa punctilinearia*（Leech，1897）

　　分布:陕西(佛坪)、甘肃、四川、云南。

（247）银白异序尺蛾峨眉亚种 *Agnibesa recurvilineata meroplyta* Prout，L. B.，1938

　　分布:陕西(宝鸡、宁陕)、湖北、四川、云南、西藏。

123．白尺蛾属 *Asthena* Hübner，1825

（248）麻白尺蛾 *Asthena albosignata*（Moore，1888）

　　分布:陕西(佛坪)、甘肃、广西、云南、西藏;印度,克什米尔地区。

（249）四星白尺蛾 *Asthena anseraria*（Herrich-Schäffer，1856）

　　分布:陕西(宝鸡)、青海;俄罗斯,欧洲。

（250）睡莲白尺蛾 *Asthena nymphaeata*（Staudinger，1897）

　　分布:陕西(周至、宝鸡、佛坪、宁陕)、北京、河北、甘肃、湖南、四川;俄罗斯,朝鲜,日本。

124．窝尺蛾属 *Atopophysa* Warren，1894

（251）窝尺蛾 *Atopophysa indistincta*（Butler，1889）

　　分布:陕西(留坝、佛坪)、甘肃、湖北、湖南、四川、云南、西藏;印度,尼泊尔。

125．环纹尺蛾属 *Calleulype* Warren，1903

（252）环纹尺蛾 *Calleulype whitelyi whitelyi*（Butler，1878）

　　分布:陕西(周至、留坝、宁陕)、甘肃、湖北;俄罗斯,日本。

126. 洄纹尺蛾属 *Chartographa* Gumppenberg, 1887

(253) 云南松洄纹尺蛾 *Chartographa fabiolaria* (Oberthür, 1884)

分布:陕西(周至、佛坪、宁陕)、北京、甘肃、浙江、湖北、湖南、广西、贵州、四川、云南;朝鲜。

(254) 葡萄洄纹尺蛾长阳亚种 *Chartographa ludovicaria praemutans* (Prout, L. B., 1937)

分布:陕西(周至、太白、宝鸡、佛坪、宁陕、洛南)、甘肃、湖北、湖南、四川、云南。

127. 旋尺蛾属 *Colostygia* Hübner, 1825

(255) 暗旋尺蛾 *Colostygia pendearia* (Oberthür, 1894)

分布:陕西(留坝)、山西、甘肃、青海、四川、西藏;朝鲜。

128. Genus *Diathera* Choi, 1999

(256) *Diathera brunneata* Choi, 1999

分布:陕西(太白山)。

(257) *Diathera metacolorata* Choi, 1999

分布:陕西(太白山)。

129. 折线尺蛾属 *Ecliptopera* Warren, 1894

(258) 方折线尺蛾 *Ecliptopera benigna* (Prout, L. B., 1914)

分布:陕西(宁陕)、安徽、浙江、湖南、江西、台湾、广西、四川。

130. 焰尺蛾属 *Electrophaes* Prout, L. B., 1923

(259) 疏焰尺蛾 *Electrophaes aliena* (Butler, 1880)

分布:陕西(宝鸡、宁陕)、甘肃、青海、湖北、湖南、四川、西藏;缅甸,印度,不丹。

131. 祉尺蛾属 *Eucosmabraxas* Prout, L. B., 1937

(260) 暗色祉尺蛾 *Eucosmabraxas placida propinqua* (Butler, 1881)

分布:陕西(周至)、甘肃;日本。

132．纹尺蛾属 *Eulithis* Hübner，1821

（261）细纹尺蛾 *Eulithis convergenata*（**Bremer，1864**）
　　分布：陕西（宁陕）、黑龙江、甘肃；俄罗斯，日本。

（262）羌纹尺蛾 *Eulithis perspicuata*（**Püngeler，1909**）
　　分布：陕西（宁陕、宝鸡）、甘肃、青海、四川。

（263）云纹尺蛾 *Eulithis pyropata*（**Hübner，1809**）
　　分布：陕西（宁陕）、吉林；俄罗斯，日本，德国。

133．小花尺蛾属 *Eupithecia* Curtis，1825

（264）*Eupithecia actrix* **Mironov *et* Galsworthy，2006**
　　分布：陕西。

（265）*Eupithecia admiranda* **Mironov *et* Galsworthy，2011**
　　分布：陕西、西藏。

（266）*Eupithecia amicula* **Mironov *et* Galsworthy，2004**
　　分布：陕西、四川、云南。

（267）*Eupithecia ancillata* **Mironov *et* Galsworthy，2004**
　　分布：陕西；日本。

（268）*Eupithecia andrasi* **Mironov *et* Galsworthy，2004**
　　分布：陕西。

（269）*Eupithecia blenna* **Mironov *et* Galsworthy，2006**
　　分布：陕西、四川。

（270）*Eupithecia camilla* **Mironov *et* Galsworthy，2004**
　　分布：陕西。

（271）*Eupithecia fulvidorsata* **Mironov *et* Galsworthy，2006**
　　分布：陕西。

（272）球果小花尺蛾 *Eupithecia gigantea* **Staudinger，1897**
　　分布：陕西（周至、宝鸡、留坝、佛坪、宁陕）、黑龙江、甘肃；俄罗斯，朝鲜，韩国，日本。

（273）*Eupithecia mediocincta* **Mironov *et* Galsworthy，2004**
　　分布：陕西、甘肃、四川。

（274）*Eupithecia molybdaena* **Mironov *et* Galsworthy，2004**

　　　　分布:陕西。

（275）*Eupithecia omissa* **Mironov** *et* **Galsworthy**, **2004**
　　　　分布:陕西、甘肃。

（276）*Eupithecia qinlingata* **Mironov** *et* **Galsworthy**, **2011**
　　　　分布:陕西。

（277）*Eupithecia sacrivicae* **Mironov** *et* **Galsworthy**, **2004**
　　　　分布:陕西、湖北。

（278）*Eupithecia salubris* **Mironov** *et* **Galsworthy**, **2004**
　　　　分布:陕西、山西。

（279）*Eupithecia severa* **Mironov** *et* **Galsworthy**, **2006**
　　　　分布:陕西。

（280）*Eupithecia tepida* **Mironov** *et* **Galsworthy**, **2004**
　　　　分布:陕西。

（281）*Eupithecia verprota* **Mironov** *et* **Galsworthy**, **2006**
　　　　分布:陕西。

134. 褥尺蛾属 *Eustroma* Hübner, 1825

（282）黑斑褥尺蛾 *Eustroma aerosa*（**Butler**, **1878**）
　　　　分布:陕西(周至、宝鸡、宁陕)、吉林、北京、河北、甘肃、湖北、湖南、福建、
　　　　四川、云南;俄罗斯,朝鲜,韩国,日本。

（283）台褥尺蛾 *Eustroma changi* **Inoue**, **1986**
　　　　分布:陕西(宝鸡、佛坪、宁陕)、甘肃、湖北、台湾、四川。

（284）广褥尺蛾 *Eustroma promacha* **Prout, L. B.**, **1940**
　　　　分布:陕西(宁陕)、四川。

（285）网褥尺蛾峨眉亚种 *Eustroma reticulata dictyota* **Prout, L. B.**, **1937**
　　　　分布:陕西(周至、宝鸡)、湖北、四川。

135. 汇纹尺蛾属 *Evecliptopera* Inoue, 1982

（286）汇纹尺蛾 *Evecliptopera decurrens decurrens*（**Moore, 1888**）
　　　　分布:陕西(宁陕)、湖北、江西、福建、四川;印度,不丹。

136. 铅尺蛾属 *Gagitodes* Warren, 1893

（287）高足铅尺蛾 *Gagitodes costinotaria*（**Leech, 1897**）

分布：陕西（宝鸡）、甘肃、青海、四川、云南、西藏。

137．枯叶尺蛾属 *Gandaritis* Moore，1868

（288）半黄枯叶尺蛾 *Gandaritis flavescens* Xue，1992

分布：陕西（宝鸡、留坝、佛坪、宁陕）、河南、甘肃、湖北、湖南。

（289）黄枯叶尺蛾 *Gandaritis flavomacularia* Leech，1897

分布：陕西（宝鸡）、甘肃、湖北、湖南、广西、四川。

（290）中国枯叶尺蛾 *Gandaritis sinicaria sinicaria* Leech，1897

分布：陕西（宝鸡、宁陕）、山西、甘肃、安徽、浙江、湖北、江西、湖南、福建、广西、四川、云南；印度。

138．灰涛尺蛾属 *Glaucorhoe* Herbulot，1951

（291）小灰涛尺蛾 *Glaucorhoe exilaria* Han *et* Xue，2008

分布：陕西（太白山，宝鸡）、甘肃。

139．Genus *Heterothera* Inoue，1943

（292）*Heterothera eclinosis* Choi，1998

分布：陕西（太白山）。

140．水尺蛾属 *Hydrelia* Hübner，1825

（293）赤尖水尺蛾 *Hydrelia sanguiniplaga* Swinhoe，1902

分布：陕西（周至、留坝、佛坪、宁陕）、甘肃、湖北、四川、云南；缅甸。

141．网尺蛾属 *Laciniodes* Warren，1894

（294）淡网尺蛾四川亚种 *Laciniodes denigrate abiens* Prout，L. B.，1938

分布：陕西（宝鸡、宁陕）、内蒙古、北京、山西、甘肃、青海、四川、云南、西藏。

（295）单网尺蛾 *Laciniodes unistirpis*（Butler，1878）

分布：陕西（宝鸡、宁陕）、甘肃、湖北、江西、湖南、福建、广西、四川；朝鲜，韩国，日本。

142．丽翅尺蛾属 *Lampropteryx* Stephens，1831

（296）云雾丽翅尺蛾四川亚种 *Lampropteryx argentilineata nitidaria*（Leech，1897）

分布：陕西（宝鸡、宁陕）、河南、甘肃、青海、台湾、四川、西藏。

143. 叉脉尺蛾属 *Leptostegna* Christoph，1881

（297）亚叉脉尺蛾 *Leptostegna asiatica*（Warren，1893）
分布：陕西（周至、宝鸡、太白、佛坪、宁陕、柞水）、山东、河南、山西、甘肃、湖北、湖南、广西、四川、云南、西藏；印度。

144. 大历尺蛾属 *Macrohastina* Inoue，1982

（298）白尖大历尺蛾 *Macrohastina stenozona*（Prout，L. B.，1926）
分布：陕西（宝鸡、宁陕）、湖北、四川、云南；印度，缅甸。

145. 玷尺蛾属 *Naxidia* Hampson，1895

（299）小玷尺蛾 *Naxidia glaphyra* Wehrli，1931
分布：陕西（佛坪、宁陕）、湖北、湖南、四川。

146. 叉突尺蛾属 *Pareustroma* Sterneck，1928

（300）秀叉突尺蛾 *Pareustroma aconisecta* Xue，1999
分布：陕西（宝鸡）、四川。

（301）光叉突尺蛾 *Pareustroma fractifasciaria*（Leech，1897）
分布：陕西（宝鸡）、湖南、四川。

（302）狭带叉突尺蛾 *Pareustroma propriaria*（Leech，1897）
分布：陕西（宁陕）、四川。

147. 幅尺蛾属 *Photoscotosia* Warren，1888

（303）橘斑幅尺蛾 *Photoscotosia miniosata miniosata*（Walker，1862）
分布：陕西（宝鸡）、河南、甘肃、湖南、台湾、四川、贵州、云南、西藏；印度，巴基斯坦。

148. 炉尺蛾属 *Phthonoloba* Warren，1893

（304）华丽炉尺蛾台湾亚种 *Phthonoloba decussata moltrechti* Prout，L. B.，1958
分布：陕西（宝鸡、宁陕）、福建、台湾、四川。

149. 大轭尺蛾属 *Physetobasis* Hampson，1895

（305）束大轭尺蛾四川亚种 *Physetobasis dentifascia mandarinaria*（Leech，1897）

分布：陕西（佛坪）、山西、四川、云南。

150. 翡尺蛾属 *Piercia* Janse，1933

（306）烟翡尺蛾 *Piercia fumataria*（Leech，1897）

分布：陕西（周至、宝鸡、佛坪、宁陕）、甘肃、湖北、四川。

151. 掩尺蛾属 *Pseudostegania* Butler，1881

（307）掩尺蛾 *Pseudostegania defectata*（Christoph，1881）

分布：陕西（周至、太白、宝鸡）、黑龙江、吉林、内蒙古、北京、山西；俄罗斯，朝鲜，日本。

（308）秦岭掩尺蛾 *Pseudostegania qinlingensis* Xue *et* Han，2010

分布：陕西（太白山，留坝）、甘肃。

152. 汝尺蛾属 *Rheumaptera* Hübner，1822

（309）交汝尺蛾 *Rheumaptera alternata alternata*（Staudinger，1895）

分布：陕西（周至）、甘肃、青海、西藏。

（310）缺距汝尺蛾 *Rheumaptera inanata*（Christoph，1881）

分布：陕西（宝鸡）、山东、甘肃、青海、四川、云南、西藏；俄罗斯，日本。

153. Genus *Tricalcaria* Han，2008

（311）*Tricalcaria stueningi* Han，2008

分布：陕西、四川、西藏、云南。

154. 光尺蛾属 *Triphosa* Stephens，1829

（312）双齿光尺蛾东方亚种 *Triphosa dubitata amblychiles* Prout，L. B.，1937

分布：陕西（宁陕）、辽宁、甘肃、贵州；俄罗斯，朝鲜，日本。

155. 洁尺蛾属 *Tyloptera* Christoph，1881

（313）洁尺蛾缅甸亚种 *Tyloptera bella diacena*（Prout，L. B.，1926）

分布:陕西(宝鸡、留坝、佛坪、宁陕)、甘肃、浙江、湖北、江西、湖南、福建、广西、四川、云南;缅甸。

156. 维尺蛾属 *Venusia* Curtis, 1839

(314) 拉维尺蛾 *Venusia laria laria* Oberthür, 1894

分布:陕西(佛坪)、甘肃、福建、四川、云南、西藏。

(315) 红黑维尺蛾 *Venusia nigrifurca* (Prout, L. B., 1927)

分布:陕西(宝鸡)、山西、甘肃、湖北、云南;缅甸。

(五)尺蛾亚科 Geometrinae

157. 艳青尺蛾属 *Agathia* Guenée, 1858

(316) 萝摩艳青尺蛾 *Agathia carissima* Butler, 1878

分布:陕西(周至、宝鸡、佛坪、宁陕、旬阳)、黑龙江、吉林、辽宁、内蒙古、北京、山西、河南、甘肃、浙江、湖北、湖南、四川、云南;俄罗斯,朝鲜,韩国,日本,印度。

158. 绿雕尺蛾属 *Chloroglyphica* Warren, 1894

(317) 绿雕尺蛾 *Chloroglyphica glaucochrista* (Prout, L. B., 1916)

分布:陕西(周至、太白、佛坪)、甘肃、湖北、四川、云南、西藏。

159. 瓷尺蛾属 *Chlororithra* Butler, 1889

(318) 堇瓷尺蛾 *Chlororithra missioniaria* Oberthür, 1916

分布:陕西(周至)、北京、河南、云南。

160. 绿尺蛾属 *Comibaena* Hübner, 1823

(319) 紫斑绿尺蛾 *Comibaena nigromacularia* (Leech, 1897)

分布:陕西(周至、留坝、略阳、宁陕、商南、柞水)、黑龙江、北京、河南、甘肃、安徽、浙江、湖北、江西、湖南、福建、台湾、广西、四川、云南;俄罗斯,朝鲜,韩国,日本。

(320) 云纹绿尺蛾 *Comibaena pictipennis* Butler, 1880

分布:陕西(宁陕)、湖南、四川、云南、西藏。

(321) 肾纹绿尺蛾 *Comibaena procumbaria* (Pryer, 1877)

分布:陕西(商南)、北京、河北、山西、山东、河南、甘肃、上海、浙江、湖北、江西、湖南、福建、台湾、广东、香港、广西、四川、云南;朝鲜,韩国,日本。

（322）洁绿尺蛾 *Comibaena striataria*（Leech,1897）

分布:陕西(太白山)、四川、云南。

（323）亚肾纹绿尺蛾 *Comibaena subprocumbaria*（Oberthür,1916）

分布:陕西(旬阳、商南)、北京、河北、河南、甘肃、江苏、浙江、湖北、江西、湖南、福建、海南、广西、四川、云南、西藏。

（324）隐角斑绿尺蛾 *Comibaena takasago* Okano,1960

分布:陕西(周至)、河南、湖南、台湾。

（325）平纹绿尺蛾 *Comibaena tenuisaria*（Graeser,1889）

分布:陕西(太白、佛坪、宁陕)、山西、河南、甘肃、江苏、安徽、福建;俄罗斯,朝鲜,韩国。

161. 亚四目绿尺蛾属 *Comostola* Meyrick,1888

（326）灵亚四目绿尺蛾 *Comostola meritaria*（Walker,1861）

分布:陕西(佛坪、商南)、台湾、香港;印度,斯里兰卡,马来西亚,文莱,印度尼西亚。

（327）亚四目绿尺蛾 *Comostola subtiliaria*（Bremer,1864）

分布:陕西(佛坪)、河南、甘肃、青海、上海、浙江、江西、福建、广东、广西、四川、云南;俄罗斯,日本,印度,印度尼西亚。

162. 峰尺蛾属 *Dindica* Moore,1888

（328）赭点峰尺蛾 *Dindica para* Swinhoe,1891

分布:陕西(宁陕)、河南、甘肃、浙江、湖北、江西、湖南、福建、海南、广西、四川、云南、西藏;泰国,印度,尼泊尔,不丹,马来西亚。

163. 涡尺蛾属 *Dindicodes* Prout, L. B. ,1912

（329）豹涡尺蛾 *Dindicodes davidaria*（Poujade,1895）

分布:陕西(周至、宝鸡、宁陕)、甘肃、湖北、湖南、四川。

（330）砂涡尺蛾 *Dindicodes vigil*（Prout, L. B. ,1926）

分布:陕西(留坝)、湖南、四川、云南;缅甸。

164.京尺蛾属 *Epipristis* Meyrick，1888

(331) 北京尺蛾 *Epipristis transiens*（Sterneck，1927）
　　分布：陕西(太白山)、北京、山西、河南。

165.彩青尺蛾属 *Eucyclodes* Warren，1894

(332) 美彩青尺蛾 *Eucyclodes aphrodite*（Prout，L. B.，1933）
　　分布：陕西(留坝、佛坪、宁陕、商南)、河南、甘肃、上海、江苏、湖北、江西、
湖南、广西、四川、重庆、云南。

(333) 枯斑翠尺蛾 *Eucyclodes difficta*（Walker，1861）
　　分布：陕西(周至、留坝、佛坪、宁陕、柞水)、黑龙江、吉林、辽宁、内蒙古、北
京、河北、河南、甘肃、上海、江苏、安徽、浙江、湖北、江西、湖南、福建、台湾、
重庆、云南；俄罗斯，朝鲜，韩国，日本。

166.青尺蛾属 *Geometra* Linnaeus，1758

**(334) 白脉青尺蛾四川亚种 *Geometra albovenaria latirigua*（Prout，L. B.，
1932）**
　　分布：陕西(周至、太白、留坝、佛坪、宁陕)、甘肃、湖北、湖南、四川、云南。

(335) 宽线青尺蛾 *Geometra euryagyia*（Prout，L. B.，1922）
　　分布：陕西(留坝、佛坪、宁陕)、河南、甘肃、云南。

(336) 曲白带青尺蛾 *Geometra glaucaria* Ménétriès，1859
　　分布：陕西(周至、太白、留坝、佛坪、宁陕)、黑龙江、吉林、辽宁、内蒙古、北
京、山西、河南、甘肃、湖北、四川、云南；俄罗斯(东南部)，朝鲜，韩
国，日本。

(337) 细线青尺蛾 *Geometra neovalida* Han，Galsworthy *et* Xue，2009
　　分布：陕西(太白)、内蒙古、北京、甘肃。

(338) 云青尺蛾 *Geometra symaria* Oberthür，1916
　　分布：陕西(周至、宁陕)、河南、甘肃、湖北、四川、云南。

(339) 乌苏里青尺蛾 *Geometra ussuriensis*（Sauber，1915）
　　分布：陕西(留坝、佛坪、宁陕)、黑龙江、河南、甘肃、浙江、湖北、四川；俄罗
斯(东南部)，朝鲜，韩国，日本。

(340) 直脉青尺蛾 *Geometra valida* Felder *et* Rogenhofer，1875

分布：陕西（周至、太白、留坝、宁陕、佛坪）、黑龙江、吉林、辽宁、内蒙古、北京、山西、山东、河南、宁夏、甘肃、上海、浙江、湖北、江西、湖南、福建、广西、四川、贵州、云南；俄罗斯（东南部），朝鲜，韩国，日本。

167．无缰青尺蛾属 *Hemistola* Warren，1893

（341）巧无缰青尺蛾 *Hemistola euethes* Prout，L. B.，1934
分布：陕西（宁陕）、四川、云南。

（342）荫无缰青尺蛾 *Hemistola inconcinnaria*（Leech，1897）
分布：陕西（留坝）、甘肃、青海、四川。

（343）凯无缰青尺蛾 *Hemistola kezukai* Inoue，1978
分布：陕西（宁陕）、甘肃、台湾、广西。

（344）点尾无缰青尺蛾 *Hemistola parallelaria*（Leech，1897）
分布：陕西（宁陕）、甘肃、湖北、四川、云南、西藏。

168．始青尺蛾属 *Herochroma* Swinhoe，1893

（345）夕始青尺蛾 *Herochroma sinapiaria*（Poujade，1895）
分布：陕西（太白、宝鸡、宁陕）、湖南、四川、云南、西藏。

169．辐射尺蛾属 *Iotaphora* Warren，1894

（346）青辐射尺蛾 *Iotaphora admirabilis*（Oberthür，1884）
分布：陕西（宝鸡、佛坪、宁陕）、黑龙江、吉林、辽宁、北京、山西、河南、甘肃、浙江、湖北、江西、湖南、福建、广西、四川、云南；俄罗斯，越南。

170．突尾尺蛾属 *Jodis* Hübner，1823

（347）藕色突尾尺蛾 *Jodis argutaria*（Walker，1866）
分布：陕西（宁陕）、甘肃、浙江、湖北、湖南、台湾、四川、云南、西藏；日本，印度。

（348）奇突尾尺蛾 *Jodis irregularis*（Warren，1894）
分布：陕西（周至）、四川、云南；缅甸，印度，不丹。

171．巨青尺蛾属 *Limbatochlamys* Rothschild，1894

（349）异巨青尺蛾 *Limbatochlamys pararosthorni* Han *et* Xue，2005

　　分布:陕西(太白、宁陕)、四川。

（350）中国巨青尺蛾 *Limbatochlamys rosthorni* Rothschild，1894

　　分布:陕西(周至、太白、留坝、佛坪、宁陕)、甘肃、上海、江苏、浙江、湖北、江西、湖南、福建、广西、四川、重庆、云南。

172. 冠尺蛾属 *Lophophelma* Prout，L. B.，1912

（351）江浙冠尺蛾 *Lophophelma iterans iterans*（Prout，L. B.，1926）

　　分布:陕西(周至、宁陕、柞水)、河南、甘肃、上海、浙江、湖北、江西、湖南、福建、海南、广西、四川；越南。

173. 芦青尺蛾属 *Louisproutia* Wehrli，1932

（352）褪色芦青尺蛾 *Louisproutia pallescens* Wehrli，1932

　　分布:陕西(太白山)、山西、湖南、四川、云南、西藏。

174. 尖尾尺蛾属 *Maxates* Moore，1887

（353）鞭尖尾尺蛾 *Maxates flagellaria*（Poujade，1895）

　　分布:陕西(太白山)、四川、云南。

175. 异尺蛾属 *Metaterpna* Yazaki，1992

（354）粉斑异尺蛾 *Metaterpna thyatiraria*（Oberthür，1913）

　　分布:陕西(周至、宁陕)、甘肃、四川、云南。

176. 新青尺蛾属 *Neohipparchus* Inoue，1944

（355）双线新青尺蛾 *Neohipparchus vallata*（Butler，1878）

　　分布:陕西(留坝、佛坪、宁陕)、山西、甘肃、江苏、浙江、湖北、江西、湖南、福建、台湾、四川、云南、西藏；朝鲜，韩国，日本，越南，印度，尼泊尔。

177. 粉尺蛾属 *Pingasa* Moore，1887

（356）红带粉尺蛾 *Pingasa rufofasciata* Moore，1888

　　分布:陕西(宁陕)、浙江、湖北、江西、湖南、福建、广西、四川、贵州、云南；印度。

178．染尺蛾属 *Psilotagma* Warren，1894

（357）染尺蛾 *Psilotagma decorata* Warren，1894
　　分布：陕西（周至、太白、留坝、佛坪、宁陕、柞水、商南）、河南、甘肃、湖北、湖南、广西、四川、云南；印度，尼泊尔，不丹。

179．波翅青尺蛾属 *Thalera* Hübner，1823

（358）四点波翅青尺蛾 *Thalera lacerataria lacerataria* Graeser，1889
　　分布：陕西（宁陕）、吉林、北京、湖北；俄罗斯，朝鲜，韩国，日本。

180．二线绿尺蛾属 *Thetidia* Boisduval，1840

（359）菊四目绿尺蛾 *Thetidia albocostaria*（Bremer，1864）
　　分布：陕西（宁陕、旬阳、商南）、黑龙江、吉林、辽宁、内蒙古、河南、甘肃、青海、上海、江苏、安徽、浙江、湖北、湖南；俄罗斯，朝鲜，韩国，日本。

（360）肖二线绿尺蛾 *Thetidia chlorophyllaria*（Hedemann，1878）
　　分布：陕西（商南）、黑龙江、内蒙古、北京、河北、山西、山东、青海、四川；俄罗斯，日本。

（361）凡二线绿尺蛾 *Thetidia volgaria*（Guenée，1858）
　　分布：陕西（太白山）、黑龙江、吉林、辽宁、内蒙古、上海、江苏；俄罗斯，朝鲜，韩国，日本。

181．缺口青尺蛾属 *Timandromorpha* Inoue，1944

（362）小缺口青尺蛾 *Timandromorpha enervata* Inoue，1944
　　分布：陕西（佛坪、宁陕、商南、旬阳）、河南、甘肃、浙江、湖北、江西、湖南、福建、台湾、四川；朝鲜，韩国，日本。

182．赞青尺蛾属 *Xenozancla* Warren，1893

（363）赞青尺蛾 *Xenozancla versicolor* Warren，1893
　　分布：陕西（留坝）、北京、河北、山东、河南、湖北、广西、四川；印度。

（六）灰尺蛾亚科 Ennominae

183．矶尺蛾属 *Abaciscus* Butler，1889

（364）秦岭矶尺蛾 *Abaciscus tsinlingensis*（Wehrli，1943）

分布:陕西(柞水、商南)、云南。

184. 金星尺蛾属 *Abraxas* Leach，1815

(365) 丝棉木金星尺蛾 *Abraxas suspecta* Warren，1894
分布:陕西(宝鸡、佛坪、宁陕、旬阳、柞水)、甘肃、山西、上海、江苏、湖北、湖南、江西、台湾、四川。

(366) 榛金星尺蛾 *Abraxas sylvata*（Scopoli，1763）
分布:陕西(周至、佛坪、宁陕)、黑龙江、吉林、辽宁、甘肃、山西、江苏、浙江、海南;俄罗斯，日本，中亚，欧洲。

185. 鹿尺蛾属 *Alcis* Curtis，1826

(367) 天鹿尺蛾 *Alcis arisema* Prout，L. B.，1934
分布:陕西(宝鸡)、甘肃、湖北、四川、贵州、云南、西藏;缅甸，尼泊尔。

(368) 白鹿尺蛾 *Alcis diprosopa*（Wehrli，1943）
分布:陕西(周至、留坝、宁陕)、甘肃、湖北、湖南、福建、广西、四川。

(369) 马鹿尺蛾 *Alcis postcandida*（Wehrli，1924）
分布:陕西(宝鸡)、江西、湖南、福建、广东、广西、云南。

(370) 半白鹿尺蛾 *Alcis semialba*（Moore，1888）
分布:陕西(佛坪、旬阳)、湖北、江西、福建、广西、四川、云南;泰国，印度，尼泊尔。

186. 掌尺蛾属 *Amraica* Moore，1888

(371) 掌尺蛾 *Amraica superans*（Butler，1878）
分布:陕西(周至、太白、留坝、佛坪、宁陕、旬阳、柞水)、黑龙江、吉林、北京、河北、河南、甘肃、上海、江苏、安徽、浙江、湖北、江西、湖南、福建、台湾、四川、重庆、贵州;俄罗斯，朝鲜，韩国，日本。

187. 黄云尺蛾属 *Anemmetresa* Wehrli，1938

(372) 黄云尺蛾 *Anemmetresa flavimacularia*（Leech，1897）
分布:陕西(宝鸡、佛坪、宁陕)、甘肃、湖北、四川。

188. 罴尺蛾属 *Anticypella* Meyrick，1892

(373) 罴尺蛾 *Anticypella diffusaria*（Leech，1897）

分布:陕西(留坝、佛坪、宁陕、柞水)、黑龙江、辽宁、内蒙古、北京、山西、甘肃、江苏、浙江、湖北、湖南、四川、云南;俄罗斯,朝鲜。

189．匀点尺蛾属 *Antipercnia* Inoue, 1992

(374)拟柿星尺蛾 *Antipercnia albinigrata*(Warren, 1896)
　　分布:陕西(留坝、宁陕、旬阳、柞水、商南)、河南、甘肃、江苏、安徽、浙江、湖北、江西、湖南、福建、台湾、广西、贵州、四川;朝鲜,韩国,日本。

(375)匀点尺蛾 *Antipercnia belluaria*(Guenée, 1858)
　　分布:陕西(留坝、佛坪、宁陕)、甘肃、湖北、湖南、福建、广西、四川、贵州、云南、西藏;印度,尼泊尔。

190．妖尺蛾属 *Apeira* Gistel, 1848

(376)缘斑妖尺蛾 *Apeira latimarginaria*(Leech, 1897)
　　分布:陕西(宁陕、柞水)、甘肃、浙江、湖北、湖南、四川、西藏。

(377)妖尺蛾 *Apeira syringaria*(Linnaeus, 1758)
　　分布:陕西(宁陕)、甘肃、北京、青海;俄罗斯,日本,中亚,欧洲。

191．灵尺蛾属 *Aplochlora* Warren, 1893

(378)绿灵尺蛾 *Aplochlora dentisignata*(Moore, 1868)
　　分布:陕西(周至)、甘肃、四川、云南、西藏;印度。

192．离隐尺蛾属 *Apoheterolocha* Wehrli, 1937

(379)绿离隐尺蛾 *Apoheterolocha patalata*(Felder *et* Rogenhofer, 1875)
　　分布:陕西(宝鸡、宁陕)、甘肃、浙江;湖北、湖南、海南、四川、云南;印度,尼泊尔,喜马拉雅山。

193．弥尺蛾属 *Arichanna* Moore, 1868

(380)黄星尺蛾 *Arichanna melanaria fraterna*(Butler, 1878)
　　分布:陕西(周至、佛坪、宁陕)、黑龙江、辽宁、内蒙古、河北、河南、山西、甘肃、湖南、福建;蒙古,俄罗斯,朝鲜,韩国,日本,欧洲。

194．造桥虫属 *Ascotis* Hübner, 1825

(381)大造桥虫 *Ascotis selenaria*(Denis *et* Schiffermüller, 1775)

分布:陕西(留坝、佛坪、宁陕、旬阳、柞水、商南)、黑龙江、吉林、辽宁、内蒙古、北京、河北、山西、甘肃、新疆、江苏、安徽、浙江、湖北、江西、湖南、福建、台湾、广东、海南、香港、广西、四川、重庆、贵州、云南、西藏;俄罗斯,朝鲜,韩国,日本,印度,斯里兰卡,欧洲,非洲。

195. 灰尖尺蛾属 *Astygisa* Walker, 1864

(382) 大灰尖尺蛾 *Astygisa chlororphnodes*（Wehrli, 1936）
分布:陕西(宁陕、商南)、浙江、江西、湖南、福建、广西、四川、云南;日本。

196. 娴尺蛾属 *Auaxa* Walker, 1860

(383) 娴尺蛾 *Auaxa cesadaria* Walker, 1860
分布:陕西(留坝、宁陕)、山西、宁夏、甘肃、浙江、江西、湖南、福建、台湾、广西、四川、贵州、云南、西藏;朝鲜,韩国,日本,印度。

(384) 齿缘娴尺蛾 *Auaxa lanceolata* Inoue, 1992
分布:陕西(太白)、山西、江苏、湖南、四川。

197. 鹰尺蛾属 *Biston* Leech, 1815

(385) 桦尺蛾 *Biston betularia*（Linnaeus, 1758）
分布:陕西(留坝)、内蒙古、山西、甘肃、青海、四川、云南、西藏;俄罗斯,朝鲜,日本,印度,欧洲,北美洲。

(386) 白鹰尺蛾 *Biston contectaria*（Walker, 1863）
分布:陕西(留坝)、甘肃、湖北、湖南、福建、广西、云南;印度,尼泊尔。

(387) 鹰翅尺蛾 *Biston falcata satura*（Wehrli, 1941）
分布:陕西(太白山)、宁夏、甘肃。

(388) 圆突鹰尺蛾 *Biston mediolata* Jiang, Xue *et* Han, 2011
分布:陕西(留坝)、甘肃、湖北、湖南、福建、海南、广西、四川;越南。

(389) 木橑尺蠖 *Biston panterinaria panterinaria*（Bremer *et* Grey, 1853）
分布:陕西(佛坪、宁陕、旬阳、柞水)、辽宁、北京、河北、山西、山东、河南、宁夏、甘肃、安徽、浙江、湖北、江西、湖南、福建、广东、海南、广西、四川、重庆、贵州。

(390) 褐鹰尺蛾 *Biston quercii*（Oberthür, 1910）
分布:陕西(周至、宁陕)、河南、甘肃、湖北、四川。

（391）双云尺蛾 *Biston regalis comitata*（Warren，1899）

分布：陕西（留坝、佛坪、宁陕、旬阳、柞水）、辽宁、河南、甘肃、浙江、湖北、江西、湖南、福建、台湾、广东、海南、四川、云南；俄罗斯，朝鲜，韩国，日本。

（392）油桐尺蠖 *Biston suppressaria* Guenée，1858

分布：陕西（佛坪、旬阳）、河南、江苏、安徽、浙江、湖北、江西、湖南、福建、广东、海南、香港、广西、四川、重庆、贵州、云南、西藏；缅甸，印度，尼泊尔。

（393）小鹰尺蛾 *Biston thoracicaria*（Oberthür，1884）

分布：陕西（太白）、北京、河北、山东、河南、甘肃、江苏、浙江、湖北、云南；俄罗斯，朝鲜，韩国，日本。

198．焦边尺蛾属 *Bizia* Walker，1860

（394）演焦边尺蛾 *Bizia altera*（Wehrli，1954）

分布：陕西（周至、留坝、佛坪、宁陕）、内蒙古、北京、河北、甘肃、浙江、湖北、广西。

199．白沙尺蛾属 *Cabera* Treitschke，1825

（395）灰边白沙尺蛾四川亚种 *Cabera griseolimbata apotaeniata* Wehrli，1939

分布：陕西（周至、留坝、佛坪、宁陕、商南）、甘肃、浙江、湖南、四川。

200．蛊尺蛾属 *Calicha* Moore，1888

（396）金蛊尺蛾 *Calicha nooraria*（Bremer，1864）

分布：陕西（佛坪）、黑龙江、甘肃、浙江、湖南、福建、广东、广西、四川、云南；俄罗斯（远东地区），朝鲜，韩国，日本。

201．奇尺蛾属 *Chiasmia* Hübner，1823

（397）槐尺蠖 *Chiasmia cinerearia cinerearia*（Bremer *et* Grey，1853）

分布：陕西（留坝、山阳、商南）、黑龙江、吉林、辽宁、北京、天津、河北、山西、山东、河南、宁夏、甘肃、江苏、安徽、浙江、湖北、江西、台湾、广西、四川、西藏；朝鲜，日本。

（398）网目奇尺蛾 *Chiasmia clathrata*（Linnaeus，1758）

分布:陕西(留坝)、甘肃、内蒙古、青海;俄罗斯,朝鲜,日本,欧洲,非洲北部。

(399) 合欢奇尺蛾 *Chiasmia defixaria* (Walker, 1861)

分布:陕西(柞水、旬阳)、福建、山东、河南、甘肃、江苏、浙江、湖北、江西、湖南、广西、四川、贵州;朝鲜,韩国,日本。

202. 方尺蛾属 *Chorodna* Walker, 1860

(400) 默方尺蛾 *Chorodna corticaria* (Leech, 1897)

分布:陕西(太白、留坝、宁陕)、甘肃、浙江、湖北、湖南、福建、台湾、广西、四川、云南、西藏。

203. 霜尺蛾属 *Cleora* Curtis, 1825

(401) 瑞霜尺蛾 *Cleora repulsaria* (Walker, 1860)

分布:陕西(旬阳)、上海、江苏、浙江、江西、湖南、台湾、广东、海南、香港、广西、四川、重庆、贵州、云南;朝鲜,韩国,日本,越南,泰国,缅甸,菲律宾。

204. 穿孔尺蛾属 *Corymica* Walker, 1860

(402) 满月穿孔尺蛾 *Corymica pryeri* (Butler, 1878)

分布:陕西(旬阳)、湖北、福建、海南、四川、云南;日本,马来西亚,印度尼西亚,巴布亚新几内亚。

(403) 光穿孔尺蛾 *Corymica specularia nea* Wehrli, 1940

分布:陕西(周至、宝鸡、留坝、宁陕)、甘肃、浙江、广西、四川、湖南。

205. 虚幽尺蛾属 *Ctenognophos* Prout, L. B., 1915

(404) 长虚幽尺蛾 *Ctenognophos incolraia* (Leech, 1897)

分布:陕西(佛坪)、湖北、湖南、福建、四川、贵州、云南。

(405) 虚幽尺蛾甘肃亚种 *Ctenognophos ventraria kansubia* Wehrli, 1953

分布:陕西(华县、宁陕)、甘肃、四川。

206. 摩尺蛾属 *Cusiala* Moore, 1887

(406) 摩尺蛾 *Cusiala stipitaria* (Oberthür, 1880)

分布:陕西(留坝、宁陕、柞水)、吉林、北京、河南、甘肃、湖北、海南、台湾、四川、云南；俄罗斯，朝鲜，韩国，日本。

207.　达尺蛾属 *Dalima* Moore, 1868

（407）洪达尺蛾 *Dalima honei* Wehrli, 1923
　　分布：陕西（周至、太白、佛坪、宁陕）、河南、宁夏、甘肃、江苏、浙江、湖北、江西、湖南、福建、广东、广西、四川、西藏。

208.　蛮尺蛾属 *Darisa* Moore, 1888

（408）花蛮尺蛾 *Darisa differens* Warren, 1897
　　分布：陕西（宁陕）、甘肃、湖北、广东、广西、四川、云南。

209.　歹尺蛾属 *Deileptenia* Hübner, 1825

（409）满洲里歹尺蛾 *Deileptenia mandshuriaria*（Bremer, 1864）
　　分布：陕西（周至）、黑龙江、吉林、辽宁、内蒙古、福建；俄罗斯（东南部）。

210.　伯尺蛾属 *Diaprepesilla* Wehrli, 1937

（410）黄缘伯尺蛾甘肃亚种 *Diaprepesilla flavomarginaria djakonovi* Bryk, 1948
　　分布：陕西（周至、宁陕、旬阳、商南）、甘肃、湖南、四川。

211.　杜尺蛾属 *Duliophyle* Warren, 1894

（411）杜尺蛾四川亚种 *Duliophyle agitata angustaria*（Leech, 1897）
　　分布：陕西（宁陕）、北京、甘肃、浙江、湖南、江西、福建、四川、西藏；日本。

（412）黑杜尺蛾 *Duliophyle incongrua incongrua* Sterneck, 1928
　　分布：陕西（宁陕）、甘肃、湖北、四川。

（413）大杜尺蛾 *Duliophyle majuscularia*（Leech, 1897）
　　分布：陕西（宁陕）、甘肃、湖南、福建、西藏；日本。

212.　埃尺蛾属 *Ectropis* Hübner, 1825

（414）埃尺蛾 *Ectropis crepuscularia*（Denis *et* Schiffermüller, 1775）
　　分布：陕西（宝鸡、宁陕、旬阳、商南）、黑龙江、吉林、辽宁、内蒙古、甘肃、浙江、湖南、江西、福建、广西、四川、贵州；俄罗斯，朝鲜，韩国，日本，欧洲，北美洲。

213. 蟠尺蛾属 *Eilicrinia* Hübner, 1823

(415) 黄蟠尺蛾 *Eilicrinia flava*（Moore, 1888）

分布:陕西(宁陕、旬阳、商南)、黑龙江、吉林、新疆、江苏、浙江、湖北、湖南、福建、台湾、海南、广西、四川、云南;印度。

214. 卑尺蛾属 *Endropiodes* Warren, 1894

(416) 叉线卑尺蛾 *Endropiodes abjecta*（Butler, 1879）

分布:陕西(宁陕)、内蒙古、山西、浙江、湖南;俄罗斯,朝鲜,日本。

215. 秋黄尺蛾属 *Ennomos* Treitschke, 1825

(417) 秋黄尺蛾天目山亚种 *Ennomos autumnaria pyrrosticta* Wehrli, 1940

分布:陕西(留坝、宁陕、柞水)、甘肃、内蒙古、青海;俄罗斯,朝鲜,日本,欧洲。

(418) 小秋黄尺蛾 *Ennomos infidelis*（Prout, L. B., 1929）

分布:陕西(周至、宝鸡、留坝、佛坪、宁陕)、辽宁、内蒙古、甘肃;俄罗斯,日本。

216. 蕈尺蛾属 *Ephalaenia* Wehrli, 1936

(419) 红蕈尺蛾 *Ephalaenia xylina* Wehrli, 1936

分布:陕西(宁陕)、湖南、四川、云南。

217. 惑尺蛾属 *Epholca* Fletcher, 1979

(420) 桔黄惑尺蛾 *Epholca auratilis*（Prout, L. B., 1934）

分布:陕西(周至、留坝、佛坪、宁陕)、北京、甘肃、浙江、湖北、福建、广西、四川、云南。

218. 拟长翅尺蛾属 *Epobeidia* Wehrli, 1939

(421) 散长翅尺蛾 *Epobeidia lucifera conspurcata*（Leech, 1897）

分布:陕西(留坝、佛坪、宁陕)、福建、甘肃、浙江、湖北、湖南、四川、贵州。

(422) 猛拟长翅尺蛾 *Epobeidia tigrata leopardaria*（Oberthür, 1881）

分布:陕西(周至、留坝、佛坪、宁陕、柞水)、甘肃、浙江、福建、广东、广西、四川、贵州、西藏;朝鲜,韩国,日本。

219.　鲨尺蛾属 *Euchristophia* Fletcher, 1979

（423）金鲨尺蛾 *Euchristophia cumulata sinobia*（Wehrli, 1939）
　　分布：陕西（周至、佛坪、宁陕、柞水）、甘肃、浙江、福建、广西、四川。

220.　丰翅尺蛾属 *Euryobeidia* Fletcher, 1979

（424）银丰翅尺蛾 *Euryobeidia languidata*（Walker, 1862）
　　分布：陕西（周至、宁陕）、江西、福建、台湾、广西、四川；日本，印度，尼泊尔。

221.　滨尺蛾属 *Exangerona* Wehrli, 1936

（425）焦点滨尺蛾 *Exangerona prattiaria*（Leech, 1891）
　　分布：陕西（周至、宝鸡、宁陕、柞水）、甘肃、山西、湖北、四川、云南；日本。

222.　赭尾尺蛾属 *Exurapteryx* Wehrli, 1937

（426）赭尾尺蛾 *Exurapteryx aristidaria*（Oberthür, 1911）
　　分布：陕西（留坝、宁陕）、甘肃、安徽、浙江、湖北、江西、湖南、福建、广西、
　　四川、贵州、云南；缅甸。

223.　片尺蛾属 *Fascellina* Walker, 1860

（427）紫片尺蛾 *Fascellina chromataria* Walker, 1860
　　分布：陕西（太白、宁陕、旬阳、商南）、吉林、甘肃、江苏、浙江、湖北、江西、
　　湖南、福建、台湾、广东、海南、广西、四川、云南；日本，越南，印度，斯
　　里兰卡。

224.　魑尺蛾属 *Garaeus* Moore, 1868

（428）金魑尺蛾 *Garaeus chamaeleon* Wehrli, 1936
　　分布：陕西（留坝、佛坪、宁陕）、安徽、湖北、云南。

（429）洞魑尺蛾 *Garaeus specularis* Moore, 1868
　　分布：陕西（周至、佛坪、宁陕）、河南、甘肃、湖北、江西、湖南、台湾、福建、
　　广西、四川、云南、西藏；朝鲜，日本，印度，喜马拉雅山（东部），欧洲。

225.　幽尺蛾属 *Gnophos* Treitschke, 1825

（430）雕幽尺蛾四川亚种 *Gnophos albidior superba*（Prout, L. B., 1915）

分布:陕西(宁陕)、甘肃、湖北、湖南、四川、云南、西藏。

226. 隐尺蛾属 *Heterolocha* Lederer, 1853

(431) 深黑隐尺蛾 *Heterolocha atrivalva* Wehrli, 1937

　　分布:陕西(佛坪、宁陕)、河南、甘肃、浙江、湖北、江西、湖南、福建、台湾、广东、海南、广西、四川、贵州。

(432) 拉隐尺蛾 *Heterolocha laminaria* (Herrich-Schäffer, 1852)

　　分布:陕西(商南)、河南、江苏、浙江、湖北;俄罗斯,日本,小亚细亚。

(433) 紫玫隐尺蛾 *Heterolocha rosearia* Leech, 1897

　　分布:陕西(宝鸡、宁陕)、甘肃、湖北、湖南、台湾、海南、四川、贵州、西藏。

(434) 黄玫隐尺蛾 *Heterolocha subroseata* Warren, 1894

　　分布:陕西(周至、留坝)、甘肃、浙江、湖北、江西、湖南、福建、四川、云南。

227. 锦尺蛾属 *Heterostegane* Hampson, 1893

(435) 织锦尺蛾 *Heterostegane cararia lungtanensis* (Wehrli, 1939)

　　分布:陕西(周至、太白、留坝、佛坪、宁陕)、甘肃、江苏、四川。

228. 苔尺蛾属 *Hirasa* Moore, 1888

(436) 粗苔尺蛾 *Hirasa austeraria* (Leech, 1897)

　　分布:陕西(宁陕)、甘肃、浙江、湖北、湖南、四川、云南。

(437) 前苔尺蛾甘肃亚种 *Hirasa provocans lihsiensis* Wehrli, 1953

　　分布:陕西(周至、宁陕)、甘肃、湖北。

229. 紫云尺蛾属 *Hypephyra* Butler, 1889

(438) 紫云尺蛾日本亚种 *Hypephyra terrosa pryeraria* (Leech, 1891)

　　分布:陕西(周至、佛坪、宁陕、商南、旬阳)、甘肃、上海、安徽、浙江、湖北、江西、湖南、福建、广东、广西、四川、贵州、云南、西藏;日本,印度,马来西亚,印度尼西亚。

230. 兔尺蛾属 *Hyperythra* Guenée, 1858

(439) 红双线兔尺蛾 *Hyperythra obliqua* (Warren, 1894)

　　分布:陕西(留坝、旬阳、商南)、北京、河北、山东、甘肃、江苏、浙江、江西、湖南、福建、广东、广西、四川、贵州。

231．尘尺蛾属 *Hypomecis* Hübner，1821

（440）杂尘尺蛾 *Hypomecis crassestrigata*（Christoph，1881）

分布：陕西（留坝、柞水）、黑龙江、辽宁、北京、江苏、浙江、湖南、四川、西藏；俄罗斯，朝鲜，韩国，日本，印度。

（441）黎明尘尺蛾 *Hypomecis eosaria*（Walker，1863）

分布：陕西（宁陕）、江苏、安徽、浙江、湖北、江西、湖南、福建、广东、海南、香港、广西、四川、重庆。

（442）齿纹尘尺蛾 *Hypomecis percnioides*（Wehrli，1943）

分布：陕西（宁陕）、河南、湖北、浙江、福建、台湾、广西、四川、云南。

（443）假尘尺蛾 *Hypomecis pseudopunctinalis*（Wehrli，1923）

分布：陕西（留坝）、黑龙江、北京、山东、甘肃、青海、浙江、江西、湖南、福建、广西；朝鲜，韩国。

（444）尘尺蛾 *Hypomecis punctinalis*（Scopoli，1763）

分布：陕西（太白、宁陕、旬阳、柞水、商南）、黑龙江、吉林、内蒙古、北京、山东、河南、宁夏、甘肃、安徽、浙江、湖北、湖南、福建、台湾、广东、广西、四川、贵州、云南、西藏；俄罗斯，朝鲜，韩国，日本，欧洲。

（445）暮尘尺蛾 *Hypomecis roboraria*（Denis *et* Schiffermüller，1775）

分布：陕西（留坝、宁陕、旬阳、柞水、商南）、黑龙江、吉林、内蒙古、河南、甘肃、浙江、江西、湖北、台湾、西藏；俄罗斯，朝鲜，韩国，日本，欧洲。

232．钩翅尺蛾属 *Hyposidra* Guenée，1858

（446）钩翅尺蛾 *Hyposidra aquilaria*（Walker，1863）

分布：陕西（留坝、佛坪、宁陕、旬阳、柞水）、甘肃、浙江、湖北、江西、湖南、福建、台湾、广东、海南、广西、四川、重庆、贵州、云南、西藏；印度，马来西亚，印度尼西亚。

233．用克尺蛾属 *Jankowskia* Oberthür，1884

（447）茶用克尺蛾 *Jankowskia athleta* Oberthür，1884

分布：陕西（太白、留坝、宁陕）、黑龙江、吉林、河南、湖北、江西；俄罗斯，朝鲜，韩国。

（448）弯用克尺蛾 *Jankowskia curva* Jiang, Xue *et* Han, 2010

　　分布：陕西（周至、宁陕）、河南。

（449）小用克尺蛾 *Jankowskia fuscaria*（Leech, 1891）

　　分布：陕西（留坝、宁陕、旬阳、柞水）、河南、甘肃、安徽、浙江、湖北、江西、湖南、福建、广东、海南、广西、四川、重庆、贵州、云南；朝鲜，韩国，日本，泰国。

（450）黑用克尺蛾 *Jankowskia improjecta* Jiang, Xue *et* Han, 2010

　　分布：陕西（周至）、甘肃。

234. 璃尺蛾属 *Krananda* Moore, 1868

（451）三角璃尺蛾 *Krananda latimarginaria* Leech, 1891

　　分布：陕西（宁陕）、吉林、上海、江苏、浙江、江西、湖南、福建、台湾、广东、海南、香港、广西、四川；朝鲜，韩国，日本。

235. 边尺蛾属 *Leptomiza* Warren, 1893

（452）双线边尺蛾 *Leptomiza bilinearia*（Leech, 1897）

　　分布：陕西（周至、佛坪、宁陕）、甘肃、浙江、湖北、福建。

（453）粉红边尺蛾 *Leptomiza crenularia*（Leech, 1897）

　　分布：陕西（宝鸡、宁陕）、甘肃、湖南、福建、四川、云南。

（454）红褐边尺蛾 *Leptomiza hepaticata*（Swinhoe, 1900）

　　分布：陕西（佛坪）、湖北、四川。

（455）黄褐边尺蛾 *Leptomiza parableta* Prout, L. B., 1926

　　分布：陕西（太白）；印度。

236. 缘点尺蛾属 *Lomaspilis* Hübner, 1825

（456）缘点尺蛾 *Lomaspilis marginata amurensis*（Heydemann, 1881）

　　分布：陕西（周至、宁陕）、黑龙江、吉林、内蒙古、山西、甘肃；俄罗斯，朝鲜，日本。

237. 褶尺蛾属 *Lomographa* Hübner, 1825

（457）云褶尺蛾 *Lomographa eximiaria*（Oberthür, 1923）

　　分布：陕西（留坝、宁陕）、浙江、湖南、福建、四川。

238. 斜尺蛾属 *Loxaspilates* Warren, 1893

(458) 亚斜尺蛾 *Loxaspilates fixseni* (Alphéraky, 1892)
　　分布:陕西(周至)、甘肃、青海、湖北、四川、云南、西藏。

239. 斜灰尺蛾属 *Loxotephria* Warren, 1905

(459) 同斜灰尺蛾 *Loxotephria convergens* (Warren, 1899)
　　分布:陕西(商南)、湖北、福建、海南、四川、云南。

240. 辉尺蛾属 *Luxiaria* Walker, 1860

(460) 云辉尺蛾 *Luxiaria amasa* (Butler, 1878)
　　分布:陕西(宁陕)、甘肃、浙江、湖北、江西、湖南、福建、台湾、广东、海南、
　　香港、广西、四川、云南、西藏;俄罗斯,朝鲜,韩国,日本,印度,尼泊尔,
　　印度尼西亚。

(461) 辉尺蛾 *Luxiaria mitorrhaphes* Prout, L. B., 1925
　　分布:陕西(太白、宝鸡、宁陕)、福建、吉林、北京、甘肃、江苏、浙江、湖北、
　　江西、湖南、台湾、广东、海南、广西、四川、贵州、云南、西藏;日本,缅甸,
　　印度,不丹。

241. 庶尺蛾属 *Macaria* Curtis, 1826

(462) 上海庶尺蛾 *Macaria shanghaisaria* Walker, 1861
　　分布:陕西(周至)、上海;俄罗斯(东南部),朝鲜。

(463) 中国威庶尺蛾 *Macaria wauaria chinensis* (Sterneck, 1928)
　　分布:陕西(周至、佛坪、宁陕)、内蒙古、山西、甘肃、四川。

242. 展尺蛾属 *Menophra* Moore, 1887

(464) 桑尺蠖 *Menophra atrilineata* (Butler, 1881)
　　分布:陕西(留坝、佛坪、宁陕、旬阳、商南)、内蒙古、山西、甘肃、江苏、安
　　徽、浙江、湖北、湖南、台湾、广东、广西、四川、贵州、云南;朝鲜,日本。

243. 树尺蛾属 *Mesastrape* Warren, 1894

(465) 细枝树尺蛾 *Mesastrape fulguraria* (Walker, 1860)
　　分布:陕西(周至、留坝、佛坪、宁陕、柞水)、河南、甘肃、浙江、湖北、江西、

湖南、福建、台湾、广西、四川、云南、西藏；日本，印度，尼泊尔。

244．后星尺蛾属 *Metabraxas* **Butler，1881**

（466）中国后星尺蛾 *Metabraxas clerica inconfusa* **Warren，1894**
分布：陕西（宝鸡、留坝、宁陕、旬阳）、甘肃、浙江、湖北、湖南、福建、广西、四川、云南、西藏。

245．小蛊尺蛾属 *Microcalicha* **Sato，1981**

（467）凸翅小蛊尺蛾 *Microcalicha melanosticta*（**Hampson，1895**）
分布：陕西（佛坪、宁陕、旬阳）、山东、河南、甘肃、浙江、湖北、湖南、福建、台湾、广东、海南、广西、四川、云南；缅甸，印度。

246．拟尖尺蛾属 *Mimomiza* **Warren，1894**

（468）白拟尖尺蛾 *Mimomiza cruentaria*（**Moore，1868**）
分布：陕西（宁陕）、甘肃、青海、湖北、湖南、福建、广西、四川、云南、西藏；印度。

247．皎尺蛾属 *Myrteta* **Walker，1861**

（469）黑星皎尺蛾 *Myrteta argentaria* **Leech，1897**
分布：陕西（周至、留坝、宁陕）、甘肃、四川。

（470）三点皎尺蛾 *Myrteta tripunctaria* **Leech，1897**
分布：陕西（宝鸡、宁陕）、四川。

248．格尺蛾属 *Neolythria* **Alphéraky，1892**

（471）黄带格尺蛾 *Neolythria maculosa* **Wehrli，1934**
分布：陕西（宝鸡、宁陕）、甘肃、青海、四川、云南。

249．炫尺蛾属 *Neuralla* **Djakonov，1936**

（472）炫尺蛾 *Neuralla albata* **Djakonov，1936**
分布：陕西（太白）、甘肃、青海、四川。

250．泼墨尺蛾属 *Ninodes* **Warren，1894**

（473）*Ninodes albarius* **Beljaev *et* Park，1998**

分布:陕西、甘肃、河南、湖北;韩国。

（474） *Ninodes quadratus* Li, Xue *et* Jiang, 2017

　　分布:陕西、甘肃、河南、浙江。

（475） 泼墨尺蛾 *Ninodes splendens*（Butler, 1878）

　　分布:陕西(商南)、内蒙古、北京、山东、甘肃、上海、湖北、江西、湖南、广东、福建、四川、云南;朝鲜,韩国,日本。

251. 贡尺蛾属 *Odontopera* Stephens, 1831

（476） 秃贡尺蛾 *Odontopera insulata* Bastelberger, 1909

　　分布:陕西(宝鸡、留坝、佛坪、宁陕)、甘肃、湖南、福建、台湾、四川。

252. 四星尺蛾属 *Ophthalmitis* Fletcher, 1979

（477） 核桃四星尺蛾 *Ophthalmitis albosignaria*（Bremer *et* Grey, 1853）

　　分布:陕西(留坝、佛坪、宁陕、旬阳、柞水)、黑龙江、吉林、辽宁、内蒙古、北京、河南、甘肃、江苏、安徽、浙江、湖北、江西、湖南、福建、台湾、广西、四川、云南;俄罗斯,朝鲜,韩国,日本。

（478） 带四星尺蛾 *Ophthalmitis cordularia*（Swinhoe, 1893）

　　分布:陕西(周至)、河南、宁夏、湖北、江西、湖南、台湾、广西、四川、重庆、云南;印度,尼泊尔。

（479） 锯纹四星尺蛾 *Ophthalmitis herbidaria*（Guenée, 1858）

　　分布:陕西(留坝、旬阳)、上海、浙江、湖北、江西、湖南、福建、台湾、海南、香港、四川、云南;印度,尼泊尔。

（480） 四星尺蛾 *Ophthalmitis irrorataria*（Bremer *et* Grey, 1853）

　　分布:陕西(留坝、宁陕、旬阳)、黑龙江、吉林、北京、河北、宁夏、甘肃、浙江、湖北、江西、湖南、福建、广东、广西、四川、云南;俄罗斯,朝鲜,韩国,日本,印度。

（481） 中华四星尺蛾 *Ophthalmitis sinensium*（Oberthür, 1913）

　　分布:陕西(宁陕、柞水)、河南、甘肃、安徽、浙江、湖北、湖南、台湾、广东、广西、四川、云南、西藏;越南,泰国,印度。

253. 黄尺蛾属 *Opisthograptis* Hübner, 1823

（482） 滇黄尺蛾 *Opisthograptis tsekuna tsekuna* Wehrli, 1940

分布:陕西(宝鸡、宁陕)、甘肃、四川、云南。

254. 尾尺蛾属 *Ourapteryx* Leach, 1814

(483) 二点麻尾尺蛾 *Ourapteryx adonidaria*（Oberthür, 1911）

分布:陕西(周至、太白、佛坪、宁陕)、甘肃、青海、四川。

(484) 点尾尺蛾 *Ourapteryx nigrociliaris*（Leech, 1891）

分布:陕西(宁陕)、甘肃、湖南、江西、福建、台湾、四川、贵州、西藏。

(485) 星尾尺蛾 *Ourapteryx puncticulosa* Inoue *et* Stüning, 1995

分布:陕西(周至、佛坪、宁陕)、河南、湖北。

255. 云庶尺蛾属 *Oxymacaria* Warren, 1894

(486) 常云庶尺蛾衡山亚种 *Oxymacaria normata hoengshanica*（Wehrli, 1940）

分布:陕西(周至、佛坪、宁陕)、湖南。

(487) 云庶尺蛾 *Oxymacaria temeraria temeraria*（Swinhoe, 1891）

分布:陕西(佛坪)、甘肃、湖北、湖南、福建、台湾、海南、广西、四川、云南;
日本,印度,尼泊尔,克什米尔地区。

(488) 白棒云庶尺蛾 *Oxymacaria truncaria*（Leech, 1897）

分布:陕西(周至、留坝、佛坪、宁陕、柞水、商南)、甘肃、山西、青海、台湾、
四川、云南、西藏。

256. 柿星尺蛾属 *Parapercnia* Wehrli, 1939

(489) 柿星尺蛾 *Parapercnia giraffata*（Guenée, 1858）

分布:陕西(留坝、佛坪、旬阳、商南)、北京、河北、河南、山西、甘肃、安徽、
浙江、湖北、江西、湖南、福建、台湾、广西、四川、贵州、云南;朝鲜,韩国,
日本,缅甸,印度,印度尼西亚。

257. 夹尺蛾属 *Pareclipsis* Warren, 1894

(490) 双波夹尺蛾 *Pareclipsis serrulata*（Wehrli, 1937）

分布:陕西(宝鸡、宁陕)、浙江、湖北、湖南、广西、四川、云南。

258. 狭翅尺蛾属 *Parobeidia* Wehrli, 1939

(491) 巨狭翅尺蛾 *Parobeidia gigantearia*（Leech, 1897）

分布:陕西(佛坪、宁陕、山阳)、甘肃、浙江、湖北、江西、湖南、福建、台湾、广东、四川、贵州、云南;缅甸。

259．晶尺蛾属 *Peratophyga* Warren，1894

（492）长晶尺蛾 *Peratophyga grata*（Butler，1879）

分布:陕西(留坝、商南)、黑龙江、辽宁、山东、河南、甘肃、青海、浙江、江西、湖南、福建、广东、广西;朝鲜,韩国,日本。

260．觅尺蛾属 *Petelia* Herrich-Schäffer，1855

（493）彤觅尺蛾天目山亚种 *Petelia riobearia erythroides*（Wehrli，1936）

分布:陕西(周至、宁陕)、浙江、江西、湖南、广西、云南。

261．烟尺蛾属 *Phthonosema* Warren，1894

（494）槭烟尺蛾 *Phthonosema invenustaria*（Leech，1891）

分布:陕西(周至、宁陕、柞水、商南)、北京、山东、甘肃、湖北、四川、云南;俄罗斯,朝鲜,韩国,日本。

（495）锯线烟尺蛾 *Phthonosema serratilinearia*（Leech，1897）

分布:陕西(留坝、佛坪、宁陕、旬阳、柞水、商南)、吉林、辽宁、北京、甘肃、江苏、浙江、湖北、湖南、福建、广西、四川、贵州、云南。

262．木纹尺蛾属 *Plagodis* Hübner，1823

（496）斧木纹尺蛾 *Plagodis dolabraria*（Linnaeus，1767）

分布:陕西(留坝、宁陕、柞水)、甘肃、江苏、浙江、湖北、湖南、四川;俄罗斯,日本,欧洲。

（497）粗木纹尺蛾 *Plagodis excisa* Wehrli，1938

分布:陕西(太白)、甘肃。

（498）海木纹尺蛾 *Plagodis hypomelina* Wehrli，1938

分布:陕西(太白)。

（499）碎木纹尺蛾 *Plagodis pulveraria*（Linnaeus，1758）

分布:陕西(宁陕、柞水)、黑龙江、吉林、河南、甘肃、湖北、江西;蒙古,日本,欧洲。

（500）纤木纹尺蛾 *Plagodis reticulata* Warren，1893

分布：陕西（宁陕）、甘肃、湖南、福建、台湾、广西、四川、云南、西藏；泰国，印度，尼泊尔。

263. 丸尺蛾属 *Plutodes* Guenée, 1858

（501）黄缘丸尺蛾 *Plutodes costatus*（Butler, 1886）

分布：陕西（宁陕）、湖北、江西、湖南、福建、海南、广西、四川、贵州、云南；印度，尼泊尔。

264. 傲尺蛾属 *Proteostrenia* Warren, 1895

（502）佳傲尺蛾 *Proteostrenia eumimeta* Wehrli, 1936

分布：陕西（宁陕）、四川。

265. 白尖尺蛾属 *Pseudomiza* Butler, 1889

（503）紫白尖尺蛾 *Pseudomiza obliquaria*（Leech, 1897）

分布：陕西（周至、宝鸡、佛坪、宁陕、旬阳、柞水、商南）、甘肃、浙江、湖北、江西、湖南、福建、台湾、海南、广西、四川、云南、西藏；尼泊尔。

266. 皮鹿尺蛾属 *Psilalcis* Warren, 1893

（504）茶担皮鹿尺蛾 *Psilalcis diorthogonia*（Wehrli, 1925）

分布：陕西（留坝）、湖北、湖南、福建、台湾、广东、广西、四川、重庆、贵州、云南、西藏。

267. 碴尺蛾属 *Psyra* Walker, 1860

（505）小斑渣尺蛾 *Psyra falcipennis* Yazaki, 1994

分布：陕西（宁陕）、甘肃、浙江、湖北、湖南、福建、广西、四川、云南；尼泊尔。

（506）四川渣尺蛾 *Psyra szetschwana* Wehrli, 1953

分布：陕西（太白山）、四川、云南。

268. 拉克尺蛾属 *Racotis* Moore, 1887

（507）拉克尺蛾 *Racotis boarmiaria*（Guenée, 1858）

分布：陕西（旬阳）、浙江、江西、湖南、福建、台湾、广东、海南、广西、四川；越南，日本，印度，不丹，斯里兰卡，印度尼西亚，巴布亚新几内亚。

269. 佐尺蛾属 *Rikiosatoa* Inoue，1982

（508）丫佐尺蛾 *Rikiosatoa euphiles*（Prout，L. B.，1916）
分布：陕西（宝鸡、宁陕）、甘肃、青海、四川、西藏；老挝，泰国，缅甸。

270. 芽尺蛾属 *Scionomia* Warren，1901

（509）长突芽尺蛾 *Scionomia anomala*（Butler，1881）
分布：陕西（宁陕）、浙江、湖北、江西、湖南、四川；俄罗斯，日本。

271. 月尺蛾属 *Selenia* Hübner，1823

（510）污月尺蛾 *Selenia sordidaria* Leech，1897
分布：陕西（周至、留坝、宁陕）、甘肃、内蒙古、湖北；俄罗斯，日本。

（511）四月尺蛾 *Selenia tetralunaria*（Hüfnagel，1769）
分布：陕西（宝鸡、宁陕）、内蒙古、甘肃；俄罗斯，朝鲜，日本，欧洲。

272. 黄尾尺蛾属 *Sirinopteryx* Butler，1883

（512）黄尾尺蛾 *Sirinopteryx parallela* Wehrli，1937
分布：陕西（周至、佛坪、宁陕）、甘肃、湖南、广西、四川、云南、西藏。

273. 俭尺蛾属 *Spilopera* Warren，1893

（513）朱俭尺蛾 *Spilopera chui* Stüning，1987
分布：陕西（太白）。

（514）波俭尺蛾秦岭亚种 *Spilopera crenularia lepta* Wehrli，1940
分布：陕西（佛坪、宁陕、柞水）、甘肃、湖北、湖南、云南。

（515）玫缘俭尺蛾 *Spilopera roseimarginaria* Leech，1897
分布：陕西（宝鸡、留坝、宁陕）、甘肃、山西、湖北、湖南、四川。

274. 浮尺蛾属 *Synegia* Guenée，1858

（516）云浮尺蛾西南亚种 *Synegia hadassa subomissa* Wehrli，1939
分布：陕西（周至、佛坪、宁陕）、甘肃、湖北、湖南、江西、福建、四川。

275. 叉线青尺蛾属 *Tanaoctenia* Warren，1894

（517）叉线青尺蛾 *Tanaoctenia dehaliaria*（Wehrli，1936）

分布:陕西(周至、佛坪、宁陕)、内蒙古、山西、甘肃、湖南、海南、四川、云南、西藏;尼泊尔。

276.银瞳尺蛾属 *Tasta* Walker,1863

(518)白银瞳尺蛾 *Tasta argozana* Prout,L. B.,1926
分布:陕西(佛坪、宁陕)、甘肃、湖南、台湾、四川、云南;缅甸。

277.黄蝶尺蛾属 *Thinopteryx* Butler,1883

(519)黄蝶尺蛾 *Thinopteryx crocoptera* (Kollar,1844)
分布:陕西(宁陕)、河南、湖北、江西、湖南、福建、台湾、广东、海南、广西、四川、云南、西藏;朝鲜,韩国,日本,印度,越南,斯里兰卡,马来西亚,印度尼西亚。

278.扭尾尺蛾属 *Tristrophis* Butler,1883

(520)郁尾尺蛾 *Tristrophis veneris* (Butler,1878)
分布:陕西(佛坪、宁陕)、甘肃;俄罗斯,日本。

279.玉臂尺蛾属 *Xandrames* Moore,1868

(521)细玉臂尺蛾川滇亚种 *Xandrames albofasciata tromodes* Wehrli,1943
分布:陕西(留坝、佛坪、宁陕)、河南、甘肃、湖北、江西、湖南、福建、四川、云南、西藏;泰国,印度,尼泊尔。

(522)黑玉臂尺蛾 *Xandrames dholaria* Moore,1868
分布:陕西(留坝、佛坪、宁陕)、河南、甘肃、浙江、湖北、湖南、福建、台湾、广东、广西、四川、贵州、云南、西藏;朝鲜,韩国,日本,越南,印度,尼泊尔。

(523)折玉臂尺蛾 *Xandrames latiferaria* (Walker,1860)
分布:陕西(宁陕)、浙江、湖北、江西、湖南、福建、台湾、广东、海南、四川、贵州、云南、西藏;泰国,日本,尼泊尔,印度,印度尼西亚,加里曼丹岛。

十一、舟蛾科 Notodontidae

(一)蕊舟蛾亚科 Dudusinae

280.蕊舟蛾属 *Dudusa* Walker,1865

(524)著蕊舟蛾 *Dudusa nobilis* Walker,1865

　　分布:陕西(太白山)、北京、浙江、湖北、台湾、海南、广西;越南,泰国。

(525) 黑蕊舟蛾 *Dudusa sphingiformis* Moore, 1872

　　分布:陕西(周至、太白、佛坪、宁陕)、北京、河北、山东、河南、甘肃、浙江、湖北、江西、湖南、福建、广西、四川、贵州、云南;朝鲜,日本,越南,缅甸,印度。

281. 星舟蛾属 *Euhampsonia* Dyar, 1897

(526) 黄二星舟蛾 *Euhampsonia cristata* (Butler, 1877)

　　分布:陕西(留坝、佛坪、汉中、宁陕、紫阳、柞水)、黑龙江、吉林、辽宁、内蒙古、北京、河北、山西、山东、河南、甘肃、江苏、安徽、浙江、湖北、江西、湖南、台湾、海南、四川、云南;俄罗斯,朝鲜,日本,缅甸。

(527) 锯齿星舟蛾秦岭亚种 *Euhampsonia serratifera viridiflavescens* Schintlmeister, 2008

　　分布:陕西(周至、佛坪)、北京、湖北。

(528) 辛氏星舟蛾 *Euhampsonia sinjaevi* Schintlmeister, 1997

　　分布:陕西(周至、太白、宁陕)、甘肃、湖北、湖南、四川、云南;越南。

(529) 银二星舟蛾 *Euhampsonia splendida* (Oberthür, 1880)

　　分布:陕西(铜川、太白、留坝、镇巴、佛坪、宁陕、柞水)、黑龙江、吉林、辽宁、北京、河北、山东、河南、浙江、湖北、湖南;俄罗斯,朝鲜,日本。

282. 钩翅舟蛾属 *Gangarides* Moore, 1865

(530) 钩翅舟蛾 *Gangarides dharma* Moore, 1865

　　分布:陕西(太白、留坝、佛坪、柞水)、辽宁、北京、甘肃、浙江、湖北、江西、湖南、福建、海南、香港、广西、四川、云南、西藏;朝鲜,越南,泰国,缅甸,印度,孟加拉国。

283. Genus *Netria* Walker, 1855

(531) *Netria multispinae nigrescens* Schintlmeister, 2006

　　分布:陕西、福建、海南、湖北、湖南、江西、四川、浙江。

(532) *Netria viridescens continentalis* Schintlmeister, 2006

　　分布:陕西、海南、湖南、江西、香港、台湾、广西;柬埔寨,印度,老挝,尼泊尔,泰国,越南。

284. 银斑舟蛾属 *Tarsolepis* Butler，1872

（533）肖银斑舟蛾 *Tarsolepis japonica* Wileman *et* South，1917
　　分布：陕西（旬阳）、江苏、浙江、湖北、福建、台湾、海南、广西、贵州、云南；韩国，日本。

285. 窦舟蛾属 *Zaranga* Moore，1884

（534）点窦舟蛾 *Zaranga citrinaria* Gaede，1930
　　分布：陕西（周至、佛坪）、甘肃、湖北、四川、云南。

（535）图库窦舟蛾 *Zaranga tukuringra* Streltzov *et* Yakovlev，2007
　　分布：陕西（太白、留坝、佛坪、宁陕、黄龙）、山西、甘肃、湖北、四川、云南、西藏；韩国，越南，印度。

（二）广舟蛾亚科 Platychasminae

286. 广舟蛾属 *Platychasma* Butler，1881

（536）黄带广舟蛾 *Platychasma flavida* Wu *et* Fang，2003
　　分布：陕西（太白、佛坪）、湖北。

（三）角茎舟蛾亚科 Biretinae

287. 篦舟蛾属 *Besaia* Walker，1865

（537）橙篦舟蛾 *Besaia*（*Besaia*）*aurantiistriga*（Kiriakoff，1962）
　　分布：陕西（太白）、四川。

（538）竹篦舟蛾 *Besaia*（*Besaia*）*goddrica*（Schaus，1928）
　　分布：陕西（宁陕）、江苏、浙江、江西、湖南、福建、广东、四川；越南，泰国。

（539）多点篦舟蛾 *Besaia*（*Besaia*）*multipunctata* Schintlmeister，2008
　　分布：陕西（周至）。

（540）穆篦舟蛾 *Besaia*（*Besaia*）*murzini* Schintlmeister，2008
　　分布：陕西（周至、宁陕）、四川。

（541）枯舟蛾 *Besaia*（*Curuzza*）*frugalis*（Leech，1898）
　　分布：陕西（太白）、浙江、四川、云南。

（542）顶偶舟蛾 *Besaia*（*Ogulina*）*apicalis*（Kiriakoff，1962）
　　分布：陕西（太白山）、云南；尼泊尔。

（543）黑偶舟蛾秦岭亚种 *Besaia*（*Ogulina*）*melanius aethiops* Schintlmeister *et* Fang，2001

　　　分布：陕西（佛坪）。

（544）荣邻偶舟蛾大陆亚种 *Besaia*（*Subogulina*）*ronkayorum congrua* Schintlmeister，2008

　　　分布：陕西（宁陕，大巴山）、四川、湖北。

288．角茎舟蛾属 *Bireta* Walker，1856

（545）*Bireta argentea dulcinea* Schintlmeister，2008

　　　分布：陕西。

（546）依角茎舟蛾 *Bireta extortor* Schintlmeister，2008

　　　分布：陕西（宁陕，大巴山）。

（547）*Bireta theodosius felicitas* Schintlmeister，2008

　　　分布：陕西。

289．旋茎舟蛾属 *Liccana* Kiriakoff，1962

（548）淡黄旋茎舟蛾 *Liccana substraminea*（Kiriakoff，1962）

　　　分布：陕西（太白山）、江苏、湖北。

290．拟皮舟蛾属 *Mimopydna* Matsumura，1924

（549）尖拟皮舟蛾 *Mimopydna cuspida* Wu *et* Fang，2002

　　　分布：陕西（宁陕）、甘肃。

（550）玛拟皮舟蛾 *Mimopydna magna* Schintlmeister，1997

　　　分布：陕西（宁陕，大巴山）、湖北；越南。

（551）黄拟皮舟蛾秦岭亚种 *Mimopydna sikkima stueningi*（Schintlmeister，1989）

　　　分布：陕西（太白）。

291．纤舟蛾属 *Periergos* Kiriakoff，1959

（552）皮纤舟蛾 *Periergos magna*（Matsumura，1920）

　　　分布：陕西（秦岭）、福建、台湾、广东、广西、四川、云南。

292．Genus *Saliocleta* Walker，1862

（553）*Saliocleta dabashanica*（Schintlmeister，2002）

分布:陕西、甘肃。

293．角瓣舟蛾属 *Torigea* Matsumura，1934

（554）银纹角瓣舟蛾 *Torigea argentea* Schintlmeister，1997
　　分布:陕西(佛坪，大巴山)、湖南、云南；越南。

（555）短纹角瓣舟蛾 *Torigea astrae* Schintlmeister *et* Fang，2001
　　分布:陕西(周至、佛坪)。

（556）中国角瓣舟蛾 *Torigea sinensis*（Kiriakoff，1962）
　　分布:陕西(太白山)、四川。

（四）蚁舟蛾亚科 Stauropinae

294．Genus *Betashachia* Matsumura，1925

（557）*Betashachia angustipennis punctata* Schintlmeister，2002
　　分布:陕西。

295．二尾舟蛾属 *Cerura* von Schrank，1802

（558）杨二尾舟蛾大陆亚种 *Cerura erminea menciana* Moore，1877
　　分布:陕西(佛坪)，除台湾(台湾亚种)、甘肃、四川、云南(滇缅亚种)外的
　　广大地区。

296．灰舟蛾属 *Cnethodonta* Staudinger，1887

（559）显灰舟蛾 *Cnethodonta dispicio* Schintlmeister，2008
　　分布:陕西(周至、佛坪、宁陕，大巴山)、甘肃、湖南、四川。

（560）灰舟蛾 *Cnethodonta grisescens* Staudinger，1887
　　分布:陕西(太白、留坝、佛坪、宁陕)、黑龙江、吉林、辽宁、北京、河北、山
　　西、甘肃、浙江、湖北、福建、江西、湖南、福建、台湾、广西、四川；俄罗斯，
　　朝鲜，日本。

（561）疹灰舟蛾秦岭亚种 *Cnethodonta pustulifer famelica* Schintlmeister，2008
　　分布:陕西(太白、宁陕，大巴山)。

297．纷舟蛾属 *Fentonia* Butler，1881

（562）曲纷舟蛾 *Fentonia excurvata*（Hampson，1893）
　　分布:陕西(宁陕)、江西、福建、海南、广西、四川、云南；越南，老挝，泰国，

印度，尼泊尔。

（563）大涟纷舟蛾 *Fentonia macroparabolica* **Nakamura，1973**
分布：陕西（宁陕）、甘肃、台湾、广东。

（564）栎纷舟蛾 *Fentonia ocypete*（**Bremer，1861**）
分布：陕西（太白、留坝、佛坪、宁陕）、黑龙江、吉林、北京、山西、甘肃、江苏、浙江、湖北、江西、湖南、福建、广西、四川、重庆、贵州、云南；俄罗斯，朝鲜，日本。

298．燕尾舟蛾属 *Furcula* Lamarck，1816

（565）燕尾舟蛾间亚种 *Furcula furcula intercalaris*（**Grum-Grshimailo，1900**）
分布：陕西（留坝、宁陕）、甘肃。

299．纺舟蛾属 *Fusadonta* Matsumura，1920

（566）阿纺舟蛾 *Fusadonta atra* **Kobayashi，Kishida *et* Wang，2008**
分布：陕西（宁陕）、江西、福建、广东。

300．枝舟蛾属 *Harpyia* Ochsenheimer，1810

（567）异瓣枝舟蛾 *Harpyia asymmetria* **Schintlmeister *et* Fang，2001**
分布：陕西（周至、佛坪）。

（568）*Harpyia nadiae* **Morozov，2013**
分布：陕西、江西、四川、云南；越南。

（569）小斑枝舟蛾 *Harpyia tokui*（**Sugi，1977**）
分布：陕西（周至）、浙江；日本。

301．邻二尾舟蛾属 *Kamalia* Kocak *et* Kemal，2006

（570）白邻二尾舟蛾 *Kamalia tattakana*（**Matsumura，1927**）
分布：陕西（佛坪）、江苏、浙江、湖北、湖南、台湾、四川、云南；日本，越南，缅甸。

302．云舟蛾属 *Neopheosia* Matsumura，1920

（571）云舟蛾 *Neopheosia fasciata*（**Moore，1888**）
分布：陕西（太白、佛坪、宁陕）、北京、河南、甘肃、浙江、湖北、江西、湖南、福建、台湾、广东、海南、广西、四川、贵州、云南、西藏；日本，越南，泰国，缅甸，印度，菲律宾，马来西亚，印度尼西亚。

303.　刹舟蛾属 *Parachadisra* Gaede，1930

（572）白缘刹舟蛾 *Parachadisra atrifusa*（Hampson，1897）
　　　分布：陕西（佛坪）、河南、浙江、湖南、福建、广西；越南，印度。

304.　涟舟蛾属 *Shachia* Matsumura，1919

（573）艾涟舟蛾 *Shachia eingana*（Schaus，1928）
　　　分布：陕西（周至、佛坪、宁陕）、河南、湖北、四川。

305.　蚁舟蛾属 *Stauropus* Germar，1812

（574）茅莓蚁舟蛾 *Stauropus basalis* Moore，1877
　　　分布：陕西（周至、太白、留坝、佛坪）、北京、河北、山西、山东、甘肃、江苏、
　　　浙江、湖北、江西、湖南、福建、台湾、广西、四川、贵州、云南；俄罗斯，朝
　　　鲜，日本，越南。

（575）苹蚁舟蛾 *Stauropus fagi*（Linnaeus，1758）
　　　分布：陕西（太白、留坝）、吉林、内蒙古、山西、甘肃、浙江、广西、四川；俄罗
　　　斯，朝鲜，日本。

（576）花蚁舟蛾 *Stauropus picteti* Oberthür，1911
　　　分布：陕西（宁陕）、甘肃、湖南、四川。

（577）司寇蚁舟蛾 *Stauropus skoui* Schintlmeister，2008
　　　分布：陕西（周至、佛坪、宁陕，大巴山）、湖北、四川。

306.　胯舟蛾属 *Syntypistis* Turner，1907

（578）葩胯舟蛾 *Syntypistis parcevirens*（de Joannis，1929）
　　　分布：陕西（留坝、宁陕）、河南、甘肃、湖北、湖南、福建、四川、云南；越南，
　　　缅甸。

（579）普胯舟蛾 *Syntypistis pryeri*（Leech，1899）
　　　分布：陕西（太白、留坝）、甘肃、浙江、湖北、湖南、福建、台湾、广西、四川、
　　　云南；朝鲜，日本。

（580）希胯舟蛾 *Syntypistis sinope* Schintlmeister，2002
　　　分布：陕西（宁陕，大巴山）、广东、广西；越南。

（581）微灰胯舟蛾 *Syntypistis subgriseoviridis*（Kiriakoff，1963）

　　分布：陕西（佛坪、留坝）、甘肃、江苏、浙江、湖北、江西、湖南、广西、四川。

（582）胜胯舟蛾 *Syntypistis victor* **Schintlmeister *et* Fang，2001**
　　分布：陕西（周至、佛坪）、辽宁、北京、河南、湖北。

307. 美舟蛾属 *Uropyia* Staudinger，1892

（583）*Uropyia melli* Schintlmeister，2002
　　分布：陕西。

（584）核桃美舟蛾 *Uropyia meticulodina*（Oberthür，1884）
　　分布：陕西（韩城、太白、留坝、佛坪）、辽宁、吉林、北京、山东、甘肃、江苏、浙江、湖北、江西、湖南、福建、广西、四川、贵州、云南；俄罗斯，朝鲜，日本。

308. 威舟蛾属 *Wilemanus* Nagano，1916

（585）梨威舟蛾 *Wilemanus bidentatus*（Wileman，1911）
　　分布：陕西（凤县、留坝、佛坪、宁陕）、黑龙江、辽宁、北京、河北、山西、山东、河南、江苏、安徽、浙江、湖北、江西、湖南、福建、广东、广西、四川、贵州、云南；俄罗斯，朝鲜，日本。

（五）舟蛾亚科 Notodontinae

309. 林舟蛾属 *Drymonia* Hübner，1819

（586）锯纹林舟蛾中华亚种 *Drymonia dodonides sinensis* **Schintlmeister，1989**
　　分布：陕西（太白山）、黑龙江、吉林、河南。

310. 娓舟蛾属 *Ellida* Grote，1876

（587）布朗娓舟蛾 *Ellida branickii*（Oberthür，1880）
　　分布：陕西（武功、太白、佛坪）、河南、湖北；俄罗斯，朝鲜，日本。

（588）雅娓舟蛾 *Ellida ornatrix* **Schintlmeister *et* Fang，2001**
　　分布：陕西（周至、佛坪）、四川。

311. 同心舟蛾属 *Homocentridia* Kiriakoff，1967

（589）同心舟蛾 *Homocentridia concentrica*（Oberthür，1911）
　　分布：陕西（留坝、宁陕）、河南、甘肃、江苏、浙江、湖北、江西、湖南、福建、四川、云南。

312. 霭舟蛾属 *Hupodonta* Butler, 1877

（590）皮霭舟蛾 *Hupodonta corticalis* Butler, 1877

分布：陕西（周至、佛坪、宁陕）、河南、甘肃、浙江、湖北、湖南、福建、台湾、云南；俄罗斯，朝鲜，日本。

（591）木霭舟蛾 *Hupodonta lignea* Matsumura, 1919

分布：陕西（周至、宁陕）、北京、河南、甘肃、湖南、台湾、四川、云南。

（592）*Hupodonta uniformis* Schintlmeister, 2002

分布：陕西、四川、云南。

313. 冠舟蛾属 *Lophocosma* Staudinger, 1887

（593）中介冠舟蛾 *Lophocosma intermedia* Kiriakoff, 1963

分布：陕西（太白、佛坪）、河南、浙江、湖北、湖南、云南。

（594）弯臂冠舟蛾 *Lophocosma nigrilinea*（Leech, 1899）

分布：陕西（周至）、北京、山西、河南、甘肃、浙江、湖北、台湾、四川。

314. 心舟蛾属 *Metriaeschra* Kiriakoff, 1963

（595）戒心舟蛾 *Metriaeschra zhubajie* Schintlmeister *et* Fang, 2001

分布：陕西（宁陕、周至，大巴山）、甘肃、湖北、湖南、四川。

315. 新林舟蛾属 *Neodrymonia* Matsumura, 1920

（596）连点新林舟蛾 *Neodrymonia seriatopunctata*（Matsumura, 1925）

分布：陕西（太白、宁陕）、河南、浙江、湖南、台湾、海南；越南，泰国，印度，尼泊尔。

316. 雾舟蛾属 *Nephodonta* Sugi, 1980

（597）灰雾舟蛾太白亚种 *Nephodonta tsushimensis taibaiana* Schintlmeister *et* Fang, 2001

分布：陕西（周至、佛坪）、湖北；指名亚种分布在日本。

317. 白边舟蛾属 *Nerice* Walker, 1855

（598）榆白边舟蛾西部亚种 *Nerice davidi alea* Schintlmeister, 2008

分布：陕西（周至、太白、留坝、佛坪）、甘肃。

（599）大齿白边舟蛾 *Nerice upina* Alphéraky, 1892

　　　　分布：陕西（太白山，石泉）、甘肃、青海。

318．舟蛾属 *Notodonta* Ochsenheimer, 1810

（600）黑色舟蛾 *Notodonta musculus*（Kiriakoff, 1963）

　　　　分布：陕西（太白、宁陕）。

（601）瑰舟蛾 *Notodonta roscida* Kiriakoff, 1963

　　　　分布：陕西（太白、佛坪、宁陕）、河南、甘肃、湖北。

（602）烟灰舟蛾 *Notodonta torva*（Hübner, 1803）

　　　　分布：陕西（太白山）、黑龙江、吉林、内蒙古、北京、山西、湖北；俄罗斯，日本，欧洲。

（603）粗舟蛾 *Notodonta trachitso* Oberthür, 1894

　　　　分布：陕西（周至、太白）、甘肃、四川。

319．仿白边舟蛾属 *Paranerice* Kiriakoff, 1963

（604）白边舟蛾 *Paranerice hoenei* Kiriakoff, 1963

　　　　分布：陕西（宁陕）、辽宁、北京、山西、河南、甘肃。

320．内斑舟蛾属 *Peridea* Stephens, 1828

（605）分内斑舟蛾锈色亚种 *Peridea dichroma rubrica* Schintlmeister *et* Fang, 2001

　　　　分布：陕西（周至、太白、留坝、佛坪）、甘肃、湖北、四川、贵州。

（606）厄内斑舟蛾 *Peridea elzet* Kiriakoff, 1963

　　　　分布：陕西（留坝、佛坪、宁陕）、辽宁、北京、山西、河南、甘肃、江苏、浙江、湖北、江西、湖南、福建、四川、云南；朝鲜，日本。

（607）赭小内斑舟蛾 *Peridea graeseri*（Staudinger, 1892）

　　　　分布：陕西（周至、留坝）、黑龙江、吉林、北京、山西、河南、甘肃、湖北、台湾；俄罗斯，朝鲜，日本。

（608）扇内斑舟蛾 *Peridea grahami*（Schaus, 1928）

　　　　分布：陕西（留坝、宁陕）、北京、河北、山西、河南、甘肃、湖北、湖南、台湾、四川、云南；越南，缅甸。

（609）侧带内斑舟蛾中原亚种 *Peridea lativitta interrupta* Kiriakoff, 1963

　　　　分布：陕西（周至、留坝、佛坪）、河南、浙江、湖北、四川；韩国。

（610）卵内斑舟蛾 *Peridea moltrechti*（Oberthür，1911）
　　　分布：陕西（太白山）、黑龙江、吉林、北京、河南、湖南、四川；朝鲜，日本。

321．围掌舟蛾属 *Periphalera* Kiriakoff，1959

（611）黑围掌舟蛾 *Periphalera melanius* Schintlmeister，1997
　　　分布：陕西（周至，大巴山）、湖南、四川、云南；越南。

322．剑舟蛾属 *Pheosia* Hübner，1819

（612）杨剑舟蛾 *Pheosia rimosa* Packard，1864
　　　分布：陕西（太白、宁陕）、黑龙江、吉林、内蒙古、北京、山西、甘肃、新疆、台湾；俄罗斯，朝鲜，日本。

323．夙舟蛾属 *Pheosiopsis* Bryk，1949

（613）岐夙舟蛾 *Pheosiopsis abludo* Schintlmeister *et* Fang，2001
　　　分布：陕西（周至、太白、佛坪，大巴山）、河南、湖北。

（614）心白夙舟蛾 *Pheosiopsis alboaccentuata*（Oberthür，1911）
　　　分布：陕西（周至）、四川。

（615）喜夙舟蛾秦岭亚种 *Pheosiopsis cinerea canescens*（Kiriakoff，1963）
　　　分布：陕西（太白、留坝、佛坪、宁陕）、北京、山西、河南、甘肃、浙江、湖北、湖南、四川、云南。

（616）噶夙舟蛾 *Pheosiopsis gaedei* Schintlmeister，1989
　　　分布：陕西（留坝、宁陕）、河南、浙江、湖北、湖南、云南；越南。

（617）苍白夙舟蛾 *Pheosiopsis inconspicua*（Kiriakoff，1963）
　　　分布：陕西（周至、太白）、山西。

（618）平夙舟蛾 *Pheosiopsis li* Schintlmeister，1997
　　　分布：陕西（周至、太白，大巴山）、河南、云南；越南。

（619）*Pheosiopsis pallidogriseus lassus* Schintlmeister，2008
　　　分布：陕西。

（620）顶夙舟蛾 *Pheosiopsis plutenkoi* Schintlmeister *et* Fang，2001
　　　分布：陕西（周至、佛坪）、河南。

324．岩舟蛾属 *Rachiades* Kiriakoff，1967

（621）苔岩舟蛾陕甘亚种 *Rachiades lichenicolor murzini* Schintlmeister *et*

Fang, 2001

分布:陕西(周至、太白、留坝、佛坪、宁陕)、北京、河南、甘肃、湖北。

325. 半齿舟蛾属 *Semidonta* Staudinger, 1892

(622) 大半齿舟蛾 *Semidonta basalis* (Moore, 1865)

分布:陕西(周至、太白、留坝、洋县、镇巴、宁陕)、河南、甘肃、浙江、湖北、江西、湖南、福建、台湾、广东、海南、广西、四川、云南;越南,泰国,印度,尼泊尔。

326. 沙舟蛾属 *Shaka* Matsumura, 1920

(623) 沙舟蛾 *Shaka atrovittata* (Bremer, 1861)

分布:陕西(太白、佛坪)、黑龙江、吉林、辽宁、北京、河北、山西、河南、甘肃、江西、湖南、台湾、四川、云南;俄罗斯,朝鲜,日本。

(六) 羽齿舟蛾亚科 Ptilodoninae

327. 大齿舟蛾属 *Allodonta* Staudinger, 1887

(624) 大齿舟蛾 *Allodonta plebeja* (Oberthür, 1880)

分布:陕西(留坝、宁陕)、辽宁、北京、河南、甘肃、湖北、云南;俄罗斯,朝鲜。

328. 须舟蛾属 *Barbarossula* Kiriakoff, 1963

(625) 红须舟蛾 *Barbarossula rufibarbis* Kiriakoff, 1963

分布:陕西(太白山)、甘肃。

329. 后齿舟蛾属 *Epodonta* Matsumura, 1922

(626) 后齿舟蛾 *Epodonta lineata* (Oberthür, 1880)

分布:陕西(太白、佛坪、洋县、南郑、宁陕)、河南、甘肃、湖北、江西、湖南、四川、贵州;俄罗斯,朝鲜,日本。

330. 怪舟蛾属 *Hagapteryx* Matsumura, 1920

(627) 珍尼怪舟蛾 *Hagapteryx janae* Schintlmeister *et* Fang, 2001

分布:陕西(周至、留坝、宁陕,大巴山)、河南、四川。

(628) 岐怪舟蛾 *Hagapteryx mirabilior* (Oberthür, 1911)

分布:陕西(太白、留坝)、吉林、北京、甘肃、浙江、湖北、江西、湖南、福建、四川、云南；俄罗斯，朝鲜，日本，越南。

331. 异齿舟蛾属 *Hexafrenum* Matsumura, 1925

(629) 白颈异齿舟蛾 *Hexafrenum leucodera*（Staudinger, 1892）

分布：陕西（留坝、佛坪、宁陕）、黑龙江、吉林、辽宁、北京、山西、河南、甘肃、浙江、湖北、福建、台湾、四川、云南；俄罗斯，朝鲜，日本。

(630) 耳异齿舟蛾 *Hexafrenum otium* Schintlmeister *et* Fang, 2001

分布：陕西（佛坪）。

332. 扁齿舟蛾属 *Hiradonta* Matsumura, 1924

(631) 白纹扁齿舟蛾 *Hiradonta hannemanni* Schintlmeister, 1989

分布：陕西（铜川、太白、留坝、佛坪）、北京、河南、甘肃、浙江、湖北、江西、四川、云南、西藏。

333. 亮舟蛾属 *Megaceramis* Hampson, 1893

(632) 亮舟蛾 *Megaceramis lamprolepis* Hampson, 1893

分布：陕西（周至，大巴山）、湖南、四川、云南；越南，印度，尼泊尔。

334. 小掌舟蛾属 *Microphalera* Butler, 1885

(633) 灰小掌舟蛾中国亚种 *Microphalera grisea vladmurzini*（Schintlmeister, 2008）

分布：陕西（太白、佛坪、宁陕）、山西、甘肃、浙江、四川。

335. 冠齿舟蛾属 *Lophontosia* Staudinger, 1892

(634) 波冠齿舟蛾 *Lophontosia boenischnorum* Schintlmeister, 2008

分布：陕西（周至、宁陕）、四川。

(635) 冠齿舟蛾 *Lophontosia cuculus*（Staudinger, 1887）

分布：陕西（宁陕）、黑龙江、吉林、山西、河南、江苏、浙江；俄罗斯，朝鲜，日本。

(636) 北京冠齿舟蛾 *Lophontosia draesekei* Bang-Haas, 1927

分布：陕西（周至）、北京、甘肃、江苏。

(637) *Lophontosia uteae* Schintlmeister, 2008

分布：陕西。

336．肖齿舟蛾属 *Odontosina* Gaede，1933

（638）陕甘肖齿舟蛾 *Odontosina shaanganensis* Wu *et* Fang，2003
　　分布：陕西(宁陕)、甘肃。

337．羽舟蛾属 *Pterostoma* Germar，1812

（639）红羽舟蛾 *Pterostoma hoennei* Kiriakoff，1963
　　分布：陕西(太白山)、北京、河北、山西、河南、甘肃。

（640）灰羽舟蛾西部亚种 *Pterostoma griseum occidenta* Schintlmeister，2008
　　分布：陕西(太白山)、四川、云南。

（641）槐羽舟蛾 *Pterostoma sinicum* Moore，1877
　　分布：陕西(武功、太白、留坝、宁陕)、辽宁、北京、河北、山西、山东、河南、甘肃、上海、江苏、安徽、浙江、湖北、江西、湖南、福建、广西、四川、云南、西藏；俄罗斯，朝鲜，日本。

338．羽齿舟蛾属 *Ptilodon* Hübner，1822

（642）富羽齿舟蛾 *Ptilodon ladislai*（Oberthür，1879）
　　分布：陕西(太白、宁陕)、黑龙江、辽宁、吉林、甘肃；俄罗斯，朝鲜，日本。

（643）拟粗羽齿舟蛾 *Ptilodon pseudorobusta* Schintlmeister *et* Fang，2001
　　分布：陕西(周至、宁陕，大巴山)、吉林、河南。

（644）绚羽齿舟蛾 *Ptilodon saturata*（Walker，1865）
　　分布：陕西(佛坪、宁陕)、吉林、北京、河北、河南、甘肃、浙江、四川、云南；越南，缅甸，印度，尼泊尔，不丹。

（645）优羽齿舟蛾 *Ptilodon utrius* Schintlmeister，2008
　　分布：陕西(周至、宁陕)。

339．翼舟蛾属 *Ptilophora* Stephens，1828

（646）秦岭翼舟蛾 *Ptilophora ala* Schintlmeister *et* Fang，2001
　　分布：陕西(周至)、四川。

340．华舟蛾属 *Spatalina* Bryk，1949

（647）荫华舟蛾 *Spatalina umbrosa*（Leech，1898）
　　分布：陕西(留坝、宁陕)、黑龙江、河南、湖北、广东、四川、云南；越南，泰国，缅甸，印度，尼泊尔。

341. 土舟蛾属 *Togepteryx* Matsumura, 1920

（648）背黄土舟蛾 *Togepteryx dorsoflavida*（Kiriakoff, 1963）

分布：陕西（周至）。

（649）梅氏土舟蛾 *Togepteryx meyi* Schintlmeister, 2008

分布：陕西（周至、佛坪）。

（七）掌舟蛾亚科 Phalerinae

342. 掌舟蛾属 *Phalera* Hübner, 1819

（650）宽掌舟蛾 *Phalera alpherakyi* Leech, 1898

分布：陕西（太白、留坝、宁陕）、北京、山西、甘肃、江苏、浙江、湖北、福建、广西、四川、云南；越南。

（651）栎掌舟蛾 *Phalera assimilis*（Bremer *et* Grey, 1852）

分布：陕西（周至、太白、留坝、佛坪）、辽宁、北京、河北、山西、河南、甘肃、江苏、浙江、湖北、江西、湖南、福建、台湾、海南、广西、四川、云南；俄罗斯、朝鲜，日本。

（652）埃掌舟蛾 *Phalera elzbietae* Schintlmeister, 2008

分布：陕西（周至、佛坪、宁陕，大巴山）、湖北。

（653）苹掌舟蛾 *Phalera flavescens*（Bremer *et* Grey, 1852）

分布：陕西（太白、留坝、宁陕）、黑龙江、辽宁、北京、河北、山西、山东、河南、甘肃、上海、江苏、浙江、湖北、江西、湖南、福建、台湾、广东、海南、广西、四川、贵州、云南；俄罗斯，朝鲜，日本，缅甸。

（654）壮掌舟蛾 *Phalera hadrian* Schintlmeister, 1989

分布：陕西（佛坪、留坝）、河南、甘肃、浙江、湖北、四川、贵州。

（655）迈小掌舟蛾 *Phalera minor* Nagano, 1916

分布：陕西（留坝）、河南、浙江、湖北、湖南、四川、云南；朝鲜，日本。

（656）拟宽掌舟蛾 *Phalera schintlmeisteri* Wu *et* Fang, 2004

分布：陕西（留坝）、浙江、湖北、湖南、福建、四川、贵州、云南。

（657）脂掌舟蛾 *Phalera sebrus* Schintlmeister, 1989

分布：陕西（留坝）、甘肃、浙江、福建、广东、海南、云南。

（658）榆掌舟蛾 *Phalera takasagoensis* Matsumura, 1919

分布：陕西（佛坪、宁陕）、北京、河北、山东、河南、甘肃、江苏、湖南、台湾；

朝鲜，日本。

343. 蚕舟蛾属 *Phalerodonta* Staudinger, 1892

（659）幽蚕舟蛾 *Phalerodonta inclusa*（Hampson, 1910）
　　分布：陕西（周至）、湖北、台湾；日本，越南，印度，尼泊尔。

（八）扇舟蛾亚科 Pygaerinae

344. 奇舟蛾属 *Allata* Walker, 1862

（660）伪奇舟蛾 *Allata laticostalis*（Hampson, 1900）
　　分布：陕西（留坝、宁陕）、北京、河北、山西、河南、甘肃、浙江、湖北、江西、
　　福建、四川、云南；越南，印度，阿富汗，巴基斯坦。

345. 扇舟蛾属 *Clostera* Samouelle, 1819

（661）短扇舟蛾 *Clostera albosigma curtuloides* Erschov, 1870
　　分布：陕西（宁陕）、黑龙江、吉林、北京、山西、河南、甘肃、青海、云南；俄罗
　　斯，朝鲜，日本，北美洲。

（662）杨扇舟蛾 *Clostera anachoreta*（Denis et Schiffermüller, 1775）
　　分布：陕西（凤县、留坝、佛坪、宁陕），全国各地均有分布（除广西、海南和
　　贵州外）；朝鲜，日本，越南，印度，斯里兰卡，印度尼西亚，欧洲。

（663）分月扇舟蛾 *Clostera anastomosis*（Linnaeus, 1758）
　　分布：陕西（留坝）、黑龙江、吉林、内蒙古、河北、河南、甘肃、新疆、江苏、安
　　徽、浙江、湖北、湖南、福建、四川、贵州、云南；蒙古，俄罗斯，朝鲜，日本，
　　欧洲。

346. 锦舟蛾属 *Ginshachia* Matsumura, 1929

（664）光锦舟蛾秦巴亚种 *Ginshachia phoebe shanguang* Schintlmeister et Fang, 2001
　　分布：陕西（周至、太白、留坝、佛坪、宁陕，大巴山）、甘肃、广西、四川。

347. 谷舟蛾属 *Gluphisia* Boisduval, 1828

（665）杨谷舟蛾细颚亚种 *Gluphisia crenata tristis* Gaede, 1933
　　分布：陕西（太白、留坝、宁陕）、吉林、河北、山西、甘肃、江苏、浙江、湖北、
　　四川、云南。

348. 角翅舟蛾属 *Gonoclostera* Butler，1877

（666）金纹角翅舟蛾 *Gonoclostera argentata*（Oberthür，1914）

分布：陕西（凤县、太白、留坝、宁陕）、北京、河南、甘肃、湖北、湖南、四川、云南。

（667）暗角翅舟蛾 *Gonoclostera denticulata*（Oberthür，1911）

分布：陕西（太白、宁陕）、浙江、四川。

（668）角翅舟蛾 *Gonoclostera timoniorum*（Bremer，1861）

分布：陕西（宁陕）、黑龙江、吉林、辽宁、北京、山东、甘肃、上海、江苏、安徽、浙江、湖北、江西、湖南；俄罗斯，朝鲜，日本。

349. 小舟蛾属 *Micromelalopha* Nagano，1916

（669）内斑小舟蛾 *Micromelalopha dorsimacula* Kiriakoff，1963

分布：陕西（宁陕）、甘肃、云南。

（670）赭小舟蛾 *Micromelalopha haemorrhoidalis* Kiriakoff，1963

分布：陕西（太白、留坝、宁陕、南郑）、内蒙古、北京、甘肃、湖北、四川、云南、西藏。

（671）杨小舟蛾 *Micromelalopha sieversi*（Staudinger，1892）

分布：陕西（太白、宁陕）、黑龙江、吉林、北京、山西、山东、江苏、安徽、浙江、湖北、江西、湖南、四川、云南、西藏；俄罗斯，朝鲜，日本。

350. 金舟蛾属 *Spatalia* Hübner，1819

（672）*Spatalia decorata* Schintlmeister，2002

分布：陕西。

（673）丽金舟蛾 *Spatalia dives* Oberthür，1884

分布：陕西（留坝、宁陕）、黑龙江、吉林、辽宁、河南、湖北、湖南、台湾、贵州；俄罗斯，朝鲜，日本。

（674）艳金舟蛾 *Spatalia doerriesi* Graeser，1888

分布：陕西（太白、留坝、宁陕）、黑龙江、吉林、内蒙古、北京、河南、甘肃、湖北、四川；俄罗斯，朝鲜，日本。

（675）富金舟蛾 *Spatalia plusiotis*（Oberthür，1880）

分布：陕西（宁陕）、黑龙江、吉林、北京、河南、甘肃、浙江、湖北、湖南、四川；俄罗斯，朝鲜。

（九）异舟蛾亚科 Thaumetopoeinae

351．雪舟蛾属 *Gazalina* Walker，1865

（676）三线雪舟蛾 *Gazalina chrysolopha*（Kollar，1844）
　　分布：陕西（宁陕、黎坪）、河南、甘肃、湖北、湖南、海南、广西、四川、贵州、
云南、西藏；印度，巴基斯坦，尼泊尔。

十二、灯蛾科 Arctiidae

（一）苔蛾亚科 Lithosiinae

352．滴苔蛾属 *Agrisius* Walker，1855

（677）滴苔蛾 *Agrisius guttivitta* Walker，1855
　　分布：陕西（留坝、佛坪、宁陕）、河南、甘肃、安徽、浙江、湖北、江西、湖南、
广西、四川；印度。

353．清苔蛾属 *Apistosia* Hübner，1818

（678）点清苔蛾 *Apistosia subnigra*（Leech，1899）
　　分布：陕西（秦岭）、浙江、湖北、湖南、福建、四川、云南。

354．艳苔蛾属 *Asura* Walker，1854

（679）肉色艳苔蛾 *Asura carnea*（Poujade，1886）
　　分布：陕西（周至、佛坪、宁陕）、甘肃、湖北、四川。

（680）褐脉艳苔蛾 *Asura esmia*（Swinhoe，1894）
　　分布：陕西（宁陕）、河南、浙江、湖北、江西、湖南、四川、云南；缅甸。

（681）拟暗脉艳苔蛾 *Asura mentions* Fang，1993
　　分布：陕西（周至、留坝、佛坪、宁陕）、河南、甘肃、湖北。

（682）条纹艳苔蛾 *Asura strigipennis*（Herrich-Schäffer，1855）
　　分布：陕西（佛坪、宁陕）、河南、甘肃、江苏、浙江、湖北、江西、湖南、福建、
台湾、广东、海南、广西、四川、云南、西藏；印度，印度尼西亚。

（683）点艳苔蛾北米亚种 *Asura unipuncta megala* Hampson，1900
　　分布：陕西（周至、宁陕）、北京、河北、河南、山西、山东、湖北、四川。

355．绣苔蛾属 *Asuridia* Hampson，1900

（684）绣苔蛾 *Asuridia carnipicta*（Butler，1877）

分布:陕西(宁陕)、甘肃、浙江、江西、福建、广东、广西、四川、西藏;日本。

356. 金苔蛾属 *Chrysorabdia* Butler,1877

(685) 均带金苔蛾 *Chrysorabdia equivitta* Fang,1986

分布:陕西(宁陕)、河南、四川、云南。

(686) 金苔蛾 *Chrysorabdia viridata*(Walker,1865)

分布:陕西(太白山)、河南、四川、云南。

357. 雪苔蛾属 *Cyana* Walker,1854

(687) 离雪苔蛾 *Cyana abiens* Fang,1992

分布:陕西(秦岭)、甘肃、湖北。

(688) 白颈雪苔蛾 *Cyana albicollis* Fang,1992

分布:陕西(宁陕)、河南、甘肃、四川。

(689) 合雪苔蛾 *Cyana connectilis* Fang,1992

分布:陕西(宁陕、留坝)、甘肃、湖北。

(690) 黄雪苔蛾 *Cyana dohertyi*(Elwes,1890)

分布:陕西(太白山)、河南、四川、云南;印度,尼泊尔。

(691) 优雪苔蛾 *Cyana hamata*(Walker,1854)

分布:陕西(留坝、佛坪)、河南、甘肃、江苏、浙江、湖北、江西、湖南、福建、台湾、广东、海南、广西、四川、贵州、云南;朝鲜,日本。

(692) 明雪苔蛾 *Cyana phaedra*(Leech,1889)

分布:陕西(宁陕)、河南、浙江、湖北、江西、湖南、四川、云南。

(693) 草雪苔蛾 *Cyana pratti*(Elwes,1890)

分布:陕西(宁陕)、辽宁、河北、山西、河南、江苏、浙江、湖北、江西、湖南。

(694) 血红雪苔蛾 *Cyana sanguinea*(Bremer *et* Grey,1853)

分布:陕西(周至、留坝、佛坪)、黑龙江、河北、山西、河南、甘肃、湖北、湖南、台湾、广西、四川、云南。

358. 朵苔蛾属 *Dolgoma* Moore,1878

(695) 圆朵苔蛾 *Dolgoma ovalis* Fang,2000

分布:陕西(太白、留坝、宁陕)。

359. 土苔蛾属 *Eilema* Hübner,1819

(696) 亲土苔蛾 *Eilema affineola*(Bremer,1864)

分布:陕西(宁陕)、河北、山西、河南、甘肃;俄罗斯,朝鲜,日本。

（697）耳土苔蛾 *Eilema auriflua*（Moore, 1878）

分布:陕西(佛坪)、河南、甘肃、浙江、湖北、江西、湖南、福建、广东、广西、四川;印度。

（698）缘点土苔蛾 *Eilema costipuncta*（Leech, 1890）

分布:陕西(秦岭)、山东、河南、安徽、浙江、湖北、江西、湖南、福建、台湾、四川。

（699）筛土苔蛾 *Eilema cribrata*（Staudinger, 1887）

分布:陕西(宁陕)、黑龙江、吉林、甘肃、湖北、广西、四川、云南、西藏;朝鲜,日本。

（700）后褐土苔蛾 *Eilema flavociliata*（Lederer, 1853）

分布:陕西(秦岭)、黑龙江、北京、甘肃、青海。

（701）灰土苔蛾 *Eilema griseola*（Hübner, 1827）

分布:陕西(周至、留坝、宁陕)、黑龙江、吉林、辽宁、北京、山西、山东、甘肃、安徽、浙江、江西、福建、广西、四川、云南;朝鲜,日本,印度,尼泊尔,欧洲。

（702）粉鳞土苔蛾 *Eilema moorei*（Leech, 1890）

分布:陕西(周至、宁陕)、河北、山西、河南、甘肃、浙江、湖北、江西、湖南、四川、云南。

（703）黄土苔蛾 *Eilema nigripoda*（Bremer, 1852）

分布:陕西(宁陕)、河南、上海、浙江;日本。

（704）前痣土苔蛾 *Eilema stigma* Fang, 2000

分布:陕西(留坝、佛坪、宁陕)、甘肃、湖北、福建、广西、四川、云南。

（705）乌土苔蛾 *Eilema ussurica*（Daniel, 1954）

分布:陕西(留坝、佛坪)、黑龙江、辽宁、河北、山西、山东、河南、甘肃、江苏、浙江、湖北、湖南、云南;朝鲜。

360. 荷苔蛾属 *Ghoria* Moore, 1878

（706）银荷苔蛾 *Ghoria albocinerea* Moore, 1878

分布:陕西(太白)、甘肃、湖北、湖南、广西、四川、云南;印度。

（707）窄条荷苔蛾 *Ghoria angustifascia*（Fang, 1986）

分布:陕西(佛坪)、甘肃、四川。

（708）头褐荷苔蛾 *Ghoria collitoides* Butler, 1885

分布:陕西(留坝、佛坪、宁陕)、黑龙江、吉林、辽宁、甘肃、湖北、湖南、台湾、四川、云南;日本。

(709) 头橙荷苔蛾 *Ghoria gigantea*(Oberthür, 1879)

分布:陕西(周至、留坝、佛坪、宁陕)、黑龙江、吉林、辽宁、河北、山西、河南、甘肃、浙江;俄罗斯,朝鲜,日本。

(710) 全黄荷苔蛾 *Ghoria holochrea*(Hampson, 1901)

分布:陕西(周至、留坝、佛坪、宁陕)、甘肃、湖北、江西、湖南、福建、四川。

(711) 锯角荷苔蛾 *Ghoria serrata*(Fang, 1986)

分布:陕西(宁陕)、湖北。

(712) *Ghoria sinotibetica* Dubatolov, Kishida *et* Min, 2012

分布:陕西、广西、四川、云南;泰国。

(713) 土黄荷苔蛾 *Ghoria yuennanica*(Daniel, 1952)

分布:陕西(秦岭)、四川、云南。

361. 佳苔蛾属 *Hypeugoa* Leech, 1899

(714) 黄灰佳苔蛾 *Hypeugoa flavogrisea* Leech, 1899

分布:陕西(留坝、佛坪、宁陕)、河北、山西、山东、河南、甘肃、江苏、浙江、湖北、江西、广西、四川、云南。

362. 分苔蛾属 *Idopterum* Hampson, 1894

(715) 半黄分苔蛾 *Idopterum semilutea*(Wileman, 1911)

分布:陕西(宁陕)、湖南、台湾、四川、云南。

363. 苔蛾属 *Lithosia* Fabricius, 1798

(716) 四点苔蛾 *Lithosia quadra*(Linnaeus, 1758)

分布:陕西(留坝、佛坪、宁陕)、黑龙江、吉林、辽宁、山东、河南、甘肃、湖南、广西、四川、云南;俄罗斯,日本,欧洲。

364. 网苔蛾属 *Macrobrochis* Herrich-Schäffer, 1855

(717) 微闪网苔蛾 *Macrobrochis nigra*(Daniel, 1952)

分布:陕西(留坝、佛坪、宁陕)、甘肃、湖北、四川、云南。

(718) 乌闪网苔蛾 *Macrobrochis staudingeri*(Alphéraky, 1897)

分布:陕西(周至、留坝、佛坪、宁陕)、吉林、河南、甘肃、湖北、江西、湖南、福建、台湾、四川、云南；朝鲜，日本，尼泊尔。

365．美苔蛾属 *Miltochrista* Hübner，1819

（719）异美苔蛾 *Miltochrista aberrans* Butler，1877

分布：陕西（周至、留坝、佛坪、宁陕）、黑龙江、吉林、河南、江苏、浙江、湖北、江西、湖南、福建、台湾、广东、海南、四川；朝鲜，日本。

（720）黑缘美苔蛾 *Miltochrista delineata*（Walker，1854）

分布：陕西（留坝、佛坪、宁陕）、甘肃、江苏、浙江、江西、湖南、台湾、福建、广东、香港、广西、四川、云南。

（721）曲美苔蛾 *Miltochrista flexuosa* Leech，1899

分布：陕西（留坝、佛坪、宁陕）、甘肃、浙江、湖北、湖南、福建、四川、云南。

（722）全轴美苔蛾 *Miltochrista longstriga* Fang，1991

分布：陕西（太白、留坝、宁陕）、甘肃、湖北、湖南、广西、云南。

（723）红边美苔蛾 *Miltochrista marginis* Fang，1991

分布：陕西（留坝、宁陕）、河南、甘肃、湖北、四川。

（724）黄黑脉美苔蛾 *Miltochrista nigrovena* Fang，2000

分布：陕西（宁陕）、河南、湖北。

（725）东方美苔蛾 *Miltochrista orientalis* Daniel，1951

分布：陕西（太白、宁陕）、甘肃、浙江、湖北、江西、福建、台湾、广东、海南、广西、四川、云南、西藏；尼泊尔。

（726）黄边美苔蛾 *Miltochrista pallida*（Bremer，1864）

分布：陕西（太白山）、黑龙江、辽宁、河北、山东、江苏、安徽、浙江、湖北、江西、湖南、福建、台湾、广西、四川、云南；朝鲜，日本。

（727）殊美苔蛾 *Miltochrista pulchra* Butler，1877

分布：陕西（佛坪）、黑龙江、河北、山东、河南、浙江、湖北、江西、福建、广西、四川、云南；朝鲜，日本。

（728）玫美苔蛾 *Miltochrista rosacea*（Bremer，1861）

分布：陕西（周至、留坝、宁陕）、河北、山西、甘肃、湖北、湖南、福建、四川；朝鲜。

（729）红黑脉美苔蛾 *Miltochrista rubrata* Reich，1937

分布：陕西（留坝）、湖北、四川。

（730）优美苔蛾 *Miltochrista striata*（Bremer *et* Grey，1853）

分布：陕西（周至、留坝、佛坪、宁陕）、吉林、河北、山东、河南、甘肃、江苏、浙江、湖北、江西、湖南、福建、广东、海南、广西、四川、云南；日本。

(731) 秦岭美苔蛾 *Miltochrista tsinglingensis* **Daniel, 1951**

　　分布：陕西(宁陕)、甘肃、湖北。

(732) 之美苔蛾 *Miltochrista ziczac*（**Walker, 1856**）

　　分布：陕西(留坝、佛坪)、山西、河南、江苏、浙江、湖北、江西、湖南、福建、台湾、广东、广西、四川、云南。

366. 云彩苔蛾属 *Nudina* **Staudinger, 1887**

(733) 云彩苔蛾 *Nudina artaxidia*（**Butler, 1881**）

　　分布：陕西(留坝)、黑龙江、吉林、河北、山西、甘肃、湖南、台湾、广东、云南；朝鲜，日本。

367. 阳苔蛾属 *Paraheliosia* **Dubatolov, Kishida *et* Wu, 2014**

(734) 红阳苔蛾 *Paraheliosia rufa*（**Leech, 1890**）

　　分布：陕西(留坝)、甘肃、湖北；俄罗斯。

368. 斑苔蛾属 *Parasiccia* **Hampson, 1900**

(735) 迹斑苔蛾 *Parasiccia maculata*（**Poujade, 1886**）

　　分布：陕西(宁陕)、台湾、四川。

369. 泥苔蛾属 *Pelosia* **Hübner, 1827**

(736) 泥苔蛾 *Pelosia muscerda*（**Hüfnagel, 1766**）

　　分布：陕西(留坝、佛坪)、黑龙江、吉林、河南、甘肃、江苏、浙江、江西、湖南、福建、台湾、海南、广西、四川、云南；日本，欧洲。

370. 痣苔蛾属 *Stigmatophora* **Staudinger, 1881**

(737) 甘痣苔蛾 *Stigmatophora conjuncta* **Fang, 1991**

　　分布：陕西(周至、留坝、宁陕)、北京、甘肃、湖北、广西。

(738) 黄痣苔蛾 *Stigmatophora flava*（**Bremer *et* grey, 1853**）

　　分布：陕西(留坝、佛坪)、黑龙江、吉林、辽宁、河北、山西、山东、河南、甘肃、新疆、江苏、浙江、湖北、江西、湖南、福建、台湾、广东、四川、贵州、云南；朝鲜，日本。

(739) 玫痣苔蛾 *Stigmatophora rhodophila*（**Walker, 1864**）

分布:陕西(周至)、黑龙江、吉林、河北、山西、山东、河南、浙江、湖北、江
西、湖南、福建、广西、四川、云南;朝鲜,日本。

（740）红脉痣苔蛾 *Stigmatophora rubivena* **Fang, 1991**

分布:陕西(宁陕)、甘肃、云南。

371. 颚苔蛾属 *Strysopha* **Arora *et* Chaudhury, 1982**

（741）黄颚苔蛾 *Strysopha xanthocraspis*（**Hampson, 1900**）

分布:陕西(宁陕)、山西、甘肃、湖北、福建、云南;印度。

372. 雀苔蛾属 *Tarika* **Moore, 1878**

（742）银雀苔蛾 *Tarika varana*（**Moore, 1866**）

分布:陕西(佛坪、宁陕)、山东、江苏、福建、四川、云南、西藏;印度。

373. 苏苔蛾属 *Thysanoptyx* **Hampson, 1894**

（743）线斑苏苔蛾 *Thysanoptyx brevimacula*（**Alphéraky, 1897**）

分布:陕西(留坝、佛坪、宁陕)、湖北、四川。

（744）流苏苔蛾 *Thysanoptyx fimbriata*（**Leech, 1890**）

分布:陕西(佛坪、宁陕)、甘肃、湖北、湖南、广西、云南、西藏。

（745）圆斑苏苔蛾 *Thysanoptyx signata*（**Walker, 1854**）

分布:陕西(宁陕)、甘肃、浙江、湖北、江西、湖南、福建、广西、四川、云南。

（二）灯蛾亚科 Arctiinae

374. 缘灯蛾属 *Aloa* **Walker, 1855**

（746）红缘灯蛾 *Aloa lactinea*（**Cramer, 1777**）

分布:陕西(留坝)、辽宁、河北、山西、山东、河南、江苏、安徽、浙江、湖北、
江西、湖南、福建、台湾、广东、海南、广西、四川、云南、西藏;朝鲜,日本,
越南,缅甸,印度,尼泊尔,斯里兰卡,印度尼西亚。

375. 鹿蛾属 *Amata* **Fabricius, 1807**

（747）蜀鹿蛾 *Amata davidi*（**Poujade, 1885**）

分布:陕西(留坝)、甘肃、湖北、湖南、四川。

（748）蕾鹿蛾 *Amata germana*（**Felder, 1862**）

分布:陕西(周至、留坝)、河南、云南,华东、华南;日本,印度尼西亚。

（749）牧鹿蛾 *Amata pascus*（Leech，1889）

分布：陕西（留坝）、河南、甘肃、江苏、浙江、湖北、江西、福建、广西、四川、西藏。

376．Genus *Barsine* Walker，1854

（750）*Barsine deliciosa* Volynkin *et* Cerny，2016

分布：陕西、山西。

377．新鹿蛾属 *Caeneressa* Obraztsov，1957

（751）霍氏新鹿蛾 *Caeneressa hoenei* Obraztsov，1957

分布：陕西（太白山）。

378．丽灯蛾属 *Callimorpha* Latreille，1809

（752）黑白丽灯蛾 *Callimorpha nigralba* Fang，2000

分布：陕西（太白）、西藏。

（753）首丽灯蛾 *Callimorpha principalis*（Kollar，1844）

分布：陕西（留坝）、黑龙江、河南、甘肃、浙江、湖北、江西、湖南、福建、四川、云南、西藏；缅甸，印度，尼泊尔，克什米尔地区。

379．花布灯蛾属 *Camptoloma* Felder，1874

（754）花布灯蛾 *Camptoloma interiorata*（Walker，1864）

分布：陕西（佛坪、宁陕）、黑龙江、辽宁、河北、山东、河南、甘肃、江苏、安徽、浙江、湖北、江西、湖南、福建、广东、广西、四川、云南；日本。

380．新丽灯蛾属 *Chelonia* Oberthür，1883

（755）新丽灯蛾 *Chelonia bieti* Oberthür，1883

分布：陕西（周至）、山西、河南、甘肃、浙江、湖北、四川、云南。

381．白雪灯蛾属 *Chionarctia* Koda，1988

（756）白雪灯蛾 *Chionarctia nivea*（Ménétriès，1859）

分布：陕西（留坝、佛坪、宁陕）、黑龙江、吉林、辽宁、内蒙古、河北、山东、河南、甘肃、浙江、湖北、江西、湖南、福建、广西、四川、贵州、云南；朝鲜，日本。

382. 灰灯蛾属 *Creatonotos* Hübner, 1819

(757) 八点灰灯蛾 *Creatonotos transiens*（Walker, 1855）
分布:陕西(宁陕)、山西、山东、河南、甘肃、江苏、安徽、浙江、湖北、江西、湖南、福建、台湾、广东、海南、广西、四川、贵州、云南、西藏;印度,越南,缅甸,菲律宾,印度尼西亚。

383. 东灯蛾属 *Eospilarctia* Koda, 1988

(758) 褐带东灯蛾 *Eospilarctia lewisii*（Butler, 1885）
分布:陕西(周至、留坝、佛坪)、河南、甘肃、浙江、湖北、湖南、广西、四川、云南;日本。

(759) 赭带东灯蛾 *Eospilarctia nehallenia*（Oberthür, 1911）
分布:陕西(宁陕)、河南、甘肃、台湾、四川、云南。

384. 黄臀灯蛾属 *Epatolmis* Butler, 1877

(760) 黄臀灯蛾 *Epatolmis caesarea*（Goeze, 1781）
分布:陕西(太白山)、黑龙江、吉林、辽宁、内蒙古、河北、山西、山东、河南、江苏、江西、湖南、四川、云南;俄罗斯,日本,土耳其,欧洲。

385. 春鹿蛾属 *Eressa* Walker, 1854

(761) 多点春鹿蛾 *Eressa multigutta*（Walker, 1854）
分布:陕西(佛坪)、甘肃、新疆、湖北、湖南、四川、贵州、云南、西藏;缅甸,印度,尼泊尔。

386. Genus *Hyphantria* Harris, 1841

(762) 美国白蛾 *Hyphantria cunea*（Drury, 1773）
分布:陕西(西安、武功)、吉林、辽宁、北京、天津、河北、山东、河南;日本,朝鲜,韩国,伊朗,欧洲,美洲。

387. 望灯蛾属 *Lemyra* Walker, 1856

(763) 伪姬白望灯蛾 *Lemyra anormala*（Daniel, 1943）
分布:陕西(宁陕)、河南、浙江、湖北、江西、湖南、福建、四川、贵州、云南、西藏;缅甸。

（764）漆黑望灯蛾 *Lemyra infernalis*（Butler，1877）

　　　分布：陕西（留坝、佛坪）、辽宁、北京、河南、甘肃、浙江、湖北、湖南；日本。

（765）淡黄望灯蛾 *Lemyra jankowskii*（Oberthür，1880）

　　　分布：陕西（留坝、佛坪、宁陕）、黑龙江、吉林、辽宁、北京、河北、山西、河南、甘肃、青海、江苏、浙江、湖北、广西、四川、云南、西藏；朝鲜。

（766）梅尔望灯蛾 *Lemyra melli*（Daniel，1943）

　　　分布：陕西（宁陕）、黑龙江、吉林、辽宁、河北、山西、河南、甘肃、浙江、湖北、江西、湖南、广西、四川、云南、西藏；俄罗斯，缅甸。

（767）茸望灯蛾 *Lemyra pilosa*（Rothschild，1910）

　　　分布：陕西（佛坪）、河南、云南；印度。

（768）点线望灯蛾 *Lemyra punctilinea*（Moore，1879）

　　　分布：陕西（宁陕）、甘肃、四川、云南、西藏；印度，尼泊尔，巴基斯坦。

（769）点望灯蛾 *Lemyra stigmata*（Moore，1865）

　　　分布：陕西（宁陕）、湖北、台湾、四川、云南、西藏；缅甸，印度，尼泊尔，巴基斯坦。

388. 篱灯蛾属 *Phragmatobia* Stephens，1828

（770）亚麻篱灯蛾 *Phragmatobia fuliginosa*（Linnaeus，1758）

　　　分布：陕西（留坝）、黑龙江、吉林、辽宁、内蒙古、河北、山西、宁夏、甘肃、青海、新疆、四川；日本，西亚，欧洲，北美洲。

389. Genus *Platarctia* Packard，1864

（771）*Platarctia murzini* Dubatolov，2005

　　　分布：陕西、甘肃。

390. 超灯蛾属 *Preparctia* Hampson，1901

（772）波超灯蛾 *Preparctia buddenbrocki* Kotsch，1929

　　　分布：陕西（太白山）、甘肃。

391. 浑黄灯蛾属 *Rhyparioides* Butler，1877

（773）肖浑黄灯蛾 *Rhyparioides amurensis*（Bremer，1861）

　　　分布：陕西（周至、留坝、佛坪）、黑龙江、吉林、辽宁、内蒙古、河北、山西、山东、河南、甘肃、江苏、浙江、湖北、江西、湖南、福建、广西、四川、云南；朝鲜，日本。

392. 污灯蛾属 *Spilarctia* Butler，1875

（774）**净污灯蛾 *Spilarctia alba*（Bremer *et* Grey，1853）**
分布：陕西（周至、留坝、佛坪、宁陕）、吉林、河北、山西、河南、甘肃、浙江、湖北、江西、湖南、福建、广西、四川、贵州、云南；朝鲜。

（775）**金缘污灯蛾 *Spilarctia aurocostata*（Oberthür，1911）**
分布：陕西（宁陕）、四川、云南。

（776）**黑须污灯蛾 *Spilarctia casigneta*（Kollar，1844）**
分布：陕西（留坝、佛坪、宁陕）、河南、甘肃、浙江、湖北、湖南、福建、广西、四川、云南、西藏；印度，克什米尔地区。

（777）**污灯蛾 *Spilarctia lutea*（Hüfnagel，1766）**
分布：陕西（太白山）、黑龙江、吉林、辽宁、河北、内蒙古、新疆；俄罗斯，朝鲜，日本。

（778）***Spilarctia murzini* Dubatolov，2005**
分布：陕西。

（779）**尘污灯蛾 *Spilarctia obliqua*（Walker，1855）**
分布：陕西（太白山）、河南、江苏、浙江、江西、福建、台湾、广东、广西、四川、云南、西藏；朝鲜，日本，缅甸，印度，尼泊尔，不丹，巴基斯坦。

（780）**黑带污灯蛾 *Spilarctia quercii*（Oberthür，1910）**
分布：陕西（宁陕）、山西、河南、甘肃、青海、湖北、湖南、四川、云南。

（781）**强污灯蛾 *Spilarctia robusta*（Leech，1899）**
分布：陕西（周至）、北京、山东、河南、甘肃、江苏、浙江、湖北、江西、湖南、福建、四川、云南。

（782）**连星污灯蛾 *Spilarctia seriatopunctata*（Motschulsky，1861）**
分布：陕西（宁陕）、黑龙江、吉林、江西、福建、四川；朝鲜，日本。

（783）**人纹污灯蛾 *Spilarctia subcarnea*（Walker，1855）**
分布：陕西（留坝）、黑龙江、吉林、辽宁、内蒙古、河北、山西、山东、河南、甘肃、江苏、安徽、浙江、湖北、江西、湖南、福建、台湾、广东、广西、四川、贵州、云南；朝鲜，日本，菲律宾。

393. 雪灯蛾属 *Spilosoma* Curtis，1825

（784）**黄星雪灯蛾 *Spilosoma lubricipedum*（Linnaeus，1758）**

分布:陕西(周至、留坝)、黑龙江、吉林、河北、山西、河南、甘肃、江苏、湖北、湖南、广西、四川、贵州、云南；朝鲜，日本，欧洲。

(785) 红星雪灯蛾 *Spilosoma punctarium* (Stoll, 1782)

分布:陕西(周至、佛坪、宁陕)、黑龙江、吉林、辽宁、北京、河南、甘肃、江苏、安徽、浙江、湖北、江西、湖南、台湾、四川、贵州、云南；俄罗斯，日本。

394. 线灯蛾属 *Spiris* Hübner, 1819

(786) 石楠线灯蛾 *Spiris striata* (Linnaeus, 1758)

分布:陕西(周至)、黑龙江、内蒙古、山西、青海、新疆；俄罗斯，叙利亚，欧洲。

395. 斯灯蛾属 *Streltzovia* Dubatolov *et* Wu, 2008

(787) 斯灯蛾绵山亚种 *Streltzovia caeria mienshanica* (Daniel, 1943)

分布:陕西(秦岭)、黑龙江、辽宁、内蒙古、北京、河北、山西；俄罗斯。

十三、毒蛾科 Lymantriidae

(一)古毒蛾亚科 Orgyinae

396. 丽毒蛾属 *Calliteara* Butler, 1881

(788) 松丽毒蛾 *Calliteara axutha* (Collenette, 1934)

分布:陕西(周至、太白)、河南、浙江、湖北、江西、湖南、福建、广东、广西。

(789) 火丽毒蛾 *Calliteara complicata* (Walker, 1865)

分布:陕西(周至、佛坪)、河南、广西、四川、云南、西藏；印度。

(790) 连丽毒蛾 *Calliteara conjuncta* (Wileman, 1911)

分布:陕西(周至、佛坪、柞水)、黑龙江、吉林、辽宁、内蒙古、北京、河北、山东、河南、安徽、湖北、江西、湖南、福建、四川、云南；俄罗斯，朝鲜，日本。

(791) 结丽毒蛾 *Calliteara lunulata* (Butler, 1877)

分布:陕西(佛坪)、黑龙江、吉林、辽宁、河北、河南、浙江、湖北、湖南、福建、广东；俄罗斯，朝鲜，日本。

(792) 晰结丽毒蛾 *Calliteara oxygnatha* (Collenette, 1936)

分布:陕西(周至、太白)、河南、四川、云南。

(793) 福丽毒蛾 *Calliteara phloeobares* (Collenette, 1938)

分布:陕西(长安、太白、镇巴)、山东、江苏、福建、四川。

（794）瑞丽毒蛾 *Calliteara strigata*（Moore，1879）

　　分布:陕西（周至、太白、宁陕）、湖北、湖南、福建、广西、云南、西藏;印度。

397．肾毒蛾属 *Cifuna* Walker，1855

（795）肾毒蛾 *Cifuna locuples* Walker，1855

　　分布:陕西（周至）、黑龙江、吉林、辽宁、内蒙古、河北、山西、山东、河南、宁夏、甘肃、青海、江苏、安徽、浙江、湖北、江西、湖南、福建、广东、广西、四川、贵州、云南、西藏;俄罗斯,朝鲜,日本,越南,印度。

398．茸毒蛾属 *Dasychira* Hübner，1809

（796）环茸毒蛾 *Dasychira dudgeoni* Swinhoe，1907

　　分布:陕西（太白、佛坪）、江苏、浙江、湖北、湖南、福建、台湾、广东、海南、广西、云南;印度,印度尼西亚。

（797）白纹茸毒蛾 *Dasychira flavimacula* Moore，1865

　　分布:陕西（周至、太白、宁陕）、四川、云南、西藏;印度。

399．棕毒蛾属 *Ilema* Moore，1860

（798）霉棕毒蛾 *Ilema catocaloides*（Leech，1899）

　　分布:陕西（宁陕）、湖北、湖南、四川、云南。

（799）柔棕毒蛾 *Ilema feminula*（Hampson，1891）

　　分布:陕西（佛坪、宁陕）、江苏、浙江、湖北、江西、湖南、福建、四川、云南;印度。

（800）暗棕毒蛾 *Ilema tenebrosa*（Walker，1865）

　　分布:陕西（太白山）、浙江、福建、台湾、云南、西藏;印度。

400．素毒蛾属 *Laelia* Stephens，1827

（801）素毒蛾 *Laelia coenosa*（Hübner，1804）

　　分布:陕西（太白）、黑龙江、吉林、辽宁、内蒙古、河北、山西、山东、河南、江苏、安徽、浙江、湖北、江西、湖南、福建、台湾、广东、广西、云南;俄罗斯,朝鲜,日本,越南,欧洲。

（802）竹素毒蛾 *Laelia pantana* Collenette，1938

　　分布:陕西（太白）、甘肃、四川。

401.斜带毒蛾属 *Numenes* Walker, 1855

(803) 白斜带毒蛾 *Numenes albofascia*（Leech, 1888）

　　分布：陕西（周至）、河南、甘肃、浙江、湖北、湖南、福建、云南；朝鲜，日本。

(804) 叉斜带毒蛾 *Numenes separata* Leech, 1890

　　分布：陕西（周至、留坝）、河南、甘肃、湖北、广西、四川。

402.点足毒蛾属 *Redoa* Walker, 1855

(805) 鹅点足毒蛾 *Redoa anser* Collenette, 1938

　　分布：陕西（太白）、浙江、湖北、江西、湖南、福建、四川。

403.台毒蛾属 *Teia* Walker, 1855

(806) 灰斑台毒蛾 *Teia ericae*（Germar, 1818）

　　分布：陕西（太白）、黑龙江、辽宁、河北、宁夏、甘肃、青海；欧洲。

(807) 角斑台毒蛾 *Teia gonostigma*（Linnaeus, 1767）

　　分布：陕西（太白）、黑龙江、吉林、辽宁、内蒙古、北京、河北、山西、山东、河南、宁夏、甘肃、江苏、浙江、湖北、湖南、贵州；朝鲜，日本，欧洲。

(808) 平纹台毒蛾 *Teia parallela*（Gaede, 1932）

　　分布：陕西（周至、太白）、北京、河北、河南、甘肃、湖北、湖南、四川。

（二）毒蛾亚科 Lymantriinae

404.白毒蛾属 *Arctornis* Germar, 1810

(809) 茶白毒蛾 *Arctornis alba*（Bremer, 1861）

　　分布：陕西（宁陕、柞水）、黑龙江、吉林、辽宁、河北、山东、河南、江苏、安徽、浙江、湖北、江西、湖南、福建、台湾、广东、广西、四川、贵州、云南；俄罗斯，朝鲜，日本。

(810) 雪白毒蛾 *Arctornis nivea* Chao, 1987

　　分布：陕西（柞水）、北京、河南。

405.黄毒蛾属 *Euproctis* Hübner, 1819

(811) 叉带黄毒蛾 *Euproctis angulata* Matsumura, 1927

　　分布：陕西（宁陕）、河南、浙江、湖北、江西、湖南、福建、台湾、广东、广西、西藏。

（812）乌桕黄毒蛾 *Euproctis bipunctapex*（Hampson，1891）

分布：陕西（太白、宁陕）、河南、上海、江苏、浙江、湖北、江西、湖南、福建、台湾、广东、广西、四川、云南、西藏；印度，新加坡。

（813）岩黄毒蛾 *Euproctis flavotriangulata* Gaede，1932

分布：陕西（佛坪、宁陕）、北京、河南、浙江、湖南、福建、四川、云南。

（814）折带黄毒蛾 *Euproctis flava*（Bremer，1861）

分布：陕西（宁陕）、黑龙江、吉林、辽宁、内蒙古、河北、山西、山东、河南、甘肃、江苏、安徽、浙江、湖北、江西、湖南、福建、广东、广西、四川、贵州、云南；俄罗斯，朝鲜，日本。

（815）戟盗毒蛾 *Euproctis kurosawai*（Inoue，1956）

分布：陕西（佛坪）、辽宁、河北、河南、江苏、安徽、浙江、湖北、湖南、福建、台湾、广西、四川；朝鲜，日本。

（816）积带黄毒蛾 *Euproctis leucozona* Collenette，1938

分布：陕西（太白山）、四川、云南、西藏。

（817）梯带黄毒蛾 *Euproctis montis*（Leech，1890）

分布：陕西（周至、太白、留坝、佛坪）、甘肃、江苏、浙江、湖北、江西、湖南、福建、广东、广西、四川、云南、西藏。

（818）云星黄毒蛾 *Euproctis niphonis*（Butler，1881）

分布：陕西（太白山）、黑龙江、吉林、辽宁、内蒙古、河北、山西、山东、河南、浙江、湖北、江西、湖南、四川；俄罗斯，朝鲜，日本。

（819）豆盗毒蛾 *Euproctis piperita*（Oberthür，1880）

分布：陕西（太白）、黑龙江、吉林、辽宁、内蒙古、河北、山西、山东、河南、江苏、安徽、浙江、湖北、江西、湖南、福建、广东、四川；俄罗斯，朝鲜，日本。

（820）漫星黄毒蛾 *Euproctis plana* Walker，1865

分布：陕西（太白）、湖北、江西、湖南、福建、广东、香港、澳门、海南、广西、四川、云南；印度，菲律宾，印度尼西亚。

（821）双线盗毒蛾 *Euproctis scintillans*（Walker，1856）

分布：陕西（太白、宁陕）、河南、浙江、湖南、福建、台湾、广东、广西、四川、云南；缅甸，印度，斯里兰卡，巴基斯坦，新加坡，马来西亚，印度尼西亚。

（822）幻带黄毒蛾 *Euproctis varians*（Walker，1855）

分布：陕西（太白山）、河北、山西、山东、河南、上海、江苏、安徽、浙江、湖北、江西、湖南、福建、台湾、广东、广西、四川、云南；印度，马来西亚。

（823）云黄毒蛾 *Euproctis xuthonepha* Collenette，1938

分布:陕西(周至、太白)、北京、河北、河南、四川。

406. 黄足毒蛾属 *Ivela* Swinhoe, 1903

(824) 黄足毒蛾 *Ivela auripes* (Butler, 1877)
分布:陕西(太白山)、浙江、湖北、江西、湖南、福建、四川;朝鲜,日本。

(825) 榆黄足毒蛾 *Ivela ochropoda* (Eversmann, 1847)
分布:陕西(太白山)、黑龙江、吉林、辽宁、内蒙古、河北、山西、山东、河南;俄罗斯,朝鲜,日本。

407. 雪毒蛾属 *Leucoma* Hübner, 1822

(826) 杨雪毒蛾 *Leucoma candida* (Staudinger, 1892)
分布:陕西(太白山)、黑龙江、吉林、辽宁、河北、山西、山东、河南、甘肃、青海、江苏、安徽、浙江、湖北、江西、湖南、福建、四川、云南;俄罗斯,朝鲜,日本。

408. 毒蛾属 *Lymantria* Hübner, 1819

(827) 络毒蛾 *Lymantria concolor* Walker, 1855
分布:陕西(周至、宁陕)、浙江、湖南、四川、云南、西藏;越南,印度。

(828) 舞毒蛾 *Lymantria dispar* (Linnaeus, 1758)
分布:陕西(宁陕)、黑龙江、吉林、辽宁、内蒙古、河北、山西、山东、河南、宁夏、甘肃、青海、新疆、湖北、湖南;朝鲜,日本,欧洲。

(829) 灰毒蛾秦岭亚种 *Lymantria grisescens goergeneri* Schintlmeister, 2004
分布:陕西(留坝)、北京。

(830) *Lymantria hauensteini ricardae* Schintlmeister, 2004
分布:陕西、河北、河南、江西、福建。

(831) 杧果毒蛾 *Lymantria marginata* Walker, 1855
分布:陕西(太白、镇安)、河南、浙江、福建、广东、广西、四川、云南;印度。

(832) 栎毒蛾 *Lymantria mathura* Moore, 1865
分布:陕西(佛坪、宁陕)、黑龙江、吉林、辽宁、河北、山西、山东、河南、甘肃、江苏、浙江、湖南、湖北、广东、四川、云南;朝鲜,日本,印度。

(833) 扇纹毒蛾 *Lymantria minomonis* Matsumura, 1933
分布:陕西(眉县、宁陕)、江苏、浙江、湖北、江西、湖南、福建、台湾、广西;日本。

（834）模毒蛾 *Lymantria monacha*（Linnaeus，1758）

分布：陕西（周至、宁陕）、黑龙江、吉林、辽宁、河北、山西、山东、河南、甘肃、浙江；日本，欧洲。

（835）虹毒蛾 *Lymantria serva*（Fabricius，1793）

分布：陕西（太白山）、湖北、江西、湖南、福建、台湾、广东、广西、四川、云南；印度，菲律宾，马来西亚。

（836）纭毒蛾秦岭亚种 *Lymantria similis monachoides* Schintlmeister，2004

分布：陕西（太白、佛坪，大巴山）、四川。

409．柏毒蛾属 *Parocneria* Dyar，1897

（837）侧柏毒蛾 *Parocneria furva*（Leech，1888）

分布：陕西（周至、宁陕）、黑龙江、吉林、辽宁、内蒙古、河北、山西、山东、河南、江苏、安徽、浙江、湖北、湖南；日本。

十四、瘤蛾科 Nolidae

（一）瘤蛾亚科 Nolinae

410．Genus *Hampsonola* Laszlo，Ronkay *et* Ronkay，2015

（838）*Hampsonola subbasirufa* Laszlo，Ronkay *et* Ronkay，2015

分布：陕西、云南。

十五、夜蛾科 Noctuidae

（一）毛夜蛾亚科 Pantheinae

411．缤夜蛾属 *Moma* Hübner，1820

（839）缤夜蛾 *Moma alpium*（Osbeek，1778）

分布：陕西（周至、太白、留坝、佛坪、宁陕、柞水）、甘肃、黑龙江、湖北、江西、福建、四川、云南；朝鲜，日本，欧洲。

（840）广缤夜蛾 *Moma tsushimana* Sugi，1982

分布：陕西（旬阳）、湖北、江西；日本。

412．毛夜蛾属 *Panthea* Hübner，1920

（841）毛夜蛾 *Panthea coenobita*（Esper，1785）

　　　分布:陕西(留坝、宁陕)、黑龙江、甘肃。

（842）*Panthea florianii* Behounek，Han *et* Kononenko，2013
　　　分布:陕西。

413. Genus *Tambana* Moore，1882

（843）*Tambana annamica stumpfi* Behounek，Han *et* Kononenko，2015
　　　分布:陕西、广东、广西。

（844）*Tambana nekrasovi* Kononenko，2004
　　　分布:陕西。

414. 后夜蛾属 *Trisuloides* Butler，1881

（845）*Trisuloides becheri* Behounek，Han *et* Kononenko，2011
　　　分布:陕西。

（846）洁后夜蛾 *Trisuloides bella* Mell，1935
　　　分布:陕西(留坝、佛坪、宁陕)、甘肃、浙江、湖南。

（847）白斑后夜蛾 *Trisuloides c-album*（Leech，1900）
　　　分布:陕西(周至、太白、留坝、宁陕)、甘肃、湖北、湖南。

（848）污后夜蛾 *Trisuloides contaminate* Draudt，1937
　　　分布:陕西(太白、佛坪)、山东、浙江、湖南、云南。

（849）后夜蛾 *Trisuloides sericea* Butler，1881
　　　分布:陕西(周至、太白、宁陕、旬阳)、湖北、福建、广西、云南;印度。

（850）黄后夜蛾 *Trisuloides subflava* Wileman，1911
　　　分布:陕西(宁陕)、福建、台湾、四川、云南。

（二）剑纹夜蛾亚科 Acronictinae

415. 剑纹夜蛾属 *Acronicta* Ochsenheimer，1816

（851）白斑剑纹夜蛾 *Acronicta catocaloida*（Graeser，1889）
　　　分布:陕西(太白、留坝)、黑龙江、山西、浙江;俄罗斯，日本。

（852）戟剑纹夜蛾 *Acronicta euphorbiae*（Denis *et* Schiffermüller，1775）
　　　分布:陕西(佛坪)、黑龙江、新疆、河北、山西、西藏;土耳其，欧洲。

（853）桃剑纹夜蛾 *Acronicta intermedia* Warren，1909
　　　分布:陕西(周至、凤县、留坝、佛坪、宁陕)、内蒙古、河北、福建、四川;朝鲜，日本。

（854）晃剑纹夜蛾 *Acronicta leucocuspis*（Butler, 1878）
分布：陕西（佛坪、旬阳）、甘肃、河北、山东、云南；朝鲜，日本。

（855）黄剑纹夜蛾 *Acronicta lutea*（Bremer *et* Grey, 1853）
分布：陕西（佛坪）、黑龙江、河北、甘肃、湖北；朝鲜，日本。

（856）桑剑纹夜蛾 *Acronicta major*（Bremer, 1861）
分布：陕西（周至、太白、佛坪、宁陕、旬阳、柞水）、黑龙江、河南、湖北、湖南、四川、云南；俄罗斯，日本。

（857）小剑纹夜蛾 *Acronicta omorii* Matsumura, 1926
分布：陕西（佛坪、宁陕）、河北；日本。

（858）梨剑纹夜蛾 *Acronicta rumicis*（Linnaeus, 1758）
分布：陕西（周至、太白、佛坪、留坝）、甘肃、新疆、江苏、浙江、湖北、湖南、福建、四川、贵州、云南；欧洲。

（859）紫剑纹夜蛾 *Acronicta subpurpurea*（Matsumura, 1926）
分布：陕西（柞水）、浙江、湖南；日本。

416. 冷靛夜蛾属 *Belciades* Kozhantschikov, 1950

（860）冷靛夜蛾 *Belciades niveola*（Motschulsky, 1866）
分布：陕西（留坝、佛坪、宁陕、柞水）、黑龙江、吉林、河北、甘肃、西藏；日本。

417. 首夜蛾属 *Craniophora* Snellen, 1867

（861）白黑首夜蛾 *Craniophora albonigra*（Herz, 1904）
分布：陕西（太白）、黑龙江、河北、山西、甘肃、湖北、四川；朝鲜。

（862）*Craniophora draudti* Han *et* Kononenko, 2010
分布：陕西。

（863）浊首夜蛾 *Craniophora osbcura* Leech, 1900
分布：陕西（太白、凤县）、山东、贵州、云南。

（864）亮首夜蛾 *Craniophora praeclara*（Graeser, 1890）
分布：陕西（太白）、黑龙江；俄罗斯，日本。

（865）太白山首夜蛾 *Craniophora taipaischana* Draudt, 1950
分布：陕西（太白山）。

418. 青夜蛾属 *Diphtherocome* Warren, 1907

（866）黑条青夜蛾 *Diphtherocome marmorea*（Leech, 1900）

分布：陕西（太白、宁陕）、云南、四川。

（867）饰青夜蛾 *Diphtherocome pallida*（Moore，1867）

分布：陕西（周至、宝鸡、太白、宁陕）、甘肃、四川、云南、西藏；印度。

419．斋夜蛾属 *Gerbathodes* Warren，1911

（868）斋夜蛾 *Gerbathodes angusta*（Butler，1879）

分布：陕西（留坝、宁陕）、甘肃、江西；日本。

420．孔雀夜蛾属 *Nacna* Fletcher，1961

（869）绿孔雀夜蛾 *Nacna malachites*（Oberthür，1880）

分布：陕西（宁陕）、黑龙江、辽宁、山西、河南、甘肃、福建、四川、云南、西藏；俄罗斯，日本，印度。

421．纶夜蛾属 *Thalatha* Walker，1862

（870）纶夜蛾 *Thalatha sinens*（Walker，1857）

分布：陕西（佛坪、宁陕、旬阳）、甘肃、福建、四川、云南；缅甸，印度。

（三）虎蛾亚科 Agaristinae

422．Genus *Alloasteropetes* Kishida *et* Machijima，1994

（871）*Alloasteropetes parallela*（Sugi，1996）

分布：陕西；越南，泰国。

423．彩虎蛾属 *Episteme* Hübner，1820

（872）选彩虎蛾 *Episteme lectrix*（Linnaeus，1764）

分布：陕西（宁陕）、湖北、浙江、江西、台湾、四川、贵州、云南。

424．迷虎蛾属 *Maikona* Matsumura，1928

（873）迷虎蛾 *Maikona jezoensis* Matsumura，1928

分布：陕西（太白）；日本。

425．修虎蛾属 *Sarbanissa* Walker，1865

（874）黄修虎蛾 *Sarbanissa flavida*（Leech，1890）

分布：陕西（太白、宝鸡、留坝、佛坪、宁陕、旬阳）、甘肃、湖北、湖南、四川、云南、西藏。

（875）小修虎蛾 *Sarbanissa mandarina*（Leech，1890）

　　分布：陕西（太白、留坝、宁陕）、甘肃、湖北、四川、云南。

（876）白云修虎蛾 *Sarbanissa transiens*（Walker，1856）

　　分布：陕西（佛坪、宁陕、柞水、镇安）、甘肃、湖南、云南；缅甸，印度，马来西亚，印度尼西亚。

（877）艳修虎蛾 *Sarbanissa venusta*（Leech，1888）

　　分布：陕西（留坝、佛坪、宁陕、商南）、甘肃、江苏、浙江、湖北、四川；朝鲜，日本。

（四）苔藓夜蛾亚科 Bryophilinae

426．苔藓夜蛾属 *Cryphia* Hübner，1818

（878）斑藓夜蛾 *Cryphia granitalis*（Butler，1881）

　　分布：陕西（太白）、黑龙江、河北、山东、甘肃、江苏、浙江、江西、湖南、福建；俄罗斯，日本。

427．Genus *Victrix* Staudinger，1879

（879）*Victrix*（*Micromima*）*sinensis* Han，Kononenko *et* Behounek，2011

　　分布：陕西、浙江、福建、广东。

（五）实夜蛾亚科 Heliothinae

428．铃夜蛾属 *Helicoverpa* Hardwick，1965

（880）棉铃虫 *Helicoverpa armigera*（Hübner，1809）

　　分布：陕西（周至、佛坪、柞水、旬阳），中国广布；世界广布。

（881）烟青虫 *Helicoverpa assulta*（Guenée，1852）

　　分布：陕西（佛坪、山阳），中国广布；朝鲜，日本，缅甸，印度，斯里兰卡，印度尼西亚。

（六）夜蛾亚科 Noctuinae

429．地夜蛾属 *Agrotis* Ochsenheimer，1816

（882）小地老虎 *Agrotis ipsilon*（Hüfnagel，1766）

　　分布：陕西（周至、佛坪），中国广布；世界广布。

（883）黄地老虎 *Agrotis segetum*（Denis *et* Schiffermüller，1775）

分布：陕西（宁陕），中国广布；朝鲜，日本，印度，欧洲，非洲。

430. 组夜蛾属 *Anaplectoides* McDunnough，1929

（884）黄绿组夜蛾 *Anaplectoides virens*（Butler，1878）

分布：陕西（周至、宝鸡、留坝、宁陕、柞水）、黑龙江、甘肃、湖北、云南；朝鲜，日本，印度。

431. 歹夜蛾属 *Diarsia* Hübner，1821

（885）秦歹夜蛾 *Diarsia axiologai* Boursin，1954

分布：陕西（太白）。

（886）棕色歹夜蛾东方亚种 *Diarsia brunnea urupina*（Bryk，1942）

分布：陕西（太白）、黑龙江、山西、四川；俄罗斯。

（887）污歹夜蛾 *Diarsia coenostola* Boursin，1954

分布：陕西（太白）、山西。

（888）芝歹夜蛾 *Diarsia hypographa* Boursin，1954

分布：陕西（太白山）、云南。

432. 图夜蛾属 *Eugraphe* Hübner，1821

（889）烙图夜蛾 *Eugraphe sigma*（Denis *et* Schiffermüller，1775）

分布：陕西（周至、太白、留坝、佛坪）、黑龙江、吉林、甘肃、新疆；日本，欧洲。

433. 切夜蛾属 *Euxoa* Hübner，1821

（890）利切夜蛾 *Euxoa aquilina*（Denis *et* Schffermüller，1775）

分布：陕西（周至）、四川、西藏；亚洲西部，欧洲。

（891）岛切夜蛾 *Euxoa islandica*（Staudinger，1857）

分布：陕西（周至、宁陕）、黑龙江、青海；蒙古，欧洲。

（892）寒切夜蛾 *Euxoa sibirica*（Boisduval，1837）

分布：陕西（宁陕、洋县）、黑龙江、西藏；朝鲜，日本。

434. Genus *Evonima* Walker，1865

（893）*Evonima sinonanlinga* Hu, Laszlo, Ronkay *et* Wang, 2013

分布:陕西、广东、四川。

435. 狭翅夜蛾属 *Hermonassa* Walker, 1865

(894) 茶色狭翅夜蛾 *Hermonassa cecilia* Butler, 1878
分布:陕西(周至、凤县、宁陕)、四川、西藏;日本。

(895) 狭翅夜蛾 *Hermonassa consignata* Walker, 1865
分布:陕西(宁陕)、青海、西藏;印度。

(896) 淡狭翅夜蛾 *Hermonassa pallidula* (Leech, 1900)
分布:陕西(周至、宁陕)、青海、四川、云南、西藏。

(897) 黄绿狭翅夜蛾 *Hermonassa xanthochlora* Boursin, 1967
分布:陕西(周至、宁陕)、甘肃、云南、西藏。

436. Genus *Hydraecia* Guenee, 1841

(898) *Hydraecia franzhoferi* Gyulai, Ronkay *et* Saldaitis, 2011
分布:陕西。

437. Genus *Nekrasovia* Ronkay *et* Varga, 1993

(899) *Nekrasovia sinica* Ronkay *et* Varga, 1997
分布:陕西(太白山)。

438. 络夜蛾属 *Neurois* Hampson, 1903

(900) 络夜蛾 *Neurois nigroviridis* (Walker, 1865)
分布:陕西(留坝)、四川、西藏;印度。

439. 模夜蛾属 *Noctua* Linnaeus, 1758

(901) 波模夜蛾 *Noctua undosa* (Leech, 1889)
分布:陕西(周至、留坝)、甘肃、吉林;日本。

440. 狼夜蛾属 *Ochropleura* Hübner, 1821

(902) 焰色狼夜蛾 *Ochropleura flammatra* (Denis *et* Schiffermüller, 1775)
分布:陕西(周至)、新疆、西藏;印度,亚洲西部,欧洲。

(903) 翠色狼夜蛾 *Ochropleura praecox* (Linnaeus, 1758)
分布:陕西(凤县)、黑龙江、辽宁、河北;蒙古,日本,欧洲。

（904）基角狼夜蛾 *Ochropleura triangularis* Moore，1867
　　　分布：陕西（周至、太白、佛坪、洋县、宁陕）、甘肃、四川、云南、西藏；印度，克什米尔地区。

441. 疆夜蛾属 *Peridroma* Hübner，1821

（905）疆夜蛾 *Peridroma saucia*（Hübner，1808）
　　　分布：陕西（周至、太白、留坝、佛坪、柞水）、宁夏、甘肃、四川、云南、西藏；亚洲西部，欧洲，非洲。

442. Genus *Perinaenia* Butler，1878

（906）*Perinaenia atripunctum* Babics *et* Ronkay，2011
　　　分布：陕西、四川。

443. 扇夜蛾属 *Sineugraphe* Boursin，1954

（907）扇夜蛾 *Sineugraphe disgnosta*（Boursin，1948）
　　　分布：陕西（太白）、黑龙江、河南；日本。

（908）紫棕扇夜蛾 *Sineugrapha exusta*（Butler，1878）
　　　分布：陕西（周至、凤县、太白、佛坪、宁陕）、黑龙江、甘肃、湖北、贵州；俄罗斯，日本。

（909）后扇夜蛾 *Sineugraphe stolidoprocta* Boursin，1954
　　　分布：陕西（太白、留坝、宁陕）、甘肃、浙江。

444. 鲁夜蛾属 *Xesia* Hübner，1818

（910）八字地老虎 *Xestia c-nigrum*（Linnaeus，1758）
　　　分布：陕西，中国广布；朝鲜，日本，印度，欧洲，美洲。

（911）兀鲁夜蛾东方亚种 *Xestia ditrapezium orientalis*（Boursin，1963）
　　　分布：陕西（佛坪、太白）、黑龙江、吉林、内蒙古、新疆、河北、四川；日本。

（912）褐纹鲁夜蛾 *Xestia fuscostigma*（Bremer，1861）
　　　分布：陕西（周至、太白）、黑龙江、河南、湖南；俄罗斯，日本。

（913）大三角鲁夜蛾 *Xestia kollari*（Lederer，1853）
　　　分布：陕西（凤县）、黑龙江、内蒙古、新疆、河北、湖南、江西、云南；俄罗斯，日本。

（914）效鹰鲁夜蛾 *Xestia pseudaccipiter*（Boursin，1948）

分布:陕西(太白)、山西、四川、云南、西藏。

(七)木夜蛾亚科 **Xyleninae**

445. Genus *Agrochola* Hübner, 1821

(915) *Agrochola humidalis* **Ronkay, Ronkay, Gyulai *et* Hacker, 2010**
分布:陕西、湖南、四川。

446. Genus *Antivaleria* Sugi, 1980

(916) *Antivaleria peregovitsi* **Ronkay, Ronkay, Gyulai *et* Hacker, 2010**
分布:陕西。

447. Genus *Daseuplexia* Hampson, 1906

(917) *Daseuplexia pittergabori* **Ronkay, Ronkay, Gyulai *et* Hacker, 2010**
分布:陕西、广西、四川。

448. Genus *Dasypolia* Guenee in Boisduval *et* Guenee, 1852

(918) *Dasypolia nekrasovi* **Ronkay, Ronkay, Gyulai *et* Hacker, 2010**
分布:陕西。

449. Genus *Dryobotodes* Warren in Seitz, 1910

(919) *Dryobotodes angusta weiserti* **Ronkay, Ronkay, Gyulai *et* Hacker, 2010**
分布:陕西。

(920) *Dryobotodes sinjaevi* **Ronkay, Ronkay, Gyulai *et* Hacker, 2010**
分布:陕西。

450. Genus *Eupsilia* Hübner, 1821

(921) *Eupsilia metashyu* **Ronkay, Ronkay, Gyulai *et* Hacker, 2010**
分布:陕西。

(922) *Eupsilia sulphurea* **Ronkay, Ronkay, Gyulai *et* Hacker, 2010**
分布:陕西。

(923) *Eupsilia yoshimotoi* **Ronkay, Ronkay, Gyulai *et* Hacker, 2010**
分布:陕西。

451. Genus *Hyalobole* Warren, 1911

（924）*Hyalobole conistroides* Ronkay, Ronkay, Gyulai *et* Hacker, 2010
分布:陕西。

（925）*Hyalobole medvegymihalyi* Ronkay, Ronkay, Gyulai *et* Hacker, 2010
分布:陕西、湖南、广西。

452. Genus *Jodia* Hübner, 1818

（926）*Jodia nekrasovi* Ronkay, Ronkay, Gyulai *et* Hacker, 2010
分布:陕西。

453. Genus *Litholomia* Grote, 1875

（927）*Litholomia compromissa* Ronkay, Ronkay, Gyulai *et* Hacker, 2010
分布:陕西、四川。

454. Genus *Meganyctycia* Hreblay *et* Ronkay, 1998

（928）*Meganyctycia hanhuilini* Ronkay, Ronkay, Gyulai *et* Hacker, 2010
分布:陕西、湖南、广西、四川。

455. Genus *Owadaglaea* Hacker *et* Ronkay, 1996

（929）*Owadaglaea babicsi* Ronkay, Ronkay, Gyulai *et* Hacker, 2010
分布:陕西。

（930）*Owadaglaea zillii* Ronkay, Ronkay, Gyulai *et* Hacker, 2010
分布:陕西、湖南。

456. Genus *Potnyctycia* Hreblay *et* Ronkay, 1998

（931）*Potnyctycia barna* Ronkay, Ronkay, Gyulai *et* Hacker, 2010
分布:陕西、江西、湖南、广西。

457. Genus *Tiliacea* Tutt, 1896

（932）*Tiliacea lineidistincta* Ronkay, Ronkay, Gyulai *et* Hacker, 2010
分布:陕西。

（八）纷冬夜蛾亚科 Psaphidinae

458. Genus *Benedekia* Ronkay, Ronkay, Gyulai *et* Hacker, 2010

（933）*Benedekia gaudina* Ronkay, Ronkay, Gyulai *et* Hacker, 2010
分布：陕西。

（934）*Beshkovietta indigena* Ronkay, Ronkay, Gyulai *et* Hacker, 2010
分布：陕西。

459. Genus *Psaphida* Walker, 1865

（935）*Psaphida palaearctica* Ronkay, Ronkay, Gyulai *et* Hacker, 2010
分布：陕西、四川。

（九）盗夜蛾亚科 Hadeninae

460. 研夜蛾属 *Aletia* Hübner, 1821

（936）辐研夜蛾 *Aletia radiate*（Bremer, 1861）
分布：陕西（宁陕）、黑龙江、湖南；俄罗斯，朝鲜，日本。

（937）崎研夜蛾 *Aletia salebrosa*（Butler, 1878）
分布：陕西（宁陕）、浙江、湖北、江西、福建、四川；朝鲜，日本。

461. Genus *Anorthoa* Berio, 1981

（938）*Anorthoa biborka* Ronkay, Ronkay, Gyulai *et* Hacker, 2010
分布：陕西。

（939）*Anorthoa polymorpha* Ronkay, Ronkay, Gyulai *et* Hacker, 2010
分布：陕西、江西、四川、福建。

（940）*Anorthoa semifusca* Ronkay, Ronkay, Gyulai *et* Hacker, 2010
分布：陕西。

462. 纬夜蛾属 *Atrachea* Warren, 1911

（941）纬夜蛾 *Atrachea nitens*（Butler, 1878）
分布：陕西（周至）、浙江、湖南；日本。

463. Genus *Conisania* Hampson, 1905

（942）*Conisania clara* Ronkay, Varga *et* Gyulai, 1997

分布:陕西、西藏、四川。

464.翅夜蛾属 *Dypterygia* Stephens, 1829

(943) 暗翅夜蛾 *Dypterygia caliginosa*（Walker, 1858）
分布:陕西（太白）、河北、浙江、湖北、湖南、福建、海南、贵州、云南；日本。

465.盗夜蛾属 *Hadena* Schrank, 1802

(944) 梳跗盗夜蛾 *Hadena aberrans*（Eversmann, 1856）
分布:陕西（太白）、黑龙江、山东；日本。

466. Genus *Harutaeographa* Yoshimoto, 1993

(945) *Harutaeographa odavissa* Ronkay, Ronkay, Gyulai *et* Hacker, 2010
分布:陕西。

467.粘夜蛾属 *Leucania* Ochsenheimer, 1816

(946) 双贯粘夜蛾 *Leucania binigrata*（Warren, 1912）
分布:陕西（宁陕）、云南；印度。

(947) 重粘夜蛾 *Leucania duplicate* Bulter, 1889
分布:陕西（佛坪、宁陕）、西藏；印度。

(948) 仿劳粘夜蛾 *Leucania insecuta* Walker, 1865
分布:陕西（周至、太白、佛坪）、河北、江苏、福建、云南；日本。

(949) 白点粘夜蛾 *Leucania loreyi*（Duponchel, 1827）
分布:陕西（柞水）、华中、华东、华南；日本，缅甸，印度，菲律宾，印度尼西亚，大洋洲，欧洲。

468. Genus *Lithopolia* Yoshimoto, 1993

(950) *Lithopolia confusa tsinlinga* Ronkay, Ronkay, Gyulai *et* Hacker, 2010
分布:陕西。

469. Genus *Megaegira* Ronkay, Ronkay, Gyulai *et* Hacker, 2010

(951) *Megaegira monoglypha* Ronkay, Ronkay, Gyulai *et* Hacker, 2010
分布:陕西、湖北、四川。

470．乌夜蛾属 *Melanchra* Hübner，1820

（952）乌夜蛾 *Melanchra persicariae*（Linnaeus，1761）

分布：陕西（周至、太白、留坝、宁陕）、黑龙江、内蒙古、河北、山西、山东、河南、甘肃、四川、云南；日本，欧洲。

471．秘夜蛾属 *Mythimna* Ochsenheimer，1816

（953）曲线秘夜蛾 *Mythimna divergens* Butler，1878

分布：陕西（周至、太白、柞水）、黑龙江；日本。

（954）秘夜蛾 *Mythimna turca*（Linnaeus，1761）

分布：陕西（周至、太白、佛坪）、黑龙江、甘肃、湖北、江西、四川；日本，欧洲。

472．胖夜蛾属 *Orthogonia* C. Felder *et* R. Felder，1862

（955）白斑胖夜蛾 *Orthogonia canimacula* Warren，1911

分布：陕西（宁陕）、浙江、四川。

（956）胖夜蛾 *Orthogonia sera* C. Felder *et* R. Felder，1862

分布：陕西（太白、旬阳）、浙江、江西、四川、云南；日本。

（957）太白胖夜蛾 *Orthogonia tapaishana*（Draudt，1939）

分布：陕西（佛坪、宁陕）、甘肃。

473．Genus *Orthopolia* G. Ronkay *et* L. Ronkay，2001

（958）*Orthopolia*（*Shaanxipolia*）*pallidiscripta* G. Ronkay，L. Ronkay，Gyulai *et* Hacker，2010

分布：陕西。

474．Genus *Orthosia* Ochsenheimer，1816

（959）*Orthosia hoferi* G. Ronkay，L. Ronkay，Gyulai *et* Hacker，2010

分布：陕西。

（960）*Orthosia kalinini* G. Ronkay，L. Ronkay，Gyulai *et* Hacker，2010

分布：陕西。

（961）*Orthosia marmorata* G. Ronkay，L. Ronkay，Gyulai *et* Hacker，2010

分布：陕西。

(962) *Orthosia*（*Monima*）*huberti marci* G. Ronkay, L. Ronkay, Gyulai *et* Hacker, 2010

分布:陕西、福建、江西、四川。

(963) *Orthosia*（*Monima*）*yelai* G. Ronkay, L. Ronkay, Gyulai *et* Hacker, 2010

分布:陕西。

(964) *Orthosia*（*Orthosia*）*perfusca pekarskyi* G. Ronkay, L. Ronkay, Gyulai *et* Hacker, 2010

分布:陕西、四川。

(965) *Orthosia*（*Poporthosia*）*ryrholmi* G. Ronkay, L. Ronkay, Gyulai *et* Hacker, 2010

分布:陕西。

(966) *Orthosia*（*Semiophora*）*reserva* G. Ronkay, L. Ronkay, Gyulai *et* Hacker, 2010

分布:陕西。

475. Genus *Panolis* Hübner, 1821

(967) *Panolis estheri* G. Ronkay, L. Ronkay, Gyulai *et* Hacker, 2010

分布:陕西。

(968) *Panolis ningshan* Wang *et al.*, 2014

分布:陕西。

476. Genus *Perigrapha* Lederer, 1857

(969) *Perigrapha fuscopicta* G. Ronkay, L. Ronkay, Gyulai *et* Hacker, 2010

分布:陕西。

(970) *Perigrapha pekarskyi* Saldaitis, Ivinskis *et* Borth, 2012

分布:陕西、四川。

(971) *Perigrapha subviolacea* G. Ronkay, L. Ronkay, Gyulai *et* Hacker, 2010

分布:陕西。

477. 灰夜蛾属 *Polia* Ochsenheimer, 1816

(972) 逆灰夜蛾 *Polia abnormis* Draudt, 1950

分布:陕西(太白)、山西。

(973) 鹏灰夜蛾 *Polia goliath*（Oberthür, 1880）

分布:陕西(宁陕)、黑龙江、山西、河南、甘肃、湖北、四川;俄罗斯,朝鲜,日本。

(974) 冥灰夜蛾 *Polia mortua*(Staudinger, 1888)
分布:陕西(周至)、黑龙江、内蒙古、甘肃、四川、贵州、云南、西藏;俄罗斯,印度。

(975) 灰夜蛾 *Polia nebulosa*(Hüfnagel, 1766)
分布:陕西(宁陕)、黑龙江、甘肃、青海、新疆、山西;蒙古,朝鲜,日本,欧洲。

478. 拟粘夜蛾属 *Pseudaletia* Franclemont, 1951

(976) 粘虫 *Pseudaletia separata*(Walker, 1865)
分布:陕西(佛坪、宁陕、柞水、山阳),除新疆外全国广布;古北界东部,东南亚,澳大利亚。

479. 陌夜蛾属 *Trachea* Ochsenheimer, 1816

(977) 黑环陌夜蛾 *Trachea melanospila* Kollar, 1844
分布:陕西(留坝、佛坪)、黑龙江、甘肃、湖北、海南、四川、云南;印度。

480. Genus *Xylopolia* Sugi, 1982

(978) *Xylopolia conspicienda* G. Ronkay, L. Ronkay, Gyulai *et* Hacker, 2010
分布:陕西。

(979) *Xylopolia quadra* G. Ronkay, L. Ronkay, Gyulai *et* Hacker, 2010
分布:陕西、四川。

(十)冬夜蛾亚科 Cuculliinae

481. 毛眼夜蛾属 *Blepharita* Hampson, 1907

(980) 长线毛眼夜蛾 *Blepharita longilinea*(Draudt, 1950)
分布:陕西(周至、太白)、山西。

482. 峦冬夜蛾属 *Conistra* Hübner, 1821

(981) 褐峦冬夜蛾 *Conistra castaneofasciata* Motschulsky, 1861
分布:陕西(太白)、黑龙江、云南;俄罗斯,韩国,日本。

483. 冬夜蛾属 *Cucullia* Schrank，1802

（982）碧眼冬夜蛾 *Cucullia argentea*（**Hüfnagel，1766**）

　　分布:陕西（周至）、黑龙江、内蒙古、新疆、河北、西藏;日本，欧洲。

（983）黑纹冬夜蛾 *Cucullia asteris*（**Denis *et* Schiffermüller，1775**）

　　分布:陕西（周至）、黑龙江、新疆、河北、四川;蒙古，日本，欧洲。

（984）白纹冬夜蛾 *Cucullia mandschuriae* **Oberthür，1884**

　　分布:陕西（凤县、太白、柞水）、黑龙江、湖南;俄罗斯，日本。

（985）贯冬夜蛾 *Cucullia perforate* **Bremer，1861**

　　分布:陕西（佛坪）、黑龙江、河北、山东、福建;俄罗斯，朝鲜，日本。

484. 巨冬夜蛾属 *Meganephria* Hübner，1820

（986）*Meganephria*（*Belosticta*）*uniformis* **G. Ronkay，L. Ronkay，Gyulai *et* Hacker，2010**

　　分布:陕西、四川。

（987）*Meganephria cinerea morosa* **G. Ronkay，L. Ronkay，Gyulai *et* Hacker，2010**

　　分布:陕西、四川。

（988）摊巨冬夜蛾 *Meganephria tancrei*（**Graeser，1889**）

　　分布:陕西（太白）、黑龙江;俄罗斯。

485. Genus *Mniotype* Franclemont，1941

（989）*Mniotype dubiosa amitayus* **Volynkin *et* Han，2014**

　　分布:陕西、四川、西藏、云南、青海、甘肃;不丹，德国。

486. 爪冬夜蛾属 *Oncocnemis* Lederer，1853

（990）野爪冬夜蛾 *Oncocnemis campicola* **Lederer，1853**

　　分布:陕西（周至）、黑龙江、内蒙古、河北、山东、甘肃、新疆;蒙古，俄罗斯。

487. 展冬夜蛾属 *Polymixis* Hübner，1820

（991）*Polymixis chloromixis* **G. Ronkay，L. Ronkay，Gyulai *et* Hacker，2010**

　　分布:陕西、四川、云南。

（992）太白展冬夜蛾 *Polymixis shensiana*（Draudt，1950）
分布：陕西（眉县）、甘肃。

488．美冬夜蛾属 *Xanthia* Ochsenheimer，1816

（993）柳美冬夜蛾 *Xanthia fulvago*（Clerck，1759）
分布：陕西（太白）、黑龙江、山西、新疆；日本，欧洲。

（十一）杂夜蛾亚科 Amphipyrinae

489．炫夜蛾属 *Actinotia* Hübner，1821

（994）间纹炫夜蛾 *Actinotia intermediata*（Bremer，1861）
分布：陕西（太白）、黑龙江、浙江、湖北、湖南、福建、海南、四川、云南；朝
鲜，日本，印度，斯里兰卡。

490．奂夜蛾属 *Amphipoea* Billberg，1820

（995）北奂夜蛾 *Amphipoea ussuriensis*（Petersen，1914）
分布：陕西（留坝）、黑龙江、辽宁、甘肃；日本。

491．杂夜蛾属 *Amphipyra* Ochsenheimer，1816

（996）暗杂夜蛾 *Amphipyra erebina* Butler，1878
分布：陕西（周至、留坝、商南）、黑龙江、甘肃、湖北、云南；朝鲜，日本。

（997）大红裙杂夜蛾 *Amphipyra monolitha* Guenée，1852
分布：陕西（留坝、佛坪、宁陕、柞水）、黑龙江、辽宁、河北、河南、甘肃、湖
北、江西、福建、广东、四川、云南；印度，日本，欧洲。

（998）蔷薇杂夜蛾 *Amphipyra perflua*（Fabricius，1787）
分布：陕西（留坝、宁陕）、黑龙江、新疆、河南、甘肃、江苏、湖北、贵州、云
南；朝鲜，日本，印度，欧洲。

（999）桦杂夜蛾 *Amphipyra schrenkii* Ménétriès，1859
分布：陕西（太白、宁陕）、黑龙江、河南、湖北；朝鲜，日本。

492．Genus *Antapamea* Sugi，1982

（1000）*Antapamea viridifusa* Zilli，Varga，G. Ronkay *et* L. Ronkay，2009
分布：陕西、浙江。

493．秀夜蛾属 *Apamea* Ochsenheimer，1816

（1001）污秀夜蛾 *Apamea anceps*（Denis *et* Schiffermüller，1775）

分布：陕西（太白）、黑龙江；朝鲜，日本，亚洲西部，欧洲。

（1002）亚秀夜蛾 *Apamea askoldis* Oberthür，1880

分布：陕西（周至、太白、宝鸡）、黑龙江、新疆、甘肃、湖北、福建、四川；俄罗斯，日本，印度。

（1003）*Apamea*（*Digitapamea*）*sugii* Zilli，Varga，G. Ronkay *et* L. Ronkay，2009

分布：陕西、甘肃、四川。

（1004）迴秀夜蛾 *Apamea remissa*（Hübner，1809）

分布：陕西（太白）、黑龙江、甘肃、新疆；中亚，欧洲。

494．邪夜蛾属 *Argyrospila* Herrich-Schäffer，1851

（1005）黑脉邪夜蛾 *Argyrospila formosa* Graeser，1889

分布：陕西（太白山）、黑龙江、云南、西藏；俄罗斯。

495．委夜蛾属 *Athetis* Hübner，1821

（1006）白斑委夜蛾 *Athetis albisignata*（Oberthür，1879）

分布：陕西（太白）、黑龙江；俄罗斯，朝鲜，日本。

（1007）线委夜蛾 *Athetis lineosa*（Moore，1881）

分布：陕西（周至、佛坪、宁陕）、甘肃、河北、河南、浙江、湖北、湖南、福建、海南、广西、四川、云南；日本，印度。

496．散纹夜蛾属 *Callopistria* Hübner，1821

（1008）白线散纹夜蛾 *Callopistria albolineola*（Graeser，1889）

分布：陕西（留坝）、黑龙江、河北、甘肃；俄罗斯，日本。

（1009）弧角散纹夜蛾 *Callopistria duplicans* Walker，1858

分布：陕西（佛坪、宁陕、商南）、山东、甘肃、江苏、浙江、江西、福建、台湾、海南、四川；日本，朝鲜，缅甸，印度。

（1010）散纹夜蛾 *Callopistria juventina*（Stoll，1782）

分布：陕西（留坝、佛坪、柞水）、黑龙江、河南、甘肃、江苏、浙江、湖北、江西、湖南、福建、广西、海南、四川；日本，印度，欧洲，美洲。

（1011）红晕散纹夜蛾 *Callopistria replete* **Walker, 1858**

分布:陕西(周至、宁陕)、黑龙江、山西、河南、浙江、湖北、湖南、福建、广西、海南、四川、云南;朝鲜,日本,印度。

497．白夜蛾属 *Chasminodes* Hampson, 1908

（1012）白夜蛾 *Chasminodes albonitens*（**Bremer, 1861**）

分布:陕西(周至、太白)、黑龙江、河北、山西、江苏、浙江、湖南;朝鲜,日本。

（1013）*Chasminodes behouneki* **Kononenko, 2009**

分布:陕西。

（1014）黑痣白夜蛾 *Chasminodes nigrostigma* **Yang, 1964**

分布:陕西(周至、宁陕)、四川。

（1015）雪白夜蛾 *Chasminodes niveus* **Yang, 1964**

分布:陕西(周至、宁陕、柞水)、四川。

498．点夜蛾属 *Condica* Walker, 1856

（1016）楚点夜蛾 *Condica dolorosa* **Walker, 1865**

分布:陕西(周至)、湖南、福建、广东、海南、云南;印度,斯里兰卡,菲律宾,斐济。

499．井夜蛾属 *Dysmilichia* Speiser, 1902

（1017）井夜蛾 *Dysmilichia gemella*（**Leech, 1889**）

分布:陕西(周至)、黑龙江、河北、浙江、福建;朝鲜,日本。

500．希夜蛾属 *Eucarta* Lederer, 1857

（1018）麟角希夜蛾 *Eucarta virgo*（**Treitschke, 1835**）

分布:陕西(佛坪)、黑龙江、内蒙古、湖北;朝鲜,日本,欧洲。

501．锦夜蛾属 *Euplexia* Stephens, 1829

（1019）白斑锦夜蛾 *Euplexia albovittata* **Moore, 1867**

分布:陕西(太白、佛坪、宁陕)、浙江、湖南、福建、海南、四川、云南;印度。

（1020）文锦夜蛾 *Euplexia literata*（**Moore, 1882**）

分布:陕西(宁陕)、甘肃、江苏、浙江、湖北、湖南、江西、海南、云南;日本,印度。

502.东夜蛾属 *Euromoia* Staudinger，1892

（1021）后黄东夜蛾 *Euromoia subpulchra*（Alphéraky，1879）
分布：陕西（太白、佛坪、宁陕）、湖北、福建；朝鲜，日本。

503.遗夜蛾属 *Fagitana* Walker，1865

（1022）宏遗夜蛾 *Fagitana gigantea* Draudt，1950
分布：陕西（太白）、黑龙江、浙江、云南；日本。

504.句夜蛾属 *Goenycta* Hampson，1909

（1023）句夜蛾 *Goenycta niveiguttata*（Hampson，1902）
分布：陕西（太白）、湖南、福建；印度。

505.构夜蛾属 *Gortyna* Ochsenheimer，1816

（1024）基点构夜蛾 *Gortyna basalipunctata* Graeser，1889
分布：陕西（太白山）、黑龙江、四川；俄罗斯，日本，印度。

506.Genus *Hoplodrina* Boursin，1937

（1025）*Hoplodrina minimalis* Kononenko，1997
分布：陕西（太白山）。

507.驳夜蛾属 *Karana* Moore，1882

（1026）白纹驳夜蛾 *Karana germmifera* Walker，1858
分布：陕西（佛坪、宁陕）、甘肃、浙江、福建、四川、云南；印度。

508.Genus *Loscopia* Beck，1992

（1027）*Loscopia scotoptera* Zilli，Varga，G. Ronkay *et* L. Ronkay，2009
分布：陕西、四川。

509.禾夜蛾属 *Oligia* Hübner，1821

（1028）竹笋禾夜蛾 *Oligia vulgaris*（Bulter，1886）
分布：陕西（佛坪）、江苏、湖北、湖南、福建、江西、云南；日本。

510.星夜蛾属 *Perigea* Guenée，1852

（1029）围星夜蛾 *Perigea cyclicoides* Draudt，1950

分布:陕西(太白山)、河北、江苏、浙江、湖南、福建。

511. 衫夜蛾属 _Phlogophora_ Treitschke, 1825

(1030) 福衫夜蛾 _Phlogophora beatrix_ Butler, 1878
分布:陕西(留坝、宁陕)、湖南、西藏;日本。

512. 裙剑夜蛾属 _Polyphaenis_ Boisduval, 1840

(1031) 霉裙剑夜蛾 _Polyphaenis oberthuri_ Staudinger, 1892
分布:陕西(周至、宁陕)、黑龙江、新疆、河南、湖北、福建、四川、云南;俄罗斯,朝鲜。

513. 普夜蛾属 _Prospalta_ Walker, 1857

(1032) 聚星普夜蛾 _Prospalta siderea_ Leech, 1900
分布:陕西(周至)、浙江、湖南、四川。

514. 袭夜蛾属 _Sidemia_ Staudinger, 1892

(1033) 袭夜蛾 _Sidemia bremeri_ (Erschov, 1870)
分布:陕西(太白、佛坪)、黑龙江;俄罗斯,日本。

515. 明夜蛾属 _Sphragifera_ Staudinger, 1892

(1034) 日月明夜蛾 _Sphragifera biplagiata_ (Walker, 1865)
分布:陕西(留坝、佛坪、宁陕、柞水、旬阳、山阳、商南)、河北、河南、甘肃、湖北、湖南、江苏、浙江、福建、贵州;朝鲜,日本。

(1035) 小斑明夜蛾 _Sphragifera mioplaga_ Chen, 1986
分布:陕西(太白、留坝、宁陕)、湖北。

(1036) 丹日明夜蛾 _Sphragifera sigillata_ (Ménétriès, 1859)
分布:陕西(太白、宁陕、柞水)、黑龙江、辽宁、河南、浙江、福建、四川、云南;朝鲜,日本。

516. 灰翅夜蛾属 _Spodoptera_ Guenée, 1852

(1037) 斜纹灰翅夜蛾 _Spodoptera litura_ (Fabricius, 1775)
分布:陕西(宁陕)、山东、甘肃、江苏、浙江、湖南、福建、广东、海南、贵州、云南;亚洲的热带、亚热带地区,非洲。

517. 条夜蛾属 *Virgo* Staudinger, 1892

(1038) 条夜蛾 *Virgo datanidia* (Butler, 1885)
分布:陕西(太白)、黑龙江、浙江、湖南;俄罗斯,日本。

(十二) 丽夜蛾亚科 Chloephorinae

518. 碧夜蛾属 *Bena* Billberg, 1820

(1039) 碧夜蛾 *Bena prasinana* (Linnaeus, 1761)
分布:陕西(周至、佛坪、宁陕、旬阳、柞水、山阳)、内蒙古、甘肃;欧洲。

519. 红衣夜蛾属 *Clethrophora* Hampson, 1894

(1040) 红衣夜蛾 *Clethrophora distincta* (Leech, 1889)
分布:陕西(佛坪、宁陕)、湖北、湖南、浙江、福建、云南、西藏;日本,印度。

520. 钻夜蛾属 *Earias* Hübner, 1825

(1041) 鼎点钻夜蛾 *Earias cupreoviridis* (Walker, 1862)
分布:陕西(佛坪、宁陕)、甘肃、湖北、湖南、浙江、四川、云南、西藏;朝鲜,日本,印度,斯里兰卡,非洲。

521. 砌石夜蛾属 *Gabala* Walker, 1866

(1042) 银斑砌石夜蛾 *Gabala argentata* Butler, 1878
分布:陕西(佛坪)、浙江、湖北、江西、湖南、广东、海南、西藏;朝鲜,日本,缅甸,印度。

522. 粉翠夜蛾属 *Hylophilodes* Hampson, 1912

(1043) 粉翠夜蛾 *Hylophilodes orientalis* (Hampson, 1894)
分布:陕西(宁陕)、浙江、福建、四川;印度。

523. 饰夜蛾属 *Pseudoips* Hübner, 1822

(1044) 矫饰夜蛾 *Pseudoips amarilla* (Draudt, 1950)
分布:陕西(宁陕)、四川、云南。

524. 豹夜蛾属 *Sinna* Walker, 1865

（1045）胡桃豹夜蛾 *Sinna extrema*（Walker, 1854）
　　分布：陕西（太白、佛坪、柞水、商南）、黑龙江、河南、江苏、浙江、湖北、江西、湖南、福建、海南、四川；日本。

（1046）*Sinna graciosa* Kononenko *et* Speidel, 1999
　　分布：陕西（太白山）。

525. 俊夜蛾属 *Westermannia* Hübner, 1821

（1047）佳俊夜蛾 *Westermannia nobilis* Draudt, 1950
　　分布：陕西（留坝、旬阳）、河南、浙江。

（十三）绮夜蛾亚科 Acontiinae

526. 猎夜蛾属 *Eublemma* Hübner, 1821

（1048）桃红猎夜蛾 *Eublemma amasina*（Eversmann, 1842）
　　分布：陕西（太白山）、黑龙江、河北、江苏、湖北；朝鲜，日本，欧洲。

（1049）灰猎夜蛾 *Eublemma arcuinna*（Hübner, 1790）
　　分布：陕西（太白）、黑龙江、内蒙古、新疆、河北、山东；朝鲜，亚洲西部，欧洲。

527. 璃夜蛾属 *Maliattha* Walker, 1863

（1050）丽璃夜蛾 *Maliattha bella*（Staudinger, 1888）
　　分布：陕西（太白、宁陕）、甘肃、湖南；俄罗斯。

（1051）*Maliattha tapaishana* Kononenko, 2000
　　分布：陕西（太白山）。

528. 螟蛉夜蛾属 *Naranga* Moore, 1881

（1052）稻螟蛉夜蛾 *Naranga aenescens* Moore, 1881
　　分布：陕西（太白山）、河北、江苏、湖南、江西、台湾、福建、广西、云南；朝鲜，日本，缅甸，印度尼西亚。

529. 兰纹夜蛾属 *Stenoloba* Staudinger, 1892

（1053）*Stenoloba benedeki* Ronkay, 2001
　　分布：陕西；越南。

（1054）*Stenoloba cineracea* **Kononenko** *et* **Ronkay，2000**

分布：陕西（太白山）、浙江。

（1055）兰纹夜蛾 *Stenoloba jankowskii*（**Oberthür，1884**）

分布：陕西（周至、留坝、佛坪、宁陕、柞水）、黑龙江、甘肃、浙江、云南；俄罗斯，日本。

（1056）海兰纹夜蛾 *Stenoloba marina* **Draudt，1950**

分布：陕西（佛坪、宁陕）、甘肃、浙江、湖南、广东、广西。

（十四）尾夜蛾亚科 Euteliinae

530．殿尾夜蛾属 *Anuga* **Guenée，1852**

（1057）月殿尾夜蛾 *Anuga lunnulata* **Moore，1867**

分布：陕西（宁陕）、河南、甘肃、浙江、湖南、福建、四川、西藏；印度，孟加拉国。

（1058）折纹殿尾夜蛾 *Anuga multiplicans*（**Walker，1858**）

分布：陕西（留坝、宁陕、旬阳、商南）、甘肃、浙江、湖南、福建、广东、海南、四川、贵州、云南；印度，斯里兰卡，新加坡，马来西亚。

531．尾夜蛾属 *Eutelia* **Hübner，1823**

（1059）漆尾夜蛾 *Eutelia geyeri*（**Felder** *et* **Rogenhofer，1874**）

分布：陕西（周至、留坝、佛坪、宁陕、旬阳）、甘肃、江苏、浙江、湖南、江西、福建、四川、云南、西藏；日本，印度。

（1060）钩尾夜蛾 *Eutelia hamulatrix* **Draudt，1950**

分布：陕西（太白山）、河南、安徽、浙江、四川。

（十五）皮夜蛾亚科 Sarrothripinae

532．癣皮夜蛾属 *Blenina* **Walker，1858**

（1061）枫杨癣皮夜蛾 *Blenina quinaria* **Moore，1882**

分布：陕西（太白山）、安徽、浙江、江西、湖南、海南、四川、云南、西藏；印度。

（1062）柿癣皮夜蛾 *Blenina senex*（**Butler，1878**）

分布：陕西（旬阳）、江苏、浙江、江西、湖南、福建、海南、广西、四川、云南；日本。

533. 洼皮夜蛾属 *Nolathripa* Inoue, 1970

（1063）洼皮夜蛾 *Nolathripa lactaria*（Graeser, 1892）
　　分布:陕西(太白、宝鸡、佛坪、宁陕、柞水)、黑龙江、河北、湖南、江西、海南、四川；俄罗斯。

534. 皮夜蛾属 *Nycteola* Hübner, 1822

（1064）皮夜蛾 *Nycteola revayana*（Scopoli, 1772）
　　分布:陕西(太白山)、黑龙江、新疆、江苏、西藏；日本，印度，亚洲西部，欧洲，非洲，美洲。

（十六）裳夜蛾亚科 Catocalinae

535. 封夜蛾属 *Arcte* Kollar, 1844

（1065）苎麻夜蛾 *Arcte coerula*（Guenée, 1852）
　　分布:陕西(宁陕)、河北、山东、浙江、湖北、江西、湖南、福建、广东、海南、四川、云南；日本，印度，斯里兰卡，南太平洋若干岛屿。

536. 关夜蛾属 *Artena* Walker, 1858

（1066）斜线关夜蛾 *Artena dotata*（Fabricius, 1794）
　　分布:陕西(太白山)、河南、江苏、浙江、湖北、江西、湖南、福建、台湾、广东、四川、贵州、云南；缅甸，印度，新加坡。

537. 裳夜蛾属 *Catocala* Schrank, 1802

（1067）白缘光裳夜蛾 *Catocala actaea* Felder *et* Rpgenhofer, 1874
　　分布:陕西(柞水)、湖北；日本。

（1068）白肾裳夜蛾 *Catocala agitatrix* Graeser, 1889
　　分布:陕西(太白、宁陕)、黑龙江、河南；俄罗斯，日本。

（1069）*Catocala agitatrix shaanxiensis* Ishizuka, 2010
　　分布:陕西；韩国。

（1070）布光裳夜蛾 *Catocala butleri* Leech, 1900
　　分布:陕西(周至、留坝、佛坪、宁陕)、甘肃、福建、四川、贵州、云南、西藏。

（1071）鸽光裳夜蛾 *Catocala columbina* Leech, 1900
　　分布:陕西(周至、留坝、佛坪、宁陕、旬阳、柞水)、河南、甘肃、湖北、浙江、四川。

（1072）*Catocala dejeani chogohtoku* Ishizuka，2002

分布：陕西。

（1073）栎光裳夜蛾 *Catocala dissimilis* Bremer，1861

分布：陕西（宝鸡、宁陕、旬阳、柞水）、黑龙江、河北、湖北、云南；俄罗斯，日本。

（1074）茂裳夜蛾 *Catocala doerriesi* Staudinger，1888

分布：陕西（宁陕）、黑龙江、河南、湖北；俄罗斯。

（1075）兴光裳夜蛾 *Catocala eminens* Staudinger，1892

分布：陕西（留坝、佛坪）、黑龙江、甘肃、浙江、湖南。

（1076）*Catocala florianii* Saldaitis *et* Ivinskis，2008

分布：陕西。

（1077）光裳夜蛾东方亚种 *Catocala fulminea chekiangensis*（Mell，1933）

分布：陕西（太白、佛坪、宁陕、旬阳、柞水）、黑龙江、浙江。

（1078）珠光裳夜蛾 *Catocala invasa* Leech，1900

分布：陕西（太白山）、江苏、湖北、四川。

（1079）*Catocala kaki* Ishizuka，2003

分布：陕西。

（1080）*Catocala kuangtungensis chohien* Ishizuka，2002

分布：陕西。

（1081）椴裳夜蛾 *Catocala lara* Bremer，1861

分布：陕西（周至、佛坪、宁陕）、黑龙江、辽宁、河北；朝鲜，日本。

（1082）奇光裳夜蛾 *Catocala mirifica* Butler，1877

分布：陕西（留坝、佛坪）、甘肃、浙江；日本。

（1083）圣光裳夜蛾 *Catocala nagioides*（Wileman，1924）

分布：陕西（佛坪、宁陕）、黑龙江、台湾、云南；日本。

（1084）白光裳夜蛾 *Catocala nivea* Butler，1877

分布：陕西（周至）、浙江、湖南、四川；日本，缅甸，印度，斯里兰卡，印度尼西亚。

（1085）奥裳夜蛾 *Catocala obscena* Alphéraky，1895

分布：陕西（周至）、云南、四川；朝鲜。

（1086）*Catocala obscena baihi* Ishizuka，2003

分布：陕西。

（1087）*Catocala ohshimai* Ishizuka，2001

分布：陕西（商南）。

（1088）鸱裳夜蛾 *Catocala patala* Felder *et* Rogenhofer，1874

分布：陕西（佛坪）、黑龙江、宁夏、浙江、江西、福建；日本，印度。

（1089）鹿裳夜蛾 *Catocala praxeneta* Alphéraky，1895

分布：陕西（宁陕）、黑龙江；蒙古。

（1090）*Catocala seibaldi* Saldaitis，Ivinskis *et* Borth，2010

分布：陕西、甘肃。

（1091）*Catocala sinyaevi* Sviridov，2004

分布：陕西、甘肃。

538．巾夜蛾属 *Dysgonia* Hübner，1823

（1092）玫瑰巾夜蛾 *Dysgonia arctotaenia*（Guenée，1852）

分布：陕西（留坝、佛坪、宁陕、旬阳、商南）、河北、甘肃、江苏、浙江、湖北、台湾、福建、江西、广东、广西、四川、贵州、云南；朝鲜，日本，缅甸，印度，斯里兰卡，孟加拉国，斐济。

（1093）弓巾夜蛾 *Dysgonia arcuata* Moore，1877

分布：陕西（周至）、浙江、台湾、福建、海南；朝鲜，日本，印度，斯里兰卡，印度尼西亚。

（1094）霉巾夜蛾 *Dysgonia maturata*（Walker，1858）

分布：陕西（周至）、山东、河南、甘肃、江苏、浙江、江西、福建、台湾、海南、四川、贵州、云南；朝鲜，日本，印度，马来西亚。

（1095）肾巾夜蛾 *Dysgonia praetermissa*（Warren，1913）

分布：陕西（旬阳）、浙江、湖南、江西、福建、台湾、云南；印度。

（1096）石榴巾夜蛾 *Dysgonia stuposa*（Fabricius，1794）

分布：陕西（留坝、商南）、河北、山东、甘肃、江苏、浙江、湖北、江西、福建、台湾、广东、海南、四川、云南；朝鲜，日本，印度，斯里兰卡，菲律宾，印度尼西亚。

539．耳夜蛾属 *Ercheia* Walker，1858

（1097）雪耳夜蛾 *Ercheia niveostrigata* Warren，1913

分布：陕西（留坝、柞水、旬阳）、甘肃、江苏、浙江、湖南、福建、四川；日本。

540．目夜蛾属 *Erebus* Latrielle，1810

（1098）毛目夜蛾 *Erebus pilosa*（Leech，1900）

分布：陕西（太白、留坝、佛坪、宁陕）、甘肃、浙江、湖北、江西、福建、四川。

541. 变色夜蛾属 *Hypopyra* Guenée, 1852

(1099) 朴变色夜蛾 *Hypopyra feniseca* Guenée, 1852
　　分布:陕西(宁陕)、湖北、福建、广东、四川;印度,印度尼西亚。

542. 毛胫夜蛾属 *Mocis* Hübner, 1823

(1100) 奚毛胫夜蛾 *Mocis ancilla* (Warren, 1913)
　　分布:陕西(周至、佛坪)、黑龙江、河北、山东、河南、甘肃、江苏、浙江、湖南、福建;朝鲜,日本。
(1101) 毛胫夜蛾 *Mocis undata* (Fabricius, 1775)
　　分布:陕西(佛坪)、河北、山东、河南、甘肃、江苏、浙江、江西、湖南、福建、台湾、广东、贵州、云南;朝鲜,日本,缅甸,印度,斯里兰卡,新加坡,菲律宾,印度尼西亚,非洲。

543. 刺裳夜蛾属 *Mormonia* Hübner, 1823

(1102) 晦刺裳夜蛾 *Mormonia abamita* (Bremer et Grey, 1853)
　　分布:陕西(佛坪)、河北、山东、江苏、江西、福建。
(1103) 栎刺裳夜蛾 *Mormonia dula* (Bremer, 1861)
　　分布:陕西(周至、佛坪、宁陕、柞水、旬阳)、黑龙江、内蒙古、河南、甘肃;俄罗斯,日本。

544. 安钮夜蛾属 *Ophiusa* Ochsenheimer, 1816

(1104) 安钮夜蛾 *Ophiusa tirhaca* (Cramer, 1777)
　　分布:陕西(太白山)、山东、江苏、浙江、湖北、江西、福建、广东、海南、广西、四川、贵州、云南;印度,斯里兰卡,菲律宾,亚洲西部,欧洲,非洲。

545. 环夜蛾属 *Spirama* Guenée, 1852

(1105) 绕环夜蛾 *Spirama helicina* (Hübner, 1831)
　　分布:陕西(留坝、佛坪、宁陕、旬阳、柞水)、甘肃、江西;日本。
(1106) 环夜蛾 *Spirama retorta* (Clerck, 1764)
　　分布:陕西(周至、略阳、佛坪、宁陕、柞水、旬阳、商南)、辽宁、山东、河南、甘肃、江苏、浙江、湖北、福建、江西、广东、海南、广西、四川、云南;朝鲜,日本,缅甸,印度,斯里兰卡,马来西亚。

546. 肖毛翅夜蛾属 *Thyas* Hübner, 1824

（1107）庸肖毛翅夜蛾 *Thyas juno* (Dalman, 1823)
分布：陕西（佛坪）、黑龙江、辽宁、河北、山东、河南、甘肃、安徽、浙江、湖北、江西、湖南、福建、海南、四川、贵州、云南；日本，印度。

（十七）强喙夜蛾亚科 Ophiderinae

547. 烦夜蛾属 *Aedia* Hübner, 1823

（1108）白斑烦夜蛾 *Aedia leucomelas* (Linnaeus, 1758)
分布：陕西（佛坪、柞水、旬阳）、甘肃、福建、台湾、广东、海南、广西、四川、贵州、云南；日本，亚洲西部，欧洲，非洲北部。

548. 桥夜蛾属 *Anomis* Hübner, 1821

（1109）连桥夜蛾 *Anomis combinans* (Walker, 1858)
分布：陕西（宁陕）、湖北、广东；斯里兰卡，印度尼西亚，澳大利亚。
（1110）小桥夜蛾 *Anomis flava* (Fabricius, 1775)
分布：陕西（留坝）、内蒙古、山东、河南、甘肃、福建，除西北若干省区外，其他棉区广泛分布；亚洲，欧洲，非洲。
（1111）巨桥夜蛾 *Anomis maxima* Berio, 1956
分布：陕西（周至、太白、宁陕）、甘肃、江苏、浙江、广东。

549. 印夜蛾属 *Bamra* Moore, 1882

（1112）印夜蛾 *Bamra albicola* (Walker, 1858)
分布：陕西（宁陕）、江苏、浙江、湖南、台湾、广东；印度，马来西亚，印度尼西亚。
（1113）洁印夜蛾 *Bamra mundata* (Walker, 1858)
分布：陕西（宁陕）、广东、云南；印度，斯里兰卡，东南亚。

550. 锉夜蛾属 *Blasticorhinus* Butler, 1893

（1114）寒锉夜蛾 *Blasticorhinus ussuriensis* (Bremer, 1861)
分布：陕西（留坝）、黑龙江、甘肃、江苏、浙江、湖南、福建；朝鲜，日本。

551. 畸夜蛾属 *Bocula* Guenée, 1852

（1115）齿斑畸夜蛾 *Bocula quadrilineata* (Walker, 1858)

分布:陕西(佛坪、宁陕)、甘肃、浙江、福建、广西、四川;印度,南太平洋岛屿。

552. 短栉夜蛾属 *Brevipecten* Hampson, 1894

(1116) 胞短栉夜蛾 *Brevipecten consanguis* Leech, 1900

分布:陕西(周至、留坝、佛坪、商南)、山东、甘肃、江苏、湖北、湖南、福建、海南、广西、四川、云南。

553. 壶夜蛾属 *Calyptra* Ochsenheimer, 1816

(1117) 翎壶夜蛾 *Calyptra gruesa* (Draudt, 1950)

分布:陕西(太白、佛坪、宁陕、柞水)、浙江、湖北、湖南;日本。

(1118) 疖角壶夜蛾 *Calyptra minuticornis* (Guenée, 1852)

分布:陕西(周至、留坝、宁陕、柞水)、甘肃、浙江、福建、广东;印度,斯里兰卡,印度尼西亚。

(1119) 壶夜蛾 *Calyptra thalictri* Borkhausen, 1790

分布:陕西(宁陕、柞水)、黑龙江、辽宁、山东、河南、新疆、浙江、福建、四川、云南;朝鲜,日本,欧洲。

554. 客来夜蛾属 *Chrysorithrum* Butler, 1878

(1120) 客来夜蛾 *Chrysorithrum amata* (Bremer et Grey, 1853)

分布:陕西(周至、太白)、黑龙江、辽宁、内蒙古、河北、山东、河南、浙江、福建、云南;朝鲜,日本。

(1121) 筱客来夜蛾 *Chrysorithrum flavomaculata* (Bremer, 1861)

分布:陕西(太白山)、黑龙江、内蒙古、河北、浙江、云南;日本。

555. 斑蕊夜蛾属 *Cymatophoropsis* Hampson, 1894

(1122) 三斑蕊夜蛾 *Cymatophoropsis trimaculata* (Bremer, 1861)

分布:陕西(太白、佛坪、宁陕、旬阳)、黑龙江、河北、山东、甘肃、湖南、福建、广西、云南;朝鲜,日本。

(1123) 大斑蕊夜蛾 *Cymatophoropsis unca* (Houlbert, 1921)

分布:陕西(商南)、浙江、湖北、江西、四川、云南、西藏;朝鲜,日本。

556. 尺夜蛾属 *Dierna* Walker, 1859

(1124) 红尺夜蛾 *Dierna timandra* Alphéraky, 1897

分布:陕西(留坝、佛坪、宁陕、柞水、商南)、黑龙江、吉林、河北、河南、浙江、湖北、湖南;朝鲜,日本。

557. 双衲夜蛾属 *Dinumma* Walker, 1858

(1125) 曲带双衲夜蛾 *Dinumma deponens* Walker, 1858

分布:陕西(商南)、山东、河南、江苏、浙江、江西、湖南、福建、广东、广西、云南;朝鲜,日本,印度。

558. 箆夜蛾属 *Episparis* Walker, 1857

(1126) 白线箆夜蛾 *Episparis liturata* (Fabricius, 1787)

分布:陕西(留坝、佛坪、宁陕、旬阳、商南)、甘肃、浙江、云南;缅甸,印度,斯里兰卡,印度尼西亚。

559. 南夜蛾属 *Ericeia* Walker, 1858

(1127) 伯南夜蛾 *Ericeia fraterna* (Moore, 1887)

分布:陕西(宁陕、旬阳、柞水)、广东、云南;缅甸,印度,斯里兰卡,印度尼西亚。

(1128) 断线南夜蛾 *Ericeia pertendens* (Walker, 1858)

分布:陕西(留坝、柞水、旬阳)、甘肃、海南、云南;斯里兰卡,印度尼西亚。

560. 艳叶夜蛾属 *Eudocima* Billberg, 1820

(1129) 枯艳叶夜蛾 *Eudocima tyrannus* (Guenée, 1852)

分布:陕西(周至)、辽宁、河北、山东、江苏、浙江、湖北、福建、台湾、海南、广西、四川、云南;日本,印度。

561. 哈夜蛾属 *Hamodes* Guenée, 1852

(1130) 斜线哈夜蛾 *Hamodes butleri* (Leech, 1900)

分布:陕西(留坝、佛坪)、甘肃、湖南、福建、海南、四川、云南、贵州。

562. 朋闪夜蛾属 *Hypersypnoides* Berio, 1954

(1131) 白点朋闪夜蛾 *Hypersypnoides astrigera* (Butler, 1885)

分布:陕西(宁陕)、甘肃、浙江、福建、江西、海南、四川、云南;日本。

(1132) 巨肾朋闪夜蛾 *Hypersypnoides pretiosissima* (Draudt, 1950)

分布:陕西(留坝)、浙江。

563. 鹰夜蛾属 *Hypocala* Guenée, 1852

(1133) 苹梢鹰夜蛾 *Hypocala subsatura* Guenée, 1852

分布:陕西(周至、太白、佛坪)、黑龙江、辽宁、河北、山东、河南、甘肃、江苏、浙江、福建、台湾、广东、海南、云南、西藏;日本,印度,孟加拉国。

564. 蓝条夜蛾属 *Ischyja* Hübner, 1823

(1134) 蓝条夜蛾 *Ischyja manlia* (Cramer, 1766)

分布:陕西(宁陕)、山东、浙江、湖南、福建、广东、海南、广西、云南;缅甸,印度,斯里兰卡,菲律宾,印度尼西亚。

565. 勒夜蛾属 *Laspeyria* Germar, 1810

(1135) 勒夜蛾 *Laspeyria flexula* (Denis *et* Schiffermüller, 1775)

分布:陕西(周至、宝鸡、宁陕)、黑龙江、甘肃、云南;欧洲。

566. 影夜蛾属 *Lygephila* Billberg, 1820

(1136) 巨影夜蛾 *Lygephila maxima* (Bremer, 1861)

分布:陕西(宁陕)、黑龙江、山东、福建;朝鲜,日本。

(1137) 黑缘影夜蛾 *Lygephila nigricostata* (Graeser, 1890)

分布:陕西(太白山)、黑龙江、内蒙古、河北、新疆、四川、云南、西藏;日本。

(1138) 焚影夜蛾 *Lygephila vulcanea* (Butler, 1881)

分布:陕西(宁陕)、黑龙江、山西、甘肃;日本。

567. 薄夜蛾属 *Mecodina* Guenée, 1852

(1139) 灰薄夜蛾 *Mecodina cineracea* (Butler, 1879)

分布:陕西(留坝)、江西、海南、重庆、四川、贵州、云南、西藏;日本。

568. 直带夜蛾属 *Orthozona* Hampson, 1895

(1140) 直带夜蛾 *Orthozona quadrilineata* (Moore, 1882)

分布:陕西(宁陕)、甘肃、湖南、云南;印度。

569. 眉夜蛾属 *Pangrapta* Hübner, 1818

(1141) 褐翅眉夜蛾 *Pangrapta adusta* (Leech, 1900)

分布:陕西(周至、留坝、佛坪)、甘肃、湖北、湖南、四川;日本。

（1142）白痣眉夜蛾 *Pangrapta albistigma*（Hampson，1898）

分布:陕西(太白山)、河北、浙江、湖北、四川;朝鲜,日本,印度。

（1143）缘斑眉夜蛾 *Pangrapta costinotata*（Butler，1881）

分布:陕西(旬阳)、福建、广西;日本。

（1144）中影眉夜蛾 *Pangrapta curtalis*（Walker，1866）

分布:陕西(佛坪、旬阳)、江苏、湖北;朝鲜,日本。

（1145）齿线眉夜蛾 *Pangrapta dentilineata*（Leech，1900）

分布:陕西(太白、佛坪、柞水)、四川。

（1146）苹眉夜蛾 *Pangrapta obscurata*（Butler，1879）

分布:陕西(太白、留坝、宁陕、柞水)、黑龙江、河北、山东、甘肃、湖南;朝鲜,日本。

（1147）饰眉夜蛾 *Pangrapta ornata*（Leech，1900）

分布:陕西(宝鸡、佛坪、宁陕)、甘肃、江苏、浙江、湖北、湖南。

（1148）波眉夜蛾 *Pangrapta prophyrea*（Butler，1879）

分布:陕西(宁陕)、福建;日本。

（1149）遮眉夜蛾 *Pangrapta similistigma* Warren，1913

分布:陕西(周至、宁陕)、甘肃、浙江、四川。

（1150）纱眉夜蛾 *Pangrapta textilis*（Leech，1889）

分布:陕西(周至)、河北、山东、浙江、福建;朝鲜。

（1151）浓眉夜蛾 *Pangrapta trimantesalis*（Walker，1859）

分布:陕西(佛坪、宁陕、旬阳)、甘肃、江苏、浙江、福建、云南;朝鲜,日本,印度,孟加拉国。

（1152）淡眉夜蛾 *Pangrapta umbrosa*（Leech，1900）

分布:陕西(太白山)、浙江、湖北、江西、海南、云南;日本。

570. 卷裙夜蛾属 *Plecoptera* Guenée，1852

（1153）双线卷裙夜蛾 *Plecoptera bilinealis*（Leech，1889）

分布:陕西(留坝、佛坪、宁陕)、河南、甘肃、江苏、浙江。

571. 棘翅夜蛾属 *Scoliopteryx* Germar，1810

（1154）棘翅夜蛾 *Scoliopteryx libatrix*（Linnaeus，1758）

分布:陕西(太白山)、黑龙江、辽宁、河南、云南;朝鲜,日本,欧洲。

572. 析夜蛾属 *Sypnoides* Hampson，1913

（1155） 细线析夜蛾 *Sypnoides erebina*（Hampson，1926）
分布：陕西（周至、留坝、宁陕）、黑龙江、甘肃、四川；朝鲜，日本。

（1156） 赫析夜蛾 *Sypnoides hercules*（Butler，1881）
分布：陕西（留坝、宁陕、旬阳、柞水）、甘肃、浙江、西藏；日本。

（1157） 层析夜蛾 *Sypnoides missionaria* Berio et Fletcher，1958
分布：陕西（宁陕）、湖北、四川。

（1158） 肘析夜蛾 *Sypnoides olena*（Swinhoe，1893）
分布：陕西（周至、宁陕）、甘肃、浙江、福建、重庆、四川、贵州、云南、西藏。

（1159） 单析夜蛾 *Sypnoides simplex*（Leech，1900）
分布：陕西（太白山）、浙江、湖南、福建、广西、四川。

573. 窗夜蛾属 *Thyrostipa* Hampson，1926

（1160） 窗夜蛾 *Thyrostipa sphaeriophora*（Moore，1867）
分布：陕西（佛坪）、江苏、湖北、湖南、福建、广西；印度，孟加拉国，印度尼西亚（加里曼丹）。

（十八）髯须夜蛾亚科 Hypeninae

574. 卜夜蛾属 *Bomolocha* Hübner，1825

（1161） 满卜夜蛾 *Bomolocha mandarina*（Leech，1900）
分布：陕西（周至、留坝、佛坪、宁陕）、甘肃、浙江、湖北、湖南、福建、四川、云南、西藏；日本。

（1162） 缩卜夜蛾 *Bomolocha obductalis*（Walker，1859）
分布：陕西（周至、宝鸡、宁陕）、河南、甘肃、新疆、福建、四川、西藏；印度。

（1163） 张卜夜蛾 *Bomolocha rhombalis*（Guenée，1854）
分布：陕西（宁陕）、河南、甘肃、江苏、浙江、湖南、福建、广西、四川、西藏；缅甸，印度。

（1164） 阴卜夜蛾 *Bomolocha stygiana*（Butler，1878）
分布：陕西（宝鸡）、浙江、江西、西藏；朝鲜，日本。

575. 髯须夜蛾属 *Hypena* Schrank，1802

（1165） 两色髯须夜蛾 *Hypena trigonalis*（Guenée，1854）
分布：陕西（佛坪、宁陕）、山东、河南、浙江、江西、福建、四川、贵州、云南、

　　　西藏；朝鲜，日本，印度。

（十九）长须夜蛾亚科 Herminiiae

576. 胸须夜蛾属 *Cidariplura* Butler, 1879

（1166）双带胸须夜蛾 *Cidariplura brevivittalis*（Moore, 1867）
　　　分布：陕西（宁陕）、广西、西藏；日本，印度，孟加拉国。

577. 白肾夜蛾属 *Edessena* Walker, 1859

（1167）钩白肾夜蛾 *Edessena hamada*（Felder et Rogenhofer, 1874）
　　　分布：陕西（太白、佛坪、宁陕、旬阳、柞水、商南）、河北、甘肃、江西、湖南、
　　　福建、四川、云南；日本。

578. 亥夜蛾属 *Hydrillodes* Guenée, 1854

（1168）阴亥夜蛾 *Hydrillodes funeralis* Warren, 1913
　　　分布：陕西（佛坪）、黑龙江、甘肃、浙江、西藏；俄罗斯，日本。

579. 奴夜蛾属 *Paracolax* Hübner, 1825

（1169）三线奴夜蛾 *Paracolax trilinealis*（Bremer, 1864）
　　　分布：陕西（周至、太白、宁陕）、黑龙江、甘肃；俄罗斯，朝鲜，日本。

580. 镰须夜蛾属 *Polypogon* Schrank, 1802

（1170）角镰须夜蛾 *Polypogon angulina*（Leech, 1900）
　　　分布：陕西（宁陕）、甘肃、湖北、湖南、福建、海南、四川、云南。

（1171）窄肾镰须夜蛾 *Polypogon fumosa*（Butler, 1879）
　　　分布：陕西（太白）、黑龙江；俄罗斯，朝鲜，日本。

（1172）扁镰须夜蛾 *Polypogon tarsipennalis*（Treitschke, 1835）
　　　分布：陕西（太白）、湖北；日本，欧洲。

581. 贫夜蛾属 *Simplicia* Guenée, 1854

（1173）曲线贫夜蛾 *Simplicia niphona*（Butler, 1878）
　　　分布：陕西（佛坪、宁陕）、内蒙古、河北、甘肃、浙江、湖南、福建、台湾、海
　　　南、广西、云南、西藏；日本。

（1174）斜线贫夜蛾 *Simplicia schaldusalis*（Walker, 1859）
　　　分布：陕西（宝鸡、佛坪、宁陕）、甘肃、广西、云南、西藏；斯里兰卡，新加

坡，马来西亚，印度尼西亚。

（二十）金翅夜蛾亚科 Plusiinae

582．银纹夜蛾属 *Agrapha* Hübner，1821

（1175）银纹夜蛾 *Agrapha agnata*（Staudinger，1892）
　　分布：陕西（留坝、佛坪、柞水），中国广布；俄罗斯，朝鲜，日本，缅甸，印度，菲律宾，印度尼西亚，西亚，澳大利亚，欧洲，非洲，夏威夷。

（1176）白条夜蛾 *Agrapha albostriata*（Bremer et Grey，1853）
　　分布：陕西（周至、佛坪、宁陕）、河北、甘肃、湖北、广东；朝鲜，日本，非洲。

583．葫芦夜蛾属 *Anadevidia* Kostrovicki，1961

（1177）瓜夜蛾 *Anadevidia hebetata*（Butler，1889）
　　分布：陕西（太白山）、广东；日本，印度。

（1178）葫芦夜蛾 *Anadevidia peponis*（Fabricius，1775）
　　分布：陕西（武功）、北京、甘肃、江西、广东、西藏；俄罗斯，日本，印度，斯里兰卡，印度尼西亚，澳大利亚。

584．饰银纹夜蛾属 *Antoculeora* Ichinosé，1973

（1179）饰银纹夜蛾 *Antoculeora ornatissima*（Walker，1858）
　　分布：陕西（周至、武功、佛坪、宁陕）、黑龙江、湖北、西藏；俄罗斯，朝鲜，日本，印度。

585．丫纹夜蛾属 *Autographa* Hübner，1821

（1180）黑点丫纹夜蛾 *Autographa nigrisigna*（Walker，1858）
　　分布：陕西（武功、太白）、华北、西北、西南；俄罗斯，日本，印度，欧洲。

586．银辉夜蛾属 *Chrysodeixis* Hübner，1821

（1181）毛银辉夜蛾 *Chrysodeixis eriosoma*（Doubleday，1843）
　　分布：陕西（留坝、佛坪）、甘肃、广东；日本，印度，马来西亚，澳大利亚，新西兰，非洲。

587．金弧夜蛾属 *Diachrysia* Hübner，1821

（1182）金翅夜蛾 *Diachrysia chrysitis*（Linnaeus，1758）

分布：陕西（太白）、吉林、辽宁、河北、山西、新疆；俄罗斯，欧洲。

（1183）八纹夜蛾 *Diachrysia leonina*（Oberthür, 1884）

分布：陕西（周至、太白、宁陕）、黑龙江、吉林、河北、甘肃；日本。

（1184）碧金翅夜蛾 *Diachrysia nadeja*（Oberthür, 1880）

分布：陕西（秦岭）、黑龙江、辽宁、内蒙古、山西、河南；俄罗斯，朝鲜，日本。

（1185）*Diachrysia oberthueri* L. Ronkay, G. Ronkay *et* Behounek, 2008

分布：陕西、甘肃。

（1186）*Diachrysia witti* L. Ronkay, G. Ronkay *et* Behounek, 2008

分布：陕西、北京；俄罗斯，韩国，日本。

588．银锭夜蛾属 *Macdunnoughia* Kostrowicki, 1961

（1187）瘦银锭夜蛾 *Macdunnoughia confusa*（Stephens, 1850）

分布：陕西（周至、武功）、新疆；俄罗斯，朝鲜，日本，亚洲西部，欧洲。

（1188）银锭夜蛾 *Macdunnoughia crassisigna*（Warren, 1913）

分布：陕西（武功）、北京；朝鲜，日本，印度。

（1189）淡银锭夜蛾 *Macdunnoughia purissima*（Butler, 1878）

分布：陕西（周至、留坝、佛坪、宁陕）、甘肃、华北、华东、西南；朝鲜，日本，印度。

589．黑银纹夜蛾属 *Sclerogenia* Ichinosé, 1973

（1190）黑银纹夜蛾 *Sclerogenia jessica*（Butler, 1878）

分布：陕西（凤县、西乡）、山东、湖北、湖南；日本。

590．粉纹夜蛾属 *Trichoplusia* McDunnough, 1944

（1191）中金翅夜蛾 *Trichoplusia intermixta*（Warren, 1913）

分布：陕西（武功、周至、太白、宁陕、商洛）、甘肃、湖北、四川、贵州；朝鲜，日本，印度，印度尼西亚。

（1192）粉纹夜蛾 *Trichoplusia ni*（Hübner, 1803）

分布：陕西（武功、紫阳、商南、商洛）、山西、河南、甘肃、广西；日本，印度，中亚，欧洲，非洲。

（1193）拟中金翅夜蛾 *Trichoplusia orichalcea*（Fabricius, 1775）

分布：陕西（周至、西乡）、甘肃、江苏、广东、广西、四川、贵州、云南；日本，印度，斯里兰卡，印度尼西亚，克什米尔地区，阿富汗，欧洲，非洲。

591. 隐纹夜蛾属 _Zonoplusia_ Chou _et_ Lu, 1979

（1194）隐纹夜蛾 _Zonoplusia ochreata_（Walker, 1865）

分布:陕西（安康）、四川、云南；朝鲜，日本，越南，印度，斯里兰卡，菲律宾，新加坡，印度尼西亚，澳大利亚。

小蛾类

Ⅰ. 蝙蝠蛾总科 Hepialoidea

一、蝙蝠蛾科 Hepialidae

1. 蝠蛾属 _Hepialus_ Fabricius, 1775

（1）杂多蝠蛾 _Hepialus zadoiensis_ Chu _et_ Wang, 2004

分布:陕西（宁陕）、青海。

Ⅱ. 微蛾总科 Nepticuloidea

二、微蛾科 Nepticulidae

2. Genus _Glaucolepis_ Braun, 1917

（2）_Glaucolepis oishiella_（Matsumura, 1931）

分布:陕西（西安）。

Ⅲ. 谷蛾总科 Tineoidea

三、谷蛾科 Tineidae

3. 蜂宇谷蛾属 _Cephimallota_ Bruand, 1851

（3）距蜂宇谷蛾 _Cephimallota densoni_ Robinson, 1986

分布:陕西（洋县）、江西、福建；尼泊尔。

4. 褐宇谷蛾属 _Cephitinea_ Zagulajev, 1964

（4）褐宇谷蛾 _Cephitinea colonella_（Erschoff, 1874）

分布:陕西(杨凌)、北京、天津、山西、山东、宁夏、青海、江苏、上海、浙江、湖南;日本,哈萨克斯坦,中亚,东洋区。

5. Genus *Edosa* Walker, 1886

(5) *Edosa baculiformis* Yang, Wang *et* Li, 2014

　　分布:陕西、甘肃、福建、广东、广西、贵州。

(6) *Edosa curvidorsalis* Yang, Wang *et* Li, 2014

　　分布:陕西、河南、甘肃、浙江、湖北、江西、湖南、福建、海南、四川、云南、贵州。

(7) *Edosa uncusella* Yang, Wang *et* Li, 2014

　　分布:陕西、河北、山东、河南、安徽、湖南、台湾、广东、海南、香港、广西、贵州。

6. Genus *Eudarcia* Clemens, 1860

(8) *Eudarcia prolongata* Xiao *et* Li, 2009

　　分布:陕西。

7. 斑谷蛾属 *Monopis* Hübner, [1825]

(9) 光斑谷蛾 *Monopis laevigella* (Denis *et* Schiffermüller, 1775)

　　分布:陕西(凤县);俄罗斯,韩国,日本,欧洲,澳大利亚,加拿大,美国。

(10) 梯斑谷蛾 *Monopis monachella* (Hübner, 1796)

　　分布:陕西(澄城、彬县、杨凌、凤县、洋县)、黑龙江、天津、河北、山东、河南、甘肃、新疆、安徽、浙江、湖北、湖南、台湾、广东、海南、广西、四川、贵州、云南、西藏;俄罗斯,日本,印度,东南亚,欧洲,非洲,美洲。

(11) 月斑谷蛾 *Monopis semorbiculata* Xiao *et* Li, 2006

　　分布:陕西、河南、甘肃、四川、贵州。

(12) 赭斑谷蛾 *Monopis zagulajevi* Gaedike, 2000

　　分布:陕西(周至)、河南、浙江、湖南、广西、四川、贵州;俄罗斯。

8. 山地谷蛾属 *Montetinea* Petersen, 1957

(13) 曲山地谷蛾 *Montetinea efflexa* Xiao *et* Li, 2006

　　分布:陕西(凤县)、甘肃、青海。

9. Genus *Nemapogon* Schrank, 1802

(14) *Nemapogon bidentata* Xiao *et* Li, 2010

　　分布:陕西、河南;日本。

（15）*Nemapogon ningshanensis* Xiao *et* Li，2010

　　分布：陕西。

10.巢谷蛾属 *Niditinea* Petersen，1957

（16）细齿巢谷蛾 *Niditinea striolella*（Matsumura，1931）

　　分布：陕西（澄城）、甘肃、青海、江苏、上海、浙江、湖北、江西、四川、云南；俄罗斯，日本，土耳其，欧洲。

（17）四点巢谷蛾 *Niditinea tugurialis*（Meyrick，1932）

　　分布：陕西（杨凌、宁陕）、北京、河北、上海、江苏、四川；日本，印度，中亚，西亚，土耳其，黎巴嫩，塞浦路斯，埃及。

11.扁蛾属 *Opogona* Zeller，1853

（18）蔗扁蛾 *Opogona sacchari*（Bojer，1856）

　　分布：陕西，中国广布；日本，印度，非洲，美国（夏威夷）。

12.谷蛾属 *Tinea* Linnaeus，1758

（19）鸽谷蛾 *Tinea columbariella* Wocke，1877

　　分布：陕西（澄城、洋县）、河北、甘肃、上海、四川、西藏；中亚，澳大利亚，欧洲。

（20）螺谷蛾 *Tinea omichlopis* Meyrick，1928

　　分布：陕西（澄城、彬县、杨凌）、内蒙古、天津、河北、山东、河南、甘肃、新疆；俄罗斯，中亚。

（21）灰褐谷蛾 *Tinea translucens* Meyrick，1917

　　分布：陕西（杨凌）、河南、湖北；俄罗斯，日本，印度，斯里兰卡，巴基斯坦，伊朗，叙利亚，欧洲，非洲，美洲，澳大利亚。

13.幕谷蛾属 *Tineola* Herrich-Schäffer，1853

（22）幕谷蛾 *Tineola bisselliella*（Hummel，1823）

　　分布：陕西（杨凌）、北京、新疆、西藏；世界广布。

14.毡谷蛾属 *Trichophaga* Ragonot，1894

（23）拟地中海毡谷蛾 *Trichophaga bipartitella*（Ragonot，1892）

　　分布：陕西（澄城）、天津、河北；蒙古，中亚，欧洲及整个地中海区域。

四、蓑蛾科 Psychidae

15. 窠蓑蛾属 *Clania* Walker, 1855

（24）大窠蓑蛾 *Clania variegata*（Snellen, 1879）

分布:陕西(杨凌)、山东、河南、江苏、浙江、湖北、湖南、福建、台湾、广东、广西、四川、云南;日本,印度,马来西亚。

Ⅳ. 细蛾总科 Gracillarioidea

五、细蛾科 Gracillariidae

（一）细蛾亚科 Gracillariinae

16. 尖细蛾属 *Acrocercops* Wallengren, 1881

（25）南烛尖细蛾 *Acrocercops transecta* Meyrick, 1931

分布:陕西(杨凌)、河北、河南、安徽、浙江、湖北、湖南、台湾、海南、四川、贵州、云南;俄罗斯(远东),韩国,日本。

17. 丽细蛾属 *Caloptilia* Hübner, 1825

（26）柳丽细蛾 *Caloptilia chrysolampra*（Meyrick, 1936）

分布:陕西(杨凌)、湖北、台湾;日本。

（27）大豆丽细蛾 *Caloptilia soyella*（Deventer, 1904）

分布:陕西(杨凌);日本,印度,斯里兰卡,印度尼西亚,佛得角群岛,斐济。

（28）丽细蛾 *Caloptilia stigmatella*（Fabricius, 1781）

分布:陕西(周至、凤县、丹凤)、黑龙江、河北、山西、河南、甘肃、新疆、湖南、贵州;蒙古,俄罗斯,韩国,日本,印度,哈萨克斯坦,塔吉克斯坦,土库曼斯坦,欧洲,摩洛哥,加拿大,美国。

18. 贝细蛾属 *Eteoryctis* Kumata *et* Kuroko, 1988

（29）贝细蛾 *Eteoryctis deversa*（Meyrick, 1922）

分布:陕西(杨凌)、浙江、湖北、江西、湖南、台湾、贵州;俄罗斯,韩国,日本,印度。

19．纹细蛾属 *Leucospilapteryx* Spuler，1855

（30）纹细蛾 *Leucospilapteryx omissella*（Stainton，1848）
　　　分布:陕西(杨凌、宁陕)、黑龙江、天津、河北、山西、河南、宁夏、甘肃、安徽、湖南、云南、贵州;俄罗斯,日本,欧洲。

20．Genus *Phyllonorycter* Hübner，1822

（31）金纹细蛾 *Phyllonorycter ringoniella*（Matsumura，1931）
　　　分布:陕西(长武)、辽宁、河北、山西、山东、河南、甘肃、江苏、安徽;朝鲜、韩国,日本,欧洲。

21．皮细蛾属 *Spulerina* Vári，1961

（32）蔷薇皮细蛾 *Spulerina astaurota*（Meyrick，1922）
　　　分布:陕西(杨凌)、天津、河南;俄罗斯,韩国,日本,印度。

Ⅴ．麦蛾总科 Gelechioidea

六、织蛾科 Oecophoridae

（一）织蛾亚科 Oecophorinae

22．卡织蛾属 *Casmara* Walker，1863

（33）野卡织蛾 *Casmara agronoma* Meyrick，1931
　　　分布:陕西(洛川)、山西、河南、安徽、浙江、湖北、江西、湖南、福建、台湾、广东、广西、云南、贵州;韩国,日本,印度。

23．隐织蛾属 *Cryptolechia* Zeller，1852

（34）弯隐织蛾 *Cryptolechia deflecta* Wang，2003
　　　分布:陕西(周至、凤县、宁陕)、甘肃。

（35）伪黄昏隐织蛾 *Cryptolechia falsivespertina* Wang，2003
　　　分布:陕西(周至、凤县)、河北、河南、湖北。

（36）灰隐织蛾 *Cryptolechia isomichla* Meyrick，1938
　　　分布:陕西、云南。

（37）大黄隐织蛾 *Cryptolechia malacobyrsa* Meyrick，1921
　　　分布:陕西(周至、凤县、宁陕)、天津、河南、甘肃、福建、贵州。

（38）新白芯隐织蛾 *Cryptolechia neargometra* Wang，2003

分布：陕西（宁陕）、甘肃。

（39）点带隐织蛾 *Cryptolechia stictifascia* **Wang**，**2003**
分布：陕西（宁陕）、河南、福建、贵州。

（40）郑氏隐织蛾 *Cryptolechia zhengi* **Wang**，**2003**
分布：陕西（周至、凤县、宁陕）、河南、甘肃。

24．圆织蛾属 *Eonympha* Meyrick，1906

（41）龟圆织蛾 *Eonympha chelonina* **Wang *et* Zheng**，**2000**
分布：陕西（宁陕）、河南、湖南、贵州。

25．丽织蛾属 *Epicallima* Dyar，1903

（42）远东丽织蛾 *Epicallima conchylidella*（**Snellen**，**1884**）
分布：陕西（杨凌）、黑龙江、内蒙古、山西、宁夏、青海、新疆；俄罗斯。

26．伪带织蛾属 *Irepacma* Moriuti，Saito *et* Lewvanich，1985

（43）暗斑伪带织蛾 *Irepacma furvimacularis* **Wang *et* Zheng**，**1997**
分布：陕西（周至）。

（44）大伪带织蛾 *Irepacma grandis* **Wang *et* Zheng**，**1997**
分布：陕西（宁陕）。

（45）淡伪带织蛾 *Irepacma pallidia* **Wang *et* Zheng**，**1997**
分布：陕西（周至、凤县、宁陕）、天津、河南、甘肃、福建、贵州。

27．枯织蛾属 *Lasiochira* Meyrick，1931

（46）黄枯织蛾 *Lasiochira xanthacma*（**Meyrick**，**1938**）
分布：陕西（凤县）、河南、广东、贵州、云南。

28．陆织蛾属 *Luquetia* Leraut，1991

（47）大斑陆织蛾 *Luquetia largimacularis* **Wang *et* Zheng**，**1999**
分布：陕西（凤县）。

29．仓织蛾属 *Martyringa* Busck，1902

（48）米仓织蛾 *Martyringa xeraula*（**Meyrick**，**1910**）
分布：陕西（杨凌、凤县）、天津、宁夏、河南、云南；朝鲜，日本，泰国，印度，北美洲。

30．平织蛾属 *Pedioxestis* Meyrick，1932

（49）锈平织蛾 *Pedioxestis ferruginea* **Wang** *et* **Zheng，2000**
分布：陕西（周至、凤县）、河南、湖北。

31．带织蛾属 *Periacma* Meyrick，1894

（50）褐带织蛾 *Periacma delegate* **Meyrick，1914**
分布：陕西（杨凌、澄城）、黑龙江、北京、河北、山东、河南、安徽、台湾；朝鲜、
日本。

（51）凤县带织蛾 *Periacma fengxianensis* **Wang** *et* **Zheng，1995**
分布：陕西（周至、凤县）。

（52）天水带织蛾 *Periacma tianshuiensis* **Wang** *et* **Zheng，1995**
分布：陕西（凤县）、甘肃。

（53）周至带织蛾 *Periacma zhouzhiensis* **Wang** *et* **Zheng，1995**
分布：陕西（周至）、河南、湖北。

（54）紫阳带织蛾 *Periacma ziyangensis* **Wang** *et* **Zheng，1995**
分布：陕西（紫阳、安康）、黑龙江、北京、四川、贵州。

32．锦织蛾属 *Promalactis* Meyrick，1908

（55）二带锦织蛾 *Promalactis bifasciaria* **Wang，Li** *et* **Zheng，2001**
分布：陕西（宁陕）。

（56）拟银锦织蛾 *Promalactis falsijezonica* **Wang** *et* **Zheng，1998**
分布：陕西（周至、凤县）、河南、甘肃、湖北。

（57）凤县锦织蛾 *Promalactis fengxianica* **Wang，Zheng** *et* **Li，1997**
分布：陕西（凤县）、河南。

（58）黄锦织蛾 *Promalactis flavescens* **Wang，Zheng** *et* **Li，1997**
分布：陕西（凤县）。

（59）多斑锦织蛾 *Promalactis maculosa*（**Wang** *et* **Li，2001**）
分布：陕西（宁陕）、河南。

（60）丽线锦织蛾 *Promalactis pulchra* **Wang，Zheng** *et* **Li，1997**
分布：陕西（凤县、宁陕）、甘肃。

（61）四斑锦织蛾 *Promalactis quadrimacularis* **Wang** *et* **Zheng，1998**
分布：陕西（凤县）、天津、河北、河南、浙江。

（62）红锦织蛾 *Promalactis rubra* **Wang，Zheng** *et* **Li，1997**

分布:陕西(凤县)、河南、甘肃。

（63）点线锦织蛾 *Promalactis suzukiella*（Matsumura，1931）

分布:陕西(杨凌)、天津、河北、河南、甘肃、安徽、浙江、湖北、江西、湖南、福建、广东、广西、四川、贵州、西藏；日本，朝鲜，俄罗斯。

（64）太白锦织蛾 *Promalactis taibaiensis* Wang，Zheng *et* Li，1997

分布:陕西(周至)、甘肃、湖北、四川、贵州。

（65）三线锦织蛾 *Promalactis trilineata* Wang *et* Zheng，1998

分布:陕西(杨凌)、天津、河南。

（66）异线锦织蛾 *Promalactis varilineata* Wang *et* Zheng，1998

分布:陕西(周至、凤县)。

33．Genus *Punctulata* Wang，2006

（67）*Punctulata ningshanensis* Wang，2006

分布:陕西(宁陕)。

34．斑织蛾属 *Ripeacma* Moriuti，Saito *et* Lewvanich，1985

（68）窄翅斑织蛾 *Ripeacma angusta* Wang *et* Zheng，1996

分布:陕西(佛坪)。

（69）佛坪斑织蛾 *Ripeacma fopingensis* Wang *et* Zheng，1995

分布:陕西(佛坪)、河南、甘肃、湖北、四川、贵州。

（70）秦岭斑织蛾 *Ripeacma qinlingensis* Wang *et* Zheng，1995

分布:陕西(周至、宁陕)、河南、贵州。

35．酪织蛾属 *Tyrolimnas* Meyrick，1934

（71）黑缘酪织蛾 *Tyrolimnas anthraconesa* Meyrick，1934

分布:陕西(周至)、河南、甘肃、湖北、江西、广东、广西、四川；朝鲜，日本，越南。

（二）展足蛾亚科 Stathmopodinae

36．Genus *Cyanarmostis* Meyrick，1927

（72）北京展足蛾 *Cyanarmostis utila*（Yang，1977）

分布:陕西(咸阳)、北京、河北、宁夏、甘肃、新疆。

37．Genus *Hieromantis* Meyrick，1897

（73）洁点展足蛾 *Hieromantis kurokoi* Yasuda，1988

　　分布:陕西(凤县)、河北、河南、浙江、湖北；日本。

38．Genus *Oedematopoda* Zeller，1852

（74）竹红展足蛾 *Oedematopoda ignipicta*（Butler，1881）

　　分布:陕西(周至)、河北、河南、江西、贵州；朝鲜，日本。

39．Genus *Stathmopoda* Herrich-Schäffer，1853

（75）桃展足蛾 *Stathmopoda auriferella*（Walker，1864）

　　分布:陕西(杨凌、凤县、宁陕、商州)、河北、山西、山东、河南、上海、安徽、台湾、四川；朝鲜，日本，印度，斯里兰卡，澳大利亚。

（76）新六展足蛾 *Stathmopoda neohexatyla* Li *et* Wang，2002

　　分布:陕西(佛坪)、甘肃；韩国。

七、小潜蛾科 Elachistidae

（一）宽蛾亚科 Depressariinae

40．凹宽蛾属 *Acria* Stephens，1834

（77）苹凹宽蛾 *Acria ceramitis* Meyrick，1908

　　分布:陕西(杨凌、宁陕)、上海、江西、贵州；朝鲜，日本，印度。

41．异宽蛾属 *Agonopterix* Hübner，[1825]

（78）尖瓣异宽蛾 *Agonopterix acutivalvula* Wang，2007

　　分布:陕西(凤县、宁陕)。

（79）*Agonopterix burmana* Lvovsky，1998

　　分布:陕西；缅甸。

（80）多异宽蛾 *Agonopterix multiplicella*（Erschoff，1877）

　　分布:陕西(宁陕)、天津、河北、山东、河南、宁夏、甘肃、湖北、广西、四川、贵州、云南、西藏；俄罗斯，日本，欧洲。

（81）东方异宽蛾 *Agonopterix orientalis* Wang，2007

　　分布:陕西(澄城)、甘肃。

42. 宽蛾属 *Depressaria* Haworth, 1811

（82）俄宽蛾 *Depressaria golovushkini* Lvovsky, 1995

分布:陕西(彬县)、吉林、内蒙古、河北、山西、宁夏;俄罗斯。

（83）*Depressaria taciturna* Meyrick, 1910

分布:陕西;韩国,日本。

（84）壮瓣宽蛾 *Depressaria valida* Wang *et* Li, 2002

分布:陕西(宁陕)。

43. 佳宽蛾属 *Eutorna* Meyrick, 1889

（85）久佳宽蛾 *Eutorna annosa* Meyrick, 1936

分布:陕西(杨凌)、山东、贵州。

（二）草蛾亚科 Ethmiinae

44. 草蛾属 *Ethmia* Hübner, [1819]

（86）密云草蛾 *Ethmia cirrhocnemia* (Lederer, 1870)

分布:陕西(杨凌)、黑龙江、吉林、辽宁、内蒙古、北京、河北、山西、宁夏、新疆、浙江;蒙古,俄罗斯,韩国,日本,伊朗,哈萨克斯坦,土耳其。

（87）欧洲草蛾 *Ethmia dodecea* (Haworth, [1828])

分布:陕西(凤县)、吉林、辽宁、北京、河北、山西、宁夏、新疆、湖北;俄罗斯,伊朗,哈萨克斯坦,伊拉克,小亚细亚,欧洲。

（88）西藏草蛾 *Ethmia ermineela* (Walsingham, 1880)

分布:陕西(杨凌、宁陕)、北京、宁夏、甘肃、青海、四川、贵州、云南、西藏;越南,缅甸,印度,尼泊尔。

（89）青海草蛾 *Ethmia nigripedella* (Erschoff, 1877)

分布:陕西、黑龙江、吉林、内蒙古、北京、河北、山西、宁夏、甘肃、青海、新疆、海南、西藏;蒙古,俄罗斯,日本,土耳其。

（90）陕西草蛾 *Ethmia shensicola* Amsel, 1969

分布:陕西(周至、凤县、宁陕)、河南、宁夏、甘肃。

（91）南京草蛾 *Ethmia subsidiaris* Meyrick, 1935

分布:陕西(杨凌)、甘肃、江苏。

八、列蛾科 Autostichidae

45. Genus *Apethistis* Meyrick, 1908

（92）*Apethistis triangula* Wang *et* Wang, 2017
　　分布：陕西、河南。

46. 列蛾属 *Autosticha* Meyrick, 1886

（93）连斑列蛾 *Autosticha conjugipunctata* Wang, 2004
　　分布：陕西（紫阳）、河南、甘肃。
（94）多斑列蛾 *Autosticha maculosa* Wang, 2004
　　分布：陕西（周至）、河南、江西、福建。
（95）和列蛾 *Autosticha modicella*（Christoph, 1882）
　　分布：陕西（杨凌、凤县、商州）、黑龙江、内蒙古、天津、河南、江西、四川、贵州；日本。

九、木蛾科 Xyloryctidae

47. 隆木蛾属 *Aeolanthes* Meyrick, 1907

（96）血色隆木蛾 *Aeolanthes haematopa* Meyrick, 1931
　　分布：陕西（凤县、宁陕）、云南、四川。
（97）梨半红隆木蛾 *Aeolanthes semiostrina* Meyrick, 1935
　　分布：陕西（凤县、紫阳）、河南、浙江、湖南、福建、贵州；朝鲜。

48. 叉木蛾属 *Metathrinca* Meyrick, 1908

（98）佛坪叉木蛾 *Metathrinca fopingensis* Wang, Zheng *et* Li, 2000
　　分布：陕西（佛坪）。

十、祝蛾科 Lecithoceridae

（一）祝蛾亚科 Lecithocerinae

49. 宽银祝蛾属 *Issikiopteryx* Moriuti, 1973

（99）带宽银祝蛾 *Issikiopteryx zonosphaera*（Meyrick, 1935）
　　分布：陕西、河南、安徽、浙江、江西、湖南。

50.祝蛾属 *Lecithocera* Herrich-Schäffer，1853

（100）陶祝蛾 *Lecithocera*（*Lecithocera*）*pelomorpha* Meyrick，1931
　　　分布：陕西(周至)、甘肃、浙江、湖北、江西、湖南、四川、云南。

（101）竖平祝蛾 *Lecithocera*（*Patouissa*）*erecta* Meyrick，1935
　　　分布：陕西(宁陕)、河南、甘肃、安徽、浙江、湖北、江西、湖南、福建、广东、广西、四川、贵州、云南。

（102）粗梗平祝蛾 *Lecithocera*（*Patouissa*）*tylobathra* Meyrick，1931
　　　分布：陕西(周至、澄城、佛坪、宁陕)、北京、天津、河北、河南、甘肃、湖北、湖南、四川、贵州、云南。

51.槐祝蛾属 *Sarisophora* Meyrick，1904

（103）丝槐祝蛾 *Sarisophora serena* Gozmány，1978
　　　分布：陕西(周至、凤县、宁陕)、河南、甘肃。

52.匙唇祝蛾属 *Spatulignatha* Gozmány，1978

（104）花匙唇祝蛾 *Spatulignatha olaxana* Wu，1994
　　　分布：陕西(佛坪)、河南、浙江、湖北、江西、湖南、福建、四川、贵州、云南、西藏。

53.Genus *Synesarga* Gozmany，1978

（105）*Synesarga breviclavata* Liu *et* Wang，2014
　　　分布：陕西。

（二）瘤祝蛾亚科 Torodorinae

54.三角祝蛾属 *Deltoplastis* Meyrick，1925

（106）叶三角祝蛾 *Deltoplastis lobigera* Gozmány，1978
　　　分布：陕西(宁陕)、甘肃、安徽、浙江、湖北、湖南、福建、台湾、四川、贵州、云南。

55.瘤祝蛾属 *Torodora* Meyrick，1894

（107）角环瘤祝蛾 *Torodora angulata*（Wu *et* Liu，1994）
　　　分布：陕西(佛坪)、甘肃、浙江、江西、四川、贵州。

（108）八瘤祝蛾 *Torodora octavana*（Meyrick，1911）
　　　分布：陕西(宁陕)、河南、甘肃、安徽、浙江、湖北、湖南、福建、海南、四川、贵州、云南；印度。

十一、麦蛾科 Gelechiidae

（一）麦蛾亚科 Gelechiinae

56．Genus *Agnippe* Chambers，1872

（109）*Agnippe albidorsella*（**Snellen，1884**）
分布：陕西（杨凌、澄城、凤县、丹凤）、北京、天津、河北、山东、河南、江苏、安徽、浙江、江西、西藏。

（110）*Agnippe dichotoma*（**Li，1993**）
分布：陕西（澄城）。

（111）*Agnippe echinulata*（**Li，1993**）
分布：陕西（澄城）。

（112）*Agnippe novisyrictis*（**Li，1993**）
分布：陕西（杨凌、凤县）。

（113）*Agnippe syrictis*（**Meyrick，1936**）
分布：陕西（澄城）。

（114）*Agnippe zhouzhiensis*（**Li，1993**）
分布：陕西（周至）。

57．背麦蛾属 *Anacampsis* Curtis，1827

（115）樱背麦蛾 *Anacampsis anisogramma*（**Meyrick，1927**）
分布：陕西（杨凌）、山东、上海、江西、福建、四川、贵州；俄罗斯（远东），朝鲜，日本。

（116）绣线菊背麦蛾 *Anacampsis solemnella*（**Christoph，1882**）
分布：陕西（佛坪）、黑龙江、辽宁、北京、河南、江苏、安徽、浙江、四川；俄罗斯，朝鲜，日本，加拿大，美国。

58．条麦蛾属 *Anarsia* Zeller，1839

（117）*Anarsia bimaculata* Ponomarenko，1989
分布：陕西（周至）；俄罗斯，韩国，日本。

（118）甜枣条麦蛾 *Anarsia bipinnata*（**Meyrick，1932**）
分布：陕西（周至、杨凌、澄城、凤县、宁陕）、甘肃、青海、安徽；俄罗斯（远东），朝鲜，日本。

（119）尖翅条麦蛾 *Anarsia elongata* Park，1995

分布:陕西(宁陕)、甘肃、台湾、贵州。

（120）奇条麦蛾 *Anarsia eximia* Li *et* Zheng, 1998
分布:陕西(佛坪)。

（121）大斑条麦蛾 *Anarsia largimacularis* Li *et* Zheng, 1998
分布:陕西(凤县)。

（122）桃条麦蛾 *Anarsia lineatella* Zeller, 1839
分布:陕西(澄城)、新疆;印度, 伊朗, 阿富汗, 土耳其, 欧洲, 非洲北部,
北美洲。

（123）竖鳞条麦蛾 *Anarsia squamerecta* Li *et* Zheng, 1998
分布:陕西(杨凌)、山东。

59. 钩麦蛾属 *Aproaerema* Durrant, 1897

（124）钩麦蛾 *Aproaerema anthyllidella*（Hübner,［1813］)
分布:陕西(杨凌、澄城、凤县、佛坪、宁陕)、宁夏、青海、新疆、西藏;朝鲜,
日本, 土耳其, 欧洲, 北美洲。

（125）短钩麦蛾 *Aproaerema brevihamata* Li, 1993
分布:陕西(杨凌)。

（126）长钩麦蛾 *Aproaerema longihamata* Li, 1993
分布:陕西(杨凌)。

60. 灯麦蛾属 *Argolamprotes* Benander, 1945

（127）悬钩子灯麦蛾 *Argolamprotes micella*（［Denis *et* Schiffermüller］, 1775)
分布:陕西(杨凌、洋县、西乡、宁陕、紫阳、白河、丹凤)、甘肃、安徽;日本,
欧洲。

61. 针瓣麦蛾属 *Aroga* Busck, 1914

（128）反针瓣麦蛾 *Aroga controvalva* Li *et* Zheng, 1998
分布:陕西(澄城)。

（129）丹凤针瓣麦蛾 *Aroga danfengensis* Li *et* Zheng, 1998
分布:陕西(丹凤)。

62. Genus *Bagdadia* Amsel, 1949

（130）*Bagdadia eucalla*（Li *et* Zheng, 1998)
分布:陕西(凤县)、贵州。

63．苔麦蛾属 *Bryotropha* Heinemann，1870

（131）高山苔麦蛾 *Bryotropha montana* Li *et* Zheng，1997
　　　　分布:陕西(宁陕)。

（132）短瓣苔麦蛾 *Bryotropha brevivalvata* Li *et* Zheng，1997
　　　　分布:陕西(凤县)、甘肃。

（133）*Bryotropha similis*（Stainton，1854）
　　　　分布:陕西(凤县)、新疆;欧洲。

（134）*Bryotropha svenssoni* Park，1984
　　　　分布:陕西(周至、洋县、宁陕)、甘肃;韩国。

64．冠麦蛾属 *Capidentalia* Park，1995

（135）冠麦蛾 *Capidentalia claviformis*（Park，1993）
　　　　分布:陕西(佛坪)、河南、甘肃、安徽;俄罗斯(远东)，朝鲜，韩国。

（136）杨陵冠麦蛾 *Capidentalia yanglingensis* Li *et* Zheng，1998
　　　　分布:陕西(杨凌)。

65．石竹麦蛾属 *Caryocolum* Gregor *et* Povolny，1954

（137）秦岭石竹麦蛾 *Caryocolum qinlingensis* Li *et* Zheng，1995
　　　　分布:陕西(周至)。

66．雪麦蛾属 *Chionodes* Hübner，[1825]

（138）彬县雪麦蛾 *Chionodes binxianensis* Li *et* Zheng，1997
　　　　分布:陕西(彬县)。

67．离瓣麦蛾属 *Chorivalva* Omelko，1988

（139）栎离瓣麦蛾 *Chorivalva bisaccula* Omelko，1988
　　　　分布:陕西(西乡)、贵州;俄罗斯(远东)，朝鲜，日本。

68．彩麦蛾属 *Chrysoesthia* Hübner，[1825]

（140）藜彩麦蛾 *Chrysoesthia hermannella*（Fabricius，1781）
　　　　分布:陕西(杨凌、佛坪、丹凤)、甘肃、青海、新疆;朝鲜，日本，欧洲，非洲
　　　北部，北美洲。

（141）六斑彩麦蛾 *Chrysoesthia sexguttella*（Thunberg，1794）
　　　　分布:陕西(周至)、新疆、浙江;朝鲜，日本，印度，欧洲，北美洲。

69．Genus *Concubina* Omelko *et* Omelko，2004

（142）*Concubina euryzeucta*（Meyrick，1922）

　　分布：陕西（杨凌）、北京、天津、河北、山西、山东、甘肃、青海、上海、江
西、湖南。

70．林麦蛾属 *Dendrophilia* Ponomarenko，1993

（143）中带林麦蛾 *Dendrophilia mediofasciana*（Park，1991）

　　分布：陕西（周至、杨凌、宁陕）、河南、甘肃、江西；俄罗斯（远东），朝
鲜，日本。

（144）暗林麦蛾 *Dendrophilia neotaphronoma* Ponomarenko，1993

　　分布：陕西（杨凌）、江西、福建、台湾、四川；俄罗斯，朝鲜，日本。

（145）灌县林麦蛾 *Dendrophilia saxigera*（Meyrick，1931）

　　分布：陕西（佛坪）、河南、江西、湖南、台湾、四川。

（146）国槐林麦蛾 *Dendrophilia sophora* Li *et* Zheng，1998

　　分布：陕西（杨凌、洋县）、山东、甘肃。

（147）单色林麦蛾 *Dendrophilia unicolorella* Ponomarenko，1993

　　分布：陕西（凤县）、甘肃；俄罗斯（远东），朝鲜。

71．Genus *Encolapta* Meyrick，1913

（148）*Encolapta catarina*（Ponomarenko，1994）

　　分布：陕西（杨凌、凤县、宁陕）、甘肃；俄罗斯（远东），朝鲜。

（149）*Encolapta epichthonia*（Meyrick，1935）

　　分布：陕西（澄城）、河南、江苏、台湾。

（150）*Encolapta marginans*（Li *et* Zheng，1998）

　　分布：陕西（杨凌）。

（151）*Encolapta tegulifera*（Meyrick，1932）

　　分布：陕西（杨凌、凤县）、河南、甘肃；俄罗斯（远东），朝鲜，日本。

72．筛麦蛾属 *Ethmiopsis* Meyrick，1935

（152）异脉筛麦蛾 *Ethmiopsis prosectrix* Meyrick，1935

　　分布：陕西（澄城、兴平、彬县、杨凌）、山东、上海、浙江。

73．发麦蛾属 *Faristenia* Ponomarenko，1991

（153）圆尾发麦蛾 *Faristenia circulicaudata* Li *et* Zheng，1998

分布:陕西(周至、凤县、宁陕)。

（154）角瓣发麦蛾 *Faristenia cornutivalvaris* Li *et* Zheng, 1998

　　分布:陕西(杨凌、凤县)、甘肃。

（155）双突发麦蛾 *Faristenia geminisignella* Ponomarenko, 1991

　　分布:陕西(周至、凤县)、甘肃、江西;俄罗斯(远东)，朝鲜，日本。

（156）缺毛发麦蛾 *Faristenia impenicilla* Li *et* Zheng, 1998

　　分布:陕西(佛坪)。

（157）缘刺发麦蛾 *Faristenia jumbongae* Park, 1993

　　分布:陕西(洋县)、甘肃;朝鲜，韩国，日本。

（158）奥氏发麦蛾 *Faristenia omelkoi* Ponomarenko, 1991

　　分布:陕西(杨凌、澄城、宁陕)、甘肃、四川;俄罗斯(远东)，韩国。

（159）淡发麦蛾 *Faristenia pallida* Li *et* Zheng, 1998

　　分布:陕西(凤县)。

（160）前斑发麦蛾 *Faristenia praemaculata* (Meyrick, 1931)

　　分布:陕西(佛坪)、四川;俄罗斯(远东)。

（161）栎发麦蛾 *Faristenia quercivora* Ponomarenko, 1991

　　分布:陕西(杨凌、凤县、洋县)、甘肃、江西;俄罗斯(远东)，朝鲜，日本。

（162）三角发麦蛾 *Faristenia triangula* Li *et* Zheng, 1998

　　分布:陕西(凤县)。

（163）乌苏里发麦蛾 *Faristenia ussuriella* Ponomarenko, 1991

　　分布:陕西(周至、澄城、凤县、宁陕、商南)、甘肃、江西;俄罗斯(远东)，朝鲜。

74.　菲麦蛾属 *Filatima* Busck, 1939

（164）奥菲麦蛾 *Filatima autocrossa* (Meyrick, 1936)

　　分布:陕西(杨凌)、山东;俄罗斯。

75.　麦蛾属 *Gelechia* Hübner, [1825]

（165）柳麦蛾 *Gelechia atrofusca* Omelko, 1986

　　分布:陕西(杨凌)、宁夏、青海、海南;俄罗斯。

（166）隐麦蛾 *Gelechia inconspicua* Omelko, 1986

　　分布:陕西(凤县);俄罗斯。

（167）湿地麦蛾 *Gelechia muscosella* Zeller, 1839

　　分布:陕西(凤县)、甘肃、青海;俄罗斯，欧洲。

76．茄麦蛾属 *Hedma* Dumont，1932

（168）枸杞茄麦蛾 *Hedma lycia* Li，2001
　　　分布：陕西（西安）。

77．蛮麦蛾属 *Hypatima* Hübner，［1825］

（169）优蛮麦蛾 *Hypatima excellentella* Ponomarenko，1991
　　　分布：陕西（洋县、紫阳）、河南、甘肃、安徽、江西、台湾；俄罗斯（远东），朝鲜，日本。

78．伊麦蛾属 *Ilseopsis* Povolný，1965

（170）枸杞伊麦蛾 *Ilseopsis*（*Euscrobipalpa*）*erichi*（Povolný，1964）
　　　分布：陕西（澄城）、宁夏、甘肃；蒙古，中亚地区，中东，欧洲。

79．柯麦蛾属 *Klimeschiopsis* Povolný，1967

（171）断柯麦蛾 *Klimeschiopsis discontinuella*（Rebel，1899）
　　　分布：陕西（澄城）；欧洲。

80．荚麦蛾属 *Mesophleps* Hübner，［1825］

（172）白线荚麦蛾 *Mesophleps albilinella*（Park，1990）
　　　分布：陕西（澄城、凤县）、河南、甘肃；朝鲜，日本。
（173）刺槐荚麦蛾 *Mesophleps sublutiana*（Park，1990）
　　　分布：陕西（杨凌、澄城、凤县、宁陕、白河、商州、丹凤）、河北、山西、山东、河南、江苏、安徽、湖北、贵州；朝鲜。

81．柽麦蛾属 *Ornativalva* Gozmány，1955

（174）中国柽麦蛾 *Ornativalva sinica* Li，1991
　　　分布：陕西（杨凌）、宁夏。

82．Genus *Parastenolechia* Kanazawa，1985

（175）*Parastenolechia collucata*（Omelko，1988）
　　　分布：陕西（洋县、西乡、紫阳、丹凤）、甘肃；俄罗斯（远东），朝鲜。

83．光麦蛾属 *Photodotis* Meyrick，1911

（176）饰光麦蛾 *Photodotis adornata* Omelko，1993

分布:陕西(周至、凤县)、黑龙江、天津、河南、甘肃、安徽、云南;俄罗斯,朝鲜,日本。

(177) 浅光麦蛾 *Photodotis palens* Omelko,1993

分布:陕西(凤县)、河南、贵州;俄罗斯,朝鲜。

84. 茎麦蛾属 *Phthorimaea* Meyrick,1902

(178) 马铃薯茎麦蛾 *Phthorimaea operculella*(Zeller,1873)

分布:陕西(武功、宁陕)、山西、河南、湖南、重庆、云南;已传播至世界各烟草、马铃薯等茄科作物种植区。

85. 原平麦蛾属 *Protoparachronistis* Omelko,1986

(179) 色原平麦蛾 *Protoparachronistis concolor* Omelko,1986

分布:陕西(佛坪);俄罗斯(远东)。

86. 弯麦蛾属 *Recurvaria* Haworth,1828

(180) 花楸弯麦蛾 *Recurvaria comprobata*(Meyrick,1935)

分布:陕西(周至、凤县、宁陕)、甘肃;俄罗斯(远东),日本。

87. 沟须麦蛾属 *Scrobipalpa* Janse,1951

(181) *Scrobipalpa erichiodes* Bidzilya *et* Li,2010

分布:陕西、黑龙江、内蒙古、河北、宁夏、甘肃、新疆。

88. 拟须麦蛾属 *Scrobipalpula* Povolny,1964

(182) 飞蓬拟须麦蛾 *Scrobipalpula ramosella*(Müller-Rutz,1934)

分布:陕西(杨凌);欧洲。

89. 智麦蛾属 *Sophronia* Hübner,[1825]

(183) 白边智麦蛾 *Sophronia albomarginata* Li *et* Zheng,1998

分布:陕西(凤县)、甘肃。

(184) 东方智麦蛾 *Sophronia orientalis* Li *et* Zheng,1998

分布:陕西(凤县)、青海。

90. 柄麦蛾属 *Syncopacma* Meyrick,1925

(185) *Syncopacma albifrontella*(Heinemann,1870)

分布:陕西(杨凌);欧洲。

（186）陕西柄麦蛾 *Syncopacma shaanxiensis* Li，1993
　　　分布：陕西（澄城）。

91. 黑麦蛾属 *Telphusa* Chambers，1872

（187）*Telphusa comprobata* Meyrick，1935
　　　分布：陕西、甘肃；朝鲜，日本。

92. 托麦蛾属 *Tornodoxa* Meyrick，1921

（188）圆托麦蛾 *Tornodoxa tholochorda* Meyrick，1921
　　　分布：陕西（杨凌、凤县、佛坪）、甘肃、浙江、江西、广东、四川；朝鲜，日本。

93. 齿茎麦蛾属 *Xystophora* Wocke，[1876]

（189）蚕豆齿茎麦蛾 *Xystophora carchariella*（Zeller，1839）
　　　分布：陕西（澄城、宁陕）；亚洲西北部，欧洲。
（190）澄城齿茎麦蛾 *Xystophora chengchengensis* Li *et* Zheng，1998
　　　分布：陕西（澄城）。
（191）巨齿茎麦蛾 *Xystophora ingentidentalis* Li *et* Zheng，1998
　　　分布：陕西（澄城）。
（192）新齿茎麦蛾 *Xystophora novipsammitella* Li *et* Zheng，1998
　　　分布：陕西（洋县、西乡）。
（193）小腹齿茎麦蛾 *Xystophora parvisaccula* Li *et* Zheng，1998
　　　分布：陕西（凤县）。
（194）胡枝子齿茎麦蛾 *Xystophora psammitella*（Snellen，1884）
　　　分布：陕西（周至）；俄罗斯（远东），韩国，朝鲜。

（二）棕麦蛾亚科 Dichomeridinae

94. Genus *Acanthophila* Heinemann，1870

（195）*Acanthophila angustiptera*（Li *et* Zheng，1997）
　　　分布：陕西（凤县）。
（196）*Acanthophila bimaculata*（Li *et* Qian，1994）
　　　分布：陕西（宁陕）、河南、安徽、浙江、湖北、江西、湖南、福建、广东、广西、四川、贵州。
（197）*Acanthophila obscura*（Li *et* Zheng，1997）
　　　分布：陕西（凤县）。

95. 棕麦蛾属 _Dichomeris_ Hübner, 1818

（198）灰棕麦蛾 _Dichomeris acritopa_ Meyrick, 1935

分布：陕西（周至、凤县、宁陕）、山西、浙江、云南。

（199）端刺棕麦蛾 _Dichomeris apicispina_ Li _et_ Zheng, 1996

分布：陕西（佛坪）、湖北、江西。

（200）铜棕麦蛾 _Dichomeris cuprea_ Li _et_ Zheng, 1996

分布：陕西（紫阳）、四川。

（201）山楂棕麦蛾 _Dichomeris derasella_（Denis _et_ Schiffermüller, 1775）

分布：陕西（周至、凤县、洋县、白河、丹凤）、河南、宁夏、青海、浙江；俄罗斯，朝鲜，土耳其，欧洲。

（202）霍朴棕麦蛾 _Dichomeris fuscahopa_ Li _et_ Zheng, 1996

分布：陕西（洋县、紫阳）、河南、浙江、贵州。

（203）霍棕麦蛾 _Dichomeris hodgesi_ Li _et_ Zheng, 1996

分布：陕西（周至、宁陕）、甘肃、江西。

（204）马棘棕麦蛾 _Dichomeris horoglypta_ Meyrick, 1932

分布：陕西（丹凤）、安徽；朝鲜，日本。

（205）宽瓣棕麦蛾 _Dichomeris lativalvata_ Li _et_ Zheng, 1996

分布：陕西（宁陕）、江西、云南。

（206）螳棕麦蛾 _Dichomeris manticopodina_ Li _et_ Zheng, 1996

分布：陕西（商南）、河南。

（207）米特棕麦蛾 _Dichomeris mitteri_ Park, 1994

分布：陕西（宁陕）；韩国，日本。

（208）宁陕棕麦蛾 _Dichomeris ningshanensis_ Li _et_ Zheng, 1996

分布：陕西（周至、宁陕）、湖北。

（209）鸡血藤棕麦蛾 _Dichomeris oceanis_ Meyrick, 1920

分布：陕西（周至、杨凌、佛坪、宁陕）、黑龙江、北京、山东、河南、甘肃、安徽、浙江、福建、台湾；俄罗斯（远东），朝鲜，日本。

（210）桃棕麦蛾 _Dichomeris picrocarpa_（Meyrick, 1913）

分布：陕西（凤县）、黑龙江、河南、浙江、湖北、江西、台湾、云南、贵州；朝鲜，日本，印度，北美洲。

（211）秦岭棕麦蛾 _Dichomeris qinlingensis_ Li _et_ Zheng, 1996

分布：陕西（周至、宁陕）；俄罗斯。

（212）方须棕麦蛾 _Dichomeris quadratipalpa_ Li _et_ Zheng, 1996

分布:陕西(凤县)。

(213) 栎棕麦蛾 *Dichomeris quercicola* **Meyrick, 1921**

分布:陕西(杨凌、澄城)、北京、河南、甘肃、安徽、江西、湖南;蒙古,俄罗斯(远东),朝鲜,日本,印度。

(214) 艾棕麦蛾 *Dichomeris rasilella* (**Herrich-Schäffer, 1854**)

分布:陕西(周至、澄城、白水、旬邑、杨凌、凤县、佛坪、洋县、宁陕、丹凤)、黑龙江、河南、青海、安徽、浙江、湖北、江西、福建、台湾、四川、贵州;俄罗斯(远东),朝鲜,日本,欧洲。

(215) 拟尖棕麦蛾 *Dichomeris spuracuminata* **Li *et* Zheng, 1996**

分布:陕西(杨凌、宁陕)、湖北、云南。

(216) 洁棕麦蛾 *Dichomeris tersa* **Li *et* Zheng, 1996**

分布:陕西(宁陕)。

(217) 紫棕麦蛾 *Dichomeris violacula* **Li *et* Zheng, 1996**

分布:陕西(佛坪)、甘肃。

(218) 岳坝棕麦蛾 *Dichomeris yuebana* **Li *et* Zheng, 1996**

分布:陕西(佛坪)、河南、四川。

96. 阳麦蛾属 *Helcystogramma* Zeller, 1877

(219) *Helcystogramma flavilineolella* **Ponomarenko, 1998**

分布:陕西、辽宁、河南、浙江、四川;俄罗斯。

(220) *Helcystogramma flavistictum* **Li *et* Zhen, 2011**

分布:陕西、河南、甘肃。

(221) *Helcystogramma imagibicuneum* **Li *et* Zhen, 2011**

分布:陕西。

(222) *Helcystogramma rectangulum* **Li *et* Zhen, 2011**

分布:陕西、湖南、四川、贵州。

(223) 甘薯阳麦蛾 *Helcystogramma triannulella* (**Herrich-Schäffer, 1854**)

分布:陕西(西安、杨凌、洋县)、天津、山东、河南、新疆、江苏、江西、四川;俄罗斯,朝鲜,日本,印度,中亚地区,欧洲中南部。

(224) 斜带阳麦蛾 *Helcystogramma trijunctum* (**Meyrick, 1934**)

分布:陕西(宁陕)、浙江、湖北、江西、台湾、四川、贵州。

97. Genus *Resupina* Omelko, 1999

(225) *Resupina okadai* (**Moriuti, 1982**)

分布:陕西(凤县)、河南、安徽、浙江、湖北、贵州;俄罗斯,日本。

(三)栉麦蛾亚科 Pexicopiinae

98. 铃麦蛾属 *Pectinophora* Busck, 1917

(226) 红铃麦蛾 *Pectinophora gossypiella* (Saunders, 1844)
　　分布:陕西,全国各主要产棉区均有分布(宁夏、青海、新疆除外);世界广布。

99. 禾麦蛾属 *Sitotroga* Heinemann, 1870

(227) 麦蛾 *Sitotroga cerealella* (Olivier, 1789)
　　分布:陕西广布,中国广布;世界广布。

100. 纹麦蛾属 *Thiotricha* Meyrick, 1886

(228) 香草纹麦蛾 *Thiotricha subocellea* (Stephens, 1834)
　　分布:陕西(周至、凤县)、甘肃;俄罗斯(远东),欧洲。

十二、鞘蛾科 Coleophoridae

101. 鞘蛾属 *Coleophora* Hübner, 1822

(229) 藜阔鞘蛾 *Coleophora adspersella* Benander, 1939
　　分布:陕西(凤县);欧洲。

(230) 艾直鞘蛾 *Coleophora albicans* Zeller, 1849
　　分布:陕西(澄城、宁陕)、黑龙江、内蒙古、青海、四川;欧洲。

(231) 柳鞘蛾 *Coleophora albidella* ([Dennis *et* Schiffermüller], 1775)
　　分布:陕西(凤县);俄罗斯,欧洲。

(232) 秦岭直鞘蛾 *Coleophora algidella qinlingensis* Li *et* Zheng, 1999
　　分布:陕西(周至、凤县、佛坪)、甘肃、四川。

(233) 直鞘蛾 *Coleophora directella* Zeller, 1849
　　分布:陕西(杨凌);欧洲。

(234) 丽弓鞘蛾 *Coleophora eucalla* Li *et* Zheng, 1999
　　分布:陕西(杨凌)。

(235) 凤县尖鞘蛾 *Coleophora fengxianica* Li *et* Zheng, 2000
　　分布:陕西(凤县)。

(236) *Coleophora florisigna* Li *et* Zheng, 2000

分布:陕西、黑龙江。

（237）戈鞘蛾 *Coleophora gobincola*（Falkovitsh，1982）

分布:陕西（澄城）；蒙古。

（238）光沙蒿锤鞘蛾 *Coleophora granulatella* Zeller，1849

分布:陕西（杨凌、澄城）、内蒙古、青海；蒙古，俄罗斯，土库曼斯坦，欧洲。

（239）赫氏鞘蛾 *Coleophora hoeneella* Baldizzone，1989

分布:陕西（彬县）、四川。

（240）矛尖鞘蛾 *Coleophora jaculatoria* Li *et* Zheng，1999

分布:陕西（周至）。

（241）栎白鞘蛾 *Coleophora melanograpta* Meyrick，1935

分布:陕西（周至）、甘肃、江苏、江西；俄罗斯，朝鲜，日本。

（242）野枸杞鞘蛾 *Coleophora mosasaurus*（Falkovitsh，1988）

分布:陕西（杨凌）、青海；土库曼斯坦。

（243）角壮鞘蛾 *Coleophora nomgona* Falkovitsh，1975

分布:陕西（杨凌）、宁夏；蒙古，俄罗斯，哈萨克斯坦，土耳其，匈牙利，罗马尼亚。

（244）多刺鞘蛾 *Coleophora plurispinella* Baldizzone，1989

分布:陕西（杨凌）、山东。

（245）蓍毛鞘蛾 *Coleophora ptarmicia* Walsingham，1910

分布:陕西（杨凌、西乡）；欧洲。

（246）四叉脉鞘蛾 *Coleophora quadrifurca* Li *et* Zheng，1999

分布:陕西（杨凌、澄城）。

（247）中华鞘蛾 *Coleophora sinica*（Li *et* Zheng，2002）

分布:陕西（杨凌）。

（248）管鞘蛾东方亚种 *Coleophora solenella tariata* Reznik，1975

分布:陕西（澄城）、内蒙古、青海；蒙古，俄罗斯。

（249）毛角连棘鞘蛾 *Coleophora trientella* Christoph，1872

分布:陕西（杨凌）、黑龙江、内蒙古、河北；蒙古，俄罗斯，日本，土库曼斯坦，欧洲。

（250）三绿鞘蛾 *Coleophora trifolii*（Curtis，1832）

分布:陕西（周至、凤县）、黑龙江、宁夏、青海、新疆；阿富汗，中东，欧洲，非洲北部，北美洲。

（251）异平鞘蛾 *Coleophora varilimosipennella* Li *et* Zheng，2000

分布:陕西(杨凌、澄城)、黑龙江。

(252) 泛壮鞘蛾 *Coleophora versurella* Zeller, 1849

分布:陕西(杨凌)、黑龙江、北京、天津、青海、新疆、上海;全北区,南美洲。

十三、尖蛾科 Cosmopterigidae

102. Genus *Ashibusa* Matsumura, 1931

(253) *Ashibusa sinensis* Zhang *et* Li, 2009

分布:陕西、天津、河南、甘肃、浙江、湖北、江西、福建、贵州。

103. 尖蛾属 *Cosmopterix* Hübner, [1825]

(254) 拟伪尖蛾 *Cosmopterix crassicervicella* Chrétien, 1896

分布:陕西(杨凌);俄罗斯。

104. 迈尖蛾属 *Macrobathra* Meyrick, 1886

(255) 四点迈尖蛾 *Macrobathra nomaea* Meyrick, 1914

分布:陕西(澄城)、北京、天津、河南、贵州;斯里兰卡。

(256) 栎迈尖蛾 *Macrobathra quercea* Moriuti, 1973

分布:陕西(宁陕)、浙江、湖北、湖南;日本。

105. 模尖蛾属 *Meleonoma* Meyrick, 1914

(257) 面模尖蛾 *Meleonoma facialis* Li *et* Wang, 2002

分布:陕西(澄城、宁陕)、河南、江西、四川、云南。

(258) 软颚模尖蛾 *Meleonoma malacognatha* Li *et* Wang, 2002

分布:陕西(周至、凤县)。

106. Genus *Pancalia* Stephens, 1829

(259) *Pancalia isshikii amurella* Gaedike, 1967

分布:陕西、天津、河北、河南、福建;俄罗斯。

107. Genus *Ressia* Sinev, 1988

(260) *Ressia auriculata* Zhang *et* Li, 2010

分布:陕西、河南、四川。

十四、绢蛾科 Scythrididae

108．绢蛾属 *Scythris* Hübner，［1825］

（261）*Scythris bircruris* Zhang *et* Li，2010
分布：陕西、河北、河南、宁夏。

（262）中华绢蛾 *Scythris sinensis*（Felder *et* Rogenhofer，1875）
分布：陕西、吉林、辽宁、天津、河北、河南、宁夏、甘肃、浙江、台湾；俄罗斯，韩国，日本，古北区北部。

VI．粪蛾总科 Copromorphoidea

十五、蛀果蛾科 Carposinidae

109．蛀果蛾属 *Carposina* Herrich-Schäffer，1853

（263）山茱萸蛀果蛾 *Carposina cornusvora* Yang，1982
分布：陕西（丹凤）、山西。

（264）桃蛀果蛾 *Carposina sasakii* Matsumura，1900
分布：陕西、黑龙江、吉林、辽宁、河北、山西、山东、河南、宁夏、青海、江苏、安徽、浙江、湖南；朝鲜，俄罗斯，日本，北美洲。

110．洁蛀果蛾属 *Meridarchis* Zeller，1867

（265）断斑洁蛀果蛾 *Meridarchis excisa*（Walsingham，1900）
分布：陕西（宁陕）、河南、湖北；俄罗斯，日本。

VII．巢蛾总科 Yponomeutoidea

十六、Family Attevidae

111．Genus *Atteva* Walker，1854

（266）*Atteva wallengreni* Sohn *et* Wu，2013
分布：陕西（宁陕）、广东、海南、香港；越南，泰国，马来西亚，印度尼西亚。

十七、举肢蛾科 Heliodinidae

112. Genus *Atrijuglans* Yang, 1977

（267）核桃举肢蛾 *Atrijuglans hetaohei* Yang, 1977
分布:陕西(周至、佛坪)、北京、河北、山西、山东、河南、甘肃、台湾、四川、贵州。

十八、菜蛾科 Plutellidae

113. 菜蛾属 *Plutella* Schrank, 1802

（268）小菜蛾 *Plutella xylostella*（Linnaeus, 1758）
分布:陕西广布, 中国广布;世界广布。

十九、巢蛾科 Yponomeutidae

（一）巢蛾亚科 Yponomeutinae

114. 雪巢蛾属 *Niphonympha* Meyrick, 1914

（269）矛雪巢蛾 *Niphonympha varivera* Yu et Li, 2002
分布:陕西(丹凤)、河南、甘肃、贵州。

115. 腹巢蛾属 *Swammerdamia* Hübner, 1825

（270）郑氏腹巢蛾 *Swammerdamia zhengi* Li et Fan, 2007
分布:陕西(澄城)、河北、甘肃、青海。

116. 异巢蛾属 *Teinoptila* Sauber, 1902

（271）天则异巢蛾 *Teinoptila bolidias*（Meyrick, 1913）
分布:陕西(杨凌、宁陕、白河、丹凤)、甘肃、浙江、湖北、湖南、云南;泰国。

117. 小白巢蛾属 *Thecobathra* Meyrick, 1922

（272）庐山小白巢蛾 *Thecobathra soroiata* Moriuti, 1971
分布:陕西(宁陕)、河南、江苏、安徽、浙江、江西、湖南、福建、四川、贵州。

118. 巢蛾属 *Yponomeuta* Latreille, 1896

（273）东方巢蛾 *Yponomeuta anatolicus* Stringer, 1930

分布:陕西(丹凤)、黑龙江、吉林、山东、河南、甘肃、安徽、浙江;日本。

(274) 双点巢蛾 *Yponomeuta bipunctellus* Matsumura, 1931

分布:陕西、甘肃、浙江、四川;日本。

(275) 光亮巢蛾 *Yponomeuta catharotis* Meyrick, 1935

分布:陕西(杨凌、商南、丹凤)、吉林、河南、宁夏、甘肃、江苏、湖南。

(276) 灰巢蛾 *Yponomeuta cinefactus* Meyrick, 1935

分布:陕西(周至、杨凌、澄城)、辽宁、河北、河南、甘肃、江苏、浙江;俄罗斯。

(277) 稠李巢蛾 *Yponomeuta evonymellus* (Linnaeus, 1758)

分布:陕西(杨凌)、黑龙江、吉林、辽宁、内蒙古、北京、河北、山西、河南、甘肃、新疆、江苏、上海、浙江、湖北、江西、湖南、四川、云南、西藏;俄罗斯,韩国,日本,印度,欧洲,北美洲。

(278) 冬青卫矛巢蛾 *Yponomeuta griseatus* Moriuti, 1977

分布:陕西(杨凌)、山东、河南、上海、安徽、浙江、江西;日本。

(279) 瘤枝卫矛巢蛾 *Yponomeuta kanaiellus* Matsumura, 1931

分布:陕西(周至、宁陕)、黑龙江、吉林、河北、河南、浙江;日本。

(280) 苹果巢蛾 *Yponomeuta padellus* (Linnaeus, 1758)

分布:陕西(周至、杨凌、澄城、佛坪)、黑龙江、辽宁、内蒙古、北京、河北、山西、河南、甘肃、青海;俄罗斯,日本,欧洲,北美洲。

(281) 多斑巢蛾 *Yponomeuta polystictus* Butler, 1879

分布:陕西、内蒙古、河南、江西、湖南、福建、四川、贵州;日本,欧洲。

(282) 卫矛巢蛾 *Yponomeuta polystigmellus* Felder, 1862

分布:陕西(周至)、内蒙古、河南、甘肃、湖北、江西、湖南、四川;日本。

(283) 大翼卫矛巢蛾 *Yponomeuta spodocrossus* Meyrick, 1935

分布:陕西(宁陕)、甘肃;日本。

(284) 东京巢蛾 *Yponomeuta tokyonellus* Matsumura, 1931

分布:陕西(杨凌)、黑龙江、辽宁、北京、天津、河北、河南、宁夏、江苏、上海、安徽、江西;日本。

(二)银蛾亚科 Argyresthiinae

119. 银蛾属 *Argyresthia* Hübner, 1826

(285) 苹异银蛾 *Argyresthia assimilis* Moriuti, 1977

分布:陕西(周至、杨凌、洋县、宁陕)、河南、甘肃、湖北;日本。

(286) 桦银蛾 *Argyresthia brockeella* (Hübner, 1805)

分布：陕西（周至、澄城、凤县）、吉林、河南、甘肃、新疆；俄罗斯，日本，欧洲。

二十、冠翅蛾科 Ypsolophidae

120. Genus *Rhabdocosma* Meyrick，1935

（287）*Rhabdocosma semicircularis* Li，2016
分布：陕西。

121. Genus *Ypsolopha* Latreille，1796

（288）*Ypsolopha brevivalva* Jin，Wang *et* Li，2013
分布：陕西、甘肃、新疆。

（289）*Ypsolopha fascimaculata* Jin，Wang *et* Li，2013
分布：陕西、四川。

（290）*Ypsolopha paristrigosa* Jin，Wang *et* Li，2013
分布：陕西。

（291）*Ypsolopha umbrina* Jin，Wang *et* Li，2013
分布：陕西、河南。

Ⅷ. 网蛾总科 Thyridoidea

二十一、网蛾科 Thyrididae

122. 拱肩网蛾属 *Camptochilus* Hampson，1893

（292）树形拱肩网蛾 *Camptochilus aurea* Bulter，1881
分布：陕西（太白、留坝、宁陕、安康）、北京、河南、甘肃、湖北、福建、江西、湖南、广西、四川、云南、西藏；日本。

（293）金盏拱肩网蛾 *Camptochilus sinuosus* Warren，1896
分布：陕西（杨凌、佛坪、留坝、宁陕、紫阳、丹凤）、甘肃、湖北、江西、湖南、福建、海南、广西、四川；印度。

123. 黑线网蛾属 *Rhodoneura* Guenée，1858

（294）双棒网蛾 *Rhodoneura bibacula* Chu *et* Wang，1991
分布：陕西（留坝、宁陕）、福建。

（295）直线网蛾 *Rhodoneura erecta*（Leech，1889）

　　分布:陕西（佛坪、留坝、丹凤）、河南、江西、广西、四川、云南;日本。

124. 斜线网蛾属 *Striglina* Guenée，1877

（296）*Striglina jialingjiang* Owada *et* Huang，2016

　　分布:陕西。

（297）一点斜线网蛾 *Striglina scitaria* Walker，1862

　　分布:陕西（宁陕）、黑龙江、河南、台湾、海南、广西、四川;日本，缅甸，印度，斯里兰卡，加里曼丹岛，澳大利亚，巴布亚新几内亚，斐济。

Ⅸ. 螟蛾总科 Pyraloidea

二十二、螟蛾科 Pyralidae

（一）丛螟亚科 Epipaschiinae

125. 彩丛螟属 *Lista* Walker，1859

（298）*Lista haraldusalis*（Walker，1859）

　　分布:陕西（宁陕）;印度。

（二）蜡螟亚科 Galleriinae

126. 织螟属 *Aphomia* Hübner，1825

（299）二点织螟 *Aphomia zelleri*（Joannis，1932）

　　分布:陕西（周至、杨凌、澄城、商州）、吉林、内蒙古、北京、天津、河北、河南、宁夏、青海、新疆、湖北、广东、四川;朝鲜，日本，斯里兰卡，欧洲。

127. 垂须螟属 *Cataprosopus* Butler，1881

（300）黑斑垂须螟 *Cataprosopus monstrosus* Butler，1881

　　分布:陕西（佛坪、留坝）、辽宁、甘肃、江苏、湖北、湖南、福建、四川、云南;朝鲜，日本。

128. 缀螟属 *Paralipsa* Butler，1879

（301）一点缀螟 *Paralipsa gularis*（Zeller，1877）

　　分布:陕西（周至、杨凌、洋县）、黑龙江、吉林、辽宁、内蒙古、北京、天津、河北、山西、山东、河南、甘肃、江苏、上海、安徽、浙江、湖北、江西、湖南、福建、广东、海南、广西、四川、贵州、云南；朝鲜，日本，印度，不丹，欧洲，美国。

129. 纹丛螟属 *Stericta* Lederer，1863

（302）红缘纹丛螟 *Stericta asopialis*（Snellen，1890）
分布：陕西（澄城）、河南、安徽、浙江、湖北、福建、广西、四川、贵州、云南；日本，印度，不丹。

（三）螟蛾亚科 Pyralinae

130. 歧角螟属 *Endotricha* Zeller，1847

（303）纹歧角螟 *Endotricha icelusalis*（Walker，1859）
分布：陕西、黑龙江、吉林、辽宁、河北、河南、安徽、新疆、浙江、湖北、江西、湖南、广东、广西、四川、贵州、云南；俄罗斯，日本，印度，欧洲。

（304）库氏歧角螟 *Endotricha kuznetzovi* Whalley，1963
分布：陕西（杨凌、澄城）、黑龙江、辽宁、北京、河北、河南、江苏、安徽、海南、广西、四川；俄罗斯，朝鲜，日本。

（305）榄绿歧角螟 *Endotricha olivacealis*（Bremer，1864）
分布：陕西（杨凌、白河、丹凤、商南）、北京、天津、河北、山东、河南、甘肃、安徽、浙江、湖北、江西、湖南、福建、台湾、广东、海南、广西、四川、贵州、云南、西藏；俄罗斯，朝鲜，日本，缅甸，印度，尼泊尔，印度尼西亚。

（306）玫歧角螟 *Endotricha portialis* Walker，1859
分布：陕西、河北、山西、山东、河南、宁夏、浙江、湖北、江西、湖南、福建、台湾、广东、广西、贵州、云南；日本，印度尼西亚，加里曼丹岛。

131. 巢螟属 *Hypsopygia* Hübner，1825

（307）灰巢螟 *Hypsopygia glaucinalis*（Linnaeus，1758）
分布：陕西（杨凌、丹凤、商州、商南）、黑龙江、吉林、辽宁、内蒙古、北京、天津、河北、山东、河南、甘肃、青海、江苏、浙江、湖北、江西、湖南、福建、台湾、海南、广西、四川、贵州、云南；朝鲜，日本，欧洲。

（308）蜂巢螟 *Hypsopygia mauritialis*（Boisduval，1833）
分布：陕西（杨凌）、辽宁、河北、河南、青海、新疆、上海、浙江、湖北、江西、湖南、台湾、广东、海南、广西、四川、云南；日本，缅甸，印度，印度尼西亚，马达加斯加。

（309）赤巢螟 *Hypsopygia pelasgalis*（Walker，1859）

　　分布：陕西（杨凌、安康）、河北、山东、河南、湖北、湖南、台湾、海南、广西、四川、贵州、西藏；朝鲜，日本，欧洲。

（310）尖须巢螟 *Hypsopygia racilialis*（Walker，1859）

　　分布：陕西（安康）、河南、江苏、浙江、湖北、江西、福建、台湾、广东。

（311）褐巢螟 *Hypsopygia regina*（Butler，1879）

　　分布：陕西（杨凌、澄城、宁陕、安康、紫阳、丹凤）、内蒙古、河北、河南、甘肃、湖北、江西、湖南、浙江、福建、台湾、广东、海南、广西、四川、贵州、云南；日本，泰国，印度，不丹，斯里兰卡。

132．双点螟属 *Orybina* Snellen，1895

（312）紫双点螟 *Orybina plangonalis* Walker，1859

　　分布：陕西、河南、浙江、湖北、江西、台湾、广东、贵州；缅甸，印度。

133．螟蛾属 *Pyralis* Linnaeus，1758

（313）紫斑谷螟 *Pyralis farinalis* Linnaeus，1758

　　分布：陕西（西安、杨凌、洋县、宁陕）、黑龙江、天津、河北、山东、河南、宁夏、新疆、江苏、浙江、湖北、江西、湖南、台湾、广东、广西、四川、云南、西藏；俄罗斯，朝鲜，日本，缅甸，印度，伊朗，欧洲。

（314）金黄螟 *Pyralis regalis* Schiffermüller *et* Denis，1775

　　分布：陕西（洋县、白河、丹凤、商南）、黑龙江、吉林、辽宁、北京、天津、河北、山西、山东、河南、甘肃、湖北、江西、湖南、福建、台湾、广东、海南、四川、贵州、云南；俄罗斯，朝鲜，日本，印度，欧洲。

134．长须螟属 *Trebania* Ragonot，1891

（315）鼠灰长须螟 *Trebania muricolor* Hampson，1896

　　分布：陕西（佛坪）、甘肃、浙江、湖北、福建、广西、四川；印度。

（四）斑螟亚科 Phycitinae

135．峰斑螟属 *Acrobasis* Zeller，1839

（316）白条峰斑螟 *Acrobasis injunctella*（Christoph，1881）

　　分布：陕西（澄城、宝鸡）、辽宁、天津、河北、河南、江苏、上海、湖北、江西、贵州；朝鲜，日本。

（317）井上峰斑螟 *Acrobasis inouei* Ren, 2012

分布：陕西（澄城）、天津、河南、湖北、江苏、安徽、浙江、湖南、四川；日本。

（318）秀峰斑螟 *Acrobasis obrutella*（Christoph, 1881）

分布：陕西（安康）、吉林、河北、河南、甘肃、安徽、浙江、湖北、江西、湖南、福建、台湾、广东、广西、四川、贵州；俄罗斯，日本，印度尼西亚。

（319）钝小峰斑螟 *Acrobasis obtusella*（Hübner, 1796）

分布：陕西（丹凤）、内蒙古、天津、河北、河南、广西、贵州；俄罗斯，巴勒斯坦，中欧。

（320）红带峰斑螟 *Acrobasis rufizonella* Ragonot, 1887

分布：陕西（澄城）、天津、河北、宁夏、甘肃、河南、浙江、福建、广东、贵州、云南；朝鲜，日本。

（321）污鳞峰斑螟 *Acrobasis squalidella* Christoph, 1881

分布：陕西（安康）、黑龙江、辽宁、河南、安徽、浙江、湖北、江西、湖南、四川、贵州、云南；俄罗斯，朝鲜，日本。

136. 拟峰斑螟属 *Anabasis* Heinrich, 1956

（322）棕黄拟峰斑螟 *Anabasis fusciflavida* Du, Song *et* Wu, 2005

分布：陕西（杨凌、安康）、吉林、山西、河南、甘肃、浙江、湖北、湖南、广东、广西、四川、贵州、云南。

137. 曲斑螟属 *Ancylosis* Zeller, 1839

（323）光曲斑螟 *Ancylosis*（*Cabotia*）*oblitella*（Zeller, 1848）

分布：陕西、黑龙江、内蒙古、北京、河北、宁夏、甘肃、青海、新疆；俄罗斯，中亚地区，中东，阿富汗，伊拉克，土耳其，欧洲，非洲。

（324）荫缘曲斑螟 *Ancylosis*（*Heterographis*）*umbrilimbella*（Ragonot, 1901）

分布：陕西（杨凌）、宁夏、甘肃、新疆；印度，科威特，巴林，伊拉克，中东，非洲。

（325）棉曲斑螟 *Ancylosis*（*Heterographis*）*xylinella*（Staudinger, 1870）

分布：陕西（杨凌）、宁夏、新疆；蒙古，俄罗斯，伊拉克，中东，阿富汗，非洲。

138. 软斑螟属 *Asclerobia* Roesler, 1969

（326）中国软斑螟 *Asclerobia sinensis*（Caradja, 1937）

分布:陕西(澄城、西乡、洋县)、黑龙江、北京、天津、河北、山东、河南、甘肃、安徽、四川、云南。

139. 蛀果斑螟属 *Assara* Walker, 1863

(327) 白斑蛀果斑螟 *Assara korbi* (Caradja, 1910)

分布:陕西、河南、甘肃、浙江、湖北;日本。

140. 金斑螟属 *Aurana* Walker, 1863

(328) 油桐金斑螟 *Aurana vinaceella* (Inoue, 1963)

分布:陕西(白河)、河南、甘肃、安徽、浙江、湖北、江西、湖南、福建、广西、四川、贵州、云南、西藏;日本,印度尼西亚。

141. 果斑螟属 *Cadra* Walker, 1864

(329) 干果斑螟 *Cadra cautella* (Walker, 1863)

分布:陕西(杨凌、洋县);世界性分布。

(330) 葡萄果斑螟 *Cadra figulilella* (Gregson, 1871)

分布:陕西;世界性分布。

142. 紫斑螟属 *Calguia* Walker, 1863

(331) 白条紫斑螟 *Calguia defiguralis* Walker, 1863

分布:陕西(紫阳)、天津、河北、河南、甘肃、安徽、浙江、湖北、江西、湖南、福建、广东、广西、四川、贵州、云南、西藏;日本,印度,斯里兰卡,印度尼西亚,澳大利亚。

143. 瘤翅斑螟属 *Caradjaria* Roesler, 1975

(332) 圆瘤翅斑螟 *Caradjaria asiatella* Roesler, 1975

分布:陕西(安康)、北京、河南、湖北、湖南、重庆、四川、西藏。

144. 栉角斑螟属 *Ceroprepes* Zeller, 1867

(333) 黑纹栉角斑螟 *Ceroprepes nigrolineatella* Shibuya, 1927

分布:陕西(宁陕)、吉林、天津、河北、河南、宁夏、甘肃、青海、广西、贵州、云南;朝鲜,日本。

(334) 圆斑栉角斑螟 *Ceroprepes ophthalmicella* (Christoph, 1881)

分布:陕西(杨凌、澄城、安康)、天津、山西、山东、河南、甘肃、浙江、湖北、福建、四川、贵州、云南；日本，印度。

145. 隐斑螟属 *Cryptoblabes* **Zeller, 1848**

(335) 斜纹隐斑螟 *Cryptoblabes bistriga* (**Haworth, 1811**)
分布：陕西(安康)、黑龙江、天津、福建、四川、广西、贵州、云南；日本，印度，斯里兰卡，印度尼西亚。

146. 梢斑螟属 *Dioryctria* **Zeller, 1846**

(336) 冷杉梢斑螟 *Dioryctria abietella* (**Denis et Schiffermüller, 1775**)
分布：陕西、黑龙江、吉林、辽宁、河北、河南、宁夏、青海、江苏、浙江、湖北、湖南、广东、广西、贵州、云南；俄罗斯，朝鲜，韩国，日本，北美洲。

(337) 果梢斑螟 *Dioryctria pryeri* **Ragonot, 1893**
分布：陕西(澄城)、黑龙江、吉林、辽宁、天津、河北、山东、河南、甘肃、江苏、安徽、浙江、湖北、江西、湖南、广东、四川、台湾；朝鲜，日本。

(338) 微红梢斑螟 *Dioryctria rubella* **Hampson, 1901**
分布：陕西(杨凌、西乡、紫阳、安康、丹凤)、黑龙江、吉林、辽宁、北京、天津、河北、山东、河南、江苏、安徽、浙江、湖北、江西、湖南、福建、广东、海南、广西、四川、贵州；俄罗斯，朝鲜，日本，菲律宾，欧洲。

147. 长颚斑螟属 *Edulicodes* **Roesler, 1972**

(339) 井上长颚斑螟 *Edulicodes inoueella* **Roesler, 1972**
分布：陕西(紫阳)、河南、上海、浙江、湖北、广东、云南；日本，印度尼西亚，澳大利亚。

148. 栗斑螟属 *Epicrocis* **Zeller, 1848**

(340) 银纹栗斑螟 *Epicrocis hilarella* (**Ragonot, 1888**)
分布：陕西(白河、丹凤)、福建、台湾、广东、海南、香港、贵州、云南；日本，印度，缅甸，斯里兰卡，印度尼西亚。

149. 荚斑螟属 *Etiella* **Zeller, 1839**

(341) 豆荚斑螟 *Etiella zinckenella* (**Treitschke, 1832**)
分布：陕西(周至、杨凌、洋县、丹凤)、天津、河北、山东、河南、宁夏、甘肃、新疆、安徽、湖北、湖南、福建、广东、四川、贵州、云南；世界性分布，但目前在英国、夏威夷、新西兰，以及北欧、太平洋的一些岛屿未见报道。

150. 类荚斑螟属 *Etielloides* Shibuya, 1928

（342）双裂类荚斑螟 *Etielloides bipartitellus*（Leech, 1889）
分布：陕西（杨凌、洋县、紫阳）、河南；朝鲜，日本。

（343）褐类荚斑螟 *Etielloides kogii* Yamanaka, 1998
分布：陕西（杨凌）、河南；朝鲜，日本。

（344）散类荚斑螟 *Etielloides sejunctellus*（Christoph, 1881）
分布：陕西（杨凌）、河南、福建、广西、贵州；俄罗斯，朝鲜，日本。

151. 暗斑螟属 *Euzophera* Zeller, 1867

（345）煤褐暗斑螟 *Euzophera*（*Cymbalorissa*）*fuliginosella*（Heinemann, 1865）
分布：陕西（澄城）、天津、河北、河南、青海；德国。

（346）前白暗斑螟 *Euzophera*（*Euzophera*）*albicostalis* Hampson, 1903
分布：陕西（杨凌、澄城）、天津、河北、山东、河南、新疆；俄罗斯，阿富汗，克什米尔，伊拉克，伊朗。

（347）巴塘暗斑螟 *Euzophera*（*Euzophera*）*batangensis* Caradja, 1939
分布：陕西（杨凌、洋县）、天津、河北、山东、江苏、浙江、湖北、湖南、福建、广东、四川、云南、西藏；韩国，日本。

152. 巢斑螟属 *Faveria* Walker, 1859

（348）锐瓣巢斑螟 *Faveria acutivalva* Ren *et* Li, 2012
分布：陕西、天津、河南、浙江、湖北、重庆、四川、云南；日本，印度。

（349）灰巢斑螟 *Faveria manoi*（Yamanaka, 1993）
分布：陕西（紫阳）；日本。

153. 叉斑螟属 *Furcata* Du, Sung *et* Wu, 2005

（350）双色叉斑螟 *Furcata dichromella*（Ragonot, 1893）
分布：陕西、山东、甘肃、安徽、湖北、江西、湖南；日本。

（351）曲纹叉斑螟 *Furcata karenkolla*（Shibuya, 1928）
分布：陕西（安康）、河北、河南、甘肃、安徽、浙江、湖北、湖南、福建、台湾、广西、四川、贵州。

（352）欧氏叉斑螟 *Furcata ohkunii*（Shibuya, 1928）
分布：陕西（丹凤）、河南、甘肃、安徽、浙江、湖北、湖南、福建、台湾、广西、四川、贵州。

（353）拟双色叉斑螟 *Furcata paradichromella*（**Yamanaka，1980**）

　　分布：陕西（洋县）、河南、甘肃、浙江、湖北、湖南、广西、贵州；日本。

（354）拟叉纹叉斑螟 *Furcata pseudodichromella*（**Yamanaka，1980**）

　　分布：陕西（安康）、天津、河北、河南、甘肃、新疆、安徽、浙江、湖北、湖南、福建、广西、四川、贵州；日本。

154．雕斑螟属 *Glyptoteles* Zeller，1848

（355）亮雕斑螟 *Glyptoteles leucacrinella* **Zeller，1848**

　　分布：陕西（澄城、白河、商州、丹凤、商南）、黑龙江、吉林、北京、天津、河北、河南、宁夏、甘肃、青海、新疆、湖北、湖南、四川、贵州；中欧（英国除外）。

155．Genus *Gymnancyla* Zeller，1848

（356）*Gymnancyla*（*Gymnancyla*）*termacerba* **Liu *et* Li，2010**

　　分布：陕西、黑龙江、辽宁、内蒙古、天津、河北、山东。

156．Genus *Indomyrlaea* Roesler *et* Kuppers，1979

（357）*Indomyrlaea proceripalpa* **Ren *et* Li，2015**

　　分布：陕西、河南、安徽、浙江、湖北、江西、湖南、福建、广东、海南、广西、贵州、四川。

157．蝶斑螟属 *Morosaphycita* Horak，1997

（358）眼斑蝶斑螟 *Morosaphycita maculata*（**Staudinger，1876**）

　　分布：陕西（洋县、白河、商州、丹凤）、天津、河北、山东、河南、甘肃、江苏、安徽、浙江、湖南、台湾、四川；朝鲜，日本。

158．云斑螟属 *Nephopterix* Hübner，1825

（359）山东云斑螟 *Nephopterix shantungella* **Roesler，1969**

　　分布：陕西（杨凌、澄城）、内蒙古、天津、吉林、河北、山东、河南、安徽、湖北。

159．夜斑螟属 *Nyctegretis* Zeller，1848

（360）卡夜斑螟 *Nyctegretis lineana katastrophella* **Roesler，1970**

　　分布：陕西（澄城）、内蒙古、河北、宁夏、甘肃、青海、新疆；蒙古，朝鲜。

160. 云翅斑螟属 *Oncocera* Stephens, 1829

（361）红云翅斑螟 *Oncocera semirubella*（Scopoli, 1763）

　　分布:陕西（杨凌、澄城、丹凤）、黑龙江、吉林、内蒙古、北京、天津、河北、山东、河南、宁夏、甘肃、青海、江苏、安徽、浙江、湖北、江西、湖南、福建、台湾、广东、广西、四川、贵州、云南;俄罗斯,日本,印度,英国,保加利亚,匈牙利。

161. 骨斑螟属 *Patagoniodes* Roesler, 1969

（362）波纹骨斑螟 *Patagoniodes popescugorji* Roesler, 1969

　　分布:陕西、贵州、云南。

162. 瘿斑螟属 *Pempelia* Hübner, 1825

（363）台湾瘿斑螟 *Pempelia formosa*（Haworth, 1811）

　　分布:陕西（杨凌）、河北;俄罗斯,日本,德国。

163. 类斑螟属 *Phycitodes* Hampson, 1917

（364）棘刺类斑螟 *Phycitodes albatella*（Ragonot, 1887）

　　分布:陕西（杨凌）、吉林、天津、河北、山西、河南、新疆、湖北、湖南、西藏;克什米尔,阿富汗,中东,伊拉克,叙利亚。

（365）厚点类斑螟 *Phycitodes crassipunctella*（Caradja, 1927）

　　分布:陕西（杨凌、澄城）、天津、河北、新疆、江苏、湖北、湖南、四川。

（366）龙潭类斑螟 *Phycitodes lungtanella*（Roesler, 1969）

　　分布:陕西（安康）、甘肃、江苏、浙江、福建、贵州、云南。

（367）石类斑螟 *Phycitodes saxicola*（Vaughan, 1870）

　　分布:陕西（杨凌、澄城）、黑龙江、新疆;欧洲。

（368）前白类斑螟 *Phycitodes subcretacella*（Ragonot, 1901）

　　分布:陕西（杨凌、澄城）、天津、河北、山东、河南、甘肃、青海、新疆、江苏、浙江、湖北、湖南、四川、贵州;日本。

164. 锯角斑螟属 *Pima* Hulst, 1888

（369）豆锯角斑螟 *Pima boisduvaliella*（Guenée, 1845）

　　分布:陕西（杨凌）、内蒙古、河北、甘肃、宁夏、青海、新疆、西藏;欧洲,加拿大。

165．谷斑螟属 *Plodia* Guenée，1845

（370）印度谷斑螟 *Plodia interpunctella*（Hübner，［1813］）
　　分布：陕西（杨凌、洋县）；世界性分布。

166．幻拟斑螟属 *Postemmalocera* Amsel，1955

（371）铜色幻拟斑螟 *Postemmalocera cuprella*（Caradja，1935）
　　分布：陕西（西乡）、河南、江苏、湖北、贵州。

167．伪峰斑螟属 *Pseudacrobasis* Roesler，1975

（372）*Pseudacrobasis dilatata* Ren *et* Li，2016
　　分布：陕西、河北、河南、甘肃、青海、浙江、湖北、四川、贵州。
（373）南京伪峰斑螟 *Pseudacrobasis nankingella* Roesler，1975
　　分布：陕西（杨凌、安康）、吉林、河南、甘肃、江苏、上海、浙江、湖北、江西、湖南、福建、台湾、广东、广西、四川、贵州；日本，欧洲。

168．簇斑螟属 *Psorosa* Zeller，1846

（374）泰山簇斑螟 *Psorosa*（*Sopsora*）*taishanella* Roesler，1975
　　分布：陕西（杨凌、商南）、吉林、辽宁、天津、河北、山东、河南、湖北；日本，朝鲜。

169．腹刺斑螟属 *Sacculocornutia* Roesler，1971

（375）中国腹刺斑螟 *Sacculocornutia sinicolella*（Caradja，1926）
　　分布：陕西（紫阳）、天津、河北、河南、甘肃、上海、安徽、浙江、贵州；日本。
（376）郑氏腹刺斑螟 *Sacculocornutia zhengi* Du，Li *et* Wang，2002
　　分布：陕西（商南）、天津、河北、河南、安徽、湖北、湖南。

170．脊斑螟属 *Salebria* Zeller，1846

（377）小脊斑螟 *Salebria ellenella* Roesler，1975
　　分布：陕西（杨凌、澄城、洋县、紫阳、白河）、北京、天津、河北、山东、河南、宁夏、甘肃、新疆、江苏、安徽、浙江、湖北、江西、福建、台湾、广东、广西、四川、贵州；朝鲜。

171．阴翅斑螟属 *Sciota* Hulst，1888

（378）柳阴翅斑螟 *Sciota adelphella*（Fischer v. Röeslerstamm，1836）

分布:陕西(杨凌、商州、丹凤)、辽宁、内蒙古、天津、河北、河南、青海、安徽、湖北、江西、福建、四川;俄罗斯,欧洲。

172. 亮斑螟属 *Selagia* Hübner, 1825

（379）银翅亮斑螟 *Selagia argyrella* Denis *et* Schiffermüller, 1775

分布:陕西(杨凌、澄城、洋县、西乡、丹凤)、内蒙古、天津、河北、山东、河南、宁夏、青海、新疆、四川、西藏;亚洲,中欧。

二十三、草螟科 Crambidae

（一）草螟亚科 Crambinae

173. 巢草螟属 *Ancylolomia* Hübner, 1825

（380）稻巢草螟 *Ancylolomia japonica* Zeller, 1877

分布:陕西(杨凌、安康)、黑龙江、辽宁、北京、天津、河北、山东、河南、甘肃、江苏、上海、安徽、浙江、湖北、江西、湖南、福建、台湾、广东、海南、广西、四川、贵州、云南、西藏;朝鲜,日本,泰国,缅甸,印度,斯里兰卡,南非。

174. 髓草螟属 *Calamotropha* Zeller, 1863

（381）*Calamotropha duofurcata* Li *et* Li, 2012

分布:陕西。

（382）黑点髓草螟 *Calamotropha nigripunctella*（Leech, 1889）

分布:陕西(宁陕)、安徽、浙江、福建、湖北、江西、湖南、海南、广西、四川、贵州、云南;朝鲜,日本。

175. 目草螟属 *Catoptria* Hübner, 1825

（383）岷山目草螟 *Catoptria mienshani* Bleszynski, 1965

分布:陕西(澄城)、吉林、内蒙古、天津、河北、山西、河南、宁夏、甘肃、浙江、贵州、西藏。

176. 禾草螟属 *Chilo* Zincken, 1817

（384）二化螟 *Chilo suppressalis*（Walker, 1863）

分布:陕西(杨凌、洋县)、辽宁、黑龙江、天津、河北、山东、河南、江苏、安徽、浙江、湖北、江西、湖南、福建、台湾、广东、广西、四川、贵州、云南;朝鲜,日本,印度,菲律宾,马来西亚,印度尼西亚,西班牙,埃及。

177. 金草螟属 *Chrysoteuchia* Hübner, 1825

(385) 黑斑金草螟 *Chrysoteuchia atrosignata*（Zeller, 1877）
分布:陕西(洋县、西乡)、河北、河南、甘肃、江苏、安徽、浙江、湖北、江西、湖南、福建、广西、四川、贵州、云南;朝鲜,日本。

(386) 角突金草螟 *Chrysoteuchia disasterella* Bleszynski, 1965
分布:陕西(安康)、天津、河北、河南、宁夏、湖北。

(387) *Chrysoteuchia shafferi* Li et Li, 2010
分布:陕西。

178. 草螟属 *Crambus* Fabricius, 1798

(388) 双斑草螟 *Crambus bipartellus* South, 1901
分布:陕西(宁陕)、黑龙江、河北、河南、宁夏、甘肃、浙江、湖北、福建、四川、云南;缅甸。

(389) 黑纹草螟 *Crambus nigriscriptellus* South, 1901
分布:陕西(丹凤)、河南、甘肃、江苏、安徽、浙江、湖北、湖南、福建、四川、云南。

179. 齿纹草螟属 *Elethyia* Ragonot, 1888

(390) 泰山齿纹草螟 *Elethyia taishanensis*（Caradja et Meyrick, 1936）
分布:陕西(澄城)、黑龙江、内蒙古、天津、河北、山东、河南、宁夏、甘肃、青海、安徽、湖北、四川。

180. 黄草螟属 *Flavocrambus* Bleszynski, 1959

(391) 钩状黄草螟 *Flavocrambus aridellus*（South, 1901）
分布:陕西(澄城、宁陕)、黑龙江、河南、甘肃、安徽、浙江、湖北、广东。

181. Genus *Gargela* Walker, 1864

(392) *Gargela albidusa* Song, Chen et Wu, 2009
分布:陕西。

182. 微草螟属 *Glaucocharis* Meyrick, 1938

(393) *Glaucocharis biconvexa* Li et Li, 2012
分布:陕西、安徽、江西、湖南、福建、香港、广西、贵州、云南。

(394) 钳形微草螟 *Glaucocharis chelatella* Wang et Sung, 1988
分布:陕西(安康)、云南。

（395）琥珀微草螟 *Glaucocharis electra*（Bleszynski, 1965）

分布：陕西（安康）、天津、山东、河南、浙江、湖北、湖南、福建、广西、四川、贵州；韩国。

（396）盾形微草螟 *Glaucocharis parmulella* Wang *et* Sung, 1988

分布：陕西（宁陕）、湖北、四川、贵州。

（397）亚白线微草螟 *Glaucocharis subalbilinealis*（Bleszynski, 1965）

分布：陕西（宁陕）、河南、江苏、安徽、浙江、湖北、江西、湖南、福建、广东、广西、香港、四川、贵州、云南。

183．带草螟属 *Metaeuchromius* Bleszynski, 1960

（398）褐带草螟 *Metaeuchromius circe* Bleszynski, 1965

分布：陕西（宁陕、安康、丹凤）、甘肃、湖北、四川。

184．双带草螟属 *Miyakea* Marumo, 1933

（399）金双带草螟 *Miyakea raddeellus*（Caradja, 1910）

分布：陕西（澄城、丹凤）、黑龙江、北京、天津、河北、山西、山东、河南、江苏、安徽、浙江、湖北、福建、广西、贵州、西藏；俄罗斯，朝鲜。

185．广草螟属 *Platytes* Guenée, 1845

（400）饰纹广草螟 *Platytes ornatella*（Leech, 1889）

分布：陕西（杨凌、澄城）、黑龙江、吉林、内蒙古、北京、天津、河北、山西、山东、河南、宁夏、甘肃、青海、安徽、浙江、湖北、江西、四川、贵州、西藏；俄罗斯，朝鲜，日本。

186．银草螟属 *Pseudargyria* Okano, 1962

（401）黄纹银草螟 *Pseudargyria interruptella*（Walker, 1866）

分布：陕西（洋县、宁陕、紫阳、安康、白河、丹凤、商南）、天津、河北、山东、河南、甘肃、江苏、安徽、浙江、湖北、江西、湖南、福建、台湾、广东、广西、四川、贵州、云南；朝鲜，日本。

187．白草螟属 *Pseudocatharylla* Bleszynski, 1961

（402）纯白草螟 *Pseudocatharylla simplex*（Zeller, 1877）

分布：陕西（杨凌、澄城、彬县、宁陕）、辽宁、黑龙江、北京、天津、河北、山东、河南、甘肃、江苏、浙江、湖北、湖南、福建、台湾、香港、广西、四川、贵州、西藏；俄罗斯，日本。

188.黄纹草螟属 *Xanthocrambus* Bleszynski，1955

（403）银翅黄纹草螟 *Xanthocrambus argentarius*（Staudinger，1867）

分布:陕西(杨凌、澄城)、黑龙江、辽宁、内蒙古、河北、山西、河南、宁夏、甘肃、青海、新疆、四川;俄罗斯,哈萨克斯坦,吉尔吉斯斯坦。

（404）褐翅黄纹草螟 *Xanthocrambus lucellus*（Herrich-Schäffer，1848）

分布:陕西(丹凤)、黑龙江、辽宁、北京、天津、河北、山西、山东、宁夏、青海、江苏、浙江、湖南、四川;蒙古,朝鲜,日本,中亚,欧洲。

（二）薄翅螟亚科 Evergestinae

189.薄翅螟属 *Evergestis* Hübner，[1825]1816

（405）双斑薄翅螟 *Evergestis junctalis*（Warren，1892）

分布:陕西(周至、杨凌、宁陕、安康)、黑龙江、河北、河南、湖北、四川、云南;俄罗斯,朝鲜,日本。

（三）水螟亚科 Acentropinae

190.眉斑水螟属 *Ambia* Walker，1859

（406）缘眉斑水螟 *Ambia marginalis* Moore，1887

分布:陕西(白河)、湖北、贵州、云南;印度,马来西亚。

191.塘水螟属 *Elophila* Hübner，1822

（407）黄纹塘水螟 *Elophila fengwhanalis*（Pryer，1877）

分布:陕西(山阳)、黑龙江、吉林、辽宁、北京、天津、河北、山东、宁夏、江苏、上海、安徽、浙江、湖北、江西、湖南、福建、广东、四川、贵州;朝鲜,日本。

（408）棉塘水螟 *Elophila interruptalis*（Pryer，1877）

分布:陕西(洋县)、黑龙江、吉林、天津、河北、山东、河南、江苏、上海、安徽、浙江、湖北、江西、湖南、福建、广东、四川、云南;俄罗斯,朝鲜,日本。

（409）褐萍塘水螟 *Elophila turbata*（Butler，1881）

分布:陕西(佛坪)、黑龙江、吉林、辽宁、北京、天津、河北、山东、河南、江苏、上海、安徽、浙江、湖北、湖南、福建、台湾、广东、广西、重庆、四川、贵州、云南;俄罗斯,朝鲜,日本。

192. 斑水螟属 *Eoophyla* Swinhoe, 1900

(410) 华斑水螟 *Eoophyla sinensis* (Hampson, 1897)
　　分布:陕西(丹凤)、河北、河南、湖北、四川;泰国,尼泊尔。

193. 狭翅水螟属 *Eristena* Warren, 1896

(411) 叉纹狭翅水螟 *Eristena bifurcalis* (Pryer, 1877)
　　分布:陕西(商南)、浙江、江西、福建、台湾、广东、广西、四川、贵州;缅甸,
印度。

194. 波水螟属 *Paracymoriza* Warren, 1890

(412) 华南波水螟 *Paracymoriza laminalis* (Hampson, 1901)
　　分布:陕西(紫阳)、江苏、浙江、湖北、江西、湖南、福建、台湾、广东、广
西、贵州。

(413) 洁波水螟 *Paracymoriza prodigalis* (Leech, 1889)
　　分布:陕西(太白山,宁陕)、河北、河南、浙江、湖北、福建、台湾、广东、贵
州;朝鲜,日本。

195. 筒水螟属 *Parapoynx* Hübner, 1825

(414) 小筒水螟 *Parapoynx diminutalis* Snellen, 1880
　　分布:陕西(商洛)、天津、山东、河南、上海、浙江、湖南、台湾、广东、四川、
贵州、云南;印度,斯里兰卡,菲律宾,马来西亚,印度尼西亚,非洲。

(415) 稻筒水螟 *Parapoynx vittalis* (Bremer, 1864)
　　分布:陕西(西安、杨凌)、黑龙江、吉林、辽宁、内蒙古、北京、天津、山东、宁
夏、江苏、上海、浙江、福建、台湾、湖北、江西、湖南、四川、云南;俄罗斯,
朝鲜,日本。

(四)苔螟亚科 Scopariinae

196. 优苔螟属 *Eudonia* Billberg, 1820

(416) *Eudonia magna* Li, Li *et* Nuss, 2012
　　分布:陕西、河南、宁夏、甘肃、浙江、四川、云南、西藏。

(417) 长茎优苔螟 *Eudonia puellaris* Sasaki, 1991
　　分布:陕西(澄城、宁陕、安康)、辽宁、天津、河北、河南、甘肃、江苏、浙江、
湖北、福建、台湾、四川、贵州、云南;俄罗斯,日本。

(418) *Eudonia singulannulata* Li, Li *et* Nuss, 2012

　　分布:陕西、河南、宁夏、新疆、四川。

(419) 异爪优苔螟 *Eudonia truncicolella* (Stainton, 1849)

　　分布:陕西(杨凌、宁陕)、黑龙江、吉林、辽宁、内蒙古、河北；俄罗斯,日本,欧洲。

197. Genus *Micraglossa* Warren, 1891

(420) *Micraglossa zhongguoensis* Li, Li *et* Nuss, 2010

　　分布:陕西、江苏、上海、安徽、浙江、湖南、香港、广西、四川、贵州、云南；越南。

198. 苔螟属 *Scoparia* Haworth, 1811

(421) *Scoparia afghanorum* Leraut, 1985

　　分布:陕西、四川、云南；阿富汗。

(422) 突囊苔螟 *Scoparia ancipitella* (La Harpe, 1855)

　　分布:陕西(宁陕)、黑龙江、吉林、河北、河南、宁夏、甘肃、新疆、四川；欧洲。

(423) 囊刺苔螟 *Scoparia congestalis* Walker, 1859

　　分布:陕西(杨凌、西乡、宁陕、紫阳、白河、丹凤)、天津、河南、甘肃、江苏、上海、安徽、浙江、湖北、江西、湖南、福建、台湾、香港、广西、四川、贵州、云南、西藏；俄罗斯,韩国,日本。

(424) *Scoparia uncinata* Li, Li *et* Nuss, 2010

　　分布:陕西、湖北、甘肃、四川。

(425) *Scoparia utsugii* Inoue, 1994

　　分布:陕西；日本。

(五)禾螟亚科 Schoenobiinae

199. Genus *Cirrhochrista* Lederer, 1863

(426) *Cirrhochrista spinuella* Chen, Song *et* Wu, 2006

　　分布:陕西、广东。

200. 禾螟属 *Schoenobius* Duponchel, 1836

(427) 大禾螟 *Schoenobius gigantellus* (Schiffermuller *et* Denis, 1775)

　　分布:陕西(杨凌)、黑龙江、内蒙古、北京、天津、河北、山西、山东、河南、宁夏、新疆、江苏、上海、湖南、广东；俄罗斯，朝鲜，韩国，日本，瑞典，英国。

201．边禾螟属 *Catagela* Walker，1863

（428）褐边螟 *Catagela adjurella* Walker，1863
　　分布：陕西（杨凌）、山东、河南、江苏、安徽、浙江、湖北、江西、湖南、福建、广东、海南、广西、云南；印度，斯里兰卡。

202．白禾螟属 *Scirpophaga* Treitschke，1832

（429）三化螟 *Scirpophaga incertulas*（Walker，1863）
　　分布：陕西（杨凌、洋县、汉中、宁强、紫阳）、河北、山东、河南、江苏、上海、安徽、浙江、湖北、江西、湖南、福建、台湾、广东、海南、香港、广西、四川、贵州、云南；日本，越南，泰国，缅甸，印度，尼泊尔，孟加拉，斯里兰卡，新加坡，菲律宾，马来西亚，印度尼西亚，阿富汗。

（六）野螟亚科 Pyraustinae

203．织叶野螟属 *Algedonia* Lederer，1863

（430）黑翅织叶野螟 *Algedonia luctualis*（Hübner，1796）
　　分布：陕西（旬邑、宁陕）、黑龙江、甘肃、湖北；俄罗斯，日本，德国。

204．棘趾野螟属 *Anania* Hübner，1823

（431）八目棘趾野螟 *Anania funebris*（Ström，1768）
　　分布：陕西（宁陕）、黑龙江、吉林、甘肃、上海、湖北；朝鲜，日本，欧洲。

（432）元参棘趾野螟 *Anania verbascalis*（Denis *et* Schiffermüller，1775）
　　分布：陕西（杨凌、洋县、宁陕、商州）、天津、河北、山西、河南、青海、湖南、福建、广东、四川、贵州、云南；俄罗斯，朝鲜，日本，印度，斯里兰卡，西亚，欧洲。

205．镰翅野螟属 *Circobotys* Butler，1879

（433）马氏镰翅野螟 *Circobotys malaisei* Munroe *et* Mutuura，1970
　　分布：陕西、四川；缅甸。

206．淡黄野螟属 *Demobotys* Munroe *et* Mutuura，1969

（434）竹淡黄野螟 *Demobotys pervulgalis*（Hampson，1913）

分布:陕西(周至、丹凤、商南)、河南、江苏、浙江、湖南、福建、广西、贵州;
日本。

207. 细突野螟属 *Ecpyrrhorrhoe* Hübner, 1825

(435) 红纹细突野螟 *Ecpyrrhorrhoe rubiginalis* (Hübner, 1796)
分布:陕西(杨凌)、内蒙古、北京、天津、河南、新疆、广东;日本,西亚,欧
洲(除北欧外),澳大利亚。

208. 窄翅野螟属 *Euclasta* Lederer, 1855

(436) 旱柳原野螟 *Euclasta stoetzneri* (Caradja, 1927)
分布:陕西(周至、杨凌、澄城、黄陵)、黑龙江、吉林、内蒙古、北京、天津、河
北、山西、山东、河南、宁夏、甘肃、湖北、福建、四川、西藏;蒙古。

209. 线须野螟属 *Eurrhypara* Hübner, [1825]1816

(437) 夏枯草线须野螟 *Eurrhypara hortulata* (Linnaeus, 1758)
分布:陕西(杨凌、宁陕)、吉林、山西、河南、甘肃、青海、江苏、广东、云南;
欧洲。

210. 锥额野螟属 *Loxostege* Hübner, [1825]1816

(438) 艾锥额野螟 *Loxostege aeruginalis* (Hübner, 1796)
分布:陕西(杨凌、澄城、洋县、丹凤)、北京、天津、河北、山西、河南、青海、
湖北;欧洲。

(439) 黄绿锥额野螟 *Loxostege deliblatica* Szent-Ivány *et* Uhrik-Meszáros, 1942
分布:陕西(杨凌、澄城)、内蒙古、河北、山东、宁夏、青海;俄罗斯,欧洲。

(440) 网锥额野螟 *Loxostege sticticalis* (Linnaeus, 1761)
分布:陕西(杨凌、彬县)、吉林、内蒙古、天津、河北、山西、河南、宁夏、甘
肃、青海、新疆、江苏、四川、西藏;俄罗斯,朝鲜,日本,印度,欧洲,北
美洲。

211. 秆野螟属 *Ostrinia* Hübner, [1824—1825]

(441) 亚洲玉米螟 *Ostrinia furnacalis* (Guenée, 1854)
分布:陕西,全国各玉米种植区广布;俄罗斯,朝鲜,日本,越南,缅甸,
印度,斯里兰卡,新加坡,菲律宾,马来西亚,印度尼西亚,澳大利亚,巴
布亚新几内亚。

（442）款冬玉米螟 *Ostrinia scapulalis*（Walker，1859）
　　分布：陕西（宁陕）、吉林、天津、河北、河南、新疆、上海、江苏、浙江、湖北、湖南、福建、台湾、广西、贵州、云南、西藏；俄罗斯，朝鲜，日本，印度。

（443）豆秆野螟 *Ostrinia zealis*（Guenée，1854）
　　分布：陕西、黑龙江、内蒙古、河北、山东、甘肃、江苏、浙江、湖北、福建、台湾、湖南、广东、四川、云南；俄罗斯（远东），日本，印度。

212．宽突野螟属 *Paranomis* Munroe *et* Mutuura，1968

（444）棱脊宽突野螟 *Paranomis nodicosta* Munroe *et* Mutuura，1968
　　分布：陕西、浙江、福建、贵州。

213．褶缘野螟属 *Paratalanta* Meyrick，1890

（445）*Paratalanta furcata* Zhang *et* Li，2014
　　分布：陕西、河南、宁夏。

（446）乌苏里褶缘野螟 *Paratalanta ussurialis*（Bremer，1864）
　　分布：陕西（丹凤）、黑龙江、河南、宁夏、湖北、福建、台湾、四川、贵州、云南；俄罗斯（远东），朝鲜，日本，伊朗。

214．云斑野螟属 *Perinephela* Hübner，[1825]1816

（447）矛纹云斑野螟 *Perinephela lancealis*（[Denis *et* Schiffermüller]，1775）
　　分布：陕西、甘肃、浙江、福建、台湾、广东、四川、云南；日本，欧洲。

215．野螟属 *Pyrausta* Schrank，1802

（448）黄纹野螟 *Pyrausta aurata*（Scopoli，1763）
　　分布：陕西（杨凌、丹凤）、黑龙江、河北、河南、新疆、江苏、湖北、湖南、福建、四川；蒙古，朝鲜，日本，阿富汗，伊朗，土耳其，叙利亚，欧洲，非洲北部。

（449）黄缘红带野螟 *Pyrausta contigualis* South，1901
　　分布：陕西（紫阳）、辽宁、天津、河北、河南、甘肃、四川；朝鲜，日本。

（450）褐小野螟 *Pyrausta despicata*（Scopoli，1763）
　　分布：陕西（澄城）、内蒙古、北京、天津、河北、河南、宁夏、甘肃、青海、新疆、上海、四川；朝鲜，日本，缅甸，印度，阿富汗，小亚细亚，欧洲。

（451）黄斑野螟 *Pyrausta pullatalis*（Christoph，1881）
　　分布：陕西（周至）、河北、河南、贵州；俄罗斯，日本。

（452）红缘红带野螟 *Pyrausta sanguinalis*（Linnaeus，1767）

　　分布：陕西（澄城）、内蒙古、山东、新疆；朝鲜，日本，印度，欧洲。

（453）红黄野螟 *Pyrausta tithonialis*（Zeller，1872）

　　分布：陕西（紫阳）、内蒙古、河北、山东、河南、甘肃、青海、新疆、四川；蒙古，朝鲜，日本。

216. 双突野螟属 *Sitochroa* Hübner，[1825]1816

（454）伞双突野螟 *Sitochroa palealis*（Denis *et* Schiffermüller，1775）

　　分布：陕西、黑龙江、北京、河北、山西、河南、新疆、江苏、湖北、广东、云南；俄罗斯（西伯利亚），朝鲜，印度，欧洲。

（455）尖双突野螟 *Sitochroa verticalis*（Linnaeus，1758）

　　分布：陕西（彬县）、黑龙江、辽宁、内蒙古、天津、河北、山西、山东、宁夏、甘肃、青海、新疆、江苏、四川、云南、西藏；俄罗斯，朝鲜，日本，印度，欧洲。

217. 柔野螟属 *Tenerobotys* Munroe *et* Mutuura，1971

（456）双齿柔野螟 *Tenerobotys teneralis*（Caradja，1939）

　　分布：陕西、吉林、内蒙古、河北、山西、青海、新疆、江西、四川、云南；俄罗斯。

218. 窗野螟属 *Torulisquama* Zhang *et* Li，2010

（457）斜纹窗野螟 *Torulisquama obliquilinealis*（Inoue，1982）

　　分布：陕西、湖北、江西、湖南、福建、四川、贵州；日本。

219. 缨突野螟属 *Udea* Guenée，[1845]1844

（458）锈黄缨突野螟 *Udea ferrugalis*（Hübner，1796）

　　分布：陕西（周至、杨凌、彬县、洋县）、天津、河北、山东、河南、甘肃、青海、江苏、浙江、湖北、湖南、台湾、广东、广西、四川、贵州、云南；日本，印度，斯里兰卡。

（459）粗缨突野螟 *Udea lugubralis*（Leech，1889）

　　分布：陕西（周至）、河南、浙江、湖北、湖南、福建、四川、贵州、云南；俄罗斯，朝鲜，日本。

220. 长角野螟属 *Uresiphita* Hübner，[1825]1816

（460）黄长角野螟 *Uresiphita gilvata*（Fabricius，1794）

分布:陕西、内蒙古、北京、河北、青海、新疆;俄罗斯(远东),日本,印度,斯里兰卡,巴基斯坦,叙利亚,亚丁湾,欧洲,马德拉群岛。

(七)斑野螟亚科 Spilomelinae

221. 角须野螟属 *Agrotera* Schrank, 1802

(461) 白桦角须野螟 *Agrotera nemoralis* (Scopoli, 1763)

分布:陕西(丹凤)、黑龙江、北京、天津、河北、山东、甘肃、江苏、浙江、福建、台湾、广西、四川、贵州、云南;朝鲜,俄罗斯(远东),日本,英国,西班牙,意大利。

(462) 后角须野螟 *Agrotera posticalis* Wileman, 1911

分布:陕西(丹凤)、河南、安徽、台湾、四川;韩国,日本。

222. 缀叶野螟属 *Botyodes* Guenée, 1854

(463) 黄翅缀叶野螟 *Botyodes diniasalis* (Walker, 1859)

分布:陕西(杨凌、彬县,太白山)、辽宁、内蒙古、北京、河北、山东、河南、宁夏、江苏、安徽、浙江、湖北、福建、台湾、广东、海南、广西、四川、贵州、云南;朝鲜,日本,缅甸,印度。

(464) 大黄缀叶野螟 *Botyodes principalis* Leech, 1889

分布:陕西(杨凌)、安徽、浙江、湖北、江西、福建、台湾、广东、四川、贵州、云南;朝鲜,日本。

223. 暗野螟属 *Bradina* Lederer, 1863

(465) 白点暗野螟 *Bradina atopalis* (Walker, 1859)

分布:陕西(杨凌)、辽宁、北京、天津、河北、山东、河南、上海、浙江、湖北、福建、台湾、广东、广西、四川、云南;日本。

(466) 刳背暗野螟 *Bradina megesalis* (Walker, 1859)

分布:陕西、甘肃、浙江、湖北、福建、四川、贵州;日本。

224. 纵卷叶野螟属 *Cnaphalocrocis* Lederer, 1863

(467) 稻纵卷叶野螟 *Cnaphalocrocis medinalis* (Guenée, 1854)

分布:陕西(杨凌、耀县、宁陕)、黑龙江、吉林、辽宁、内蒙古、北京、天津、河北、山东、河南、江苏、浙江、湖北、江西、湖南、福建、台湾、广东、广西、四川、云南、贵州;朝鲜,日本,越南,泰国,缅甸,印度,菲律宾,马来西亚,印度尼西亚,澳大利亚,巴布亚新几内亚。

225．多斑野螟属 *Conogethes* Meyrick，1884

（468）桃多斑野螟 *Conogethes punctiferalis*（Guenée，1854）

分布：陕西（周至、杨凌、洋县）、辽宁、天津、河北、山西、山东、河南、江苏、安徽、浙江、湖北、江西、湖南、福建、台湾、广东、广西、四川、云南、贵州、西藏；朝鲜，日本，印度，斯里兰卡，印度尼西亚。

226．绢野螟属 *Diaphania* Hübner，1818

（469）黄杨绢野螟 *Diaphania perspectalis*（Walker，1859）

分布：陕西（杨凌、紫阳、商州）、天津、河南、江苏、安徽、浙江、湖北、湖南、福建、台湾、广东、四川、西藏；朝鲜，日本，印度。

227．纹翅野螟属 *Diasemia* Hübner，1825

（470）白纹翅野螟 *Diasemia reticularis*（Linnaeus，1761）

分布：陕西（杨凌）、黑龙江、吉林、内蒙古、河北、江苏、浙江、湖北、福建、台湾、广东、四川、贵州、云南；朝鲜，日本，印度，斯里兰卡，欧洲。

228．展须野螟属 *Eurrhyparodes* Snellen，1880

（471）叶展须野螟 *Eurrhyparodes bracteolalis*（Zeller，1852）

分布：陕西（白河）、山西、河南、江苏、安徽、浙江、湖北、福建、台湾、广东、广西、四川、贵州、云南；日本，泰国，缅甸，印度，斯里兰卡，印度尼西亚，澳大利亚。

229．绢丝野螟属 *Glyphodes* Guenée，1854

（472）台湾绢丝野螟 *Glyphodes formosanus*（Shibuya，1928）

分布：陕西（安康）、河南、湖北、福建、台湾、四川；日本。

（473）桑绢丝野螟 *Glyphodes pyloalis* Walker，1859

分布：陕西（杨凌、白河、丹凤）、黑龙江、辽宁、吉林、内蒙古、河南、江苏、浙江、湖北、福建、台湾、广东、贵州、四川、云南；日本，越南，缅甸，印度，斯里兰卡。

（474）四斑绢丝野螟 *Glyphodes quadrimaculalis*（Bremer *et* Grey，1853）

分布：陕西（杨凌、澄城）、黑龙江、吉林、辽宁、天津、河北、山西、山东、河南、宁夏、甘肃、浙江、湖北、福建、广东、四川、云南、贵州；俄罗斯（远东），朝鲜，日本。

230. 褐环野螟属 *Haritalodes* Warren, 1890

(475) 棉褐环野螟 *Haritalodes derogata* (Fabricius, 1775)
分布:陕西(杨凌、耀县、安康)、内蒙古、北京、天津、河北、山西、山东、河南、江苏、安徽、浙江、湖北、江西、湖南、福建、台湾、广东、广西、四川、贵州、云南;朝鲜,日本,越南,泰国,缅甸,印度,新加坡,菲律宾,印度尼西亚,非洲,美国(夏威夷),南美洲。

231. 切叶野螟属 *Herpetogramma* Lederer, 1863

(476) 暗切叶野螟 *Herpetogramma fuscescens* (Warren, 1892)
分布:陕西(白河)、天津、河北、河南、安徽、湖北、台湾、四川、西藏;日本,印度。

(477) 葡萄切叶野螟 *Herpetogramma luctuosalis* (Guenée, 1854)
分布:陕西(杨凌、白河、安康、丹凤)、黑龙江、吉林、河北、河南、江苏、浙江、湖北、福建、台湾、广东、四川、贵州、云南;俄罗斯(远东),朝鲜,日本,越南,印度,尼泊尔,不丹,斯里兰卡,印度尼西亚,欧洲南部,非洲东部。

(478) 褐翅切叶野螟 *Herpetogramma rudis* (Warren, 1892)
分布:陕西(杨凌)、浙江、湖北、福建、四川、云南;日本,印度。

232. 蚀叶野螟属 *Lamprosema* Hübner, 1823

(479) 黑点蚀叶野螟 *Lamprosema commixta* (Butler, 1879)
分布:陕西(杨凌、白河、丹凤)、北京、天津、河南、甘肃、安徽、湖北、福建、台湾、广东、海南、四川、云南、西藏;日本,越南,印度,斯里兰卡,马来西亚。

(480) 黑斑蚀叶野螟 *Lamprosema sibirialis* (Millière, 1879)
分布:陕西(紫阳、安康、丹凤、商南)、黑龙江、北京、天津、河北、河南、安徽、湖北、江西、福建、四川、贵州;朝鲜,日本。

233. 豆荚野螟属 *Maruca* Walker, 1859

(481) 豆荚野螟 *Maruca vitrata* (Fabricius, 1787)
分布:陕西(杨凌、彬县)、内蒙古、北京、天津、河北、山西、山东、河南、江苏、安徽、浙江、湖北、湖南、福建、台湾、广东、海南、广西、四川、贵州、云南;朝鲜,日本,印度,斯里兰卡,坦桑尼亚,尼日利亚,澳大利亚,美国(夏威夷)。

234．伸喙野螟属 *Mecyna* Doubleday，［1849］1850

（482）贯众伸喙野螟 *Mecyna gracilis*（Butler，1879）
分布：陕西（杨凌、彬县、丹凤）、黑龙江、北京、天津、河北、山东、河南、安徽、湖北、江西、福建、台湾；俄罗斯（远东），朝鲜，日本。

235．Genus *Nagiella* Munroe，1976

（483）*Nagiella occultalis* Misbah *et* Yang，2017
分布：陕西、湖北。

236．Genus *Neoanalthes* Yamanaka *et* Kirpichnikova，1993

（484）*Neoanalthes wangi* Du *et* Li，2008
分布：陕西。

237．牧野螟属 *Nomophila* Hübner，［1825］1816

（485）麦牧野螟 *Nomophila noctuella*（Denis *et* Schiffermüller，1775）
分布：陕西（杨凌、澄城）、内蒙古、北京、天津、河北、山东、河南、宁夏、江苏、湖北、台湾、广东、四川、云南、贵州、西藏；俄罗斯，日本，印度，欧洲，北美洲。

238．大卷叶野螟属 *Notarcha* Meyrick，1884

（486）扶桑大卷叶野螟 *Notarcha quaternalis*（Zeller，1852）
分布：陕西（周至）、北京、河北、台湾、广东、四川、云南、贵州；缅甸，印度，斯里兰卡，澳大利亚，南非，非洲西部。

239．蛴叶野螟属 *Omiodes* Guenée，1854

（487）豆蛴叶野螟 *Omiodes indicata*（Fabricius，1775）
分布：陕西（杨凌）、河北、山东、河南、江苏、上海、安徽、浙江、湖北、江西、福建、台湾、广东、四川、云南；日本，越南，印度，新加坡，斯里兰卡，非洲，美洲。

240．绢须野螟属 *Palpita* Hübner，［1808］

（488）白蜡绢须野螟 *Palpita nigropunctalis*（Bremer，1864）
分布：陕西（澄城、宁陕）、河北、山东、河南、江苏、上海、安徽、浙江、湖北、江西、福建、台湾、四川、贵州、云南；朝鲜，日本，越南，印度，斯里兰卡，菲律宾，印度尼西亚。

241. 阔野螟属 *Patania* Moore, 1888

(489) *Patania chlorophanta*（Butler, 1878）
分布：陕西；日本。

242. 扇野螟属 *Pleuroptya* Meyrick, 1890

(490) 枇杷扇野螟 *Pleuroptya balteata*（Fabricius, 1798）
分布：陕西（洋县、丹凤、商州）、河南、浙江、湖北、江西、福建、台湾、四川、云南、西藏；朝鲜，日本，越南，印度，斯里兰卡，印度尼西亚，非洲。

(491) 三条扇野螟 *Pleuroptya chlorophanta*（Butler, 1878）
分布：陕西（丹凤）、内蒙古、天津、河北、山东、河南、宁夏、江苏、安徽、浙江、湖北、江西、福建、台湾、广东、广西、四川；朝鲜，日本。

(492) 四目扇野螟 *Pleuroptya inferior*（Hampson, 1898）
分布：陕西（白河）、河南、湖北、江苏、浙江、台湾、四川；朝鲜，日本，印度。

(493) 窗斑扇野螟 *Pleuroptya mundalis*（South, 1901）
分布：陕西（安康）、河南、湖北、福建、台湾、云南。

(494) 豆扇野螟 *Pleuroptya ruralis*（Scopoli, 1763）
分布：陕西（杨凌）、吉林、河北、山西、新疆、台湾、四川、云南；朝鲜，日本，印度，印度尼西亚，德国，英国。

243. 斑野螟属 *Polythlipta* Lederer, 1863

(495) 大白斑野螟 *Polythlipta liquidalis* Leech, 1889
分布：陕西、河南、江苏、浙江、湖北、湖南、福建、广东、海南、广西、四川、贵州、云南；朝鲜，日本。

244. 卷野螟属 *Pycnarmon* Lederer, 1863

(496) 乳翅卷野螟 *Pycnarmon lactiferalis*（Walker, 1859）
分布：陕西（杨凌、宁陕）、黑龙江、吉林、河北、河南、浙江、湖北、台湾、广东、四川、贵州、云南；朝鲜，日本，缅甸，印度，斯里兰卡，印度尼西亚。

（497）豹纹卷野螟 *Pycnarmon pantherata*（Butler，1878）

分布：陕西、河南、江苏、安徽、浙江、湖北、台湾、四川；朝鲜，日本。

245. 楸蠹野螟属 *Sinomphisa* Munroe，1958

（498）楸蠹野螟 *Sinomphisa plagialis*（Wileman，1911）

分布：陕西（杨凌、丹凤）、辽宁、北京、天津、河北、山东、河南、江苏、安徽、浙江、湖北、四川、贵州；朝鲜，日本。

246. 青野螟属 *Spoladea* Guenée，1854

（499）甜菜青野螟 *Spoladea recurvalis*（Fabricius，1775）

分布：陕西（杨凌、澄城、彬县）、黑龙江、吉林、辽宁、内蒙古、北京、天津、河北、山西、山东、河南、安徽、江西、湖北、台湾、广东、广西、四川、贵州、云南、西藏；朝鲜，日本，越南，泰国，缅甸，印度，尼泊尔，不丹，斯里兰卡，菲律宾，印度尼西亚，非洲，澳大利亚，北美洲，南美洲，所有热带亚热带地区。

247. 卷叶野螟属 *Syllepte* Hübner，1823

（500）齿纹卷叶野螟 *Syllepte invalidalis* South，1901

分布：陕西（丹凤）、天津、河北、河南、安徽、浙江、湖北、江西、福建、广东、四川；韩国，日本。

248. 须歧野螟属 *Trichophysetis* Meyrick，1884

（501）红缘须歧野螟 *Trichophysetis rufoterminalis*（Christoph，1881）

分布：陕西（澄城）、河北、河南、安徽、浙江、湖北、湖南、福建、台湾、广东、贵州；俄罗斯（远东），日本，印度。

249. 黑纹野螟属 *Tyspanodes* Warren，1891

（502）*Tyspanodes hypsalis* Warren，1891

分布：陕西（宁陕）。

（503）橙黑纹野螟 *Tyspanodes striata*（Butler，1879）

分布：陕西（杨凌、安康）、山东、河南、甘肃、江苏、浙江、湖北、江西、福建、台湾、广东、四川、云南；朝鲜，日本。

X. 羽蛾总科 Pterophoroidea

二十四、羽蛾科 Pterophoridae

（一）金羽蛾亚科 Agdistinae

250. 金羽蛾属 *Agdistis* Hübner，[1825]

（504）灰棕金羽蛾 *Agdistis adactyla*（Hübner，[1819]）
分布：陕西（杨凌、澄城）、辽宁、内蒙古、北京、天津、河北、山西、宁夏、甘肃、新疆；蒙古，俄罗斯，阿富汗，巴基斯坦，伊朗，约旦，以色列，土耳其，亚美尼亚，哈萨克斯坦，土库曼斯坦，塔吉克斯坦，欧洲，非洲。

（二）片羽蛾亚科 Platyptiliinae

251. 盖羽蛾属 *Capperia* Tutt，1905

（505）佳择盖羽蛾 *Capperia jozana*（Matsumura，1931）
分布：陕西（杨凌）、黑龙江、河北、内蒙古、甘肃、新疆；日本。

252. 少脉羽蛾属 *Crombrugghia* Tutt，1907

（506）差叶少脉羽蛾 *Crombrugghia distans*（Zeller，1847）
分布：陕西（旬阳）、甘肃、新疆、四川、贵州；俄罗斯，印度，尼泊尔，不丹，斯里兰卡，阿富汗，巴基斯坦，伊朗，土耳其，克什米尔，亚美尼亚，哈萨克斯坦，乌兹别克斯坦，土库曼斯坦，阿塞拜疆，欧洲，非洲，北美洲。

（507）波缘少脉羽蛾 *Crombrugghia tristis*（Zeller，1841）
分布：陕西（杨凌、佛坪）、湖北、四川、贵州；俄罗斯，以色列，土耳其，欧洲。

（508）郑氏少脉羽蛾 *Crombrugghia zhengi*（Hao，Li *et* Wang，2002）
分布：陕西（宁陕）、河南、甘肃、新疆、湖北。

253. 小羽蛾属 *Fuscoptilia* Arenberger，1991

（509）胡枝子小羽蛾 *Fuscoptilia emarginata*（Snellen，1884）
分布：陕西（杨凌、澄城、佛坪、紫阳、丹凤、商南）、黑龙江、吉林、辽宁、内蒙古、北京、河北、山西、山东、河南、甘肃、江苏、安徽、江西、福建、四川、贵州；蒙古，俄罗斯（远东），朝鲜，日本。

（510）波缘小羽蛾 *Fuscoptilia sinuata*（Qin *et* Zheng，1997）
　　分布:陕西(宁陕)。

254.锥羽蛾属 *Gillmeria* Tutt，1905

（511）楔锥羽蛾 *Gillmeria cuneiformis* Hao，Li *et* Wu，2005
　　分布:陕西(宁陕)、北京。
（512）佛坪锥羽蛾 *Gillmeria fopingensis* Hao，Li *et* Wu，2005
　　分布:陕西(佛坪)。
（513）长锥羽蛾 *Gillmeria macrornis*（Meyrick，1930）
　　分布:陕西、青海、四川;蒙古,俄罗斯,土库曼斯坦。
（514）蓍锥羽蛾 *Gillmeria pallidactyla*（Haworth，1811）
　　分布:陕西、黑龙江、辽宁、甘肃;俄罗斯,朝鲜,日本,土库曼斯坦,乌兹
别克斯坦,欧洲,澳大利亚,北美洲,南美洲。

255.枯羽蛾属 *Marasmarcha* Meyrick，1886

（515）甘草枯羽蛾 *Marasmarcha glycyrrihzavora* Zheng *et* Qin，1997
　　分布:陕西(杨凌、延安)、内蒙古、天津、宁夏、新疆;俄罗斯。

256.片羽蛾属 *Platyptilia* Hübner，[1825]

（516）浅翅片羽蛾 *Platyptilia ainonis* Matsumura，1931
　　分布:陕西(周至);俄罗斯,日本,哈萨克斯坦,吉尔吉斯斯坦。

257.细羽蛾属 *Stenoptilia* Hübner，[1825]

（517）墨细羽蛾 *Stenoptilia graphodactyla*（Treitschke，1833）
　　分布:陕西(宁陕)、新疆;欧洲。
（518）斑翅细羽蛾 *Stenoptilia pneumonanthes*（Büttner，1880）
　　分布:陕西、宁夏、甘肃、新疆;俄罗斯,欧洲。

258.秀羽蛾属 *Stenoptilodes* Zimmerman，1958

（519）褐秀羽蛾 *Stenoptilodes taprobanes*（Felder *et* Rogenhofer，1875）
　　分布:陕西(西安、安康)、内蒙古、天津、山东、河南、安徽、浙江、湖北、江
西、湖南、福建、台湾、广东、海南、四川、贵州、云南;俄罗斯,日本,泰国,
缅甸,印度,斯里兰卡,叙利亚,印度尼西亚,土耳其,欧洲,非洲,澳大
利亚,巴布亚新几内亚,所罗门群岛,美国,巴拉圭,玻利维亚。

（三）羽蛾亚科 Pterophorinae

259．脉羽蛾属 *Adaina* Tutt，1905

（520）小指脉羽蛾 *Adaina microdactyla*（Hübner，[1813]1796）
　　分布：陕西（西安）、安徽、江西、湖南、福建、台湾、广东、广西、云南、西藏；俄罗斯，日本，越南，尼泊尔，菲律宾，印度尼西亚，伊朗，以色列，土耳其，欧洲，巴布亚新几内亚，所罗门群岛。

260．异羽蛾属 *Emmelina* Tutt，1905

（521）甘薯异羽蛾 *Emmelina monodactyla*（Linnaeus，1758）
　　分布：陕西（西安、周至、杨凌、澄城、宁陕）、黑龙江、北京、天津、河北、山东、宁夏、甘肃、青海、新疆、浙江、湖北、江西、福建、四川；日本，印度，中亚，欧洲，非洲北部，北美洲。

261．鹰羽蛾属 *Gypsochares* Meyrick，1890

（522）长刺鹰羽蛾 *Gypsochares longispinus* Hao *et* Li，2004
　　分布：陕西（周至）、甘肃。

262．滑羽蛾属 *Hellinsia* Tutt，1905

（523）白滑羽蛾 *Hellinsia albidactyla*（Yano，1963）
　　分布：陕西（杨凌、丹凤）、黑龙江、吉林、河北、山西、河南、宁夏、甘肃、新疆、安徽、四川、贵州；俄罗斯，朝鲜，日本。

（524）金黄滑羽蛾 *Hellinsia chrysocomae*（Ragonot，1875）
　　分布：陕西（宁陕）；蒙古，俄罗斯，阿富汗，吉尔吉斯斯坦，欧洲。

（525）瘦滑羽蛾 *Hellinsia didactylites*（Ström，1783）
　　分布：陕西、黑龙江、吉林、河北；俄罗斯，哈萨克斯坦，土耳其，欧洲。

（526）端滑羽蛾 *Hellinsia distincta*（Herrich-Schäffer，1855）
　　分布：陕西（澄城）、黑龙江、吉林、河南、青海、江苏、上海、安徽、四川、贵州；俄罗斯，日本，印度，阿富汗，吉尔吉斯斯坦，欧洲。

（527）鹰滑羽蛾 *Hellinsia gypsotes*（Meyrick，1937）
　　分布：陕西（西安、杨凌）、山东、新疆；日本，尼泊尔。

（528）点斑滑羽蛾 *Hellinsia inulae*（Zeller，1852）
　　分布：陕西（西安、杨凌）、黑龙江、北京、天津、河北、山东、河南、宁夏、青海、新疆、安徽；俄罗斯，尼泊尔，土耳其，乌兹别克斯坦，欧洲，非洲。

（529）艾蒿滑羽蛾 *Hellinsia lienigiana*（Zeller，1852）
　　分布：陕西（杨凌、凤县、紫阳）、北京、河北、山东、河南、上海、安徽、浙江、湖北、江西、湖南、福建、台湾、四川、贵州；俄罗斯，朝鲜，日本，越南，印度，斯里兰卡，菲律宾，欧洲，刚果，马达加斯加，毛里求斯，南非，澳大利亚，巴布亚新几内亚。

（530）长须滑羽蛾 *Hellinsia osteodactyla*（Zeller，1841）

分布：陕西、黑龙江、内蒙古、山西、山东、宁夏、甘肃、新疆、四川、云南；蒙古，俄罗斯，朝鲜，日本，土耳其，哈萨克斯坦，乌兹别克斯坦，吉尔吉斯斯坦，格鲁吉亚，欧洲。

Ⅺ. 透翅蛾总科 Sesioidea

二十五、透翅蛾科 Sesiidae

263. 准透翅蛾属 *Paranthrene* Hübner，1819

（531）白杨准透翅蛾 *Paranthrene tabaniformis*（Rottenberg，1775）

分布：陕西（杨凌、眉县）、内蒙古、北京、河北、江苏、浙江；俄罗斯。

264. Genus *Paranthrenopsis* Le Cerf，1911

（532）*Paranthrenopsis siniaevi* Gorbunov *et* Arita，2000

分布：陕西（周至、太白）

265. 透翅蛾属 *Sesia* Fabricius，1775

（533）杨干透翅蛾 *Sesia siningensis*（Hsu，1981）

分布：陕西（杨凌、岐山）、宁夏、甘肃、青海。

266. 兴透翅蛾属 *Synanthedon* Hübner，1819

（534）苹果兴透翅蛾 *Synanthedon hector*（Butler，1878）

分布：陕西（眉县）、辽宁、山东、浙江、贵州；日本。

Ⅻ. 斑蛾总科 Zygaenoidea

二十六、斑蛾科 Zygaenidae

（一）锦斑蛾亚科 Chalcossinae

267. 透翅锦斑蛾属 *Agalope* Walker，1854

（535）黄基透翅锦斑蛾 *Agalope davidi*（Oberthür，1884）

分布:陕西(宁陕)、湖南、四川、云南。

268. 旭锦斑蛾属 *Campylotes* Westwood，1840

（536）黄纹旭锦斑蛾 *Campylotes pratti* Leech，1890
分布:陕西(太白)、浙江、湖北、湖南、福建、广西、四川。

269. 柄脉锦斑蛾属 *Eterusia* Hope，1841

（537）茶柄脉锦斑蛾 *Eterusia aedea sinica* Ménétriés，1857
分布:陕西(汉中、紫阳、安康)、江苏、安徽、浙江、江西、湖南、广西、四川、
贵州、云南。

270. 新锦斑蛾属 *Neochalcosia* Yen *et* Yang，1997

（538）白带新锦斑蛾 *Neochalcosia remota*（Walker，1854）
分布:陕西(周至、杨凌、佛坪、宁陕)、辽宁、山东、河南、甘肃、江苏、安徽、
浙江、湖北、江西、湖南、福建、台湾、广西、云南；朝鲜，日本。

（539）*Neochalcosia witti* Buchsbaum，Chen *et* Speidel，2010
分布:陕西、四川。

271. 黄点黑斑蛾属 *Soritia* Walker，1854

（540）大斑黄点黑斑蛾 *Soritia major*（Jordan，1907）
分布:陕西(平利)；越南。

（二）小斑蛾亚科 Procridinae

272. 灿斑蛾属 *Clelea* Walker，1854

（541）灿斑蛾 *Clelea bella* Alberti，1954
分布:陕西(宁陕)、河南、浙江、贵州。

273. Genus *Hedina* Alberti，1954

（542）*Hedina sinyaevi* Mollet，2016
分布:陕西。
（543）*Hedina louisi*（Efetov，2010）
分布:陕西。

274. 鹿斑蛾属 *Illiberis* Walker，1854

（544）亮翅鹿斑蛾 *Illiberis translucida*（Poujade，1885）

分布:陕西(丹凤)、河南、甘肃、湖北、湖南、台湾、四川;喜马拉雅山区。

(545) *Illiberis kuprijanovi* Efetov，1995

分布:陕西;俄罗斯(远东)。

275．Genus *Goe* Hampson，1893

(546) *Goe dentata* Efetov，1998

分布:陕西(太白山)。

二十七、刺蛾科 Limacodidae

276．岐刺蛾属 *Austrapoda* Inoue，1982

(547) 锯纹岐刺蛾 *Austrapoda dentata*（Oberthur，1879）

分布:陕西(太白、佛坪)、黑龙江、吉林、北京、山东、河南、浙江、湖北、贵州;俄罗斯,日本。

(548) *Austrapoda seres* Solovyev，2009

分布:陕西、浙江。

277．背刺蛾属 *Belippa* Walker，1865

(549) 背刺蛾 *Belippa horrida* Walker，1865

分布:陕西(太白、宁陕)、黑龙江、山东、河南、浙江、湖北、江西、湖南、福建、台湾、海南、广西、四川、云南;日本,尼泊尔。

278．环刺蛾属 *Birthosea* Holloway，1986

(550) 拟三纹环刺蛾 *Birthosea trigrammoidea* Wu *et* Fang，2008

分布:陕西(佛坪)、辽宁、北京、山东、河南、浙江。

279．凯刺蛾属 *Caissa* Hering，1931

(551) 蔡氏凯刺蛾 *Caissa caii* Wu *et* Fang，2008

分布:陕西(宁陕)、湖北。

(552) *Caissa staurognatha* Wu，2011

分布:陕西、四川。

280．客刺蛾属 *Ceratonema* Hampson，［1893］

(553) 双线客刺蛾 *Ceratonema bilineatum* Hering，1931

分布:陕西(留坝、宁陕)、湖北、广东、广西、四川。

(554) 仿客刺蛾 *Ceratonema imitatrix* Hering，1931

分布:陕西(太白)、湖南、福建、四川、云南;印度。

(555) 客刺蛾 *Ceratonema retractatum* (Walker, 1865)

分布:陕西(太白、宁陕)、黑龙江、山东、河南、甘肃、青海、湖北、江西、湖南、云南、西藏;印度,尼泊尔。

281. 仿姹刺蛾属 *Chalcoscelides* Hering, 1931

(556) 仿姹刺蛾 *Chalcoscelides castaneipars* (Moore, 1865)

分布:陕西(佛坪)、河南、湖北、江西、湖南、台湾、广西、四川、云南、西藏;缅甸,印度,尼泊尔,印度尼西亚。

282. 迷刺蛾属 *Chibiraga* Matsumura, 1931

(557) 迷刺蛾 *Chibiraga banghaasi* (Hering *et* Hopp, 1927)

分布:陕西(宁陕)、辽宁、山东、河南、浙江、湖北、江西、台湾、四川、云南;俄罗斯(远东)。

283. 汉刺蛾属 *Hampsonella* Dyar, 1898

(558) 汉刺蛾 *Hampsonella dentata* (Hampson, [1893]1892)

分布:陕西(留坝、宁陕)、河北、河南、甘肃、湖北、湖南、广西、四川;印度。

284. 漪刺蛾属 *Iraga* Matsumura, 1927

(559) 漪刺蛾 *Iraga rugosa* (Wileman, 1911)

分布:陕西(佛坪)、河南、甘肃、浙江、湖北、江西、湖南、福建、台湾、广东、海南、四川、贵州、云南。

285. 焰刺蛾属 *Iragoides* Hering, 1931

(560) 皱焰刺蛾 *Iragoides crispa* (Swinhoe, 1890)

分布:陕西(太白、宁陕)、河南、甘肃、湖北、广西、四川、云南、西藏;印度,尼泊尔。

(561) 线焰刺蛾 *Iragoides lineofusca* Wu *et* Fang, 2008

分布:陕西(留坝、宁陕)、河南、安徽、湖北、江西、福建、海南、四川。

286. 铃刺蛾属 *Kitanola* Matsumura, 1925

(562) 灰白铃刺蛾 *Kitanola albigrisea* Wu *et* Fang, 2008

分布:陕西(宁陕)、河南、甘肃。

(563) 针铃刺蛾 *Kitanola spina* Wu *et* Fang, 2008

分布:陕西(宁陕)、湖北、四川、贵州。

287. 织刺蛾属 *Macroplectra* Hampson，[1893]1892

（564）钩织刺蛾 *Macroplectra hamata* Hering，1931
　　分布：陕西（周至）、湖北、广东、四川。

288. 枯刺蛾属 *Mahanta* Moore，1879

（565）袒娅枯刺蛾 *Mahanta tanyae* Solovyev，2005
　　分布：陕西（太白、铜川）、河南、甘肃、湖北、湖南、四川。

289. 银纹刺蛾属 *Miresa* Walker，1855

（566）线银纹刺蛾 *Miresa urga* Hering，1933
　　分布：陕西（佛坪、宁陕）、甘肃、湖北、四川、云南。

290. 黄刺蛾属 *Monema* Walker，1855

（567）黄刺蛾 *Monema flavescens* Walker，1855
　　分布：陕西（周至、太白、留坝、佛坪、宁陕），全国广布（新疆、西藏除外）；
　　俄罗斯（西伯利亚），朝鲜，日本。

291. 眉刺蛾属 *Narosa* Walker，1855

（568）波眉刺蛾 *Narosa corusca* Wileman，1911
　　分布：陕西（宁陕）、江西、湖南、台湾、云南；日本。

（569）苻眉刺蛾 *Narosa nigrisigna* Wileman，1911
　　分布：陕西（太白）、辽宁、北京、河北、山东、甘肃、江西、湖南、台湾、广西、
　　四川、云南。

292. 娜刺蛾属 *Narosoideus* Matsumura，1911

（570）梨娜刺蛾 *Narosoideus flavidorsalis*（Staudinger，1887）
　　分布：陕西、黑龙江、吉林、北京、山东、河南、浙江、湖北、江西、湖南、福建、
　　广东、广西、四川、贵州、云南；俄罗斯，朝鲜，日本。

（571）狡娜刺蛾 *Narosoideus vulpinus*（Wileman，1911）
　　分布：陕西（佛坪）、山东、河南、甘肃、浙江、湖北、江西、湖南、福建、台湾、
　　广西、海南、四川、云南。

293. 绿刺蛾属 *Parasa* Moore，[1860]

（572）两色绿刺蛾 *Parasa bicolor*（Walker，1855）

分布:陕西(佛坪)、上海、浙江、湖北、江西、湖南、福建、台湾、广西、重庆、四川、云南;缅甸,印度,印度尼西亚。

（573）丽绿刺蛾 *Parasa lepida*（Cramer, 1779）

分布:陕西(留坝、佛坪、宁陕)、河北、河南、甘肃、湖北、江苏、浙江、江西、湖南、福建、广东、广西、四川、贵州、云南、西藏;日本,越南,印度,克什米尔,斯里兰卡,印度尼西亚。

（574）断带绿刺蛾 *Parasa mutifascia*（Cai, 1983）

分布:陕西(留坝)、湖北、四川。

（575）肖媚绿刺蛾 *Parasa pseudorepanda* Hering, 1933

分布:陕西(太白、留坝、佛坪)、河南、甘肃、湖北、广西、四川。

（576）陕绿刺蛾 *Parasa shaanxiensis*（Cai, 1983）

分布:陕西(凤县、镇巴)。

（577）中国绿刺蛾 *Parasa sinica* Moore, 1877

分布:陕西(佛坪、宁陕)、黑龙江、吉林、北京、天津、河北、河南、甘肃、上海、浙江、湖北、江西、湖南、福建、台湾、广西、四川、云南;俄罗斯,日本。

（578）宽黄缘绿刺蛾 *Parasa tessellata* Moore, 1877

分布:陕西(佛坪)、甘肃、江苏、浙江、湖北、江西、湖南、广东、广西、四川、贵州。

（579）波带绿刺蛾 *Parasa undulata*（Cai, 1983）

分布:陕西(宁陕)、河南、甘肃、安徽、湖北、四川、云南。

294. 奕刺蛾属 *Phlossa* Walker, 1858

（580）枣奕刺蛾 *Phlossa conjuncta*（Walker, 1855）

分布:陕西(佛坪、宁陕)、黑龙江、辽宁、北京、河北、山东、河南、甘肃、江苏、浙江、安徽、湖北、江西、湖南、福建、台湾、广东、海南、广西、四川、贵州、云南、西藏;朝鲜,日本,越南,泰国,印度,尼泊尔。

（581）茶奕刺蛾 *Phlossa fasciata*（Moore, 1888）

分布:陕西(太白)、河南、浙江、湖北、江西、湖南、福建、台湾、广东、海南、广西、四川、贵州、云南;印度,尼泊尔。

（582）奇奕刺蛾 *Phlossa thaumasta*（Hering, 1933）

分布:陕西(留坝、宁陕)、河南、江苏、湖北、江西、福建、四川、贵州、云南。

295. 绒刺蛾属 *Phocoderma* Butler, 1886

（583）贝绒刺蛾 *Phocoderma betis* Druce, 1896

分布:陕西(佛坪、洋县)、黑龙江、河南、甘肃、湖北、湖南、海南、广西、四川、云南、贵州;越南,泰国。

296. 冠刺蛾属 *Phrixolepia* Butler,1877

(584) 黑冠刺蛾 *Phrixolepia nigra* Solovyev,2009
分布:陕西(宁陕)、云南。

(585) *Phrixolepia pudovkini* Solovyev,2009
分布:陕西(周至)。

297. Genus *Pseudiragoides* Solovyev *et* Witt,2009

(586) *Pseudiragoides florianii* Solovyev *et* Witt,2011
分布:陕西、四川。

298. 齿刺蛾属 *Rhamnosa* Fixsen,1887

(587) 锯齿刺蛾 *Rhamnosa dentifera* Hering *et* Hopp,1927
分布:陕西(太白、留坝、佛坪、宁陕)、山东、河南、甘肃、浙江、湖北。

(588) 角齿刺蛾 *Rhamnosa kwangtungensis* Hering,1931
分布:陕西(佛坪)、甘肃、浙江、湖北、江西、湖南、福建、广东、广西、四川。

299. 球须刺蛾属 *Scopelodes* Westwood,1841

(589) 纵带球须刺蛾 *Scopelodes contracta* Walker,1855
分布:陕西(留坝、佛坪)、北京、河南、甘肃、江苏、浙江、湖北、江西、台湾、广东、海南、广西;日本,印度。

300. 褐刺蛾属 *Setora* Walker,1855

(590) 窄斑褐刺蛾 *Setora baibarana*(Matsumura,1931)
分布:陕西(太白)、河南、湖北、福建、台湾、四川、云南;缅甸,印度,尼泊尔。

(591) 桑褐刺蛾 *Setora sinensis* Moore,1877
分布:陕西(留坝、佛坪)、山东、北京、河南、甘肃、江苏、浙江、湖北、江西、湖南、福建、台湾、广东、海南、广西、四川、云南;印度,尼泊尔。

301. 扁刺蛾属 *Thosea* Walker,1855

(592) 斜扁刺蛾 *Thosea obliquistriga* Hering,1931

分布：陕西（佛坪）、甘肃、江西、福建、广东、海南、香港、广西、四川；越南。

（593）中国扁刺蛾 *Thosea sinensis*（Walker，1855）

分布：陕西、辽宁、北京、河北、河南、甘肃、江苏、浙江、湖北、江西、湖南、福建、台湾、广东、海南、香港、广西、四川、贵州、云南；韩国，越南。

XⅢ. 木蠹蛾总科 Cossoidea

二十八、木蠹蛾科 Cossidae

302. 眼木蠹蛾属 *Catopta* Satudinger，1899

（594）白斑木蠹蛾 *Catopta albonubilus*（Graeser，1888）

分布：陕西（礼泉、凤县、宁强、南郑、宁陕、延安）、黑龙江、内蒙古、北京、山西、甘肃、青海、新疆；蒙古，俄罗斯，朝鲜，缅甸。

303. 木蠹蛾属 *Cossus* Fabricius，1794

（595）黄胸木蠹蛾 *Cossus chinensis* Rothschild，1912

分布：陕西（周至、太白、留坝、宁陕、黄龙）、山东、宁夏、甘肃、江苏、湖南、福建、四川、云南。

（596）芳香木蠹蛾东方亚种 *Cossus cossus orientalis* Gaede，1929

分布：陕西（合阳、扶风、汉中、宁陕、丹凤、延安）、辽宁、内蒙古、北京、天津、河北、山西、山东、河南、宁夏、甘肃、青海；俄罗斯，朝鲜，日本。

（597）*Cossus hoenei* Yakovlev，2006

分布：陕西。

（598）*Cossus siniaevi* Yakovlev，2004

分布：陕西（周至）、江西、四川。

304. Genus *Deserticossus* Yakovlev，2006

（599）*Deserticossus arenicola*（Staudinger，1879）

分布：陕西（榆林）、内蒙古、甘肃；俄罗斯。

305. Genus *Eogystia* Schoorl，1990

（600）*Eogystia hippophaecolus*（Hua，Chou，Fang *et* Cheng，1990）

分布：陕西、辽宁、内蒙古、河北、山西、宁夏、甘肃。

306．线角木蠹蛾属 *Holcocerus* Staudinger，1884

（601） *Holcocerus artemisiae*（**Chou** *et* **Hua，1986**）

分布：陕西（定边、榆林）、内蒙古、宁夏。

（602） 榆木蠹蛾 *Holcocerus vicarius*（**Walker，1865**）

分布：陕西（澄城、合阳、韩城、武功、咸阳、凤县、宝鸡、留坝、汉中、延安、吴起、子长）、黑龙江、吉林、辽宁、内蒙古、北京、天津、河北、山西、山东、河南、宁夏、甘肃、江苏、上海、安徽、四川、云南；俄罗斯，朝鲜，日本，越南。

307．等角木蠹蛾属 *Isoceras* Turati，1924

（603） 卡氏木蠹蛾 *Isoceras kaszabi* **Daniel，1965**

分布：陕西（合阳、延安）、内蒙古、宁夏、青海；蒙古。

308．华木蠹蛾属 *Sinicossus* Clench，1958

（604） 秦岭木蠹蛾 *Sinicossus qinlingensis* **Hua** *et* **Chou，1990**

分布：陕西（宁陕）。

309．Genus *Wittocossus* Yakovlev，2004

（605） *Wittocossus dellabrunai* **Saldaitis** *et* **Ivinskis，2010**

分布：陕西。

310．豹蠹蛾属 *Zeuzera* Latreille，1804

（606） 咖啡豹蠹蛾 *Zeuzera coffeae* **Nietner，1861**

分布：陕西（镇巴、紫阳、白河、商州、丹凤）、山东、河南、江苏、浙江、湖北、江西、湖南、福建、台湾、广东、海南、广西、四川、贵州、云南；印度，斯里兰卡，印度尼西亚，巴布亚新几内亚。

（607） 多斑豹蠹蛾 *Zeuzera multistrigata* **Moore，1881**

分布：陕西（周至、武功、太白、凤县、留坝、宁陕）、辽宁、河南、上海、浙江、湖北、江西、广西、四川、贵州、云南；日本，缅甸，印度，孟加拉国。

（608） 秦豹蠹蛾 *Zeuzera qinensis* **Hua** *et* **Chou，1990**

分布：陕西（佛坪）。

XIV. 卷蛾总科 Tortricoidea

二十九、卷蛾科 Tortricidae

（一）卷蛾亚科 Tortricinae

311. 长翅卷蛾属 *Acleris* Hübner，［1825］

（609）细纹长翅卷蛾 *Acleris conchyloides*（Walsingham，1900）
分布：陕西（杨凌、凤县、洋县、西乡）、河南、甘肃、湖北；日本。

（610）干果长翅卷蛾 *Acleris duracina* Razowski，1974
分布：陕西、湖北、湖南。

（611）褐缘长翅卷蛾 *Acleris elegans* Oku，1956
分布：陕西（杨凌）；日本。

（612）柳凹长翅卷蛾 *Acleris emargana*（Fabricius，1775）
分布：陕西、黑龙江、吉林、北京、河北、甘肃、青海、浙江、四川、云南；俄罗斯（远东），韩国，日本，中欧。

（613）山毛榉长翅卷蛾 *Acleris ferrugana*（Denis *et* Schiffermüller，1775）
分布：陕西（宁陕）、黑龙江；俄罗斯（远东），中欧。

（614）黄斑长翅卷蛾 *Acleris fimbriana*（Thunberg *et* Becklin，1791）
分布：陕西（杨凌、澄城）、辽宁、天津、河北、山西、山东；俄罗斯（远东），韩国，日本，欧洲。

（615）双纹长翅卷蛾 *Acleris forsskaleana*（Linnaeus，1758）
分布：陕西（杨凌）、湖北；欧洲，北美洲。

（616）杨凹长翅卷蛾 *Acleris issikii* Oku，1957
分布：陕西（凤县）、黑龙江、甘肃、青海；俄罗斯，韩国，日本。

（617）白褐长翅卷蛾 *Acleris japonica*（Walsingham，1900）
分布：陕西（凤县）、天津、河南、甘肃、台湾；俄罗斯（远东），韩国，日本。

（618）双色长翅卷蛾 *Acleris kuznetzovi* Razowski，1989
分布：陕西（杨凌、洋县、西乡）；俄罗斯（远东）。

（619）杜鹃长翅卷蛾 *Acleris laterana*（Fabricius，1794）
分布：陕西（周至、凤县、宁陕、安康）、黑龙江、天津、山东、河南、甘肃、浙江、湖北、广西、贵州；俄罗斯（远东），韩国，日本，中欧。

（620）褐带长翅卷蛾 *Acleris leechi*（Walsingham，1900）

分布:陕西(杨凌、凤县、宁陕)、黑龙江、辽宁、河南、安徽、湖北;俄罗斯(远东),韩国,日本。

(621) 黄色长翅卷蛾 *Acleris lutescentis*（**Liu** *et* **Bai**, **1987**）

分布:陕西(杨凌、宁陕)、湖北。

(622) 栎长翅卷蛾 *Acleris perfundana* **Kuznetzov**, **1962**

分布:陕西(凤县、安康)、黑龙江、吉林、河南、湖北;俄罗斯(远东),朝鲜,日本。

(623) 褐丽长翅卷蛾 *Acleris phalera*（**Kuznetzov**, **1964**）

分布:陕西(凤县、宁陕);俄罗斯(远东),日本。

(624) 小长翅卷蛾 *Acleris stibiana*（**Snellen**, **1883**）

分布:陕西(周至)、黑龙江、宁夏、甘肃、青海、四川、云南;俄罗斯(远东),韩国,日本。

(625) 狭长翅卷蛾 *Acleris thiana* **Razowski**, **1966**

分布:陕西(凤县)、浙江。

(626) 虎色长翅卷蛾 *Acleris tigricolor*（**Walsingham**, **1900**）

分布:陕西(凤县)、湖北、湖南、福建;俄罗斯(远东),日本。

(627) 榆白长翅卷蛾 *Acleris ulmicola*（**Meyrick**, **1930**）

分布:陕西(杨凌、澄城、乾县、礼泉、永寿、长武、凤县、志丹)、黑龙江、吉林、内蒙古、北京、河北、山东、河南、宁夏、甘肃、青海、台湾、西藏;俄罗斯(远东),韩国,日本。

312. 褐带卷蛾属 *Adoxophyes* Meyrick, 1881

(628) 棉褐带卷蛾 *Adoxophyes honmai* **Yasuda**, **1998**

分布:陕西(洋县、宁陕、丹凤)、河北、山东、河南、甘肃、江苏、安徽、浙江、湖北、湖南、福建、台湾、广东、海南、广西、四川、贵州;日本。

(629) 苹褐带卷蛾 *Adoxophyes orana*（**Fischer** *et* **Röslerstamm**, **1834**）

分布:陕西(杨凌、兴平、佛坪、紫阳)、黑龙江、辽宁、天津、河北、山东、台湾;俄罗斯(远东),韩国,日本,欧洲。

313. 双纹卷蛾属 *Aethes* Billberg, 1820

(630) 菊双纹卷蛾 *Aethes cnicana*（**Westwood**, **1854**）

分布:陕西(凤县、宁陕)、黑龙江、吉林、天津;俄罗斯,韩国,日本,欧洲。

(631) 多齿双纹卷蛾 *Aethes hoenei* **Razowski**, **1964**

　　分布:陕西(周至、凤县)、河南、浙江、江西、湖南。

（632）*Aethes semicircularis* Sun *et* Li，2013

　　分布:陕西。

314. 黄卷蛾属 *Archips* Hübner，1822

（633）隐黄卷蛾 *Archips arcanus* Razowski，1977

　　分布:陕西、北京、河南、浙江、湖南、云南。

（634）后黄卷蛾 *Archips asiaticus* Walsingham，1900

　　分布:陕西(洋县、宁陕、丹凤)、吉林、山东、北京、天津、河南、宁夏、甘肃、江苏、安徽、浙江、江西、湖南、福建、广东、四川；韩国，日本。

（635）天目山黄卷蛾 *Archips compitalis* Razowski，1977

　　分布:陕西(凤县、宁陕)、河南、甘肃、安徽、浙江、湖北、江西、湖南、福建、广西、四川、贵州、云南；越南。

（636）胡桃楸黄卷蛾 *Archips dichotoma* Falkovitsh，1965

　　分布:陕西(洋县)、四川、云南；俄罗斯(远东)，韩国。

（637）长黄卷蛾 *Archips elongatus* Liu，1987

　　分布:陕西、甘肃、湖北；韩国。

（638）落黄卷蛾 *Archips issikii* Kodama，1960

　　分布:陕西(凤县、宁陕)、黑龙江、辽宁、内蒙古、天津、河北、山东、甘肃、青海、新疆；俄罗斯(远东)，韩国，日本。

（639）亮黄卷蛾 *Archips limatus* Razowski，1977

　　分布:陕西(宁陕、安康)、河南、宁夏。

（640）丽黄卷蛾 *Archips opiparus* Liu，1987

　　分布:陕西(白河)、湖北、湖南、重庆、四川、贵州、云南。

（641）云杉黄卷蛾 *Archips oporana*（Linnaeus，1758）

　　分布:陕西(宁陕、丹凤)、黑龙江、吉林、河南、江苏、上海、安徽、浙江、湖南、福建、台湾、广东、广西、贵州、云南；俄罗斯(远东)，韩国，日本，欧洲。

（642）厚黄卷蛾 *Archips pachyvalvus* Liu，1987

　　分布:陕西(佛坪)、湖北、四川、贵州、云南。

（643）蔷薇黄卷蛾 *Archips rosana*（Linnaeus，1758）

　　分布:陕西(凤县、宁陕)、黑龙江、辽宁、天津、河北、河南、青海；俄罗斯(远东)，韩国，日本，欧洲。

（644）永黄卷蛾 *Archips tharsaleopa*（Meyrick，1935）

分布：陕西（周至、凤县、宁陕）、北京、河南、甘肃、浙江、四川、贵州。

（645）郑氏黄卷蛾 *Archips zhengi* Wang, Li *et* Wang, 2002

分布：陕西（安康）、甘肃、西藏。

315. 烟卷蛾属 *Capua* Stephens, 1834

（646）短烟卷蛾 *Capua reclina* Razowski, 1978

分布：陕西、河南。

（647）长烟卷蛾 *Capua repentina* Razowski, 1978

分布：陕西（周至、凤县、宁陕）、宁夏、湖南、福建、四川、贵州。

（648）花楸烟卷蛾 *Capua vulgana*（Frölich, 1828）

分布：陕西（汉中）、黑龙江、吉林、四川；俄罗斯（远东），韩国，日本，中欧。

316. 色卷蛾属 *Choristoneura* Lederer, 1859

（649）尖色卷蛾 *Choristoneura evanidana*（Kennel, 1901）

分布：陕西（周至、凤县、宁陕）、黑龙江、天津、河北、河南、甘肃、浙江、湖北、四川；俄罗斯（远东），韩国，日本。

（650）南色卷蛾 *Choristoneura longicellanus*（Walsingham, 1900）

分布：陕西（杨凌、澄城、彬县、凤县、紫阳、丹凤）、天津、河北、河南、甘肃、江苏、浙江、湖北、四川、贵州；俄罗斯（远东），韩国，日本。

（651）棕色卷蛾 *Choristoneura luticostana*（Christoph, 1888）

分布：陕西（杨凌、兴平、凤县、宁陕）、黑龙江、吉林、河南、宁夏、湖北、四川；俄罗斯（远东），韩国，日本。

（652）水杉色卷蛾 *Choristoneura metasequoiacola* Liu, 1983

分布：陕西（周至）、湖北。

317. 双斜卷蛾属 *Clepsis* Guenée, 1845

（653）秦岭双斜卷蛾 *Clepsis aba* Razowski, 1979

分布：陕西（周至、宁陕）。

（654）黄带双斜卷蛾 *Clepsis flavifasciaria* Wang, Li *et* Wang, 2003

分布：陕西（宁陕）。

（655）腹刺双斜卷蛾 *Clepsis monticolana* Kawabe, 1964

分布：陕西（宁陕）；日本。

（656）棉花双斜卷蛾 *Clepsis pallidana*（Fabricius, 1776）

分布:陕西(杨凌、旬邑、澄城、丹凤、商州)、黑龙江、吉林、内蒙古、北京、天津、河北、山东、宁夏、甘肃、青海、新疆、四川;韩国,日本,中欧。

(657) 忍冬双斜卷蛾 *Clepsis rurinana*(Linnaenus,1758)

分布:陕西(周至、彬县、澄城、凤县、佛坪、宁陕、安康、商州、丹凤)、黑龙江、吉林、辽宁、北京、天津、河北、山东、山西、河南、宁夏、甘肃、青海、安徽、浙江、湖南、湖北、四川、贵州;俄罗斯(远东),韩国,日本,中亚,欧洲。

318. 长卷蛾属 *Cnephasia* Curtis,1826

(658) 青云卷蛾 *Cnephasia stephensiana*(Doubleday,1850)

分布:陕西(周至、杨凌)、河北、山西、甘肃、青海、四川;俄罗斯(远东),韩国,日本,中亚,小亚细亚,中欧。

319. 灰纹卷蛾属 *Cochylidia* Obraztsov,1956

(659) 一带灰纹卷蛾 *Cochylidia moguntiana*(Rössler,1864)

分布:陕西(周至、杨凌、澄城)、黑龙江、辽宁、内蒙古、北京、天津、河北、山东、河南、甘肃、安徽、湖南、福建、四川、贵州;俄罗斯,韩国,阿富汗,欧洲。

(660) 尖瓣灰纹卷蛾 *Cochylidia richteriana*(Fischer von Röslerstamm,1837)

分布:陕西、黑龙江、吉林、辽宁、内蒙古、北京、天津、河北、山西、山东、河南、宁夏、甘肃、青海、新疆、江苏、上海、安徽、浙江、湖北、江西、湖南、福建、台湾;蒙古,俄罗斯,韩国,日本,欧洲。

320. 窄纹卷蛾属 *Cochylimorpha* Razowski,1960

(661) 灰红窄纹卷蛾 *Cochylimorpha conankinensis*(Ge,1992)

分布:陕西(周至、宁陕、紫阳)、四川。

(662) 尖突窄纹卷蛾 *Cochylimorpha cuspidata*(Ge,1992)

分布:陕西(杨凌、澄城、宁陕)、黑龙江、辽宁、内蒙古、北京、天津、河北、山西、河南、宁夏、甘肃、新疆、安徽、湖北;韩国。

(663) 沙果窄纹卷蛾 *Cochylimorpha jaculana*(Snellen,1883)

分布:陕西(宁陕)、黑龙江、吉林、内蒙古、天津、河北、山西、山东、宁夏、安徽、四川、云南;蒙古,俄罗斯,朝鲜,韩国,日本。

(664) 红带窄纹卷蛾 *Cochylimorpha nankinensis*(Razowski,1964)

分布:陕西(凤县、洋县、紫阳)、河南、甘肃、江苏、浙江、湖北;韩国。

(665) 金黄窄纹卷蛾 *Cochylimorpha pallens*(Kuznetzov,1966)

分布:陕西(凤县、宁陕)、北京、甘肃、青海;俄罗斯。

321.　纹卷蛾属 *Cochylis* Treitschke，1829

(666)　黑顶纹卷蛾 *Cochylis hybridella*（Hübner，[1810—1813]）

分布:陕西(周至)、黑龙江、吉林、山西;俄罗斯,韩国,日本,欧洲。

322.　叉卷蛾属 *Diplocalyptis* Diakonoff，1976

(667)　膨叉卷蛾 *Diplocalyptis congruentana*（Kennel，1901）

分布:陕西(宁陕、白河)、黑龙江、河南、甘肃、湖北、江西、湖南、福建、广西、四川、贵州、云南;俄罗斯(远东),韩国,日本。

323.　银纹卷蛾属 *Eugnosta* Hübner，[1825]1816

(668)　双条银纹卷蛾 *Eugnosta dives*（Butler，1878）

分布:陕西(杨凌)、黑龙江、吉林、辽宁、内蒙古、山东、宁夏、江苏;俄罗斯,日本。

324.　单纹卷蛾属 *Eupoecilia* Stephens，1829

(669)　环针单纹卷蛾 *Eupoecilia ambiguella*（Hübner，1796）

分布:陕西(杨凌、澄城、凤县、宁陕、安康)、黑龙江、河南、安徽、江西、湖南、四川;蒙古,俄罗斯,韩国,日本,印度,欧洲。

(670)　金翅单纹卷蛾 *Eupoecilia citrinana* Razowski，1960

分布:陕西(杨凌)、黑龙江、吉林、北京、河北、河南、湖南;俄罗斯,韩国,日本。

325.　短纹卷蛾属 *Falseuncaria* Obraztsov *et* Swatschek，1958

(671)　胡麻短纹卷蛾 *Falseuncaria kaszabi* Razowski，1966

分布:陕西(澄城)、内蒙古、宁夏、甘肃、青海;蒙古。

326.　丛卷蛾属 *Gnorismoneura* Issiki *et* Stringer，1932

(672)　丽丛卷蛾 *Gnorismoneura mesoloba*（Meyrick，1937）

分布:陕西、浙江、四川、云南。

(673)　泰丛卷蛾 *Gnorismoneura orientis*（Filipjev，1962）

分布:陕西(周至、澄城、宁陕)、黑龙江、天津、河北、山西、山东、河南、宁夏、甘肃;俄罗斯(远东),韩国,日本。

（674）方丛卷蛾 *Gnorismoneura quadrativalvata* **Wang** *et* **Li，2004**
　　分布：陕西（周至、凤县）、河北。

（675）青丛卷蛾 *Gnorismoneura vallifica*（**Meyrick，1935**）
　　分布：陕西（宁陕、安康）、安徽、浙江、四川；日本。

（676）钝丛卷蛾 *Gnorismoneura zetessima* **Razowski，1977**
　　分布：陕西（凤县、安康）、宁夏、甘肃。

（677）结丛卷蛾 *Gnorismoneura zyzzogeton* **Razowski，1977**
　　分布：陕西（安康）、河南、江苏、安徽、浙江、湖南、云南。

327．狭纹卷蛾属 *Gynnidomorpha* **Turner，1916**

（678）泽泻狭纹卷蛾 *Gynnidomorpha alismana*（**Ragonot，1883**）
　　分布：陕西、黑龙江、河北、湖北、江西、湖南、广东、云南；欧洲。

（679）河北狭纹卷蛾 *Gynnidomorpha permixtana*（**Denis** *et* **Schiffermüller，1775**）
　　分布：陕西（杨凌、澄城、凤县）、辽宁、北京、河北、山东、宁夏、上海、湖南、四川、贵州；蒙古，俄罗斯，日本，阿富汗，欧洲。

（680）蛛形狭纹卷蛾 *Gynnidomorpha vectisana*（**Humphreys** *et* **Westwood，1845**）
　　分布：陕西（杨凌）、河北、新疆、浙江、湖北、江西、湖南、四川；欧洲。

328．长卷蛾属 *Homona* **Walker，1863**

（681）保长卷蛾 *Homona nakaoi* **Yasuda，1969**
　　分布：陕西（宁陕、安康）、湖北、湖南、重庆、贵州、云南、西藏；尼泊尔。

329．尾卷蛾属 *Homonopsis* **Kuznetsov，1964**

（682）双尾卷蛾 *Homonopsis illotana*（**Kennel，1901**）
　　分布：陕西、安徽、福建、四川、贵州；俄罗斯（远东），韩国，日本。

330．禄卷蛾属 *Lumaria* **Diakonoff，1976**

（683）褐绿卷蛾 *Lumaria zeugmatovalva* **Razowski，1984**
　　分布：陕西（宁陕）、宁夏、甘肃、四川。

331．圆卷蛾属 *Neocalyptis* **Diakonoff，1941**

（684）截圆卷蛾 *Neocalyptis angustilineata*（**Walsingham，1900**）

分布:陕西(宁陕)、天津、河南、安徽、浙江、江西、湖南、福建;俄罗斯(远东),韩国,日本。

(685)　细圆卷蛾 *Neocalyptis liratana*(Christoph,1881)

分布:陕西(周至、凤县、宁陕、安康、白河、商州、丹凤)、黑龙江、天津、河北、河南、甘肃、青海、安徽、浙江、江西、湖南、福建、台湾、四川、云南;俄罗斯(远东),韩国,日本。

(686)　长瓣圆卷蛾 *Neocalyptis taiwana* Razowski,2000

分布:陕西(白河)、台湾。

332.　褐卷蛾属 *Pandemis* Hübner,[1825]

(687)　黄褐卷蛾 *Pandemis chlorograpta* Meyrick,1921

分布:陕西(宁陕)、黑龙江、北京、河南、甘肃、浙江、江西、福建、四川;日本。

(688)　松褐卷蛾 *Pandemis cinnamomeana*(Treitschke,1830)

分布:陕西(周至、宁陕)、黑龙江、天津、河北、河南、浙江、湖北、江西、湖南、重庆、四川、云南;俄罗斯(远东),韩国,日本,欧洲。

(689)　长褐卷蛾 *Pandemis emptycta* Meyrick,1937

分布:陕西(周至、凤县、佛坪、宁陕)、北京、河北、河南、宁夏、甘肃、湖北、四川、贵州。

(690)　苹褐卷蛾 *Pandemis heparana*(Denis *et* Schiffermüller,1775)

分布:陕西(周至、杨凌)、黑龙江、天津、河北、青海;俄罗斯(远东),韩国,日本,欧洲。

(691)　山褐卷蛾 *Pandemis monticolana* Yasuda,1975

分布:陕西(周至、宁陕)、黑龙江、吉林;韩国,日本。

(692)　齿褐卷蛾 *Pandemis phaedroma* Razowski,1978

分布:陕西(周至、凤县、宁陕、安康)、甘肃。

(693)　秦褐卷蛾 *Pandemis phaenotherion* Razowski,1978

分布:陕西(凤县)、宁夏、甘肃。

(694)　暗褐卷蛾 *Pandemis phaiopteron* Razowski,1978

分布:陕西(澄城、彬县、宁陕)、内蒙古、河北、宁夏、甘肃、青海、四川。

333.　次卷蛾属 *Pseudargyrotoza* Obraztsov,1954

(695)　黄次卷蛾 *Pseudargyrotoza conwagana*(Fabricius,1775)

分布:陕西(澄城)、吉林、河南、四川;俄罗斯(远东),韩国,日本,尼泊尔，小亚细亚，欧洲。

334. 伪长翅卷蛾属 *Pseudocroesia* Razowski, 1966

（696）冠伪长翅卷蛾 *Pseudocroesia coronaria* Razowski, 1966
　　　　分布：陕西（凤县）、湖北、四川。

335. 铅卷蛾属 *Ptycholoma* Stephens, 1829

（697）环铅卷蛾 *Ptycholoma lecheana*（Linnaenus, 1758）
　　　　分布：陕西（杨凌、宁陕）、黑龙江、吉林、辽宁、河南、宁夏、湖南；俄罗斯（远东），韩国，日本，欧洲。

336. 长须卷蛾属 *Sparganothis* Hübner, [1825]

（698）葡萄长须卷蛾 *Sparganothis pilleriana* [Denis *et* Schiffermüller, 1775]
　　　　分布：陕西（佛坪）、黑龙江、吉林、河北；俄罗斯（远东），韩国，日本，欧洲。

337. 彩翅卷蛾属 *Spatalistis* Meyrick, 1907

（699）珍珠彩翅卷蛾 *Spatalistis christophana*（Walsingham, 1900）
　　　　分布：陕西（宁陕）、辽宁、河南、甘肃、浙江、湖北、江西、湖南、台湾；俄罗斯（远东），韩国，日本。

338. 狭云卷蛾属 *Stenopteron* Razowski, 1988

（700）细狭云卷蛾 *Stenopteron stenoptera*（Filipjev, 1962）
　　　　分布：陕西（宁陕）、宁夏；俄罗斯（远东）。

339. 综卷蛾属 *Syndemis* Hübner, [1825]

（701）尖综卷蛾 *Syndemis supervacanea* Razowski, 1984
　　　　分布：陕西（凤县）。

340. 毛垫卷蛾属 *Synochoneura* Obraztsov, 1955

（702）宽板毛垫卷蛾 *Synochoneura tapaishani*（Caradja, 1939）
　　　　分布：陕西（宁陕、安康）、河南、贵州。

341. 卷蛾属 *Tortrix* Linnaeus, 1758

（703）针卷蛾 *Tortrix sinapina*（Butler, 1879）
　　　　分布：陕西（杨凌、凤县、洋县、西乡）、河北、山西、河南、湖北；俄罗斯（远东），韩国，日本。

342.特卷蛾属 *Tosirips* Razowski, 1987

(704) 紫特卷蛾 *Tosirips perpulchrana*（Kennel, 1901）

分布:陕西(凤县)、黑龙江、吉林、辽宁、台湾、贵州;俄罗斯(远东)、韩国、日本、中欧。

(二)小卷蛾亚科 Olethreutinae

343.镰翅小卷蛾属 *Ancylis* Hübner, 1825

(705) 大斑镰翅小卷蛾 *Ancylis amplimacula* Falkovitsh, 1965

分布:陕西(杨凌、紫阳、丹凤)、河南;俄罗斯。

(706) 豌豆镰翅小卷蛾 *Ancylis badiana*（Denis *et* Schiffermüller, 1775）

分布:陕西(周至、杨凌、凤县、宁陕)、黑龙江、北京、河北、河南、浙江、江西、四川;蒙古、俄罗斯、韩国、日本、欧洲。

(707) 草莓镰翅小卷蛾 *Ancylis comptana*（Frölich, 1828）

分布:陕西(杨凌)、黑龙江、内蒙古、天津、湖北、江西、广西;韩国、日本、小亚细亚、欧洲、北美洲。

(708) 柳镰翅小卷蛾 *Ancylis geminana*（Donovan, 1806）

分布:陕西(凤县、宁陕)、黑龙江、内蒙古、甘肃;蒙古、俄罗斯、日本、哈萨克斯坦、欧洲、新北区。

(709) 灰斑镰翅小卷蛾 *Ancylis hemicatharta* Meyrick, 1935

分布:陕西(凤县、宁陕、安康)、河南、宁夏、江苏、浙江、湖南、贵州。

(710) 端彭镰翅小卷蛾 *Ancylis kenneli* Kuznetsov, 1962

分布:陕西(宁陕);蒙古、俄罗斯、日本、哈萨克斯坦、北欧。

(711) 长方镰翅小卷蛾 *Ancylis laetana*（Fabricius, 1775）

分布:陕西(周至、凤县、宁陕)、宁夏、甘肃、青海、新疆、湖北;俄罗斯、哈萨克斯坦、西欧。

(712) 条斑镰翅小卷蛾 *Ancylis loktini* Kuznetsov, 1969

分布:陕西(杨凌)、黑龙江、内蒙古、北京、天津、河北、河南、宁夏;俄罗斯。

(713) 半圆镰翅小卷蛾 *Ancylis obtusana*（Haworth, [1811]）

分布:陕西(杨凌、澄城、凤县、宁陕、安康)、山西、河南、宁夏、甘肃、青海、安徽、浙江、贵州;韩国、日本、土耳其、欧洲。

(714) 端叉镰翅小卷蛾 *Ancylis partitana*（Christoph, 1881）

分布:陕西(凤县、宁陕)、内蒙古、河南、宁夏;俄罗斯,韩国,日本。

(715)枣镰翅小卷蛾 *Ancylis sativa* Liu,1979

分布:陕西(杨凌、澄城、彬县)、天津、河北、山西、山东、河南、甘肃、安徽、浙江、湖北、江西、湖南、福建、广西、四川、贵州、云南;韩国。

(716)钝镰翅小卷蛾 *Ancylis sculpta* Meyrick,1912

分布:陕西(杨凌)、天津、山东、河南、安徽、湖北、湖南、四川、贵州;韩国。

(717)苹镰翅小卷蛾 *Ancylis selenana*（Guenée,1845）

分布:陕西(安康)、黑龙江、天津、河北、河南、甘肃、安徽、浙江、湖北、福建、贵州,云南;俄罗斯,韩国,日本,欧洲。

(718)鼠李镰翅小卷蛾 *Ancylis unculana*（Haworth,［1811］）

分布:陕西(周至、杨凌、紫阳)、黑龙江、吉林、天津、河北、河南、安徽、湖北、湖南、四川、贵州;俄罗斯(远东),韩国,伊朗,哈萨克斯坦,欧洲。

(719)褐镰翅小卷蛾 *Ancylis upupana*（Treitschke,1835）

分布:陕西(凤县、宁陕)、黑龙江、内蒙古、河南;俄罗斯(远东),韩国,日本,欧洲。

344．斜斑小卷蛾属 *Andrioplecta* Obraztsov,1968

(720)斜斑小卷蛾 *Andrioplecta oxystaura*（Meyrick,1935）

分布:陕西(安康)、河南、江苏、上海、安徽、浙江、江西、湖南、四川、贵州;泰国。

345．斜纹小卷蛾属 *Apotomis* Hübner,［1825］1816

(721)点基斜纹小卷蛾 *Apotomis capreana* Hübner,［1817］

分布:陕西(杨凌、澄城、旬邑、凤县)、内蒙古、河北、河南、宁夏、甘肃;俄罗斯,欧洲,北美洲。

(722)长刺斜纹小卷蛾 *Apotomis formalis*（Meyrick,1935）

分布:陕西(佛坪)、河南、甘肃、浙江、湖北、贵州。

(723)杨斜纹小卷蛾 *Apotomis inundana*［Denis *et* Schiffermüller］,1775

分布:陕西(凤县)、黑龙江、吉林、青海;俄罗斯,欧洲。

346．Genus *Argyroploce* Hübner,1825

(724)双角小卷蛾 *Argyroploce euryopis*（Meyrick,1937）

分布:陕西(凤县、安康)、河南、宁夏、云南。

347. 水小卷蛾属 *Aterpia* Guenée, 1845

(725) 金水小卷蛾 *Aterpia flavipunctana*（Christoph, 1882）
　　分布:陕西(周至、佛坪)、天津、河南、湖北、湖南、福建、广东;俄罗斯,韩国,日本。

348. 尖翅小卷蛾属 *Bactra* Stephens, 1834

(726) 大凹尖翅小卷蛾 *Bactra festa* Diakonoff, 1959
　　分布:陕西(杨凌);韩国,日本。

(727) 小凹尖翅小卷蛾 *Bactra lacteana* Caradja, 1916
　　分布:陕西(杨凌、澄城)、黑龙江、内蒙古、天津、山东、河南、青海、新疆、浙江、江西、福建、海南、广西、贵州;蒙古,俄罗斯,韩国,日本,哈萨克斯坦,欧洲。

(728) 莎草尖翅小卷蛾 *Bactra minima* Meyrick, 1909
　　分布:陕西(杨凌)、河北、山东、河南、新疆、湖北、台湾、贵州;尼泊尔,斯里兰卡,菲律宾,巴布亚新几内亚,帝汶岛,萨摩亚群岛,沙特阿拉伯,所罗门群岛,澳大利亚,马里亚纳群岛。

349. 草小卷蛾属 *Celypha* Hübner, [1825]1816

(729) 香草小卷蛾 *Celypha cespitana*（Hübner, [1817]）
　　分布:陕西(杨凌、佛坪)、黑龙江、吉林、内蒙古、天津、河北、山东、河南、宁夏、甘肃、青海、新疆、湖北、广东、四川、贵州、云南;俄罗斯,日本,欧洲,北美洲。

(730) 草小卷蛾 *Celypha flavipalpana*（Herrich-Schäffer, 1851）
　　分布:陕西(周至、杨凌、澄城、佛坪、宁陕、商州、丹凤、商南、铜川)、黑龙江、吉林、内蒙古、北京、天津、河北、山东、河南、宁夏、甘肃、青海、新疆、安徽、浙江、湖北、湖南、四川、贵州;俄罗斯,韩国,日本,欧洲。

350. 异形小卷蛾属 *Cryptophlebia* Walsingham, 1900

(731) 荔枝异形小卷蛾 *Cryptophlebia ombrodelta*（Lower, 1898）
　　分布:陕西(杨凌)、河北、河南、宁夏、江苏、浙江、湖南、台湾、广东、广西、四川、贵州、云南；日本，泰国，印度，斯里兰卡，菲律宾，马来西亚，印度尼西亚，加里曼丹岛，新几内亚岛，英国，荷兰，澳大利亚，美国。

351. 食小卷蛾属 *Cydia* Hübner, 1825

（732）栗白小卷蛾 *Cydia kurokoi*（Amsel, 1960）

分布：陕西（宁陕）、甘肃；朝鲜，日本。

352. 微小卷蛾属 *Dichrorampha* Guenée, 1845

（733）伊微小卷蛾 *Dichrorampha latiflavana* Caradja, 1916

分布：陕西（凤县、宁陕）、黑龙江、河南；俄罗斯，日本。

353. 白斑小卷蛾属 *Epiblema* Hübner, [1825]

（734）白块小卷蛾 *Epiblema autolitha*（Meyrick, 1931）

分布：陕西（杨凌、宁陕、丹凤）、黑龙江、吉林、北京、天津、河北、河南、甘肃、浙江、安徽、湖北、湖南、福建、广东、四川、贵州；韩国，日本。

（735）白钩小卷蛾 *Epiblema foenella*（Linnaeus, 1758）

分布：陕西（周至、杨凌、澄城、佛坪、洋县、宁陕、安康、白河、商州、丹凤）、黑龙江、吉林、内蒙古、天津、河北、山东、河南、宁夏、甘肃、青海、新疆、江苏、安徽、浙江、湖北、江西、湖南、福建、台湾、广西、四川、贵州、云南；蒙古，俄罗斯，韩国，日本，泰国，印度，哈萨克斯坦，中亚。

354. 叶小卷蛾属 *Epinotia* Hübner, [1825]

（736）栎叶小卷蛾 *Epinotia bicolor*（Walsingham, 1900）

分布：陕西（洋县、紫阳）、天津、河北、河南、甘肃、湖北、湖南、福建、台湾、四川、贵州；韩国，日本，越南，印度。

（737）菊叶小卷蛾 *Epinotia contrariana*（Christoph, 1881）

分布：陕西（周至）、黑龙江、吉林、贵州；蒙古，俄罗斯，韩国，日本。

（738）林叶小卷蛾 *Epinotia nemorivaga*（Tengström, 1848）

分布：陕西（周至、凤县、宁陕）、河南、甘肃、四川、贵州；中欧。

（739）松叶小卷蛾 *Epinotia rubiginosana*（Herrich-Schäffer, 1851）

分布：陕西（杨凌）、北京、天津、山东、河南、江苏、上海、安徽、浙江、湖北、江西、湖南、福建；俄罗斯，日本，欧洲，新北区。

（740）拟柳叶小卷蛾 *Epinotia salicicolana* Kuznetsov, 1968

分布：陕西（宁陕）、台湾；俄罗斯，日本。

（741）蔷薇叶小卷蛾 *Epinotia signatana*（Douglas, 1845）

分布：陕西（洋县）、吉林；蒙古，俄罗斯，韩国，日本，缅甸，欧洲。

（742）榛叶小卷蛾 *Epinotia solandriana*（Linnaeus, 1758）

分布：陕西（宁陕）、黑龙江、吉林、甘肃、青海；俄罗斯，韩国，日本，欧洲，新北区。

（743）胡萝卜叶小卷蛾 *Epinotia thapsiana*（Zeller, 1847）

分布：陕西（商南）、天津、浙江、安徽、贵州；俄罗斯，韩国，伊朗，哈萨克斯坦，塔吉克斯坦，土库曼斯坦，欧洲。

（744）春榆叶小卷蛾 *Epinotia ulmicola* Kuznetsov, 1966

分布：陕西（杨凌）、甘肃、贵州；俄罗斯，韩国，日本。

355. 花小卷蛾属 *Eucosma* Hübner,〔1823〕

（745）浅褐花小卷蛾 *Eucosma aemulana*（Schläger, 1849）

分布：陕西（周至、澄城、宁陕）、天津、山西、河南、甘肃、安徽、浙江、福建、四川、贵州；俄罗斯，韩国，德国。

（746）缘花小卷蛾 *Eucosma agnatana*（Christoph, 1872）

分布：陕西（澄城）、内蒙古、河北、山西、青海；蒙古，俄罗斯，哈萨克斯坦，欧洲。

（747）盾花小卷蛾 *Eucosma aspidiscana*（Hübner,〔1814－1817〕）

分布：陕西（凤县、宁陕）、河南、甘肃、安徽；蒙古，俄罗斯，韩国，日本，欧洲，非洲北部。

（748）灰花小卷蛾 *Eucosma cana*（Haworth,〔1811〕）

分布：陕西（安康）、河南、甘肃、新疆、浙江、福建、广东、云南；俄罗斯，日本，中亚，哈萨克斯坦，欧洲。

（749）黄斑花小卷蛾 *Eucosma flavispecula*（Kuznetsov, 1964）

分布：陕西（澄城）、黑龙江、内蒙古、天津、河北、山西、宁夏、浙江；蒙古，俄罗斯，哈萨克斯坦，欧洲。

（750）块花小卷蛾 *Eucosma glebana*（Snellen, 1883）

分布：陕西（杨凌、凤县、安康）；俄罗斯，韩国，日本。

（751）逸花小卷蛾 *Eucosma ignotana*（Caradja, 1916）

　　分布:陕西(杨凌)、内蒙古、四川、青海;俄罗斯。

（752）艾花小卷蛾 *Eucosma metzneriana*（Treitschke，1830）

　　分布:陕西(周至、杨凌、凤县、安康、紫阳、丹凤)、河南、甘肃、新疆、湖北、广西、西藏;蒙古，俄罗斯，韩国，日本，伊朗，哈萨克斯坦，欧洲，非洲北部。

（753）白头花小卷蛾 *Eucosma niveicaput*（Walsingham，1900）

　　分布:陕西(宁陕)、甘肃;俄罗斯，日本。

（754）洋艾花小卷蛾 *Eucosma pupillana*（Clerck，1759）

　　分布:陕西(凤县)、黑龙江、青海、新疆;伊朗，哈萨克斯坦，塔吉克斯坦，欧洲。

（755）屯花小卷蛾 *Eucosma tundrana*（Kennel，1900）

　　分布:陕西(澄城)、黑龙江、内蒙古、河北、山西、宁夏、甘肃、广西、新疆;俄罗斯，哈萨克斯坦，欧洲。

（756）韦花小卷蛾 *Eucosma wimmerana*（Treitschke，1835）

　　分布:陕西(杨凌、澄城)、天津、河北、河南、甘肃、新疆;蒙古，俄罗斯，日本，哈萨克斯坦，东欧。

356. 圆点小卷蛾属 *Eudemis* Hübner，1825

（757）鄂圆点小卷蛾 *Eudemis lucina* Liu *et* Bai，1982

　　分布:陕西(杨凌、佛坪)、吉林、河南、浙江、湖北。

（758）栎圆点小卷蛾 *Eudemis porphyrana*（Hübner，1796－1799）

　　分布:陕西(周至、凤县)、黑龙江、吉林、河南、甘肃、浙江、湖北、江西、福建、广东、四川、贵州;俄罗斯，日本，欧洲。

357. 圆斑小卷蛾属 *Eudemopsis* Falkovitsh，1962

（759）曲茎圆斑小卷蛾 *Eudemopsis flexis* Liu *et* Bai，1982

　　分布:陕西(凤县、安康)、河北、湖北、湖南、四川。

（760）指状圆斑小卷蛾 *Eudemopsis ramiformis* Liu *et* Bai，1982

　　分布:陕西(宁陕)、河南、湖北、湖南、四川、贵州。

358. 菲小卷蛾属 *Fibuloides* Kuznetsov，1997

（761）日菲小卷蛾 *Fibuloides japonica*（Kawabe，1978）

分布:陕西(洋县、宁陕)、河南、安徽、浙江、湖北、福建、台湾、四川、贵州;
韩国,日本。

359.支小卷蛾属 *Fulcrifera* Danilevsky *et* Kuznetsov,1968

(762)东支小卷蛾 *Fulcrifera orientis*(Kuznetsov,1966)

分布:陕西(杨凌、澄城、凤县)、黑龙江、吉林、河北、河南、四川;俄罗斯,日本。

360.突小卷蛾属 *Gibberifera* Obraztsov,1946

(763)杨突小卷蛾 *Gibberifera simplana*(Fischer v. Röslerstamm,1835)

分布:陕西(周至、凤县、宁陕)、吉林、河北、河南、甘肃、湖北、湖南、台湾;
俄罗斯,韩国,日本,欧洲。

361.小食心虫属 *Grapholita* Treitschke,1829

(764)麻小食心虫 *Grapholita delineana* Walker,1863

分布:陕西(杨凌)、黑龙江、北京、天津、河北、河南、甘肃、安徽、浙江、湖
北、江西、福建、四川;俄罗斯(远东),欧洲,大西洋海岸至太平洋海岸。

(765)背刺小食心虫 *Grapholita latens*(Kuznetsov,1972)

分布:陕西(杨凌、宁陕)、云南。

(766)梨小食心虫 *Grapholita molesta*(Busck,1916)

分布:陕西(杨凌、澄城、凤县、宁陕)、吉林、辽宁、天津、河北、山东、宁夏、
新疆、江苏、江西、广西、云南;韩国,日本,澳大利亚,新西兰,欧洲,南
非,北美洲,南美洲。

362.Genus *Gravitarmata* Obraztsov,1940

(767)*Gravitarmata margarotana*(Heinemann,1863)

分布:陕西(陇县)、北京、辽宁、湖南;欧洲。

363.柳小卷蛾属 *Gypsonoma* Meyrick,1895

(768)扭柳小卷蛾 *Gypsonoma distincta* Kuznetsov,1971

分布:陕西、甘肃、四川。

(769)杨柳小卷蛾 *Gypsonoma minutana*(Hübner,[1796-1799])

分布:陕西(杨凌、洋县、宁陕)、黑龙江、北京、河北、山西、山东、河南、宁

夏、甘肃、青海、新疆；蒙古，俄罗斯，韩国，日本，阿富汗，伊朗，以色列，欧洲，非洲北部。

（770）伪柳小卷蛾 *Gypsonoma oppressana*（Treitschke，1835）

分布：陕西（宁陕）、河南、宁夏、甘肃、青海、新疆、四川；俄罗斯，哈萨克斯坦，欧洲。

（771）暗柳小卷蛾 *Gypsonoma phaeocremna*（Meyrick，1937）

分布：陕西（周至、凤县、宁陕、安康）、宁夏、甘肃、四川、贵州、云南。

（772）丽江柳小卷蛾 *Gypsonoma rubescens* Kuznetsov，1971

分布：陕西（凤县）、天津、河南、青海、四川、贵州、云南。

364．广翅小卷蛾属 *Hedya* Hübner，[1825]1816

（773）素纹广翅小卷蛾 *Hedya abjecta* Falkovitsh，1962

分布：陕西（杨凌）、河南；俄罗斯。

（774）铅广翅小卷蛾 *Hedya corni* Oku，1974

分布：陕西（周至）、河南、甘肃；日本。

（775）半圆广翅小卷蛾 *Hedya dimidiana*（Clerck，1759）

分布：陕西（周至、宁陕）、宁夏、甘肃、四川；俄罗斯，欧洲。

（776）三角广翅小卷蛾 *Hedya ignara* Falkovitsh，1962

分布：陕西（周至、凤县、宁陕）、黑龙江、湖南、福建；俄罗斯。

（777）柞广翅小卷蛾 *Hedya inornata*（Walsingham，1900）

分布：陕西（凤县）、吉林、河南、广东、贵州；俄罗斯，韩国，日本，欧洲。

（778）刺广翅小卷蛾 *Hedya subretracta*（Kawabe，1976）

分布：陕西（宁陕）、河南、湖南、四川、贵州；日本。

（779）日月潭广翅小卷蛾 *Hedya sunmoonlakensis* Kawabe，1993

分布：陕西（杨凌、澄城、彬县）、辽宁、河南、安徽、浙江、湖南、福建、台湾。

（780）灰广翅小卷蛾 *Hedya vicinana*（Ragonot，1894）

分布：陕西（凤县、宁陕）、黑龙江、吉林、内蒙古、河北、河南、甘肃、青海、台湾、四川、云南；俄罗斯，日本。

（781）华广翅小卷蛾 *Hedya walsinghami* Oku，1974

分布：陕西（杨凌）、河南；日本。

365．尖顶小卷蛾属 *Kennelia* Rebel，1901

（782）鼠李尖顶小卷蛾 *Kennelia xylinana*（Kennel，1900）

分布:陕西(杨凌)、黑龙江、吉林、天津、河北、河南、宁夏、甘肃、浙江、湖北、四川、贵州;俄罗斯(远东),韩国,日本。

366. 豆食心虫属 *Leguminivora* Obraztsov, 1960

(783) 大豆食心虫 *Leguminivora glycinivorella* (Matsumura, 1900)

分布:陕西(周至、凤县、杨凌、澄城)、黑龙江、吉林、内蒙古、北京、天津、河北、山西、河南、宁夏、甘肃、浙江、湖北、江西、湖南、福建、四川、贵州、西藏;俄罗斯,朝鲜,日本,越南,印度。

367. 瘦花小卷蛾属 *Lepteucosma* Diakonoff, 1971

(784) 朴氏瘦花小卷蛾 *Lepteucosma parki* (Bae, 1997)

分布:陕西(佛坪)、河南、甘肃、四川;韩国。

368. 花翅小卷蛾属 *Lobesia* Guenée, 1845

(785) 榆花翅小卷蛾 *Lobesia aeolopa* Meyrick, 1907

分布:陕西(佛坪、紫阳、丹凤)、黑龙江、河南、甘肃、安徽、浙江、湖北、江西、湖南、福建、、广东、海南、广西、四川、贵州、云南;韩国,日本,印度,斯里兰卡,印度尼西亚,巴布亚新几内亚,所罗门群岛,马达加斯加。

(786) 巨花翅小卷蛾 *Lobesia macroptera* Liu *et* Bae, 1994

分布:陕西(澄城、凤县)、吉林、河南、四川;日本。

(787) 花翅小卷蛾 *Lobesia reliquana* (Hübner, [1825]1816)

分布:陕西、黑龙江、内蒙古、四川、云南;俄罗斯,韩国,日本,小亚细亚,欧洲。

(788) 保花翅小卷蛾 *Lobesia yasudai* Bae *et* Komai, 1991

分布:陕西(宁陕、安康)、黑龙江、山西、河南、甘肃、安徽、湖北、湖南、云南;韩国,日本。

369. 楝小卷蛾属 *Loboschiza* Diakonoff, 1967

(789) 苦楝小卷蛾 *Loboschiza koenigiana* (Fabricius, 1775)

分布:陕西(洋县)、黑龙江、河南、安徽、浙江、湖北、江西、湖南、福建、台湾、广东、广西、四川、云南;韩国,日本,印度,斯里兰卡,印度尼西亚,巴基斯坦,巴布亚新几内亚,澳大利亚。

370．豆小卷蛾属 *Matsumuraeses* Issiki，1957

（790）川豆小卷蛾 *Matsumuraeses falcana*（Walsingham，1900）
分布：陕西（杨凌）、湖北、台湾、四川、西藏；日本，泰国，尼泊尔。

（791）豆小卷蛾 *Matsumuraeses phaseoli*（Matsumura，1900）
分布：陕西（杨凌、澄城、凤县、洋县、宁陕、安康、紫阳）、黑龙江、吉林、辽
宁、内蒙古、天津、河北、山西、山东、河南、甘肃、江苏、湖北、江西、四川、贵
州、西藏；俄罗斯，朝鲜，日本，尼泊尔，印度尼西亚。

371．黑脉小卷蛾属 *Megaherpystis* Diakonoff，1969

（792）黑脉小卷蛾 *Megaherpystis melanoneura*（Meyrick，1912）
分布：陕西（安康）、山东、河南、安徽、湖北、湖南、福建、台湾、广东、广西、
四川、贵州；韩国，日本，越南，印度。

372．樟小卷蛾属 *Neoanathamna* Kawabe，1978

（793）樟小卷蛾 *Neoanathamna cerinus* Kawabe，1978
分布：陕西（洋县、宁陕）、湖北、四川、贵州；韩国，日本。

（794）大樟小卷蛾 *Neoanathamna marmarocyma*（Meyrick，1931）
分布：陕西（杨凌、凤县、宁陕）、河南、福建、贵州、云南。

（795）*Neoanathamna robusticervicis* Zhang *et* Li，2007
分布：陕西。

373．隐小卷蛾属 *Neopotamia* Diakonoff，1973

（796）脊隐小卷蛾 *Neopotamia orophias*（Meyrick，1907）
分布：陕西（凤县、佛坪、镇坪）、湖北、四川、贵州、云南；印度。

374．Genus *Neostatherotis* Oku，1974

（797）*Neostatherotis breviuscula* Luo，Fei *et* Yu，2015
分布：陕西。

375．双刺小卷蛾属 *Notocelia* Hübner，[1825]

（798）玫双刺小卷蛾 *Notocelia rosaecolana*（Doubleday，1850）
分布：陕西（周至、杨凌、洋县、安康）、黑龙江、吉林、辽宁、北京、河北、河

南、甘肃、湖北、江西、湖南、福建、台湾、四川、贵州；蒙古，俄罗斯，韩国，日本，伊朗，中亚，欧洲。

376. 连小卷蛾属 *Nuntiella* Kuznetsov, 1971

(799) 连小卷蛾 *Nuntiella extenuata* Kuznetsov, 1971

分布：陕西(凤县、安康)。

377. 小卷蛾属 *Olethreutes* Hübner, 1822

(800) 枥小卷蛾 *Olethreutes captiosana* (Falkovitsh, 1960)

分布：陕西(周至、凤县、宁陕)、黑龙江、吉林、内蒙古、河北、河南、宁夏、甘肃、青海、新疆；俄罗斯，韩国，日本，欧洲。

(801) 栗小卷蛾 *Olethreutes castaneanum* (Walsingham, 1900)

分布：陕西(周至、杨凌、洋县、宁陕)、黑龙江、吉林、辽宁、天津、河北、河南、甘肃、青海、安徽、浙江、湖北、江西、四川、贵州；韩国，日本。

(802) 梅花小卷蛾 *Olethreutes dolosana* (Kennel, 1901)

分布：陕西(周至、杨凌、凤县、佛坪、宁陕、安康)、黑龙江、吉林、天津、河北、山东、河南、甘肃、浙江、湖北、湖南、福建、四川、贵州、云南；俄罗斯，日本。

(803) 双小卷蛾 *Olethreutes doubledayana* (Barrett, 1872)

分布：陕西(杨凌、佛坪)、黑龙江、吉林、天津、河北、河南、安徽、湖北；俄罗斯，韩国，日本，欧洲。

(804) 广小卷蛾 *Olethreutes examinatus* Falkovitsh, 1966

分布：陕西(周至、杨凌、澄城、凤县、洋县、宁陕)、黑龙江、吉林、河北、宁夏、甘肃、青海、湖北；俄罗斯，日本。

(805) 桑小卷蛾 *Olethreutes mori* (Matsumura, 1900)

分布：陕西(澄城)、辽宁、天津、河南、甘肃、湖北、西藏；俄罗斯，韩国，日本。

(806) 倒卵小卷蛾 *Olethreutes obovata* (Walsingham, 1900)

分布：陕西(澄城)、天津、河北、河南、安徽、浙江、湖北、湖南、广西、贵州；俄罗斯，韩国，日本。

(807) 线菊小卷蛾 *Olethreutes siderana* (Treitschke, 1835)

分布：陕西(宁陕)、黑龙江、吉林、浙江、湖南、广东；俄罗斯，日本，欧洲。

（808）宽小卷蛾 *Olethreutes transversana*（Christoph，1881）

分布：陕西（宁陕）、黑龙江、浙江、湖北、四川；俄罗斯，韩国，日本。

378.超小卷蛾属 *Pammene* Hübner，1825

（809）云杉超小卷蛾 *Pammene ochsenheimeriana*（Lienig *et* Zeller，1846）

分布：陕西（澄城）、黑龙江、天津、河北、河南、甘肃、贵州；俄罗斯，欧洲。

379.副超小卷蛾属 *Parapammene* Obraztsov，1960

（810）翻副超小卷蛾 *Parapammene reversa* Komai，1999

分布：陕西（宁陕、安康）、河南；日本。

380.刺小卷蛾属 *Pelochrista* Lederer，1859

（811）褪色刺小卷蛾 *Pelochrista decolorana*（Freyer，1842）

分布：陕西（杨凌、宁陕）、黑龙江、内蒙古、天津、河北、河南、甘肃、新疆、安徽；蒙古，俄罗斯，韩国，日本，欧洲。

（812）新刺小卷蛾 *Pelochrista huebneriana huebneriana*（Lienig *et* Zeller，1846）

分布：陕西（周至、澄城）、河北、青海、新疆；俄罗斯，哈萨克斯坦，欧洲。

381.发小卷蛾属 *Pseudohedya* Falkovitsh，1962

（813）缩发小卷蛾 *Pseudohedya retracta* Falkovitsh，1962

分布：陕西（澄城）、天津、河南、甘肃、湖北、广东、四川；俄罗斯，韩国，日本。

382.灰小卷蛾属 *Pseudosciaphila* Obraztsov，1966

（814）杨灰小卷蛾 *Pseudosciaphila branderiana*（Linnaenus，1758）

分布：陕西（周至、宁陕、安康）、黑龙江、内蒙古、甘肃；全北区。

383.细小卷蛾属 *Psilacantha* Diakonoff，1966

（815）精细小卷蛾 *Psilacantha pryeri*（Walsingham，1900）

分布：陕西（紫阳、白河）、河南、安徽、浙江、湖北、江西、湖南、福建、贵州；日本，印度，斯里兰卡。

384.实小卷蛾属 *Retinia* Guenée，1845

（816）银实小卷蛾 *Retinia coeruleostriana*（Caradja，1919）

分布:陕西(凤县、安康)、北京、河北、山西、河南、甘肃、福建、四川;俄罗斯,日本。

(817)松实小卷蛾 *Retinia cristata*（Walsingham,1900）

分布:陕西(周至、丹凤)、黑龙江、辽宁、北京、天津、河北、山西、山东、河南、湖北、江苏、安徽、浙江、江西、湖南、台湾、广东、广西、四川、云南;韩国,日本。

(818)全实小卷蛾 *Retinia teleopa*（Meyrick,1927）

分布:陕西(宁陕)、上海。

385. 筒小卷蛾属 *Rhopalovalva* Kuznetsov,1964

(819)粗刺筒小卷蛾 *Rhopalovalva catharotorna*（Meyrick,1935）

分布:陕西(洋县)、天津、上海、浙江、湖南、台湾;日本。

(820)筒小卷蛾 *Rhopalovalva grapholitana*（Caradja,1916）

分布:陕西(紫阳)、黑龙江、吉林、辽宁、内蒙古、河北、河南、宁夏、甘肃、上海、安徽、江西;俄罗斯,韩国。

(821) *Rhopalovalva triangulata* Zhang *et* Li,2010

分布:陕西。

386. 直茎小卷蛾属 *Rhopaltriplasia* Diakonoff,1973

(822)尖角直茎小卷蛾 *Rhopaltriplasia spinalis* Yu *et* Li,2005

分布:陕西(安康)、四川。

387. 黑痣小卷蛾属 *Rhopobota* Lederer,1859

(823) *Rhopobota bucera* Zhang,Li *et* Wang,2005

分布:陕西。

(824)苹果痣小卷蛾 *Rhopobota naevana*（Hübner,1817）

分布:陕西(商州)、黑龙江、吉林、辽宁、内蒙古、天津、河北、河南、甘肃、安徽、浙江、湖北、江西、湖南、福建、台湾、广东、四川、贵州、云南、西藏;蒙古,俄罗斯,韩国,日本,印度,斯里兰卡,欧洲。

(825)四国黑痣小卷蛾 *Rhopobota shikokuensis*（Oku,1971）

分布:陕西(杨凌、安康);日本。

388. 梢小卷蛾属 *Rhyacionia* Hübner,［1825］1816

(826)松梢小卷蛾 *Rhyacionia pinicolana*（Doubleday,1850）

分布:陕西(澄城)、黑龙江、吉林、辽宁、内蒙古、北京、天津、河北、山西、河南、宁夏、江西、福建、贵州;蒙古,俄罗斯,韩国,日本,欧洲。

389. 轮小卷蛾属 *Rudisociaria* Falkovitsh, 1962

(827) 毛轮小卷蛾 *Rudisociaria velutinum*（Walsingham, 1900）
分布:陕西(杨凌、凤县、白河)、天津、甘肃、安徽、浙江、湖南、广东、广西、四川、贵州;俄罗斯,韩国,日本。

390. 月小卷蛾属 *Saliciphaga* Falkovitsh, 1962

(828) 大弯月小卷蛾 *Saliciphaga caesia* Falkovitsh, 1962
分布:陕西(佛坪)、黑龙江、吉林、辽宁、内蒙古、山东、江苏、上海、安徽、浙江、江西、福建、台湾;俄罗斯,日本。

391. 褐斑小卷蛾属 *Semnostola* Diakonoff, 1959

(829) 大褐斑小卷蛾 *Semnostola magnifica*（Kuznetsov, 1964）
分布:陕西(宁陕)、黑龙江、吉林、辽宁、内蒙古、河南、广西;俄罗斯(远东),韩国,日本。

(830) 半圆褐斑小卷蛾 *Semnostola thrasyplaca*（Fletcher, 1940）
分布:陕西(周至、凤县、宁陕、安康)、河北、山西、宁夏、甘肃、青海、湖北、四川。

392. 白小卷蛾属 *Spilonota* Stephens, 1829

(831) 桃白小卷蛾 *Spilonota albicana*（Motschulsky, 1866）
分布:陕西(凤县、安康)、黑龙江、天津、河北、河南、甘肃、浙江、湖北、湖南、福建、四川、贵州;俄罗斯,韩国,日本。

(832) 芽白小卷蛾 *Spilonota lechriaspis* Meyrick, 1932
分布:陕西(杨凌、澄城、商州)、黑龙江、天津、河北、河南、福建;俄罗斯,韩国,日本。

(833) 苹白小卷蛾 *Spilonota ocellana*（Schiffermüller *et* Denis, 1775）
分布:陕西、吉林、内蒙古、河北、甘肃、青海、浙江、湖北、福建、四川;俄罗斯,韩国,日本,伊朗,欧洲,非洲北部,新北区。

393. 曲小卷蛾属 *Strophedra* Herrich-Schäffer, 1853

(834) 栎曲小卷蛾 *Strophedra nitidana*（Fabricius, 1794）

分布:陕西(周至、澄城、凤县)、吉林、河南、甘肃;俄罗斯(远东),日本,英国。

394. 线小卷蛾属 *Zeiraphera* Treitschke, 1829

(835) 白色线小卷蛾 *Zeiraphera demutata* (Walsingham, 1900)

分布:陕西(凤县)、黑龙江、吉林、河南、甘肃;俄罗斯,韩国,日本,欧洲。

(836) 甘肃线小卷蛾 *Zeiraphera gansuensis* Liu *et* Nasu, 1993

分布:陕西、内蒙古、甘肃、青海。

(837) 松线小卷蛾 *Zeiraphera griseana* (Hübner, [1796–1799])

分布:陕西(周至、澄城、宁陕)、内蒙古、吉林、河北、甘肃、新疆;俄罗斯,韩国,日本;欧洲,北美洲。

(838) 香线小卷蛾 *Zeiraphera thymelopa* (Meyrick, 1938)

分布:陕西(凤县)、甘肃、福建、台湾、云南、西藏。

XV. 舞蛾总科 Choreutoidea

三十、舞蛾科 Choreutidae

395. Genus *Prochoreutis* Diakonoff *et* Heppner, 1980

(839) *Prochoreutis alpinoides* Budashkin *et* Li, 2009

分布:陕西。

蝶 类

一、凤蝶科 Papilionidae

(一) 凤蝶亚科 Papilioninae

1. 宽尾凤蝶属 *Agehana* Matsumura, 1936

(1) 宽尾凤蝶 *Agehana elwesi* (Leech, 1889)

分布:陕西(佛坪、勉县、汉台)、河南、浙江、湖北、江西、湖南、福建、广东、广西、四川。

2. 麝凤蝶属 *Byasa* Moore, 1882

(2) 麝凤蝶 *Byasa alcinous* (Klug, 1836)

分布:陕西(长安、周至、眉县、太白、华阴、留坝、佛坪、洋县、石泉、宁陕、镇安、商州、山阳、丹凤、商南)、黑龙江、吉林、辽宁、河北、山西、山东、河南、江苏、江西、福建、台湾、广东、海南、广西、四川、云南;韩国,日本,越南。

(3)达摩麝凤蝶 *Byasa daemonius*(**Alphéraky,1895**)

分布:陕西(佛坪)、甘肃、四川、云南、西藏。

(4)长尾麝凤蝶 *Byasa impediens*(**Rothschild,1895**)

分布:陕西(华县、宁陕、汉阴、镇安、商南)、河南、甘肃、安徽、浙江、湖北、江西、湖南、福建、台湾、四川、云南。

(5)灰绒麝凤蝶 *Byasa mencius*(**C. & R. Felder,1862**)

分布:陕西(汉台、佛坪、留坝)、河南、甘肃、安徽、浙江、湖北、江西、福建、广西、四川、云南。

(6)突缘麝凤蝶 *Byasa plutonius*(**Oberthür,1876**)

分布:陕西(周至、太白、留坝、宁陕、镇安、山阳)、四川、云南、西藏;印度,尼泊尔,不丹。

(7)多姿麝凤蝶 *Byasa polyeuctes*(**Doubleday,1842**)

分布:陕西(长安、户县、太白、留坝)、山西、河南、台湾、四川、云南、西藏;越南,泰国,印度,尼泊尔,不丹。

3.斑凤蝶属 *Chilasa* Moore,1881

(8)褐斑凤蝶 *Chilasa agestor*(**Gray,1831**)

分布:陕西(长安、留坝、洋县、镇安)、浙江、江西、福建、台湾、广东、广西、四川、云南;泰国,缅甸,印度,尼泊尔,马来西亚。

(9)小黑斑凤蝶 *Chilasa epycides*(**Hewitson,1864**)

分布:陕西(洋县、宁陕)、辽宁、甘肃、浙江、江西、福建、台湾、四川、贵州、云南;泰国,越南,缅甸,印度,不丹,马来西亚,印度尼西亚。

4.青凤蝶属 *Graphium* Scopoli,1777

(10)宽带青凤蝶 *Graphium cloanthus*(**Westwood,1841**)

分布:陕西(南郑)、甘肃、浙江、湖北、江西、湖南、福建、台湾、广东、广西、四川、云南;日本,泰国,缅甸,印度,尼泊尔,不丹,印度尼西亚。

(11)木兰青凤蝶 *Graphium doson*(**C. & R. Felder,1864**)

分布:陕西(秦岭)、甘肃、江西、福建、台湾、广东、海南、广西、四川、云南;日本，越南，泰国，缅甸，印度，马来西亚。

（12）青凤蝶 *Graphium sarpedon*（Linnaeus，1758）

分布：陕西（佛坪、商州）、河南、甘肃、浙江、湖北、江西、湖南、福建、台湾、广东、海南、香港、广西、四川、贵州、云南、西藏；日本，泰国，缅甸，印度，尼泊尔，不丹，斯里兰卡，菲律宾，马来西亚，印度尼西亚，澳大利亚。

5．钩凤蝶属 *Meandrusa* Moore，1888

（13）褐钩凤蝶 *Meandrusa sciron*（Leech，1890）

分布：陕西（留坝、城固、洋县）、甘肃、江西、福建、四川、西藏；缅甸，印度，不丹，马来西亚。

6．珠凤蝶属 *Pachliopta* Reakirt，［1865］

（14）红珠凤蝶 *Pachliopta aristolochiae*（Fabricius，1775）

分布：陕西（秦岭）、河北、河南、浙江、江西、湖南、福建、台湾、海南、香港、广西、四川、云南；泰国，缅甸，印度，斯里兰卡，菲律宾，新加坡，马来西亚，印度尼西亚。

7．凤蝶属 *Papilio* Linnaeus，1758

（15）红基美凤蝶 *Papilio*（*Menelardes*）*alcmenor* C. & R. Felder，［1864］

分布：陕西（户县、佛坪、商南）、河南、湖南、海南、四川、云南、西藏；缅甸，印度，尼泊尔，不丹。

（16）黑美凤蝶 *Papilio*（*Menelaides*）*bootes* Westwood，1842

分布：陕西（长安、周至、户县、太白、华县、留坝、洋县、柞水）、河南、四川、云南；缅甸。

（17）姝美凤蝶 *Papilio*（*Menelaides*）*macilentus* Janson，1877

分布：陕西（长安、蓝田、周至、华县、宁陕、丹凤）、辽宁、河南、甘肃，以及长江以南各地；俄罗斯，韩国，日本。

（18）美凤蝶 *Papilio*（*Menelaides*）*memnon* Linnaeus，1758

分布：陕西（周至、镇安）、浙江、湖北、江西、湖南、福建、台湾、广东、海南、广西、四川、云南；日本，泰国，缅甸，印度，斯里兰卡。

（19）宽带美凤蝶 *Papilio*（*Menelaides*）*nephelus* Boisduval，1836

分布：陕西（南郑）、山西、江西、福建、台湾、广东、海南、广西、四川、贵州、云南；越南，泰国，柬埔寨，缅甸，印度，尼泊尔，不丹，马来西亚，印度尼西亚。

（20）玉带美凤蝶 *Papilio*（*Menelaides*）*polytes* Linnaeus，1758

　　分布：陕西（商州、商南）、河北、山西、河南、甘肃、青海、山东、江苏、安徽、浙江、湖北、江西、湖南、福建、台湾、广东、海南、广西、四川、贵州、云南、西藏；日本，泰国，印度，马来西亚，印度尼西亚。

（21）蓝美凤蝶 *Papilio*（*Menelaides*）*protenor* Cramer，［1775］

　　分布：陕西（长安、蓝田、周至、户县、宝鸡、太白、佛坪、洋县、宁陕、柞水、镇安、商州、山阳、丹凤、商南）、辽宁、河南、甘肃、山东、浙江、江西、福建、台湾、海南、广西、四川、云南、西藏；朝鲜，韩国，日本，越南，缅甸，印度，尼泊尔，不丹。

（22）金凤蝶 *Papilio*（*Papilio*）*machaon* Linnaeus，1758

　　分布：陕西（长安、周至、太白、佛坪、宁陕、商州、丹凤、山阳、商南）、黑龙江、吉林、辽宁、河北、山西、山东、河南、甘肃、青海、新疆、浙江、江西、福建、台湾、广东、广西、四川、贵州、云南、西藏；亚洲，欧洲，北美洲。

（23）碧翠凤蝶 *Papilio*（*Princeps*）*bianor* Cramer，［1777］

　　分布：陕西（长安、蓝田、周至、户县、凤县、眉县、太白、华阴、华县、佛坪、洋县、宁陕、石泉、汉阴、柞水、镇安、商州、山阳、丹凤、商南），除新疆外全国广大地区都有分布；朝鲜，韩国，日本，越南，缅甸，印度。

（24）穹翠凤蝶 *Papilio*（*Princeps*）*dialis* Leech，1893

　　分布：陕西（留坝）、河南、甘肃、浙江、江西、福建、台湾、广东、海南、广西、四川；越南，老挝，泰国，柬埔寨，缅甸。

（25）绿带翠凤蝶 *Papilio*（*Princeps*）*maackii* Ménétriés，1859

　　分布：陕西（周至）、黑龙江、吉林、辽宁、北京、河北、河南、浙江、湖北、江西、台湾、四川、贵州、云南；俄罗斯，朝鲜，日本。

（26）巴黎翠凤蝶 *Papilio*（*Princeps*）*paris* Linnaeus，1758

　　分布：陕西（周至、佛坪、商南）、河南、浙江、江西、福建、台湾、广东、海南、香港、广西、四川、贵州、云南；越南，老挝，泰国，缅甸，印度，马来西亚，印度尼西亚。

（27）柑橘凤蝶 *Papilio*（*Sinoprinceps*）*xuthus* Linnaeus，1767

　　分布：陕西（长安、蓝田、周至、户县、眉县、太白、华阴、华县、佛坪、宁陕、石泉、镇安、商州、山阳、丹凤、商南），中国广布；东亚特有种。

8. 剑凤蝶属 *Pazala* Moore, 1888

(28) 金斑剑凤蝶 *Pazala alebion*（Gray,［1853］）

分布:陕西(长安、周至、华阴、宁陕、柞水)、河南、甘肃、江苏、浙江、湖北、江西、福建、台湾、广东、广西、四川、云南;印度。

(29) 升天剑凤蝶 *Pazala eurous*（Leech,［1893］）

分布:陕西(留坝、南郑、洋县)、甘肃、浙江、湖北、江西、福建、台湾、广东、广西、四川、云南、西藏;缅甸,印度,尼泊尔,不丹,巴基斯坦。

(30) 华夏剑凤蝶 *Pazala glycerion*（Gray, 1831）

分布:陕西(秦岭)、河南、甘肃、浙江、湖北、江西、四川、云南;缅甸,尼泊尔。

(31) 四川剑凤蝶 *Pazala sichuanica* Koiwaya, 1993

分布:陕西(秦岭)、四川。

(32) 乌克兰剑凤蝶 *Pazala tamerlana*（Oberthür, 1876）

分布:陕西(长安、周至、华阴、洋县、宁陕、柞水)、河南、湖北、江西、四川。

9. 裳凤蝶属 *Troides* Hübner, 1819

(33) 金裳凤蝶 *Troides aeacus*（C. & R. Felder, 1860）

分布:陕西(佛坪、宁陕、山阳、商南)、浙江、江西、福建、台湾、广东、广西、四川、云南、西藏;泰国,越南,缅甸,印度,不丹,斯里兰卡,马来西亚。

(二)锯凤蝶亚科 Zerynthiinae

10. 尾凤蝶属 *Bhutanitis* Atkinson, 1873

(34) 三尾凤蝶 *Bhutanitis thaidina*（Blanchard, 1871）

分布:陕西(长安、周至、太白)、甘肃、四川、云南、西藏。

11. 虎凤蝶属 *Luehdorfia* Crüger, 1878

(35) 中华虎凤蝶 *Luehdorfia chinensis* Leech, 1893

分布:陕西(周至、太白、华阴、宁陕)、山西、河南、江苏、安徽、浙江、湖北、江西、湖南、四川。

(36) 长尾虎凤蝶 *Luehdorfia longicaudata* Lee, 1982

分布:陕西(秦岭);日本。

（37）太白虎凤蝶 *Luehdorfia taibai* Chou, 1994

分布：陕西（长安、周至、户县、华阴、洋县、宁陕）、湖北、四川。

12. 丝带凤蝶属 *Sericinus* Westwood, 1851

（38）丝带凤蝶 *Sericinus montelus* Gray, 1852

分布：陕西（长安、周至、太白、华县、华阴、商州、丹凤、商南）、黑龙江、吉林、辽宁、北京、河北、山西、山东、河南、宁夏、甘肃、江苏、安徽、浙江、湖北、江西、湖南、广西、四川；俄罗斯，朝鲜，韩国，日本。

（三）绢蝶亚科 Parnassiinae

13. 绢蝶属 *Parnassius* Latreille, 1804

（39）红珠绢蝶 *Parnassius bremeri* Bremer, 1864

分布：陕西（太白山）、黑龙江、吉林、辽宁、内蒙古、北京、河北、山西、山东、河南、宁夏、甘肃、新疆；俄罗斯，朝鲜，欧洲。

（40）冰清绢蝶 *Parnassius glacialis* Butler, 1866

分布：陕西（长安、蓝田、周至、户县、眉县、太白、华县、留坝、城固、洋县、宁陕、柞水、镇安、山阳、商南）、黑龙江、吉林、辽宁、山西、山东、河南、甘肃、安徽、浙江、四川、贵州、云南；韩国，日本。

（41）小红珠绢蝶 *Parnassius nomion* Fischer *et* Waldheim, 1823

分布：陕西（眉县）、黑龙江、吉林、辽宁、北京、山西、河南、甘肃、青海、新疆、四川、西藏；俄罗斯，朝鲜，哈萨克斯坦，美国。

（42）珍珠绢蝶 *Parnassius orleans* Oberthür, 1890

分布：陕西（眉县）、北京、甘肃、青海、新疆、四川、云南、西藏；蒙古。

二、粉蝶科 Pieridae

（一）黄粉蝶亚科 Coliadinae

14. 豆粉蝶属 *Colias* Fabricius, 1807

（43）斑缘豆粉蝶 *Colias erate*（Esper,［1805］）

分布：陕西（长安、蓝田、周至、户县、太白、潼关、留坝、南郑、宁陕、石泉、洛南、山阳、丹凤、商南）黑龙江、吉林、辽宁、内蒙古、北京、山西、河南、宁夏、甘肃、青海、新疆、江苏、浙江、湖北、江西、湖南、福建、台湾、海南、四川、贵州、云南、西藏；俄罗斯，日本。

（44）橙黄豆粉蝶 *Colias fieldii* Ménétriés, 1855

分布：陕西（长安、蓝田、周至、户县、太白、凤县、潼关、留坝、洋县、宁陕、汉阴、山阳、丹凤）、黑龙江、北京、山西、山东、河南、甘肃、青海、湖北、湖南、广西、四川、贵州、云南、西藏；泰国，缅甸，印度，尼泊尔，不丹，巴基斯坦。

（45）黎明豆粉蝶 *Colias heos*（Herbst, 1792）

分布：陕西（长安）、黑龙江、吉林、辽宁、内蒙古、北京、河北、宁夏、甘肃、四川；蒙古，俄罗斯，朝鲜。

15. 方粉蝶属 *Dercas* Doubleday, 1847

（46）黑角方粉蝶 *Dercas lycorias*（Doubleday, 1842）

分布：陕西（太白、留坝、佛坪、汉阴、镇安）、浙江、湖北、江西、福建、广西、四川、贵州、云南、西藏；印度，尼泊尔。

16. 黄粉蝶属 *Eurema* Hübner,［1819］

（47）檗黄粉蝶 *Eurema blanda*（Boisduval, 1836 ）

分布：陕西（汉中）、湖南、福建、台湾、广东、海南、香港、广西、云南、西藏；越南，印度，斯里兰卡，菲律宾，马来西亚，印度尼西亚。

（48）宽边黄粉蝶 *Eurema hecabe*（Linnaeus, 1785）

分布：陕西（长安、周至、宝鸡、眉县、太白、凤县、华阴、留坝、勉县、佛坪、洋县、宁强、宁陕、石泉、汉阴、柞水、镇安、山阳、丹凤、商南）、北京、河北、山西、山东、河南、甘肃、江苏、安徽、浙江、湖北、江西、福建、台湾、广东、海南、香港、广西、四川、贵州、云南、西藏；朝鲜，韩国，日本，越南，泰国，柬埔寨，缅甸，阿富汗，印度，尼泊尔，孟加拉国，斯里兰卡，菲律宾，新加坡，马来西亚，印度尼西亚，澳大利亚，非洲。

（49）尖角黄粉蝶 *Eurema laeta*（Boisduval, 1836）

分布：陕西（太白、山阳）、黑龙江、辽宁、山西、山东、河南、江苏、浙江、湖北、江西、福建、台湾、广东、海南、香港、四川、贵州、云南；朝鲜，日本，越南，老挝，泰国，柬埔寨，缅甸，印度，尼泊尔，不丹，孟加拉国，斯里兰卡，菲律宾，马来西亚，印度尼西亚，澳大利亚。

17. 钩粉蝶属 *Gonepteryx* Leach,［1815］

（50）圆翅钩粉蝶 *Gonepteryx amintha* Blanchard, 1871

分布:陕西(佛坪、洋县)、河南、甘肃、浙江、湖北、福建、台湾、海南、四川、贵州、云南、西藏;俄罗斯,朝鲜。

(51) 淡色钩粉蝶 *Gonepteryx aspasia* Ménétriés, 1859
分布:陕西(留坝、宁陕)、黑龙江、吉林、辽宁、内蒙古、北京、河北、山西、河南、甘肃、青海、新疆、江苏、浙江、湖北、福建、四川、云南、西藏;俄罗斯,朝鲜,日本。

(52) 尖钩粉蝶 *Gonepteryx mahaguru* (Gistel, 1857)
分布:陕西(长安、蓝田、周至、户县、宝鸡、太白、凤县、留坝、佛坪、洋县、宁陕、石泉、商州、山阳、丹凤)、黑龙江、吉林、辽宁、内蒙古、北京、天津、河北、山西、浙江、湖北、云南、西藏;朝鲜,日本,缅甸,印度,尼泊尔。

(53) 大钩粉蝶 *Gonepteryx maxima* Butler, 1885
分布:陕西(秦岭)、黑龙江、辽宁、北京、江苏、湖北、湖南、广西、四川、贵州、云南:俄罗斯,朝鲜,韩国,日本。

(54) 钩粉蝶 *Gonepteryx rhamni* (Linnaeus, 1758)
分布:陕西(太白、宁陕)、黑龙江、吉林、北京、河南、宁夏、甘肃、新疆、浙江、湖北、江西、福建、四川、云南、西藏;朝鲜,日本,印度,尼泊尔,欧洲,非洲西北部。

(二)粉蝶亚科 Pierinae

18. 襟粉蝶属 *Anthocharis* Boisduval, Rambur, Duméril *et* Graslin, 1833

(55) 橙翅襟粉蝶 *Anthocharis bambusarum* Oberthür, 1876
分布:陕西(秦岭)、河南、青海、江苏、浙江、四川。

(56) 红襟粉蝶 *Anthocharis cardamines* (Linnaeus, 1758)
分布:陕西(长安、周至、户县、太白、凤县、华县、洋县、宁陕、镇安)、黑龙江、吉林、山西、河南、宁夏、甘肃、青海、新疆、江苏、浙江、湖北、福建、四川、西藏;俄罗斯,朝鲜,日本,伊朗,叙利亚,欧洲。

(57) 黄尖襟粉蝶 *Anthocharis scolymus* Butler, 1866
分布:陕西(长安、周至、户县、眉县、太白、华县、洋县、宁陕、石泉、镇安)、黑龙江、吉林、辽宁、北京、河北、山西、河南、青海、上海、安徽、浙江、湖北、福建;俄罗斯,朝鲜,日本。

19. 绢粉蝶属 *Aporia* Hübner, [1819]

(58) 暗色绢粉蝶 *Aporia bieti* (Oberthür, 1884)

分布:陕西(秦岭)、甘肃、新疆、四川、云南、西藏。

(59) 绢粉蝶 *Aporia crataegi* **(Linnaeus, 1758)**

分布:陕西(长安、周至、户县、太白、留坝、佛坪、洋县、石泉、柞水、丹凤、商南)、黑龙江、吉林、辽宁、内蒙古、北京、河北、山西、河南、宁夏、甘肃、青海、新疆、江苏、安徽、浙江、湖北、四川、西藏；俄罗斯,朝鲜,日本,非洲北部,欧洲西部。

(60) 丫纹绢粉蝶 *Aporia delavayi* **(Oberthür, 1890)**

分布:陕西(洋县)、甘肃、湖北、四川、云南、西藏。

(61) 普通绢粉蝶 *Aporia genestieri* **(Oberthür, 1902)**

分布:陕西(周至、宁陕、汉台)、山西、河南、湖北、台湾、四川、云南。

(62) 锯纹绢粉蝶 *Aporia goutellei* **(Oberthür, 1886)**

分布:陕西(长安、户县、太白、宁陕)、河南、甘肃、四川、云南、西藏。

(63) 小檗绢粉蝶 *Aporia hippia* **(Bremer, 1861)**

分布:陕西(长安、蓝田、周至、户县、眉县、太白、凤县、华县、留坝、佛坪、洋县、宁陕、石泉、汉阴、柞水、镇安、商州、山阳、丹凤)、黑龙江、吉林、辽宁、内蒙古、河北、山西、河南、宁夏、甘肃、青海、江苏、上海、台湾、四川、西藏；俄罗斯,朝鲜,日本。

(64) 灰姑娘绢粉蝶 *Aporia intercostata* **Bang-Haas, 1927**

分布:陕西(长安、周至、户县、眉县、太白、凤县、洋县、镇安、商州、山阳)、河南、甘肃。

(65) 大翅绢粉蝶 *Aporia largeteaui* **(Oberthür, 1881)**

分布:陕西(长安、周至、户县、太白、凤县、佛坪、洋县、汉阴、柞水、山阳、丹凤)、河南、甘肃、浙江、湖北、江西、湖南、福建、广东、广西、四川、贵州、云南。

(66) 奥倍绢粉蝶 *Aporia oberthuri* **(Leech, 1890)**

分布:陕西(宁陕)、甘肃、湖北、湖南、四川。

(67) 酪色绢粉蝶 *Aporia potanini* **Alphéraky, 1889**

分布:陕西(华阴、佛坪、宁陕、山阳)、黑龙江、吉林、辽宁、内蒙古、北京、天津、河北、山西、河南、宁夏、甘肃、青海、四川；俄罗斯,朝鲜,日本。

(68) 箭纹绢粉蝶 *Aporia procris* **Leech, 1890**

分布:陕西(长安、周至、佛坪)、河南、甘肃、青海、新疆、四川、云南、西藏；蒙古,朝鲜。

(69) 秦岭绢粉蝶 *Aporia tsinglingica* **(Verity, 1911)**

分布:陕西(长安、周至、户县、太白、眉县、宁陕、柞水)、河南、甘肃、青海、四川。

20．斑粉蝶属 *Delias* Hübner, 1819

(70) 艳妇斑粉蝶 *Delias belladonna* (Fabricius, 1793)
分布:陕西(佛坪)、浙江、湖北、江西、湖南、福建、广东、广西、四川、云南、西藏;越南,老挝,泰国,缅甸,印度,尼泊尔,不丹,斯里兰卡,马来西亚,印度尼西亚。

(71) 倍林斑粉蝶 *Delias berinda* (Moore, 1872)
分布:陕西(秦岭)、湖北、江西、福建、广西、四川、贵州、云南、西藏;越南,老挝,泰国,缅甸,印度,不丹。

(72) 侧条斑粉蝶 *Delias lativitta* Leech, 1893
分布:陕西(周至)、浙江、江西、福建、台湾、云南、西藏;老挝,泰国,缅甸,不丹,巴基斯坦。

(73) 洒青斑粉蝶 *Delias sanaca* (Moore, 1857)
分布:陕西(周至、南郑)、甘肃、四川、云南、西藏;越南,泰国,缅甸,印度,尼泊尔,不丹,马来西亚。

(74) 隐条斑粉蝶 *Delias subnubila* Leech, 1893
分布:陕西(周至)、四川、云南、西藏。

21．妹粉蝶属 *Mesapia* Gray, 1856

(75) 妹粉蝶 *Mesapia peloria* (Hewitson, 1853)
分布:陕西(长安)、甘肃、青海、新疆、四川、云南、西藏。

22．粉蝶属 *Pieris* Schrank, 1801

(76) 东方菜粉蝶 *Pieris canidia* (Linnaeus, 1768)
分布:陕西(长安、蓝田、周至、户县、眉县、太白、凤县、华县、留坝、勉县、佛坪、洋县、宁强、宁陕、石泉、汉阴、紫阳、岚皋、柞水、镇安、商州、山阳、丹凤、商南),中国广布;韩国,越南,老挝,泰国,柬埔寨,缅甸,欧洲。

(77) 大卫粉蝶 *Pieris davidis* Oberthür, 1876
分布:陕西(太白)、甘肃、四川、云南、西藏。

(78) 大展粉蝶 *Pieris extensa* Poujade, 1888
分布:陕西(长安、周至、太白、留坝、宁陕、镇安、山阳)、甘肃、湖北、四川、云南、西藏；不丹。

(79) 黑纹粉蝶 *Pieris melete* Ménétriés, 1857

分布:陕西(长安、周至、户县、眉县、太白、凤县、留坝、佛坪、洋县、宁强、宁陕、石泉、汉阴、紫阳、柞水、镇安、山阳、丹凤、商南)、河北、河南、甘肃、上海、安徽、浙江、湖北、江西、湖南、福建、广西、四川、贵州、云南、西藏；俄罗斯，韩国，日本。

(80) 暗脉菜粉蝶 *Pieris napi* (Linnaeus, 1758)

分布:陕西(长安、蓝田、周至、户县、宝鸡、眉县、太白、留坝、佛坪、洋县、宁陕、石泉、汉阴、紫阳、柞水、镇安、商州、山阳、丹凤)、黑龙江、吉林、辽宁、河北、河南、青海、新疆、湖北、西藏；俄罗斯，朝鲜，韩国，日本，印度，巴基斯坦，欧洲，北美洲，非洲。

(81) 菜粉蝶 *Pieris rapae* (Linnaeus, 1758)

分布:陕西(长安、蓝田、周至、户县、宝鸡、眉县、太白、凤县、华阴、华县、潼关、留坝、勉县、佛坪、洋县、宁强、宁陕、石泉、柞水、镇安、洛南、商州、山阳、丹凤、商南)、黑龙江、吉林、辽宁、内蒙古、北京、河北、山西、山东、河南、宁夏、甘肃、青海、新疆、江苏、上海、安徽、浙江、湖北、江西、湖南、福建、台湾、广东、海南、香港、广西、四川、贵州、云南、西藏；全北区。

23. 云粉蝶属 *Pontia* Fabricius, 1807

(82) 云粉蝶 *Pontia daplidice* (Linnaeus, 1758)

分布:陕西(长安、周至、宝鸡、太白、华阴、商州、山阳)、黑龙江、吉林、辽宁、内蒙古、北京、河北、山西、山东、河南、宁夏、甘肃、青海、新疆、江苏、上海、浙江、江西、广东、广西、四川、云南、西藏；俄罗斯，中亚，欧洲，非洲北部。

(三) 袖粉蝶亚科 Dismorphiinae

24. 小粉蝶属 *Leptidea* Billberg, 1820

(83) 突角小粉蝶 *Leptidea amurensis* (Ménétriés, 1859)

分布:陕西(长安、周至、户县、宝鸡、太白、华县、华阴、留坝、佛坪、洋县、宁陕、柞水、镇安、商州、丹凤)、黑龙江、吉林、辽宁、内蒙古、北京、河北、山西、山东、河南、宁夏、甘肃、新疆、四川；蒙古，俄罗斯，朝鲜，日本。

(84) 圆翅小粉蝶 *Leptidea gigantea* (Leech, 1890)

分布:陕西(留坝、南郑)、黑龙江、吉林、辽宁、河北、河南、新疆、四川、云南。

（85）莫氏小粉蝶 *Leptidea morsei* Fenton，1881

分布:陕西(眉县、太白、宝鸡、凤县)、黑龙江、吉林、北京、河北、河南、甘肃、新疆；蒙古，俄罗斯，朝鲜，日本，欧洲。

（86）锯纹小粉蝶 *Leptidea serrata* Lee，1955

分布:陕西(长安、周至、太白)、黑龙江、河南、甘肃、四川。

三、蛱蝶科 Nymphalidae

（一）螯蛱蝶亚科 Charaxinae

25．尾蛱蝶属 *Polyura* Billerg，1820

（87）大二尾蛱蝶 *Polyura eudamippus*（Doubleday，1843）

分布:陕西(略阳)、甘肃、浙江、湖北、江西、福建、台湾、广东、海南、广西、四川、贵州、云南、西藏；日本，越南，老挝，泰国，缅甸，印度，马来西亚。

（88）二尾蛱蝶 *Polyura narcaea*（Hewitson，1854）

分布:陕西(长安、蓝田、周至、户县、眉县、太白、华阴、佛坪、宁陕、石泉、汉阴、镇安、商南)、辽宁、内蒙古、北京、河北、山西、山东、河南、甘肃、江苏、上海、浙江、湖北、江西、湖南、福建、台湾、广东、广西、四川、贵州、云南；越南，泰国，缅甸，印度。

（二）闪蛱蝶亚科 Apaturinae

26．闪蛱蝶属 *Apatura* Fabricius，1807

（89）柳紫闪蛱蝶 *Apatura ilia*（Denis *et* Schiffermüller，1775）

分布:陕西(长安、周至、户县、太白、略阳、佛坪、安康、宁陕、商南、山阳、丹凤、商南)、黑龙江、辽宁、吉林、内蒙古、北京、河北、山东、河南、宁夏、甘肃、新疆、江苏、浙江、湖北、江西、湖南、福建、广东、海南、四川、贵州、云南；朝鲜，日本，缅甸，欧洲。

（90）紫闪蛱蝶 *Apatura iris*（Linnaeus，1758）

分布:陕西(长安、周至、户县、华县、太白、凤县、留坝、宁陕、商州)、黑龙江、吉林、内蒙古、河北、山西、山东、河南、宁夏、甘肃、青海、安徽、浙江、湖北、江西、湖南、四川；俄罗斯，朝鲜，日本，欧洲。

（91）曲带闪蛱蝶 *Apatura laverna* **Leech，1893**

分布：陕西（长安、周至、户县、眉县、太白、凤县、佛坪、宁陕、石泉、柞水）、辽宁、吉林、内蒙古、北京、河北、山西、河南、甘肃、湖北、四川、贵州、云南。

（92）细带闪蛱蝶 *Apatura metis* **Freyer，1829**

分布：陕西（长安）、吉林、辽宁、河北、山西、甘肃、江苏、江西、湖南、福建、云南；朝鲜，日本，欧洲。

27．铠蛱蝶属 *Chitoria* **Moore，**［**1896**］

（93）黄带铠蛱蝶 *Chitoria fasciola* **Leech，1890**

分布：陕西（太白）、辽宁、河南、浙江、湖北、江西、台湾、广西、四川、贵州、云南、西藏。

（94）铂铠蛱蝶 *Chitoria pallas*（**Leech，1890**）

分布：陕西（留坝、南郑、城固）、甘肃、四川。

（95）武铠蛱蝶 *Chitoria ulupi*（**Doherty，1889**）

分布：陕西（宝鸡、留坝）、辽宁、河南、浙江、江西、湖南、福建、广东、台湾、广西、四川、云南、西藏；朝鲜，印度。

28．窗蛱蝶属 *Dilipa* **Moore，1857**

（96）明窗蛱蝶 *Dilipa fenestra*（**Leech，1891**）

分布：陕西（长安、周至、华县、留坝、洋县、宁陕）、辽宁、北京、河北、山西、河南、甘肃、浙江、湖北、四川、云南；朝鲜。

29．白蛱蝶属 *Helcyra* **Felder，1860**

（97）银白蛱蝶 *Helcyra subalba*（**Poujade，1885**）

分布：陕西（山阳）、河南、安徽、浙江、湖北、江西、湖南、福建、广东、广西、四川、云南。

（98）傲白蛱蝶 *Helcyra superba* **Leech，1890**

分布：陕西（山阳）、浙江、江西、湖南、福建、广东、台湾、广西、四川、贵州、云南。

30．脉蛱蝶属 *Hestina* **Westwood，**［**1850**］

（99）黑脉蛱蝶 *Hestina assimilis*（**Linnaeus，1758**）

分布:陕西(长安、蓝田、周至、眉县、太白、宝鸡、凤县、佛坪、洋县、商州、商南)、黑龙江、辽宁、北京、河北、山西、山东、河南、甘肃、江苏、上海、浙江、湖北、江西、湖南、福建、广东、台湾、香港、广西、四川、贵州、云南、西藏;朝鲜,日本。

(100) 绿脉蛱蝶 *Hestina mena* Moore, 1858

分布:陕西(长安、岐山、凤县、商南)、山西、河南、浙江、福建、四川。

(101) 拟斑脉蛱蝶 *Hestina persimilis* Westwood, [1850]

分布:陕西(长安、户县、周至、眉县、太白、宝鸡、凤县、镇安、商南)、辽宁、北京、河北、河南、浙江、湖北、福建、台湾、海南、广西、四川、云南;朝鲜,日本,印度。

31. 累积蛱蝶属 *Lelecella* Hemming, 1939

(102) 累积蛱蝶 *Lelecella limenitoides* (Oberthür, 1890)

分布:陕西(长安、周至、凤县、华阴、宁陕、柞水、商州、商南)、河南、甘肃、福建、四川。

32. 迷蛱蝶属 *Mimathyma* Moore, 1896

(103) 迷蛱蝶 *Mimathyma chevana* (Moore, 1866)

分布:陕西(蓝田、宁陕)、北京、河南、浙江、湖北、江西、福建、四川、云南。

(104) 夜迷蛱蝶 *Mimathyma nycteis* (Ménétriés, 1859)

分布:陕西(长安、周至、户县、眉县、华县)、黑龙江、吉林、辽宁、内蒙古、北京、河北、山西、河南、甘肃、江西、福建、四川、云南;俄罗斯,朝鲜。

(105) 白斑迷蛱蝶 *Mimathyma schrenckii* (Ménétriés, 1859)

分布:陕西(长安、蓝田、周至、户县、宝鸡、眉县、太白、柞水、商南)、黑龙江、吉林、辽宁、北京、河北、山西、河南、甘肃、浙江、湖北、江西、湖南、福建、四川、贵州、云南;俄罗斯,朝鲜。

33. 紫蛱蝶属 *Sasakia* Moore, [1896]

(106) 大紫蛱蝶 *Sasakia charonda* (Hewitson, 1863)

分布:陕西(长安、周至、户县、宝鸡、眉县、留坝)、辽宁、河北、山西、河南、浙江、湖北、江西、湖南、福建、广东、台湾、四川、贵州、云南;日本,韩国。

(107) 黑紫蛱蝶 *Sasakia funebris* (Leech, 1891)

分布:陕西(洋县、山阳)、浙江、江西、福建、广东、海南、台湾、广西、四川、贵州、云南。

34. 帅蛱蝶属 *Sephisa* Moore, 1882

(108) 帅蛱蝶 *Sephisa chandra* (Moore, 1858)

分布:陕西(山阳)、浙江、江西、福建、广东、台湾、海南、广西、云南;泰国,缅甸,印度。

(109) 黄帅蛱蝶 *Sephisa princeps* Fixsen, 1887

分布:陕西(长安、周至、户县、太白、留坝、商州、山阳、商南)、黑龙江、吉林、辽宁、河北、山西、河南、甘肃、浙江、湖北、江西、湖南、福建、广东、海南、四川、贵州、云南;朝鲜。

35. 猫蛱蝶属 *Timelaea* Lucas, 1883

(110) 猫蛱蝶 *Timelaea maculata* (Bremer et Gray, 1852)

分布:陕西(长安、周至、略阳、留坝、佛坪、镇安、商州)、辽宁、内蒙古、北京、河北、山西、河南、甘肃、青海、江苏、安徽、浙江、湖北、江西、福建、台湾、四川、西藏。

(三)袖蛱蝶亚科 Heliconiinae

36. 珍蝶属 *Acraea* Fabricius, 1807

(111) 苎麻珍蝶 *Acraea issoria* (Hübner, [1819])

分布:陕西(留坝、汉中、洋县)、吉林、河南、甘肃、浙江、湖北、江西、湖南、福建、台湾、广东、海南、广西、四川、云南、西藏;越南,泰国,缅甸,印度,菲律宾,马来西亚,印度尼西亚。

37. 豹蛱蝶属 *Argynnis* Fabricius, 1807

(112) 绿豹蛱蝶 *Argynnis paphia* (Linnaeus, 1758)

分布:陕西(长安、蓝田、周至、户县、眉县、太白、宝鸡、凤县、华阴、略阳、佛坪、洋县、宁陕、石泉、镇安、商州、山阳、丹凤、商南)、黑龙江、吉林、辽宁、北京、河北、山西、山东、河南、宁夏、甘肃、新疆、安徽、浙江、湖北、江西、湖南、福建、台湾、广东、广西、四川、云南、贵州、西藏;亚洲,欧洲,非洲。

38. 斐豹蛱蝶属 *Argyreus* Scopoli, 1777

(113) 斐豹蛱蝶 *Argyreus hyperbius* (Linnaeus, 1763)

分布:陕西(长安、太白、留坝、佛坪、洋县、宁陕、镇安、山阳、丹凤)、黑龙江、吉林、辽宁、北京、河北、山西、山东、河南、宁夏、甘肃、青海、新疆、江苏、上海、安徽、浙江、湖北、江西、湖南、福建、台湾、广东、海南、香港、广西、四川、贵州、云南、西藏;朝鲜,日本,泰国,缅甸,阿富汗,印度,尼泊尔,孟加拉国,斯里兰卡,巴基斯坦,菲律宾,印度尼西亚。

39. 老豹蛱蝶属 *Argyronome* Hübner，[1819]

（114）老豹蛱蝶 *Argyronome laodice*（Pallas，1771）

分布：陕西（长安、蓝田、周至、户县、宝鸡、眉县、太白、佛坪、宁陕、镇安、商州、丹凤、商南）、黑龙江、吉林、辽宁、北京、河北、山西、山东、河南、甘肃、青海、新疆、江苏、安徽、浙江、湖北、江西、湖南、福建、台湾、海南、广西、四川、云南、贵州、西藏；朝鲜，日本，印度，欧洲。

（115）红老豹蛱蝶 *Argyronome ruslana*（Motschulsky，1866）

分布：陕西（长安、周至、太白、留坝、佛坪、宁陕、柞水、山阳、丹凤）、吉林、辽宁、河北、河南、宁夏、湖北、湖南、四川；朝鲜，日本。

40. 宝蛱蝶属 *Boloria* Moore，1900

（116）洛神宝蛱蝶 *Boloria napaea* Hoffmannsegg，1804

分布：陕西（秦岭）、山西、新疆；俄罗斯，欧洲。

（117）龙女宝蛱蝶 *Boloria pales*（Denis *et* Schiffermüller，1775）

分布：陕西（秦岭）、黑龙江、吉林、青海、新疆、台湾、四川、云南、西藏；俄罗斯，阿富汗，亚洲中部，欧洲，非洲。

41. 小豹蛱蝶属 *Brenthis* Hübner，1819

（118）小豹蛱蝶 *Brenthis daphne*（Denis *et* Schiffermüller，1775）

分布：陕西（户县、眉县、太白）、黑龙江、吉林、辽宁、北京、河北、山西、山东、河南、宁夏、甘肃、新疆、浙江、福建、云南；朝鲜，日本，欧洲。

（119）伊诺小豹蛱蝶 *Brenthis ino*（Rottemberg，1775）

分布：陕西（蓝田、太白）、黑龙江、吉林、辽宁、内蒙古、北京、山西、山东、新疆、浙江；俄罗斯，朝鲜，日本，欧洲。

42. 银豹蛱蝶属 *Childrena* Hemming，1943

（120）银豹蛱蝶 *Childrena childreni*（Gray，1831）

分布：陕西（宁陕）、辽宁、河北、北京、河南、浙江、湖北、江西、湖南、福建、广东、广西、四川、贵州、云南、西藏；缅甸，印度。

（121）曲纹银豹蛱蝶 *Childrena zenobia*（Leech，1890）

分布：陕西（长安、蓝田、周至、太白、宁陕、山阳）、吉林、辽宁、北京、河北、山西、河南、甘肃、广东、四川、贵州、云南、西藏；印度。

43．珍蛱蝶属 *Clossiana* Reuss，1920

（122）女神珍蛱蝶 *Clossiana dia*（Linnaeus，1767）
　　分布：陕西（秦岭）、甘肃、新疆；俄罗斯，小亚细亚，欧洲。

（123）珍蛱蝶 *Clossiana gong*（Oberthür，1884）
　　分布：陕西（周至、太白、凤县）、河北、山西、河南、青海、四川、云南、西藏。

44．青豹蛱蝶属 *Damora* Nordmann，1851

（124）青豹蛱蝶 *Damora sagana*（Doubleday，1847）
　　分布：陕西（长安、户县、宝鸡、佛坪、石泉、镇安、山阳）、黑龙江、吉林、辽宁、内蒙、河北、河南、江苏、安徽、浙江、湖北、江西、湖南、福建、广东、广西、四川、贵州；蒙古，俄罗斯，朝鲜，日本。

45．福蛱蝶属 *Fabriciana* Reuss，1920

（125）灿福蛱蝶 *Fabriciana adippe*（Denis et Schiffermüller，1776）
　　分布：陕西（长安、蓝田、周至、户县、宝鸡、眉县、太白、华阴、留坝、佛坪、洋县、宁陕、石泉、商州、商南）、黑龙江、吉林、辽宁、北京、河北、山西、山东、河南、甘肃、新疆、江苏、浙江、湖北、江西、四川、贵州、云南、西藏；俄罗斯，朝鲜，日本。

（126）蟾福蛱蝶 *Fabriciana nerippe*（C. & R. Felder，1862）
　　分布：陕西（长安、蓝田、周至、户县、太白、佛坪、商州、山阳、丹凤）、黑龙江、河南、宁夏、甘肃、浙江、湖北；朝鲜，日本。

46．珠蛱蝶属 *Issoria* Hübner，[1819]

（127）曲斑珠蛱蝶 *Issoria eugenia*（Eversmann，l847）
　　分布：陕西（户县、太白）、甘肃、新疆、四川、云南、西藏。

47．云豹蛱蝶属 *Nephargynnis* Shirôzu et Saigusa，1973

（128）云豹蛱蝶 *Nephargynnis anadyomene*（C. & R. Felder，1862）
　　分布：陕西（长安、周至、太白、留坝、洋县、宁陕、石泉、镇安、山阳、丹凤）、黑龙江、吉林、辽宁、河北、山西、山东、河南、宁夏、甘肃、浙江、湖北、江西、湖南、福建、四川、云南；俄罗斯，朝鲜，日本。

48．斑豹蛱蝶属 *Speyeria* Scudder，1872

（129）银斑豹蛱蝶 *Speyeria aglaja*（Linnaeus，1758）

分布:陕西(长安、周至、太白)、黑龙江、吉林、辽宁、内蒙古、北京、河北、山西、山东、河南、宁夏、甘肃、青海、新疆、四川、云南、西藏;俄罗斯,朝鲜,日本,尼泊尔,欧洲,非洲北部。

(四)线蛱蝶亚科 Limenitinae

49. 姻蛱蝶属 *Abrota* Moore, 1857

(130) 姻蛱蝶 *Abrota ganga* Moore, 1857

分布:陕西(长安、周至、户县、宁陕)、浙江、江西、福建、台湾、广东、海南、四川、云南;越南,缅甸,印度,不丹。

50. 伞蛱蝶属 *Aldania* Moore, 1896

(131) 黑条伞蛱蝶 *Aldania raddei* (Bremer, 1861)

分布:陕西(长安、华县、留坝、商南)、黑龙江、吉林、辽宁、河南;俄罗斯。

51. 带蛱蝶属 *Athyma* Westwood, [1850]

(132) 幸福带蛱蝶 *Athyma fortuna* Leech, 1889

分布:陕西(蓝田、周至、眉县、太白、略阳、佛坪、洋县、石泉、镇安、商南)、河南、浙江、湖北、江西、福建、台湾、广东、广西、四川;日本。

(133) 玉杵带蛱蝶 *Athyma jina* Moore, 1857

分布:陕西(长安、周至、户县、略阳、留坝、勉县、佛坪、洋县、石泉、柞水、镇安)、辽宁、新疆、浙江、湖北、江西、福建、台湾、广东、四川、云南;缅甸,印度。

(134) 虬眉带蛱蝶 *Athyma opalina* (Kollar, 1848)

分布:陕西(周至、略阳、佛坪、宁陕、石泉、柞水、镇安、商州、山阳、丹凤)、河南、浙江、湖北、江西、福建、台湾、广东、海南、广西、四川、云南、西藏。

(135) 六点带蛱蝶 *Athyma punctata* Leech, 1890

分布:陕西(南郑)、浙江、湖北、江西、福建、广东、广西、四川。

(136) 倒钩带蛱蝶 *Athyma recurva* Leech, 1893

分布:陕西(洋县、宁强)、河南、湖北、四川。

52. 翠蛱蝶属 *Euthalia* Hübner, [1819]

(137) 孔子翠蛱蝶 *Euthalia confucius* (Westwood, 1850)

分布:陕西(秦岭)、浙江、四川、西藏。

(138) 陕西翠蛱蝶 *Euthalia kameii* Koiwava, 1996

分布:陕西(周至、佛坪)、福建、四川、云南。

(139)　嘉翠蛱蝶 *Euthalia kardama*（Moore，1859）

分布:陕西(宁陕、镇安、山阳)、浙江、江西、福建、四川、云南。

(140)　黄铜翠蛱蝶 *Euthalia nara*（Moore，1859）

分布:陕西(周至)、浙江、广西、四川、云南;缅甸,印度,尼泊尔,不丹。

(141)　** *Euthalia pauxilla* **Yokochi，2012

分布:陕西、四川。

(142)　西藏翠蛱蝶 *Euthalia thibetana*（Poujade，1885）

分布:陕西(户县、太白、宁陕、柞水)、河南、江西、台湾、四川、云南、贵州。

53．线蛱蝶属 *Limenitis* Fabricius，1807

(143)　重眉线蛱蝶 *Limenitis amphyssa* **Ménétriés，1859**

分布:陕西(长安、周至、眉县、太白、凤县、略阳、留坝、洋县、石泉、汉阴、山阳)、黑龙江、吉林、辽宁、河北、山西、河南、甘肃、湖北、江西、四川;俄罗斯,朝鲜。

(144)　巧克力线蛱蝶 *Limenitis ciocolatina* **Poujade，1885**

分布:陕西(长安、周至、户县、太白、凤县、宁陕)、吉林、河北、山西、河南、新疆、江西、四川、西藏。

(145)　愁眉线蛱蝶 *Limenitis disjuncta*（Leech，1890）

分布:陕西(周至、宁陕)、河南、湖北、江西、四川。

(146)　断眉线蛱蝶 *Limenitis doerriesi* **Staudinger，1892**

分布:陕西(长安、周至、太白、宁陕、汉阴、镇安、商州、山阳)、黑龙江、吉林、内蒙古、河南、湖北、江西、福建、四川、云南;俄罗斯,朝鲜。

(147)　扬眉线蛱蝶 *Limenitis helmanni* **Lederer，1853**

分布:陕西(长安、蓝田、周至、户县、宝鸡、眉县、太白、凤县、华阴、留坝、佛坪、洋县、宁陕、石泉、汉阴、柞水、镇安、商州、山阳、丹凤、商南)、黑龙江、吉林、河北、山西、河南、甘肃、青海、新疆、浙江、湖北、江西、福建、四川;俄罗斯,朝鲜。

(148)　戟眉线蛱蝶 *Limenitis homeyeri* **Tancré，1881**

分布:陕西(长安、蓝田、周至、户县、眉县、太白、佛坪、宁陕、柞水、镇安、山阳)、黑龙江、吉林、辽宁、山西、河南、浙江、江西、四川、云南;俄罗斯,朝鲜。

(149)　横眉线蛱蝶 *Limenitis moltrechti* **Kardakoff，1928**

分布:陕西(蓝田、周至、户县、太白、略阳、留坝、佛坪、宁陕、柞水、镇安)、黑龙江、河北、山西、河南、宁夏、湖北、江西、湖南;朝鲜。

（150）红线蛱蝶 *Limenitis populi*（Linnaeus，1758）

分布：陕西（长安、周至、户县、太白、留坝、宁陕）、黑龙江、吉林、辽宁、内蒙古、河北、山西、河南、甘肃、青海、新疆、浙江、台湾、四川、西藏；日本，新加坡，欧洲。

（151）残锷线蛱蝶 *Limenitis sulpitia*（Cramer，1779）

分布：陕西（略阳、留坝、洋县、汉阴、镇安、商州、山阳、丹凤、商南）、黑龙江、河南、浙江、湖北、江西、湖南、福建、台湾、广东、海南、香港、广西、四川、云南；越南，缅甸，印度。

（152）折线蛱蝶 *Limenitis sydyi* Kindermann，1853

分布：陕西（长安、周至、眉县、洋县、汉阴、柞水、商州、山阳、丹凤、商南）、黑龙江、吉林、辽宁、河北、山西、山东、河南、宁夏、甘肃、新疆、浙江、湖北、江西、福建、广东、四川、贵州、云南；蒙古，俄罗斯，朝鲜，日本。

54. 缕蛱蝶属 *Litinga* Moore，1898

（153）拟缕蛱蝶 *Litinga mimica*（Poujade，1885）

分布：陕西（长安、蓝田、周至、户县、眉县、太白、佛坪、商南）、吉林、辽宁、河南、湖北、广西、四川、云南。

55. 环蛱蝶属 *Neptis* Fabricius，1807

（154）重环蛱蝶 *Neptis alwina* Bremer *et* Grey，1852

分布：陕西（长安、蓝田、周至、户县、眉县、宝鸡、太白、略阳、留坝、佛坪、洋县、宁陕、柞水、丹凤）、辽宁、北京、河北、河南、江西、四川；俄罗斯，朝鲜，日本。

（155）阿环蛱蝶 *Neptis ananta* Moore，1858

分布：陕西（南郑）、浙江、江西、四川、云南；泰国，印度。

（156）羚环蛱蝶 *Neptis antilope* Leech，1890

分布：陕西（周至、户县、眉县、太白、凤县、华阴、宁陕）、河南、浙江、湖北、四川。

（157）蛛环蛱蝶 *Neptis arachne* Leech，1890

分布：陕西（长安、周至、户县、眉县、太白、略阳、佛坪、洋县、宁陕、石泉）、湖北、江西、湖南、四川、云南。

（158）矛环蛱蝶 *Neptis armandia*（Oberthür，1876）

分布：陕西（周至、户县、眉县、太白、留坝、佛坪、宁陕）、浙江、江西、广西、四川、云南；印度。

（159）折环蛱蝶 *Neptis beroe* Leech，1890

分布:陕西(长安、周至、户县、眉县、佛坪、洋县、宁陕、镇安、山阳)、河南、浙江、湖北、江西、四川、云南。

(160) 卡环蛱蝶 *Neptis cartica* Moore, 1872

分布:陕西(南郑)、浙江、江西;老挝,印度,尼泊尔,不丹。

(161) 周氏环蛱蝶 *Neptis choui* Yuan *et* Wang, 1994

分布:陕西(秦岭)、河南。

(162) 珂环蛱蝶 *Neptis clinia* Moore, 1872

分布:陕西(南郑)、浙江、江西、福建、海南、四川、云南、西藏;越南,缅甸,印度,马来西亚。

(163) 黄重环蛱蝶 *Neptis cydippe* Leech, 1890

分布:陕西(太白、宁陕)、河南、湖北、江西、四川;印度。

(164) 莲花环蛱蝶 *Neptis hesione* Leech, 1890

分布:陕西(佛坪)、浙江、湖北、台湾、四川。

(165) 中环蛱蝶 *Neptis hylas* (Linnaeus, 1758)

分布:陕西(长安、周至、户县、宝鸡、眉县、太白、留坝、佛坪、宁陕、商州、商南)、河南、江西、台湾、广东、海南、广西、四川、云南;越南,缅甸,印度,马来西亚,印度尼西亚。

(166) 伊洛环蛱蝶 *Neptis ilos* Fruhstorfer, 1909

分布:陕西(周至、太白、汉阴、商南)、辽宁、河南、台湾、四川。

(167) 宽环蛱蝶 *Neptis mahendra* Moore, 1872

分布:陕西(秦岭)、四川、云南;巴基斯坦。

(168) 弥环蛱蝶 *Neptis miah* Moore, 1857

分布:陕西(西乡)、浙江、江西、福建、海南、广西、四川;印度,不丹,马来西亚,印度尼西亚。

(169) 茂环蛱蝶 *Neptis nemorosa* Oberthür, 1906

分布:陕西(长安、周至、太白、宁陕)、四川、云南。

(170) 啡环蛱蝶 *Neptis philyra* Ménétriés, 1859

分布:陕西(户县、眉县、太白、凤县、柞水)、黑龙江、吉林、河南、浙江、江西、台湾、云南;俄罗斯,朝鲜,日本。

(171) 朝鲜环蛱蝶 *Neptis philyroides* Staudinger, 1887

分布:陕西(长安、周至、户县、眉县、太白、凤县、华县、佛坪、洋县、宁陕、石泉、汉阴、镇安、山阳、商南)、黑龙江、吉林、河南、浙江、台湾、江西、四川;俄罗斯,朝鲜。

(172) 链环蛱蝶 *Neptis pryeri* Butler, 1871

分布:陕西(长安、蓝田、周至、户县、眉县、宝鸡、太白、凤县、华阴、略阳、留坝、洋县、宁陕、汉阴、柞水、商州、山阳）、吉林、辽宁、河南、江苏、江西、福建、台湾、四川；朝鲜，日本。

（173）单环蛱蝶 *Neptis rivularis*（Scopli，1763）

分布：陕西（长安、蓝田、周至、户县、眉县、宝鸡、太白、凤县、华阴、留坝、宁陕、石泉、柞水）、黑龙江、吉林、辽宁、河北、河南、台湾、四川；蒙古，俄罗斯，朝鲜，日本，欧洲。

（174）断环蛱蝶 *Neptis sankara*（Kollar，［1844］）

分布：陕西（长安、周至、户县、眉县、宝鸡、太白、商南）、河南、浙江、江西、福建、广西、四川、云南；缅甸，印度，巴基斯坦，马来西亚。

（175）小环蛱蝶 *Neptis sappho*（Pallas，1771）

分布：陕西（长安、蓝田、周至、户县、眉县、宝鸡、太白、凤县、华阴、留坝、佛坪、安康、宁陕、石泉、柞水、丹凤）、辽宁、吉林、河南、台湾、四川、云南；朝鲜，日本，印度，巴基斯坦，欧洲。

（176）娑环蛱蝶 *Neptis soma* Moore，1858

分布：陕西（长安、周至、宝鸡、太白、佛坪、宁陕、山阳）、台湾、四川、云南；缅甸，印度，马来西亚。

（177）司环蛱蝶 *Neptis speyeri* Staudinger，1887

分布：陕西（周至、户县、佛坪、洋县）、黑龙江、浙江、云南；俄罗斯。

（178）黄环蛱蝶 *Neptis themis* Leech，1890

分布：陕西（长安、蓝田、周至、户县、眉县、宝鸡、太白、凤县、佛坪、洋县、宁陕、石泉、商南）、河北、河南、甘肃、湖北、江西、四川、云南。

（179）海环蛱蝶 *Neptis thetis* Leech，1890

分布：陕西（长安、周至、户县、眉县、太白、宁陕、汉阴、镇安、商南）、江西、福建、四川、云南。

（180）提环蛱蝶 *Neptis thisbe* Ménétriés，1859

分布：陕西（长安、周至、户县、眉县、太白、佛坪、宁陕、石泉、汉阴、柞水、山阳、丹凤）、黑龙江、辽宁、河南、四川、云南；俄罗斯，朝鲜。

（181）耶环蛱蝶 *Neptis yerburii* Butler，1886

分布：陕西（宁陕、镇安）、四川。

56．俳蛱蝶属 *Parasarpa* Moore，［1898］

（182）白斑俳蛱蝶 *Parasarpa albomaculata*（Leech，1891）

分布：陕西（太白、留坝、佛坪）、河南、湖北、湖南、四川、云南、西藏。

57．葩蛱蝶属 *Patsuia* Moore，1898

(183)　中华黄葩蛱蝶 *Patsuia sinensium*（Oberthür，1876）
　　分布：陕西(长安、周至、户县、太白、佛坪、宁陕)、辽宁、内蒙古、河北、山西、河南、甘肃、四川、云南。

58．菲蛱蝶属 *Phaedyma* C. Felder，1861

(184)　蔼菲蛱蝶 *Phaedyma aspasia*（Leech，1890）
　　分布：陕西(宁强)、浙江、江西、四川、云南；缅甸，不丹。

(185)　秦菲蛱蝶 *Phaedyma chinga* Eliot，1969
　　分布：陕西(长安、周至、户县、宝鸡、眉县、太白、宁陕)、河南、湖北。

59．瑟蛱蝶属 *Seokia* Sibatani，1943

(186)　锦瑟蛱蝶 *Seokia pratti*（Leech，1890）
　　分布：陕西(长安、周至、户县、太白、留坝、佛坪、洋县、宁陕、商州、山阳)、黑龙江、吉林、河南、甘肃、浙江、湖北、江西、福建、四川、贵州。

(五)蛱蝶亚科 Nymphalinae

60．麻蛱蝶属 *Aglais* Dalman，1816

(187)　荨麻蛱蝶 *Aglais urticae*（Linnaeus，1758）
　　分布：陕西(长安、太白、留坝)、黑龙江、吉林、辽宁、山西、甘肃、青海、新疆、四川、西藏；蒙古，韩国，日本。

61．蜘蛱蝶属 *Araschnia* Hübner，[1819]

(188)　布网蜘蛱蝶 *Araschnia burejana* Bremer，1861
　　分布：陕西(周至、太白、佛坪、宁陕、石泉、山阳)、黑龙江、吉林、辽宁、河南、四川、西藏；日本。

(189)　曲纹蜘蛱蝶 *Araschnia doris* Leech，[1892]
　　分布：陕西(长安、周至、太白、留坝、佛坪、宁陕、石泉、汉阴、镇安、山阳、丹凤、商南)、河南、浙江、湖北、江西、福建、四川。

(190)　黎氏蜘蛱蝶 *Araschnia leechi* Oberthür，1909
　　分布：陕西(秦岭)、湖北、四川。

(191)　直纹蜘蛱蝶 *Araschnia prorsoides*（Blanchard，1871）
　　分布：陕西(勉县、汉中、商南)、黑龙江、内蒙古、江西、广西、四川、云南；蒙古，日本，印度，尼泊尔。

62. 斑蛱蝶属 *Hypolimnas* Hübner，［1819］

（192）金斑蛱蝶 *Hypolimnas misippus*（Linnaeus，1764）

分布：陕西（留坝、洋县、西乡）、浙江、江西、福建、台湾、广东、海南、云南；日本，缅甸，印度，澳大利亚。

63. 孔雀蛱蝶属 *Inachis* Hübner，［1819］

（193）孔雀蛱蝶 *Inachis io*（Linnaeus，1758）

分布：陕西（周至、宝鸡、凤县、太白）、黑龙江、辽宁、山西、宁夏、甘肃、青海、新疆、云南；朝鲜，日本，欧洲。

64. 眼蛱蝶属 *Junonia* Hübner，［1819］

（194）美眼蛱蝶 *Junonia almana*（Linnaeus，1758）

分布：陕西（洋县、汉阴）、河北、河南、江苏、浙江、湖北、江西、湖南、福建、台湾、广东、海南、香港、广西、四川、云南、西藏；日本，越南，老挝，泰国，柬埔寨，缅甸，印度，尼泊尔，不丹，孟加拉国，斯里兰卡，巴基斯坦，新加坡，印度尼西亚。

（195）翠蓝眼蛱蝶 *Junonia orithya*（Linnaeus，1758）

分布：陕西（周至、丹凤）、河南、浙江、湖北、江西、湖南、台湾、广东、香港、广西、云南；日本，越南，老挝，泰国，柬埔寨，缅甸，印度，尼泊尔，不丹，斯里兰卡，菲律宾，马来西亚，印度尼西亚，澳大利亚。

65. 枯叶蛱蝶属 *Kallima* Doubleday，1849

（196）枯叶蛱蝶 *Kallima inachus*（Boisduval，1846）

分布：陕西（安康、宁陕、石泉）、浙江、江西、湖南、福建、台湾、广东、海南、广西、四川、云南、西藏；日本，越南，泰国，缅甸，印度。

66. 琉璃蛱蝶属 *Kaniska* Moore，1899

（197）琉璃蛱蝶 *Kaniska canace*（Linnaeus，1763）

分布：陕西（长安、蓝田、周至、户县、宝鸡、眉县、太白、佛坪、洋县、宁陕、柞水、镇安、丹凤、商南），中国广布；从喜马拉雅山脉到西伯利亚的东南部均有分布。

67．网蛱蝶属 *Melitaea* Fabricius，1807

（198）兰网蛱蝶 *Melitaea bellona* Leech，1892

　　分布：陕西（太白）、四川、云南、西藏。

（199）帝网蛱蝶 *Melitaea diamina*（Lang，1789）

　　分布：陕西（长安、蓝田、周至、户县、华阴、宁陕、石泉、镇安、商州、丹凤）、黑龙江、吉林、辽宁、河北、山西、河南、宁夏、甘肃、海南、云南；俄罗斯，朝鲜，日本，欧洲。

（200）斑网蛱蝶 *Melitaea didymoides* Eversman，1847

　　分布：陕西（长安、西乡、宁陕、商州）、黑龙江、吉林、北京、河北、山西、山东、河南、宁夏、甘肃、青海、新疆；蒙古，俄罗斯，朝鲜，日本，哈萨克斯坦。

（201）黑网蛱蝶 *Melitaea jezabel* Oberthür，1886

　　分布：陕西（秦岭）、甘肃、四川、云南、西藏。

（202）大网蛱蝶 *Melitaea scotosia* Butler，1878

　　分布：陕西（长安、周至、户县、宁陕、镇安、山阳、丹凤）、黑龙江、吉林、辽宁、河北、山西、山东、河南、甘肃、新疆；蒙古，朝鲜，日本。

68．蛱蝶属 *Nymphalis* Kluk，1780

（203）黄缘蛱蝶 *Nymphalis antiopa*（Linnaeus，1758）

　　分布：陕西（宁陕）、黑龙江、吉林、辽宁、河南、新疆、四川；朝鲜，日本。

（204）朱蛱蝶 *Nymphalis xanthomelas*（Esper，1781）

　　分布：陕西（长安、蓝田、周至、户县、宝鸡、眉县、太白、凤县、宁陕）、黑龙江、辽宁、河北、山西、河南、宁夏、甘肃、青海、新疆、台湾；朝鲜，日本。

（205）白矩朱蛱蝶 *Nymphalis l-album*（Esper，1781）

　　分布：陕西（长安）、吉林、辽宁、山西、新疆、云南；俄罗斯，朝鲜，日本。

69．钩蛱蝶属 *Polygonia* Hübner，[1819]

（206）白钩蛱蝶 *Polygonia c-album*（Linnaeus，1758）

　　分布：陕西（长安、周至、户县、眉县、太白、佛坪、宁陕）、黑龙江、吉林、辽宁、河北、河南、浙江、江西、四川、西藏；朝鲜，日本，尼泊尔，不丹。

（207）黄钩蛱蝶 *Polygonia c-aureum*（Linnaeus，1758）

　　分布：陕西（长安、蓝田、周至、户县、宝鸡、眉县、太白、凤县、华县、华阴、潼

关、略阳、留坝、勉县、佛坪、洋县、宁陕、汉阴、柞水、镇安、洛南、商州、山阳、
丹凤、商南），中国广布；蒙古，俄罗斯，朝鲜，日本，越南。

（208）巨型钩蛱蝶 *Polygonia gigantea*（Leech, 1890）
　　分布：陕西（长安）、四川、西藏。

70. 盛蛱蝶属 *Symbrenthia* Hübner, [1819]

（209）散纹盛蛱蝶 *Symbrenthia lilaea*（Hewitson, 1864）
　　分布：陕西（勉县、洋县、宁陕、丹凤）、江西、湖南、福建、台湾、广西、四川、
云南；越南，印度，菲律宾，印度尼西亚。

71. 红蛱蝶属 *Vanessa* Fabricius, 1807

（210）小红蛱蝶 *Vanessa cardui*（Linnaeus, 1758）
　　分布：陕西（长安、周至、眉县、宝鸡、太白、佛坪、宁陕、石泉、汉阴、镇安、商
州、山阳、丹凤）；世界广布，仅南美洲尚未发现。

（211）大红蛱蝶 *Vanessa indica*（Herbst, 1794）
　　分布：陕西（长安、周至、户县、眉县、宝鸡、太白、凤县、留坝、勉县、佛坪、洋
县、镇安、丹凤、商南），中国广布；亚洲东部，欧洲，非洲西北部。

（六）秀蛱蝶亚科 Pseudergolinae

72. 电蛱蝶属 *Dichorragia* Butler, 1869

（212）电蛱蝶 *Dichorragia nesimachus*（Doyère, [1840]）
　　分布：陕西（长安、周至、太白、勉县、宁陕、柞水）、浙江、江西、湖南、福建、
台湾、广东、海南、香港、四川、贵州、云南；朝鲜，日本，越南，缅甸，印度，
不丹，马来西亚。

（213）长波电蛱蝶 *Dichorragia nesseus* Grosc-Smith, 1893
　　分布：陕西（周至）、河南、浙江、广东、四川、云南。

73. 秀蛱蝶属 *Pseudergolis* C. & R. Felder, [1867]

（214）秀蛱蝶 *Pseudergolis wedah*（Kollar, 1848）
　　分布：陕西（周至、太白、略阳、勉县、佛坪、商州、商南）、湖北、湖南、四川、
贵州、云南、西藏；缅甸，印度，克什米尔，喜马拉雅山脉。

74. 饰蛱蝶属 *Stibochiona* Butler, 1869

(215) 素饰蛱蝶 *Stibochiona nicea* (Gray, 1846)
分布:陕西(汉阴)、浙江、江西、湖南、福建、广东、海南、广西、四川、云南、西藏;越南,缅甸,印度,马来西亚,孟加拉国,克什米尔。

(七)绢蛱蝶亚科 Calinaginae

75. 绢蛱蝶属 *Calinaga* Moore, 1857

(216) 绢蛱蝶 *Calinaga buddha* Moore, 1857
分布:陕西(长安、户县、太白、宁陕、镇安)、台湾、四川、云南。

(217) 大卫绢蛱蝶 *Calinaga davidis* Oberthür, 1879
分布:陕西(长安、周至、户县、太白、华阴、佛坪、宁陕、石泉、镇安、山阳)、辽宁、河南、甘肃、浙江、湖北、广东、四川、西藏。

(218) 黑绢蛱蝶 *Calinaga lhatso* Oberthür, 1893
分布:陕西(长安、周至、宁陕)、浙江、福建、四川、云南、西藏。

(八)斑蝶亚科 Danainae

76. 斑蝶属 *Danaus* Kluk, 1780

(219) 金斑蝶 *Danaus chrysippus* (Linnaeus, 1758)
分布:陕西(周至)、上海、湖北、江西、湖南、福建、台湾、广东、海南、香港、广西、四川、贵州、云南、西藏;日本,印度,印度尼西亚,澳大利亚,新西兰,亚洲西部,中东,欧洲,非洲。

(220) 虎斑蝶 *Danaus genutia* (Cramer, [1779])
分布:陕西(周至、汉中)、北京、河南、浙江、江西、湖南、福建、台湾、广东、海南、香港、广西、四川、贵州、云南、西藏;日本,越南,柬埔寨,缅甸,克什米尔,菲律宾,马来西亚,印度尼西亚,中东,巴布亚新几内亚,澳大利亚,欧洲,非洲。

77. 绢斑蝶属 *Parantica* Moore, [1880]

(221) 大绢斑蝶 *Parantica sita* (Kollar, [1844])
分布:陕西(太白)、辽宁、河南、江苏、浙江、江西、湖南、福建、台湾、广东、海南、香港、广西、四川、云南、贵州、西藏;朝鲜,日本,越南,老挝,泰国,柬埔寨,缅甸,克什米尔,印度,尼泊尔,不丹,孟加拉国,阿富汗,巴基斯坦，马来西亚，印度尼西亚。

（九）环蝶亚科 Amathusiinae

78．串珠环蝶属 *Faunis* Hübner，[1819]

（222）灰翅串珠环蝶 *Faunis aerope*（Leech，1890）
分布：陕西（略阳、宁陕）、湖南、广西、四川、贵州、云南；越南。

79．箭环蝶属 *Stichophthalma* C. & R. Felder，1862

（223）箭环蝶 *Stichophthalma howqua*（Westwood，1851）
分布：陕西（留坝、佛坪、商州、山阳、商南）、浙江、湖北、江西、湖南、福建、台湾、广东、广西、四川、贵州、云南；越南、老挝、泰国、缅甸、印度。

（224）双星箭环蝶 *Stichophthalma neumogeni* Leech，[1892]
分布：陕西（户县、宝鸡、太白、留坝、佛坪、洋县、宁陕、镇安、山阳）、浙江、福建、海南、四川、云南；越南。

（十）喙蝶亚科 Libytheinae

80．喙蝶属 *Libythea* Fabricius，1807

（225）朴喙蝶 *Libythea celtis*（Laicharting，[1782]）
分布：陕西（长安、蓝田、周至、户县、宝鸡、太白、凤县、略阳、留坝、佛坪、洋县、宁强、宁陕、石泉、柞水、丹凤）、辽宁、北京、河北、山西、河南、甘肃、浙江、湖北、福建、台湾、广西、四川；朝鲜，日本，泰国，缅甸，印度，斯里兰卡，欧洲。

（十一）眼蝶亚科 Satyrinae

81．阿芬眼蝶属 *Aphantopus* Wallengren，1853

（226）大斑阿芬眼蝶 *Aphantopus arvensis*（Oberthür，1876）
分布：陕西（蓝田、周至、凤县、宁陕）、宁夏、甘肃、青海、浙江、广西、四川。

（227）阿芬眼蝶 *Aphantopus hyperantus*（Linnaeus，1758）
分布：陕西（长安、蓝田、周至、户县）、黑龙江、吉林、辽宁、北京、河南、青海、宁夏、甘肃、四川、西藏。

82．林眼蝶属 *Aulocera* Butler，1867

（228）细眉林眼蝶 *Aulocera merlina*（Oberthür，1890）

分布:陕西(宁陕)、四川、云南。

(229) 小型林眼蝶 *Aulocera sybillina*（Oberthür，1890）

分布:陕西(略阳)、青海、云南、西藏。

83. 粉眼蝶属 *Callarge* Leech，1892

(230) 粉眼蝶 *Callarge sagitta*（Leech，1890）

分布:陕西(长安、周至、太白、凤县、佛坪、宁陕、石泉、柞水)、河南、甘肃、湖北、江西、四川、重庆、云南。

84. 艳眼蝶属 *Callerebia* Butler，1867

(231) 混同艳眼蝶 *Callerebia confusa* Watkins，1925

分布:陕西(太白、留坝)、宁夏、浙江、湖北、江西、湖南、福建、四川。

(232) 大艳眼蝶 *Callerebia suroia* Tytler，1914

分布:陕西(南郑)、甘肃、浙江、湖北、江西、四川、贵州、云南。

85. 带眼蝶属 *Chonala* Moore，1893

(233) 带眼蝶 *Chonala episcopalis*（Oberthür，1885）

分布:陕西(留坝)、福建、四川、云南。

(234) *Chonala laurae* Bozano，1999

分布:陕西。

86. 珍眼蝶属 *Coenonympha* Hübner，[1819]

(235) 牧女珍眼蝶 *Coenonympha amaryllis*（Stoll，[1782]）

分布:陕西(长安、太白、凤县、华县、商州、商南)、黑龙江、吉林、辽宁、内蒙古、山西、山东、北京、河南、青海、甘肃、浙江、新疆、四川；朝鲜。

(236) 爱珍眼蝶 *Coenonympha oedippus*（Fabricius，1787）

分布:陕西(眉县、华阴、宁陕、商州、山阳)、黑龙江、吉林、辽宁、山西、河北、北京、山东、河南、宁夏、甘肃、江西；朝鲜，日本，欧洲。

87. 绢眼蝶属 *Davidina* Oberthür，1879

(237) 绢眼蝶 *Davidina armandi* Oberthür，1879

分布:陕西(周至、户县、华阴、佛坪、镇安、商南)、辽宁、北京、山西、河南、甘肃、湖北、四川、西藏。

88. 红眼蝶属 *Erebia* Dalman, 1816

（238）红眼蝶 *Erebia alcmena* Grum-Grshimailo, 1891
　　分布：陕西（长安、蓝田、周至、户县、太白、宁陕、镇安、商州、山阳、丹凤）、黑龙江、河南、宁夏、甘肃、浙江、四川、西藏。

（239）*Erebia tristior* Goltz, 1937
　　分布：陕西、甘肃。

89. 仁眼蝶属 *Hipparchia* Fabricius, 1807

（240）仁眼蝶 *Hipparchia autonoe*（Esper, 1783）
　　分布：陕西（秦岭）、黑龙江、山西、河北、青海、新疆；俄罗斯。

90. 多眼蝶属 *Kirinia* Moore, 1893

（241）多眼蝶 *Kirinia epaminondas*（Satudinger, 1887）
　　分布：陕西（长安、周至、户县、宝鸡、太白、丹凤）、黑龙江、辽宁、北京、河北、山西、山东、河南、甘肃、湖北、浙江、江西、福建、四川；朝鲜。

91. 毛眼蝶属 *Lasiommata* Westwood, 1841

（242）斗毛眼蝶 *Lasiommata deidamia*（Eversmann, 1851）
　　分布：陕西（长安、蓝田、周至、华县、商州、山阳、丹凤）、黑龙江、吉林、辽宁、北京、河北、山西、山东、河南、青海、宁夏、甘肃、湖北、福建、四川；朝鲜，日本。

（243）*Lasiommata kasumi* Yoshino, 1995
　　分布：陕西（太白山）。

92. 黛眼蝶属 *Lethe* Hübner,［1819］

（244）白条黛眼蝶 *Lethe albolineata*（Poujade, 1884）
　　分布：陕西（长安、宁陕）、河南、江西、四川。

（245）安徒生黛眼蝶 *Lethe andersoni*（Atkinson, 1871）
　　分布：陕西（凤县）、四川、云南。

（246）舜目黛眼蝶 *Lethe bipupilla* Chou et Zhao, 1994
　　分布：陕西（留坝、汉中）、四川。

（247）圆翅黛眼蝶 *Lethe butleri* Leech, 1889
　　分布：陕西（洋县）、北京、河南、浙江、台湾、江西、四川。

（248）棕褐黛眼蝶 *Lethe christophi*（Leech, 1891）

分布:陕西（长安、周至、佛坪、丹凤）、浙江、湖北、江西、湖南、福建、台湾。

（249）圣母黛眼蝶 *Lethe cybele* Leech, 1894

分布:陕西（略阳）、辽宁、四川、西藏。

（250）奇纹黛眼蝶 *Lethe cyrene* Leech, 1890

分布:陕西（周至、佛坪、宁陕）、河南、湖北。

（251）苔娜黛眼蝶 *Lethe diana*（Butler, 1866）

分布:陕西（长安、蓝田、户县、宝鸡、太白、凤县、留坝、佛坪、洋县、宁陕、汉阴、柞水、镇安、丹凤、商南）、河北、河南、浙江、江西、福建、广西、贵州、云南；朝鲜，日本。

（252）黛眼蝶 *Lethe dura*（Marshall, 1882）

分布:陕西（长安、周至、太白、洋县、宁陕、石泉、汉阴、山阳）、甘肃、浙江、湖北、江西、台湾、四川、云南；越南，老挝，泰国，柬埔寨，缅甸，印度，不丹。

（253）明带黛眼蝶 *Lethe helle*（Leech, 1891）

分布:陕西（长安、户县、太白）、四川。

（254）深山黛眼蝶 *Lethe insana*（Kollar, 1844）

分布:陕西（长安、太白、留坝、宁陕、山阳、商南）、浙江、湖南、江西、福建、台湾、广东、海南、广西、四川、贵州、云南；越南，老挝，泰国，缅甸，印度，不丹，马来西亚。

（255）蟠纹黛眼蝶 *Lethe labyrinthea* Leech, 1890

分布:陕西（佛坪）、福建、四川、贵州。

（256）直带黛眼蝶 *Lethe lanaris* Butler, 1877

分布:陕西（蓝田、周至、户县、太白、凤县、佛坪、洋县、宁陕）、河南、甘肃、浙江、江西、福建、海南、四川。

（257）罗丹黛眼蝶 *Lethe laodamia* Leech, 1891

分布:陕西（太白、留坝、佛坪）、安徽、湖北、江西、四川、云南。

（258）门左黛眼蝶 *Lethe manzorum*（Poujade, 1884）

分布:陕西（太白）、湖北、江西、广西、四川。

（259）边纹黛眼蝶 *Lethe marginalis* Motschulsky, 1860

分布:陕西（周至、户县、眉县、太白、佛坪、宁陕）、黑龙江、吉林、辽宁、河南、甘肃、浙江、湖北、江西、四川；朝鲜，日本。

（260）黑带黛眼蝶 *Lethe nigrifascia* Leech, 1890

分布:陕西（长安、太白、凤县）、河南、宁夏、甘肃、湖北、江西、四川。

（261）八目黛眼蝶 *Lethe oculatissima*（Poujade，1885）

　　分布：陕西（长安、周至、户县、太白、佛坪）、甘肃、浙江、湖北、江西、福建、四川。

（262）彩斑黛眼蝶 *Lethe procne*（Leech，1891）

　　分布：陕西（太白）、四川、云南。

（263）比目黛眼蝶 *Lethe proxima* Leech，［1892］

　　分布：陕西（宁陕）、四川。

（264）蛇神黛眼蝶 *Lethe satyrina* Butler，1871

　　分布：陕西（略阳、镇安）、河南、甘肃、上海、浙江、湖北、湖南、江西、四川、贵州。

（265）华山黛眼蝶 *Lethe serbonis*（Hewtison，1876）

　　分布：陕西（佛坪）、四川；印度，不丹。

（266）*Lethe sisii* Lang et Monastyrskii，2016

　　分布：陕西、甘肃、江西、湖北、重庆、四川。

（267）连纹黛眼蝶 *Lethe syrcis*（Hewitson，［1863］）

　　分布：陕西（洋县、镇安、山阳、丹凤）、黑龙江、河南、浙江、江西、福建、广西、四川。

（268）重瞳黛眼蝶 *Lethe trimacula* Leech，1890

　　分布：陕西（长安）、浙江、湖北、江西、四川。

（269）紫线黛眼蝶 *Lethe violaceopicta*（Poujade，1884）

　　分布：陕西（宁陕）、浙江、江西、福建、四川；缅甸，印度。

（270）云南黛眼蝶 *Lethe yunnana* D'Abrera，1990

　　分布：陕西（长安、户县、太白、凤县、宁陕）、云南。

93. 链眼蝶属 *Lopinga* Moore，1893

（271）黄环链眼蝶 *Lopinga achine*（Scopoli，1763）

　　分布：陕西（长安、周至、户县、宝鸡、太白、宁陕、柞水）、黑龙江、吉林、辽宁、河南、青海、宁夏、甘肃、湖北；朝鲜，日本。

94. 舜眼蝶属 *Loxerebia* Watkins，1925

（272）草原舜眼蝶 *Loxerebia pratorum*（Oberthür，1886）

　　分布：陕西（长安）、甘肃、四川、西藏。

（273）白瞳舜眼蝶 *Loxerebia saxicola*（Oberthür，1876）

　　分布：陕西（长安、周至、太白、佛坪、宁陕、柞水、山阳、丹凤）、辽宁、北京、河南、甘肃、湖北、广东、四川、云南、西藏。

95．丽眼蝶属 *Mandarinia* Leech，1892

（274）蓝斑丽眼蝶 *Mandarinia regalis*（Leech，1889）
　　分布：陕西（镇安）、河南、江苏、安徽、浙江、湖北、江西、湖南、福建、广东、
　　四川；越南，缅甸。

96．白眼蝶属 *Melanargia* Meigen，1828

（275）亚洲白眼蝶 *Melanargia asiatica*（Oberthür *et* Houlbert，1922）
　　分布：陕西（长安、眉县、太白、宁陕）、吉林、河南、甘肃、四川、云南。

（276）华北白眼蝶 *Melanargia epimede* Staudinger，1887
　　分布：陕西（长安、周至、太白、佛坪）、黑龙江、吉林、辽宁、河北。

（277）甘藏白眼蝶 *Melanargia ganymedes* Rühl，1895
　　分布：陕西（太白）、黑龙江、甘肃、新疆、四川、云南、西藏。

（278）白眼蝶 *Melanargia halimede*（Ménétriés，1859）
　　分布：陕西（长安、蓝田、周至、太白、宁陕）、黑龙江、吉林、辽宁、山东、山
　　西、河南、甘肃、宁夏、青海、湖北、四川；蒙古，俄罗斯，韩国。

（279）黑纱白眼蝶 *Melanargia lugens* Honrath，1888
　　分布：陕西（长安、蓝田、周至、户县、太白、宁陕、商州）、黑龙江、吉林、辽
　　宁、北京、宁夏、甘肃。

（280）曼丽白眼蝶 *Melanargia meridionalis* C.＆R. Felder，1862
　　分布：陕西（长安、周至、户县、宝鸡、太白、华阴、留坝、佛坪、洋县、宁陕）、
　　河南、甘肃、浙江。

（281）山地白眼蝶 *Melanargia montana* Leech，1890
　　分布：陕西（留坝）、甘肃、湖北、四川。

97．暮眼蝶属 *Melanitis* Fabricius，1807

（282）（稻）暮眼蝶 *Melanitis leda*（Linnaeus，1758）
　　分布：陕西（南郑）、山东、河南、浙江、湖北、江西、湖南、福建、台湾、广东、
　　海南、广西、四川、贵州、云南；日本，越南，老挝，泰国，柬埔寨，缅甸，菲
　　律宾，马来西亚，新加坡，印度尼西亚，澳大利亚，非洲。

98．蛇眼蝶属 *Minois* Hübner，［1819］

（283）蛇眼蝶 *Minois dryas*（Scopoli，1763）

分布:陕西(长安、蓝田、周至、户县、太白、华县、佛坪、宁陕、柞水、镇安、商州、山阳、丹凤)、黑龙江、吉林、辽宁、河北、北京、山西、山东、河南、宁夏、甘肃、新疆、浙江、江西、福建;俄罗斯,朝鲜,日本,欧洲。

99. 眉眼蝶属 *Mycalesis* Hübner, 1818

(284) 拟稻眉眼蝶 *Mycalesis francisca* (Stoll, [1780])

分布:陕西(长安、蓝田、周至、户县、太白、华县、留坝、略阳、洋县、宁陕、石泉、汉阴、镇安、商南)、河南、浙江、江西、福建、海南、广东、台湾、广西、云南、四川;朝鲜,日本。

(285) 稻眉眼蝶 *Mycalesis gotama* Moore, 1857

分布:陕西(长安、周至、宝鸡、佛坪、洋县、宁陕、汉阴、略阳、山阳、丹凤)、辽宁、河南、甘肃、江苏、安徽、浙江、湖北、江西、湖南、福建、台湾、广东、海南、广西、四川、贵州、云南、西藏;朝鲜,日本,越南。

(286) 小眉眼蝶 *Mycalesis mineus* (Linnaeus, 1758)

分布:陕西(秦岭)、浙江、湖北、江西、福建、台湾、广东、海南、广西、四川、云南;缅甸,印度,尼泊尔,马来西亚,印度尼西亚,伊朗。

100. 荫眼蝶属 *Neope* Moore, [1866]

(287) 阿芒荫眼蝶 *Neope armandii* (Oberthür, 1876)

分布:陕西(太白、洋县、柞水)、浙江、福建、四川、云南;泰国,印度。

(288) 布莱荫眼蝶 *Neope bremeri* (C. & R. Felder, 1862)

分布:陕西(长安、太白)、浙江、湖北、台湾、四川。

(289) 德祥荫眼蝶 *Neope dejeani* Oberthür, 1894

分布:陕西(凤县)、云南、四川、西藏。

(290) 蒙链荫眼蝶 *Neope muirheadii* (C. & R. Felder, 1862)

分布:陕西(周至、太白、洋县、商南)、河南、浙江、安徽、湖北、湖南、江西、福建、台湾、广东、海南、四川、云南。

(291) 奥荫眼蝶 *Neope oberthueri* Leech, 1891

分布:陕西(太白、佛坪、宁陕)、河南、四川、云南。

(292) 黄斑荫眼蝶 *Neope pulaha* (Moore, 1857)

分布:陕西(太白、凤县、佛坪)、河南、浙江、湖北、江西、福建、台湾、四川、云南、西藏;缅甸,印度,不丹。

(293) 秦岭荫眼蝶 *Neope qinlingensis* Xu et Niu, 2006

分布:陕西(佛坪)。

（294）丝链荫眼蝶 *Neope yama*（Moore，［1858］）

分布：陕西（长安、周至、眉县、太白、留坝、佛坪、洋县）、河南、甘肃、浙江、湖北、福建、四川、云南；缅甸，印度。

101．宁眼蝶属 *Ninguta* Moore，1892

（295）宁眼蝶 *Ninguta schrenkii*（Ménétriés，1859）

分布：陕西（长安、蓝田、户县、太白、凤县、华县、留坝、宁陕、石泉、镇安、山阳、丹凤）、黑龙江、甘肃、新疆、安徽、江西、福建、四川；朝鲜。

102．酒眼蝶属 *Oeneis* Hübner，［1819］

（296）菩萨酒眼蝶 *Oeneis buddha* Grum-Grshmailo，1891

分布：陕西（太白）、黑龙江、辽宁、四川、西藏；印度。

103．古眼蝶属 *Palaeonympha* Butler，1871

（297）古眼蝶 *Palaeonympha opalina* Butler，1871

分布：陕西（周至、户县、眉县、太白、佛坪、洋县、宁陕、石泉、略阳、汉阴、柞水、山阳）、河南、甘肃、浙江、湖北、江西、台湾、四川、云南。

104．斑眼蝶属 *Penthema* Doubleday，［1848］

（298）白斑眼蝶 *Penthema adelma*（C. & R. Felder，1862）

分布：陕西（华阴、留坝、洋县、宁陕、山阳、商南）、甘肃、浙江、安徽、湖北、江西、湖南、福建、台湾、广西、四川。

105．寿眼蝶属 *Pseudochazara* de Lesse，1951

（299）寿眼蝶 *Pseudochazara hippolyte*（Esper，1783）

分布：陕西（秦岭）、辽宁、内蒙古、河北、宁夏、新疆。

106．网眼蝶属 *Rhaphicera* Butler，1867

（300）网眼蝶 *Rhaphicera dumicola*（Oberthür，1876）

分布：陕西（周至、留坝、宁陕、镇安）、河南、浙江、湖北、江西、四川。

107．藏眼蝶属 *Tatinga* Moore，1893

（301）藏眼蝶 *Tatinga thibetana*（Oberthür，1876）

分布：陕西（长安、蓝田、周至、户县、太白、凤县、留坝、宁陕）、河南、宁夏、甘肃、湖北、四川、西藏。

108. 矍眼蝶属 *Ypthima* Hübner, 1818

（302）矍眼蝶 *Ypthima baldus*（Fabricius, 1775）

分布:陕西（长安、蓝田、周至、户县、宝鸡、眉县、太白、凤县、华阴、留坝、佛坪、洋县、安康、宁陕、石泉、紫阳、汉阴、商州、山阳、丹凤），中国广布。

（303）中华矍眼蝶 *Ypthima chinensis* Leech, 1892

分布:陕西（长安、周至、户县、眉县、佛坪、洋县、略阳、宁陕、山阳、商南）、河南、山东、浙江、湖北、福建、广西。

（304）幽矍眼蝶 *Ypthima conjuncta* Leech, 1891

分布:陕西（周至、太白、佛坪、洋县、柞水、镇安、山阳、丹凤）、河南、浙江、湖北、江西、湖南、福建、广东、海南、广西、四川、贵州、云南。

（305）*Ypthima eckweileri* Uemura *et* Koiwaya, 2001

分布:陕西（留坝）。

（306）魔女矍眼蝶 *Ypthima medusa* Leech,［1892］

分布:陕西（眉县、太白）、安徽、湖北、广西、四川、贵州、云南。

（307）乱云矍眼蝶 *Ypthima megalomma* Butler, 1874

分布:陕西（长安、周至、太白、华县、柞水、商州）、辽宁、河北、河南、甘肃、浙江、江西、四川。

（308）东亚矍眼蝶 *Ypthima motschulskyi*（Bremer *et* Grey, 1853）

分布:陕西（长安、周至、户县、眉县、太白、华阴、留坝、洋县、略阳、宁陕、石泉、镇安、商州、山阳、丹凤、商南）、黑龙江、吉林、辽宁、浙江、湖北、江西、湖南、广东、海南、贵州；朝鲜，澳大利亚。

（309）密纹矍眼蝶 *Ypthima multistriata* Butler, 1883

分布:陕西（太白、佛坪、镇安）、安徽、江西、台湾。

（310）小矍眼蝶 *Ypthima nareda*（Kollar,［1844］）

分布:陕西（周至、太白、镇安）、安徽、江苏、湖南、四川、云南；缅甸，印度，尼泊尔，克什米尔。

（311）完璧矍眼蝶 *Ypthima perfecta* Leech, 1892

分布:陕西（洋县）、湖北、江西、湖南、福建、台湾、云南。

（312）前雾矍眼蝶 *Ypthima praenubila* Leech, 1891

分布:陕西（周至、太白）、浙江、福建、台湾、广东、海南、香港、广西、四川。

（313）连斑矍眼蝶 *Ypthima sakra* Moore, 1857

分布:陕西（周至、商南）、云南；印度，尼泊尔，不丹。

（314）大波矍眼蝶 *Ypthima tappana* **Matsumura，1909**

分布：陕西（南郑）、河南、湖北、江西、台湾、四川、云南。

（315）卓矍眼蝶 *Ypthima zodia* **Butler，1871**

分布：陕西（长安、太白、凤县、佛坪、洋县、商州）、河南、甘肃、浙江、江西、
台湾、广西、四川、云南。

四、灰蝶科 Lycaenidae

（一）云灰蝶亚科 Miletinae

109. 蚜灰蝶属 *Taraka* **Doherty，1889**

（316）蚜灰蝶 *Taraka hamada*（**Druce，1875**）

分布：陕西（周至、户县、华县、佛坪、洋县、商南）、辽宁、山东、河南、江苏、
浙江、江西、福建、台湾、广东、海南、广西、四川；朝鲜，日本，越南，泰国，
缅甸，印度，不丹，马来西亚，印度尼西亚。

（317）*Taraka shiloi* **Tamai** *et* **Lei，2001**

分布：陕西、四川。

（二）银灰蝶亚科 Curetinae

110. 银灰蝶属 *Curetis* **Hübner，[1819]**

（318）尖翅银灰蝶 *Curetis acuta* **Moore，1877**

分布：陕西（镇安、勉县）、河南、上海、浙江、湖北、江西、湖南、福建、台湾、
广东、海南、广西、四川、云南、西藏；印度，日本。

（三）线灰蝶亚科 Theclinae

111. 梳灰蝶属 *Ahlbergia* **Bryk，1946**

（319）金梳灰蝶 *Ahlbergia chalcidis* **Chou** *et* **Li，1994**

分布：陕西（户县）、甘肃、云南。

（320）东北梳灰蝶 *Ahlbergia frivaldszkyi*（**Lederer，1855**）

分布：陕西（长安、周至、户县、太白、山阳）、黑龙江、吉林、辽宁、内蒙古、北
京、浙江；俄罗斯，朝鲜。

（321）*Ahlbergia luoliangi* **Huang** *et* **Song，2006**

分布：陕西。

（322）*Ahlbergia maoweiweii* **Huang** *et* **Zhu，2016**

分布：陕西。

（323）尼采梳灰蝶 *Ahlbergia nicevillei*（Leech，1893）

　　分布：陕西（商州）、浙江、湖北、云南。

112. 丫灰蝶属 *Amblopala* Leech，1893

（324）丫灰蝶 *Amblopala avidiena*（Hewitson，1877）

　　分布：陕西（镇安）、河南、江苏、浙江、江西、福建、台湾、四川；印度。

113. 青灰蝶属 *Antigius* Sibatani *et* Ito，1942

（325）青灰蝶 *Antigius attilia*（Bremer，1861）

　　分布：陕西（周至、留坝、宁陕）、辽宁、河南、浙江、台湾、四川、云南；蒙古，俄罗斯，朝鲜，日本。

（326）巴青灰蝶 *Antigius butleri*（Fenton，1881）

　　分布：陕西（秦岭）、黑龙江、吉林、辽宁、四川；俄罗斯，朝鲜，日本。

114. 癞灰蝶属 *Araragi* Sibatani *et* Ito，1942

（327）癞灰蝶 *Araragi enthea*（Janson，1877）

　　分布：陕西（周至、宝鸡、宁陕）、黑龙江、辽宁、北京、河南、浙江、湖北、台湾、四川；俄罗斯，朝鲜，日本。

115. 精灰蝶属 *Artopoetes* Chapman，1909

（328）精灰蝶 *Artopoetes pryeri*（Murray，1873）

　　分布：陕西（太白）、黑龙江、吉林、辽宁、内蒙古、北京、河南；俄罗斯，朝鲜，日本。

116. 金灰蝶属 *Chrysozephyrus* Shirôzu *et* Yamamoto，1956

（329）耀金灰蝶 *Chrysozephyrus brillantinus*（Staudinger，1887）

　　分布：陕西（周至、宁陕）、吉林、辽宁、河南、湖北；朝鲜，日本。

（330）裂斑金灰蝶 *Chrysozephyrus disparatus*（Howarth，1957）

　　分布：陕西（周至）、浙江、江西、福建、台湾、广东、四川、云南；越南，老挝，印度（锡金）。

（331）高氏金灰蝶 *Chrysozephyrus gaoi* Koiwaya，1993

　　分布：陕西（周至）。

（332）庞金灰蝶 *Chrysozephyrus giganteus* Wang *et* Fan，2002

分布：陕西（凤县）。

（333）*Chrysozephyrus kimurai* Koiwaya，2002

分布：陕西。

（334）雷氏金灰蝶 *Chrysozephyrus leii* Chou，1994

分布：陕西（周至、户县、太白、留坝）。

（335）林氏金灰蝶 *Chrysozephyrus linae* Koiwaya，1993

分布：陕西（周至）。

（336）黑缘金灰蝶 *Chrysozephyrus nigroapicalis*（Howarth，1957）

分布：陕西（周至）、湖北、浙江、四川。

（337）闪光金灰蝶 *Chrysozephyrus scintillans*（Leech，1894）

分布：陕西（汉中）、浙江、湖北、江西、台湾、广东、海南、四川、云南。

（338）金灰蝶 *Chrysozephyrus smaragdinus*（Bremer，1861）

分布：陕西（周至、宁陕、洋县）、黑龙江、吉林、辽宁、河南、四川；朝鲜，日本。

（339）腰金灰蝶 *Chrysozephyrus yoshikoae* Koiwaya，1993

分布：陕西（凤县）、湖南。

（340）袁氏金灰蝶 *Chrysozephyrus yuani* Wang *et* Fan，2002

分布：陕西（凤县）。

117. 珂灰蝶属 *Cordelia* Shirôzu *et* Yamamoto，1956

（341）珂灰蝶 *Cordelia comes*（Leech，1890）

分布：陕西（周至、宁陕、柞水）、河南、浙江、湖北、台湾、四川。

（342）北协珂灰蝶 *Cordelia kitawakii* Koiwaya，1993

分布：陕西（户县、太白、留坝、佛坪）、河南、湖北、广东。

（343）*Cordelia koizumii* Koiwaya，1996

分布：陕西。

（344）密妮珂灰蝶 *Cordelia minerva*（Leech，1890）

分布：陕西（周至、留坝、汉台）、湖北。

118. 艳灰蝶属 *Favonius* Sibatani *et* Ito，1942

（345）亲艳灰蝶 *Favonius cognatus*（Staudinger，1892）

分布：陕西（户县、留坝）、黑龙江、辽宁、北京、山西、河南、宁夏、甘肃、青海、云南；朝鲜，日本。

（346）考艳灰蝶 *Favonius korshunovi*（Dubatolov *et* Sergeev，1982）

分布:陕西(户县)、吉林、辽宁、北京、河北、河南、甘肃、四川;俄罗斯,朝鲜。

（347）里奇艳灰蝶 *Favonius leechi*（Riley,1939）
分布:陕西(秦岭)、甘肃、浙江、湖北、四川、云南。

（348）艳灰蝶 *Favonius orientalis*（Murray,1875）
分布:陕西(宁陕)、黑龙江、辽宁、北京、河北、山西、河南、宁夏、甘肃、湖北、江西、四川、贵州、云南;俄罗斯,朝鲜,日本。

（349）萨艳灰蝶 *Favonius saphirinus*（Staudinger,1887）
分布:陕西(洋县)、黑龙江、辽宁、河南、甘肃、四川、云南;俄罗斯,朝鲜,日本。

（350）翠艳灰蝶 *Favonius taxila*（Bremer,1861）
分布:陕西(留坝、汉中)、吉林、辽宁、北京、河北、河南、湖北、甘肃、新疆、四川。

（351）超艳灰蝶 *Favonius ultramarinus*（Fixsen,1887）
分布:陕西(宝鸡)、辽宁、河南、甘肃、四川;俄罗斯,朝鲜,日本。

119. 工灰蝶属 *Gonerilia* Shirôzu *et* Yamamoto,1956

（352）冈村工灰蝶 *Gonerilia okamurai* Koiwaya,1996
分布:陕西(太白)、河南、四川。

（353）佩工灰蝶 *Gonerilia pesthis* Wang *et* Chou,1998
分布:陕西(周至)。

（354）天使工灰蝶 *Gonerilia seraphim*（Oberthür,1886）
分布:陕西(周至、宁陕)、甘肃、浙江、湖北、四川、云南。

（355）银线工灰蝶 *Gonerilia thespis*（Leech,1890）
分布:陕西(周至、户县、太白)、辽宁、河南、湖北、四川。

120. 珠灰蝶属 *Iratsume* Sibatani *et* Ito,1942

（356）珠灰蝶 *Iratsume orsedice*（Butler,[1882]）
分布:陕西(秦岭)、湖北、台湾、四川;日本。

121. Genus *Iwaseozephyrus* Fujioka,1994

（357）*Iwaseozephyrus ackeryi* Fujioka,1994
分布:陕西(太白山)

122. 黄灰蝶属 *Japonica* Tutt,[1907]

（358）黄灰蝶 *Japonica lutea*（Hewitson,1865）

　　　　　分布：陕西(周至、户县、汉阴)、黑龙江、吉林、辽宁、河南、甘肃、四川。

(359) 栅黄灰蝶 *Japonica saepestriata* (Hewitson, 1865)

　　　　　分布：陕西(宁陕)、黑龙江、吉林、辽宁、甘肃、福建、四川；俄罗斯，朝鲜，日本。

123. 玛灰蝶属 *Mahathala* Moore, 1878

(360) 玛灰蝶 *Mahathala ameria* (Hewitson, 1862)

　　　　　分布：陕西(西乡)、浙江、江西、福建、台湾、广东、海南、广西；缅甸，印度，马来西亚，印度尼西亚。

124. 齿轮灰蝶属 *Novosatsuma* Johnson, 1992

(361) *Novosatsuma collosa* Johnson, 1992

　　　　　分布：陕西、甘肃。

(362) 璞齿轮灰蝶 *Novosatsuma plumbagina* Johnson, 1992

　　　　　分布：陕西(周至)、湖北。

(363) 齿轮灰蝶 *Novosatsuma pratti* (Leech, 1889)

　　　　　分布：陕西(长安、户县、勉县)、浙江、湖北、湖南、四川、云南。

125. 俳灰蝶属 *Panchala* Moore, 1882

(364) 俳灰蝶 *Panchala ganesa* (Moore, 1857)

　　　　　分布：陕西(城固)、湖北、江西、台湾、海南、四川；日本，泰国，缅甸，印度，尼泊尔。

126. 祖灰蝶属 *Protantigius* Shirôzu *et* Yamamoto, 1956

(365) 祖灰蝶 *Protantigius superans* (Oberthür, 1914)

　　　　　分布：陕西(太白、留坝)、辽宁、甘肃、浙江、台湾、四川；朝鲜，俄罗斯。

127. 秦灰蝶属 *Qinorapala* Chou *et* Wang, 1995

(366) 秦灰蝶 *Qinorapala qinlingana* Chou *et* Wang, 1995

　　　　　分布：陕西(周至、凤县)。

128. 燕灰蝶属 *Rapala* Moore, [1881]

(367) 蓝燕灰蝶 *Rapala caerulea* (Bremer *et* Grey, [1852])

　　　　　分布：陕西(长安、周至、太白、宁陕、镇安、山阳)、黑龙江、辽宁、北京、河北、山东、河南、甘肃、江苏、浙江、江西、台湾、四川；朝鲜。

（368）霓纱燕灰蝶 *Rapala nissa*（Koltar，[1844]）

分布：陕西（长安、周至、户县、宝鸡、宁陕、石泉、镇安、丹凤、商南）、黑龙江、河北、河南、浙江、湖北、江西、台湾、广东、广西、四川、云南；泰国，印度，马来西亚。

（369）彩燕灰蝶 *Rapala selira*（Moore，1874）

分布：陕西（长安、周至、户县、太白、宁陕、镇安、商州）、黑龙江、辽宁、河南、甘肃、浙江、云南、西藏；印度。

（370）高沙子燕灰蝶 *Rapala takasagonis* Matsumura，1929

分布：陕西（洋县、商南）、江西、福建、台湾。

129．三枝灰蝶属 *Saigusaozephyrus* Koiwaya，1993

（371）三枝灰蝶 *Saigusaozephyrus atabyrius*（Oberthur，1914）

分布：陕西（太白）、四川。

130．洒灰蝶属 *Satyrium* Scudder，1876

（372）德洒灰蝶 *Satyrium dejeani*（Riley，1939）

分布：陕西（长安、蓝田、户县、华阴）、四川。

（373）优秀洒灰蝶 *Satyrium eximia*（Fixsen，1887）

分布：陕西（长安、蓝田、周至、留坝、汉阴、商州）、黑龙江、吉林、辽宁、北京、山东、河南、甘肃、浙江、福建、台湾、广东、海南、四川、云南；朝鲜。

（374）大洒灰蝶 *Satyrium grandis*（C. & R. Felder，1862）

分布：陕西（宝鸡、商州）、黑龙江、河南、江苏、浙江、江西、福建、四川；蒙古，俄罗斯。

（375）幽洒灰蝶 *Satyrium iyonis*（Oxta *et* Kusunoki，1957）

分布：陕西（长安、周至、户县、太白、华阴、汉阴、洋县、留坝、商州）、吉林、山西、河南、甘肃、青海、四川；日本。

（376）饰洒灰蝶 *Satyrium ornata*（Leech，1890）

分布：陕西（周至、凤县、留坝）、北京、山西、河南、湖北、四川。

（377）礼洒灰蝶 *Satyrium percomis*（Leech，1894）

分布：陕西（长安、周至、户县、凤县）、河南、甘肃、四川。

（378）苹果洒灰蝶 *Satyrium pruni*（Linnaeus，1758）

分布：陕西（太白、宁陕）、黑龙江、吉林、山西、河南、四川；俄罗斯，朝鲜，日本，哈萨克斯坦，欧洲。

（379）普洒灰蝶 *Satyrium prunoides*（Staudinger，1887）

分布：陕西（凤县、宁陕）、辽宁、北京、河南、湖北；俄罗斯，朝鲜。

（380）红斑洒灰蝶 *Satyrium rubicundulum*（Leech, 1890）

　　分布：陕西（长安、蓝田、户县、眉县、太白、华县、汉阴、宁陕）、甘肃、湖北。

（381）刺痣洒灰蝶 *Satyrium spini*（**Fabricius, 1787**）

　　分布：陕西（长安、周至、宝鸡、汉阴）、黑龙江、吉林、辽宁、北京、河北、山西、山东、河南；朝鲜。

（382）塔洒灰蝶 *Satyrium thalia*（Leech, 1893）

　　分布：陕西（太白、凤县、佛坪、洋县）、河南、湖北。

（383）维洒灰蝶 *Satyrium v-album*（Oberthür, 1886）

　　分布：陕西（长安、蓝田）、河南、四川。

（384）乌洒灰蝶 *Satyrium w-album*（Knoch, 1782）

　　分布：陕西（秦岭）、河北、吉林、内蒙古；朝鲜，日本，欧洲。

131．陕灰蝶属 *Shaanxiana* **Koiwaya, 1993**

（385）陕灰蝶 *Shaanxiana takashimai* **Koiwaya, 1993**

　　分布：陕西（周至、户县、宁陕）、河南。

132．诗灰蝶属 *Shirozua* **Sibatani** *et* **Ito, 1942**

（386）诗灰蝶 *Shirozua jonasi*（**Janson, 1877**）

　　分布：陕西（秦岭）、黑龙江、吉林、辽宁、北京、河北、山西；俄罗斯，朝鲜，日本。

（387）媚诗灰蝶 *Shirozua melpomene*（Leech, 1890）

　　分布：陕西（周至）、浙江、湖北、四川、云南。

133．柴谷灰蝶属 *Sibataniozephyrus* **Inomata, 1986**

（388）*Sibataniozephyrus fujisanus*（Matsumura, 1910）

　　分布：陕西（秦岭）；日本。

134．生灰蝶属 *Sinthusa* **Moore, 1884**

（389）生灰蝶 *Sinthusa chandrana*（Moore, 1882）

　　分布：陕西（南郑）、河南、浙江、江西、福建、台湾、广东、广西、四川、云南；越南，泰国，缅甸，印度，新加坡。

（390）拉生灰蝶 *Sinthusa rayata* **Riley, 1939**

　　分布：陕西（周至、宁陕）、河南、四川。

135．银线灰蝶属 *Spindasis* **Wallenren, 1857**

（391）银线灰蝶 *Spindasis lohita*（Horsfield,［1829］）

　　　　分布:陕西(留坝、洋县、勉县)、辽宁、河南、江西、福建、台湾、广东、广西、
　　　云南;越南,缅甸,印度,斯里兰卡。

(392) 豆粒银线灰蝶 *Spindasis syama*(Horsfield,[1829])
　　　　分布:陕西(留坝、洋县、南郑)、河南、湖北、江西、台湾、广东、海南、广西、
　　　四川;缅甸,印度,菲律宾,马来西亚,印度尼西亚。

136. 洒灰蝶属 *Strymonidia* Tutt,[1908]

(393) *Strymonidia austrina giacomazzoi*(Bozano,1996)
　　　　分布:陕西(秦岭)。

137. 铁灰蝶属 *Teratozephyrus* Sibatani,1946

(394) 黑铁灰蝶 *Teratozephyrus hecale*(Leech,1894)
　　　　分布:陕西(长安、凤县、宁陕)、台湾、四川。

138. 线灰蝶属 *Thecla* Fabricius,1807

(395) 线灰蝶 *Thecla betulae*(Linnaeus,1758)
　　　　分布:陕西(长安、周至、洛南、山阳)、黑龙江、吉林、北京、河南、青海、新
　　　疆、浙江、四川;俄罗斯,朝鲜,亚洲,欧洲。

(396) 桦小线灰蝶 *Thecla betulina* Staudinger,1887
　　　　分布:陕西(周至、太白)、黑龙江、辽宁、甘肃;朝鲜。

139. 赭灰蝶属 *Ussuriana* Tutt,[1907]

(397) 范赭灰蝶 *Ussuriana fani* Koiwaya,1993
　　　　分布:陕西(长安、周至、户县、佛坪)、河南。

(398) 赭灰蝶 *Ussuriana michaelis*(Oberthür,1880)
　　　　分布:陕西(周至、华阴、柞水)、吉林、辽宁、河南、浙江、江西、四川;朝鲜。

(399) 藏宝赭灰蝶 *Ussuriana takarana*(Araki *et* Hirayama,1941)
　　　　分布:陕西(周至、留坝)、江西、福建、台湾。

140. 华灰蝶属 *Wagimo* Sibatani *et* Ito,1942

(400) 黑带华灰蝶 *Wagimo signata*(Butler,[1882])
　　　　分布:陕西(周至)、黑龙江、辽宁、四川;俄罗斯,朝鲜,韩国,日本。

(401) 华灰蝶 *Wagimo sulgeri*(Oberthür,1908)
　　　　分布:陕西(长安、周至、户县)、河南、浙江、江西、福建、台湾。

（四）灰蝶亚科 Lycaeninae

141. 呃灰蝶属 *Athamanthia* Zhdanko, 1983

（402）华山呃灰蝶 *Athamanthia svenhedini*（Nordstrom, 1935）
　　分布：陕西（华县）、河南、甘肃。

142. 彩灰蝶属 *Heliophorus* Geyer,［1832］

（403）浓紫彩灰蝶 *Heliophorus ila*（de Nicéville *et* Martin,［1896］）
　　分布：陕西（秦岭）、河南、江西、福建、台湾、广东、海南、广西、四川、云南；缅甸，印度（锡金），不丹，马来西亚，印度尼西亚。

（404）摩来彩灰蝶 *Heliophorus moorei*（Hcwltson, 1865）
　　分布：陕西（周至、户县、宝鸡、留坝、佛坪、勉县、石泉、宁陕、汉阴、商州、山阳、丹凤）、江西、四川、云南；缅甸，印度，不丹。

143. 灰蝶属 *Lycaena* Fabricius, 1807

（405）橙灰蝶 *Lycaena dispar*（Haworth, 1802）
　　分布：陕西（太白、商州）、黑龙江、吉林、辽宁、西藏；俄罗斯，朝鲜。

（406）红灰蝶 *Lycaena phlaeas*（Linnaeus, 1761）
　　分布：陕西（长安、周至、太白、华县、留坝、佛坪、宁陕、石泉、镇安、洛南、山阳、丹凤、商南）、黑龙江、吉林、辽宁、北京、河北、河南、新疆、江苏、浙江、江西、福建、西藏；朝鲜，日本，欧洲，非洲北部。

（五）眼灰蝶亚科 Polyommatinae

144. 点灰蝶属 *Agrodiaetus* Hübner, 1822

（407）阿点灰蝶 *Agrodiaetus amandus*（Schneider, 1792）
　　分布：陕西（太白、凤县）、内蒙古、新疆；俄罗斯。

145. 爱灰蝶属 *Aricia* Reichenbach, 1817

（408）华夏爱灰蝶 *Aricia chinensis* Murray, 1874
　　分布：陕西（秦岭）、北京、河南、新疆。

146. 驳灰蝶属 *Bothrinia* Chapman, 1909

（409）雾驳灰蝶 *Bothrinia nebulosa*（Leech, 1890）
　　分布：陕西（长安、周至、太白、华县、宁陕、佛坪、山阳）、黑龙江、吉林、河南、宁夏、湖北、四川。

147. 靛灰蝶属 *Caerulea* Forster, 1938

(410) 靛灰蝶 *Caerulea coeligena* (Oberthür, 1876)
　　分布:陕西(长安、户县、华县、宁陕、柞水、镇安)、河南、湖北、四川、云南。

148. 璃灰蝶属 *Celastrina* Tutt, 1906

(411) 璃灰蝶 *Celastrina argiola* (Linnaeus, 1758)
　　分布:陕西(长安、周至、户县、太白、渭滨、佛坪、洋县、宁陕、石泉、山阳)、黑龙江、辽宁、河北、山西、山东、河南、甘肃、青海、浙江、江西、湖南、福建、台湾、广东、海南、广西、四川、云南、西藏。
(412) 华西璃灰蝶 *Celastrina hersilia* (Leech, 1893)
　　分布:陕西、浙江、湖北、江西、福建、四川、云南、西藏;尼泊尔。
(413) 大紫璃灰蝶 *Celastrina oreas* (Leech, 1893)
　　分布:陕西(长安、蓝田、周至、户县、宝鸡、眉县、太白、凤县、华县、佛坪、洋县、宁陕、石泉、汉阴、镇安、山阳、丹凤)、黑龙江、浙江、江西、台湾、四川、贵州、云南、西藏;缅甸。

149. 紫灰蝶属 *Chilades* Moore, [1881]

(414) 曲纹紫灰蝶 *Chilades pandava* (Horsfield, [1829])
　　分布:陕西(汉台)、江西、台湾、广东、香港、广西;缅甸,斯里兰卡,马来西亚,印度尼西亚。

150. 枯灰蝶属 *Cupido* Schrank, 1801

(415) 枯灰蝶 *Cupido minimus* (Fuessly, 1775)
　　分布:陕西(太白)、吉林、辽宁、甘肃;朝鲜。

151. 蓝灰蝶属 *Everes* Hübner, [1819]

(416) 蓝灰蝶 *Everes argiades* (Pallas, 1771)
　　分布:陕西(长安、蓝田、周至、户县、宝鸡、眉县、太白、华县、华阴、留坝、佛坪、洋县、宁陕、石泉、汉阴、柞水、镇安、洛南、商州、山阳、丹凤、商南)、黑龙江、吉林、辽宁、内蒙古、北京、河北、山东、河南、浙江、江西、福建、台湾、海南、四川、云南、西藏;朝鲜,日本,欧洲,北美洲。
(417) 长尾蓝灰蝶 *Everes lacturnus* (Godart, [1824])
　　分布:陕西(长安、蓝田、周至、宝鸡、眉县、太白、华阴、佛坪、宁陕、石泉、柞水、镇安、商州、山阳、丹凤、商南)、浙江、湖北、江西、福建、台湾、广东、香港、广西、云南；泰国，印度，斯里兰卡，巴布亚新几内亚，澳大利亚。

152．戈灰蝶属 *Glaucopsyche* Scudder，1872

（418）黎戈灰蝶 *Glaucopsyche lycormas*（Butler，1866）
　　分布：陕西（周至、太白、镇安、山阳）、黑龙江、内蒙古、北京、河南、宁夏、甘肃、青海、新疆、四川；朝鲜，日本。

153．亮灰蝶属 *Lampides* Hübner，［1819］

（419）亮灰蝶 *Lampides boeticus*（Linnaeus，1767）
　　分布：陕西（南郑）、河南、浙江、江西、福建、云南；亚洲，欧洲，澳洲，太平洋诸岛，非洲北部。

154．红珠灰蝶属 *Lycaeides* Hübner，［1819］

（420）红珠灰蝶 *Lycaeides argyrognomon*（Bergsträsser，［1779］）
　　分布：陕西（宁陕、商州、丹凤）、黑龙江、吉林、辽宁、河北、山西、山东、河南、甘肃、青海、新疆、四川；朝鲜，日本，欧洲。

（421）茄纹红珠灰蝶 *Lycaeides cleobis*（Bremer，1861）
　　分布：陕西（长安）、甘肃；朝鲜，日本。

155．霾灰蝶属 *Maculinea* van Eecke，1915

（422）*Maculinea arionides*（Staudinger，1887）
　　分布：陕西；日本。

（423）胡麻霾灰蝶 *Maculinea teleius*（Bergsträsser，［1779］）
　　分布：陕西（太白）、黑龙江、吉林、内蒙古、北京、河北、山西、山东、河南、宁夏、青海；朝鲜，日本，欧洲。

156．黑灰蝶属 *Niphanda* Moore，［1875］

（424）黑灰蝶 *Niphanda fusca*（Bemer *et* Grey，1853）
　　分布：陕西（长安、周至、太白、佛坪、洋县、山阳、商南）、黑龙江、吉林、辽宁、河北、山东、山西、河南、甘肃、青海、浙江、湖北、江西、湖南、福建、四川；朝鲜，日本。

157．锯灰蝶属 *Orthomiella* de Nicéville，1890

（425）锯灰蝶 *Orthomiella pontis*（Elwes，1887）
　　分布：陕西（长安、周至、户县、太白、华县、佛坪、洋县、宁陕、石泉、汉阴、镇安、商州、山阳)、河南、江苏、浙江、湖北、福建;印度(锡金)。

(426)中华锯灰蝶 *Orthomiella sinensis*(Elwes,1887)

分布:陕西(长安、周至、户县、佛坪、洋县、宁陕、石泉)、河南、浙江、湖北、江西。

158. 豆灰蝶属 *Plebejus* Kluk,1780

(427)豆灰蝶 *Plebejus argus*(Linnaeus,1758)

分布:陕西(周至、太白)、黑龙江、吉林、辽宁、河北、山西、山东、河南、甘肃、青海、新疆、湖南、四川;朝鲜,日本,欧洲。

159. 眼灰蝶属 *Polyornmatus* Latreille,1804

(428)多眼灰蝶 *Polyommatus erotides* Staudinger,1892

分布:陕西(周至、太白、凤县、留坝、山阳、丹凤)、黑龙江、吉林、辽宁、河北、山东、河南、宁夏、甘肃、青海、新疆、四川、西藏;蒙古,俄罗斯,朝鲜,日本,欧洲。

160. 酢浆灰蝶属 *Pseudozizeeria* Beuret,1955

(429)酢浆灰蝶 *Pseudozizeeria maha* Kollar,[1844]

分布:陕西(长安、周至、太白、华县、潼关、留坝、勉县、佛坪、洋县、宁强、宁陕、石泉、柞水、镇安、丹凤、山阳、商南)、河南、浙江、江西、福建、台湾、广东、海南、广西、四川;朝鲜,日本,泰国,缅甸,印度,尼泊尔,巴基斯坦,马来西亚。

161. 珞灰蝶属 *Scolitantides* Hübner,[1819]

(430)珞灰蝶 *Scolitantides orion*(Pallas,1771)

分布:陕西(长安、周至、户县、眉县、太白、凤县、华阴、留坝、佛坪、宁陕、柞水、商州、山阳、丹凤)、黑龙江、吉林、辽宁、北京、河北、山西、河南、甘肃、新疆、湖北、福建、云南、西藏;俄罗斯,朝鲜,日本,欧洲。

162. 扫灰蝶属 *Subsulanoides* Koiwaya,1989

(431)扫灰蝶 *Subsulanoides nagata* Koiwaya,1989

分布:陕西(太白)、甘肃、青海。

163. 玄灰蝶属 *Tongeia* Tutt,[1908]

(432)大卫玄灰蝶 *Tongeia davidi*(Poujade,1884)

分布:陕西(太白、华县)、四川。

(433) 点玄灰蝶 *Tongeia filicaudis*（Pryer，1877）

分布:陕西(长安、周至、户县、太白、佛坪、宁陕、汉阴、柞水、镇安、丹凤、商南)、黑龙江、山西、山东、河南、浙江、江西、福建、台湾、四川。

(434) 玄灰蝶 *Tongeia fischeri*（Eversmann，1843）

分布:陕西(长安、户县、周至、宝鸡、眉县、太白、华县、佛坪、镇安、商州、山阳、商南)、黑龙江、辽宁、河北、山西、山东、河南、江西、福建、台湾；俄罗斯，朝鲜，日本。

(435) 淡纹玄灰蝶 *Tongeia ion*（Leech，1891）

分布:陕西(秦岭)、四川、贵州、云南、西藏。

(436) 波太玄灰蝶 *Tongeia potanini*（Alphéraky，1889）

分布:陕西(周至、旬阳、山阳、丹凤)、河南、浙江、江西、四川；老挝，泰国，印度。

(437) 竹都玄灰蝶 *Tongeia zuthus*（Leech，1893）

分布:陕西(华县)、四川。

(六)蚬蝶亚科 Riodinidae

164. 褐蚬蝶属 *Abisara* C. & R. Felder，1860

(438) 黄带褐蚬蝶 *Abisara fylla*（Westwood，1851）

分布:陕西(镇安、山阳、丹凤、商南)、江西、福建、云南；泰国，缅甸。

(439) 白带褐蚬蝶 *Abisara fylloides* Moore，1902

分布:陕西(镇安、商州、山阳)、浙江、湖北、江西、福建、海南、四川、云南；越南。

165. 尾蚬蝶属 *Dodona* Hewitson，1861

(440) 银纹尾蚬蝶 *Dodona eugenes* Bates，[1868]

分布:陕西(佛坪、洋县、汉阴、镇安、商南)、河南、浙江、江西、福建、台湾、广东、海南、云南、西藏；越南，泰国，缅甸，印度，尼泊尔，不丹，马来西亚。

(441) 斜带缺尾蚬蝶 *Dodona ouida* Hewitson，1865

分布:陕西(汉台)、甘肃、江西、四川、云南；越南，泰国，缅甸，印度。

166. 小蚬蝶属 *Polycaena* Staudinger，1886

(442) 露娅小蚬蝶 *Polycaena lua* Grum-Grshfmailo，1891

分布:陕西(眉县、太白)、四川、西藏。

167. 豹蚬蝶属 *Takashia* Okano *et* Okano，1985

（443）豹蚬蝶 *Takashia nana*（Leech，1893）
　　分布：陕西（长安、蓝田、周至、户县、太白、佛坪、宁陕、柞水、商州）、四川、云南。

168. 波蚬蝶属 *Zemeros* Boisduval，［1836］

（444）波蚬蝶 *Zemeros flegyas*（Cramer，［1780］）
　　分布：陕西（宁强）、甘肃、浙江、湖北、江西、福建、广东，海南、广西、四川、云南、西藏；缅甸，印度，菲律宾，马来西亚，印度尼西亚。

五、弄蝶科 Hesperiidae

（一）竖翅弄蝶亚科 Coeliadinae

169. 伞弄蝶属 *Bibasis* Moore，［1881］

（445）雕形伞弄蝶 *Bibasis aquilina*（Speyer，1879）
　　分布：陕西（周至）、黑龙江、吉林、辽宁、甘肃、四川；俄罗斯，朝鲜，日本。

（446）白伞弄蝶 *Bibasis gomata*（Moore，［1866］）
　　分布：陕西（宁陕）、湖北、江西、海南、香港、四川、云南；越南，老挝，缅甸，印度，菲律宾，马来西亚，印度尼西亚。

170. 绿弄蝶属 *Choaspes* Moore，［1881］

（447）绿弄蝶 *Choaspes benjaminii*（Guérin-Méneville，1843）
　　分布：陕西（长安、周至、镇安）、河南、甘肃、浙江、湖北、江西、福建、台湾、广东、海南、香港、广西、四川、云南；日本，越南，泰国，缅甸，印度，尼泊尔，斯里兰卡，菲律宾，马来西亚，印度尼西亚。

171. 趾弄蝶属 *Hasora* Moore，1881

（448）无趾弄蝶 *Hasora anura* de Nicéville，1889
　　分布：陕西（留坝、略阳）、河南、浙江、江西、湖南、福建、台湾、海南、香港、广西、四川、云南；越南，老挝，泰国，缅甸，印度。

（二）花弄蝶亚科 Pyrginae

172. 白弄蝶属 *Abraximorpha* Elwes *et* Edwards，1897

（449）白弄蝶 *Abraximorpha davidii*（Mabille，1876）

分布:陕西(长安、周至、宝鸡、眉县、华县、宁陕、柞水、商州、山阳、商南)、山西、河南、甘肃、浙江、湖北、江西、湖南、福建、台湾、广东、海南、香港、四川、云南;越南,缅甸,印度尼西亚。

173. 星弄蝶属 *Celaenorrhinus* Hübner,[1819]

(450) 斑星弄蝶 *Celaenorrhinus maculosus*(C. & R. Felder,[1867])
分布:陕西(洋县、南郑)、内蒙古、河南、甘肃、江苏、上海、浙江、湖北、江西、福建、台湾、四川。

174. 窗弄蝶属 *Coladenia* Moore,[1881]

(451) 花窗弄蝶 *Coladenia hoenei* Evans,1939
分布:陕西(长安、周至、户县、眉县、太白、凤县、柞水、镇安)、河南、浙江、江西、福建。

(452) 幽窗弄蝶 *Coladenia sheila* Evans,1939
分布:陕西(洋县、山阳)、河南、浙江、江西、福建。

(453) 玻窗弄蝶 *Coladenia vitrea* Leech,1893
分布:陕西(凤县、宁陕)、四川。

175. 梳翅弄蝶属 *Ctenoptilum* de Nicéville,1890

(454) 梳翅弄蝶 *Ctenoptilum vasava*(Moore,[1866])
分布:陕西(长安、周至、户县、镇安、山阳、丹凤)、河北、河南、江苏、浙江、江西、四川、云南;老挝,泰国,缅甸,印度。

176. 黑弄蝶属 *Daimio* Murray,1875

(455) 黑弄蝶 *Daimio tethys*(Ménétriés,1857)
分布:陕西(长安、蓝田、周至、户县、眉县、太白、佛坪、洋县、宁陕、石泉、汉阴、柞水、镇安、山阳、丹凤、商南)、黑龙江、吉林、辽宁、北京、河北、山西、山东、河南、甘肃、江苏、上海、浙江、湖北、湖南、江西、福建、台湾、海南、香港、四川、云南、西藏;蒙古,朝鲜,韩国,日本,缅甸。

177. 珠弄蝶属 *Erynnis* Schrank,1801

(456) 深山珠弄蝶 *Erynnis montanus*(Bremer,1861)
分布:陕西(长安、周至、户县、华阴、宁陕、镇安、丹凤)、黑龙江、吉林、辽宁、北京、山西、山东、河南、青海、浙江、江西、四川、云南、西藏;俄罗斯,朝鲜,日本。

（457）波珠弄蝶 *Erynnis popoviana*（**Nordmann，1851**）

分布:陕西(眉县、商州)、吉林、北京、河北、山西、山东、河南、宁夏、甘肃、青海;俄罗斯。

（458）珠弄蝶 *Erynnis tages*（**Linnaeus，1758**）

分布:陕西(商州)、黑龙江、河北、山西、山东、河南、宁夏、甘肃、新疆、四川;蒙古,朝鲜,小亚细亚,欧洲。

178. 捷弄蝶属 *Gerosis* Mabille，1903

（459）匪夷捷弄蝶 *Gerosis phisara*（**Moore，1884**）

分布:陕西(佛坪、洋县)、浙江、湖北、江西、湖南、福建、广东、海南、广西、四川、云南、西藏;缅甸,印度。

（460）中华捷弄蝶 *Gerosis sinica*（**C. & R. Felder，1862**）

分布:陕西(佛坪)、江苏、浙江、湖北、江西、海南、四川;缅甸,印度,马来西亚。

179. 带弄蝶属 *Lobocla* Moore，1884

（461）双带弄蝶 *Lobocla bifasciatus*（**Bremer *et* Grey，1853**）

分布:陕西(长安、蓝田、周至、户县、宝鸡、眉县、太白、凤县、华阴、留坝、佛坪、洋县、宁陕、石泉、柞水、镇安、商州、山阳、丹凤)、黑龙江、吉林、辽宁、北京、河北、山西、山东、河南、甘肃、浙江、湖北、江西、福建、台湾、广东、四川、云南、西藏;俄罗斯,朝鲜。

（462）嵌带弄蝶 *Lobocla proxima*（**Leech，1891**）

分布:陕西(洋县、南郑)、四川、云南。

180. 襟弄蝶属 *Pseudocoladenia* Shiräzu *et* Saigusa，1962

（463）黄襟弄蝶 *Pseudocoladenia dea*（**Leech，1892**）

分布:陕西(洋县、山阳)、甘肃、安徽、浙江、湖北、福建、海南、广西、四川;越南,泰国,缅甸,印度,尼泊尔,马来西亚,印度尼西亚。

181. 花弄蝶属 *Pyrgus* Hübner，[1819]

（464）花弄蝶 *Pyrgus maculatus*（**Bremer *et* Grey，1853**）

分布:陕西(周至、眉县、太白、佛坪、宁陕、石泉、商州、镇安、山阳)、黑龙江、吉林、辽宁、内蒙古、北京、山西、山东、河南、上海、浙江、湖北、江西、湖南、福建、广东、广西、四川、云南、西藏;蒙古,俄罗斯,朝鲜,日本。

182. 飒弄蝶属 _Satarupa_ Moore,[1866]

(465) 飒弄蝶 _Satarupa gopala_ Moore,1866

分布:陕西(长安、周至、华县)、黑龙江、辽宁、河南、甘肃、浙江、江西、湖南、福建、海南、广西、四川;越南,印度,马来西亚,印度尼西亚。

(466) 密纹飒弄蝶 _Satarupa monbeigi_ Oberthür,1921

分布:陕西(蓝田、周至、山阳)、江苏、上海、浙江、湖北、江西、湖南、广西、四川、贵州;蒙古。

(467) 蛱型飒弄蝶 _Satarupa nymphalis_(Speyer,1879)

分布:陕西(长安、周至、户县、太白)、黑龙江、吉林、辽宁、甘肃、江西、四川;俄罗斯,朝鲜。

(三)链弄蝶亚科 Heteropterinae

183. 舟弄蝶属 _Barca_ de Nicéville,1902

(468) 双色舟弄蝶 _Barca bicolor_(Oberthür,1896)

分布:陕西(长安、周至、户县、太白、佛坪、洋县)、河南、江西、福建、广东、四川、云南;越南。

184. 银弄蝶属 _Carterocephalus_ Lederer,1852

(469) 黄斑银弄蝶 _Carterocephalus alcinoides_ Lee,1962

分布:陕西(留坝、佛坪)、辽宁、河南、云南。

(470) 基点银弄蝶 _Carterocephalus argyrostigma_(Eversmann,1851)

分布:陕西(秦岭)、黑龙江、内蒙古、甘肃、青海、新疆、西藏;俄罗斯。

(471) 克理银弄蝶 _Carterocephalus christophi_ Grum-Grshimailo,1891

分布:陕西(长安、周至、户县、华阴、宁陕、镇安、丹凤)、甘肃、青海、四川、云南、西藏。

(472) 白斑银弄蝶 _Carterocephalus dieckmanni_ Graeser,1888

分布:陕西(留坝、汉台、南郑)、黑龙江、辽宁、北京、河南、青海、四川、云南、西藏;俄罗斯,缅甸。

（473）五斑银弄蝶 *Carterocephalus stax* Sugiyama，**1992**

分布:陕西(秦岭)、四川。

（474）三斑银弄蝶 *Carterocephalus urasimataro* Sugiyama，**1992**

分布:陕西(户县、太白、凤县)、甘肃、青海、四川。

185. 链弄蝶属 *Heteropterus* Duméril，1806

（475）链弄蝶 *Heteropterus morpheus*（**Pallas，1771**）

分布:陕西(蓝田、太白、略阳、留坝、宁陕、柞水)、黑龙江、吉林、辽宁、内蒙古、山西、河南、甘肃、福建;俄罗斯,朝鲜,欧洲。

186. 小弄蝶属 *Leptalina* Mabille，1904

（476）小弄蝶 *Leptalina unicolor*（**Bremer *et* Grey，[1852]**）

分布:陕西(宝鸡)、黑龙江、吉林、辽宁、北京、河北、浙江、湖北;俄罗斯,朝鲜,日本。

（四）弄蝶亚科 Hesperiinae

187. 锷弄蝶属 *Aeromachus* de Nicéville，1890

（477）紫斑锷弄蝶 *Aeromachus catocyanea*（**Mabille，1876**）

分布:陕西(秦岭)、四川、云南、西藏。

（478）河伯锷弄蝶 *Aeromachus inachus*（**Ménétriés，1859**）

分布:陕西(丹凤)、黑龙江、吉林、辽宁、山西、山东、河南、甘肃、浙江、湖北、江西、福建、台湾、四川、贵州、云南;俄罗斯,朝鲜,韩国,日本。

（479）黑锷弄蝶 *Aeromachus piceus* Leech，**1893**

分布:陕西(凤县)、甘肃、浙江、福建、广东、海南、广西、四川、云南。

188. 黄斑弄蝶属 *Ampittia* Moore，[1881]

（480）小黄斑弄蝶 *Ampittia nana*（**Leech，1890**）

分布:陕西(户县、太白、佛坪、洋县、汉阴、镇安、山阳)、河南、江苏、安徽、浙江、湖北、江西、湖南、福建、广西、四川。

（481）三黄斑弄蝶 *Ampittia trimacula*（**Leech，1891**）

分布:陕西(宁陕)、四川。

(482) 钩形黄斑弄蝶 *Ampittia virgata* (Leech, 1890)

分布:陕西(蓝田、周至、户县、石泉、商州)、河南、浙江、湖北、江西、湖南、福建、台湾、广东、海南、广西、四川。

189. 刺胫弄蝶属 *Baoris* Moore, [1881]

(483) 刺胫弄蝶 *Baoris farri* (Moore, 1878)

分布:陕西(南郑)、河南、江西、福建、广东、海南、香港、广西、云南;越南,泰国,缅甸,印度,马来西亚,印度尼西亚。

(484) 黎氏刺胫弄蝶 *Baoris leechi* (Elwes *et* Edwards, 1897)

分布:陕西(秦岭)、河南、上海、浙江、江西、湖南、福建、广东、四川。

190. 籼弄蝶属 *Borbo* Evans, 1949

(485) 籼弄蝶 *Borbo cinnara* (Wallace, 1866)

分布:陕西(洋县)、浙江、湖北、江西、福建、台湾、广东、海南、香港、广西、四川、云南;越南,泰国,缅甸,印度,孟加拉国,斯里兰卡,菲律宾,马来西亚,印度尼西亚,巴布亚新几内亚,所罗门群岛,澳大利亚。

191. 珂弄蝶属 *Caltoris* Swinhoe, 1893

(486) 斑珂弄蝶 *Caltoris bromus* Leech, 1894

分布:陕西(留坝、宁陕)、浙江、江西、福建、台湾、广东、海南、香港、广西、四川、云南;越南,泰国,缅甸,印度,马来西亚,印度尼西亚。

(487) 黑纹珂弄蝶 *Caltoris septentrionalis* Koiwaya, 1996

分布:陕西(宁陕)、浙江。

192. 蕉弄蝶属 *Erionota* Mabille, 1878

(488) 白斑蕉弄蝶 *Erionota grandis* (Leech, 1890)

分布:陕西(佛坪、南郑)、江西、广西、四川、云南。

193. 赭弄蝶属 *Ochlodes* Scudder, 1872

(489) 黄赭弄蝶 *Ochlodes crataeis* (Leech, 1892)

分布:陕西(洋县、南郑)、黑龙江、河南、浙江、江西、四川。

（490）透斑赭弄蝶 *Ochlodes linga* Evans, 1939

　　分布：陕西（蓝田、周至、户县、眉县、太白、凤县、石泉、镇安、商州、丹凤）、山西、河南、甘肃、浙江。

（491）宽边赭弄蝶 *Ochlodes ochracea*（Bremer, 1861）

　　分布：陕西（周至、户县、眉县、太白、留坝、柞水、商南）、黑龙江、吉林、辽宁、北京、河南、甘肃、浙江；俄罗斯，朝鲜，日本。

（492）白斑赭弄蝶 *Ochlodes subhyalina*（Bremer *et* Grey, 1853）

　　分布：陕西（长安、蓝田、周至、户县、太白、华阴、留坝、佛坪、宁陕、商州、商南）、黑龙江、吉林、辽宁、北京、山东、河南、甘肃、江苏、浙江、湖北、江西、福建、广西、四川、贵州、云南；蒙古，俄罗斯，朝鲜，日本，缅甸，印度。

（493）小赭弄蝶 *Ochlodes venata*（Bremer *et* Grey, 1853）

　　分布：陕西（长安、周至、户县、眉县、太白、华阴、留坝、佛坪、宁陕、柞水、镇安、商州、山阳、商南）、黑龙江、吉林、辽宁、北京、山西、山东、河南、甘肃、新疆、上海、浙江、湖北、江西、福建、四川、西藏；蒙古，俄罗斯，朝鲜，日本，小亚细亚。

194. 讴弄蝶属 *Onryza* Watson, 1893

（494）讴弄蝶 *Onruza maga*（Leech, 1890）

　　分布：陕西（长安、太白）、浙江、湖北、江西、福建、台湾、广东、海南、广西；越南，泰国，缅甸，新加坡，印度尼西亚。

195. 稻弄蝶属 *Parnara* Moore,［1881］

（495）幺纹稻弄蝶 *Parnara bada*（Moore, 1878）

　　分布：陕西（长安、户县、丹凤）、浙江、江西、福建、台湾、海南、贵州、云南；菲律宾，马来西亚，印度尼西亚，马达加斯加，毛里求斯，澳大利亚。

（496）曲纹稻弄蝶 *Parnara ganga* Evans, 1937

　　分布：陕西（长安、蓝田、周至、户县、太白、凤县、宁陕、山阳）、内蒙古、山东、河南、浙江、江西、海南、香港、广西、四川、贵州、云南；越南，泰国，缅甸，印度，马来西亚。

（497）直纹稻弄蝶 *Parnara guttata*（Bremer *et* Grey, 1852）

　　分布：陕西（长安、蓝田、周至、户县、华县、太白、潼关、留坝、佛坪、宁陕、镇安、洛南、商州、山阳、丹凤、商南）、黑龙江、吉林、辽宁、河北、山东、河南、宁夏、甘肃、江苏、安徽、浙江、湖北、江西、湖南、福建、台湾、广东、海南、广西、四川、贵州、云南；俄罗斯，朝鲜，日本，越南，老挝，缅甸，印度，马来西亚，巴西。

196. 谷弄蝶属 *Pelopidas* Walker，1870

（498）南亚谷弄蝶 *Pelopidas agna*（Moore，［1866］）
分布：陕西（长安、周至、户县、太白、潼关、佛坪、宁陕、镇安、洛南、商州、山阳、丹凤）、浙江、江西、福建、台湾、广东、海南、香港、广西、四川、贵州、云南；泰国，缅甸，印度，斯里兰卡，菲律宾，马来西亚，印度尼西亚，巴布亚新几内亚，澳大利亚。

（499）隐纹谷弄蝶 *Pelopidas mathias*（Fabricius，1798）
分布：陕西（长安、蓝田、周至、太白、潼关、佛坪、洋县、宁陕、镇安、洛南、山阳、丹凤、商南）、辽宁、内蒙古、北京、山西、山东、河南、甘肃、浙江、湖北、江西、湖南、福建、台湾、海南、广西、四川、贵州、云南；朝鲜，日本，斯里兰卡，印度尼西亚。

（500）中华谷弄蝶 *Pelopidas sinensis*（Mabille，1877）
分布：陕西（长安、蓝田、周至、太白、华县、佛坪、宁陕、镇安、商州、丹凤、商南）、山西、河南、安徽、浙江、湖北、江西、湖南、福建、台湾、广东、海南、四川、贵州、云南、西藏；朝鲜，日本，印度。

197. 琵弄蝶属 *Pithauria* Moore，1878

（501）黄标琵弄蝶 *Pithauria marsena*（Hewitson，［1866］）
分布：陕西（太白、佛坪）、浙江、福建、广西；越南，泰国，缅甸，印度，马来西亚。

（502）琵弄蝶 *Pithauria murdava*（Moore，1865）
分布：陕西（佛坪）、浙江、福建、海南、广西；越南，泰国，缅甸，印度。

198. 孔弄蝶属 *Polytremis* Mabille，1904

（503）黑标孔弄蝶 *Polytremis mencia*（Moore，1877）
分布：陕西（商南）、上海、安徽、浙江、江西、湖南、台湾、四川。

（504）华西孔弄蝶 *Polytremis nascens*（Leech，1892）

分布:陕西(周至、凤县、宁陕)、四川、云南、香港。

(505) 盒纹孔弄蝶 _Polytremis theca_ (Evans, 1937)

分布:陕西(镇安)、安徽、浙江、湖北、江西、福建、广东、广西、四川、云南。

(506) 刺纹孔弄蝶 _Polytremis zina_ (Evans, 1932)

分布:陕西(留坝、西乡、洋县)、黑龙江、吉林、辽宁、浙江、江西、湖南、福建、台湾、广东、广西、四川。

199. 黄室弄蝶属 _Potanthus_ Scudder, 1872

(507) 曲纹黄室弄蝶 _Potanthus flavus_ (Murray, 1875)

分布:陕西(蓝田、周至、佛坪、镇安、丹凤)、黑龙江、吉林、辽宁、河北、山东、甘肃、浙江、湖北、江西、湖南、福建、四川、贵州、云南;俄罗斯,朝鲜,日本,泰国,缅甸,印度,马来西亚。

(508) 锯纹黄室弄蝶 _Potanthus lydius_ (Evans, 1934)

分布:陕西(丹凤)、广西,四川、云南;泰国,缅甸,印度,马来西亚。

(509) 断纹黄室弄蝶 _Potanthus trachalus_ (Mabille, 1878)

分布:陕西(商州)、甘肃、安徽、湖北、江西、湖南、福建、海南、四川、云南;泰国,缅甸,印度,马来西亚,印度尼西亚。

200. 拟籼弄蝶属 _Pseudoborbo_ Lee, 1966

(510) 拟籼弄蝶 _Pseudoborbo bevani_ (Moore, 1878)

分布:陕西(长安、周至、太白、柞水)、河南、浙江、江西、福建、台湾、海南、香港、四川、云南;印度至澳大利亚地区广布。

201. Genus _Scobura_ Elwes _et_ Edwards, 1897

(511) _Scobura masutaroi_ Sugiyama, 1996

分布:陕西、四川。

202. Genus _Sovia_ Evans, 1949

(512) _Sovia lii_ Xue, 2015

分布:陕西(秦岭、大巴山)、甘肃。

203. 陀弄蝶属 *Thoressa* Swinhoe，[1913]

（513）长标陀弄蝶 *Thoressa blanchardii*（Mabille，1876）
分布：陕西（户县、凤县）、甘肃、四川。

（514）短突陀弄蝶 *Thoressa breviprojecta* Yuan *et* Wang，2003
分布：陕西（凤县）、甘肃、四川。

（515）灰陀弄蝶 *Thoressa gupta*（de Nicéville，1886）
分布：陕西（秦岭）、甘肃、江西、广东、四川、云南；印度。

（516）三点陀弄蝶 *Thoressa kuata*（Evans，1940）
分布：陕西（凤县）、浙江、福建、海南。

（517）栾川陀弄蝶 *Thoressa luanchuanensis*（Wang *et* Niu，2002）
分布：陕西（凤县、宁陕）、河南、湖北、海南。

（518）花裙陀弄蝶 *Thoressa submacula*（Leech，1890）
分布：陕西（长安、周至、太白、留坝、佛坪、宁陕、山阳、丹凤）、河南、甘肃、江苏、浙江、湖北、江西、福建、海南。

（519）*Thoressa yingqii* Huang，2010
分布：陕西。

204. 豹弄蝶属 *Thymelicus* Hübner，[1819]

（520）豹弄蝶 *Thymelicus leoninus*（Butler，1878）
分布：陕西（长安、蓝田、周至、陈仓、太白、华阴、留坝、佛坪、宁陕、柞水、商州、商南）、黑龙江、吉林、辽宁、北京、山西、甘肃、安徽、浙江、江西、福建、广西、四川、云南；俄罗斯，朝鲜，日本。

（521）线豹弄蝶 *Thymelicus lineola*（Ochsenheimer，1808）
分布：陕西（周至、凤县）、黑龙江、甘肃、新疆；俄罗斯，中亚，欧洲，非洲北部，北美洲。

（522）黑豹弄蝶 *Thymelicus sylvaticus*（Bremer，1861）
分布：陕西（长安、周至、太白、华县、留坝、佛坪、宁陕、柞水、镇安、丹凤）、黑龙江、吉林、辽宁、内蒙古、北京、河北、河南、宁夏、甘肃、浙江、湖北、江西、湖南、福建、四川、西藏；俄罗斯，朝鲜，日本。

双翅目 Diptera

一、大蚊科 Tipulidae

1. 裸大蚊属 *Angarotipula* Savchenko, 1961

（1）尖突裸大蚊 *Angarotipula laetipennis*（Alexander, 1935）
分布:陕西(佛坪)、福建、四川、贵州、云南。

2. 尖头大蚊属 *Brithura* Edwards, 1916

（2）双突尖头大蚊 *Brithura nymphica* Alexander, 1927
分布:陕西(周至、佛坪、榆林)、北京、河北、河南、湖北、四川、贵州。

3. 棘膝大蚊属 *Holorusia* Loew, 1863

（3）变色棘膝大蚊 *Holorusia brobdignagia*（Westwood, 1876）
分布:陕西(佛坪)、河南、湖北、浙江、海南。

4. 短柄大蚊属 *Nephrotoma* Meigen, 1803

（4）毛尾短柄大蚊 *Nephrotoma hirsuticauda* Alexander, 1924
分布:陕西(周至、华县、佛坪、柞水、丹凤)、黑龙江、甘肃、宁夏。

（5）湖北短柄大蚊 *Nephrotoma hubeiensis* Yang *et* Yang, 1987
分布:陕西(周至)、湖北。

（6）下突短柄大蚊 *Nephrotoma hypogyna* Yang *et* Yang, 1990
分布:陕西(山阳)、云南。

（7）鸡冠短柄大蚊 *Nephrotoma parvirostra* Alexander, 1924
分布:陕西(洛南)、黑龙江、湖北、重庆、四川;蒙古,俄罗斯,朝鲜,韩国,日本。

（8）中华短柄大蚊 *Nephrotoma sinensis*（Edwards, 1916）
分布:陕西(周至、柞水)、黑龙江、湖北、重庆、四川;蒙古,俄罗斯,朝鲜,韩国,日本。

5. 奇栉大蚊属 *Tanyptera* Latreille, 1804

（9）湖北奇栉大蚊 *Tanyptera hubeiensis* Yang *et* Yang, 1988

分布:陕西(周至)、安徽、湖北。

6. 大蚊属 *Tipula* Linnaeus, 1758

(10) 双齿尖大蚊 *Tipula*（*Acutipula*）*captiosa* Alexander, 1936
分布:陕西(太白)、宁夏、甘肃。

(11) 甘肃尖大蚊 *Tipula*（*Acutipula*）*gansuensis* Yang *et* Yang, 1995
分布:陕西(周至、丹凤)、河南、甘肃。

(12) 河南尖大蚊 *Tipula*（*Acutipula*）*henanensis* Li *et* Yang, 2010
分布:陕西(周至、柞水)、河南。

(13) 宽刺尖大蚊 *Tipula*（*Acutipula*）*platycantha* Alexander, 1934
分布:陕西(丹凤)、浙江、江西、福建、重庆、四川、贵州。

(14) 宽端尖大蚊 *Tipula*（*Acutipula*）*pseudacanthophora* Yang *et* Yang, 1993
分布:陕西(华阴)、河南。

(15) 白木尖大蚊 *Tipula*（*Acutipula*）*shirakii* Edwards, 1916
分布:陕西(丹凤)、浙江、台湾、四川;印度。

(16) 北方尖大蚊 *Tipula*（*Acutipula*）*sinarctica* Yang *et* Yang, 1993
分布:陕西(周至、丹凤)、吉林、北京、河北、山西、河南、宁夏、甘肃、四川。

(17) 赭丽大蚊 *Tipula*（*Formotipula*）*exusta* Alexander, 1931
分布:陕西(长安、周至、户县、太白)、四川。

(18) 翘尾日大蚊 *Tipula*（*Nippotipula*）*phaedina*（Alexander, 1927）
分布:陕西(宁陕)、河南、湖北、广西、四川、贵州、云南;印度。

(19) 中华日大蚊 *Tipula*（*Nippotipula*）*sinica* Alexander, 1935
分布:陕西(长安、周至)、北京、山东、河南、江苏、浙江、江西、福建、台湾、重庆、四川;朝鲜,韩国,日本。

(20) 四黑普大蚊 *Tipula*（*Pterelachisus*）*tetramelania* Alexander, 1935
分布:陕西(眉县)、浙江、四川。

(21) 长叶绒大蚊 *Tipula*（*Trichotipula*）*mallophora* Alexander, 1936
分布:陕西(宝鸡)、四川。

(22) 长毛蜚大蚊 *Tipula*（*Vestiplex*）*verecunda* Alexander, 1924
分布:陕西(丹凤)、河北;俄罗斯,日本。

(23) 小稻雅大蚊 *Tipula*（*Yamatotipula*）*latemarginata latemarginata* Alexander, 1921
分布:陕西(柞水、丹凤)、吉林、辽宁、内蒙古、北京、河北、山西、河南、宁夏、新疆、安徽、浙江、湖北;俄罗斯,韩国,日本,哈萨克斯坦。

（24）新雅大蚊 *Tipula*（*Yamatotipula*）*nova* Walker，1848

　　分布：陕西（周至、柞水、丹凤）、山西、河南、浙江、湖北、江西、福建、台湾、广东、海南、香港、四川、贵州、云南；韩国，日本，印度。

（25）亚尖雅大蚊 *Tipula*（*Yamatotipula*）*subprotrusa* Savchenko，1955

　　分布：陕西（周至、太白）、宁夏、新疆；蒙古，俄罗斯，哈萨克斯坦，土库曼斯坦，乌兹别克斯坦，塔吉克斯坦，吉尔吉斯斯坦，阿富汗。

二、沼大蚊科 Limoniidae

7. 原大蚊属 *Eloeophila* Rondani，1856

（26）锯齿原大蚊 *Eloeophila serrulata*（Alexander，1932）

　　分布：陕西（留坝）、四川。

8. 次大蚊属 *Metalimnobia* Matsumura，1911

（27）双束次大蚊 *Metalimnobia*（*Metalimnobia*）*bifasciata*（Schrank，1781）

　　分布：陕西（周至）、黑龙江、吉林、辽宁、北京、河北、山西、宁夏、湖北、贵州；蒙古，俄罗斯，日本，欧洲。

9. 栉形大蚊属 *Rhipidia* Meigen，1818

（28）长突栉形大蚊 *Rhipidia*（*Rhipidia*）*longa* Zhang，Li *et* Yang，2014

　　分布：陕西（周至）、浙江、福建、台湾、重庆、四川、云南。

10. 联大蚊属 *Symplecta* Meigen，1830

（29）朝鲜联大蚊 *Symplecta*（*Symplecta*）*chosenensis*（Alexander，1940）

　　分布：陕西（周至）、内蒙古、北京、甘肃、云南；蒙古，俄罗斯，朝鲜，乌兹别克斯坦，吉尔吉斯斯坦，欧洲。

三、毛蛉科 Psychodidae

11. 白蛉属 *Phlebotomus* Rondani *et* Berte，1840

（30）中华白蛉 *Phlebotomus chinensis* Newstead，1916

　　分布：陕西（西安、长安、蓝田、凤县、宝鸡、眉县、岐山、扶风、乾县、兴平、千阳、三原、泾阳、富平、澄城、白水、合阳、韩城、渭南、大荔、华阴、潼关、旬邑、白河、宁陕、黄龙、宾县、甘泉、宜川、延安、延川、绥德、米脂、吴起、榆林）、吉

林、辽宁、内蒙古、北京、天津、河北、山西、山东、河南、宁夏、甘肃、青海、上
海、江苏、安徽、浙江、湖北、湖南、广东、海南、四川、贵州、云南。

(31) 江苏白蛉 *Phlebotomus kiangsuensis* **Yao** *et* **Wu, 1938**
分布：陕西（白河）、河南、山东、江苏、安徽、浙江、湖北、福建、台湾、广东、广
西、四川、贵州、云南。

(32) 蒙古白蛉 *Phlebotomus mongolensis* **Sinton, 1928**
分布：陕西（西安、兴平、三原、渭南、大荔、华阴、富平、澄城、蒲城、白水、韩
城、彬县、黄龙、吴起、宜川、延长、绥德、米脂、定边、榆林）、辽宁、内蒙古、北
京、天津、河北、山西、河南、山东、甘肃、宁夏、青海、新疆、江苏、安徽、浙江、
湖北；阿富汗，哈沙克斯坦，乌兹别克斯坦，中亚地区。

(33) 施氏白蛉 *Phlebotomus stantoni* **Newstead, 1914**
分布：陕西、福建、广东、海南、广西、四川、云南；越南，老挝，泰国，印度，
斯里兰卡，马来西亚，印度尼西亚。

12. 司蛉属 *Sergentomyia* **Franca** *et* **Parrot, 1920**

(34) 鲍氏司蛉 *Sergentomyia barraudi* **Sinton, 1929**
分布：陕西、江苏、安徽、浙江、湖北、江西、福建、台湾、广东、海南、香港、广
西、四川、贵州、云南；日本，越南，老挝，泰国，柬埔寨，缅甸，印度，孟加
拉国，马来西亚，印度尼西亚。

(35) 富平司蛉 *Sergentomyia fupingensis* **Wu, 1954**
分布：陕西（富平）。

(36) 许氏司蛉 *Sergentomyia khawi* **Raynal, 1936**
分布：陕西（西安、长安、凤县、宝鸡、眉县、岐山、泾阳、渭南、澄城、韩城、旬
邑、黄龙、宜川、延长）、辽宁、北京、天津、河北、山西、河南、山东、甘肃、贵
州、云南；泰国，柬埔寨，马来西亚。

(37) 鳞喙司蛉 *Sergentomyia squamirostris* **Newstead, 1923**
分布：陕西（西安、长安、蓝田、凤县、宝鸡、眉县、岐山、咸阳、泾阳、华阴、宁
陕、黄龙、宜川、延长）、辽宁、北京、天津、河北、山西、河南、山东、甘肃、青
海、上海、江苏、安徽、浙江、湖北、江西、四川；日本。

(38) 孙氏司蛉 *Sergentomyia suni* **Wu, 1954**
分布：陕西（西安、宜川）、山西、四川。

四、毛蚊科 Bibionidae

13. 毛蚊属 *Bibio* Geoffroy, 1762

（39）尖突毛蚊 *Bibio acerbus* Yang *et* Luo, 1989
　　分布：陕西（太白、凤县）、河北。

（40）尖裂毛蚊 *Bibio acutifidus* Yang *et* Luo, 1989
　　分布：陕西（长安）。

（41）钩毛蚊 *Bibio aduncatus* Luo *et* Yang, 1988
　　分布：陕西（周至）、宁夏、浙江、江西。

（42）双凹毛蚊 *Bibio biconcavus* Yang *et* Luo, 1989
　　分布：陕西（周至、太白、眉县）、云南、西藏。

（43）棒角毛蚊 *Bibio claviantenna* Yang *et* Luo, 1989
　　分布：陕西（长安、周至、凤县、宝鸡）。

（44）粗胫毛蚊 *Bibio crassinodus* Yang *et* Luo, 1989
　　分布：陕西（眉县）、辽宁、甘肃。

（45）楔毛蚊 *Bibio cuneatus* Yang *et* Luo, 1989
　　分布：陕西（凤县）。

（46）双瓣毛蚊 *Bibio dipetalus* Yang *et* Luo, 1989
　　分布：陕西（凤县）。

（47）黄腿毛蚊 *Bibio flavifemoralis* Yang *et* Luo, 1988
　　分布：陕西（周至）、湖北。

（48）甘肃毛蚊 *Bibio gansuanus* Li *et* Yang, 2005
　　分布：陕西（周至、佛坪）。

（49）小距毛蚊 *Bibio parvispinalis* Luo *et* Yang, 1988
　　分布：陕西（周至）、安徽、浙江、湖北、江西、四川。

（50）红腹毛蚊 *Bibio rufiventris* Duda, 1930
　　分布：陕西（周至）、黑龙江、辽宁、内蒙古、北京、河北、福建；朝鲜，日本。

（51）陕西毛蚊 *Bibio shaanxiensis* Yang *et* Luo, 1989
　　分布：陕西（凤县）、吉林。

14. 棘毛蚊属 *Dilophus* Meigen, 1803

（52）黑脉棘毛蚊 *Dilophus nigrivenatus* Yang *et* Luo, 1989
　　分布：陕西（凤县）。

15．叉毛蚊属 *Penthetria* Meigen，1803

（53）棒足叉毛蚊 *Penthetria clavata* Yang *et* Luo，1989

分布：陕西（宁陕）、甘肃、四川。

（54）泛叉毛蚊 *Penthetria japonica* Wiedemann，1830

分布：陕西（长安、宝鸡、太白、眉县）；日本，印度，尼泊尔。

（55）摩氏叉毛蚊 *Penthetria motschulskii*（Gimmerthal，1845）

分布：陕西（宝鸡、华阴、太白、佛坪）、黑龙江、内蒙古、山西、宁夏、甘肃、云南、西藏；蒙古，俄罗斯（西伯利亚），日本。

（56）陕西叉毛蚊 *Penthetria shaanxiensis* Yang *et* Luo，1989

分布：陕西（长安、太白）。

（57）细足叉毛蚊 *Penthetria simplicipes* Brunetti，1925

分布：陕西（周至、宁陕）。

16．襀毛蚊属 *Plecia* Wiedemann，1828

（58）峨眉襀毛蚊 *Plecia emeiensis* Yang *et* Luo，1989

分布：陕西（留坝）、北京、四川。

五、蚊科 Culicidae

17．伊蚊属 *Aedes* Meigen，1818

（59）刺扰伊蚊 *Aedes*（*Aedimorphus*）*vexans*（Meigen，1830）

分布：陕西，中国广布；世界广布。

（60）棘刺伊蚊 *Aedes*（*Collessius*）*elsiae*（Barraud，1923）

分布：陕西（西安、宝鸡、留坝、汉中）；美国。

（61）乳点伊蚊 *Aedes*（*Collessius*）*macfarlanei*（Edwards，1914）

分布：陕西（汉中、安康）；美国。

（62）侧白伊蚊 *Aedes*（*Finlaya*）*albolateralis*（Theobald，1908）

分布：陕西（旬阳、柞水）、福建、台湾、海南、广西、四川、贵州、云南；朝鲜，印度，尼泊尔，斯里兰卡，马来西亚，印度尼西亚。

（63）冯氏伊蚊 *Aedes*（*Finlaya*）*fengi* Edwards，1935

分布：陕西（柞水）、安徽、浙江、江西、湖南、福建、台湾、广西、四川、贵州。

（64）羽鸟伊蚊 *Aedes*（*Finlaya*）*hatorii* Yamada，1921

分布：陕西（旬阳、柞水）、吉林、河南、浙江、湖北、福建、台湾、四川、贵州；朝鲜，日本。

（65）日本伊蚊 Aedes（Finlaya）japonicus（Theobald，1901）

分布：陕西（旬阳、柞水、镇安、山阳、丹凤、洛南）、河北、河南、浙江、湖北、江西、湖南、福建、台湾、海南、广西、四川、贵州、云南；俄罗斯，日本，欧洲，北美洲。

（66）朝鲜伊蚊 Aedes（Finlaya）koreicus（Edwards，1917）

分布：陕西（华县、旬阳、柞水、镇安、山阳、丹凤、洛南）、黑龙江、吉林、辽宁、内蒙古、河北、山西、山东、宁夏、湖北、四川、贵州；俄罗斯，朝鲜，日本，欧洲大陆。

（67）东瀛伊蚊 Aedes（Finlaya）nipponicus Lacasse et Yamaguti，1948

分布：陕西（留坝、佛坪、宁陕）；韩国，日本。

（68）金叶伊蚊 Aedes（Finlaya）oreophilus Edwards，1916

分布：陕西（黄龙、黄陵、宜川）；日本，尼泊尔。

（69）美腹伊蚊 Aedes（Finlaya）pulchriventer Giles，1901

分布：陕西（汉中）、台湾；尼泊尔。

（70）云南伊蚊 Aedes（Finlaya）yunnanensis（Gaschen，1934）

分布：陕西（洛南）、四川、贵州、云南。

（71）Aedes（Ochlerotatus）albineus Seguy，1923

分布：陕西（绥德、榆林）、内蒙古。

（72）背点伊蚊 Aedes（Ochlerotatus）dorsalis Meigen，1830

分布：陕西（西安、宝鸡、汉中、安康、延安、绥德、榆林）、北京；俄罗斯，美国。

（73）白黑伊蚊 Aedes（Ochlerotatus）leucomelas Meigen，1804

分布：陕西（黄龙、黄陵、宜川、延安）；捷克，波兰。

（74）长柄伊蚊 Aedes（Ochlerotatus）mercurator Dyar，1920

分布：陕西（延安）；俄罗斯，加拿大。

（75）白纹伊蚊 Aedes（Stegomyia）albopictus（Skuse，1894）

分布：陕西，中国广布；遍布东南亚，已扩散至除南极洲外的其他各大洲。

（76）缘纹伊蚊 Aedes（Stegomyia）galloisi Yamada，1921

分布：陕西（黄龙、黄陵、宜川）；日本，孟加拉国。

18. 按蚊属 Anopheles Meigen，1818

（77）克劳按蚊 Anopheles（Anopheles）crawfordi Reid，1953

分布：陕西（镇安）、云南；越南，泰国，柬埔寨，马来西亚，印度尼西亚。

（78）林氏按蚊 Anopheles（Anopheles）lindesayi Giles，1900

分布：陕西（全省广布），除黑龙江、吉林、青海、新疆外，全国各省（区）均有分布；俄罗斯，朝鲜，缅甸，印度，尼泊尔，巴基斯坦。

（79）中华按蚊 Anopheles（Anopheles）sinensis Wiedemann，1828

分布：陕西（全省广布），中国各省（区）均有分布；朝鲜，日本，越南，老挝，泰国，柬埔寨，缅甸，印度，尼泊尔，马来西亚。

（80）八代按蚊 Anopheles（Anopheles）yatsushiroensis Miyazaki，1951

分布：陕西（长安、户县、蓝田、周至、凤县、略阳、宝鸡、眉县、太白、岐山、临潼、渭南、华县、华阴、潼关、留坝、佛坪、洋县、宁陕、宁强、勉县、汉中、城固、西乡、石泉、汉阴、安康、旬阳、镇安、柞水、洛南、商洛、山阳、商南）、山东；日本。

（81）帕氏按蚊 Anopheles（Cellia）pattoni Christophers，1926

分布：陕西（华县、旬阳、柞水、镇安、山阳、丹凤、洛南）、辽宁、北京、河北、山西、河南、山东、宁夏、甘肃、湖北、四川、贵州、云南。

19. 阿蚊属 Armigeres Theobald，1901

（82）骚扰阿蚊 Armigeres subalbatus（Coquillett，1898）

分布：陕西（华县、旬阳、柞水、镇安、山阳、丹凤、洛南），除黑龙江、吉林、辽宁、内蒙古、宁夏、青海、新疆外，全国各省（区）均有分布；朝鲜，韩国，日本，越南，泰国，柬埔寨，缅甸，印度，巴基斯坦，斯里兰卡，马来西亚，菲律宾。

20. 库蚊属 Culex Linnaeus，1758

（83）二带喙库蚊 Culex（Culex）bitaeniorhynchus Giles，1901

分布：陕西（西安、宝鸡、汉中、安康、延安、榆林）、吉林、北京、山东、安徽、广东、广西；韩国，日本，越南，泰国，印度，马来西亚，伊朗，沙特阿拉伯。

（84）棕盾库蚊 Culex（Culex）jacksoni Edwards，1934

分布：陕西（华县、山阳、丹凤）；古北区，东洋区。

（85）拟态库蚊（斑翅库蚊）Culex（Culex）mimeticus Noé.，1899

分布：陕西，除内蒙古、青海和新疆外，全国各省（区）均有分布；古北区，东洋区。

（86）小拟态库蚊 Culex（Culex）mimulus Edwards，1915

分布：陕西（柞水、镇安）、河南、甘肃、江苏、安徽、浙江、湖北、江西、湖南、福建、台湾、广东、海南、广西、四川、贵州、云南、西藏；越南，老挝，泰国，柬埔寨，缅甸，印度，尼泊尔，斯里兰卡，新加坡，马来西亚，印度尼西亚，菲律宾。

(87) 凶小库蚊 *Culex*（*Culex*）*modestus* Ficalbi，1889

分布：陕西（西安、周至、户县、蓝田、凤县、略阳、宝鸡、太白、眉县、岐山、渭南、华县、华阴、潼关、留坝、佛坪、宁强、勉县、城固、洋县、宁陕、石泉、汉阴、汉中、西乡、安康、旬阳、镇安、柞水、洛南、商州、商南、山阳）、新疆；哈萨克斯坦，伊朗，欧洲。

(88) 尖音库蚊淡色亚种 *Culex*（*Culex*）*pipiens pallens* Coquillett，1898

分布：陕西（华县、旬阳、镇安、丹凤）、黑龙江、吉林、辽宁、内蒙古、河北、山西、河南、山东、宁夏、甘肃、江苏、安徽、浙江、湖北；朝鲜，韩国，日本。

(89) 尖音库蚊致倦亚种 *Culex*（*Culex*）*pipiens quinquefasciatus* Say，1823

分布：陕西（华县、旬阳、柞水、洛南）、河南、江苏、上海、安徽、西藏；全球热带和亚热带地区广布。

(90) 伪杂鳞库蚊 *Culex*（*Culex*）*pseudovishnui* Colless，1957

分布：陕西（西安、周至、户县、蓝田、凤县、略阳、宝鸡、太白、眉县、岐山、渭南、临潼、华县、华阴、潼关、留坝、佛坪、宁强、勉县、城固、洋县、宁陕、石泉、汉阴、汉中、西乡、安康、旬阳、镇安、柞水、洛南、商州、商南、山阳）、云南、西藏；越南，缅甸，印度。

(91) 致倦库蚊 *Culex*（*Culex*）*quinquefasciatus* Say，1823

分布：陕西（华县、旬阳、柞水、洛南）、山东、河南、江苏、上海、安徽、浙江、湖北、江西、湖南、福建、台湾、广东、海南、重庆、四川、贵州、云南、西藏；热带和亚热带地区。

(92) 中华库蚊 *Culex*（*Culex*）*sinensis* Theobald，1903

分布：陕西（西安、宝鸡、汉中、安康）、吉林、辽宁、北京、天津、河北、山西、山东、宁夏、甘肃、青海、江苏、上海、安徽、浙江、湖北、福建、台湾、广东、海南、广西、重庆、四川、贵州、云南；韩国，老挝。

(93) 三带喙库蚊 *Culex*（*Culex*）*tritaeniorhynchus* Giles，1901

分布：陕西（华县、旬阳、柞水、镇安、山阳、丹凤），除新疆和西藏外，中国各省（区）均有分布；东洋区和古北区广布。

(94) 迷走库蚊 *Culex*（*Culex*）*vagans* Wiedemann，1828

分布：陕西（华县、旬阳、柞水、镇安、山阳、丹凤、洛南），除青海、新疆外，中国各省（区）广布；古北区。

(95) 白霜库蚊 *Culex*（*Culex*）*whitmorei* Giles，l904

分布：陕西（汉中、安康）、吉林、辽宁、河南、山东、江苏、安徽、浙江、湖北、江西、湖南、福建、台湾、广东、海南、广西、四川、贵州、云南、西藏；泰国，印度，斯里兰卡，菲律宾。

（96）白胸库蚊 *Culex*（*Culiciomyia*）*pallidothorax* Theobald, 1905

分布：陕西（旬阳、柞水、镇安、山阳、丹凤、洛南）；日本，越南，老挝，泰国，柬埔寨，缅甸，印度，尼泊尔，斯里兰卡，菲律宾，马来西亚。

（97）薛氏库蚊 *Culex*（*Culiciomyia*）*shebbearei* Barraud, 1924

分布：陕西（柞水、镇安、丹凤）、江苏、安徽、浙江、湖北、江西、湖南、福建、广东、四川、贵州、云南、西藏；日本，越南，老挝，泰国，柬埔寨，缅甸，印度，尼泊尔，斯里兰卡，马来西亚。

（98）林氏库蚊 *Culex*（*Eumelanomyia*）*hayashii* Yamada, 1917

分布：陕西（镇安）、吉林、辽宁、北京、河北、河南、山东、江苏、安徽、浙江、江西、湖南、四川；俄罗斯，朝鲜，日本。

（99）褐尾库蚊 *Culex*（*Lutzia*）*fuscanus* Wiedemann, 1820

分布：陕西（西安、周至、户县、蓝田、凤县、略阳、宝鸡、太白、眉县、岐山、渭南、华县、华阴、潼关、留坝、佛坪、宁强、勉县、城固、汉中、洋县、宁陕、西乡、石泉、汉阴、安康、旬阳、镇安、柞水、洛南、商洛、商南、山阳）、江苏、广东；日本，印度，斯里兰卡，马来西亚。

（100）贪食库蚊 *Culex*（*Lutzia*）*halifaxia* Theobald, 1903

分布：陕西，除黑龙江、吉林、内蒙古、山西、宁夏、青海、新疆和西藏外，中国各省（区）均有分布；古北区，东洋区，埃塞俄比亚区，新热带区。

（101）马来库蚊 *Culex malayi* Leicester, 1908

分布：陕西（西安）、广东；印度。

21. 脉毛蚊属 *Culiseta* Felt, 1904

（102）黑须脉毛蚊 *Culiseta bergrothi* Edwards, 1921

分布：陕西（延安）；俄罗斯，瑞典，芬兰。

（103）大叶脉毛蚊 *Culiseta megaloba* Lug, Zhao *et* Xu, 1974

分布：陕西（黄龙、黄陵、宜川）、宁夏。

（104）日本脉毛蚊 *Culiseta nipponica* LaCasse *et* Yamaguti, 1950

分布：陕西（黄龙、黄陵、宜川）、新疆；俄罗斯，韩国，日本。

（105）银带脉毛蚊 *Culiseta niveitaeniata*（Theobald, 1907）

分布：陕西（西安、宝鸡、汉中、安康、洛南、黄龙、黄陵、宜川、榆林），河北、山东、台湾、四川、贵州、云南、西藏；印度，巴基斯坦。

22. 曼蚊属 *Mansonia* Blanchard, 1901

（106）常型曼蚊 *Mansonia uniformia* Theobald, 1901

　　分布:陕西(西安、宝鸡、榆林),中国各地(黑龙江、吉林、辽宁、内蒙古、宁夏、青海、新疆、贵州、西藏除外)均有分布;东南亚,埃塞俄比亚。

23. 直脚蚊属 *Orthopodomyia* Theobald, 1904

（107）类按直脚蚊 *Orthopodomyia anopheloides*（Giles, 1903）

　　分布:陕西(汉中)、河南、江苏、安徽、浙江、湖北、江西、湖南、福建、台湾、海南、广西、四川、贵州、云南;日本,越南,泰国,马来西亚,印度尼西亚。

六、蠓科 Ceratopogonidae

24. 阿蠓属 *Alluaudomyia* Kieffer, 1913

（108）梯泊阿蠓 *Alluaudomyia tiberghieni* Neveu, 1978

　　分布:陕西(宝鸡)、北京、云南;塔吉克斯坦,法国。

25. 裸蠓属 *Atrichopogon* Kieffer, 1906

（109）北方裸蠓 *Atrichopogon aquilonarius* Yu *et* Yan, 2005

　　分布:陕西(周至、柞水)、黑龙江。

（110）双钩裸蠓 *Atrichopogon bidaculus* Yu *et* Yan, 2001

　　分布:陕西(周至、眉县、凤县、宁陕、柞水)、海南。

（111）高坡裸蠓 *Atrichopogon celsus* Yu *et* Yan, 2005

　　分布:陕西(柞水)、湖北。

（112）川西裸蠓 *Atrichopogon chuanxiensis* Yu *et* Yan, 2001

　　分布:陕西(柞水)、四川。

（113）开裂裸蠓 *Atrichopogon dehiscentis* Yu *et* Yan, 2001

　　分布:陕西(佛坪、宁陕)、吉林、湖北、广东。

（114）棕背裸蠓 *Atrichopogon dorsalis* Tokunaga, 1940

　　分布:陕西(宁陕、柞水)、黑龙江;日本。

（115）棕色裸蠓 *Atrichopogon fusculus*（Coquillett, 1901）

　　分布:陕西(留坝)、黑龙江、河南、湖北、湖南、四川、贵州、云南;日本,欧洲,加拿大,美国,巴西。

（116）交织裸蠓 *Atrichopogon intertextus* Yu *et* Yan, 2005

分布:陕西(周至、眉县、凤县、宁陕)、湖北。

(117)杰克裸蠓 *Atrichopogon jacobsoni*（de Meijere, 1907）

分布:陕西(宝鸡、眉县)、广东、广西、云南;越南,泰国,柬埔寨,印度,斯里兰卡,菲律宾,马来西亚,印度尼西亚,美国。

(118)壶状裸蠓 *Atrichopogon ollicula* Yan *et* Yu, 2001

分布:陕西(佛坪、柞水)、四川、云南。

(119)毡帽裸蠓 *Atrichopogon pileolus* Yu *et* Yan, 2001

分布:陕西(宁陕)、云南。

(120)游荡裸蠓 *Atrichopogon solivagus* Yu *et* Yan, 2005

分布:陕西(留坝)、云南。

(121)窄须裸蠓 *Atrichopogon tenuipalpis* Yu *et* Yan, 1996

分布:陕西(眉县)、海南、四川。

(122)护卫裸蠓 *Atrichopogon tutatus* Yu *et* Yan, 2005

分布:陕西(汉中)。

(123)樟木裸蠓 *Atrichopogon zhangmuensis* Yu *et* Yan, 2001

分布:陕西(眉县、凤县、留坝、宁陕、柞水)、西藏。

26. 库蠓属 *Culicoides* Latreille, 1809

(124)远离库蠓 *Culicoides absitus* Liu *et* Yu, 1990

分布:陕西(凤县、眉县)、西藏。

(125) *Culicoides*（*Avaritia*）*actoni* Smith, 1929

分布:陕西(安康、白河)、黑龙江、山东、江苏、安徽、湖北、湖南、福建、台湾、广东、海南、广西、四川、云南、西藏;日本,越南,泰国,印度,马来西亚,印度尼西亚,菲律宾。

(126)荒川库蠓 *Culicoides arakawai* Arakawa, 1910

分布:陕西(周至、留坝、佛坪、洋县、宁陕、汉中、勉县、安康、紫阳、镇巴、白河)、吉林、辽宁、河北、山西、河南、山东、上海、江苏、安徽、浙江、湖北、江西、湖南、福建、台湾、广东、海南、广西、重庆、四川、贵州、云南;东南亚。

(127)成都库蠓 *Culicoides*（*Beltranmyia*）*chengduensis* Zhou *et* Lee, 1984

分布:陕西(安康)、甘肃、四川。

(128)环斑库蠓 *Culicoides*（*Beltranmyia*）*circumscriptus* Kieffer, 1918

分布:陕西(西安、临潼、留坝、延安)、黑龙江、吉林、辽宁、内蒙古、河北、山西、河南、山东、甘肃、宁夏、青海、新疆、江苏、浙江、湖北、福建、广东、广西、重庆、四川、云南、西藏;伊朗,突尼斯。

（129）华蓥库蠓 *Culicoides*（*Beltranmyia*）*huayinensis* Zhou *et* Lee，1984
　　分布：陕西（留坝）、四川。

（130）留坝库蠓 *Culicoides*（*Beltranmyia*）*liubaensis* Liu *et* Wu，2005
　　分布：陕西（留坝）。

（131）库蠓 *Culicoides*（*Beltranmyia*）*toyamaruae* Arnaud，1956
　　分布：陕西（安康）、辽宁、山东、湖北、四川；日本。

（132）野牛库蠓 *Culicoides bubalus* Delfinado，1961
　　分布：陕西（眉县）、台湾；菲律宾。

（133）犹豫库蠓 *Culicoides*（*Culicoides*）*arcuatus* Winnertz，1852
　　分布：陕西（留坝）、辽宁、山东、福建、台湾；德国。

（134）光胸库蠓 *Culicoides*（*Culicoides*）*impunctatus* Goetghebuer，1920
　　分布：陕西（延安）、黑龙江、吉林、辽宁、内蒙古、河北、山东、西藏；比利时。

（135）日本库蠓 *Culicoides*（*Culicoides*）*nipponensis* Toknuaga，1995
　　分布：陕西（留坝、洋县、汉中、勉县、安康、紫阳、镇巴、白河）、吉林、辽宁、河南、山东、上海、江苏、安徽、浙江、江西、湖南、福建、台湾、广东、海南、广西、重庆、四川、贵州、云南、西藏；韩国，日本。

（136）灰黑库蠓 *Culicoides*（*Culicoides*）*pulicaris*（Linnaeus，1758）
　　分布：陕西（延安）、黑龙江、吉林、辽宁、内蒙古、山东、甘肃、宁夏、新疆、安徽、浙江、湖北、西藏；伊朗，欧洲。

（137）端斑库蠓 *Culicoides*（*Fastus*）*erairaikonoet* Takahashi，1940
　　分布：陕西（西安）、黑龙江、吉林、辽宁、内蒙古、河南、宁夏、浙江、湖北、江西、福建、广东、广西、四川、云南；日本。

（138）原野库蠓 *Culicoides*（*Monoculicoides*）*homotomus* Kieffer，1922
　　分布：陕西（西安、临潼、洋县、汉中、安康、紫阳、镇巴、白河、延安）、黑龙江、吉林、辽宁、内蒙古、河北、山西、山东、甘肃、宁夏、青海、新疆、江苏、安徽、浙江、湖北、江西、湖南、福建、台湾、广东、海南、广西、重庆、四川、云南、西藏；泰国。

（139）李拭库蠓 *Culicoides*（*Monoculicoides*）*riethi* Kieffer，1914
　　分布：陕西（延安）、黑龙江、吉林、辽宁、内蒙古、山东、甘肃、宁夏、新疆、江苏、湖北、福建、四川；德国。

（140）墨脱库蠓 *Culicoides motoensis* Lee，1978
　　分布：陕西（眉县、凤县、留坝、宁陕、柞水）、西藏。

（141）新替库蠓 *Culicoides newsteadi* Austen，1921
　　分布：陕西（凤县、留坝、柞水）、黑龙江、辽宁；俄罗斯，日本，英国，法国，挪威，以色列。

（142）不显库蠓 Culicoides obsoletus Meigen, 1818

分布：陕西(周至、宁陕)、黑龙江、吉林、辽宁、内蒙古、山东、福建、重庆、四川、云南、西藏；俄罗斯，日本，阿尔及利亚，欧洲。

（143）单带库蠓 Culicoides（Oecacta）fascipennis Staeger, 1839

分布：陕西(延安)、黑龙江、辽宁、内蒙古、浙江、四川、云南；丹麦。

（144）秀茎库蠓 Culicoides（Oecacta）festivipennis Kieffer, 1914

分布：陕西(紫阳)、黑龙江、吉林、辽宁、内蒙古、山东、甘肃、宁夏、新疆、浙江、福建、四川、西藏；以色列，德国。

（145）贵船库蠓 Culicoides（Oecacta）kibunensis Tokunaga, 1937

分布：陕西(白河、榆林)、黑龙江、吉林、辽宁、内蒙古、河北、山东、新疆、江苏、福建、四川、西藏；日本，英国。

（146）北京库蠓 Culicoides（Oecacta）morisitai Tokunaga, 1940

分布：陕西(延安)、辽宁、内蒙古、河北、河南、山东、甘肃、宁夏、新疆、上海、江苏、安徽、浙江、湖北、福建、台湾、广东、海南、四川、云南；日本。

（147）尖喙库蠓 Culicoides（Oecacta）oxystoma Kieffer, 1910

分布：陕西(西安、临潼、留坝、洋县、汉中、勉县、安康、紫阳、镇巴、白河)、黑龙江、吉林、辽宁、内蒙古、河北、山西、河南、山东、宁夏、上海、江苏、安徽、浙江、湖北、江西、湖南、福建、台湾、广东、海南、广西、四川、贵州、云南、西藏；印度。

（148）黑色库蠓 Culicoides pelius Liu et Yu, 1990

分布：陕西(眉县、宁陕)、西藏。

（149）刺螯库蠓 Culicoides punctatus（Meigen, 1804）

分布：陕西(凤县、留坝、宁陕、紫阳、镇巴、白河、延安、榆林)、黑龙江、吉林、辽宁、内蒙古、河北、山东、甘肃、宁夏、新疆、浙江、湖北、福建、四川、云南；俄罗斯，哈萨克斯坦，伊朗，土耳其，欧洲，非洲北部。

（150）苏格兰库蠓 Culicoides scoticus Downes et Kettle, 1952

分布：陕西(眉县、留坝、宁陕、柞水)、西藏；英国，法国。

（151）兴安库蠓 Culicoides sinanoensis Tokunaga, 1937

分布：陕西(留坝、佛坪、宁陕、紫阳、镇巴、柞水)、黑龙江、吉林、辽宁；俄罗斯，日本。

（152）条带库蠓 Culicoides tainanus Kieffer, 1916

分布：陕西(周至、留坝、佛坪、宁陕、紫阳、镇巴、白河)、山东、福建、海南、云南；日本，越南，老挝，泰国，菲律宾，马来西亚，印度尼西亚。

（153）新平库蠓 *Culicoides xinpingensis* Chu *et* Liu，1982
　　分布：陕西（眉县）、云南。

27. 毛蠓属 *Dasyhelea* Kieffer，1911

（154）漏斗毛蠓 *Dasyhelea chonetus* Yu *et* Zou，2005
　　分布：陕西（周至、眉县、留坝、宁陕）、上海。

（155）泸定毛蠓 *Dasyhelea ludingensis* Zhang *et* Yu，1996
　　分布：陕西（周至、凤县、渭南、留坝、宁陕）、北京、山西、河南、山东、甘肃、
江苏、安徽、浙江、湖北、江西、湖南、福建、台湾、广东、海南、香港、广西、重
庆、四川、云南。

（156）西部毛蠓 *Dasyhelea occasus* Zhang *et* Yu，1996
　　分布：陕西（渭南）、北京、河北、山西、河南、山东、甘肃、江苏、浙江、湖北、
江西、湖南、福建、台湾、广东、海南、香港、广西、重庆、四川、云南。

（157）稚嫩毛蠓 *Dasyhelea subtilis* Yu *et* Zhang，2005
　　分布：陕西（宁陕）、上海。

28. 铗蠓属 *Forcipomyia* Meigen，1818

（158）温和铗蠓 *Forcipomyia almu* Liu *et* Yu，2001
　　分布：陕西（西安）。

（159）附突铗蠓 *Forcipomyia appendicular* Liu，Yan *et* Liu，1996
　　分布：陕西（汉中）、香港。

（160）巴河铗蠓 *Forcipomyia bahelea* Liu *et* Yu，2001
　　分布：陕西（留坝）、新疆。

（161）裸竹铗蠓 *Forcipomyia balteatus* Liu *et* Yu，2001
　　分布：陕西（留坝）、重庆。

（162）尊贵铗蠓 *Forcipomyia beatulus* Liu *et* Yu，2001
　　分布：陕西（留坝、眉县）、西藏。

（163）丛林铗蠓 *Forcipomyia bessa* Liu *et* Yu，2001
　　分布：陕西（留坝）、云南。

（164）拜氏铗蠓 *Forcipomyia bikanni* Chan *et* LeRoux，1971
　　分布：陕西（周至、眉县、留坝、宁陕、柞水）、河南、广东、广西、四川；
新加坡。

（165）栗色铗蠓 *Forcipomyia castanius* Liu *et* Yu，2005
　　分布：陕西（眉县）、四川。

(166) 短毛铗蠓 *Forcipomyia ciliola* Liu *et* Yu, 2001

分布:陕西(凤县、眉县、宁陕)、西藏。

(167) 摇动铗蠓 *Forcipomyia claudus* Liu *et* Yu, 2001

分布:陕西(汉中)。

(168) *Forcipomyia coronacella* Han, Li, Chang *et* Hou, 2017

分布:陕西(太白)。

(169) 防城铗蠓 *Forcipomyia fangchengensis* Liu *et* Yu, 2001

分布:陕西(留坝)、广西。

(170) 寒冷铗蠓 *Forcipomyia frigidus* Liu *et* Yu, 2001

分布:陕西(凤县、柞水)、吉林、甘肃。

(171) 灌丛铗蠓 *Forcipomyia frutetorum* (Winnertz, 1852)

分布:陕西(留坝、眉县、汉中)、吉林、辽宁、山东、江苏、安徽、浙江、江西、福建、广西、重庆、四川、云南;俄罗斯,日本,德国,阿尔及利亚,加纳,加拿大。

(172) 成熟铗蠓 *Forcipomyia marina* Spinelli *et* Dippolito, 1995

分布:陕西(宝鸡);委内瑞拉。

(173) 项角铗蠓 *Forcipomyia monilicornis* (Coquillett, 1905)

分布:陕西(留坝、柞水)、黑龙江、甘肃、广西、四川;蒙古,阿塞拜疆,欧洲,北美洲,非洲,澳大利亚。

(174) 平吉铗蠓 *Forcipomyia pinjiensis* Liu *et* Yu, 2001

分布:陕西(西安)、新疆。

(175) 粗野铗蠓 *Forcipomyia psilonota* (Kieffer, 1911)

分布:陕西(长安、周至、眉县、汉中、宁陕)、福建、广东、四川;南太平洋地区,埃塞俄比亚。

(176) 美妙铗蠓 *Forcipomyia pulcherrima* Santos Abreu, 1918

分布:陕西(汉中)、台湾;西班牙,埃及,加纳,喀麦隆,刚果。

(177) 秦岭铗蠓 *Forcipomyia qinlingensis* Han, Li *et* Hou, 2015

分布:陕西(秦岭)。

(178) 亚寒铗蠓 *Forcipomyia subfrigidus* Liu *et* Yu, 2001

分布:陕西(长安)。

29. 蠛蠓属 *Lasiohelea* Kieffer, 1921

(179) 低飞蠛蠓 *Lasiohelea humilavolita* Yu *et* Liu, 1982

分布:陕西(眉县、留坝)、河南、甘肃、安徽、浙江、湖北、江西、福建、台湾、海南、广西、重庆、四川、贵州、云南；马来西亚。

（180）西藏蠛蠓 *Lasiohelea tibetana* Yu，2005
　　　分布：陕西（眉县）、西藏。

30. 细蠓属 *Leptoconops* Skuse，1889

（181）北域细蠓 *Leptoconops*（*Holoconops*）*borealis* Gutsevich，1945
　　　分布：陕西（西安、汉中、延安）、内蒙古、宁夏、甘肃、青海、新疆；俄罗斯，
　　　阿塞拜疆。

（182）溪岸细蠓 *Leptoconops*（*Holoconops*）*riparius* Yu et Liu，1990
　　　分布：陕西（西安）、宁夏、甘肃、青海、湖北、西藏。

31. 绒蠓属 *Mallochohelea* Wirth，1962

（183）延安绒蠓 *Mallochohelea yanana* Yu et Wu，2005
　　　分布：陕西（延安）。

32. 须蠓属 *Palpomyia* Meigen，1818

（184）元钦须蠓 *Palpomyia yuanqingi* Yu，2005
　　　分布：陕西（宜川）。

33. 柱蠓属 *Stilobezzia* Kieffer，1917

（185）宝鸡柱蠓 *Stilobezzia*（*Stilobezzia*）*baojia* Liu et Shi，2002
　　　分布：陕西（宝鸡）。

七、瘿蚊科 Cecidomyiidae

34. 短角瘿蚊属 *Anarete* Haliday，1833

（186）鸢尾短角瘿蚊 *Anarete iridis*（Cockerell，1914）
　　　分布：陕西（凤县）、青海；美国。

35. 长安瘿蚊属 *Changania* Tseng，1965

（187）周氏长安瘿蚊 *Changania choui* Tseng，1965
　　　分布：陕西（长安）。

36. 钩瘿蚊属 *Claspettomyia* Grover，1964

（188）长角钩瘿蚊 *Claspettomyia longicornis* Jiang et Bu，2004

　　分布:陕西(凤县、留坝)。

（189）锯齿钩瘿蚊 *Claspettomyia serrata* Yukawa, 1971
　　分布:陕西(周至)、甘肃、福建;日本。

37. 垫瘿蚊属 *Conarete* Pritchard, 1951

（190）印垫瘿蚊 *Conarete indorensis* Grover, 1970
　　分布:陕西(周至);印度。

38. 浆瘿蚊属 *Contarinia* Rondani, 1860

（191）麦黄吸浆虫 *Contarinia tritici* (Kirby, 1798)
　　分布:陕西、黑龙江、吉林、辽宁、内蒙古、北京、河北、山西、河南、山东、甘肃、宁夏、青海、上海、江苏、安徽、浙江、湖北、江西、湖南、福建、四川、贵州;以色列,欧洲。

39. 舌板瘿蚊属 *Coquillettomyia* Felt, 1908

（192）接齿舌板瘿蚊 *Coquillettomyia dentata* Felt, 1908
　　分布:陕西(凤县、留坝、宁陕)、黑龙江、内蒙古、河北、甘肃、四川、湖北、福建、云南;俄罗斯,哈萨克斯坦,吉尔吉斯斯坦,立陶宛,乌克兰,捷克,拉脱维亚,英国,德国,波兰,美国。

40. 端突瘿蚊属 *Epidiplosis* Felt, 1908

（193）双角端突瘿蚊 *Epidiplosis bicornuta* Li et Bu, 2006
　　分布:陕西(宁陕)。

（194）钟端突瘿蚊 *Epidiplosis campanulata* Li et Bu, 2006
　　分布:陕西(宁陕)。

（195）三角端突瘿蚊 *Epidiplosis triangularis* Mo et Liu, 2000
　　分布:陕西(宁陕)、湖北。

41. 树瘿蚊属 *Lestremia* Macquart, 1826

（196）灰树瘿蚊 *Lestremia cinerea* Macquart, 1826
　　分布:陕西(留坝);全北区广布,新西兰,智利,美国夏威夷岛。

（197）褐树瘿蚊 *Lestremia leucophaea* (Macquart, 1826)
　　分布:陕西(宁陕);全北区广布,新西兰,美国夏威夷岛。

42．皮瘿蚊属 *Peromyia* Kieffer，1894

（198）新墨皮瘿蚊 *Peromyia neomexicana*（Felt，1913）
分布：陕西(凤县)、黑龙江、内蒙古、河北、河南、四川；俄罗斯，日本，乌克兰，德国，美国。

43．艾瘿蚊属 *Rhopalomyia* Rübsaamen，1892

（199）吉艾瘿蚊 *Rhopalomyia giraldii* Kieffer *et* Trotter，1900
分布：陕西(户县)；俄罗斯，日本。

44．禾谷瘿蚊属 *Sitodiplosis* Kieffer，1913

（200）麦红吸浆虫 *Sitodiplosis mosellana*（Géhin，1857）
分布：陕西(全省广布)、黑龙江、吉林、辽宁、内蒙古、北京、河北、山西、河南、山东、甘肃、宁夏、青海、上海、江苏、安徽、浙江、湖北、江西、湖南、福建、四川、贵州；古北区广布，后传入新北区并广布。

八、菌蚊科 Mycetophilidae

45．布菌蚊属 *Boletina* Staeger，1840

（201）*Boletina conjuncta*（Sasakawa *et* Kimura，1974）
分布：陕西(秦岭)、四川；俄罗斯，日本。

46．短菌蚊属 *Brevicornu* Marshall，1896

（202）冠状短菌蚊 *Brevicornu coronanses* Wu，Xu *et* Yu，2004
分布：陕西(佛坪)、甘肃。

47．瘦菌蚊属 *Manota* Williston，1896

（203）中华瘦菌蚊 *Manota chinensis* Ševčík，2002
分布：陕西。
（204）*Manota mitrata* Hippa *et* Saigusa，2016
分布：陕西(佛坪)。

48．梅菌蚊属 *Megophthalmidia* Dziedzicki，1889

（205）塔氏梅菌蚊 *Megophthalmidia takagii* Sasakawa，1964

　　　　分布:陕西(凤县)、浙江;俄罗斯,日本。

49．菌蚊属 *Mycetophila* Meigen，1803

(206) 齿菌蚊 *Mycetophila dentata* Lundström，1913
　　　　分布:陕西;伊朗,欧洲,北美洲。

(207) 勤菌蚊 *Mycetophila diligens* Zaitsev，1999
　　　　分布:陕西;俄罗斯。

50．毛菌蚊属 *Trichonta* Winnertz，1863

(208) 棒毛菌蚊 *Trichonta clavigera* Lundström，1913
　　　　分布:陕西;欧洲。

九、扁角菌蚊科 Keroplatidae

51．蕈角菌蚊属 *Sciarokeroplatus* Papp *et* Sevcik，2005

(209) *Sciarokeroplatus pileatus* Papp *et* Sevcik，2005
　　　　分布:陕西、台湾。

十、眼蕈蚊科 Sciaridae

52．迟眼蕈蚊属 *Bradysia* Winnertz，1867

(210) 周氏迟眼蕈蚊 *Bradysia choui* Yang *et* Zhang，1989
　　　　分布:陕西(宁陕)。

(211) 火地塘迟眼蕈蚊 *Bradysia huoditangana* Yang *et* Zhang，1989
　　　　分布:陕西(宁陕)。

(212) 留坝迟眼蕈蚊 *Bradysia liubana* Yang *et* Zhang，1989
　　　　分布:陕西(宁陕)。

(213) 宁陕迟眼蕈蚊 *Bradysia ningshanana* Yang *et* Zhang，1989
　　　　分布:陕西(宁陕)。

(214) 痣刺迟眼蕈蚊 *Bradysia pustulispina* Yang *et* Zhang，1989
　　　　分布:陕西(宁陕)。

(215) 秦岭迟眼蕈蚊 *Bradysia qinglingana* Yang *et* Zhang，1989
　　　　分布:陕西(宁陕)。

(216) 密刺迟眼蕈蚊 *Bradysia spinellosa* Yang *et* Zhang，1989

分布:陕西(宁陕)。

53. 屈眼蕈蚊属 *Camptochaeta* Hippa *et* Vilkamaa，1994

（217）细屈眼蕈蚊 *Camptochaeta tenuipalpalis*（Mohrig *et* Antonova，1978）
分布:陕西(凤县、宁陕、柞水)、内蒙古、浙江、福建、台湾、四川、云南、西藏；俄罗斯，日本，芬兰，瑞典。

54. 翼眼蕈蚊属 *Corynoptera* Winnertz，1867

（218）长刺翼眼蕈蚊 *Corynoptera longispina*（Yang *et* Zhang，1989）
分布:陕西(宁陕)、浙江。

55. 强眼蕈蚊属 *Cratyna* Winnertz，1867

（219）宽尾强眼蕈蚊 *Cratyna brevicaudata*（Yang *et* Zhang，1989）
分布:陕西(宁陕)。

56. 代强眼蕈蚊属 *Diversicratyna* Menzel *et* Mohrig，1998

（220）独刺代强眼蕈蚊 *Diversicratyna unispinula*（Mohrig *et* Menzel，1992）
分布:陕西(户县)；奥地利。

57. 突眼蕈蚊属 *Dolichosciara* Tuomikoski，1960

（221）俄罗斯远东突眼蕈蚊 *Dolichosciara ninae*（Antonova，1977）
分布:陕西(留坝)、山西、浙江、台湾；俄罗斯(远东)。

（222）凹尾突眼蕈蚊 *Dolichosciara scrobiculata* Shi *et* Huang，2013
分布:陕西(宁陕)、福建、台湾、广西、贵州、云南。

（223）伪饰尾突眼蕈蚊 *Dolichosciara subornata* Mohrig *et* Menzel，1994
分布:陕西(周至)；俄罗斯(远东)。

（224）膨尾突眼蕈蚊 *Dolichosciara tumidula* Shi *et* Huang，2013
分布:陕西(户县)。

58. 厉眼蕈蚊属 *Lycoriella* Frey，1942

（225）短尾厉眼蕈蚊 *Lycoriella brevicaudata* Yang *et* Zhang，1989
分布:陕西(宁陕)。

（226）长刺厉眼蕈蚊 *Lycoriella longispina* Yang *et* Zhang，1989
分布:陕西(宁陕)。

59. 摩眼蕈蚊属 *Mohrigia* Menzel, 1995

（227）*Mohrigia angusta* Xu *et* Huang, 2017
　　　分布：陕西。

（228）复摩眼蕈蚊 *Mohrigia composivera* Rudzinski, 2006
　　　分布：陕西（户县）、福建、台湾、云南、西藏。

60. 配眼蕈蚊属 *Peyerimhoffia* Kieffer, 1903

（229）疏毛配眼蕈蚊 *Peyerimhoffia sparsula* Shi *et* Huang, 2014
　　　分布：陕西（户县）。

（230）芬兰配眼蕈蚊 *Peyerimhoffia vagabunda*（Winnertz, 1867）
　　　分布：陕西（户县）、黑龙江、山西、浙江；俄罗斯，芬兰，瑞典，意大利。

61. 伪轭眼蕈蚊属 *Pseudozygoneura* Steffan, 1969

（231）六刺伪轭眼蕈蚊 *Pseudozygoneura hexacantha* Shi *et* Huang, 2015
　　　分布：陕西（户县）、山西、浙江、湖北、福建。

十一、摇蚊科 Chironomidae

（一）寡角摇蚊亚科 Diamesinae

62. 北七角摇蚊属 *Boreoheptagyia* Brundin, 1966

（232）短跗北七角摇蚊 *Boreoheptagyia brevitarsis*（Tokunaga, 1936）
　　　分布：陕西（凤县）、河南、四川；俄罗斯，日本。

63. 波摇蚊属 *Potthastia* Kieffer, 1922

（233）盖氏波摇蚊 *Potthastia gaedii*（Meigen, 1838）
　　　分布：陕西（周至、宁陕、留坝）、浙江、湖北、四川、贵州、云南；俄罗斯，韩国，日本，比利时，澳大利亚，德国，意大利。

（234）双角波摇蚊 *Potthastia montium*（Edwards, 1929）
　　　分布：陕西（凤县、宁陕）、浙江、贵州；俄罗斯，韩国，日本，英国。

（二）长足摇蚊亚科 Tanypodinae

64. 无突摇蚊属 *Ablabesmyia* Johannsen, 1905

（235）阿巴无突摇蚊 *Ablabesmyia alba* Chaudhuri, Debnath *et* Nandi, 1983

分布:陕西(周至、宁陕)、四川、贵州、云南;印度。

(236) 环节无突摇蚊 *Ablabesmyia annulata* (Say, 1823)

分布:陕西(周至);美国。

(237) 法无突摇蚊 *Ablabesmyia phatta* (Egger, 1863)

分布:陕西(周至)、甘肃、浙江、江西、福建、广东、广西、四川、云南;欧洲。

65. 壳粗腹摇蚊属 *Conchapelopia* Fittkau, 1957

(238) 间断壳粗腹摇蚊 *Conchapelopia triannulata* (Goetghebuer, 1921)

分布:陕西(留坝)、福建、海南、贵州;德国,比利时,奥地利。

66. 大粗腹摇蚊属 *Macropelopia* Thienemann, 1916

(239) 代大粗腹摇蚊 *Macropelopia decedens* (Walker, 1848)

分布:陕西(凤县);美国,加拿大。

67. 那塔摇蚊属 *Natarsia* Fittkau, 1962

(240) 秦岭那塔摇蚊 *Natarsia qinlingica* Cheng *et* Wang, 2006

分布:陕西(凤县)。

68. 拟麦氏摇蚊属 *Paramerina* Fittkau, 1962

(241) 迪拟麦氏摇蚊 *Paramerina divisa* (Walker, 1856)

分布:陕西(周至)、浙江、四川;日本,欧洲。

69. 前突摇蚊属 *Procladius* Skuse, 1889

(242) 巴前突摇蚊 *Procladius barbatulus* Sublette, 1964

分布:陕西(凤县)、山东、云南、新疆;美国。

70. 流粗腹摇蚊属 *Rheopelopia* Fittkau, 1962

(243) 欧流粗腹摇蚊 *Rheopelopia ornata* (Meigen, 1838)

分布:陕西(凤县)、天津、浙江、重庆、四川、云南;日本,欧洲。

71. 三叉粗腹摇蚊属 *Trissopelopia* Kieffer, 1923

(244) 柳毛三叉粗腹摇蚊 *Trissopelopia lanceolata* Cheng *et* Wang, 2005

分布:陕西(宁陕)、四川。

（三）直突摇蚊亚科 Orthocladiinae

72. 布摇蚊属 *Brillia* Kieffer，1913

（245）日本布摇蚊 *Brillia japonica* Tokunaga，1939

　　分布：陕西（周至、凤县）、山西、山东、河南、湖北、福建、广西、四川；韩国，日本。

73. 苔摇蚊属 *Bryophaenocladius* Thienemann，1934

（246）楔铗苔摇蚊 *Bryophaenocladius cuneiformis* Armitage，1987

　　分布：陕西（周至、宁陕、凤县）、河北、河南、浙江、福建、甘肃、青海、四川、云南、西藏；西班牙，缅甸。

（247）黄苔摇蚊 *Bryophaenocladius ictericus*（Meigen，1830）

　　分布：陕西（凤县）、河北、河南、宁夏、四川；欧洲。

（248）拟裸须苔摇蚊 *Bryophaenocladius parimberbus* Wang et Du，2010

　　分布：陕西（凤县）、河南。

74. 叶角摇蚊属 *Camptocladius* Wulp，1874

（249）污叶角摇蚊 *Camptocladius stercorarius*（de Geer，1776）

　　分布：陕西（凤县）、吉林、河北、新疆、西藏；欧洲，澳洲，北美洲。

75. 心突摇蚊属 *Cardiocladius* Kieffer，1912

（250）暗褐心突摇蚊 *Cardiocladius fuscus* Kieffer，1924

　　分布：陕西（周至）、甘肃、青海、福建；俄罗斯（远东），韩国，日本，黎巴嫩，叙利亚，土耳其，欧洲，非洲北部。

76. 环足摇蚊属 *Cricotopus* Wulp，1874

（251）轮环足摇蚊 *Cricotopus annulator* Goetghebuer，1927

　　分布：陕西（宁陕）、辽宁、河南、山东、新疆、湖北、四川；亚洲，欧洲，北美洲。

（252）双线环足摇蚊 *Cricotopus bicinctus*（Meigen，1818）

　　分布：陕西（凤县）、黑龙江、内蒙古、天津、河北、河南、山东、宁夏、甘肃、新疆、浙江、江西、福建、广东、海南、广西、四川、贵州、云南。

（253）蒙塔努斯环足摇蚊 *Cricotopus montanus* Tokunaga，1936

　　分布：陕西（宁陕）、宁夏、甘肃、浙江、四川；俄罗斯，日本。

（254）三轮环足摇蚊 *Cricotopus triannulatus*（Macquart，1826）

分布：陕西（周至、凤县、留坝）、黑龙江、辽宁、内蒙古、天津、河北、河南、新
疆、浙江、湖北、江西、广西、重庆、四川、贵州、云南；欧洲，北美洲。

（255）三束环足摇蚊 *Cricotopus trifascia* Edwards，1929

分布：陕西（周至、凤县）、辽宁、新疆、浙江、湖北、广西、四川、云南；欧洲，
北美洲。

77. 毛胸摇蚊属 *Heleniella* Gowin，1943

（256）黑翅毛胸摇蚊 *Heleniella nebulosa* Andersen *et* Wang，1997

分布：陕西（周至、留坝）、河南、浙江、福建、贵州、西藏；泰国。

78. 沼摇蚊属 *Limnophyes* Eaton，1875

（257）低尾沼摇蚊 *Limnophyes difficilis* Brundin，1947

分布：陕西（凤县、留坝）、内蒙古、宁夏、广西、四川；欧洲。

（258）五鬃沼摇蚊 *Limnophyes pentaplastus*（Kieffer，1921）

分布：陕西（留坝）、吉林、辽宁、北京、福建、四川；俄罗斯，日本，欧洲，
北美洲。

79. 肛脊摇蚊属 *Mesosmittia* Brundin，1956

（259）无棘肛脊摇蚊 *Mesosmittia absensis* Kong *et* Wang，2011

分布：陕西（周至）。

（260）尖铗肛脊摇蚊 *Mesosmittia acutistyla* Saether，1985

分布：陕西、河北；美国，墨西哥。

（261）侧毛肛脊摇蚊 *Mesosmittia patrihortae* Sæther，1985

分布：陕西（周至、凤县、留坝、宁陕）、吉林、天津、河北、山东、河南、江苏、
湖北、广西、重庆、四川、云南、贵州；俄罗斯，日本，北美洲，南美洲。

80. 直突摇蚊属 *Orthocladius* Van der Wulp，1874

（262）无突赭直突摇蚊 *Orthocladius*（*Eudactylocladius*）*fengensis* Kong，Saether *et*
Wang，2012

分布：陕西。

（263）弯铗直突摇蚊 *Orthocladius*（*Euorthocladius*）*flectus* Kong，Saether *et*
Wang，2012

分布：陕西。

81. 拟中足摇蚊属 *Parametriocnemus* Goetghebuer, 1932

(264) 刺拟中足摇蚊 *Parametriocnemus stylatus*（Spärck, 1923）
　　分布:陕西(周至)、北京、江苏、福建、云南；日本,欧洲。

82. 拟矩摇蚊属 *Paraphaenocladius* Thienemann, 1924

(265) 强拟矩摇蚊 *Paraphaenocladius impensus*（Walker, 1856）
　　分布:陕西(凤县)、山东、江苏、福建、广东、云南；日本,欧洲,加拿大,美国。

83. 拟毛突摇蚊属 *Paratrichocladius* Santos Abreu, 1918

(266) 黑拟毛突摇蚊 *Paratrichocladius ater* Wang *et* Zheng, 1990
　　分布:陕西(宝鸡)、吉林、辽宁、河北、河南、山东、宁夏、甘肃、四川、云南。

(267) 斯柯拟毛突摇蚊 *Paratrichocladius skirwithensis*（Edwards, 1929）
　　分布:陕西(宁陕)、吉林、附件、四川、宁夏、云南、新疆；俄罗斯(远东),全北区广布。

84. 伪直突摇蚊属 *Pseudorthochadius* Goetghebuer, 1943

(268) 富士伪直突摇蚊 *Pseudorthocladius jintutridecima*（Sasa, 1996）
　　分布:陕西(留坝)、福建、广东、四川、云南；日本。

85. 伪施密摇蚊属 *Pseudosmittia* Edwards, 1932

(269) 三叉伪施密摇蚊 *Pseudosmittia forcipata*（Goetghebuer, 1921）
　　分布:陕西(凤县)、吉林、辽宁、宁夏、甘肃、湖北、湖南、四川、贵州、西藏；泰国,欧洲,非洲。

86. 趋流摇蚊属 *Rheocricotopus* Thienemann *et* Harnisch, 1932

(270) *Rheocricotopus calviculus* Wang *et* Saether, 2001
　　分布:陕西(周至)。

(271) 钢灰趋流摇蚊 *Rheocricotopus chalybeatus*（Edwards, 1929）
　　分布:陕西(凤县)、辽宁、山东、甘肃、浙江；蒙古,俄罗斯,日本,欧洲。

(272) 散步趋流摇蚊 *Rheocricotopus effusus*（Walker, 1856）
　　分布:陕西(宁陕)、甘肃、浙江、福建、四川、云南；欧洲,北美洲。

(273) 峨眉趋流摇蚊 *Rheocricotopus emeiensis* Wang *et* Zheng, 1989

　　分布:陕西(周至、留坝)、新疆、福建、四川、贵州、云南。

（274）缺失趋流摇蚊 *Rheocricotopus imperfectus* Makarchenko *et* Makarchenko, 2005

　　分布:陕西(凤县、宁陕)、宁夏、湖北;俄罗斯。

（275）罗趋流摇蚊 *Rheocricotopus robacki*（Beck *et* Beck, 1964）

　　分布:陕西(周至)、新疆、江西、福建、贵州、云南、西藏;加拿大,美国。

87. 施密摇蚊属 *Smittia* Holmgren, 1869

（276）爱氏施密摇蚊 *Smittia edwardsi* Goetghebuer, 1932

　　分布:陕西(宁陕)、辽宁、甘肃、云南;欧洲,美国。

88. 提尼曼摇蚊属 *Thienemanniella* Kieffer, 1911

（277）简单提尼曼摇蚊 *Thienemanniella absens* Fu, Sæther *et* Wang, 2010

　　分布:陕西(周至)、浙江。

（278）银塔提尼曼摇蚊 *Thienemanniella ginzanquinta*（Sasa *et* Suzuki, 1998）

　　分布:陕西(周至)、云南;日本。

（四）摇蚊亚科 Chironominae

89. 摇蚊属 *Chironomus* Meigen, 1803

（279）背摇蚊 *Chironomus dorsalis* Meigen, 1918

　　分布:陕西(凤县)、河北、湖北、湖南、广东、重庆、四川、贵州、云南、西藏;欧洲。

（280）溪岸摇蚊 *Chironomus riparius* Meigen, 1840

　　分布:陕西(凤县)、天津、福建、重庆、云南;欧洲,北美洲,非洲,北极洲。

（281）萨摩亚摇蚊 *Chironomus samoensis* Edwards, 1928

　　分布:陕西(留坝)、内蒙古、北京、河北、河南、山东、宁夏、青海、新疆、江苏、浙江、湖北、湖南、江西、福建、台湾、广东、广西、四川、贵州、云南、西藏;日本,南亚。

90. 枝角摇蚊属 *Cladopelma* Kieffer, 1921

（282）*Cladopelma costa* Yan, Jin *et* Wang, 2008

　　分布:陕西(周至)、甘肃、重庆。

91. 隐摇蚊属 *Cryptochironomus* Kieffer, 1918

（283）***Cryptochironomus maculus* Yan *et* Wang, 2016**
　　　分布：陕西（留坝）、河北、江西、四川、贵州、云南。

92. 拟隐摇蚊属 *Demicryptochironomus* Lenz, 1941

（284）光裸拟隐摇蚊 ***Demicryptochironomus minus* Yan, Tang *et* Wang, 2005**
　　　分布：陕西（周至）、浙江、贵州。

（285）缺损拟隐摇蚊 ***Demicryptochironomus vulneratus*（Zetterstedt, 1838）**
　　　分布：陕西（周至、宁陕）、山东、河南、浙江、福建、贵州；俄罗斯（远东），印
　　　度，欧洲。

93. 二叉摇蚊属 *Dicrotendipes* Kieffer, 1913

（286）塔马淡绿二叉摇蚊 ***Dicrotendipes tamaviridis* Sasa, 1981**
　　　分布：陕西（留坝）、辽宁、天津、河北、甘肃、湖北；俄罗斯，日本。

94. 雕翅摇蚊属 *Glyptotendipes* Kieffer, 1913

（287）德永雕翅摇蚊 ***Glyptotendipes tokunagai* Sasa, 1979**
　　　分布：陕西（凤县）、河北、河南、湖南、福建、贵州、云南；俄罗斯，日本。

95. 小突摇蚊属 *Micropsectra* Kieffer, 1909

（288）双齿小突摇蚊 ***Micropsectra bidentata*（Goetghebuer, 1921）**
　　　分布：陕西（留坝）、吉林、内蒙古、天津、河南、宁夏、甘肃、湖北、四川、贵
　　　州、云南、西藏；欧洲。

96. 倒毛摇蚊属 *Microtendipes* Kieffer, 1915

（289）黄绿倒毛摇蚊 ***Microtendipes britteni*（Edwards, 1929）**
　　　分布：陕西（周至）、辽宁、北京、天津、山东、浙江、广东、贵州；日本，欧洲，
　　　阿尔及利亚。

（290）科菲倒毛摇蚊 ***Microtendipes confinis*（Meigen, 1830）**
　　　分布：陕西（周至）；欧洲。

（291）平截倒毛摇蚊 ***Microtendipes truncatus* Kawai *et* Sasa, 1985**
　　　分布：陕西（周至）、福建、云南、贵州；日本。

97．Genus *Olecryptotendipes* Zorina，2007

（292）*Olecryptotendipes melasmus* Yan，Wang *et* Bu，2012
　　　　分布：陕西（宝鸡）、福建。

98．拟枝角摇蚊属 *Paracladopelma* Harnisch，1923

（293）*Paracladopelma binum* Yan，Jin *et* Wang，2008
　　　　分布：陕西。

99．间摇蚊属 *Paratendipes* Kieffer，1911

（294）白间摇蚊 *Paratendipes albimanus*（Meigen，1818）
　　　　分布：陕西（周至）、河北、河南、宁夏、甘肃、浙江、湖北、四川、云南；日本，黎巴嫩，美国，欧洲广布。

（295）裸瓣间摇蚊 *Paratendipes nudisquama*（Edwards，1929）
　　　　分布：陕西（凤县）、青海、福建；欧洲。

100．明摇蚊属 *Phaenopsectra* Kieffer，1921

（296）黄明摇蚊 *Phaenopsectra flavipes*（Meigen，1818）
　　　　分布：陕西（留坝）、北京、新疆、湖北、贵州、云南；日本，黎巴嫩，加拿大，美国。

101．多足摇蚊属 *Polypedilum* Kieffer，1912

（297）白角多足摇蚊 *Polypedilum albicorne*（Meigen，1838）
　　　　分布：陕西（周至、凤县、留坝、宁陕）、河南、宁夏、福建、云南；欧洲，北美洲。

（298）浅川多足摇蚊 *Polypedilum asakawaense* Sasa，1980
　　　　分布：陕西（周至、宁陕）、河南、浙江、湖北、广东、四川、贵州。

（299）冲绳多足摇蚊 *Polypedilum benokiense* Sasa *et* Hasegawa，1983
　　　　分布：陕西（周至）、福建；日本。

（300）*Polypedilum bilamella* Zhang *et* Wang，2016
　　　　分布：陕西、甘肃、宁夏、湖北、四川、云南、西藏。

（301）膨大多足摇蚊 *Polypedilum convictum*（Walker，1856）
　　　　分布：陕西（凤县、留坝、宁陕）、河南、湖北、福建、广东、海南、贵州、云南；日本，欧洲，非洲，北美洲。

（302）*Polypedilum dilatum* Zhang *et* Wang，2004

分布：陕西。

（303）白斑多足摇蚊 *Polypedilum edensis* Ree *et* Kim，1981

分布：陕西（留坝）、山东、浙江、广东、海南、四川、贵州、西藏；韩国，日本。

（304）*Polypedilum jii* Zhang *et* Wang，2005

分布：陕西。

（305）鲜艳多足摇蚊 *Polypedilum laetum*（Meigen，1818）

分布：陕西（凤县）；欧洲，北美洲。

（306）*Polypedilum lateralum* Zhang *et* Wang，2004

分布：陕西、湖北、四川、云南。

（307）步行多足摇蚊 *Polypedilum pedestre*（Meigen，1830）

分布：陕西（周至）、北京；东亚，欧洲，北美洲。

（308）细铗多足摇蚊 *Polypedilum surugense* Niitsuma，1993

分布：陕西（凤县、留坝）、湖北、福建、海南、贵州、云南；日本。

（309）*Polypedilum tenuis* Zhang *et* Wang，2005

分布：陕西。

（310）筑波多足摇蚊 *Polypedilum tsukubaense*（Sasa，1979）

分布：陕西（周至、凤县、留坝、宁陕）、河南、浙江、湖北、福建、广东、海南、云南；日本。

（311）单带多足摇蚊 *Polypedilum unifascium*（Tokunaga，1938）

分布：陕西（周至、凤县、留坝）、辽宁、山东、福建、台湾、广东、海南、广西、贵州；日本。

（312）亚牟多足摇蚊 *Polypedilum yammounei* Moubayed，1992

分布：陕西（周至、宁陕）、宁夏、甘肃、湖北、四川、云南、西藏；黎巴嫩。

102. 狭摇蚊属 *Stenochironomus* Kieffer，1919

（313）印拉狭摇蚊 *Stenochironomus inalemeus* Sasa，2001

分布：陕西（周至、凤县、留坝）、福建、广东、四川；日本。

103. 长跗摇蚊属 *Tanytarsus* v. d. Wulp，1874

（314）细长跗摇蚊 *Tanytarsus ejuncidus*（Walker，1856）

分布：陕西（周至、凤县）、北京、天津、山东、宁夏、湖北、江西、福建、广东、四川、云南；欧洲，北美洲。

十二、蚋科 Simuliidae

104. 蚋属 *Simulium* Latreille，1802

（315）绳蚋 *Simulium*（*Gomphostilbia*）sp.
分布：陕西（周至）。

（316）秦岭纺蚋 *Simulium*（*Nevermannia*）*qinlingense* Xiu *et* Chen，2017
分布：陕西（周至）。

（317）装饰短蚋 *Simulium*（*Odagmia*）*ornatum* Meigen，1818
分布：陕西（户县、太白）、吉林、辽宁、山西、四川、贵州、云南；欧洲大陆，中亚，中东，俄罗斯西伯利亚广布。

（318）双齿蚋 *Simulium*（*Simulium*）*bidentatum* Shiraki，1935
分布：陕西（户县、太白、宁陕）、黑龙江、辽宁、山西、青海、福建、四川、贵州、云南；韩国，日本。

（319）衡山蚋 *Simulium*（*Simulium*）*hengshanense* Bi *et* Chen，2003
分布：陕西（宁陕）、湖南。

（320）粗毛蚋 *Simulium*（*Simulium*）*hirtipannus* Puri，1932
分布：陕西（宁陕）、浙江、福建、广东、贵州、西藏；印度。

（321）留坝蚋 *Simulium*（*Simulium*）*liubaense* Liu *et* An，2009
分布：陕西（留坝）。

（322）长板蚋 *Simulium*（*Simulium*）*longplatum* Chen *et* Xiu，2017
分布：陕西（周至、宁陕）。

（323）黔蚋 *Simulium*（*Simulium*）*qianense* Chen *et* Chen，2001
分布：陕西（周至、太白）、贵州。

（324）秦氏蚋 *Simulium*（*Simulium*）*qini* Cao，Wang *et* Chen，1993
分布：陕西（太白、宁陕）、山西、四川。

（325）五条蚋 *Simulium*（*Simulium*）*quinquestriatum*（Shiraki，1935）
分布：陕西（宁陕）、辽宁、江西、福建、台湾、广东、广西、四川、贵州、云南、西藏；韩国，日本，泰国。

（326）红色蚋 *Simulium*（*Simulium*）*rufibasis* Brunetti，1911
分布：陕西（周至、太白、宁陕）、辽宁、湖北、江西、福建、台湾、广东、海南、四川、贵州、云南、西藏；韩国，日本，越南，泰国，缅甸，印度，巴基斯坦。

（327）枪木蚋 *Simulium*（*Simulium*）*suzukki* Rubtsov，1963
分布：陕西（周至、太白）、江西、台湾、广东、香港、四川、贵州、云南；俄罗斯（西伯利亚），韩国，日本。

（328）马维蚋 *Simulium*（*Wilhelmia*）*equinum* Linnaeus，1758

　　分布：陕西（宁陕）、山东，华北、东北和西北地区各省区；英国，西欧至东西伯利亚。

（329）沼泽维蚋 *Simulium*（*Wilhelmia*）*lama* Rubtsov，1940

　　分布：陕西（周至）；蒙古。

十三、鹬虻科 Rhagionidae

105. 金鹬虻属 *Chrysopilus* Macquart，1826

（330）周氏金鹬虻 *Chrysopilus choui* Yang *et* Yang，1989

　　分布：陕西（长安、周至、太白）、甘肃。

（331）华山金鹬虻 *Chrysopilus huashanus* Yang *et* Yang，1989

　　分布：陕西（华山）。

（332）灰翅金鹬虻 *Chrysopilus obscuralatus* Yang *et* Yang，1989

　　分布：陕西（黄龙）、宁夏。

（333）陕西金鹬虻 *Chrysopilus shaanxiensis* Yang *et* Yang，1989

　　分布：陕西（长安）、北京、山西、宁夏、甘肃。

（334）中华金鹬虻 *Chrysopilus sinensis*（Yang，Yang *et* Nagatomi，1997）

　　分布：陕西（石泉）。

（335）三斑金鹬虻 *Chrysopilus trimaculatus* Yang *et* Yang，1989

　　分布：陕西（长安、甘泉）、北京、山西、宁夏、甘肃。

106. 鹬虻属 *Rhagio* Fabricius，1775

（336）黑端鹬虻 *Rhagio apiciniger* Yang，Zhu *et* Gao，2005

　　分布：陕西（宁陕）。

（337）周氏鹬虻 *Rhagio choui* Yang *et* Yang，1997

　　分布：陕西（长安）、北京、河北、宁夏。

（338）华山鹬虻 *Rhagio huashanensis* Yang *et* Yang，1997

　　分布：陕西（华阴）。

（339）陕西鹬虻 *Rhagio shaanxiensis* Yang *et* Yang，1997

　　分布：陕西（洋县）、宁夏、甘肃。

（340）密点鹬虻 *Rhagio stigmosus* Yang，Yang *et* Nagatomi，1997

　　分布：陕西（安康）。

107.肾角鹬虻属 *Symphoromyia* Frauenfeld, 1867

(341)粗肾角鹬虻 *Symphoromyia crassicornis*（Panzer, 1806）
分布:陕西(太白山)、山西、宁夏、青海、四川;古北区广布。

十四、伪鹬虻科 Athericidae

108.伪鹬虻属 *Atherix* Meigen, 1803

(342)斑翅伪鹬虻 *Atherix ibis*（Fabricius, 1798）
分布:陕西(佛坪)、四川;日本,欧洲,北美洲。

十五、虻科 Tabanidae

(一)斑虻亚科 Chrysopsinae

109.斑虻属 *Chrysops* Meigen, 1803

(343)察哈尔斑虻 *Chrysops chaharicus* Chen et Quo, 1949
分布:陕西(周至、凤县、留坝、延安)、辽宁、河北、山西、宁夏、甘肃。

(344)莫氏斑虻 *Chrysops mlokosiewiczi* Bigot, 1880
分布:陕西(秦岭、安康)、吉林、辽宁、内蒙古、北京、天津、河北、河
南、宁夏、甘肃、新疆、浙江、福建、台湾、广东;俄罗斯,中亚。

(345)帕氏斑虻 *Chrysops potanini* Pleske, 1910
分布:陕西(周至、佛坪、宁陕、延安)、山西、甘肃、安徽、浙江、福建、四川、
贵州、云南;日本。

(346)中华斑虻 *Chrysops sinensis* Walker, 1856
分布:陕西(咸阳、宝鸡、略阳、汉中、宜川)、吉林、辽宁、北京、天津、河北、
山西、河南、山东、宁夏、甘肃、上海、江苏、安徽、浙江、湖北、江西、湖南、福
建、台湾、广东、香港、广西、重庆、四川、贵州、云南。

(347)条纹斑虻 *Chrysops striatulus* Pechuman, 1943
分布:陕西(秦岭,汉中)、湖北、湖南、福建、重庆、四川、贵州、云南。

(348)合瘤斑虻 *Chrysops suavis* Loew, 1858
分布:陕西(留坝、略阳、汉中、富县、延安、榆林)、黑龙江、吉林、辽宁、内蒙
古、宁夏、甘肃、青海、新疆、台湾、四川;蒙古,俄罗斯,朝鲜,日本。

(349)四川斑虻 *Chrysops szechuanensis* Kröber, 1933
分布:陕西(西安、留坝、佛坪、宁强、洋县、汉中、西乡、安康)、四川。

（350）范氏斑虻 *Chrysops vanderwulpi* Kröber，1929

　　分布：陕西（宁强、佛坪、延安）、黑龙江、吉林、辽宁、内蒙古、北京、天津、河北、山西、河南、山东、宁夏、甘肃、上海、江苏、安徽、浙江、湖北、江西、湖南、福建、台湾、广东、海南、香港、澳门、广西、重庆、四川、贵州、云南；俄罗斯，朝鲜，日本，越南。

（二）虻亚科 Tabaninae

110. 黄虻属 *Atylotus* Osten-Sacken，1876

（351）霍氏黄虻 *Atylotus horvathi*（Szilády，1926）

　　分布：陕西（周至、宝鸡、略阳、留坝、佛坪）、黑龙江、吉林、辽宁、内蒙古、北京、河南、山东、甘肃、江苏、浙江、湖北、福建、台湾、广东、重庆、四川、贵州；俄罗斯，朝鲜，日本。

（352）骚扰黄虻 *Atylotus miser*（Szilády，1915）

　　分布：陕西（周至、宝鸡、太白、略阳、留坝、佛坪、延安）、黑龙江、吉林、辽宁、内蒙古、北京、天津、河北、山西、河南、山东、宁夏、甘肃、青海、上海、江苏、安徽、浙江、湖北、福建、广东、香港、广西、重庆、四川、贵州、云南；蒙古，俄罗斯，朝鲜，日本。

（353）村黄虻 *Atylotus rusticus*（Linnaeus，1767）

　　分布：陕西（周至、留坝、佛坪、黄龙）、黑龙江、吉林、辽宁、内蒙古、北京、河北、山西、山东、宁夏、甘肃、青海、新疆、四川、云南；蒙古，俄罗斯，土耳其，中亚，欧洲，非洲北部。

111. 少环虻属 *Glaucops* Szilády，1923

（354）舟山少环虻 *Glaucops chusanensis*（Ôuchi，1943）

　　分布：陕西（秦岭）、河南、浙江、福建。

112. 麻虻属 *Haematopota* Meigen，1803

（355）触角麻虻 *Haematopota antennata*（Shiraki，1932）

　　分布：陕西（周至、宝鸡、略阳、留坝、佛坪、汉中、安康）、吉林、辽宁、北京、河北、山西、河南、山东、甘肃、江苏、浙江、湖北、广东；朝鲜。

（356）巴山麻虻 *Haematopota bashanensis* Li *et* Yang，1991

　　分布：陕西（镇巴）。

（357）浙江麻虻 *Haematopota chekiangensis* Ôuchi，1940

　　分布：陕西（留坝、佛坪、宁陕、汉中、安康）、河南、甘肃、浙江、湖北、云南。

（358）中国麻虻 *Haematopota chinensis* Ôuchi, 1940

　　分布：陕西（秦岭，汉中）、浙江、福建。

（359）脱粉麻虻 *Haematopota desertorum* Szilády, 1923

　　分布：陕西（秦岭，陇县）、黑龙江、吉林、辽宁、内蒙古、北京、河北、山西、甘肃；蒙古，俄罗斯。

（360）括苍山麻虻 *Haematopota guacangshanensis* Xu, 1980

　　分布：陕西（秦岭，汉中、安康）、浙江、福建。

（361）汉中麻虻 *Haematopota hanzhongensis* Xu, Li *et* Yang, 1987

　　分布：陕西（略阳）。

（362）甘肃麻虻 *Haematopota kansuensis*（Kröber, 1933）

　　分布：陕西（西安、周至、宝鸡、略阳、留坝、佛坪、汉中、延安）、辽宁、宁夏、甘肃、青海。

（363）峨眉山麻虻 *Haematopota omeishanensis* Xu, 1980

　　分布：陕西（略阳、佛坪、汉中、安康）、福建、四川。

（364）北京麻虻 *Haematopota pekingensis*（Liu, 1958）

　　分布：陕西（西安，秦岭）、辽宁、北京、河北、山西、河南。

（365）骚扰麻虻 *Haematopota vexativa* Xu, 1989

　　分布：陕西（秦岭）、甘肃。

113. 瘤虻属 *Hybomitra* Enderlein, 1922

（366）釉黑瘤虻 *Hybomitra baphoscata* Xu *et* Liu, 1985

　　分布：陕西（周至、凤县、陇县、留坝）、甘肃。

（367）膨条瘤虻 *Hybomitra expollicata*（Pandelle, 1883）

　　分布：陕西（秦岭，陇县）、黑龙江、吉林、辽宁、内蒙古、宁夏、甘肃、青海、新疆、湖北、四川、西藏；蒙古，俄罗斯，哈萨克斯坦，土耳其，欧洲。

（368）黄毛瘤虻 *Hybomitra flavicoma* Wang, 1981

　　分布：陕西（宁陕）、四川。

（369）佛坪瘤虻 *Hybomitra fopingensis* Wang, 1985

　　分布：陕西（佛坪）。

（370）海东瘤虻 *Hybomitra haidongensis* Xu *et* Jin, 1990

　　分布：陕西（周至、陇县）、宁夏、甘肃、青海、四川。

（371）甘肃瘤虻 *Hybomitra kansui* Philip, 1979

　　分布：陕西（秦岭）、甘肃、青海、四川、云南。

（372）六盘山瘤虻 *Hybomitra liupanshanensis* Liu, Wang *et* Xu, 1990

分布:陕西(秦岭,汉中)、宁夏、甘肃。

(373) 蜂形瘤虻 *Hybomitra mimapis* Wang, 1981

分布:陕西(秦岭,陇县)、甘肃、青海、四川、云南、西藏。

(374) 亮脸瘤虻 *Hybomitra nitelofaciata* Xu, 1985

分布:陕西(周至、太白、眉县、留坝、宁陕、汉中、安康、柞水)、宁夏、甘肃。

(375) 赭尾瘤虻 *Hybomitra ochroterma* Xu et Liu, 1985

分布:陕西(秦岭)、甘肃。

(376) 峨眉山瘤虻 *Hybomitra omeishanensis* Xu et Li, 1982

分布:陕西(宝鸡、留坝、佛坪、洋县、宁陕、汉中)、甘肃、福建、四川、贵州。

(377) 太白山瘤虻 *Hybomitra taibaishanensis* Xu, 1985

分布:陕西(太白、佛坪)、河南。

114. 虻属 *Tabanus* Linnaeus, 1758

(378) 辅助虻 *Tabanus administrans* Schiner, 1868

分布:陕西(秦岭)、辽宁、北京、天津、河北、山西、河南、山东、上海、江苏、安徽、浙江、湖北、江西、湖南、福建、台湾、广东、海南、香港、广西、重庆、四川、贵州、云南;朝鲜,日本。

(379) 原野虻 *Tabanus amaenus* Walker, 1848

分布:陕西(西安、宝鸡、留坝、汉中、安康)、吉林、辽宁、北京、河北、山西、河南、山东、甘肃、上海、江苏、安徽、浙江、湖北、江西、湖南、福建、台湾、广东、香港、广西、重庆、四川、贵州、云南;蒙古,朝鲜,日本,越南。

(380) 宝鸡虻 *Tabanus baojiensis* Xu et Liu, 1980

分布:陕西(周至、宝鸡、留坝、佛坪、柞水)、甘肃、湖北、四川、贵州、云南。

(381) 佛光虻指名亚种 *Tabanus budda budda* Portschinsky, 1887

分布:陕西(周至、凤县、留坝、宁陕、汉中、延安)、黑龙江、吉林、辽宁、内蒙古、北京、山西、河南、宁夏、甘肃;俄罗斯(远东),朝鲜。

(382) 浙江虻 *Tabanus chekiangensis* Ôuchi, 1943

分布:陕西(周至、略阳、留坝、佛坪、西乡、汉中、镇巴)、甘肃、安徽、浙江、湖北、江西、湖南、福建、广东、海南、广西、重庆、四川、贵州、云南。

(383) 中国虻 *Tabanus chinensis* Ôuchi, 1943

分布:陕西(周至、略阳、佛坪、汉中)、河南、甘肃、浙江、湖北、福建、四川。

(384) 朝鲜虻 *Tabanus coreanus* Shiraki, 1932

分布:陕西(留坝、佛坪、宁陕)、吉林、辽宁、北京、河北、山西、河南、山东、甘肃、江苏、安徽、浙江、湖北、福建、四川、贵州、云南;朝鲜。

（385）土灰虻 *Tabanus griseinus* Philip，1960

分布：陕西（略阳、留坝、佛坪、汉中、安康、延安、榆林）、黑龙江、吉林、辽宁、内蒙古、北京、天津、河北、山西、河南、山东、宁夏、甘肃、上海、江苏、安徽、浙江、湖北、福建、重庆、广东、四川、贵州、云南；蒙古，俄罗斯，朝鲜，日本。

（386）汉氏虻 *Tabanus haysi* Philip，1956

分布：陕西（周至、留坝、佛坪、汉中、安康、延安）、吉林、辽宁、北京、河南、甘肃、湖北；朝鲜。

（387）杭州虻 *Tabanus hongchowensis* Liu，1962

分布：陕西（佛坪）、河南、甘肃、安徽、浙江、湖北、江西、湖南、福建、广东、广西、重庆、四川、贵州、云南。

（388）鸡公山虻 *Tabanus jigongshanensis* Xu，1983

分布：陕西（周至、佛坪、汉中、安康、柞水、延安）、北京、山西、河南、宁夏、甘肃、湖北、四川、云南。

（389）线带虻 *Tabanus lineataenia* Xu，1979

分布：陕西（秦岭）、甘肃、安徽、浙江、湖北、江西、福建、广东、广西、四川、贵州、云南。

（390）庐山虻 *Tabanus lushanensis* Liu，1962

分布：陕西（宝鸡、太白、留坝、佛坪、宁陕）、河南、甘肃、湖北、江西、四川。

（391）中华虻 *Tabanus mandarinus* Schiner，1868

分布：陕西（秦岭）、辽宁、北京、天津、河北、山西、河南、山东、甘肃、上海、江苏、安徽、浙江、湖北、江西、湖南、福建、台湾、广东、海南、香港、广西、重庆、四川、贵州、云南。

（392）岷山虻 *Tabanus minshanensis* Xu *et* Liu，1982

分布：陕西（留坝、佛坪、宁陕、汉中）、甘肃、贵州、云南。

（393）日本虻 *Tabanus nipponicus* Murdoch *et* Takahasi，1969

分布：陕西（佛坪、汉中）、辽宁、河南、甘肃、安徽、浙江、湖北、湖南、福建、台湾、广东、广西、重庆、四川、贵州、云南；日本。

（394）峨嵋山虻 *Tabanus omeishanensis* Xu，1979

分布：陕西（秦岭，汉中）、四川、贵州、云南。

（395）灰背虻 *Tabanus onoi* Murdoch *et* Takahasi，1969

分布：陕西（秦岭，汉中、安康、延安、榆林）、吉林、辽宁、内蒙古、北京、河北、河南、甘肃、贵州；日本。

（396）副菌虻 *Tabanus parabactrianus* Liu，1960

分布：陕西（秦岭，延安）、辽宁、内蒙古、北京、山西、河南、宁夏、甘肃、四川。

（397）秦岭虻 *Tabanus qinlingensis* **Wang，1985**

分布：陕西（周至、凤县、留坝、佛坪、宁陕）、河南、甘肃。

（398）陕西虻 *Tabanus shaanxiensis* **Xu，Lu** *et* **Wu，1990**

分布：陕西（宁陕）、云南。

（399）山东虻 *Tabanus shantungensis* **Ôuchi，1943**

分布：陕西（宁陕、安康）、河南、山东、甘肃、安徽、浙江、湖北、福建、广东、四川、贵州、云南。

（400）重脉虻 *Tabanus signatipennis* **Portschinsky，1887**

分布：陕西（秦岭，汉中、延安、榆林）、吉林、辽宁、内蒙古、北京、河南、山东、甘肃、上海、江苏、安徽、浙江、湖北、福建、台湾、重庆、四川、贵州、云南；俄罗斯，朝鲜，日本。

（401）华丽虻 *Tabanus splendens* **Xu** *et* **Liu，1982**

分布：陕西（留坝、汉中、安康）、甘肃。

（402）亚柯虻 *Tabanus subcordiger* **Liu，1960**

分布：陕西（西安、周至、宝鸡、略阳、留坝、佛坪）、吉林、辽宁、内蒙古、北京、河北、山西、河南、山东、宁夏、甘肃、江苏、安徽、浙江、湖北、四川、贵州、云南；朝鲜。

（403）天目虻 *Tabanus tienmuensis* **Liu，1962**

分布：陕西（周至、留坝、佛坪、汉中、安康）、河南、甘肃、安徽、浙江、江西、湖南、福建、广东、广西、四川、贵州、云南。

（404）渭河虻 *Tabanus weiheensis* **Xu** *et* **Liu，1980**

分布：陕西（宝鸡、凤县、佛坪、宁陕、汉中、安康）、甘肃、湖北。

（405）亚布力虻 *Tabanus yablonicus* **Takagi，1941**

分布：陕西（秦岭）、黑龙江、吉林、辽宁、北京、河南、浙江、湖北、福建、重庆、四川、贵州、云南。

十六、木虻科 Xylomyidae

115. 粗腿木虻属 *Solva* **Walker，1860**

（406）中突粗腿木虻 *Solva mera* **Yang** *et* **Nagatomi，1993**

分布：陕西（秦岭）。

116. 木虻属 *Xylomya* Rondani, 1861

（407）中华木虻 *Xylomya sinica* Yang *et* Nagatomi, 1993
　　　分布:陕西(长安、周至)、四川。

十七、水虻科 Stratiomyidae

117. 肾角水虻属 *Abiomyia* Kertész, 1914

（408）褐足肾角水虻 *Abiomyia brunnipes* Yang, Zhang *et* Li, 2014
　　　分布:陕西(长安、宁陕)、云南。

118. 星水虻属 *Actina* Meigen, 1804

（409）双斑星水虻 *Actina bimaculata* Yu, Cui *et* Yang, 2009
　　　分布:陕西(凤县)、广西。

119. 距水虻属 *Allognosta* Osten-Sacken, 1883

（410）基黑距水虻 *Allognosta basinigra* Li, Zhang *et* Yang, 2011
　　　分布:陕西(周至)。

（411）奇距水虻 *Allognosta vagans*（Loew, 1873）
　　　分布:陕西(宁陕)、北京、浙江、湖南、福建、云南;俄罗斯,日本,欧洲。

120. 柱角水虻属 *Beris* Latreille, 1802

（412）基黄柱角水虻 *Beris basiflava* Yang *et* Nagatomi, 1992
　　　分布:陕西(周至、眉县、宁陕)、西藏。

（413）甘肃柱角水虻 *Beris gansuensis* Yang *et* Nagatomi, 1992
　　　分布:陕西(眉县)、甘肃。

（414）广津柱角水虻 *Beris hirotsui* Ôuchi, 1943
　　　分布:陕西(眉县)、湖北、四川;俄罗斯,日本。

（415）洋县柱角水虻 *Beris yangxiana* Cui, Li *et* Yang, 2010
　　　分布:陕西(洋县)。

121. 离眼水虻属 *Chorisops* Rondani, 1856

（416）双突离眼水虻 *Chorisops bilobata* Li, Cui *et* Yang, 2009
　　　分布:陕西(周至、凤县、佛坪、宁陕)。

（417）短突离眼水虻 *Chorisops brevis* Li, Cui *et* Yang, 2009
　　　分布：陕西（柞水）、河南。

（418）短刺离眼水虻 *Chorisops separata* Yang *et* Nagatomi, 1992
　　　分布：陕西（周至、宝鸡、宁陕）。

122. 鞍腹水虻属 *Clitellaria* Meigen, 1803

（419）集昆鞍腹水虻 *Clitellaria chikuni* Yang *et* Nagatomi, 1992
　　　分布：陕西（周至）、北京、山西。

（420）黑色鞍腹水虻 *Clitellaria nigra* Yang *et* Nagatomi, 1992
　　　分布：陕西（周至、华阴、宁陕）、北京、甘肃、上海、江苏、浙江、江西、福建、
　　　广西、四川、云南、西藏。

123. 等额水虻属 *Craspedometopon* Kertész, 1909

（421）等额水虻 *Craspedometopon frontale* Kertész, 1909
　　　分布：陕西（周至）、山东、浙江、台湾、四川、贵州、云南；俄罗斯，韩国，日
　　　本，印度。

124. 伽巴水虻属 *Gabaza* Walker, 1858

（422）银灰伽巴水虻 *Gabaza argentea* Walker, 1858
　　　分布：陕西（周至、宁陕）、上海；缅甸，印度，菲律宾，马来西亚，印度尼
　　　西亚，圣诞岛，澳大利亚，帕劳，巴布亚新几内亚，所罗门群岛，瓦努
　　　阿图。

125. 小丽水虻属 *Microchrysa* Loew, 1855

（423）日本小丽水虻 *Microchrysa japonica* Nagatomi, 1975
　　　分布：陕西（周至、眉县、柞水）、北京；日本。

126. 短角水虻属 *Odontomyia* Meigen, 1803

（424）微毛短角水虻 *Odontomyia hirayamae* Matsumura, 1916
　　　分布：陕西（宁陕）、浙江、湖北、福建、云南；日本。

127. 脉水虻属 *Oplodontha* Rondani, 1863

（425）长纹脉水虻 *Oplodontha elongata* Zhang, Li *et* Yang, 2009
　　　分布：陕西。

128. 盾刺水虻属 *Oxycera* Meigen, 1803

（426）双斑盾刺水虻 *Oxycera laniger*（Séguy, 1934）

分布：陕西（佛坪）、甘肃、湖北、四川、贵州、云南、西藏。

（427）刘氏盾刺水虻 *Oxycera liui* **Li, Zhang** *et* **Yang, 2009**

分布：陕西（留坝）、宁夏、甘肃、四川。

129. 指突水虻属 *Ptecticus* Loew, 1855

（428）金黄指突水虻 *Ptecticus aurifer*（Walker, 1854）

分布：陕西（周至、佛坪）、辽宁、北京、河北、河南、江苏、安徽、浙江、湖北、江西、湖南、福建、台湾、广东、海南、广西、四川、贵州、云南；俄罗斯，日本，越南，印度，马来西亚，印度尼西亚。

（429）长翅指突水虻 *Ptecticus longipennis*（Wiedemann, 1824）

分布：陕西（周至、眉县）、湖北、海南、四川、云南；印度，菲律宾，马来西亚，印度尼西亚。

（430）新昌指突水虻 *Ptecticus sichangensis* Ôuchi, 1938

分布：陕西（柞水）、浙江；日本。

（431）狡猾指突水虻 *Ptecticus vulpianus*（Enderlein, 1914）

分布：陕西（周至、眉县、佛坪、柞水）、吉林、浙江、湖北、福建、广西、四川、云南；马来西亚，印度尼西亚。

130. 瘦腹水虻属 *Sargus* Fabricius, 1798

（432）黄足瘦腹水虻 *Sargus flavipes* Meigen, 1822

分布：陕西（周至）、黑龙江；蒙古，俄罗斯，朝鲜，欧洲。

（433）宽额瘦腹水虻 *Sargus latifrons* **Yang, Zhang** *et* **Li, 2014**

分布：陕西（周至、宁陕）、甘肃、新疆、福建、广西、四川、云南、西藏。

（434）红斑瘦腹水虻 *Sargus mactans* Walker, 1859

分布：陕西（周至、留坝、佛坪、宁陕、安康）、吉林、辽宁、北京、河北、山西、河南、山东、甘肃、浙江、湖北、江西、湖南、福建、广东、广西、四川、贵州、云南、西藏；日本，印度，巴基斯坦，斯里兰卡，马来西亚，印度尼西亚，澳大利亚，巴布亚新几内亚。

（435）黑颜瘦腹水虻 *Sargus nigrifacies* **Yang, Zhang** *et* **Li, 2014**

分布：陕西（留坝、宁陕）、四川。

（436）万氏瘦腹水虻 *Sargus vandykei*（James, 1941）

分布:陕西(留坝)、江苏。

131. 水虻属 *Stratiomys* Geoffroy, 1762

(437) 长角水虻 *Stratiomys longicornis* (Scopoli, 1763)
分布:陕西(佛坪)、黑龙江、辽宁、内蒙古、北京、天津、河北、山西、河南、山东、宁夏、甘肃、新疆、上海、江苏、浙江、湖北、江西、湖南、四川、福建、广东、海南、广西、贵州;中亚,欧洲。

十八、剑虻科 Therevidae

132. 粗柄剑虻属 *Dialineura* Rondani, 1856

(438) 长粗柄剑虻 *Dialineura elongata* Liu *et* Yang, 2012
分布: 陕西(周至)、北京、云南。

(439) 河南粗柄剑虻 *Dialineura henanensis* Yang, 1999
分布:陕西(周至)、黑龙江、内蒙古、北京、河南、青海、云南。

十九、蜂虻科 Bombyliidae

133. Genus *Anastoechus* Osten Sacken, 1877

(440) *Anastoechus xuthus* Yao, Yang *et* Evenhuis, 2010
分布:陕西。

134. 白斑蜂虻属 *Bombylella* Greathead, 1995

(441) 黛白斑蜂虻 *Bombylella nubilosa* Yang, Yao *et* Cui, 2012
分布: 陕西(周至、杨凌、宝鸡、宁陕、安康、甘泉)、辽宁、北京、山东、宁夏。

135. 蜂虻属 *Bombylius* Linnaeus, 1758

(442) 大蜂虻 *Bombylius major* Linnaeus, 1758
分布: 陕西(长安、眉县、武功、礼泉)、辽宁、北京、天津、河北、山东、浙江、江西、福建;蒙古,俄罗斯,韩国,日本,泰国,印度,尼泊尔,巴基斯坦,哈萨克斯坦,乌兹别克斯坦,塔吉克斯坦,土库曼斯坦,土耳其,欧洲,非洲北部,北美洲。

136. 斑翅蜂虻属 *Hemipenthes* Loew, 1869

(443) 北京斑翅蜂虻 *Hemipenthes beijingensis* Yao, Yang *et* Evenhuis, 2008

分布：陕西（周至、凤县、甘泉）、内蒙古、北京、河北、山西、山东、湖北、西藏。

137. 丽蜂虻属 *Ligyra* Newman, 1841

（444）坦塔罗斯丽蜂虻 *Ligyra tantalus*（Fabricius, 1794）

分布：陕西（石泉）、福建、台湾、广东、海南、广西；韩国，日本，泰国，印度，尼泊尔，菲律宾，马来西亚，新加坡。

138. 姬蜂虻属 *Systropus* Wiedemann, 1820

（445）钩突姬蜂虻 *Systropus ancistrus* Yang *et* Yang, 1997

分布：陕西（周至）、北京、河南、湖北。

（446）金刺姬蜂虻 *Systropus aurantispinus* Evenhuis, 1982

分布：陕西（长安）、河南、浙江、湖北、福建、广东、广西、云南。

（447）双齿姬蜂虻 *Systropus brochus* Cui *et* Yang, 2010

分布：陕西（周至）、北京、河南、云南。

（448）合斑姬蜂虻 *Systropus coalitus* Cui *et* Yang, 2010

分布：陕西（太白）、北京、天津、河南、浙江、福建。

（449）锯齿姬蜂虻 *Systropus denticulatus* Du, Yang, Yao *et* Yang, 2008

分布：陕西（太白）、北京、河南、福建、广西、四川、云南。

（450）贵阳姬蜂虻 *Systropus guiyangensis* Yang, 1998

分布：陕西（周至）、河南、浙江、湖北、福建、贵州、云南。

（451）麦氏姬蜂虻 *Systropus melli*（Enderlein, 1926）

分布：陕西（长安、太白）、浙江、福建、贵州。

（452）齿突姬蜂虻 *Systropus serratus* Yang *et* Yang, 1995

分布：陕西（周至）、北京、河南、浙江、云南。

139. 绒蜂虻属 *Villa* Lioy, 1864

（453）叉状绒蜂虻 *Villa furcata* Du *et* Yang, 2009

分布：陕西（周至、甘泉）、北京。

二十、长足虻科 Dolichopodidae

140. 准长毛长足虻属 *Ahypophyllus* Zhang *et* Yang, 2005

（454）中华准长毛长足虻 *Ahypophyllus sinensis*（Yang, 1996）

分布:陕西(宁陕)、河南、甘肃、湖北。

141.　全寡长足虻属 *Allohercostomus* Yang, Saigusa *et* Masunaga, 2001

(455)　圆角全寡长足虻 *Allohercostomus rotundatus*(**Yang** *et* **Saigusa, 1999**)
分布:陕西(佛坪、柞水)、河南、四川;尼泊尔。

142.　雅长足虻属 *Amblypsilopus* Bigot, 1888

(456)　钩突雅长足虻 *Amblypsilopus ancistroides* **Yang, 1995**
分布:陕西(周至)、北京、山东、河南、湖北。

(457)　鲍氏雅长足虻 *Amblypsilopus bouvieri*(**Parent, 1927**)
分布:陕西(周至)、北京、河南、江苏、福建、贵州。

(458)　头状雅长足虻 *Amblypsilopus cephalodinus* **Yang, 1998**
分布:陕西(佛坪)、河南、福建、云南。

(459)　小雅长足虻 *Amblypsilopus humilis*(**Becker, 1922**)
分布:陕西(周至)、山东、河南、台湾、广东、海南、广西、贵州、云南;印度,
尼泊尔,菲律宾,马来西亚,所罗门群岛,萨摩亚。

(460)　秦岭雅长足虻 *Amblypsilopus qinlingensis* **Yang** *et* **Saigusa, 2005**
分布:陕西(佛坪)。

(461)　四川雅长足虻 *Amblypsilopus sichuanensis* **Yang, 1997**
分布:陕西(佛坪)、河南、湖北、四川。

143.　银长足虻属 *Argyra* Macquart, 1834

(462)　北京银长足虻 *Argyra beijingensis* **Wang** *et* **Yang, 2004**
分布:陕西(周至、宁陕)、北京、宁夏。

(463)　齿突银长足虻 *Argyra serrata* **Yang** *et* **Saigusa, 2002**
分布:陕西(佛坪)。

144.　隐脉长足虻属 *Asyndetus* Loew, 1869

(464)　北京隐脉长足虻 *Asyndetus beijingensis* **Zhang** *et* **Yang, 2003**
分布:陕西(柞水)、北京、四川。

(465)　*Asyndetus clavipes* Liu, **Wang** *et* **Yang, 2016**
分布:陕西、台湾。

145.　短跗长足虻属 *Chaetogonopteron* De Meijere, 1914

(466)　黄斑短跗长足虻 *Chaetogonopteron luteicinctum*(**Parent, 1926**)

分布:陕西(周至、柞水)、河南、上海、浙江、福建、广东、广西、云南。

146. 黄鬃长足虻属 *Chrysotimus* Loew, 1857

(467) 双束黄鬃长足虻 *Chrysotimus bifascia* Yang *et* Saigusa, 2005
　　　分布:陕西(佛坪、柞水)。

(468) 秦岭黄鬃长足虻 *Chrysotimus qinlingensis* Yang *et* Saigusa, 2005
　　　分布:陕西(佛坪、柞水)、宁夏。

(469) 多毛黄鬃长足虻 *Chrysotimus setosus* Yang *et* Saigusa, 2005
　　　分布:陕西(佛坪、柞水)。

(470) 神农架黄鬃长足虻 *Chrysotimus shennongjianus* Yang *et* Saigusa, 2001
　　　分布:陕西(佛坪)、河南、湖北。

(471) 松山黄鬃长足虻 *Chrysotimus songshanus* Wang, Yang *et* Grootaert, 2005
　　　分布:陕西(宁陕、柞水)、北京。

(472) 单束黄鬃长足虻 *Chrysotimus unifascia* Yang *et* Saigusa, 2005
　　　分布:陕西(佛坪、柞水)。

(473) 云龙黄鬃长足虻 *Chrysotimus yunlonganus* Yang *et* Saigusa, 2001
　　　分布:陕西(宁陕)、云南。

147. 小异长足虻属 *Chrysotus* Meigen, 1824

(474) 尖角小异长足虻 *Chrysotus gramineus* (Fallén, 1823)
　　　分布:陕西(宁陕)、河北、山西、甘肃、贵州;俄罗斯,欧洲。

(475) 短跗小异长足虻 *Chrysotus pulchellus* Kowarz, 1874
　　　分布:陕西(周至)、北京、河北、山西、甘肃、贵州;蒙古,俄罗斯,欧洲。

148. 毛瘤长足虻属 *Condylostylus* Bigot, 1859

(476) 佛坪毛瘤长足虻 *Condylostylus fupingensis* Yang *et* Saigusa, 2005
　　　分布:陕西(周至、佛坪)、河南。

(477) 黄基毛瘤长足虻 *Condylostylus luteicoxa* Parent, 1929
　　　分布:陕西(周至)、河南、浙江、湖北、江西、湖南、福建、台湾、广东、广西、
　　　四川、贵州、云南;日本,印度。

(478) 近膝毛瘤长足虻 *Condylostylus subgeniculatus* Yang *et* Saigusa, 2005
　　　分布:陕西(周至、佛坪)、河南、云南。

149. 异长足虻属 *Diaphorus* Meigen, 1824

(479) 河南异长足虻 *Diaphorus henanensis* Yang *et* Saigusa, 1999

分布:陕西(周至、宁陕)、河南。

(480) 南坪异长足虻 *Diaphorus nanpingensis* Yang *et* Saigusa, 2001

分布:陕西(佛坪、柞水)、四川。

(481) 秦岭异长足虻 *Diaphorus qinlingensis* Yang *et* Saigusa, 2005

分布:陕西(佛坪、柞水)。

150. 巨口长足虻属 *Diostracus* Loew, 1861

(482) 棒状巨口长足虻 *Diostracus clavatus* Zhu, Yang *et* Masunaga, 2007

分布:陕西(洋县)。

(483) 河南巨口长足虻 *Diostracus henanus* Yang, 1999

分布:陕西(佛坪)、河南。

(484) 薄叶巨口长足虻 *Diostracus lamellatus* Wei *et* Liu, 1996

分布:陕西(佛坪、洋县)、河南、四川、贵州。

(485) 长尾巨口长足虻 *Diostracus longicercus* Zhu, Yang *et* Masunaga, 2007

分布:陕西(洋县)、河南。

151. 长足虻属 *Dolichopus* Latreille, 1796

(486) 尖钩长足虻 *Dolichopus bigeniculatus* Parent, 1926

分布:陕西(佛坪)、北京、山东、河南、江苏、安徽、浙江、四川。

(487) 楔突长足虻 *Dolichopus cuneipennis* Parent, 1926

分布:陕西(周至)、黑龙江、吉林、上海。

(488) 寡鬃长足虻 *Dolichopus lepidus* Staeger, 1842

分布:陕西(周至)、北京;蒙古,俄罗斯,欧洲。

(489) 马氏长足虻 *Dolichopus martynovi* Stackelberg, 1930

分布:陕西(宁陕)、黑龙江、吉林、内蒙古、河北、宁夏、新疆;蒙古,
俄罗斯。

(490) 基黄长足虻 *Dolichopus simulator* Parent, 1926

分布:陕西(周至、佛坪)、河南、上海、浙江、湖北、湖南、福建、广西、四川、
贵州、云南。

(491) 迭部长足虻 *Dolichopus tewoensis* Yang, 1998

分布:陕西(佛坪)、北京、甘肃。

(492) 单鬃长足虻 *Dolichopus uniseta* Stackelberg, 1929

分布:陕西(佛坪)、黑龙江、北京、河北;俄罗斯。

152. 行脉长足虻属 *Gymnopternus* Loew, 1857

（493）毛盾行脉长足虻 *Gymnopternus congruens*（Becker, 1922）
　　　　分布：陕西（周至、佛坪）、河南、山东、甘肃、浙江、湖南、福建、台湾、广东、广西、四川、贵州、云南。

（494）欧氏行脉长足虻 *Gymnopternus oxanae*（Olejníček, 2004）
　　　　分布：陕西（周至）。

（495）群行脉长足虻 *Gymnopternus populus*（Wei, 1997）
　　　　分布：陕西（周至）、河南、浙江、广西、四川、贵州、云南。

153. 寡长足虻属 *Hercostomus* Loew, 1857

（496）尖腹寡长足虻 *Hercostomus acutus* Yang *et* Saigusa, 2002
　　　　分布：陕西（佛坪、柞水）、云南。

（497）端刺寡长足虻 *Hercostomus apicispinus* Yang *et* Saigusa, 2002
　　　　分布：陕西（佛坪、柞水）。

（498）北方寡长足虻 *Hercostomus arcticus* Yang, 1996
　　　　分布：陕西（佛坪、柞水）、黑龙江、北京、河南。

（499）北京寡长足虻 *Hercostomus beijingensis* Yang, 1996
　　　　分布：陕西（周至、佛坪、柞水）、北京、河南、湖北。

（500）双刺寡长足虻 *Hercostomus bispinifer* Yang *et* Saigusa, 1999
　　　　分布：陕西（佛坪、柞水）、四川。

（501）短毛寡长足虻 *Hercostomus brevipilosus* Yang *et* Saigusa, 2002
　　　　分布：陕西（周至、佛坪、柞水）、北京。

（502）棒寡长足虻 *Hercostomus clavatus* Wei, 1997
　　　　分布：陕西（周至、佛坪、柞水）、河南、贵州。

（503）凹寡长足虻 *Hercostomus concisus* Yang *et* Saigusa, 2002
　　　　分布：陕西（佛坪）、四川、云南。

（504）弯叶寡长足虻 *Hercostomus curvilobatus* Yang *et* Saigusa, 2002
　　　　分布：陕西（柞水）、河南。

（505）弯茎寡长足虻 *Hercostomus curviphallus* Yang *et* Saigusa, 2002
　　　　分布：陕西（佛坪）、云南。

（506）弯鬃寡长足虻 *Hercostomus curviseta* Yang *et* Saigusa, 2002
　　　　分布：陕西（佛坪）。

（507）弯刺寡长足虻 *Hercostomus curvispinus* Yang *et* Saigusa, 2000

分布:陕西(柞水)、四川、云南。

（508）弯须寡长足虻 *Hercostomus curvus* Yang *et* Saigusa, 2002

分布:陕西(佛坪、柞水)。

（509）尖须寡长足虻 *Hercostomus cuspidicercus* Oleiníček, 2004

分布:陕西(宁陕)。

（510）歧板寡长足虻 *Hercostomus dissimilis* Yang *et* Saigusa, 1999

分布:陕西(周至、柞水)、四川。

（511）黄斑寡长足虻 *Hercostomus flavimaculatus* Yang, 1998

分布:陕西(柞水)、四川、云南。

（512）黄柄寡长足虻 *Hercostomus flaviscapus* Yang *et* Saigusa, 1999

分布:陕西(佛坪、柞水)、河南。

（513）溪寡长足虻 *Hercostomus fluvius* Wei, 1997

分布:陕西(佛坪、柞水)、贵州、云南;尼泊尔。

（514）佛坪寡长足虻 *Hercostomus fupingensis* Yang *et* Saigusa, 2002

分布:陕西(佛坪)、云南。

（515）甘肃寡长足虻 *Hercostomus gansuensis* Yang, 1996

分布:陕西(柞水)、甘肃、浙江、四川、贵州。

（516）河南寡长足虻 *Hercostomus henanus* Yang, 1999

分布:陕西(佛坪、柞水)、河南、四川、贵州。

（517）凹须寡长足虻 *Hercostomus incisus* Yang *et* Saigusa, 2000

分布:陕西(周至)、四川、云南。

（518）宽须寡长足虻 *Hercostomus latus* Yang *et* Saigusa, 2002

分布:陕西(柞水)、云南。

（519）黄侧寡长足虻 *Hercostomus luteipleuratus* Parent, 1944

分布:陕西(长安)。

（520）跗鬃寡长足虻 *Hercostomus modificatus* Yang *et* Saigusa, 2002

分布:陕西(柞水)、河南。

（521）黑须寡长足虻 *Hercostomus nigripalpus* Yang *et* Saigusa, 2002

分布:陕西(佛坪)。

（522）*Hercostomus oxanae* Oleiníček, 2004

分布:陕西(宁陕)。

（523）白毛寡长足虻 *Hercostomus pallipilosus* Yang *et* Saigusa, 2002

分布:陕西(柞水)、河南。

（524）羽毛寡长足虻 *Hercostomus plumiger* Yang *et* Saigusa, 2002

分布:陕西(佛坪)、云南。

（525）大须寡长足虻 *Hercostomus potanini* Stackelberg，1934

分布:陕西(周至、留坝、佛坪、宁陕、柞水)、吉林、北京、河南、宁夏、甘肃、四川、西藏。

（526）长突寡长足虻 *Hercostomus prolongatus* Yang，1996

分布: 陕西(周至、佛坪)、四川、云南、西藏。

（527）秦岭寡长足虻 *Hercostomus qinlingensis* Yang *et* Saigusa，2002

分布:陕西(佛坪、柞水)。

（528）端鬃寡长足虻 *Hercostomus saetiger* Yang *et* Saigusa，2002

分布:陕西(周至、佛坪、柞水)。

（529）多鬃寡长足虻 *Hercostomus saetosus* Yang *et* Saigusa，2002

分布:陕西(佛坪)。

（530）三枝寡长足虻 *Hercostomus saigusai* Oleiníček，2004

分布:陕西(宁陕)。

（531）神农架寡长足虻 *Hercostomus shennongjiensis* Yang，1997

分布:陕西(周至、佛坪、柞水)、河南、湖北。

（532）具刺寡长足虻 *Hercostomus spiniger* Yang，1997

分布:陕西(周至、佛坪)、云南、西藏；尼泊尔。

（533）亚端刺寡长足虻 *Hercostomus subapicispinus* Yang *et* Saigusa，2002

分布:陕西(佛坪)。

（534）近新寡长足虻 *Hercostomus subnovus* Yang *et* Yang，1995

分布:陕西(柞水)、浙江、四川、云南。

（535）斜截寡长足虻 *Hercostomus subtruncatus* Yang *et* Saigusa，2002

分布:陕西(佛坪)。

（536）武当山寡长足虻 *Hercostomus wudangshanus* Yang，1997

分布:陕西(周至)、北京、河南、湖北、云南。

（537）小龙门寡长足虻 *Hercostomus xiaolongmensis* Yang *et* Saigusa，2001

分布:陕西(周至、佛坪、柞水)、北京、云南。

（538）西沟寡长足虻 *Hercostomus xigouensis* Yang *et* Saigusa，2005

分布:陕西(佛坪)。

（539）柞水寡长足虻 *Hercostomus zuoshuiensis* Yang *et* Saigusa，2002

分布:陕西(柞水)、云南。

154. 圆角长足虻属 *Lamprochromus* Mik，1878

（540）雅圆角长足虻 *Lamprochromus amabilis* Parent，1944

分布:陕西(秦岭,榆林)。

155．小长足虻属 *Micromorphus* Mik,1878

(541) 淡色小长足虻 *Micromorphus albipes*（Zetterstedt,1843）
分布:陕西(秦岭)、内蒙古、甘肃;蒙古,俄罗斯,尼泊尔,欧洲,非洲北部,北美洲。

156．跗距长足虻属 *Nepalomyia* Hollis,1964

(542) 短叉跗距长足虻 *Nepalomyia brevifurcata*（Yang *et* Saigusa,2001）
分布:陕西(长安、周至、宁陕、柞水)、北京、河南。

(543) 金山跗距长足虻 *Nepalomyia jinshanensis* Wang,Yang *et* Grootaert,2009
分布:陕西(周至)、北京、四川。

(544) 长角跗距长足虻 *Nepalomyia longa*（Yang *et* Saigusa,2001）
分布:陕西(长安、佛坪)。

(545) 长鬃跗距长足虻 *Nepalomyia longiseta*（Yang *et* Saigusa,2000）
分布:陕西(长安、周至、留坝、佛坪、宁陕、柞水)、甘肃、四川、贵州。

(546) 毛瘤跗距长足虻 *Nepalomyia tuberculosa*（Yang *et* Saigusa,2001）
分布:陕西(长安、周至、佛坪、宁陕、柞水)。

(547) 周至跗距长足虻 *Nepalomyia zhouzhiensis*（Yang *et* Saigusa,2001）
分布:陕西(周至、宁陕、柞水)、云南。

157．脉长足虻属 *Neurigona* Rondani,1856

(548) 基斑脉长足虻 *Neurigona basalis* Yang *et* Saigusa,2005
分布:陕西(周至、佛坪、柞水)、河北。

(549) 双斑脉长足虻 *Neurigona bimaculata* Yang *et* Saigusa,2005
分布:陕西(佛坪、柞水)。

(550) 细凹脉长足虻 *Neurigona concaviuscula* Yang,1999
分布:陕西(佛坪)、江苏、四川。

(551) 陕西脉长足虻 *Neurigona shaanxiensis* Yang *et* Saigusa,2005
分布:陕西(柞水)、北京。

(552) 神农架脉长足虻 *Neurigona shennongjiana* Yang,1999
分布:陕西(周至)、湖北。

(553) 四川脉长足虻 *Neurigona sichuana* Wang,Chen *et* Yang,2010
分布:陕西(周至)、四川。

（554）腹鬃脉长足虻 *Neurigona ventralis* **Yang** *et* **Saigusa，2005**

分布：陕西（佛坪）、云南。

（555）香山脉长足虻 *Neurigona xiangshana* **Yang，1999**

分布：陕西（周至）、北京。

158. 锥长足虻属 *Rhaphium* Meigen，1803

（556）异突锥长足虻 *Rhaphium dispar* **Coquillett，1898**

分布：陕西（周至）、浙江、台湾、四川、贵州；俄罗斯，日本。

（557）榆林锥长足虻 *Rhaphium parentianum* **Negrobov，1979**

分布：陕西（秦岭、榆林）。

159. 毛颜长足虻属 *Setihercostomus* Zhang *et* Yang，2005

（558）舞阳毛颜长足虻 *Setihercostomus wuyangensis*（**Wei，1997**）

分布：陕西（柞水）、河南、广东、广西、四川。

160. 粗柄长足虻属 *Sybistroma* Meigen，1824

（559）弯突粗柄长足虻 *Sybistroma angustus*（**Yang *et* Saigusa，2005**）

分布：陕西（佛坪）。

（560）粗端粗柄长足虻 *Sybistroma apicicrassus*（**Yang *et* Saigusa，2001**）

分布：陕西（佛坪、柞水）、河南。

（561）双芒粗柄长足虻 *Sybistroma biaristatus*（**Yang，1999**）

分布：陕西（周至、佛坪、柞水）、河南、云南。

（562）短突粗柄长足虻 *Sybistroma brevidigitatus*（**Yang *et* Saigusa，2001**）

分布：陕西（佛坪）、河南。

（563）指突粗柄长足虻 *Sybistroma digitiformis*（**Yang，Yang *et* Li，1996**）

分布：陕西（周至、佛坪、柞水）、河南。

（564）背芒粗柄长足虻 *Sybistroma dorsalis*（**Yang，1996**）

分布：陕西（佛坪）、西藏。

（565）黄斑粗柄长足虻 *Sybistroma flavus*（**Yang，1996**）

分布：陕西（长安、周至、佛坪、柞水）、河南、四川。

（566）河南粗柄长足虻 *Sybistroma henanus*（**Yang，1996**）

分布：陕西（周至、凤县）、河南。

（567）宽颜粗柄长足虻 *Sybistroma latifacies*（**Yang *et* Saigusa，2005**）

分布：陕西（佛坪）。

（568）长突粗柄长足虻 *Sybistroma longidigitatus*（Yang *et* Saigusa, 2001）
　　　分布：陕西（佛坪、柞水）、河南。

（569）内乡粗柄长足虻 *Sybistroma neixianganus*（Yang, 1999）
　　　分布：陕西（柞水）、北京、河南。

（570）秦岭粗柄长足虻 *Sybistroma qinlingensis*（Yang *et* Saigusa, 2001）
　　　分布：陕西（佛坪、柞水）。

（571）申氏粗柄长足虻 *Sybistroma sheni*（Yang *et* Saugsa, 1999）
　　　分布：陕西（周至、佛坪、柞水）、北京、河南。

161. 合长足虻属 *Sympycnus* Loew, 1857

（572）黄角合长足虻 *Sympycnus flaviantenna* Tang, Wang *et* Yang, 2015
　　　分布：陕西（周至）、北京、河北。

162. 嵌长足虻属 *Syntormon* Loew, 1857

（573）峨眉嵌长足虻 *Syntormon emeiensis* Yang *et* Saigusa, 1999
　　　分布：陕西（周至）、四川、贵州。

（574）河南嵌长足虻 *Syntormon henanensis* Yang *et* Saigusa, 2000
　　　分布：陕西（周至、佛坪、柞水）、河南、云南。

（575）浅色嵌长足虻 *Syntormon pallipes*（Fabricius, 1794）
　　　分布：陕西（佛坪）、北京、河南、青海、新疆、贵州；俄罗斯，土耳其，欧洲，
　　　非洲北部。

163. 脉胝长足虻属 *Teuchophorus* Loew, 1857

（576）中华脉胝长足虻 *Teuchophorus sinensis* Yang *et* Saigusa, 2000
　　　分布：陕西（宁陕）、河南、浙江、四川；韩国。

（577）云南脉胝长足虻 *Teuchophorus yunnanensis* Yang *et* Saigusa, 2001
　　　分布：陕西（周至）、云南。

164. 潜长足虻属 *Thrypticus* Gerstäcker, 1864

（578）丽潜长足虻 *Thrypticus bellus* Loew, 1869
　　　分布：陕西（秦岭，榆林）、新疆；俄罗斯，哈萨克斯坦，土耳其，欧洲，
　　　非洲。

（579）粉潜长足虻 *Thrypticus pollinosus* Verrall, 1912
　　　分布：陕西（秦岭，榆林）；俄罗斯，欧洲。

165. 黄长足虻属 *Xanthochlorus* Loew, 1857

（580）中华黄长足虻 *Xanthochlorus chinensis* Yang *et* Saigusa, 2005
　　　　分布:陕西(佛坪、柞水)。

（581）河南黄长足虻 *Xanthochlorus henanensis* Wang, Yang *et* Grootaert, 2008
　　　　分布:陕西、河南。

（582）黑鬃黄长足虻 *Xanthochlorus nigricilius* Oleiníček, 2004
　　　　分布:陕西(宁陕)。

二十一、舞虻科 Empididae

（一）驼舞虻亚科 Hybotinae

166. 优驼舞虻属 *Euhybus* Coquillett, 1895

（583）秦岭优驼舞虻 *Euhybus qinlingensis* Liu, Wang *et* Yang, 2014
　　　　分布:陕西(宁陕)。

167. 驼舞虻属 *Hybos* Meigen, 1803

（584）双钩驼舞虻 *Hybos biancistroides* Yang *et* Li, 2011
　　　　分布:陕西(周至)、湖北。

（585）中华驼舞虻 *Hybos chinensis* Frey, 1953
　　　　分布:陕西(佛坪)、浙江、福建、广西、贵州。

（586）凹缘驼舞虻 *Hybos concavus* Yang *et* Yang, 1991
　　　　分布:陕西(周至、柞水)、河南、湖北。

（587）峨眉驼舞虻 *Hybos emeishanus* Yang *et* Yang, 1989
　　　　分布:陕西(周至)、河南、四川。

（588）剑突驼舞虻 *Hybos ensatus* Yang *et* Yang, 1986
　　　　分布:陕西(周至、佛坪)、河南、广西、四川、贵州。

（589）粗腿驼舞虻 *Hybos grossipes*（Linnaeus, 1767）
　　　　分布:陕西(周至)、吉林、内蒙古、河北、山西、河南、宁夏、甘肃、四川;俄罗斯,欧洲。

（590）湖北驼舞虻 *Hybos hubeiensis* Yang *et* Yang, 1991
　　　　分布:陕西(佛坪)、河南、甘肃、湖北。

（591）卓尼驼舞虻 *Hybos joneensis* Yang *et* Yang, 1988
　　　　分布:陕西(周至)、甘肃。

（592）长鬃驼舞虻 *Hybos longisetus* Yang *et* Yang，2004
　　分布：陕西（佛坪）、贵州。

（593）白毛驼舞虻 *Hybos pallipilosus* Yang，An *et* Gao，2002
　　分布：陕西（佛坪）、河南。

（594）秦岭驼舞虻 *Hybos qinlingensis* Li，Wang *et* Yang，2014
　　分布：陕西（周至、宁陕）。

（595）齿突驼舞虻 *Hybos serratus* Yang *et* Yang，1992
　　分布：陕西（周至、佛坪、柞水）、河南、广西、四川、贵州。

（596）武当驼舞虻 *Hybos wudanganus* Yang *et* Yang，1991
　　分布：陕西（佛坪、柞水）、河南、湖北。

（597）席氏驼舞虻 *Hybos xii* Li，Wang *et* Yang，2014
　　分布：陕西（宁陕）。

（598）阴峪河驼舞虻 *Hybos yinyuhensis* Yang *et* Li，2011
　　分布：陕西（周至）、湖北。

168．隐驼舞虻属 *Syndyas* Loew，1857

（599）黑色隐脉驼舞虻 *Syndyas nigripes*（Zetterstedt，1842）
　　分布：陕西（佛坪）、河南、海南、贵州；俄罗斯，欧洲。

169．柄驼舞虻属 *Syneches* Walker，1852

（600）基黑柄驼舞虻 *Syneches basiniger* Yang *et* Wang，1998
　　分布：陕西（周至）、河南。

（601）斑翅柄驼舞虻 *Syneches muscarius*（Fabricius，1794）
　　分布：陕西（秦岭，榆林）、北京、山东、河南、湖北、湖南、福建、贵州；俄罗斯，欧洲。

（二）合室舞虻亚科 Tachydromiinae

170．显颊舞虻属 *Crossopalpus* Bigot，1857

（602）贵州显颊舞虻 *Crossopalpus guizhouanus* Yang *et* Yang，1989
　　分布：陕西（柞水）、河南、贵州。

（603）云南显颊舞虻 *Crossopalpus yunnanensis* Yang，Gaimari *et* Grootaert，2004
　　分布：陕西（柞水）、内蒙古、北京、河南、云南。

171.黄隐肩舞虻属 *Elaphropeza* Macquart,1827

（604）端黑黄隐肩舞虻 *Elaphropeza apiciniger*（Yang, An *et* Gao, 2002）
　　　分布:陕西(周至)、河南。

（三）溪舞虻亚科 Clinocerinae

172.长头舞虻属 *Dolichocephala* Macquart,1823

（605）短突长头舞虻 *Dolichocephala brevis* Liu, Wang *et* Yang, 2014
　　　分布:陕西(留坝)。
（606）长突长头舞虻 *Dolichocephala longa* Liu, Wang *et* Yang, 2014
　　　分布:陕西(凤县、留坝、宁陕、柞水)。
（607）秦岭长头舞虻 *Dolichocephala qinlingensis* Liu, Wang *et* Yang, 2014
　　　分布:陕西(宁陕、柞水)。

173.毛脉溪舞虻属 *Trichoclinocera* Collin,1941

（608）易县毛脉溪舞虻 *Trichoclinocera yixianensis* Li *et* Yang, 2009
　　　分布:陕西(周至、宁陕)、河南。
（609）*Trichoclinocera yunnana* Sinclair *et* Saigusa, 2004
　　　分布:陕西、四川、云南;越南。

（四）长足舞虻亚科 Trichopezinae

174.长喙舞虻属 *Heleodromia* Haliday,1833

（610）无斑长喙舞虻 *Heleodromia*（*Heleodromia*）*immaculata* Haliday, 1833
　　　分布:陕西(凤县、留坝)、西藏、内蒙古;朝鲜,欧洲。

（五）螳舞虻亚科 Hemerodromiinae

175.鬃螳舞虻属 *Chelipoda* Macquart,1823

（611）钩突鬃螳舞虻 *Chelipoda forcipata* Yang *et* Yang, 1992
　　　分布:陕西(周至)、河南、浙江、海南、广西。

（六）舞虻亚科 Empidinae

176.舞虻属 *Empis* Linnaeus,1758

（612）背鬃缺脉舞虻 *Empis*（*Coptophlebia*）*dorsalis* Wang, Xiao, Ding *et* Yang, 2017

分布:陕西(周至、留坝)。

（613）黄鬃缺脉舞虻 *Empis*（*Coptophlebia*）*flaviseta* **Wang，Xiao，Ding** *et* **Yang，2017**

分布:陕西(周至、凤县、留坝)。

（614）粗跗缺脉舞虻 *Empis*（*Coptophlebia*）*latitarsalis* **Wang，Xiao，Ding** *et* **Yang，2017**

分布:陕西(长安、周至、宁陕)。

（615）长角缺脉舞虻 *Empis*（*Coptophlebia*）*longa* **Wang，Xiao，Ding** *et* **Yang，2017**

分布:陕西(周至)。

（616）离眼缺脉舞虻 *Empis*（*Coptophlebia*）*separata* **Wang，Xiao，Ding** *et* **Yang，2017**

分布:陕西(长安、周至、留坝、宁陕)。

（617）张氏缺脉舞虻 *Empis*（*Coptophlebia*）*zhangae* **Yang，Wang，Zhu** *et* **Zhang，2010**

分布:陕西(周至)、河南。

177. 喜舞虻属 *Hilara* **Meigen，1822**

（618）双突喜舞虻 *Hilara biprocera* **Xiao** *et* **Yang，2016**

分布:陕西(宁陕)。

（619）指须喜舞虻 *Hilara digitata* **Xiao** *et* **Yang，2016**

分布:陕西(宁陕)。

（620）指突喜舞虻 *Hilara digitiformis* **Liu，Li** *et* **Yang，2010**

分布:陕西(周至)、湖北。

（621）平突喜舞虻 *Hilara flata* **Liu，Li** *et* **Yang，2010**

分布:陕西(周至)、湖北。

（622）宽须喜舞虻 *Hilara lata* **Xiao** *et* **Yang，2016**

分布:陕西(宁陕)。

（623）宁陕喜舞虻 *Hilara ningshana* **Xiao** *et* **Yang，2016**

分布:陕西(宁陕)。

（624）小刺喜舞虻 *Hilara spinata* **Xiao** *et* **Yang，2016**

分布:陕西(宁陕)。

（625）秦岭喜舞虻 *Hilara qinlingensis* **Xiao** *et* **Yang，2016**

分布:陕西(宁陕)。

（626）周至喜舞虻 *Hilara zhouzhiensis* Xiao *et* Yang，2016
分布：陕西（周至）。

178．猎舞虻属 *Rhamphomyia* Meigen，1822

（627）指突猎舞虻 *Rhamphomyia*（*Pararhamphomyia*）*digitata* Wang，Xiao，Ding *et* Yang，2017
分布：陕西（宁陕）。

（628）内突猎舞虻 *Rhamphomyia*（*Rhamphomyia*）*projecta* Yu，Liu *et* Yang，2010
分布：陕西（宁陕）、湖北。

（629）小刺猎舞虻 *Rhamphomyia*（*Rhamphomyia*）*spinulosa* Yang，Wang，Zhu *et* Zhang，2010
分布：陕西（长安、周至、凤县）、河南。

二十二、驼舞虻科 Hybotidae

179．Genus *Euhybus* Coquillett，1895

（630）*Euhybus qinlingensis* Liu，Wang *et* Yang，2014
分布：陕西（秦岭）。

180．驼舞虻属 *Hybos* Meigen，1803

（631）*Hybos grossipes*（Linnaeus，1767）
分布：陕西、吉林、内蒙古、河北、山西、河南、甘肃、宁夏、四川；古北区。

（632）秦岭驼舞虻 *Hybos qinlingensis* Liu，Wang *et* Yang，2014
分布：陕西（秦岭）。

（633）*Hybos xll* Liu，Wang *et* Yang，2014
分布：陕西。

二十三、尖翅蝇科 Lonchopteridae

181．尖翅蝇属 *Lonchoptera* Meigen，1803

（634）纤毛尖翅蝇 *Lonchoptera ciliosa* Dong *et* Yang，2011
分布：陕西（洋县）。

（635）指形尖翅蝇 *Lonchoptera digitata* Dong，Pang *et* Yang，2008

　　　　分布:陕西（洋县）。

（636）陕西尖翅蝇 *Lonchoptera shaanxiensis* Dong, Pang *et* Yang, 2008

　　　　分布:陕西（洋县）。

182. 瑕尖翅蝇属 *Spilolonchoptera* Yang, 1998

（637）杨氏瑕尖翅蝇 *Spilolonchopter yangi* Dong *et* Yang, 2013

　　　　分布:陕西（华阴、佛坪）、宁夏、甘肃。

二十四、扁足蝇科 Platypezidae

183. Genus *Agathomyia* Verrall, 1901

（638）*Agathomyia shaanxiensis* Han *et* Yang, 2017

　　　　分布:陕西（周至）。

184. Genus *Lindneromyia* Kessel, 1965

（639）*Lindneromyia brevis* Han *et* Yang, 2017

　　　　分布:陕西（周至）。

（640）*Lindneromyia obtusa* Han *et* Yang, 2016

　　　　分布:陕西（周至）；老挝。

（641）*Lindneromyia taibaishanus* Han *et* Yang, 2017

　　　　分布:陕西（周至）。

（642）*Lindneromyia zhouzhiensis* Han *et* Yang, 2017

　　　　分布:陕西（周至）。

二十五、蚤蝇科 Phoridae

185. 粪蚤蝇属 *Borophaga* Enderlein, 1924

（643）裸胫粪蚤蝇 *Borophaga tibialis* Liu *et* Zeng, 1995

　　　　分布:陕西（柞水）。

186. 锥蚤蝇属 *Conicera* Meigen, 1830

（644）台湾锥蚤蝇 *Conicera formosensis* Brues, 1911

　　　　分布:陕西（佛坪）、浙江、台湾、香港、广西；日本。

（645）凯氏锥蚤蝇 *Conicera kempi* Brunetii, 1924

　　　　分布:陕西(杨凌);印度。

(646) 道氏锥蚤蝇 *Conicera dauci* (Meigen, 1830)
　　　　分布:陕西(柞水)、黑龙江、辽宁;俄罗斯,日本,欧洲,美国。

187. 栅蚤蝇属 *Diplonevra* Lioy, 1864

(647) 黑腹栅蚤蝇 *Diplonevra abbreviata* (v. Roser, 1840)
　　　　分布:陕西(杨凌)、辽宁、浙江;俄罗斯,欧洲。

(648) 广东栅蚤蝇 *Diplonevra peregrine* (Wiedemann, 1830)
　　　　分布:陕西(柞水)、辽宁、浙江、台湾、广东、海南、香港、广西、云南;日本,
　　　　澳大利亚。

(649) 毛叶栅蚤蝇 *Diplonevra pilosella* Schmitz, 1927
　　　　分布:陕西(杨凌);俄罗斯,欧洲。

188. 栓蚤蝇属 *Dohrniphora* Dahl, 1898

(650) *Dohrniphora carinata* Liu, 2015
　　　　分布:陕西(宁陕)。

(651) 角喙栓蚤蝇 *Dohrniphora cornuta* (Bigot, 1857)
　　　　分布:陕西,中国广布;世界广布。

(652) *Dohrniphora dilatata* Liu, 2015
　　　　分布:陕西(柞水)。

(653) 秦栓蚤蝇 *Dohrniphora qinnica* Liu, 2001
　　　　分布:陕西(杨凌、凤县、宝鸡)。

(654) 直列栓蚤蝇 *Dohrniphora rectilinearis* Liu, 2001
　　　　分布:陕西(凤县)、云南。

189. 栉蚤蝇属 *Hypocera* Lioy, 1864

(655) 墨体栉蚤蝇 *Hypocera mordellaria* (Fallén, 1823)
　　　　分布:陕西(柞水)、台湾;欧洲,北美洲。

190. 曼蚤蝇属 *Mannheimsia* Beyer, 1965

(656) 天则曼蚤蝇 *Mannheimsia tianzena* (Liu, 1995)
　　　　分布:陕西(杨凌)。

191. 异蚤蝇属 *Megaselia* Rondani, 1856

(657) 黑角异蚤蝇 *Megaselia atrita* (Brues, 1915)

分布:陕西(佛坪)、吉林、辽宁、内蒙古、浙江、台湾、广东、海南、广西;斯里兰卡,印度尼西亚。

(658) 黄色异蚤蝇 *Megaselia flava* (Fallén, 1823)

分布:陕西(柞水)、吉林、辽宁、北京、浙江、台湾、海南、广西;印度,新几内亚,欧洲,北美洲。

(659) 列鬃异蚤蝇 *Megaselia pleuralis* (Wood, 1909)

分布:陕西(佛坪)、吉林、辽宁、内蒙古、北京、宁夏;日本,澳大利亚,加拿大,美国,欧洲。

(660) 蛆症异蚤蝇 *Megaselia scalaris* (Loew, 1866)

分布:陕西;世界性分布。

(661) 东亚异蚤蝇 *Megaselia spiracularis* Schmitz, 1938

分布:陕西(商南)、辽宁、北京、河南、江苏、浙江、江西、湖北、湖南、福建、台湾、海南;日本,斯里兰卡,马来西亚。

192. 伐蚤蝇属 *Phalacrotophora* Enderlin, 1912

(662) 十斑伐蚤蝇 *Phalacrotophora decimaculata* Liu, 2001

分布:陕西(佛坪)。

193. 蚤蝇属 *Phora* Latreille, 1796

(663) 钩尾蚤蝇 *Phora hamulata* Liu *et* Chou, 1994

分布:陕西(凤县)。

(664) 全绒蚤蝇 *Phora holosericea* Schmitz, 1920

分布:陕西(武功、凤县、柞水)、黑龙江、吉林、辽宁、河北、浙江;朝鲜,日本,欧洲,美国。

(665) 凹叶蚤蝇 *Phora lacunifera* Goto, 1984

分布:陕西(凤县)、台湾、海南;日本,尼泊尔。

194. 弧蚤蝇属 *Stichillus* Enderlein, 1924

(666) 尖突弧蚤蝇 *Stichillus acuminatus* Liu *et* Chou, 1996

分布:陕西(秦岭)、四川。

(667) 日本弧蚤蝇 *Stichillus japonica* (Matsumura, 1915)

分布:陕西(佛坪)、浙江、广西、四川;日本。

(668) 圆尾弧蚤蝇 *Stichillus orbiculatus* Liu *et* Chou, 1996

分布:陕西(秦岭)。

195. 乌蚤蝇属 *Woodiphora* Schmitz, 1926

（669）双凹乌蚤蝇 *Woodiphora dilacuna* Liu, 2001
　　　　分布:陕西(凤县)。

（670）方背乌蚤蝇 *Woodiphora quadrata* Liu, 2001
　　　　分布:陕西(凤县)。

二十六、头蝇科 Pipunculidae

196. 光头蝇属 *Cephalops* Fallén, 1810

（671）粗管光头蝇 *Cephalops crassipinus* Yang *et* Xu, 1996
　　　　分布:陕西(周至)、北京。

（672）强壮光头蝇 *Cephalops fortis* Huo *et* Yang, 2017
　　　　分布:陕西(佛坪、柞水)、湖北。

（673）毛腿光头蝇 *Cephalops hirtifemurus* Yang *et* Xu, 1996
　　　　分布:陕西(周至)。

（674）华山光头蝇 *Cephalops huashanensis*（Yang *et* Xu, 1989）
　　　　分布:陕西(周至、华阴)。

（675）小螺旋光头蝇 *Cephalops spirellus* Huo *et* Yang, 2017
　　　　分布:陕西(佛坪、柞水)。

197. 优头蝇属 *Eudorylas* Aczél, 1940

（676）剑管优头蝇 *Eudorylas attenuatus*（Yang *et* Xu, 1989）
　　　　分布:陕西(周至)。

（677）哈氏优头蝇 *Eudorylas hardyi*（Yang *et* Xu, 1989）
　　　　分布:陕西(周至)、北京。

（678）体小优头蝇 *Eudorylas minor*（Cresson, 1911）
　　　　分布:陕西(周至);加拿大,美国,墨西哥。

（679）方抱优头蝇 *Eudorylas orthogoninus*（Yang *et* Xu, 1989）
　　　　分布:陕西(周至)。

（680）翘角优头蝇 *Eudorylas revolutus*（Yang *et* Xu, 1989）
　　　　分布:陕西(周至)。

198. 恁头蝇属 *Jassidophaga* Aczél, 1939

（681）三叶恁头蝇 *Jassidophaga triloba*（Yang *et* Xu, 1989）

分布：陕西（长安、周至）。

二十七、食蚜蝇科 Syrphidae

199．异巴蚜蝇属 *Allobaccha* Curran，1928

（682）紫额异巴蚜蝇 *Allobaccha apicalis*（Loew，1858）
分布：陕西（凤县、留坝）、甘肃、安徽、浙江、湖北、江西、湖南、福建、台湾、广东、广西、四川、云南；俄罗斯，日本，东洋区。

（683）黑缘异巴蚜蝇 *Allobaccha nigricosta*（Brunetti，1908）
分布：陕西（长安、眉县、留坝、洋县）、四川；印度，巴基斯坦。

200．异蚜蝇属 *Allograpta* Osten-Sacken，1875

（684）黄胫异蚜蝇 *Allograpta aurotibia* Huo，Ren *et* Zheng，2007
分布：陕西（长安、凤县、眉县、留坝、宁陕）、河北、山西、四川。

（685）爪哇异蚜蝇 *Allograpta javana*（Wiedemann，1824）
分布：陕西（眉县、留坝、宁陕、商南）、黑龙江、吉林、辽宁、北京、甘肃、广西、四川、云南；蒙古，俄罗斯，朝鲜，日本，泰国，印度，斯里兰卡，菲律宾，马来西亚，印度尼西亚，澳洲区。

（686）黑胫异蚜蝇 *Allograpta nigritibia* Huo，Ren *et* Zheng，2007
分布：陕西（长安、凤县、眉县、留坝）、海南、四川。

（687）太白异巴蚜蝇 *Allograpta taibaiensis* Huo，Ren *et* Zheng，2007
分布：陕西（眉县）。

201．狭口蚜蝇属 *Asarkina* Macquart，1842

（688）切黑狭口蚜蝇 *Asarkina ericetorum*（Fabricius，1781）
分布：陕西（长安、户县、凤县、眉县、留坝、宁陕、洋县、汉中、镇坪）、黑龙江、辽宁、内蒙古、河北、甘肃、浙江、湖南、福建、广西、四川、贵州、云南、西藏；俄罗斯，日本，印度，斯里兰卡。

（689）黄腹狭口蚜蝇 *Asarkina porcina*（Coquillett，1898）
分布：陕西（长安、眉县、留坝、宁陕、洋县）、黑龙江、辽宁、内蒙古、北京、河北、山西、甘肃、江苏、浙江、湖北、湖南、福建、广西、四川、贵州、云南、西藏；俄罗斯，日本，印度，斯里兰卡。

202．巴蚜蝇属 *Baccha* Fabricius，1805

（690）短额巴蚜蝇 *Baccha elongata*（Fabricius，1775）

分布:陕西(凤县、留坝)、甘肃;俄罗斯,欧洲,新北区。

(691) 纤细巴蚜蝇 *Baccha maculata* Walker, 1852

　　分布:陕西(长安、凤县、留坝、洋县、南郑)、河北、山西、安徽、浙江、湖北、江西、湖南、福建、台湾、四川、云南、西藏;朝鲜,日本,东南亚。

203. 贝蚜蝇属 *Betasyrphus* Matsumura, 1917

(692) 狭带贝蚜蝇 *Betasyrphus serarius*(Wiedemann, 1830)

　　分布:陕西(西安、长安、宝鸡、凤县、眉县、留坝、宁陕、洋县、城固、汉中)、黑龙江、辽宁、吉林、内蒙古、甘肃、河北、江苏、浙江、湖北、江西、湖南、福建、台湾、广东、海南、广西、四川、贵州、云南、西藏;俄罗斯,朝鲜,日本,东南亚,新几内亚,澳大利亚。

204. 短毛蚜蝇属 *Blera* Billberg, 1820

(693) 等斑短毛蚜蝇 *Blera equimacula* Huo, Ren *et* Zheng, 2007
　　分布:陕西(宁陕)。

205. 瘤木蚜蝇属 *Brachypalpoides* Hippa, 1978

(694) 黑腹瘤木蚜蝇 *Brachypalpoides nigrabdomenis* Huo, Zhang *et* Zheng, 2004
　　分布:陕西(宁陕)。

206. 丽角蚜蝇属 *Callicera* Panzer, 1809

(695) 铜色丽角蚜蝇 *Callicera aenea*(Fabricius, 1781)
　　分布:陕西(长安、留坝)、宁夏、台湾、四川;俄罗斯,欧洲。

(696) 锈毛丽角蚜蝇 *Callicera rufa* Schummel, 1841
　　分布:陕西(凤县)、河南、甘肃、湖北、福建;欧洲。

207. 突角蚜蝇属 *Ceriana* Rafinesque, 1815

(697) 斑额突角蚜蝇 *Ceriana grahami*(Shannon, 1925)
　　分布:陕西(西安、留坝)、北京、河北、江苏、浙江、四川。

(698) 红突突角蚜蝇 *Ceriana hungkingi*(Shannon, 1927)
　　分布:陕西(西安)、黑龙江、河北、山东、宁夏、甘肃、青海、江苏。

(699) 日本突角蚜蝇 *Ceriana japonica* Shiraki, 1968
　　分布:陕西(留坝);日本。

208. 铜木蚜蝇属 *Chalcosyrphus* Curran, 1925

(700) 长铜木蚜蝇 *Chalcosyrphus acoetes* (Séguy, 1948)
分布:陕西(留坝、宁陕、柞水)、河北、江苏、浙江。

(701) 无斑铜木蚜蝇 *Chalcosyrphus amaculatus* Huo, Ren *et* Zheng, 2007
分布:陕西(留坝)。

(702) 黑龙江铜木蚜蝇 *Chalcosyrphus amurensis* (Stackelberg, 1925)
分布:陕西(留坝)、黑龙江、吉林、内蒙古、北京、河北、湖南、四川;俄罗斯。

(703) 江氏铜木蚜蝇 *Chalcosyrphus jiangi* He *et* Chu, 1997
分布:陕西(宁陕)。

209. 黑蚜蝇属 *Cheilosia* Meigen, 1822

(704) 白粗毛黑蚜 *Cheilosia albohirta* (Hellén, 1930)
分布:陕西(汉中)、黑龙江、河北;蒙古,俄罗斯。

(705) 白毛黑蚜蝇 *Cheilosia albopubifera* Huo, Ren *et* Zheng, 2007
分布:陕西(长安、汉中)。

(706) 卧毛黑蚜蝇 *Cheilosia aokii* Shiraki *et* Edashige, 1953
分布:陕西(凤县、留坝)、吉林、甘肃;日本。

(707) 巴山黑蚜蝇 *Cheilosia bashanensis* Huo, Ren *et* Zheng, 2007
分布:陕西(留坝)、四川。

(708) 熊蜂黑蚜蝇 *Cheilosia bombiformis* (Matsumura, 1916)
分布:陕西(留坝、佛坪)、黑龙江、吉林、四川、西藏。

(709) 无锡黑蚜蝇 *Cheilosia difficilis* (Hervé-Bazin, 1929)
分布:陕西(留坝)、四川。

(710) 黄斑黑蚜蝇 *Cheilosia distincta* Barkalov *et* Cheng, 1998
分布:陕西(留坝、宁陕)、山西、四川、云南、西藏。

(711) 凤黑蚜蝇 *Cheilosia fengensis* Huo *et* Zhang, 2017
分布:陕西(凤县)。

(712) 黄角黑蚜蝇 *Cheilosia flava* Huo, Ren *et* Zheng, 2007
分布:陕西。

(713) 台湾黑蚜蝇 *Cheilosia formosana* (Shiraki, 1930)
分布:陕西(留坝)、甘肃、新疆、台湾、广西、四川、云南、西藏;俄罗斯,日本。

(714) 适黑蚜蝇 *Cheilosia intermedia* Barkalov, 1999

　　　　分布:陕西(宝鸡、留坝、佛坪)、甘肃、四川。

(715) 日本黑蚜蝇 *Cheilosia josankeiana*（**Shiraki, 1930**）

　　　　分布:陕西(宝鸡、眉县、留坝)、吉林、甘肃、四川;俄罗斯,日本。

(716) 牯岭黑蚜蝇 *Cheilosia kulinensis*（**Hervé-Bazin, 1930**）

　　　　分布:陕西(汉中)、浙江、江西、四川。

(717) 长翅黑蚜蝇 *Cheilosia longiptera* **Shiraki, 1968**

　　　　分布:陕西(留坝)、四川;俄罗斯,朝鲜,日本。

(718) 尖突黑蚜蝇 *Cheilosia longula*（**Zetlersledt, 1938**）

　　　　分布:陕西(宝鸡、凤县、眉县、留坝)、甘肃、湖北、江西、四川、云南、西藏;
　　　　古北区。

(719) 褐斑黑蚜蝇 *Cheilosia motodomariensis* **Matsumura, 1916**

　　　　分布:陕西(留坝、佛坪)、吉林、辽宁、内蒙古、北京、河北、山西、四川;蒙
　　　　古,俄罗斯,日本。

(720) 毛眼黑蚜蝇 *Cheilosia multa* **Barkalov *et* Cheng, 2004**

　　　　分布:陕西(宁陕)、北京、四川。

(721) 粉带黑蚜蝇 *Cheilosia pollistriata* **Huo, Ren *et* Zheng, 2007**

　　　　分布:陕西(眉县)。

(722) 秦岭黑蚜蝇 *Cheilosia qinlingensis* **Huo, Ren *et* Zheng, 2007**

　　　　分布:陕西(留坝)。

(723) 异盾黑蚜蝇 *Cheilosia scutellata*（**Fallén, 1817**）

　　　　分布:陕西(户县、凤县、眉县、留坝、洋县)、黑龙江、内蒙古、北京、四川、重
　　　　庆;古北区(中带)。

(724) 间黑蚜蝇 *Cheilosia septima* **Barkalov *et* Cheng, 2004**

　　　　分布:陕西(长安)、黑龙江、吉林。

(725) 陕西黑蚜蝇 *Cheilosia shaanxiensis* **Huo, Ren *et* Zheng, 2007**

　　　　分布:陕西(汉中)。

(726) 条纹黑蚜蝇 *Cheilosia shanhaica* **Barkalov *et* Cheng, 2004**

　　　　分布:陕西(留坝)、北京、甘肃、四川。

(727) 蓝泽黑蚜蝇 *Cheilosia sini* **Barkalov *et* Cheng , 1998**

　　　　分布:陕西(长安、留坝、宁陕)、北京、浙江、湖北、四川、云南。

(728) 三色黑蚜蝇 *Cheilosia tricolor* **Huo, Ren *et* Zheng, 2007**

　　　　分布:陕西(眉县)。

(729) *Cheilosia velutina* **Loew, 1840**

　　　　分布:陕西(留坝)、吉林、内蒙古、河北、甘肃、新疆、四川、西藏;全北区。

（730）维多利亚黑蚜蝇 *Cheilosia victoria*（Hervé-Bazin，1930）

　　　分布：陕西（宝鸡、留坝）、河北、甘肃、江苏、江西、四川。

210. 长角蚜蝇属 *Chrysotoxum* Meigen，1803

（731）棕腹长角蚜蝇 *Chrysotoxum baphrus* Walker，1849

　　　分布：陕西（长安）、湖南、福建、广东、广西、云南、西藏；老挝，印度，尼泊尔，斯里兰卡。

（732）棕额长角蚜蝇 *Chrysotoxum brunnefrontum* Huo，Ren *et* Zheng，2007

　　　分布：陕西（留坝）。

（733）黄颊长角蚜蝇 *Chrysotoxum cautum*（Harris，1776）

　　　分布：陕西（留坝）、吉林、北京、河北、甘肃、湖南、福建、广东、广西、云南、西藏；俄罗斯，欧洲。

（734）隐条长角蚜蝇 *Chrysotoxum draco* Shannon，1926

　　　分布：陕西（留坝）、河南、浙江、湖北、湖南、四川。

（735）丽纹长角蚜蝇 *Chrysotoxum elegans* Loew 1841

　　　分布：陕西（凤县、留坝、宁陕）、黑龙江、吉林、辽宁、北京、河北、新疆、浙江、江西、湖南；俄罗斯，哈萨克斯坦，欧洲。

（736）瘤颜长角蚜蝇 *Chrysotoxum faciotuberculatum* Zhang，Huo *et* Ren，2010

　　　分布：陕西（留坝）、宁夏。

（737）黄股长角蚜蝇 *Chrysotoxum festivum*（Linneaus，1758）

　　　分布：陕西（留坝、汉中）、黑龙江、辽宁、北京、河北、宁夏、新疆、湖南；蒙古，俄罗斯，日本，印度，古北区。

（738）洛河长角蚜蝇 *Chrysotoxum luohensis* Huo，2017

　　　分布：陕西（留坝、甘泉）

（739）八斑长角蚜蝇 *Chrysotoxum octomaculatum* Curtis，1837

　　　分布：陕西（留坝）、黑龙江、辽宁、内蒙古、北京、山西、甘肃、宁夏、浙江、湖北、江西、湖南、四川。

（740）拟突额长角蚜蝇 *Chrysotoxum projicienfrontoides* Huo *et* Zheng，2004

　　　分布：陕西（眉县、留坝）、宁夏、甘肃。

（741）红腹长角蚜蝇 *Chrysotoxum rufabdominus* Huo *et* Zheng，2004

　　　分布：陕西（户县）。

（742）天台长角蚜蝇 *Chrysotoxum tiantaiensis* Huo *et* Zheng，2004

　　　分布：陕西（汉中）。

（743）瘤长角蚜蝇 *Chrysotoxum tuberculatum* Shannon，1926

分布:陕西(留坝)、北京、河北、四川;俄罗斯。

(744) 土斑长角蚜蝇 *Chrysotoxum vernale* Loew, 1841

分布:陕西(留坝)、黑龙江、吉林、河北、新疆、浙江、四川;俄罗斯,伊朗,欧洲。

(745) 紫柏长角蚜蝇 *Chrysotoxum zibaiensis* Huo, Zhang *et* Zheng, 2006

分布:陕西(留坝)、宁夏、甘肃。

211. 毛蚜蝇属 *Dasysyrphus* Enderlein, 1938

(746) 狭角毛蚜蝇 *Dasysyrphus angustatantennus* Huo, Zhang *et* Zheng, 2005

分布:陕西(眉县、留坝)、山西。

(747) 双线毛蚜蝇 *Dasysyrphus bilineatus* (Matsumura, 1917)

分布:陕西(留坝)、吉林、辽宁、北京、宁夏、台湾;俄罗斯,朝鲜,日本。

(748) 具带毛蚜蝇 *Dasysyrphus orsua* (Walker, 1852)

分布:陕西(长安、户县、宝鸡、凤县、眉县、留坝、汉中)、河北、宁夏、甘肃、四川、西藏;印度,尼泊尔。

(749) 角纹毛蚜蝇 *Dasysyrphus postclaviger* (Stys *et* Moucha, 1962)

分布:陕西(眉县)、吉林、甘肃、青海、西藏;俄罗斯,欧洲。

(750) 太白毛蚜蝇 *Dasysyrphus taibaiensis* Huo, Zhang *et* Zheng, 2005

分布:陕西(眉县、留坝)。

(751) 杨氏毛蚜蝇 *Dasysyrphus yangi* He *et* Chu, 1992

分布:陕西(户县、留坝)、江苏。

212. 边蚜蝇属 *Didea* Macquart, 1834

(752) 浅环边蚜蝇 *Didea alneti* (Fallén, 1817)

分布:陕西(户县、宝鸡、凤县、眉县、留坝、宁陕)、辽宁、山西、甘肃、浙江、江西、四川;蒙古,俄罗斯,朝鲜,日本,欧洲,北美洲。

(753) 巨斑边蚜蝇 *Didea fasciata* Macquart, 1834

分布:陕西(凤县、眉县、留坝)、江苏、浙江、江西、福建、台湾、四川、云南;俄罗斯,日本,欧洲,北美洲。

(754) 暗棒边蚜蝇 *Didea intermedia* Loew, 1854

分布:陕西(留坝)、浙江、四川、云南、西藏;俄罗斯,欧洲。

213. 直脉蚜蝇属 *Dideoides* Brunetti, 1908

(755) 宽带直脉蚜蝇 *Dideoides coquilletti* (van der Goot, 1914)

分布:陕西(长安、凤县、眉县、留坝)、甘肃、浙江、江西、福建、台湾、四川；
日本。

（756）狭带直脉蚜蝇 *Dideoides kempi* **Brunetti, 1923**
　　分布:陕西(留坝)、浙江、江西、福建、广西、四川、云南、西藏；印度。

（757）侧斑直脉蚜蝇 *Dideoides latus*（**Coquillett, 1898**）
　　分布:陕西(留坝)、辽宁、甘肃、江苏、浙江、江西、湖南、福建、台湾、广东、
海南、广西、四川、云南；日本。

（758）卵腹直脉蚜蝇 *Dideoides ovatus* **Brunetti, 1908**
　　分布:陕西(汉中)、湖北、广西、四川、云南；老挝，印度。

（759）秦岭直脉蚜蝇 *Dideoides qinlingensis* **Huo, Ren *et* Zheng, 2007**
　　分布:陕西(留坝)、甘肃。

（760）郑氏直脉蚜蝇 *Dideoides zhengi* **Huo, Ren *et* Zheng, 2007**
　　分布:陕西(留坝)。

214. 垂边蚜蝇属 *Epistrophe* Walker, 1852

（761）狭带垂边蚜蝇 *Epistrophe angusticincta* **Huo, Ren *et* Zheng, 2007**
　　分布:陕西(眉县)。

（762）狭隔垂边蚜蝇 *Epistrophe angustinterstin* **Huo, Ren *et* Zheng, 2007**
　　分布:陕西(眉县)。

（763）环跗垂边蚜蝇 *Epistrophe annulitarsis*（**Stackelberg, 1918**）
　　分布:陕西(凤县、留坝)、四川、云南、西藏；俄罗斯。

（764）双线垂边蚜蝇 *Epistrophe bicostata* **Huo, Ren *et* Zheng, 2007**
　　分布:陕西(眉县)。

（765）等宽垂边蚜蝇 *Epistrophe equilata* **Huo, Ren *et* Zheng, 2007**
　　分布:陕西(眉县)。

（766）黄足垂边蚜蝇 *Epistrophe flavipennis* **Huo, Ren *et* Zheng, 2007**
　　分布:陕西(留坝)。

（767）线斑垂边蚜蝇 *Epistrophe gracilicincta* **Huo, Ren *et* Zheng, 2007**
　　分布:陕西(眉县)。

（768）离缘垂边蚜蝇 *Epistrophe grossulariae*（**Meigen, 1822**）
　　分布:陕西(眉县)、黑龙江、吉林、辽宁、内蒙古、河北；蒙古，俄罗斯，日
本，欧洲，北美洲。

（769）平腹垂边蚜蝇 *Epistrophe lamellata* **Huo, Ren *et* Zheng, 2007**
　　分布:陕西(眉县、留坝)、甘肃、四川。

（770）宽带垂边蚜蝇 *Epistrophe latifasciata* Huo，Ren *et* Zheng，2007
　　　分布：陕西（长安）。

（771）秦岭垂边蚜蝇 *Epistrophe qinlingensis* Huo *et* Ren，2007
　　　分布：陕西（户县、凤县、眉县、留坝）、河北。

（772）天台垂边蚜蝇 *Epistrophe tiantaiensis* Huo，Ren *et* Zheng，2007
　　　分布：陕西（汉中）。

（773）紫柏垂边蚜蝇 *Epistrophe zibaiensis* Huo，Ren *et* Zheng，2007
　　　分布：陕西（留坝）、四川。

215．黑带蚜蝇属 *Episyrphus* Matsumura *et* Adachi，1917

（774）黑带蚜蝇 *Episyrphus balteatus*（de Geer，1776）
　　　分布：陕西（西安、长安、宝鸡、户县、周至、凤县、眉县、洋县、宁陕、城固、镇
　　　坪、商州、商南）、黑龙江、吉林、辽宁、河北、甘肃、江苏、浙江、湖北、江西、
　　　湖南、福建、广东、广西、四川、云南、西藏；蒙古，俄罗斯，日本，阿富汗，
　　　东洋区，欧洲，澳大利亚。

（775）慧黑带蚜蝇 *Episyrphus perscitus* He *et* Chu，1992
　　　分布：陕西（留坝、南郑）、黑龙江。

216．离眼管蚜蝇属 *Eristalinus* Rondani，1845

（776）钝黑离眼管蚜蝇 *Eristalinus sepulchralis*（Linnaeus，1758）
　　　分布：陕西（西安、洋县、汉中、岚皋）、内蒙古、河北、山西、山东、甘肃、新
　　　疆、江苏、浙江、湖北、江西、湖南、广东、四川、西藏；蒙古，俄罗斯，日本，
　　　印度，斯里兰卡，欧洲，非洲北部。

217．管蚜蝇属 *Eristalis* Latreille，1804

（777）短腹管蚜蝇 *Eristalis arbustorum*（Linnaeus，1758）
　　　分布：陕西（西安、长安、周至、眉县、留坝、汉中）、黑龙江、吉林、辽宁、内蒙
　　　古、河北、山西、河南、山东、甘肃、宁夏、青海、新疆、浙江、湖北、福建、四川、
　　　云南、西藏；俄罗斯，印度，阿富汗，伊朗，叙利亚，欧洲，非洲北部，北
　　　美洲。

（778）灰带管蚜蝇 *Eristalis cerealis* Fabricius，1805
　　　分布：陕西（西安、长安、周至、户县、宝鸡、凤县、眉县、留坝、城固、洋县、汉
　　　中、宁陕、镇坪、柞水、商州）、黑龙江、辽宁、内蒙古、河北、河南、山东、甘
　　　肃、青海、新疆、江苏、安徽、浙江、湖北、江西、湖南、福建、台湾、广东、四川、

云南、西藏；俄罗斯，朝鲜，日本，东洋区。

（779）喜马拉雅管蚜蝇 *Eristalis himalayensis* **Brunetti, 1908**
分布：陕西（宁陕）、湖北、四川、云南、西藏；缅甸，印度，尼泊尔。

（780）透翅管蚜蝇 *Eristalis hyaloptera* **Huo，Ren *et* Zheng，2007**
分布：陕西（户县、眉县）、甘肃

（781）长尾管蚜蝇 *Eristalis tenax*（**Linnaeus，1758**）
分布：陕西；世界广布。

218．条眼蚜蝇属 *Eristalodes* **Mik，1897**

（782）黑股条眼蚜蝇 *Eristalodes paria*（**Bigot，1880**）
分布：陕西（留坝）、江西、台湾、广西、四川、云南、西藏；日本，东洋区。

219．密毛蚜蝇属 *Eriozona* **Schiner，1860**

（783）三色密毛蚜蝇 *Eriozona tricolorata* **Huo，Ren *et* Zheng，2007**
分布：陕西（户县、眉县）。

220．平颜蚜蝇属 *Eumerus* **Meigen，1822**

（784）四国平颜蚜蝇 *Eumerus ehimensis* **Shiraki *et* Edashige，1953**
分布：陕西（洋县）；日本。

（785）库峪平颜蚜蝇 *Eumerus kuyuensis* **Huo，Ren *et* Zheng，2007**
分布：陕西（长安、凤县、留坝）、四川。

（786）雪色平颜蚜蝇 *Eumerus niveus* **Huo，Ren *et* Zheng，2007**
分布：陕西（长安）。

（787）齿转平颜蚜蝇 *Eumerus odontotrochantus* **Huo，Ren *et* Zheng，2007**
分布：陕西（留坝、洋县、汉中）。

（788）刺跗平颜蚜蝇 *Eumerus spinimanus* **Huo，Ren *et* Zheng，2007**
分布：陕西（长安、留坝）。

（789）三纹平颜蚜蝇 *Eumerus trivittatus* **Huo，Ren *et* Zheng，2007**
分布：陕西（留坝）。

（790）小河平颜蚜蝇 *Eumerus xiaohe* **Huo，Ren *et* Zheng，2007**
分布：陕西（城固、洋县）。

221．优蚜蝇属 *Eupeodes* **Osten-Sacken，1877**

（791）捷优蚜蝇 *Eupeodes alaceris* **He *et* Li，1998**

分布:陕西(西安、长安、武功、周至、凤县、眉县、留坝、洋县、汉中、宁陕)、黑龙江、宁夏。

(792) 宽带优蚜蝇 *Eupeodes confrater* (Wiedemann, 1830)

分布:陕西(周至、宝鸡、留坝、洋县、西乡、宁陕)、甘肃、江西、湖南、四川、贵州、云南、西藏;日本,东洋区,新几内亚。

(793) 大灰优蚜蝇 *Eupeodes corollae* (Fabricius, 1794)

分布:陕西(西安、长安、周至、凤县、眉县、留坝、汉中、宁陕)、黑龙江、吉林、辽宁、内蒙古、河北、河南、甘肃、新疆、浙江、湖北、江西、湖南、福建、台湾、广西、四川、贵州、云南、西藏;蒙古,俄罗斯,日本,亚洲,欧洲,非洲北部。

(794) 黄带优蚜蝇 *Eupeodes flavofasciatus* (Ho, 1987)

分布:陕西(长安、凤县、眉县、留坝、宁陕)、甘肃、西藏。

(795) 新月斑优蚜蝇 *Eupeodes luniger* (Meigen, 1822)

分布:陕西(西安、长安、汉中)、河北、甘肃、新疆、江苏、四川、云南;蒙古,俄罗斯,日本,印度,阿富汗,欧洲,非洲北部,北美洲。

(796) 凹带优蚜蝇 *Eupeodes nitens* (Zetterstedt, 1843)

分布:陕西(秦岭)、黑龙江、吉林、内蒙古、北京、河北、甘肃、宁夏、新疆、江苏、浙江、江西、福建、广西、四川、云南、西藏;蒙古,俄罗斯,朝鲜,日本,阿富汗,欧洲。

(797) 青优蚜蝇 *Eupeodes qingchengshanensis* He, 1990

分布:陕西(西安、长安、宝鸡、凤县、眉县、留坝、宁陕)、河北、四川。

(798) 林优蚜蝇 *Eupeodes silvaticus* He, 1993

分布:陕西(长安、留坝、宁陕)、黑龙江。

(799) 拟大灰优蚜蝇 *Eupeodes similicorollae* Huo, Ren *et* Zheng, 2007

分布:陕西(长安、汉中)。

222. 鬃胸蚜蝇属 *Ferdinandea* Rondani, 1844

(800) 铜鬃胸蚜蝇 *Ferdinandea cuprea* (Scopoli, 1763)

分布:陕西(宝鸡、凤县、眉县、留坝、洋县、汉中、宁陕)、吉林、甘肃、浙江、湖南、四川、贵州、云南;俄罗斯,日本,欧洲。

223. 缺伪蚜蝇属 *Graptomyza* Wiedemann, 1820

(801) 弦斑缺伪蚜蝇 *Graptomyza semicircularia* Huo, Ren *et* Zheng, 2007

分布:陕西(洋县、商州)

224.　条胸蚜蝇属 *Helophilus* **Meigen，1822**

（802）中黑条胸蚜蝇 *Helophilus melanodasys* **Huo，Ren *et* Zheng，2007**
　　　分布：陕西（西安、长安、宝鸡、凤县、眉县、留坝、宁陕）、四川。

（803）狭带条胸蚜蝇 *Helophilus virgatus* **Coquillett，1898**
　　　分布：陕西（西安、长安、户县、眉县、留坝、宁陕）、辽宁、北京、河北、上海、
　　　江苏、浙江、湖北、江西、湖南、福建、广西、四川、云南、西藏；俄罗斯，
　　　日本。

225.　赫氏蚜蝇属 *Heringia* **Rondani，1856**

（804）华赫氏蚜蝇 *Heringia sinica* **Cheng，Huang，Duan *et* Li，1998**
　　　分布：陕西（凤县）、吉林、甘肃、四川。

226.　刺腿蚜蝇属 *Ischiodon* **Sack，1913**

（805）短刺刺腿蚜蝇 *Ischiodon scutellaris*（**Fabricius，1805**）
　　　分布：陕西（长安、眉县、城固、洋县）、河北、山东、甘肃、新疆、江苏、浙江、
　　　江西、湖南、广东、广西、云南；日本，越南，印度，非洲。

227.　壮蚜蝇属 *Ischyrosyrphus* **Bigot，1882**

（806）横带壮蚜蝇 *Ischyrosyrphus transifasciatus* **Huo *et* Ren，2007**
　　　分布：陕西（凤县、眉县、留坝）、河北、河南、宁夏。

228.　斜环蚜蝇属 *Korinchia* **Edwards，1919**

（807）狭腹斜环蚜蝇 *Korinchia angustiabdomena*（**Huo，Ren *et* Zheng，2007**）
　　　分布：陕西（留坝、商南）。

（808）黄缘斜环蚜蝇 *Korinchia nova* **Hull，1937**
　　　分布：陕西（宝鸡、留坝、宁陕）、四川。

（809）拟黄缘斜环蚜蝇 *Korinchia similinova*（**Huo，Ren *et* Zheng，2007**）
　　　分布：陕西（眉县、洋县）。

（810）红腹斜环蚜蝇 *Korinchia sinensis* **Curran，1929**
　　　分布：陕西（留坝）、四川。

229.　平背蚜蝇属 *Lamellidorsum* **Huo *et* Zheng，2005**

（811）黄毛平背蚜蝇 *Lamellidorsum piliflavum* **Huo *et* Zheng，2005**

分布：陕西（眉县）、甘肃。

（812）黑毛平背蚜蝇 *Lamellidorsum pilinigrum* Huo *et* Zheng，2005

分布：陕西（眉县）、甘肃

230．斑目蚜蝇属 *Lathyrophthalmus* Mik，1897

（813）黑色斑目蚜蝇 *Lathyrophthalmus aeneus*（Scopoli，1763）

分布：陕西；世界广布。

（814）石桓斑目蚜蝇 *Lathyrophthalmus ishigakiensis* Shiraki，1968

分布：陕西（长安）、湖南、福建、广东、广西；日本。

（815）亮黑斑目蚜蝇 *Lathyrophthalmus tarsalis*（Macquart，1855）

分布：陕西（长安、凤县、眉县、洋县、汉中）、河北、甘肃、江苏、浙江、湖南、福建、台湾、广东、广西、四川、西藏；朝鲜，日本，印度，尼泊尔。

（816）绿黑斑目蚜蝇 *Lathyrophthalmus viridis*（Coquillett，1898）

分布：陕西（眉县、留坝、洋县、城固、柞水、镇坪）、甘肃、江苏、浙江、湖北、福建、广西、四川；日本。

231．白腰蚜蝇属 *Leucozona* Schiner，1860

（817）黄缘白腰蚜蝇 *Leucozona flavimarginata* Huo *et* Ren，2007

分布：陕西（长安）、河北。

（818）黑色白腰蚜蝇 *Leucozona lucorum*（Linnaeus，1758）

分布：陕西（眉县、留坝）、黑龙江、吉林、宁夏、甘肃、四川、云南、西藏；蒙古，俄罗斯，日本，欧洲，北美洲。

232．毛管蚜蝇属 *Mallota* Meigen，1822

（819）东方毛管蚜蝇 *Mallota orientalis*（Wiedemann，1824）

分布：陕西（留坝）、台湾、四川、云南；老挝，印度，马来西亚，印度尼西亚。

（820）拟三色毛管蚜蝇 *Mallota pseuditricolor* Huo，Ren *et* Zheng，2007

分布：陕西（平利）。

（821）三色毛管蚜蝇 *Mallota tricolor* Loew，1871

分布：陕西（凤县）、黑龙江、吉林、河北、浙江、四川；俄罗斯，土尔其，欧洲。

（822）狭腹毛管蚜蝇 *Mallota vilis*（Wiedemann，1830）

分布：陕西（洋县、汉中）、海南、四川、云南；泰国，印度，斯里兰卡，印度尼西亚。

（823）黄绿毛管蚜蝇 *Mallota viridiflavescens* **Huo** *et* **Ren，2006**
分布：陕西（留坝）、河北。

233．木村蚜蝇属 *Matsumyia* **Shiraki，1949**

（824）紫柏木村蚜蝇 *Matsumyia zibaiensis* **Huo** *et* **Ren，2006**
分布：陕西（留坝）。

234．硕蚜蝇属 *Megasyrphus* **Dušek** *et* **Láska，1967**

（825）中华硕蚜蝇 *Megasyrphus chinensis* **Ho，1987**
分布：陕西（汉中）、西藏

235．美蓝蚜蝇属 *Melangyna* **Verrall，1901**

（826）缺纹美蓝蚜蝇 *Melangyna evittata* **Huo** *et* **Ren，2007**
分布：陕西（长安）。

（827）大斑美蓝蚜蝇 *Melangyna grandimaculata* **Huo** *et* **Ren，2007**
分布：陕西（长安）、河北

（828）斑盾美蓝蚜蝇 *Melangyna guttata*（**Fallén，1817**）
分布：陕西（眉县）、山西、宁夏、甘肃；俄罗斯，欧洲，北美洲。

（829）暗颊美蓝蚜蝇 *Melangyna lasiophthalma*（**Zetterstedt，1843**）
分布：陕西（长安、凤县、眉县）、黑龙江、吉林、内蒙古、河北、宁夏、甘肃、四川、云南、西藏；蒙古，俄罗斯，日本，欧洲。

（830）秦岭美蓝蚜蝇 *Melangyna qinlingensis* **Huo** *et* **Ren，2007**
分布：陕西（眉县）。

236．墨蚜蝇属 *Melanostoma* **Schiner，1860**

（831）方斑墨蚜蝇 *Melanostoma mellinum*（**Linnaeus，1758**）
分布：陕西（西安、长安、周至、凤县、眉县、留坝、洋县、南郑）、黑龙江、吉林、辽宁、内蒙古、北京、河北、甘肃、青海、新疆、上海、浙江、湖北、江西、湖南、福建、海南、广西、四川、贵州、云南、西藏；蒙古，俄罗斯，日本，伊朗，阿富汗，欧洲，非洲北部，新北区。

（832）东方墨蚜蝇 *Melanostoma orientale*（**Wiedemann，1824**）
分布：陕西（长安、户县、凤县、眉县、留坝、洋县、汉中、南郑）、吉林、内蒙古、青海、新疆、上海、浙江、湖北、湖南、福建、广西、四川、贵州、云南、西藏；

俄罗斯(远东)，日本，东洋区。

（833）梯斑墨蚜蝇 *Melanostoma scalare*（Fabricius, 1794）
分布:陕西(长安、户县、凤县、眉县、留坝)、内蒙古、北京、河北、山东、甘肃、新疆、江苏、浙江、湖北、江西、湖南、福建、台湾、四川、贵州、云南、西藏；蒙古，俄罗斯，日本，阿富汗，东洋区，非洲区。

（834）天台墨蚜蝇 *Melanostoma tiantaiensis* Huo *et* Zheng, 2003
分布:陕西(汉中)。

237. 狭腹蚜蝇属 *Meliscaeva* Frey, 1946

（835）黄带狭腹蚜蝇 *Meliscaeva cinctella*（Zetterstedt, 1843）
分布:陕西(户县、眉县、留坝、汉中)、甘肃、湖北、台湾、广西、四川、西藏；蒙古，俄罗斯，日本，印度，尼泊尔，斯里兰卡，欧洲，北美洲。

（836）宽带狭腹蚜蝇 *Meliscaeva latifasciata* Huo, Ren *et* Zheng, 2007
分布:陕西(留坝)。

（837）高山狭腹蚜蝇 *Meliscaeva monticola*（de Meijere, 1914）
分布:陕西(长安、凤县、眉县)、台湾、四川、云南；东洋区。

（838）丽狭腹蚜蝇 *Meliscaeva splendida* Huo, Ren *et* Zheng, 2007
分布:陕西(眉县、留坝)。

238. 齿腿蚜蝇属 *Merodon* Meigen, 1803

（839）红斑齿腿蚜蝇 *Merodon rufimaculatum* Huo, Ren *et* Zheng, 2007
分布:陕西(长安)。

（840）黄盾齿腿蚜蝇 *Merodon scutellaris* Shiraki, 1968
分布:陕西(凤县)；日本。

239. 墨管蚜蝇属 *Mesembrius* Rondani, 1857

（841）*Mesembrius amplintersitus* Huo, Ren *et* Zheng, 2007
分布:陕西。

（842）细条墨管蚜蝇 *Mesembrius gracinterstatus* Huo, Ren *et* Zheng, 2007
分布:陕西(城固、南郑)。

（843）黑腹墨管蚜蝇 *Mesembrius nigrabdominus* Huo, Ren *et* Zheng, 2007
分布:陕西。

（844）拟黄颜墨管蚜蝇 *Mesembrius pseudiflaviceps* Huo, Ren *et* Zheng, 2007
分布:陕西。

240. 巢穴蚜蝇属 *Microdon* Meigen, 1803

（845）无刺巢穴蚜蝇 *Microdon auricomus* Coquillett, 1898
分布：陕西（长安）、辽宁、北京、甘肃、江苏、浙江、湖北、江西、福建、广西、四川、贵州；朝鲜，日本。

（846）褐翅巢穴蚜蝇 *Microdon brunneipennis* Huo, Ren *et* Zheng, 2007
分布：陕西。

（847）黄毛巢穴蚜蝇 *Microdon fulvopubescens* Brunetti, 1923
分布：陕西（凤县）；斯里兰卡。

（848）青铜巢穴蚜蝇 *Microdon oitanus* Shiraki, 1930
分布：陕西（宁陕）；日本。

（849）平利巢穴蚜蝇 *Microdon pingliensis* Huo, Ren *et* Zheng, 2007
分布：陕西（平利）、重庆。

（850）黑足巢穴蚜蝇 *Microdon podomelainum* Huo, Ren *et* Zheng, 2007
分布：陕西（留坝）。

（851）拟二带巢穴蚜蝇 *Microdon spuribifasciatus* Huo, Ren *et* Zheng, 2007
分布：陕西（凤县、留坝）。

241. 迷蚜蝇属 *Milesia* Latreille, 1804

（852）锈色迷蚜蝇 *Milesia ferruginosa* Brunetti, 1913
分布：陕西（留坝、城固）、四川、贵州、云南；印度。

242. 毛眼管蚜蝇属 *Myathropa* Rondani, 1845

（853）薛氏毛眼管蚜蝇 *Myathropa semenovi* Smirnov, 1925
分布：陕西（凤县、留坝）；俄罗斯。

243. 转突蚜蝇属 *Neocnemodon* Goffe, 1944

（854）短齿转突蚜蝇 *Neocnemodon brevidens*（Egger, 1865）
分布：陕西（留坝）、内蒙古、山东、甘肃；俄罗斯，欧洲。

244. 小蚜蝇属 *Paragus* Latréillè, 1804

（855）暗红小蚜蝇 *Paragus haemorrhous* Meigen, 1822
分布：陕西（长安、凤县、留坝、城固、洋县、镇坪、柞水）、河北、甘肃、青海、新疆、西藏；欧洲、北美洲、非洲。

（856）汉中小蚜蝇 *Paragus hanzhongensis* Huo et Zheng，2005

分布:陕西(长安、留坝)。

（857）九池小蚜蝇 *Paragus jiuchiensis* Huo et Zheng，2005

分布:陕西(洋县)。

（858）刻点小蚜蝇 *Paragus tibialis*（Fallén，1817）

分布:陕西(长安、留坝、洋县)、吉林、内蒙古、北京、河北、山东、甘肃、新疆、江苏、浙江、湖北、湖南、福建、台湾、广东、海南、广西、四川、贵州、云南、西藏;古北区，东洋区，非洲区，新北区。

245. 拟蚜蝇属 *Parasyrphus* Matsumura，1917

（859）直带拟蚜蝇 *Parasyrphus lineolus*（Zetterstedt，1834）

分布:陕西(凤县、眉县、留坝)、四川;蒙古，俄罗斯，亚洲，欧洲，新热带区。

（860）斑拟蚜蝇 *Parasyrphus punctulatus*（Verrall，1873）

分布:陕西(长安);日本，欧洲。

246. 宽盾蚜蝇属 *Phytomia* Guerin-Meneville，1834

（861）裸芒宽盾蚜蝇 *Phytomia errans*（Fabricius，1787）

分布:陕西(留坝)、宁夏、甘肃、江苏、浙江、湖北、江西、湖南、福建、台湾、海南、广西、四川、云南、西藏;日本，东南亚。

（862）羽芒宽盾蚜蝇 *Phytomia zonata*（Fabricius，1787）

分布:陕西(长安、周至、户县、眉县、留坝、城固、洋县、西乡、宁陕)、黑龙江、吉林、辽宁、内蒙古、河北、河南、山东、甘肃、江苏、浙江、湖北、江西、湖南、福建、台湾、广东、海南、广西、四川、云南;俄罗斯，朝鲜，日本，东南亚。

247. 缩颜蚜蝇属 *Pipiza* Fallén，1810

（863）普通缩颜蚜蝇 *Pipiza familiaris* Matsumura，1918

分布:陕西(长安、眉县)、内蒙古、河北、甘肃;日本。

（864）黄斑缩颜蚜蝇 *Pipiza flavimaculata* Matsumura，1918

分布:陕西(汉中)、吉林、江苏;日本。

（865）红河缩颜蚜蝇 *Pipiza hongheensis* Huo，Ren et Zheng，2007

分布:陕西(眉县、留坝)。

（866）无饰缩颜蚜蝇 *Pipiza inornata* Matsumura，1916

分布:陕西(眉县、汉中)、云南;日本。

(867) 黑色缩颜蚜蝇 *Pipiza lugubris* (Fabricius, 1775)

分布:陕西(眉县、留坝)、吉林、河北、山东、甘肃、江苏、浙江、广西、云南;俄罗斯、欧洲。

(868) 夜光缩颜蚜蝇 *Pipiza noctiluca* (Linnaeus, 1758)

分布:陕西(秦岭)、吉林、内蒙古、北京、河北、甘肃、青海、江苏、湖北、湖南;俄罗斯,欧洲。

248. 斜额蚜蝇属 *Pipizella* Rondani, 1856

(869) 长角斜额蚜蝇 *Pipizella antennata* Violovitsh, 1981

分布:陕西(秦岭)、吉林、内蒙古、北京、河北、山西、山东、江苏;俄罗斯(远东)。

(870) 天台斜额蚜蝇 *Pipizella tiantaiensis* Huo, Ren *et* Zheng, 2007

分布:陕西(汉中)。

249. 宽跗蚜蝇属 *Platycheirus* Lepeletier *et* Servi, 1828

(871) 黑腹宽跗蚜蝇 *Platycheirus albimanus* (Fabricius, 1781)

分布:陕西(长安、户县、凤县、眉县、留坝、宁陕)、吉林、辽宁、河北、山西、甘肃、宁夏、青海、湖北、四川、云南、西藏;蒙古,俄罗斯,欧洲,新北区,东洋区。

(872) 卷毛宽跗蚜蝇 *Platycheirus ambiguus* (Fallén, 1817)

分布:陕西(留坝)、黑龙江、北京、河北、甘肃、西藏;蒙古,俄罗斯,日本,印度,尼泊尔,欧洲,北美洲。

(873) 叉尾宽跗蚜蝇 *Platycherius bidentatus* Huo *et* Zheng, 2003

分布:陕西(宁陕)。

(874) 黑色宽跗蚜蝇 *Platycheirus nigritus* Huo, Ren *et* Zheng, 2007

分布:陕西(汉中)。

(875) 卵圆宽跗蚜蝇 *Platycheirus ovalis* Becker, 1921

分布:陕西(眉县)、甘肃、新疆、云南、西藏;蒙古,俄罗斯,日本,欧洲。

(876) 斜斑宽跗蚜蝇 *Platycherius scutatus* (Meigen, 1822)

分布:陕西(户县)、甘肃;俄罗斯,欧洲。

250. 颜突蚜蝇属 *Portevinia* Goffe, 1944

(877) 阿尔泰颜突蚜蝇 *Portevinia altaica* (Stackelberg, 1925)

分布:陕西(凤县、留坝);蒙古,俄罗斯。

(878) 巴山颜突蚜蝇 *Portevinia bashanensis* Huo, Ren *et* Zheng, 2007
　　分布:陕西。

251. 鼻颜蚜蝇属 *Rhingia* Scopoli, 1763

(879) 四斑鼻颜蚜蝇 *Rhingia binotata* Brunetti, 1908
　　分布:陕西(宝鸡、留坝)、吉林、甘肃、浙江、福建、台湾、广东、广西、四川、贵州、云南、西藏;印度,尼泊尔。

(880) 短喙鼻颜蚜蝇 *Rhingia brachyrrhyncha* Huo, Ren *et* Zheng, 2007
　　分布:陕西(户县)、西藏。

(881) 台湾鼻颜蚜蝇 *Rhingia formosana* Shiraki, 1930
　　分布:陕西(户县、凤县、留坝)、黑龙江、内蒙古、北京、甘肃、新疆、湖北、福建、台湾、四川、云南、西藏。

(882) 楼观鼻颜蚜蝇 *Rhingia louguanensis* Huo, Ren *et* Zheng, 2007
　　分布:陕西(周至、眉县)。

(883) 黑缘鼻颜蚜蝇 *Rhingia nigrimargina* Huo, Ren *et* Zheng, 2007
　　分布:陕西(留坝)。

(884) 六斑鼻颜蚜蝇 *Rhingia sexmaculata* Brunetti, 1913
　　分布:陕西(宝鸡、凤县、留坝)、甘肃;印度。

(885) 黄足鼻颜蚜蝇 *Rhingia xanthopoda* Huo, Ren *et* Zheng, 2007
　　分布:陕西(凤县、留坝)、甘肃

252. 鼓额蚜蝇属 *Scaeva* Fabricius, 1805

(886) 斜斑鼓额蚜蝇 *Scaeva pyrastri* (Linnaeus, 1758)
　　分布:陕西(西安、长安、汉中、宁陕)、黑龙江、辽宁、内蒙古、河北、山东、甘肃、青海、新疆、江苏、江西、四川、云南、西藏;蒙古,俄罗斯,日本,阿富汗,欧洲,非洲北部,北美洲。

(887) 月斑鼓额蚜蝇 *Scaeva selenitica* (Meigen, 1822)
　　分布:陕西(长安、凤县、留坝、汉中)、黑龙江、吉林、河北、甘肃、江苏、浙江、江西、湖南、广西、四川、云南;蒙古,俄罗斯,越南,印度,阿富汗,欧洲。

253. 柄腹蚜蝇属 *Spazigasteroides* Huo, 2014

(888) 紫色柄腹蚜蝇 *Spazigasteroides caeruleus* Huo, 2014

分布:陕西(留坝)、宁夏。

254. 细腹蚜蝇属 *Sphaerophoria* Lepeletier *et* Serville, 1828

(889) 双钩细腹食蚜蝇 *Sphaerophoria biunciata* Huo, Ren *et* Zheng, 2007
分布:陕西。

(890) 长安细腹蚜蝇 *Sphaerophoria chenganensis* Huo, Ren *et* Zheng, 2007
分布:陕西(长安、留坝)、宁夏、西藏。

(891) 黄色细腹蚜蝇 *Sphaerophoria flavescentis* Huo, Ren *et* Zheng, 2007
分布:陕西(洋县)。

(892) 印度细腹蚜蝇 *Sphaerophoria indiana* Bigot, 1884
分布:陕西(长安、周至、留坝、洋县、汉中、宁陕、柞水)、黑龙江、河北、甘肃、江苏、浙江、湖北、湖南、广东、四川、贵州、云南、西藏;蒙古,俄罗斯,朝鲜,日本,印度,阿富汗。

(893) 远东细腹蚜蝇 *Sphaerophoria macrogaster* (Thomson, 1869)
分布:陕西(长安、眉县、留坝、城固、洋县、汉中、西乡、镇坪、商州、商南)、内蒙古、江苏、江西、四川;蒙古,俄罗斯,朝鲜,日本,印度,尼泊尔,斯里兰卡,澳大利亚。

(894) 秦巴细腹蚜蝇 *Sphaerophoria qinbaensis* Huo *et* Ren, 2006
分布:陕西(留坝、洋县、汉中、南郑)、河南、福建。

(895) 秦岭细腹蚜蝇 *Sphaerophoria qinglinensis* Huo *et* Ren, 2006
分布:陕西(长安、留坝、洋县)、福建、四川。

(896) 连带细腹蚜蝇 *Sphaerophoria taeniata* (Meigen, 1822)
分布:陕西(西安、长安、凤县、眉县、留坝、洋县)、内蒙古、河北、甘肃;蒙古,俄罗斯,日本,欧洲。

(897) 蔡氏细腹蚜蝇 *Sphaerophoria tsaii* He *et* Li, 1992
分布:陕西(凤县、留坝)、宁夏、甘肃、西藏。

255. 棒腹蚜蝇属 *Sphegina* Meigen, 1822

(898) 端黑棒腹蚜蝇 *Sphegina nigrapicula* Huo, Ren *et* Zheng, 2007
分布:陕西(留坝)。

(899) 四鬃棒腹蚜蝇 *Sphegina quadrisetae* Huo *et* Ren, 2006
分布:陕西(眉县)。

(900) 太白山棒腹蚜蝇 *Sphegina taibaishanensis* Huo *et* Ren, 2006
分布:陕西(眉县)。

256. 腰角蚜蝇属 *Sphiximorpha* Rondani，1850

（901）丽颜腰角蚜蝇 *Sphiximorpha bellifacialis* Yang *et* Cheng，1996
　　　　分布：陕西（西安）、北京、河北、河南、江苏。

257. 斑胸蚜蝇属 *Spilomyia* Meigen，1803

（902）连斑斑胸蚜蝇 *Spilomyia panfilovi* Zimina，1952
　　　　分布：陕西（长安）；俄罗斯。

（903）楯斑斑胸蚜蝇 *Spilomyia scutimaculata* Huo *et* Ren，2006
　　　　分布：陕西（眉县）。

258. 粗股蚜蝇属 *Syritta* Lepeletier *et* Serville，1828

（904）东方粗股蚜蝇 *Syritta orientalis* Macquart，1842
　　　　分布：陕西（长安、洋县、西乡、白河）、江苏、安徽、湖北、湖南、福建、台湾、
　　　　广东、四川、贵州；印度，斯里兰卡。

（905）黄环粗股蚜蝇 *Syritta pipiens*（Linnaeus，1758）
　　　　分布：陕西（西安、长安、周至、眉县、留坝、柞水、商州）、黑龙江、河北、山
　　　　西、甘肃、新疆、福建、云南；尼泊尔，全北区。

259. 蚜蝇属 *Syrphus* Fabricius，1775

（906）黄额蚜蝇 *Syrphus aurifrontus* Huo *et* Ren，2007
　　　　分布：陕西（留坝）、河北。

（907）金黄斑蚜蝇 *Syrphus fulvifacies* Brunetti，1913
　　　　分布：陕西（凤县、留坝）、云南；老挝，印度，尼泊尔，印度尼西亚。

（908）胡氏蚜蝇 *Syrphus hui* He *et* Chu，1996
　　　　分布：陕西（眉县）、黑龙江、新疆、西藏。

（909）黑条蚜蝇 *Syrphus nigrilinearus* Huo，Ren *et* Zheng，2007
　　　　分布：陕西（眉县、留坝、宁陕）。

（910）黄腿蚜蝇 *Syrphus ribesii*（Linnaeus，1758）
　　　　分布：陕西（凤县、眉县、留坝）、黑龙江、吉林、辽宁、河北、山西、甘肃、宁
　　　　夏、青海、新疆、四川、云南、西藏；蒙古，俄罗斯，日本，阿富汗，欧洲，
　　　　北美洲。

（911）野蚜蝇 *Syrphus torvus* Osten-Sacken，1875
　　　　分布：陕西（西安、长安、户县、宝鸡、凤县、眉县、留坝、汉中、宁陕）、黑龙

江、吉林、辽宁、河北、甘肃、浙江、湖南、福建、台湾、四川、贵州、云南、西藏；蒙古，俄罗斯，日本，泰国，印度，尼泊尔，欧洲，北美洲。

（912）黑足蚜蝇 *Syrphus vitripennis* Meigen，1822
　　分布：陕西（长安、凤县、眉县、留坝、洋县、汉中、宁陕）、河北、甘肃、浙江、湖南、福建、台湾、四川、贵州、云南、西藏；蒙古，俄罗斯，日本，伊朗，阿富汗，欧洲，北美洲。

260. 小瓣蚜蝇属 *Takaomyia* Herve-Bazin，1914

（913）黄带小瓣蚜蝇 *Takaomyia flavofasciata* Huo，2017
　　分布：陕西（留坝）。

261. 拟木蚜蝇属 *Temnostoma* Lepeletier *et* Serville，1828

（914）白纹拟木蚜蝇 *Temnostoma albostriatum* Huo，Ren *et* Zheng，2007
　　分布：陕西（留坝）。
（915）弓形拟木蚜蝇 *Temnostoma arciforma* He *et* Chu，1995
　　分布：陕西（留坝、宁陕）、黑龙江。
（916）黄色拟木蚜蝇 *Temnostoma flavidistriatum* Huo，Ren *et* Zheng，2007
　　分布：陕西（留坝、宁陕）。
（917）宁陕拟木蚜蝇 *Temnostoma ningshanensis* Huo，Ren *et* Zheng，2007
　　分布：陕西（留坝、宁陕）。

262. 寡节蚜蝇属 *Triglyphus* Loew，1840

（918）蓝色寡节蚜蝇 *Triglyphus cyanea*（Brunetti，1915）
　　分布：陕西（留坝）、福建；印度。
（919）长翅寡节蚜蝇 *Triglyphus primus* Loew，1840
　　分布：陕西（留坝）、北京、河北、山东、甘肃、浙江、四川、西藏；俄罗斯，朝鲜，日本，欧洲。
（920）四川寡节蚜蝇 *Triglyphus sichuanicus* Cheng，Huang，Duan *et* Li，1998
　　分布：陕西（长安）、四川。

263. 蜂蚜蝇属 *Volucella* Geoffroy，1762

（921）双带蜂蚜蝇 *Volucella bivitta* Huo，Ren *et* Zheng，2007
　　分布：陕西（留坝、汉中）、辽宁、河北、山西、甘肃、四川。
（922）凹角蜂蚜蝇 *Volucella inanoides* Hervé-Bazin，1923

分布:陕西(周至、留坝)、湖北、四川。

（923）老君山蜂蚜蝇 *Volucella laojunshanana* Qiao *et* Qin，2010

分布:陕西(宁陕)、河南。

（924）黑蜂蚜蝇 *Volucella nigricans* Coquillett，1898

分布:陕西(西安、宝鸡、凤县、眉县、留坝、宁陕)、安徽、浙江、湖北、江西、湖南、福建、台湾、广西、四川;朝鲜，日本。

（925）亮丽蜂蚜蝇 *Volucella nitobei* Matsumura，1916

分布:陕西(宁陕)、安微、浙江、福建、四川;日本。

（926）黄盾蜂蚜蝇 *Volucella pellucens tabanoides* Motschulsky，1859

分布:陕西(宝鸡、凤县、眉县、留坝、宁陕)、黑龙江、吉林、辽宁、内蒙古、北京、河北、山西、甘肃、青海、新疆、湖北、四川、云南;蒙古，俄罗斯，朝鲜，日本。

（927）柔毛蜂蚜蝇 *Volucella plumatoides* Hervé-Bazin，1923

分布:陕西(眉县)、河北、青海、新疆、四川、云南、西藏;蒙古，俄罗斯。

（928）红缘蜂蚜蝇 *Volucella rufimargina* Huo，Ren *et* Zheng，2007

分布:陕西(眉县)。

（929）紫柏蜂蚜蝇 *Volucella zibaiensis* Huo，Ren *et* Zheng，2007

分布:陕西(留坝)、河北。

264. 宽扁蚜蝇属 *Xanthandrus* Verrall，1901

（930）圆斑宽扁蚜蝇 *Xanthandrus comtus*（Harris，1780）

分布:陕西(长安、宝鸡、眉县、留坝)、内蒙古、甘肃、江苏、浙江、福建、台湾、广东、四川;蒙古，俄罗斯，朝鲜，日本，欧洲。

（931）短角宽扁蚜蝇 *Xanthandrus talamaui*（Meijere，1924）

分布:陕西(留坝)、吉林、内蒙古、江苏、浙江、江西、福建、四川、云南、西藏;马来西亚，印度尼西亚。

265. 黄斑蚜蝇属 *Xanthogramma* Schiner，1860

（932）异带黄斑蚜蝇 *Xanthogramma anisomorphum* Huo，Ren *et* Zheng，2007

分布:陕西(长安、宝鸡、凤县、眉县、留坝、洋县、汉中、宁陕)、河北。

（933）褐线黄斑蚜蝇 *Xanthogramma coreanum* Shiraki，1930

分布:陕西(凤县、留坝、宁陕)、北京、河北、甘肃、湖北、湖南、四川、云南;俄罗斯，朝鲜。

（934）亮黄斑蚜蝇 *Xanthogramma laetum*（Fabricius，1794）

分布:陕西(长安、周至、凤县、眉县、留坝)、河南、甘肃;俄罗斯,欧洲。

(935) 秦岭黄斑蚜蝇 *Xanthogramma qinlingense* **Huo, Ren** *et* **Zheng, 2007**

分布:陕西(长安、凤县、留坝)。

(936) 札幌黄斑蚜蝇 *Xanthogramma sapporense* **Matsumura, 1916**

分布:陕西(留坝)、黑龙江、甘肃;俄罗斯,日本。

(937) 六斑黄斑蚜蝇 *Xanthogramma seximaculatum* **Huo, Ren** *et* **Zheng, 2007**

分布:陕西(宁陕)。

266. 木蚜蝇属 *Xylota* **Meigen, 1822**

(938) 无斑木蚜蝇 *Xylota amaculata* **Yang** *et* **Cheng, 1996**

分布:陕西(留坝、商州)、吉林。

(939) 黑腹木蚜蝇 *Xylota coquilletti* **Hervé-Bazin, 1914**

分布:陕西(西安、长安、眉县、洋县)、黑龙江、台湾、四川;俄罗斯,日本。

(940) 紫色木蚜蝇 *Xylota cupripurpura* **Huo, Zhang** *et* **Zheng, 2004**

分布:陕西(长安、宝鸡、眉县)。

(941) 云南木蚜蝇 *Xylota fo* **Hull, 1944**

分布:陕西(秦岭)、吉林、河北、甘肃、上海、江苏、安徽、浙江、江西、福建、四川、云南。

(942) 红河木蚜蝇 *Xylota honghe* **Huo, Zhang** *et* **Zheng, 2004**

分布:陕西(眉县)。

(943) 缓木蚜蝇 *Xylota segnis* (**Linnaeus, 1758**)

分布:陕西(秦岭)、吉林;俄罗斯,欧洲,非洲北部,北美洲。

(944) 金毛木蚜蝇 *Xylota sylvarum* (**Linnaeus, 1758**)

分布:陕西(留坝)、黑龙江、吉林;蒙古,俄罗斯,欧洲。

(945) 太白山木蚜蝇 *Xylota taibaishanensis* **He** *et* **Chu, 1997**

分布:陕西(眉县、留坝)。

二十八、叶蝇科 Milichiidae

267. 芒叶蝇属 *Aldrichiomyza* **Hendel, 1914**

(946) 黄腹芒叶蝇 *Aldrichiomyza flaviventris* **Iwasa, 1997**

分布:陕西(华县、宁陕、旬阳、镇安、柞水、山阳、丹凤)、河北、山东、湖北;日本。

268. 新叶蝇属 *Neophyllomyza* Melander, 1913

（947）黄颊新叶蝇 *Neophyllomyza flavescens* Xi *et* Yang, 2017
　　　　分布：陕西（柞水）、西藏。

（948）斜缘新叶蝇 *Neophyllomyza leanderi*（Hendel, 1924）
　　　　分布：陕西（柞水、丹凤）、浙江、江西、广西、云南；奥地利。

269. 真叶蝇属 *Phyllomyza* Fallén, 1810

（949）兔耳真叶蝇 *Phyllomyza auriculatusa* Xi *et* Yang, 2017
　　　　分布：陕西（宁陕）、云南。

（950）短喙真叶蝇 *Phyllomyza breviproboscis* Xi *et* Yang, 2017
　　　　分布：陕西（周至、宁陕、旬阳、柞水）、云南。

（951）牛角真叶蝇 *Phyllomyza cornis* Xi *et* Yang, 2017
　　　　分布：陕西（丹凤）、江西、重庆、云南。

（952）二尖真叶蝇 *Phyllomyza dicrana* Xi *et* Yang, 2015
　　　　分布：陕西（旬阳）、山西、湖北、台湾、重庆、云南、西藏。

（953）褐真叶蝇 *Phyllomyza donisthorpei* Schmitz, 1923
　　　　分布：陕西（宁陕、柞水）、台湾、云南；英国。

（954）等长真叶蝇 *Phyllomyza equitans*（Hendel, 1919）
　　　　分布：陕西（周至）、浙江、云南；奥地利，波兰。

（955）直须真叶蝇 *Phyllomyza euthyipalpis* Xi *et* Yang, 2013
　　　　分布：陕西（宁陕）、四川、云南。

（956）日本真叶蝇 *Phyllomyza japonica* Iwasa, 2003
　　　　分布：陕西（留坝、佛坪、宁陕、丹凤）、北京、甘肃、湖北、江西、广西、重庆、
　　　　四川、云南；日本。

（957）柳须真叶蝇 *Phyllomyza letophyllusa* Xi *et* Yang, 2017
　　　　分布：陕西（周至）、北京、山西、湖北、江西、广西、云南。

（958）多鬃真叶蝇 *Phyllomyza multijubatusa* Xi *et* Yang, 2017
　　　　分布：陕西（柞水）、云南。

（959）钝端真叶蝇 *Phyllomyza obtusatusa* Xi *et* Yang, 2017
　　　　分布：陕西（周至、留坝、山阳）、湖北、四川。

（960）黑三角真叶蝇 *Phyllomyza piceus* Xi *et* Yang, 2017
　　　　分布：陕西（柞水）、广西、重庆、云南。

二十九、果蝇科 Drosophilidae

270. 阿绕眼果蝇属 *Amiota* Loew, 1862

（961）*Amiota aquilotaurusata* Takada, Beppu *et* Toda, 1979
分布:陕西、黑龙江、辽宁、北京、河南、湖北、云南;俄罗斯,日本。

（962）*Amiota aristata* Chen *et* Toda, 2001
分布:陕西、河南、湖北。

（963）崔氏阿绕眼果蝇 *Amiota cuii* Chen *et* Toda, 2001
分布:陕西、湖北、湖南、广西。

（964）*Amiota femorata* Chen *et* Takamori, 2005
分布:陕西、湖北、湖南、云南。

（965）胡氏阿绕眼果蝇 *Amiota huae* Chen *et* Gao, 2005
分布:陕西、云南。

（966）*Amiota macai* Chen *et* Toda, 2001
分布:陕西、河南、湖北、云南。

（967）*Amiota magniflava* Chen *et* Toda, 2001
分布:陕西、湖北、云南。

（968）*Amiota nozawai* Chen *et* Watabe, 2005
分布:陕西、河南、湖北、湖南、云南。

（969）*Amiota onchopyga* Nishiharu, 1979
分布:陕西、福建、云南;日本。

（970）*Amiota setosa* Zhang *et* Chen, 2006
分布:陕西、湖北、云南。

（971）*Amiota trifurcata* Okada, 1968
分布:陕西、湖北、云南;日本。

（972）*Amiota watabei* Chen *et* Toda, 2001
分布:陕西、湖北。

271. 果蝇属 *Drosophila* Fallén, 1823

（973）短肾果蝇 *Drosophila*（*Drosophila*）*brachynephros* Okada, 1956
分布:陕西、黑龙江、吉林、辽宁、北京、上海、江苏、浙江;朝鲜,日本,印度。

（974）巴氏果蝇 *Drosophila*（*Drosophila*）*busckii* Coquillett, 1901
分布:陕西、吉林、北京、山东、新疆、上海、江苏、安徽、浙江、江西、湖南、福建、台湾、广东、海南、广西、四川、云南；朝鲜，日本，泰国，缅甸，印度，尼泊尔，斯里兰卡，印度尼西亚，北美洲。

（975）伊米果蝇 *Drosophila*（*Drosophila*）*immigrans* Sturtevant, 1921
　　　分布：陕西（秦岭）、山东、甘肃；日本。

（976）锯阳果蝇 *Drosophila*（*Drosophila*）*lacertosa* Okada, 1956
　　　分布：陕西、吉林、北京、江苏、安徽、浙江、江西、湖南、福建、台湾、广东、四川、云南、西藏；朝鲜，日本，印度，尼泊尔。

（977）边果蝇 *Drosophila*（*Drosophila*）*limbata* Roser, 1840
　　　分布：陕西、黑龙江、吉林、辽宁、北京、广西、云南；朝鲜，日本，欧洲。

（978）吉川氏果蝇 *Drosophila*（*Sophophora*）*kikkama* Burla, 1954
　　　分布：陕西、吉林、北京、山东、上海、江苏、安徽、浙江、江西、湖南、福建、台湾、广东、香港、海南、广西、贵州、云南；朝鲜，日本，亚洲，澳大利亚，毛里求斯，南美洲。

（979）黑腹果蝇 *Drosophila*（*Sophophora*）*melanogaster* Meigen, 1830
　　　分布：陕西、黑龙江、吉林、辽宁、北京、山东、新疆、上海、江苏、安徽、浙江、江西、湖南、福建、广东、海南、广西、贵州、云南；世界广布。

（980）铃木氏果蝇 *Drosophila*（*Sophophora*）*suzukii*（Matsumura, 1934）
　　　分布：陕西、黑龙江、吉林、辽宁、北京、山东、上海、江苏、安徽、浙江、江西、湖南、福建、广东、海南、广西、四川、贵州、云南；朝鲜，日本，泰国，缅甸，印度，美国。

（981）高桥氏果蝇 *Drosophila*（*Sophophora*）*takahashii* Sturtevant, 1927
　　　分布：陕西、北京、山东、新疆、上海、江苏、安徽、浙江、江西、湖南、福建、台湾、广东、海南、广西、贵州、云南；朝鲜，日本，亚洲。

（982）叔白颜果蝇 *Drosophila*（*Sophophora*）*triauraria* Bock *et* Wheeler, 1972
　　　分布：陕西、黑龙江、吉林、辽宁、北京、山东、上海、江苏、安徽、浙江、江西、湖南、福建、广东、广西、云南；朝鲜，日本。

272. Genus *Impatiophila* Fu *et* Gao, 2016

（983）*Impatiophila pipa* Fu *et* Gao, 2016
　　　分布：陕西、广西、云南。

（984）*Impatiophila taibaishanensis* Fu *et* Gao, 2016
　　　分布：陕西（太白山）。

273. 白果蝇属 *Leucophenga* Mik, 1886

（985）*Leucophenga securis* Huang, Li *et* Chen, 2014

　　　分布:陕西、湖北、云南。

274. 拱背果蝇属 *Lordiphosa* **Basden，1961**

（986）斯坦克氏拱背果蝇 *Lordiphosa stackelbergi*（**Duda，1935**）
　　　分布:陕西、吉林、辽宁、上海、江苏、浙江;俄罗斯。

275. 副菇果蝇属 *Pararhinoleucophenga* **Duda，1924**

（987）*Pararhinoleucophenga alafumosa* **Cao** *et* **Chen，2009**
　　　分布:陕西(佛坪)。

276. 姬果蝇属 *Scaptomyza* **Hardy，1849**

（988）灰姬果蝇 *Scaptomyza pallida*（**Zetterstedt，1847**）
　　　分布:陕西、黑龙江、吉林、辽宁、内蒙古、北京、河北、山东、新疆、上海、江
　　　苏、安徽、浙江、江西、湖南、福建、广东、广西、四川、云南;蒙古，朝鲜，日
　　　本，印度，尼泊尔，马来西亚，欧洲，非洲，澳大利亚，阿根廷。

277. 冠果蝇属 *Stegana* **Meigin，1830**

（989）*Stegana*（*Steganina*）*parvispina* **Chen** *et* **Chen，2012**
　　　分布:陕西。
（990）秦岭冠果蝇 *Stegana*（*Steganina*）*qinlingensis* **Chen，Cao** *et* **Chen，2009**
　　　分布:陕西。

三十、隐芒蝇科 Cryptochetidae

278. 隐芒蝇属 *Cryptochetum* **Rondani，1875**

（991）陕西隐芒蝇 *Cryptochetum shaanxiense* **Xi** *et* **Yang，2015**
　　　分布:陕西(华县、宁陕、柞水、镇安、山阳)、山西、广西、贵州。

三十一、甲蝇科 Celyphidae

279. 甲蝇属 *Celyphus* **Dalman，1818**

（992）恼甲蝇 *Celyphus*（*Celyphus*）*difficilis* **Malloch，1927**
　　　分布:陕西(秦岭，富平)、江西、福建、广东、海南、香港、广西、贵州;越南。
（993）奇突甲蝇 *Celyphus*（*Celyphus*）*mirabilis* **Yang** *et* **Liu，1998**

　　　　　　分布:陕西(周至、宝鸡、留坝、宁陕)、天津。

　(994) 网纹甲蝇 *Celyphus*(*Celyphus*)*reticulatus* Tenorio, 1972
　　　　　　分布:陕西(宁陕)、浙江、江西、福建、广东、广西、贵州、云南。

　　280. 卵蝇属 *Oocelyphus* Chen, 1949

　(995) 神农架卵甲蝇 *Oocelyphus shennongjianus* Yang *et* Yang, 2014
　　　　　　分布:陕西(留坝、宁陕)、湖北。

　　281. 狭须甲蝇属 *Spaniocelyphus* Hendel, 1914

　(996) 华毛狭须甲蝇 *Spaniocelyphus papposus* Tenorio, 1972
　　　　　　分布:陕西(留坝、佛坪)、甘肃、江苏、浙江、湖北、江西、福建、重庆、贵州。

　(997) 中华狭须甲蝇 *Spaniocelyphus sinensis* Yang *et* Liu, 1998
　　　　　　分布:陕西(周至、眉县、留坝、宁陕、旬阳)、甘肃、浙江、湖北、江西、四川、
　　　　　　云南。

三十二、缟蝇科 Lauxaniidae

　　282. 隆额缟蝇属 *Cestrotus* Loew, 1862

　(998) 钝隆额缟蝇 *Cestrotus obtusus* Shi, Yang *et* Gaimari, 2009
　　　　　　分布:陕西(柞水)、浙江、湖南、广西、重庆。

　　283. 同脉缟蝇属 *Homoneura* van der Wulp, 1891

　(999) 叉突同脉缟蝇 *Homoneura*(*Homoneura*)*laticosta*(Thomson, 1869)
　　　　　　分布:陕西(周至)、福建、海南;越南, 老挝, 泰国, 菲律宾, 马来西亚, 印
　　　　　　度尼西亚, 新加坡, 澳大利亚。

　(1000) 爪突同脉缟蝇 *Homoneura*(*Homoneura*)*unguiculata*(Kertész, 1913)
　　　　　　分布:陕西(周至)、福建、台湾、广东、海南;日本, 越南, 斯里兰卡, 马来
　　　　　　西亚, 印度尼西亚, 美国。

　　284. 黑缟蝇属 *Minettia* Robineau-Desvoidy, 1830

　(1001) 长羽瘤黑缟蝇 *Minettia*(*Frendelia*)*longipennis*(Fabricius, 1794)
　　　　　　分布:陕西(周至、佛坪)、宁夏、浙江、湖北、海南;全北区广布。

　　285. 辐斑缟蝇属 *Noeetomima* Enderlein, 1937

　(1002) 辐斑缟蝇 *Noeetomima radiata* Enderlein, 1937

分布:陕西(周至)、黑龙江;俄罗斯。

286. 长角缟蝇属 *Pachycerina* Macquart, 1835

(1003) 十纹长角缟蝇 *Pachycerina decemlineata* Meijere, 1914

分布:陕西(周至)、台湾、广东、广西、四川、贵州、云南、西藏;越南,老
挝,尼泊尔,菲律宾,马来西亚,印度尼西亚。

287. 双鬃缟蝇属 *Sapromyza* Fallén, 1810

(1004) 六斑双鬃缟蝇 *Sapromyza*(*Sapromyza*)*sexpunctata* Meigen, 1826

分布:陕西(周至、镇安)、宁夏;古北区。

三十三、鼓翅蝇科 Sepsidae

288. 异鼓翅蝇属 *Allosepsis* Ozerov, 1992

(1005) 印度异鼓翅蝇 *Allosepsis indica*(Wiedemann, 1824)

分布:陕西(长安、周至、凤县、眉县、华县、留坝、佛坪、宁陕、柞水、镇安、
山阳、丹凤)、北京、天津、河北、山西、河南、宁夏、甘肃、湖北、湖南、台湾、
海南、广西、云南、西藏;俄罗斯,韩国,日本,越南,泰国,印度,尼泊
尔,巴布亚新几内亚。

289. 十鬃鼓翅蝇属 *Decachaetophora* Duda, 1926

(1006) 青铜十鬃鼓翅蝇 *Decachaetophora aeneipes*(de Meijere, 1913)

分布:陕西(长安、周至、留坝、佛坪、宁陕、柞水、山阳)、内蒙古、宁夏、甘
肃、湖北、台湾、重庆、云南;蒙古,俄罗斯,韩国,日本,越南,阿富汗,
印度,尼泊尔,巴基斯坦,斯里兰卡,美国。

290. 二叉鼓翅蝇属 *Dicranosepsis* Duda, 1926

(1007) 爪哇二叉鼓翅蝇 *Dicranosepsis javanica*(de Meijere, 1904)

分布:陕西(周至、留坝、佛坪、宁陕、柞水)、浙江、台湾、广东;越南,泰
国,印度,尼泊尔,斯里兰卡,巴基斯坦,菲律宾,马来西亚,印度尼
西亚。

(1008) 胫须二叉鼓翅蝇 *Dicranosepsis parva* Iwasa, 1984

分布:陕西(周至、凤县、华县、留坝、旬阳)、浙江、贵州、云南;越南,泰
国,尼泊尔。

（1009）单毛二叉鼓翅蝇 *Dicranosepsis unipilosa*（Duda，1926）

分布：陕西（周至、留坝、佛坪、柞水）、浙江、台湾、海南；韩国，日本，菲律宾，印度尼西亚。

291. 并股鼓翅蝇属 *Meroplius* Rondani，1874

（1010）福冈并股鼓翅蝇 *Meroplius fukuharai*（Iwasa，1984）

分布：陕西（周至、柞水、山阳）、黑龙江、内蒙古、北京、河北、宁夏、甘肃、四川；韩国，日本，欧洲。

（1011）琐细并股鼓翅蝇 *Meroplius minutus*（Wiedemann，1830）

分布：陕西（周至、华县、柞水、山阳）、北京、河北、甘肃、台湾；韩国，日本，越南，尼泊尔，格鲁吉亚，埃及，欧洲，北美洲。

292. 丝状鼓翅蝇属 *Nemopoda* Robineau-Desvoidy，1830

（1012）亮丝状鼓翅蝇 *Nemopoda pectinulata* Loew，1873

分布：陕西（长安、周至、佛坪、宁陕）、山西、甘肃、新疆、台湾、四川、云南；蒙古，日本，印度，尼泊尔，巴基斯坦，哈萨克斯坦，格鲁吉亚，欧洲。

293. 鼓翅蝇属 *Sepsis* Fallén，1810

（1013）长角鼓翅蝇 *Sepsis bicornuta* Ozerov，1985

分布：陕西（周至、眉县、华县、留坝、佛坪、宁陕、旬阳、柞水、山阳、丹凤、商南、洛南）、北京；俄罗斯，韩国，日本。

（1014）喜粪鼓翅蝇 *Sepsis coprophila* de Meijere，1906

分布：陕西（柞水、山阳、丹凤）、甘肃、安徽、台湾、广东、海南；日本，泰国，印度，尼泊尔，斯里兰卡，孟加拉国，新加坡，菲律宾，马来西亚，印度尼西亚。

（1015）侧突鼓翅蝇 *Sepsis lateralis* Wiedemann，1830

分布：陕西（周至、留坝）、河北、台湾、广东、广西、贵州、云南；日本，越南，泰国，缅甸，印度，尼泊尔，斯里兰卡，阿富汗，巴基斯坦，孟加拉国，伊拉克，以色列，菲律宾，马来西亚，欧洲，非洲。

（1016）宽钳鼓翅蝇 *Sepsis latiforceps* Duda，1926

分布：陕西（周至、凤县、华县、留坝、佛坪、宁陕、旬阳、柞水、镇安、山阳、丹凤、商南、洛南）、吉林、辽宁、内蒙古、北京、河北、山西、河南、山东、宁夏、甘肃、新疆、安徽、湖北、湖南、福建、台湾、广西；俄罗斯，韩国，日本，越南，尼泊尔。

（1017）螯斑鼓翅蝇 *Sepsis punctum*（Fabricius，1794）

分布:陕西(凤县、佛坪、宁陕、镇安)、黑龙江、北京;蒙古,俄罗斯,越南,缅甸,印度,尼泊尔,中亚,欧洲,北美洲。

（1018）胸廓鼓翅蝇 *Sepsis thoracica*（Robineau-Desvoidy，1830）

分布:陕西(周至、凤县)、吉林、内蒙古、北京、河北、宁夏、甘肃、新疆、台湾、四川、云南;俄罗斯,日本,中亚,欧洲,非洲,美国(夏威夷)。

294. 温热鼓翅蝇属 *Themira* Robineau-Desvoidy，1830

（1019）秦蜀温热鼓翅蝇 *Themira qinshuana* Li *et* Yang，2017

分布:陕西(周至)、四川。

（1020）甘肃温热鼓翅蝇 *Themira przewalskii* Ozerov，1986

分布:陕西(长安、周至、凤县、眉县、华县、留坝、宁陕)、甘肃、湖北、湖南、四川、云南。

295. 箭叶鼓翅蝇属 *Toxopoda* Macquart，1851

（1021）二叉箭叶鼓翅蝇 *Toxopoda bifurcata* Iwasa，1989

分布:陕西(周至、华县、留坝、宁陕、柞水、丹凤)、福建;越南,泰国,尼泊尔,巴基斯坦。

三十四、瘦足蝇科 Micropezidae

296. 秀瘦足蝇属 *Compsobata* Czerny，1930

（1022）华山秀瘦足蝇 *Compsobata huashanica* Li，Liu *et* Yang，2012

分布:陕西(华阴)。

三十五、小粪蝇科 Sphaeroceridae

（一）小粪蝇亚科 Sphaerocerinae

297. 栉小粪蝇属 *Ischiolepta* Lioy，1864

（1023）东洋栉小粪蝇 *Ischiolepta orientalis*（de Meijere，1908）

分布:陕西(佛坪)、河北;日本,越南,印度,斯里兰卡,巴基斯坦,印度尼西亚。

298. 小粪蝇属 *Sphaerocera* Latreille, 1804

（1024）棒鬃小粪蝇 *Sphaerocera pseudomonilis asiatica* Papp, 1988
　　　　分布：陕西（柞水）；巴基斯坦。

（二）沼小粪蝇亚科 Limosininae

299. 双额岩小粪蝇属 *Bifronsina* Roháček, 1983

（1025）双额岩小粪蝇 *Bifronsina bifrons*（Stenhammar, 1855）
　　　　分布：陕西（佛坪、柞水）、江西、台湾、海南；古北区，东洋区，非洲热带
　　　　区，新北区，新热带区，澳洲区。

300. 角脉小粪蝇属 *Coproica* Rondani, 1861

（1026）韩角脉小粪蝇 *Coproica coreana* Papp, 1979
　　　　分布：陕西（佛坪）、浙江、台湾、香港；朝鲜，韩国，日本，巴基斯坦。

（1027）红额角脉小粪蝇 *Coproica rufifrons* Hayashi, 1991
　　　　分布：陕西（华县、柞水、商南）、辽宁、河北、山西、台湾、香港、云南；古北
　　　　区，东洋区，非洲热带区，新北区，澳洲区。

301. 雅小粪蝇属 *Leptocera* Olivier, 1813

（1028）*Leptocera anguliprominens* Su, 2011
　　　　分布：陕西、宁夏。

（1029）溪雅小粪蝇 *Leptocera fontinalis*（Fallén, 1826）
　　　　分布：陕西（佛坪）、新疆、西藏；俄罗斯，塔吉克斯坦，乌兹别克斯坦，阿
　　　　富汗，土耳其，古北区，新北区，非洲热带区。

（1030）黑雅小粪蝇 *Leptocera nigra* Oliver, 1813
　　　　分布：陕西（周至、华县、佛坪、柞水、山阳、商南）、吉林、辽宁、内蒙古、山
　　　　西、甘肃、云南；古北区，东洋区，非洲热带区。

（1031）刺突雅小粪蝇 *Leptocera salatigae*（de Meijere, 1914）
　　　　分布：陕西（周至、佛坪、洋县）、北京、河北、河南、湖南、台湾、四川、云南；
　　　　日本，非洲热带区，澳洲区。

（1032）*Leptocera truncata* Su, 2011
　　　　分布：陕西（佛坪、洋县）、吉林、北京、河南、福建、广西、四川、云南。

302. 索小粪蝇属 *Minilimosina* Roháček, 1983

(1033) 菌索小粪蝇 *Minilimosina*（*Minilimosina*）*fungicola*（Haliday, 1836）
　　　　分布:陕西(柞水、山阳)、吉林、宁夏;古北区,新北区。

(1034) 翼索小粪蝇 *Minilimosina*（*Svarciella*）*fanta* Roháček *et* Marshall, 1988
　　　　分布:陕西(佛坪、柞水)、云南;尼泊尔。

(1035) 黄腹索小粪蝇 *Minilimosina*（*Svarciella*）*luteola* Su, 2011
　　　　分布:陕西(佛坪、柞水)、云南。

303. 欧小粪蝇属 *Opacifrons* Duda, 1918

(1036) 偏欧小粪蝇 *Opacifrons brevisecunda* Papp, 1991
　　　　分布:陕西(商南);越南,印度,斯里兰卡。

(1037) 螺欧小粪蝇 *Opacifrons pseudimpudica*（Deeming, 1969）
　　　　分布:陕西(周至、华县、佛坪、洋县、柞水)、北京、河北、河南、浙江、福建、
　　　　台湾、广西、四川、贵州、云南;印度,尼泊尔,斯里兰卡。

304. 腹突小粪蝇属 *Paralimosina* Papp, 1973

(1038) 高山腹突小粪蝇 *Paralimosina altimontana*（Roháček, 1977）
　　　　分布:陕西(柞水);泰国,尼泊尔,巴基斯坦。

(1039) 弯腹突小粪蝇 *Paralimosina curvata* Su *et* Liu, 2017
　　　　分布:陕西(佛坪)。

(1040) 粳腹突小粪蝇 *Paralimosina japonica* Hayashi, 1985
　　　　分布:陕西(柞水);日本,尼泊尔,巴基斯坦。

305. 刺胫小粪蝇属 *Phthitia* Enderlein, 1938

(1041) 指鬃刺胫小粪蝇 *Phthitia digiseta* Marshall, 1992
　　　　分布:陕西(柞水);加拿大。

(1042) 长指刺胫小粪蝇 *Phthitia longidigita* Su, 2011
　　　　分布:陕西(柞水)、辽宁。

306. 星小粪蝇属 *Poecilosomella* Duda, 1925

(1043) 双刺星小粪蝇 *Poecilosomella biseta* Dong, Yang *et* Hayashi, 2006
　　　　分布:陕西(华县、柞水)、山西、浙江、江西、广东、贵州。

(1044) 长肋小粪蝇 *Poecilosomella longinervis*（Duda, 1925）

分布:陕西(佛坪、柞水)、浙江、湖北、福建、台湾、广东、四川、贵州、云南、西藏;缅甸,印度,尼泊尔,巴基斯坦,马来西亚。

(1045) 尼星小粪蝇 *Poecilosomella nepalensis*(Deeming,1969)

分布:陕西(佛坪、洋县)、广西、四川、云南;印度,尼泊尔,巴基斯坦。

307. 伪丘小粪蝇属 *Pseudocollinella* Duda,1924

(1046) 鞍伪丘小粪蝇 *Pseudocollinella jorlii*(Carles-Tolrá,1990)

分布:陕西(佛坪、洋县)、北京、河北、河南、四川、贵州、云南;欧洲,非洲北部。

308. 方小粪蝇属 *Pullimosina* Roháček,1983

(1047) 锥方小粪蝇 *Pullimosina meta* Su,2011

分布:陕西(佛坪)、宁夏、江西、云南。

(1048) 叉方小粪蝇 *Pullimosina vulgesta* Roháček,2001

分布:陕西(华县、佛坪、柞水、山阳、商南)、吉林、宁夏、江西、四川、云南;尼泊尔,古北区。

309. 刺足小粪蝇属 *Rachispoda* Lioy,1864

(1049) 短突刺足小粪蝇 *Rachispoda breviprominens* Su,2011

分布:陕西(周至、华县、佛坪、柞水、山阳)、宁夏。

(1050) 凹缘刺足小粪蝇 *Rachispoda excavata*(Papp,1979)

分布:陕西(佛坪、洋县)、河北、河南、湖南、福建、广西、四川、云南;俄罗斯。

(1051) 斑翅刺足小粪蝇 *Rachispoda subtinctipennis*(Brunetti,1913)

分布:陕西(周至、佛坪、柞水)、北京、河北、河南、湖南、台湾、广西、四川、贵州、云南;日本,越南,印度,尼泊尔,斯里兰卡,菲律宾,印度尼西亚,非洲,大洋洲。

310. 刺尾小粪蝇属 *Spelobia* Spuler,1924

(1052) 圆刺尾小粪蝇 *Spelobia circularis* Su *et* Liu,2016

分布:陕西(佛坪、商洛)、山西、浙江。

(1053) 长毛刺尾小粪蝇 *Spelobia longisetula* Su *et* Liu,2016

分布:陕西(柞水)、浙江、江西。

(1054) 黄唇刺尾小粪蝇 *Spelobia luteilabris*(Rondain,1880)

分布:陕西(柞水)、吉林、辽宁、河北、宁夏;新西兰,加拿大,古北区。

311. 刺沼小粪蝇属 *Spinilimosina* Roháček,1983

(1055) 短脉刺沼小粪蝇 *Spinilimosina brevicostata*(Duda,1918)
分布:陕西(周至、佛坪、柞水)、台湾、四川、云南;俄罗斯,尼泊尔,斯里兰卡,阿富汗,欧洲,非洲,北美洲。

312. 陆小粪蝇属 *Terrilimosina* Roháček,1983

(1056) 类短毛陆小粪蝇 *Terrilimosina parabrevipexa* Su,2009
分布:陕西(柞水)、宁夏。

313. 毛眼小粪蝇属 *Trachyopella* Duda,1918

(1057) 线额岩毛眼小粪蝇 *Trachyopella*(*Trachyopella*)*lineafrons*(Spuler,1925)
分布:陕西(柞水);美国。

(1058) 单鬃毛眼小粪蝇 *Trachyopella*(*Trachyopella*)*monoseta* Su *et* Liu,2017
分布:陕西(柞水)。

三十六、秆蝇科 Chloropidae

314. 显鬃秆蝇属 *Apotropina* Hendel,1868

(1059) 宽颊显鬃秆蝇 *Apotropina uniformis* Yang *et* Yang,1993
分布:陕西(宁陕)、宁夏、四川、云南。

315. 隆盾秆蝇属 *Centorisoma* Becker,1910

(1060) 中凸隆盾秆蝇 *Centorisoma mediconvexum* Liu *et* Yang,2014
分布:陕西(周至)、湖北、四川。

(1061) 多边隆盾秆蝇 *Centorisoma pentagonium* Liu *et* Yang,2014
分布:陕西(周至)、北京、宁夏。

(1062) 陕西隆盾秆蝇 *Centorisoma shaanxiensis* Liu *et* Yang,2012
分布:陕西(周至)。

316. 中距秆蝇属 *Cetema* Hendel,1907

(1063) 中华中距秆蝇 *Cetema sinensis* Yang *et* Yang,1996

分布：陕西（周至、佛坪）、山西、宁夏。

（1064）中黄中距秆蝇 *Cetema sulcifrons nigritarsis* **Duda，1933**

分布：陕西（佛坪）、宁夏、四川。

317．秆蝇属 *Chlorops* **Meigen，1803**

（1065）稻秆蝇 *Chlorops oryzae* **Matsumura，1915**

分布：陕西（周至）、湖北、福建、台湾、贵州；朝鲜，日本。

318．长脉秆蝇属 *Dicraeus* **Loew，1873**

（1066）叶穗长脉秆蝇 *Dicraeus phyllostachyus* **Kanmiya，1971**

分布：陕西（周至）、福建、四川；日本。

319．瘤秆蝇属 *Elachiptera* **Macquart，1835**

（1067）普通瘤秆蝇 *Elachiptera sibirica*（**Loew，1858**）

分布：陕西（周至、华县、留坝、佛坪、宁陕、山阳）、北京、福建、台湾、云南；蒙古，日本，欧洲。

（1068）瘤秆蝇 *Elachiptera tuberculifera*（**Corti，1908**）

分布：陕西（周至、凤县、华县、留坝、佛坪、宁陕、山阳）、北京；蒙古，俄罗斯，日本，哈萨克斯坦，欧洲。

320．黑鬃秆蝇属 *Melanochaeta* **Bezzi，1906**

（1069）李氏黑鬃秆蝇 *Melanochaeta lii* **Yang *et* Yang，1991**

分布：陕西（周至、佛坪）、云南。

（1070）离斑黑鬃秆蝇 *Melanochaeta separata* **Yang *et* Yang，1991**

分布：陕西（周至）、云南。

321．平胸秆蝇属 *Mepachymerus* **Speiser，1910**

（1071）黑腿平胸秆蝇 *Mepachymerus necopinus* **Kanmiya，1983**

分布：陕西（佛坪、宁陕）、台湾。

322．麦秆蝇属 *Meromyza* **Meigen，1830**

（1072）端尖麦秆蝇 *Meromyza acutata* **An *et* Yang，2005**

分布：陕西（周至）、内蒙古。

323. 新锥秆蝇属 *Neorhodesiella* Cherian，2002

(1073) 费氏新锥秆蝇 *Neorhodesiella fedtshenkoi*（Nartshuk，1978）
分布：陕西（周至、佛坪、宁陕）、北京；俄罗斯，日本。

324. 长缘秆蝇属 *Oscinella* Becker，1909

(1074) 小麦秆蝇 *Oscinella pusilla*（Meigen，1830）
分布：陕西（周至）、河北、新疆；阿富汗，土耳其，欧洲。

325. 宽头秆蝇属 *Platycephala* Fallén，1820

(1075) 中华宽头秆蝇 *Platycephala sinensis* Yang *et* Yang，1994
分布：陕西（凤县）。

326. 锥秆蝇属 *Rhodesiella* Adams，1905

(1076) 亮额锥秆蝇 *Rhodesiella nitidifrons*（Becker，1911）
分布：陕西（周至、宁陕）、台湾、贵州；日本，印度，印度尼西亚。

(1077) 黄腿锥秆蝇 *Rhodesiella pallipes*（Duda，1934）
分布：陕西（山阳）、内蒙古、北京、山东；俄罗斯。

327. 剑芒秆蝇属 *Steleocerellus* Frey，1961

(1078) 中黄剑芒秆蝇 *Steleocerellus ensifer*（Thomson，1869）
分布：陕西（周至）、河南、浙江、台湾、广东、海南、广西、四川、贵州、云南；俄罗斯，日本，越南，泰国，印度，尼泊尔，斯里兰卡，马来西亚，菲律宾，印度尼西亚。

三十七、潜蝇科 Agromyzidae

328. 潜蝇属 *Agromyza* Fallén，1810

(1079) 麦叶灰潜蝇 *Agromyza cinerascens* Macquart，1835
分布：陕西（杨凌）、甘肃、江苏；日本，欧洲。

329. 彩潜蝇属 *Chromatomyia* Hardy，1849

(1080) 豌豆彩潜蝇 *Chromatomyia horticola*（Goureau，1851）
分布：陕西（商州）、内蒙古、北京、河南、山东、甘肃、上海、江苏、浙江、江西、湖南、福建、台湾、西藏；日本，泰国，印度，欧洲，非洲。

330. 斑潜蝇属 *Liriomyza* Mik，1894

（1081）南美斑潜蝇 *Liriomyza huidobrensis*（Blanchard，1926）
分布：陕西（商州）、辽宁、北京、河北、山东、甘肃、青海、新疆、福建、四川、贵州、云南；非洲，南美洲，美国。

（1082）美洲斑潜蝇 *Liriomyza sativae*（Blanchard，1926）
分布：陕西，中国广布（除黑龙江、青海、西藏外）；美洲。

331. 黑潜蝇属 *Melanagromyza* Hendel，1820

（1083）豆秆黑潜蝇 *Melanagromyza sojae*（Zehntner，1900）
分布：陕西、黑龙江、吉林、河北、河南、山东、上海、江苏、安徽、浙江、湖北、江西、湖南、福建、台湾、广东、广西；日本，印度，马来西亚，印度尼西亚，斐济，密克罗尼西亚，澳大利亚，沙特阿拉伯，埃及。

三十八、禾蝇科 Opomyzidae

332. 地禾蝇属 *Geomyza* Fallén，1810

（1084）道地禾蝇 *Geomyza taoismatica* Yang，1996
分布：陕西（周至）。

三十九、寡脉蝇科 Astelidae

333. 寡脉蝇属 *Asteia* Meigen，1830

（1085）暇翅寡脉蝇 *Asteia spiloptera* Yang *et* Zhang，1996
分布：陕西（华阴）。

四十、广口蝇科 Platystomatidae

334. 肘角广口蝇属 *Loxoneura* Macquart，1835

（1086）离带肘角广口蝇 *Loxoneura disjuncta* Wang *et* Chen，2004
分布：陕西（太白）、河南、四川。

335. 带广口蝇属 *Rivellia* Robineau-Desvoidy，1830

（1087）连带广口蝇 *Rivellia alini* Enderlein，1937

　　　　分布:陕西(留坝、宁陕)、黑龙江、内蒙古、北京、河北、湖北、四川;日本。

（1088）拟黑带广口蝇 *Rivellia submetallescens* **Frey，1964**

　　　　分布:陕西(宁陕)、云南;缅甸。

四十一、实蝇科 Tephritidae

（一）小条实蝇亚科 Ceratitidinae

336．中横实蝇属 *Proanoplomus* **Shiraki，1933**

（1089）台湾中横实蝇 *Proanoplomus formosanus*（**Shiraki，1933**）

　　　　分布:陕西(宁陕)、台湾;缅甸，印度尼西亚。

（二）实蝇亚科 Trypetinae

337．偶角实蝇属 *Aischrocrania* **Hendel，1927**

（1090）短带偶角实蝇 *Aischrocrania brevimedia* **Wang，1992**

　　　　分布:陕西(石泉)。

338．斜脉实蝇属 *Anomoia* **Walker，1835**

（1091）蔷薇斜脉实蝇 *Anomoia purmunda*（**Harris，1780**）

　　　　分布:陕西(武功、宁陕)、甘肃、四川;俄罗斯，韩国，日本，欧洲。

339．墨实蝇属 *Cyaforma* **Wang，1989**

（1092）神峨墨实蝇 *Cyaforma shenonica* **Wang，1989**

　　　　分布：陕西(宁陕)、湖北、四川。

340．迈实蝇属 *Myoleja* **Rondani，1856**

（1093）中华迈实蝇 *Myoleja sinensis*（**Zia，1937**）

　　　　分布:陕西(石泉)、吉林、北京;俄罗斯。

341．拟刺脉实蝇属 *Orienticaelum* **Ito，1984**

（1094）四纹拟刺脉实蝇 *Orienticaelum parvisetalis*（**Hering，1939**）

　　　　分布:陕西(留坝)、湖北、福建、广西、四川。

342．川实蝇属 *Ortalotrypeta* **Hendel，1927**

（1095）五斑川实蝇 *Ortalotrypeta trypetoides* **Chen，1948**

　　　　分布：陕西（宁陕）、四川、云南。

（1096）谢氏川实蝇 *Ortalotrypeta ziae* Norrbom,1994
　　　　分布：陕西（宝鸡、留坝、汉中、宁陕）、湖北、台湾。

343．突眼实蝇属 *Pelmatops* Enderlein，1912

（1097）福建突眼实蝇 *Pelmatops fukienensis* Zia *et* Chen，1954
　　　　分布：陕西（宁陕）、福建、四川。

344．实蝇属 *Trypeta* Meigen，1803

（1098）蒿实蝇 *Trypeta artemisiae*（Fabricius，1794）
　　　　分布：陕西（石泉）、黑龙江、新疆、甘肃、四川；蒙古，俄罗斯，韩国，日本，中亚，欧洲。

（三）花翅实蝇亚科 Tephritinae

345．斑痣实蝇属 *Acinia* Robineau-Desvoidy，1830

（1099）黑颜斑痣实蝇 *Acinia depuncta*（Hering，1936）
　　　　分布：陕西（石泉）、黑龙江。

346．果实蝇属 *Bactrocera* Macquart，1835

（1100）桔大实蝇 *Bactrocera*（*Tetradacus*）*minax*（Enderlein，1920）
　　　　分布：陕西（汉中、岚皋）、江苏、湖北、湖南、广西、四川、贵州、云南；不丹，印度。

（1101）印度果实蝇 *Bactrocera*（*Zeugodacus*）*scutellaris* Bezzi，1913
　　　　分布：陕西（周至、咸阳、临潼）、浙江、江西、福建、台湾、广东、广西、四川、贵州、云南；日本，泰国，缅甸，印度，尼泊尔。

（1102）南亚果实蝇 *Bactrocera*（*Zeugodacus*）*tau*（Walker，1849）
　　　　分布：陕西（陕南）、浙江、湖北、江西、湖南、广东、海南、广西、福建、台湾、四川、贵州、云南、西藏；越南，老挝，泰国，印度，斯里兰卡，不丹，孟加拉国，马来西亚，印度尼西亚，菲律宾。

347．斑翅实蝇属 *Campiglossa* Rondani，1870

（1103）阿氏斑翅实蝇 *Campiglossa aliniana*（Hering，1937）
　　　　分布：陕西（石泉）、黑龙江、内蒙古、北京、湖北；俄罗斯。

（1104）拱痣斑翅实蝇 *Campiglossa festiva*（Chen，1938）

分布:陕西(秦岭)、山西、宁夏、四川。

（1105）黄足斑翅实蝇 *Campiglossa gilversa*（Wang，1990）

分布:陕西(宁陕)、湖北、四川。

（1106）陕西斑翅实蝇 *Campiglossa shensiana*（Chen，1938）

分布:陕西(秦岭)。

（1107）中华斑翅实蝇 *Campiglossa sinensis* **Chen，1938**

分布：陕西(太白、宁陕)、内蒙古。

（1108）越川斑翅实蝇 *Campigolossa spenceri*（Hardy，1973）

分布：陕西(凤县、宁陕)、四川、西藏；越南。

348. 鬃实蝇属 *Chaetostomella* Hendel，1927

（1109）山牛蒡鬃实蝇 *Chaetostomella stigmataspis*（Wiedemann，1830）

分布:陕西(秦岭)、黑龙江、吉林、河北；俄罗斯，韩国，日本。

（1110）连带鬃实蝇 *Chaetostomella vibrissata*（Coquillett，1898）

分布：陕西(宁陕)、黑龙江、江西；俄罗斯，朝鲜，日本。

349. 棍腹实蝇属 *Dacus* Fabricius，1805

（1111）三点棍腹实蝇 *Dacus trimaculla*（Wang，1990）

分布:陕西(周至)、山东、福建、云南、贵州。

350. Genus *Hendrella* Munro，1938

（1112）*Hendrella basalis*（Hendel，1927）

分布:陕西、吉林、河北、山西、宁夏、新疆、湖南；蒙古，俄罗斯，哈萨克斯坦，吉尔吉斯斯坦。

351. 楔实蝇属 *Sphaeniscus* Becker，1908

（1113）五楔实蝇 *Sphaeniscus atilius*（Walker，1849）

分布:陕西(宝鸡、太白、留坝、宁陕)、黑龙江、辽宁、山西、山东、上海、江苏、湖北、江西、湖南、福建、台湾、海南、广西、四川；朝鲜，日本，东洋区，澳洲区。

352. 花翅实蝇属 *Tephritis* Latreille，1804

（1114）斑股花翅实蝇 *Tephritis femoralis* **Chen，1938**

分布：陕西（宁陕、汉中）、内蒙古、山西、甘肃；蒙古。

四十二、水蝇科 Ephydridae

353．平颜水蝇属 *Athyroglossa* **Loew**，1860

（1115）黄趾平颜水蝇 *Athyroglossa*（*Athyroglossa*）*glabra*（**Meigen**，1830）
分布：陕西（周至、佛坪、洋县）、辽宁、内蒙古、北京、河北、河南、宁夏、新疆、四川、贵州、云南；俄罗斯，朝鲜，欧洲，非洲北部，北美洲。

354．短毛水蝇属 *Chaetomosillus* **Hendel**，1934

（1116）日本短毛水蝇 *Chaetomosillus japonica* **Miyagi**，1977
分布：陕西（周至、佛坪）、四川、云南；日本。

355．Genus *Dichaeta* **Meigen**，1830

（1117）*Dichaeta caudata*（**Fallen**，1813）
分布：陕西。

356．寡毛水蝇属 *Ditrichophora* **Cresson**，1924

（1118）棕色寡毛水蝇 *Ditrichophora fusca* **Miyagi**，1977
分布：陕西（佛坪）；日本。

357．裸背水蝇属 *Gymnoclasiopa* **Hendel**，1930

（1119）黑须裸背水蝇 *Gymnoclasiopa nigerrima*（**Strobl**，1893）
分布：陕西（周至、佛坪）；俄罗斯，欧洲。

358．毛眼水蝇属 *Hydrellia* **Robineau-Desvoidy**，1830

（1120）小灰毛眼水蝇 *Hydrellia griseola*（**Fallén**，1813）
分布：陕西（周至、佛坪）、黑龙江、辽宁、内蒙古、北京、河北、河南、宁夏、甘肃、安徽、湖南、台湾、四川、贵州、云南、西藏；俄罗斯，日本，尼泊尔，阿富汗，菲律宾，欧洲，非洲北部，北美洲。

359．伊水蝇属 *Ilythea* **Haliday**，1837

（1121）日本伊水蝇 *Ilythea japonica* **Miyagi**，1977
分布：陕西（佛坪、洋县）、北京、河南、宁夏；日本。

360. 沼泽水蝇属 *Limnellia* Malloch，1925

（1122）绿春沼泽水蝇 *Limnellia lvchunensis* Zhang *et* Yang，2009
分布:陕西(佛坪)、河北、贵州、云南。

361. 刺角水蝇属 *Notiphila* Fallén，1810

（1123）多斑刺角水蝇 *Notiphila*（*Agrolimna*）*puncta* de Meijere，1911
分布:陕西(周至)、台湾、贵州;印度,尼泊尔,斯里兰卡,菲律宾,印度
尼西亚。

362. 喜水蝇属 *Philygria* Stenhammar，1844

（1124）彩胫喜水蝇 *Philygria femorata*（Stenhammar，1844）
分布:陕西(周至、佛坪)、北京、河南、广西、云南;欧洲。

363. 裸颜水蝇属 *Psilephydra* Hendel，1914

（1125）广西裸颜水蝇 *Psilephydra guangxiensis* Zhang *et* Yang，2007
分布:陕西(洋县)、福建、广东、广西、云南。

364. 凸额水蝇属 *Psilopa* Fallén，1823

（1126）磨光凸额水蝇 *Psilopa polita*（Macquart，1835）
分布:陕西(周至、洋县)、黑龙江、辽宁、内蒙古、北京、河北、河南、宁夏、
甘肃、新疆、浙江、湖南、福建、广东、海南、广西、四川、贵州、云南;俄罗
斯,韩国,日本,欧洲。

365. 华水蝇属 *Sinops* Zhang，Yang *et* Mathis，2005

（1127）四川华水蝇 *Sinops sichuanensis* Zhang，Yang *et* Mathis，2005
分布:陕西(佛坪、洋县)、四川。

四十三、沼蝇科 Sciomyzidae

366. 尖角沼蝇属 *Euthycera* Latreille，1829

（1128）斑翅尖角沼蝇 *Euthycera meleagris* Hendel，1934
分布:陕西(周至、眉县)、内蒙、河北、宁夏、甘肃、浙江、湖北、四川;
古北区。

367.缘鬃沼蝇属 *Pherbina* Robineau-Desvoidy, 1830

（1129）中芒缘鬃沼蝇 *Pherbina intermedia* Verbeke, 1948

分布:陕西(凤县)、北京、新疆、云南;蒙古,俄罗斯,日本。

368.长角沼蝇属 *Sepedon* Latreille, 1804

（1130）铜色长角沼蝇 *Sepedon aenescens* Wiedemann, 1830

分布:陕西(周至、留坝、宁陕)、黑龙江、内蒙古、北京、天津、宁夏、湖北、湖南、福建、广东、海南、广西、云南、贵州;俄罗斯,朝鲜,日本,阿富汗。

（1131）似具刺长角沼蝇 *Sepedon noteoi* Steyskal, 1980

分布:陕西(周至、凤县、太白、山阳)、北京、河南、新疆、浙江、湖北、湖南、福建、海南、广西、四川、云南;全北区。

（1132）具刺长角沼蝇 *Sepedon spinipes*（Scopol, 1763）

分布:陕西(周至、凤县、眉县、山阳)、北京、河南、新疆、浙江、湖北、湖南、福建、海南、广西、四川、云南;全北区。

369.基芒沼蝇属 *Tetanocera* Dumeril, 1800

（1133）宽额基芒沼蝇 *Tetanocera latifibula* Frey, 1924

分布:陕西(凤县、眉县)、海南、云南;全北区。

四十四、茎蝇科 Psilidae

370.顶茎蝇属 *Chamaepsila* Hendel, 1917

（1134）华山顶茎蝇 *Chamaepsila*（*Chamaepsila*）*huashana* Wang *et* Yang, 1989
分布:陕西(华阴)。

（1135）秦岭顶茎蝇 *Chamaepsila*（*Chamaepsila*）*qinlingana* Wang *et* Yang, 1989
分布:陕西（凤县）。

371.绒茎蝇属 *Chyliza* Fallen, 1820

（1136）中国绒茎蝇 *Chyliza sinensis* Wang *et* Yang, 1996
分布:陕西(秦岭,杨凌、甘泉)、内蒙古、北京、山西、安徽、浙江、海南、广西、贵州、云南。

四十五、蜣蝇科 Pyrgotidae

372. 真蜣蝇属 *Eupyrgota* Coquillett, 1898

(1137) 棕额真蜣蝇 *Eupyrgota frons* Wang, Ding *et* Yang, 2017

分布:陕西(周至、商州)、辽宁、四川、云南。

四十六、眼蝇科 Conopidae

373. 微蜂眼蝇属 *Thecophora* Rondani, 1845

(1138) 暗昏微蜂眼蝇 *Thecophora obscuripes*(Chen, 1939)

分布:陕西(周至)、江苏。

四十七、花蝇科 Anthomyiidae

374. 粪种蝇属 *Adia* Robineau-Desvoidy, 1830

(1139) 粪种蝇 *Adia cinerella*(Fallén, 1825)

分布:陕西,中国广布;俄罗斯,亚洲,欧洲,非洲北部,北美洲。

375. 毛眼花蝇属 *Alliopsis* Schnabl *et* Dziedzicki, 1911

(1140) 拟林毛眼花蝇 *Alliopsis silvatica*(Suwa, 1974)

分布:陕西(留坝)、吉林、辽宁、甘肃;日本。

376. 花蝇属 *Anthomyia* Meigen, 1803

(1141) 横带花蝇 *Anthomyia illocata* Walker, 1857

分布:陕西,全国各省(区)(除黑龙江、宁夏、青海、新疆、江西、西藏不详外)广布;朝鲜,日本,泰国,印度,尼泊尔,斯里兰卡,菲律宾,印度尼西亚,澳洲区。

377. 植种蝇属 *Botanophila* Lioy, 1864

(1142) 瘦林植种蝇 *Botanophila angustisilva* Xue *et* Yang, 2002

分布:陕西(周至)、甘肃。

(1143) 黑背条植种蝇 *Botanophila nigrodorsata* Suwa, 1986

分布:陕西、黑龙江、辽宁、贵州;日本。

（1144）圆门植种蝇 *Botanophila rotundivalva*（**Ringdahl, 1937**）

　　　　分布:陕西(留坝)。

378. 拟花蝇属 *Calythea* Schnabl *et* Dziedzicki, 1911

（1145）陈氏拟花蝇 *Calythea cheni* **Fan, 1965**

　　　　分布:陕西、黑龙江、辽宁、山西、山东、甘肃、云南。

379. 地种蝇属 *Delia* Robineau-Desvoidy, 1830

（1146）杆突地种蝇 *Delia bacilligera* **Hennig, 1974**

　　　　分布:陕西、黑龙江、山西、甘肃;日本。

（1147）长板地种蝇 *Delia dolichosternita* **Cao, Liu *et* Xue, 1985**

　　　　分布:陕西(太白山)。

（1148）三刺地种蝇 *Delia longitheca* **Suwa, 1974**

　　　　分布:陕西、黑龙江、辽宁、山西、河南、台湾、四川、贵州、云南;俄罗斯,
　　　　朝鲜,韩国,日本。

（1149）三棒地种蝇 *Delia parafrontella* **Hennig, 1974**

　　　　分布:陕西、黑龙江、辽宁。

（1150）灰地种蝇 *Delia platura*（**Meigen, 1826**）

　　　　分布:陕西,全国广布;朝鲜,日本,欧洲,非洲,美国。

380. 柳花蝇属 *Egle* Robineau-Desvoidy, 1830

（1151）方头柳花蝇 *Egle parva* **Robineau-Desvoidy, 1830**

　　　　分布:陕西(秦岭)、辽宁、山西、甘肃;俄罗斯,日本,欧洲。

381. 叉泉蝇属 *Eutrichota* Kowarz, 1893

（1152）巴勒斯坦叉泉蝇 *Eutrichota palaestinensis*（**Hennig, 1973**）

　　　　分布:陕西;巴勒斯坦。

382. 隰蝇属 *Hydrophoria* Robineau-Desvoidy, 1830

（1153）山隰蝇 *Hydrophoria montana* **Suwa, 1970**

　　　　分布:陕西(镇安)、黑龙江、辽宁、台湾、四川;朝鲜,日本。

（1154）绯胫隰蝇 *Hydrophoria rufitibia* **Stein, 1907**

　　　　分布:陕西(秦岭)、辽宁、山西、甘肃、青海。

（1155）乡隰蝇 *Hydrophoria ruralis*（Meigen，1826）

　　　　分布:陕西(镇安)、黑龙江、吉林、辽宁、内蒙古、山西、上海、江苏、安徽、浙江、福建、四川、贵州、云南；俄罗斯，朝鲜，日本，欧洲，北美洲，南美洲。

383.　邻泉蝇属 *Paradelia* Ringdahl，1933

（1156）*Paradelia brunneonigra*（Schnabl，1911）

　　　　分布:陕西、甘肃；捷克。

384.　邻种蝇属 *Paregle* Schnabl，1911

（1157）密胡邻种蝇 *Paregle densibarbata* Fan，1981

　　　　分布:陕西(秦岭)、河南、青海、四川、云南、西藏。

385.　泉蝇属 *Pegomya* Robineau-Desvoidy，1830

（1158）*Pegomya rufina*（Fallén，1825）

　　　　分布:陕西；日本，欧洲，北美洲。

（1159）*Pegomya tabida*（Meigen，1826）

　　　　分布:陕西；古北区，新北区。

386.　须泉蝇属 *Pegoplata* Schnabl *et* Dziedzicki，1911

（1160）黄膝须泉蝇 *Pegoplata juvenilis*（Stein，1898）

　　　　分布:陕西、黑龙江、辽宁、上海、贵州；朝鲜，日本，欧洲。

387.　草种蝇属 *Phorbia* Robineau-Desvoidy，1830

（1161）*Phorbia genitalis*（Schnabl，1911）

　　　　分布:陕西、甘肃、青海。

（1162）西北草种蝇 *Phorbia securis xibeina* Wu，Zhang *et* Fan，1988

　　　　分布:陕西(延安)、青海。

四十八、厕蝇科 Fanniidae

388.　厕蝇属 *Fannia* Robineau-Desvoidy，1830

（1163）夏厕蝇 *Fannia canicularis*（Linnaeus，1761）

分布:陕西(周至)、黑龙江、吉林、辽宁、内蒙古、河北、山西、河南、山东、甘肃、青海、新疆、江苏、西藏;蒙古,俄罗斯,朝鲜,日本,全北区,欧洲区,非洲区,新热带区。

(1164) 铗叶厕蝇 *Fannia labidocerca* Feng *et* Xue,2006

　　分布:陕西、四川、云南。

(1165) 元厕蝇 *Fannia prisca* Stein,1918

　　分布:陕西(镇安)、甘肃;蒙古,朝鲜,日本,东洋区,澳洲区。

(1166) 瘤胫厕蝇 *Fannia scalaris*(Fabricius,1794)

　　分布:陕西,中国广布;世界广布。

(1167) *Fannia subpellucens*(Zetterstedt,1845)

　　分布:陕西、黑龙江、吉林、北京、河北、山西、甘肃、四川;欧洲。

(1168) 长跗厕蝇 *Fannia tanotarsis* Feng *et* Xue,2006

　　分布:陕西(太白山)、四川。

四十九、蝇科 Muscidae

389. 芒蝇属 *Atherigona* Rondani,1856

(1169) 双毛芒蝇 *Atherigona biseta* Karl,1939

　　分布:陕西、黑龙江、吉林、辽宁、河北、山西、甘肃、台湾、四川;俄罗斯,日本。

(1170) 高粱芒蝇 *Atherigona soccata* Rondani,1871

　　分布:陕西(宁陕)、湖南、广东、广西、四川、贵州、云南;泰国,缅甸,印度,巴基斯坦,伊拉克,以色列,意大利,土耳其,摩洛哥,埃及,尼日利亚。

390. 裸池蝇属 *Brontaea* Kowarz,1873

(1171) 升斑裸池蝇 *Brontaea ascendens*(Stein,1915)

　　分布:陕西(太白山)、河南、江苏、浙江、江西、湖南、福建、台湾、广东、海南、贵州、四川、云南;日本,泰国,缅甸,印度,斯里兰卡,印度尼西亚。

391. 溜芒蝇属 *Caricea* Robineau-Desvoidy,1830

(1172) *Caricea acerca* Xue,Wang *et* Ni,1989

　　分布:陕西(太白山)。

392.秽蝇属 *Coenosia* Meigen，1826

（1173）*Coenosia appendimembrana* Xue et Zhu，2008

分布:陕西、云南。

（1174）软毛秽蝇 *Coenosia mollicula*（Fallén，1825）

分布:陕西、黑龙江、吉林、辽宁、内蒙古、山西、新疆、四川;蒙古，俄罗斯，哈萨克斯坦，吉尔吉斯坦，土耳其，欧洲，新北区。

（1175）太白秽蝇 *Coenosia taibaishanna* Cui et Wang，1996

分布:陕西（太白）。

393.毛蝇属 *Dasyphora* Robineau-Desvoidy，1830

（1176）白纹毛蝇 *Dasyphora albofasciata*（Macquart，1839）

分布:陕西（佛坪）、内蒙古、北京、甘肃、新疆、西藏;俄罗斯，土耳其，中亚，欧洲，非洲北部。

（1177）四鬃毛蝇 *Dasyphora quadrisetosa* Zimin，1951

分布:陕西（秦岭）、辽宁、甘肃、宁夏、湖北、四川。

394.长鬃秽蝇属 *Dexiopsis* Pokorny，1893

（1178）黄足长鬃秽蝇 *Dexiopsis flavipes* Stein，1908

分布:陕西;西班牙。

395.重毫蝇属 *Dichaetomyia* Malloch，1921

（1179）铜腹重毫蝇 *Dichaetomyia bibax*（Wiedemann，1830）

分布:陕西（周至）、吉林、辽宁、内蒙古、河北、山西、河南、浙江、湖北、台湾、广东、广西、四川、贵州、云南、西藏;日本，泰国，缅甸，印度，菲律宾，马来西亚，印度尼西亚。

（1180）淡角重毫蝇 *Dichaetomyia pallicornis*（Stein，1905）

分布:陕西（旬阳、镇安）、台湾、四川;日本，泰国，缅甸，马来西亚，印度尼西亚。

396.胡蝇属 *Drymeia* Meigen，1826

（1181）针踝胡蝇 *Drymeia aculeata*（Stein，1907）

分布:陕西、青海、西藏。

（1182）*Drymeia bispinula* Xue，Pont *et* Wang，2008

分布：陕西。

（1183）蟹爪胡蝇 *Drymeia grapsopoda*（Xue *et* Cao，1989）

分布：陕西（太白山）、四川。

397. 角蝇属 Haematobia Le Peleter *et* Servolle，1828

（1184）东方角蝇 *Haematobia exigua* de Meijere，1903

分布：陕西，全国广布；俄罗斯，印度，尼泊尔，土耳其，欧洲。

398. 血喙蝇属 Haematobosca Bezzi，1907

（1185）刺血喙蝇 *Haematobosca*（*Bdellolarynx*）*sanguinolenta*（Austen，1909）

分布：陕西（宁陕）、吉林、辽宁、内蒙古、河北、山西、河南、山东、甘肃、宁夏、上海、江苏、浙江、湖北、湖南、福建、台湾、广东、海南、广西、四川、贵州、云南；朝鲜，日本，越南，老挝，泰国，柬埔寨，缅甸，印度，尼泊尔，斯里兰卡，菲律宾，马来西亚，印度尼西亚，马里亚那群岛。

（1186）*Haematobosca titillans*（Bezzi，1907）

分布：陕西。

399. 阳蝇属 Helina Robineau-Desvoidy，1830

（1187）圆板阳蝇 *Helina ampyxocerca* Xue，2001

分布：陕西（宁陕）。

（1188）大黄阳蝇 *Helina capaciflava* Xue，Wang *et* Ni，1989

分布：陕西（太白）。

（1189）建昌阳蝇 *Helina jianchangensis* Ma，1981

分布：陕西（秦岭）、辽宁、山西、甘肃。

（1190）斑胫阳蝇 *Helina maculitibia* Xue *et* Cao，1996

分布：陕西（太白山）。

（1191）侧花阳蝇 *Helina pleuranthus* Wu，Fang *et* Fan，1988

分布：陕西（富县）。

（1192）四点阳蝇 *Helina quadrum*（Fabricius，1805）

分布：陕西（宁陕）、黑龙江、辽宁、河北、山西；日本，欧洲，非洲北部。

（1193）亚棕翅阳蝇 *Helina sublaxifrons* Xue *et* Cao，1986

分布：陕西（太白）。

（1194）太白山阳蝇 *Helina taibaishanensis* **Xue *et* Cao，1996**

分布：陕西（太白山）。

400．齿股蝇属 *Hydrotaea* **Robineau-Desvoidy，1830**

（1195）栉足齿股蝇 *Hydrotaea cinerea* **Robineau-Desvoidy，1830**

分布：陕西、江苏；蒙古，俄罗斯，摩洛哥，欧洲。

（1196）曲脉齿股蝇 *Hydrotaea*（*Hydrotaea*）*cyrtoneurina*（**Zetterstedt，1845**）

分布：陕西（镇安）、辽宁、河南、甘肃、青海；蒙古，朝鲜，印度，土耳其，欧洲，智利。

（1197）常齿股蝇 *Hydrotaea*（*Hydrotaea*）*dentipes*（**Fabricius，1805**）

分布：陕西（秦岭）、黑龙江、吉林、辽宁、内蒙古、河北、山西、山东、甘肃、宁夏、青海、新疆、江西、西藏；蒙古，俄罗斯，朝鲜，日本，阿富汗，土耳其，葡萄牙，欧洲，非洲北部，东洋区，新北区。

（1198）夏氏齿股蝇 *Hydrotaea*（*Hydrotaea*）*hsiai* **Fan，1965**

分布：陕西（秦岭）、青海；蒙古。

（1199）隐齿股蝇 *Hydrotaea floccosa* **Macquart，1835**

分布：陕西、辽宁、内蒙古、河北、山西、河南、甘肃、青海、新疆、台湾；蒙古，俄罗斯，中亚，摩洛哥，突尼斯，东洋区，欧洲，北美洲。

（1200）齿股蝇 *Hydrotaea glabricula*（**Fallén，1825**）

分布：陕西、辽宁、山西；蒙古，俄罗斯，朝鲜，日本，土耳其，摩洛哥，欧洲。

（1201）速跃齿股蝇 *Hydrotaea meteorica*（**Linneaus，1758**）

分布：陕西、黑龙江、甘肃、新疆；蒙古，俄罗斯，日本，中亚，非洲北部，欧洲，北美洲。

（1202）尖刺齿股蝇 *Hydrotaea muricilies* **Wu，Fang *et* Fan，1988**

分布：陕西（黄龙）。

（1203）暗额齿股蝇 *Hydrotaea obscurifrons*（**Sabrosky，1949**）

分布：陕西、辽宁、河北、河南、山东、甘肃、江苏、浙江、福建、广西、四川；日本，东洋区。

（1204）拟斑跗齿股蝇 *Hydrotaea okazakii*（**Shinonaga *et* Kano，1971**）

分布：陕西、辽宁；日本。

（1205）斑蹠齿股蝇 *Hydrotaea*（*Ophyra*）*chalcogaster*（**Wiedemann，1824**）

分布：陕西（旬阳、镇安）、辽宁、河北、河南、山东、甘肃、江苏、安徽、浙江、湖北、江西、湖南、福建、台湾、广东、广西、四川、贵州、云南；蒙古，俄罗斯，朝鲜，日本，东洋区，非洲区，澳洲区，新北区，新热带区。

（1206）银眉齿股蝇 *Hydrotaea*（*Ophyra*）*ignava*（Harris, 1780）
分布：陕西（秦岭）、黑龙江、吉林、辽宁、内蒙古、河北、河南、山东、甘肃、新疆、江苏、安徽、浙江、湖北、江西、福建、云南；蒙古，俄罗斯，朝鲜，日本，伊朗，以色列，土耳其，欧洲，非洲北部，东洋区，新热带区。

（1207）厚环齿股蝇 *Hydrotaea*（*Ophyra*）*spinigera*（Stein, 1910）
分布：陕西（秦岭）、黑龙江、吉林、辽宁、河北、山西、河南、山东、甘肃、江苏、湖北、台湾、广东、广西、四川、贵州、云南；俄罗斯，朝鲜，日本，东洋区，澳洲区。

（1208）角逐齿股蝇 *Hydrotaea palaestria*（Meigen, 1826）
分布：陕西、甘肃、宁夏、青海、新疆；蒙古，俄罗斯，欧洲。

（1209）*Hydrotaea pardifemorata* Xue, Zhang *et* Liu, 1994
分布：陕西（太白）。

（1210）毛足齿股蝇 *Hydrotaea pilipes* Stein, 1903
分布：陕西、辽宁、河南、甘肃；俄罗斯，日本，欧洲。

（1211）单毛齿股蝇 *Hydrotaea ringdahli* Stein, 1916
分布：陕西、吉林、甘肃、青海；俄罗斯，欧洲。

（1212）拟常齿股蝇 *Hydrotaea similis* Meade, 1887
分布：陕西、辽宁、河南、甘肃、新疆；俄罗斯，日本，以色列，欧洲。

401．纹蝇属 *Graphomya* Robineau-Desvoidy, 1830

（1213）斑纹蝇 *Graphomya maculata*（Scopoli, 1763）
分布：陕西（宁陕、镇安）、内蒙古、甘肃、新疆；古北区。

（1214）绯胫纹蝇 *Graphomya rufitibia* Stein, 1918
分布：陕西（留坝）、吉林、辽宁、河北、山西、河南、山东、甘肃、浙江、湖北、江西、湖南、福建、台湾、广东、海南、广西、云南；朝鲜，日本，缅甸，斯里兰卡，巴基斯坦，印度尼西亚，澳洲区。

402．池蝇属 *Limnophora* Robineau-Desvoidy, 1830

（1215）银池蝇 *Limnophora argentata* Emden, 1965
分布：陕西（秦岭）、山西、甘肃、四川、贵州；缅甸。

（1216）喜马池蝇 *Limnophora himalayensis* Brunetti, 1907

分布:陕西(周至、宁陕)、甘肃、湖南、四川、贵州、云南;缅甸,印度,尼泊尔,斯里兰卡。

(1217) 小隐斑池蝇 *Limnophora minutifallax* Lin *et* Xue,1986

分布:陕西(周至、留坝、宁陕)、甘肃、浙江、湖南、广东、贵州、云南。

(1218) 银框池蝇 *Limnophora orbitalis* Stein,1907

分布:陕西、吉林、辽宁、河北、山西、青海、云南;日本,塔吉克斯坦。

(1219) 粉额池蝇 *Limnophora pollinifrons* Stein,1916

分布:陕西(周至)、黑龙江、辽宁、山西;俄罗斯,日本,塔吉克斯坦,土耳其,欧洲,摩洛哥。

(1220) 净池蝇 *Limnophora purgata* Xue,1992

分布:陕西(周至、留坝)、辽宁、甘肃。

(1221) 北方池蝇 *Limnophora septentrionalis* Xue,1984

分布:陕西(周至)、黑龙江、吉林、辽宁、河北、山西。

(1222) 鬃脉池蝇 *Limnophora setinerva* Schnabl,1911

分布:陕西(周至、留坝)、吉林、辽宁、河北、山西、河南、甘肃、湖北、湖南、广东、广西、四川、贵州、云南;日本,以色列,土耳其,西班牙,法国,希腊,葡萄牙,埃及。

(1223) 肖锐池蝇 *Limnophora subscrupulosa* Zhang *et* Xue,1990

分布:陕西(留坝)、吉林。

(1224) 三角池蝇 *Limnophora triangula*(**Fallén,1825**)

分布:陕西(周至、宁陕)、辽宁、河北、山西、甘肃;俄罗斯,日本,塔吉克斯坦,爱沙尼亚,欧洲。

403. 池秽蝇属 *Limnospila* Schnabl,1902

(1225) 白额池秽蝇 *Limnospila*(*Limnospila*)*albifrons*(Zetterstedt,1849)

分布:陕西(秦岭)、黑龙江、内蒙古、甘肃、新疆、西藏;亚洲,欧洲,北美洲。

404. 溜蝇属 *Lispe* Latreille,1796

(1226) 肖溜蝇 *Lispe assimilis* Wiedemann,1824

分布:陕西(佛坪)、台湾、广东;日本,泰国,缅甸,印度,尼泊尔,斯里兰卡,巴基斯坦,菲律宾,印度尼西亚,斐济,萨摩亚,法国,意大利,保加利亚,美国。

（1227）吸溜蝇 *Lispe consanguinea* Loew，1858

　　分布：陕西（秦岭）、黑龙江、吉林、辽宁、内蒙古、河北、山西、山东、甘肃；日本，伊朗，土耳其，欧洲，非洲北部。

（1228）天目溜蝇 *Lispe quaerens* Villeneuve，1936

　　分布：陕西（镇安）、吉林、辽宁、山西、甘肃、浙江；亚洲中部和西部。

405. 巨黑蝇属 *Megophyra* Emden，1965

（1229）多鬃巨黑蝇 *Megophyra multisetosa* Shinonaga，1970

　　分布：陕西（太白）、辽宁、四川；朝鲜，日本。

406. 墨蝇属 *Mesembrina* Meigen，1826

（1230）毛斑亮墨蝇 *Mesembrina resplendens ciliimaculata* Fan et Zheng，1992

　　分布：陕西（周至、佛坪）、黑龙江、吉林、辽宁、四川、云南、西藏；日本。

407. 莫蝇属 *Morellia* Robineau-Desvoidy，1830

（1231）曲径莫蝇 *Morellia aenescens* Robineau-Desvoidy，1830

　　分布：陕西、黑龙江、吉林、内蒙古、新疆；蒙古，俄罗斯，日本，欧洲。

（1232）园莫蝇 *Morellia hortensia*（Wiedemann，1824）

　　分布：陕西（秦岭）、黑龙江、吉林、辽宁、内蒙古、山西、河南、山东、甘肃、江苏、浙江、湖北、台湾、广东、广西、贵州、云南；俄罗斯，朝鲜，日本，印度，斯里兰卡，马来西亚，新加坡，印度尼西亚，欧洲，澳大利亚。

408. 家蝇属 *Musca* Linnaeus，1758

（1233）带纹家蝇 *Musca conducens* Specier，1924

　　分布：陕西、江苏、浙江、江西、福建、台湾、广西、云南；日本，越南，缅甸，印度，斯里兰卡，阿富汗，马来西亚，菲律宾，埃塞俄比亚，塞舌尔。

（1234）家蝇 *Musca domestica* Linnaeus，1758

　　分布：陕西（广布）、辽宁、河北、河南、山东、甘肃、江苏、安徽、浙江、湖北、江西、湖南、福建、台湾、广东、海南、广西、四川、云南、西藏；朝鲜，日本，越南，泰国，缅甸，印度，尼泊尔，斯里兰卡，菲律宾，马来西亚，印度尼西亚，埃塞俄比亚，新几内亚岛，古北区南部。

（1235）黑边家蝇 *Musca*（*Eumusca*）*hervei* Villeneuve，1922

　　分布：陕西（留坝、镇安）、吉林、辽宁、河北、河南、山东、甘肃、江苏、安徽、浙江、湖北、江西、湖南、福建、云南、西藏；朝鲜，日本，缅甸，印度，尼泊尔，斯里兰卡。

(1236) 毛堤家蝇 *Musca*（*Lissosterna*）*pilifacies* Emden，1965

分布：陕西（秦岭）、甘肃、湖北、台湾、广东、四川；泰国，缅甸。

(1237) 市蝇 *Musca*（*Lissosterna*）*sorbens* Wiedemann，1830

分布：陕西（长安）、辽宁、内蒙古、河北、山西、河南、山东、甘肃、新疆、江苏、安徽、浙江、湖北、湖南、福建、台湾、广东、海南、广西、四川、云南；古北区，东洋区，非洲区。

(1238) 骚家蝇 *Musca*（*Plaxemya*）*tempestiva* Fallén，1816

分布：陕西（秦岭）、吉林、辽宁、内蒙古、河北、山西、河南、山东、甘肃、宁夏、青海、新疆、江苏、湖北、四川；俄罗斯，朝鲜，日本，印度，欧洲，东洋区，非洲区。

(1239) 黄腹家蝇 *Musca*（*Plaxemya*）*ventrasa* Wiedemann，1830

分布：陕西（周至）、河北、河南、江苏、浙江、湖北、湖南、福建、台湾、广东、广西、四川、云南；日本，泰国，缅甸，印度，尼泊尔，斯里兰卡，菲律宾，马来西亚，印度尼西亚，澳洲区，热带区。

(1240) 北栖家蝇 *Musca*（*Viviparomusca*）*bezzii* Patton et Cragg，1913

分布：陕西（留坝、旬阳、镇安）、黑龙江、吉林、辽宁、河北、河南、山东、甘肃、江苏、浙江、湖北、湖南、台湾、广东、海南、广西、四川、云南；俄罗斯，朝鲜，日本，缅甸，印度，尼泊尔，马来西亚，古北区东部。

(1241) 突额家蝇 *Musca*（*Viviparomusca*）*convexifrons* Thomson，1869

分布：陕西（长安）、山东、江苏、浙江、湖北、湖南、福建、台湾、广东、海南、广西、四川、云南；日本，缅甸，印度，尼泊尔，斯里兰卡，菲律宾，马来西亚，印度尼西亚。

(1242) 孕幼家蝇 *Musca*（*Viviparomusca*）*larvipara* Portschinsky，1910

分布：陕西（留坝）、内蒙古、甘肃、宁夏；蒙古，俄罗斯，欧洲中部和南部，非洲北部。

(1243) 中亚家蝇 *Musca vitripennis* Meigen，1826

分布：陕西（留坝）、山西、宁夏、甘肃、新疆；蒙古，中亚，欧洲。

409. 腐蝇属 *Muscina* Robineau-Desvoidy，1830

(1244) 日本腐蝇 *Muscina japonica* Shinonaga，1974

分布：陕西（旬阳、镇安）、吉林、辽宁、河北、山西；日本。

（1245）牧场腐蝇 *Muscina pascuorum*（Meigen，1826）

分布：陕西（旬阳、镇安）、黑龙江、吉林、辽宁、内蒙古、河北、山东、甘肃、新疆、江苏、浙江、云南；蒙古，俄罗斯，朝鲜，日本，西亚，南亚北部，欧洲，非洲北部，北美洲。

（1246）厩腐蝇 *Muscina stabulans*（Fallén，1823）

分布：陕西；世界广布。

410. 圆蝇属 *Mydaea* Robineau-Desvoidy，1830

（1247）双圆蝇 *Mydaea bideserta* Xue et Wang，1992

分布：陕西（宁陕）、甘肃、湖北。

（1248）鬃股圆蝇 *Mydaea setifemur setifemur* Ringdahl，1924

分布：陕西（秦岭）、吉林、辽宁、内蒙古、甘肃；蒙古，俄罗斯，日本，欧洲。

411. 妙蝇属 *Myospila* Rondani，1856

（1249）束带妙蝇 *Myospila tenax*（Stein，1918）

分布：陕西（秦岭）、甘肃、湖南、台湾、广东、贵州、云南；缅甸，印度。

412. 翠蝇属 *Neomyia* Walker，1859

（1250）紫翠蝇 *Neomyia gavisa*（Walker，1859）

分布：陕西（留坝、佛坪、宁陕、旬阳、镇安）、河南、甘肃、江苏、安徽、浙江、湖北、江西、湖南、福建、台湾、广西、四川、云南；缅甸，印度，尼泊尔，斯里兰卡，巴基斯坦，印度尼西亚。

（1251）蓝翠蝇 *Neomyia timorensis*（Robineau-Desvoidy，1830）

分布：陕西（周至、留坝、佛坪、宁陕、旬阳、镇安）、辽宁、内蒙古、河北、河南、山东、甘肃、宁夏、江苏、安徽、浙江、湖北、湖南、福建、台湾、广东、广西、四川；日本，越南，泰国，缅甸，印度，尼泊尔，斯里兰卡，孟加拉国，菲律宾，马来西亚，印度尼西亚。

413. 棘蝇属 *Phaonia* Robineau-Desvoidy，1830

（1252）棕腹棘蝇 *Phaonia brunneiabdomina* Xue et Cao，1989

分布：陕西（太白）。

（1253）叉角棘蝇 *Phaonia dismagnicornis* Xue et Cao，1989

分布:陕西(太白山)。

（1254）类背纹棘蝇 *Phaonia dorsolineatoides* Ma *et* Xue, 1992

分布:陕西。

（1255）黄活棘蝇 *Phaonia flavivida* Xue *et* Cao, 1989

分布:陕西(太白)。

（1256）黄龙山棘蝇 *Phaonia huanglongshansa* Wu, Fang *et* Fan, 1988

分布:陕西(黄龙山)。

（1257）黑锥棘蝇 *Phaonia nigribitrigona* Xue, 2017

分布:陕西(镇安)。

（1258）斑脉棘蝇 *Phaonia punctinerva* Xue *et* Cao, 1988

分布:陕西(太白山)。

（1259）陕北棘蝇 *Phaonia shaanbeiensis* Wu, Fang *et* Fan, 1988

分布:陕西(黄龙山)。

（1260）陕西棘蝇 *Phaonia shaanxiensis* Xue *et* Cao, 1989

分布:陕西(太白山)。

（1261）中华游荡棘蝇 *Phaonia sinierrans* Xue *et* Cao, 1989

分布:陕西(太白山)。

（1262）拟秘棘蝇 *Phaonia submystica* Xue *et* Cao, 1989

分布:陕西(太白山)。

（1263）亚黑基棘蝇 *Phaonia subnigribasalis* Xue *et* Zhang, 2005

分布:陕西(留坝)。

（1264）狸棘蝇 *Phaonia vulpinus* Wu, Fang *et* Fan, 1988

分布:陕西(秦岭)。

（1265）西安棘蝇 *Phaonia xianensis* Xue *et* Cao, 1989

分布:陕西(太白山)。

（1266）鹦歌棘蝇 *Phaonia yinggeensis* Xue, Wang *et* Ni, 1989

分布:陕西(太白山)。

414. 直脉蝇属 *Polietes* Rondani, 1866

（1267）白线直脉蝇 *Polietes domitor* (Harris, 1780)

分布:陕西、黑龙江、吉林、辽宁、内蒙古、河北、山西、新疆;蒙古,俄罗斯,日本,欧洲。

（1268）峨眉直脉蝇 *Polietes fuscisquamosus* Emden, 1965

分布:陕西(留坝)、四川;印度。

415．螫蝇属 _Stomoxys_ Geoffroy,1762

(1269)厩螫蝇 _Stomoxys calcitrans_(Linnaeus,1758)
　　　分布:陕西;世界性分布(除两极和高寒地区外)。

(1270)印度螫蝇 _Stomoxys indicus_ Picard,1908
　　　分布:陕西、北京、天津、河北、山西、河南、山东、甘肃、宁夏、上海、江苏、浙江、湖北、江西、湖南、福建、台湾、广东、海南、广西、四川、贵州、云南;日本,越南,泰国,缅甸,印度,斯里兰卡,马来西亚,菲律宾,印度尼西亚,斐济,西萨摩亚,密克罗尼西亚,美国。

416．毛基蝇属 _Thricops_ Rondani,1856

(1271)绯瓣毛基蝇 _Thricops rufisquamus_(Schnabl,1915)
　　　分布:陕西(太白)、吉林、青海;俄罗斯,日本,欧洲。

417．客夜蝇属 _Xenotachina_ Malloch,1921

(1272)烟股客夜蝇 _Xenotachina fumifemoralis_ Fan,1992
　　　分布:陕西(秦岭)。

五十、丽蝇科 Calliphoridae

418．阿丽蝇属 _Aldrichina_ Rohdendorf,1931

(1273)巨尾阿丽蝇 _Aldrichina grahami_(Aldrich,1980)
　　　分布:陕西,全国广布;俄罗斯,朝鲜,日本,印度,巴基斯坦,美国。

419．陪丽蝇属 _Bellardia_ Robineau-Desvoidy,1863

(1274)新月陪丽蝇 _Bellardia menechma_(Séguy,1934)
　　　分布:陕西(留坝)、辽宁、河北、山东、河南、甘肃、上海、江苏、浙江、湖南、四川、贵州、云南;朝鲜,日本。

(1275)拟新月陪丽蝇 _Bellardia menechmoides_ Chen,1979
　　　分布:陕西(西安、延安,秦岭)、辽宁、河北、山东、甘肃、江苏、浙江、湖北、四川、贵州、云南;朝鲜,日本。

(1276)西安陪丽蝇 _Bellardia xianensis_ Wu,Chen _et_ Fan,1991

分布:陕西(西安)。

420. 丽蝇属 *Calliphora* Robineau-Desvoidy，1830

(1277) 宽丽蝇 *Calliphora*（*Calliphora*）*nigribarbis* Vollenhoven，1863

分布:陕西(秦岭)、黑龙江、吉林、辽宁、内蒙古、河北、台湾、广东、四川、云南;俄罗斯,朝鲜,日本。

(1278) 红头丽蝇 *Calliphora*（*Calliphora*）*vicina* Robineau-Desvoidy，1830

分布:陕西、黑龙江、吉林、辽宁、内蒙古、河北、山西、河南、山东、甘肃、宁夏、青海、新疆、江苏、湖北、江西、湖南、四川、云南、西藏;蒙古,俄罗斯,朝鲜,日本,印度,尼泊尔,巴基斯坦,沙特阿拉伯,澳大利亚,新西兰,欧洲,非洲北部,北美洲。

(1279) 反吐丽蝇 *Calliphora*（*Calliphora*）*vomitoria*（Linnaeus，1758）

分布:陕西,中国广布(除海南外);蒙古,俄罗斯,朝鲜,日本,印度,尼泊尔,菲律宾,阿富汗,欧洲全境,新北区。

421. 金蝇属 *Chrysomya* Robineau-Desvoidy，1830

(1280) 大头金蝇 *Chrysomya megacephala*（Fabricius，1794）

分布:陕西,中国广布(除新疆、青海、西藏外);俄罗斯,朝鲜,日本,越南,马来西亚,印度尼西亚,斐济,阿富汗,伊朗,毛里求斯,西班牙。

(1281) 广额金蝇 *Chrysomya phaonis* Séguy，1928

分布:陕西、内蒙古、北京、天津、河北、山西、河南、甘肃、青海、江西、四川、贵州、云南、西藏;印度北部,阿富汗。

(1282) 肥躯金蝇 *Chrysomya pinguis*（Walker，1858）

分布:陕西(留坝、宁陕、镇安)、辽宁、内蒙古、河北、山西、河南、山东、甘肃、宁夏、江苏、安徽、浙江、湖北、江西、湖南、福建、台湾、广东、海南、广西、四川、贵州、云南、西藏;朝鲜,日本,越南,印度,斯里兰卡,菲律宾,马来西亚,印度尼西亚。

422. 裸变丽蝇属 *Gymnadichosia* Villeneuve，1927

(1283) 黄足裸变丽蝇 *Gymnadichosia pusilla* Villeneuve，1927

分布:陕西(镇安)、辽宁、江苏、湖北、湖南、福建、台湾、四川、云南、西藏;俄罗斯,日本,缅甸。

423. 带绿蝇属 *Hemipyrellia* Townsend, 1918

（1284）瘦叶带绿蝇 *Hemipyrellia ligurriens*（Wiedemann, 1830）
分布：陕西、河南、江苏、湖北、江西、湖南、福建、台湾、广东、海南、广西、四川、云南、西藏；朝鲜，日本，泰国，印度，斯里兰卡，马来西亚，新加坡，菲律宾，印度尼西亚，澳洲区。

424. 绿蝇属 *Lucilia* Robineau-Desvoidy, 1830

（1285）蟾蜍绿蝇 *Lucilia*（*Bufolucilia*）*bufonivora*（Moniez, 1914）
分布：陕西、黑龙江、吉林、辽宁、内蒙古、河北、山西、山东、甘肃、新疆、江苏、湖南、四川；俄罗斯，日本，欧洲，非洲北部。

（1286）崂山壶绿蝇 *Lucilia*（*Caesariceps*）*ampullaceal laoshanensis* Quo, 1952
分布：陕西（镇安）、黑龙江、吉林、辽宁、内蒙古、山东、甘肃；朝鲜。

（1287）紫绿蝇 *Lucilia*（*Caesariceps*）*porphyrina*（Walker, 1856）
分布：陕西（周至、太白、留坝、佛坪、宁陕、镇安）、山东、河南、甘肃、江苏、浙江、湖北、江西、湖南、福建、台湾、广东、海南、广西、四川、贵州、云南、西藏；朝鲜，日本，印度，菲律宾，马来西亚，印度尼西亚，澳洲区。

（1288）铜绿蝇 *Lucilia cuprina*（Wiedemann, 1830）
分布：陕西（榆林）；非洲，北美洲，澳洲。

（1289）海南绿蝇 *Lucilia hainanensis* Fan, 1965
分布：陕西（留坝、佛坪、宁陕）、甘肃、海南。

（1290）叉叶绿蝇 *Lucilia*（*Lucilia*）*caesar*（Linnaeus, 1758）
分布：陕西（留坝、宁陕）、黑龙江、吉林、辽宁、内蒙古、河北、山西、山东、甘肃、青海、新疆、江苏、四川、贵州、云南；俄罗斯，朝鲜，日本，摩洛哥，古北区全境。

（1291）亮绿蝇 *Lucilia*（*Lucilia*）*illustuis*（Meigen, 1826）
分布：陕西（留坝、宁陕）、黑龙江、吉林、辽宁、内蒙古、河北、山西、河南、甘肃、青海、新疆、江苏、浙江、湖北、江西、湖南、四川、贵州；俄罗斯，朝鲜，日本，缅甸，印度，德国，澳大利亚东部，新西兰，格陵兰岛。

（1292）南岭绿蝇 *Lucilia*（*Luciliella*）*bazini* Séguy, 1934
分布：陕西（留坝、佛坪、宁陕）、甘肃、江苏、浙江、江西、福建、台湾、海南、四川、贵州；俄罗斯，日本。

（1293）巴浦绿蝇 *Lucilia*（*Luciliella*）*papuensis* Macquart, 1842

分布：陕西(旬阳)、河北、河南、甘肃、江苏、安徽、浙江、湖北、江西、福建、台湾、广西、四川、贵州、云南；朝鲜，日本，老挝，泰国，印度，斯里兰卡，菲律宾，马来西亚，印度尼西亚，巴布亚新几内亚，非洲，澳洲区。

(1294) 沈阳绿蝇 *Lucilia* (*Luciliella*) *shenyangensis* Fan，1965

分布：陕西(留坝)、黑龙江、辽宁、河北、河南、山东、甘肃、宁夏、云南、西藏；俄罗斯，朝鲜。

(1295) 丝光绿蝇 *Lucilia sericata* (Meigen，1826)

分布：陕西(榆林)，中国广布；世界广布。

(1296) 中华绿蝇 *Lucilia sinonsis* Aubertin，1983

分布：陕西(留坝、佛坪、宁陕)、甘肃、浙江、湖北、台湾、四川、云南。

425．伏蝇属 *Phormia* Robineau-Desvoidy，1830

(1297) 伏蝇 *Phormia regina* (Meigen，1826)

分布：陕西、黑龙江、吉林、辽宁、内蒙古、河北、山西、河南、山东、甘肃、青海、新疆、江苏；俄罗斯，朝鲜，日本，古北区，新北区，墨西哥，美国。

426．粉蝇属 *Pollenia* Robineau-Desvoidy，1830

(1298) 陕西粉蝇 *Pollenia shanxiensis* Fan *et* Wu，1997

分布：陕西(周至、宁陕、黄龙)、甘肃。

427．拟粉蝇属 *Polleniopsis* Townsend，1917

(1299) 蒙古拟粉蝇 *Polleniopsis mongolica* Séguy，1928

分布：陕西、吉林、辽宁、内蒙古、河北、山西、河南、山东、甘肃、青海、江苏、湖北、四川；蒙古，日本。

(1300) 赵氏拟粉蝇 *Polleniopsis zhaoi* Xue *et* Zhang，2005

分布：陕西(宁陕)。

428．粉腹丽蝇属 *Pollenomyia* Séguy，1935

(1301) 中花粉腹丽蝇 *Pollenomyia sinensis* Séguy，1935

分布：陕西、辽宁、北京、河北、宁夏、江苏、浙江、四川；俄罗斯，日本。

429．原丽蝇属 *Protocalliphora* Hough，1899

(1302) 青原丽蝇 *Protocalliphora azurea* (Fallén，1816)

分布:陕西、黑龙江、吉林、辽宁、内蒙古、河北、河南、山东、甘肃、宁夏、青海、新疆、江苏、浙江、四川、贵州、云南;蒙古,俄罗斯,朝鲜,日本,土耳其,欧洲,非洲北部。

430．原伏蝇属 *Protophormia* Townsend，1908

（1303）新陆原伏蝇 *Protophormia terraenovae*（Robineau-Desvoidy，1830）
分布:陕西、黑龙江、吉林、辽宁、内蒙古、河北、山西、河南、山东、甘肃、宁夏、青海、新疆、江苏、四川、西藏;俄罗斯,日本,欧洲,加拿大,美国,格陵兰岛。

431．叉丽蝇属 *Triceratopyga* Rohdendorf，1931

（1304）叉丽蝇 *Triceratopyga calliphoroides* Rohdendorf，1931
分布:陕西(留坝、镇安)、黑龙江、吉林、辽宁、内蒙古、河北、河南、山东、甘肃、青海、江苏、安徽、浙江、福建、四川、云南;俄罗斯,朝鲜,日本。

五十一、鼻蝇科 Rhiniidae

432．依蝇属 *Idiella* Brauer *et* Bergenstamm，1889

（1305）三色依蝇 *Idiella tripartite*（Bigot，1874）
分布:陕西(佛坪)、辽宁、内蒙古、河北、山东、宁夏、甘肃、青海、江苏、安徽、浙江、湖北、江西、湖南、福建、四川、云南、西藏;缅甸,印度,尼泊尔,斯里兰卡,菲律宾。

433．口鼻蝇属 *Stomorhina* Rondani，1861

（1306）异色口鼻蝇 *Stomorhina discolor*（Fabricius，1974）
分布:陕西(留坝、太白、佛坪、宁陕)、甘肃、浙江、福建、台湾、海南、广西、云南、西藏;越南,泰国,印度,斯里兰卡,菲律宾,马来西亚,印度尼西亚,巴基斯坦,巴布亚新几内亚,澳大利亚,所罗门群岛,斐济群岛,马克萨斯群岛。

（1307）黑咀口鼻蝇 *Stomorhina melastoma*（Wiedemann，1830）
分布:陕西(镇安)、云南;印度,印度尼西亚,澳大利亚。

（1308）不显口鼻蝇 *Stomorhina obsolete*（Wiedemann，1830）
分布:陕西(留坝、佛坪、宁陕)、山东、甘肃、宁夏、江苏、安徽、浙江、湖北、江西、湖南、福建、台湾、广东、广西、四川、贵州；俄罗斯，日本，密克罗尼西亚。

434. 弧彩蝇属 *Strongyloneura* Bigot，1886

（1309）钳尾弧彩蝇 *Strongyloneura senomera*（Séguy，1949）
　　　　分布：陕西（秦岭）；朝鲜，韩国，日本。

五十二、麻蝇科 Sarcophagidae

435．摩峰麻蝇属 *Amobia* Robineau-Desvoidy，1830

（1310）长突摩蜂麻蝇 *Amobia oculata*（Zetterstedt，1844）
　　　　分布：陕西（佛坪）、台湾、四川；蒙古，俄罗斯，朝鲜，日本，阿尔及利亚，美国，欧洲北部。

（1311）*Amobia quatei* Kurahashi，1974
　　　　分布：陕西、上海；日本，越南。

436．钳麻蝇属 *Bellieriomima* Rohdendorf，1937

（1312）微刺钳麻蝇 *Bellieriomima diminuta*（Thomas，1949）
　　　　分布：陕西（秦岭）、河北、甘肃、重庆。

437．粪麻蝇属 *Bercaea* Robineau-Desvoidy，1863

（1313）红尾粪麻蝇 *Bercaea africa*（Wiedemann，1824）
　　　　分布：陕西（长安、凤县、留坝、佛坪、宁陕、旬阳）、黑龙江、吉林、辽宁、内蒙古、北京、河北、山西、河南、山东、甘肃、宁夏、青海、新疆、四川、云南、西藏；蒙古，俄罗斯，朝鲜，日本，印度，尼泊尔，埃及，以色列，黎巴嫩，叙利亚，土耳其，伊拉克，沙特阿拉伯，也门，伊朗，阿富汗，欧洲，北美洲，南美洲。

438．别麻蝇属 *Boettcherisca* Rohdendorf，1937

（1314）棕尾别麻蝇 *Boettcherisca peregrine*（Robineau-Desvoidy，1830）
　　　　分布：陕西（留坝、佛坪）、黑龙江、吉林、辽宁、内蒙古、北京、河北、山西、河南、甘肃、宁夏、江苏、安徽、上海、浙江、湖北、江西、湖南、福建、台湾、广东、海南、广西、四川、贵州、云南、西藏；朝鲜，日本，泰国，印度，尼泊尔，斯里兰卡，菲律宾，马来西亚，印度尼西亚，澳洲区。

（1315）台湾别麻蝇 *Boettcherisca formosensis* **Kirner** *et* **Lopes, 1961**
　　　　分布:陕西(宁陕、旬阳)、辽宁、台湾、四川。

439.　短野蝇属 *Brachicoma* Rondani, 1856

（1316）寂短野蝇 *Brachicoma devia*（**Fallén, 1820**）
　　　　分布:陕西(凤县、留坝、佛坪、宁陕)、黑龙江、辽宁、内蒙古、甘肃、新疆、
　　　　四川、云南、西藏;蒙古,俄罗斯,日本,吉尔吉斯斯坦,欧洲,北美洲。

440.　库麻蝇属 *Kozlovea* Rohdendorf, 1937

（1317）复斗库麻蝇 *Kozlovea tshernovi* **Rohdennorf, 1937**
　　　　分布:陕西(宁陕);蒙古。

441.　克麻蝇属 *Kramerea* Rohdendorf, 1937

（1318）舞毒蛾克麻蝇 *Kramerea schuetzei*（**Kramer, 1909**）
　　　　分布:陕西(留坝)、黑龙江、吉林、辽宁、内蒙古、北京、山西、河南、甘肃;
　　　　蒙古,俄罗斯,朝鲜,日本,波兰,德国,捷克,斯洛伐克,匈牙利,保加
　　　　利亚。

442.　黑麻蝇属 *Helicophagalla* Enderlein, 1928

（1319）黑尾黑麻蝇 *Helicophagalla melanura*（**Meigen, 1826**）
　　　　分布：陕西(凤县、留坝、佛坪、宁陕)、黑龙江、吉林、辽宁、内蒙古、北京、
　　　　天津、河北、山西、河南、山东、甘肃、宁夏、青海、新疆、上海、江苏、安徽、浙
　　　　江、江西、湖南、福建、台湾、广东、海南、广西、四川、贵州、云南、西藏;蒙
　　　　古,俄罗斯,朝鲜,日本,印度,马来西亚,阿富汗,伊朗,伊拉克,土耳
　　　　其,巴勒斯坦,叙利亚,埃及,摩洛哥,阿尔及利亚,突尼斯,毛里塔尼
　　　　亚,中亚,欧洲,加那利群岛,克什米尔地区,北美洲。

443.　何麻蝇属 *Hoa* Rohdendorf, 1937

（1320）卷阳何麻蝇 *Hoa flexuosa*（**Ho, 1934**）
　　　　分布:陕西(长安)、辽宁、北京、河北、山东、河南、江苏、上海。

444.　突额蜂麻蝇属 *Metopia* Meigen, 1803

（1321）白头突额蜂麻蝇 *Metopia argyrocephala* **Meigen, 1824**

分布:陕西(留坝)、黑龙江、内蒙古、北京、河北、河南、甘肃、青海、新疆、上海、浙江、福建、台湾、四川、云南、西藏;俄罗斯,朝鲜,日本,阿富汗,伊朗,伊拉克,欧洲,北美洲。

445. 蜂麻蝇属 *Miltogramma* Meigen,1803

(1322)西班牙长鞘蜂麻蝇 *Miltogramma*(*Cylindrothecum*)*iberica* Villeneuve,1912
分布:陕西(长安、凤县、佛坪、宁陕)、辽宁、河北、山东、甘肃、江苏、浙江、福建、广东、四川、云南、西藏;俄罗斯,朝鲜,日本,西班牙,阿尔及利亚。

446. 亚麻蝇属 *Parasarcophaga* Johnston *et* Tiegs,1921

(1323)肥须亚麻蝇 *Parasarcophaga*(*Jantia*)*crassipalpis*(Macquart,1839)
分布:陕西(佛坪)、黑龙江、吉林、辽宁、内蒙古、北京、河北、河南、山东、甘肃、宁夏、青海、新疆、江苏、湖北、四川、西藏;蒙古,俄罗斯,朝鲜,日本,地中海地区,欧洲,非洲南部,大洋洲部分地区,北美洲,南美洲部分地区。

(1324)拟对岛亚麻蝇 *Parasarcophaga*(*Kanoisca*)*kanoi*(Park,1962)
分布:陕西(长安、凤县、留坝、佛坪、旬阳)、黑龙江、吉林、辽宁、河北、河南、山东、宁夏、甘肃、江苏、浙江、湖北、江西、四川;俄罗斯,朝鲜。

(1325)贪食亚麻蝇 *Parasarcophaga*(*Liosarcophaga*)*harpax*(Pandellé,1896)
分布:陕西(旬阳)、甘肃、吉林、辽宁、宁夏、新疆、山东;俄罗斯,朝鲜,日本,欧洲,北美洲。

(1326)波突亚麻蝇 *Parasarcophaga*(*Liosarcophaga*)*jaroschevskyi* Rohdendorf,1937
分布:陕西(长安、凤县、留坝)、黑龙江、吉林、辽宁、河北、山东、河南、宁夏、西藏;俄罗斯。

(1327)急钩亚麻蝇 *Parasarcophaga*(*Liosarcophaga*)*portschinskyi* Rohdendorf,1937
分布:陕西、黑龙江、吉林、辽宁、内蒙古、北京、河北、山西、河南、山东、甘肃、宁夏、青海、新疆、四川;蒙古,乌克兰。

(1328)多突亚麻蝇 *Parasarcophaga*(*Pandelleisca*)*polystylata*(Ho,1934)
分布:陕西(长安、凤县、留坝、佛坪)、黑龙江、吉林、辽宁、河北、北京、河南、山东、江苏、浙江、四川、广西;俄罗斯(远东),朝鲜,日本。

(1329)野亚麻蝇 *Parasarcophaga*(*Pandelleisca*)*similes*(Meade,1876)
分布:陕西(佛坪、旬阳)、黑龙江、吉林、辽宁、内蒙古、河北、山西、河南、山东、甘肃、宁夏、江苏、浙江、湖北、江西、福建、广东,广西,四川,贵州,云南；俄罗斯，朝鲜，日本，东南亚，欧洲。

（1330）白头亚麻蝇 *Parasarcophaga*（*Parasarcophaga*）*albiceps*（Meigen，1826）

分布：陕西（凤县、留坝、佛坪、旬阳）、黑龙江、吉林、辽宁、内蒙古、北京、河北、山西、河南、山东、甘肃、宁夏、江苏、浙江、湖北、江西、福建、台湾、广东、广西、四川、云南、西藏；俄罗斯，朝鲜，日本，越南，缅甸，印度，斯里兰卡，巴基斯坦，菲律宾，印度尼西亚，巴布亚新几内亚，所罗门群岛，澳大利亚，欧洲。

（1331）华北亚麻蝇 *Parasarcophaga*（*Parasarcophaga*）*angarosinica* Rohdendorf，1937

分布：陕西、黑龙江、吉林、辽宁、河北、河南、山东、宁夏、青海、江苏；俄罗斯。

（1332）蝗尸亚麻蝇 *Parasarcophaga*（*Parasarcophaga*）*jacobsoni* Rohdendorf，1937

分布：陕西、黑龙江、吉林、辽宁、内蒙古、北京、河北、山东、甘肃、宁夏、青海、新疆、西藏；俄罗斯，伊朗，亚洲，保加利亚。

（1333）巨耳亚麻蝇 *Parasarcophaga*（*Parasarcophaga*）*macroauriculata*（Ho，1932）

分布：陕西（长安、留坝、佛坪、宁陕、旬阳）、黑龙江、吉林、辽宁、北京、河北、河南、甘肃、宁夏、浙江、江西、福建、广西、四川、云南、西藏；俄罗斯，朝鲜。

（1334）黄须亚麻蝇 *Parasarcophaga*（*Parasarcophaga*）*misera*（Walker，1849）

分布：陕西、吉林、辽宁、河北、甘肃、江苏、安徽、浙江、湖北、江西、福建、台湾、广东、广西、四川、云南；朝鲜，日本，缅甸，印度，斯里兰卡，菲律宾，澳洲区。

（1335）秉氏亚麻蝇 *Parasarcophaga*（*Parasarcophaga*）*pingi*（Ho，1934）

分布：陕西、吉林、辽宁、北京、河北、河南、甘肃、宁夏、上海、江苏、安徽、浙江、湖北、江西、福建、广西、四川；俄罗斯，朝鲜。

（1336）褐须亚麻蝇 *Parasarcophaga*（*Parasarcophaga*）*sericea*（Walker，1852）

分布：陕西、吉林、辽宁、内蒙古、河北、河南、山东、甘肃、江苏、浙江、湖北、江西、福建、台湾、广东、广西、四川、云南；俄罗斯，朝鲜，缅甸，印度，斯里兰卡，马来西亚，菲律宾，印度尼西亚，澳大利亚，巴布亚新几内亚。

（1337）褐须亚麻蝇 *Parasarcophaga*（*Parasarcophaga*）*taenionota*（Wiedemann，1819）

分布：陕西（佛坪）、吉林、辽宁、内蒙古、河北、河南、山东、甘肃、江苏、浙江、湖北、江西、福建、台湾、广东、广西、四川、云南；俄罗斯，朝鲜，缅甸，印度，斯里兰卡，菲律宾，马来西亚，印度尼西亚，巴布亚新几内亚，澳大利亚。

447. 球麻蝇属 *Phallosphaera* Rohdendorf, 1938

(1338) *Phallosphaera gravelyi*（Senior-White, 1924）

分布：陕西、辽宁、浙江、湖北、湖南、福建、台湾、广东、四川、贵州、云南；日本，越南，泰国，印度，尼泊尔，巴基斯坦，印度尼西亚。

(1339) 东北球麻蝇 *Phallosphaera*（*Phallosphaera*）*konakovi* Rohdendorf, 1938

分布：陕西（秦岭、黄龙、延安、宜川）、黑龙江、吉林、辽宁、内蒙古、四川、云南；俄罗斯，朝鲜，日本，越南，泰国，马来西亚。

448. 拉麻蝇属 *Ravinia* Robineau-Desvoidy, 1863

(1340) 红尾拉麻蝇 *Ravinia pernix*（Harris, 1780）

分布：陕西（长安、留坝、佛坪、宁陕）、黑龙江、吉林、辽宁、内蒙古、北京、天津、河北、山西、河南、山东、甘肃、宁夏、青海、新疆、江苏、湖北、湖南、四川、云南、西藏；蒙古，俄罗斯，朝鲜，日本，印度，尼泊尔，阿富汗，巴基斯坦，伊朗，也门，沙特阿拉伯，伊拉克，叙利亚，黎巴嫩，巴勒斯坦，非洲北部，欧洲。

449. 叉麻蝇属 *Robineauella* Enderlein, 1928

(1341) 达乌利叉麻蝇 *Robineauella*（*Robineauella*）*daurica*（Grunin, 1964）

分布：陕西、吉林、辽宁、内蒙古、河北、山西、甘肃、宁夏；俄罗斯。

(1342) 黄山叉麻蝇 *Robineauella*（*Robineauella*）*huangshanensis*（Fan, 1964）

分布：陕西（留坝、佛坪、宁陕）、甘肃、安徽、浙江、四川。

450. 辛麻蝇属 *Seniorwbitea* Rohdendorf, 1937

(1343) 拟东方辛麻蝇 *Seniorwbitea reciproca*（Walker, 1856）

分布：陕西、河南、山东、上海、江苏、浙江、湖北、福建、台湾、广东、海南、四川、云南；泰国，缅甸，印度，尼泊尔，斯里兰卡，马来西亚，新加坡。

451. 赛蜂麻蝇属 *Senotainia* Macquart, 1846

(1344) 西伯利亚赛蜂麻蝇 *Senotainia*（*Sphixapata*）*sibirica* Rohdendorf, 1935

分布:陕西(凤县、留坝、佛坪)、黑龙江、内蒙古、广西、四川、云南;俄罗斯,亚州中部,欧洲,非洲北部。

452. 刺麻蝇属 *Sinonipponia* Rohdendorf, 1959

(1345) 立刺麻蝇 *Sinonipponia hervebazini* (Séguy, 1934)

分布:陕西(旬阳)、辽宁、河南、甘肃、上海、江苏、浙江、湖北、江西、四川、贵州、云南;俄罗斯,朝鲜,日本。

五十三、寄蝇科 Tachinidae

(一) 长足寄蝇亚科 Dexiinae

453. 蓖寄蝇属 *Billaea* Robineau-Desvoidy, 1830

(1346) 阿氏蓖寄蝇 *Billaea atkinsoni* (Baranov, 1934)

分布:陕西(太白)、山西、福建、台湾、西藏;缅甸,印度。

(1347) 中华蓖寄蝇 *Billaea chinensis* Zhang et Shima, 2015

分布:陕西(周至、太白、凤县、佛坪、留坝、南郑、汉中、柞水、山阳)、山西、四川、云南、西藏;越南。

454. 长足寄蝇属 *Dexia* Meigen, 1826

(1348) 赵氏长足寄蝇 *Dexia chaoi* Zhang et Shima, 2010

分布:陕西(甘泉)、青海、四川、云南、西藏。

(1349) 中华长足寄蝇 *Dexia chinensis* Zhang et Chen, 2010

分布:陕西(长安)、北京、河北、宁夏、贵州。

(1350) 黄长足寄蝇 *Dexia flavida* (Townsend, 1925)

分布:陕西(眉县)、安徽、浙江、江西、福建、台湾、海南、四川、贵州、云南、西藏;越南,缅甸,印度,尼泊尔,马来西亚,印度尼西亚。

(1351) 广长足寄蝇 *Dexia fulvifera* von Röder, 1893

分布:陕西(西安、周至、太白、岐山、留坝)、辽宁、山西、甘肃、安徽、浙江、福建、台湾、广东、海南、香港、广西、四川、云南、西藏;俄罗斯,日本,老挝,缅甸,印度,尼泊尔,斯里兰卡,巴基斯坦,菲律宾,马来西亚,印度尼西亚。

(1352) 弯叶长足寄蝇 *Dexia tenuiforceps* Zhang et Shima, 2010

分布:陕西(佛坪)、浙江、福建、台湾、四川、云南;尼泊尔。

(1353) 腹长足寄蝇 *Dexia ventralis* Aldrich, 1925

分布:陕西(太白、华县、汉中)、吉林、辽宁、内蒙古、河北、山西、宁夏、甘肃、青海、浙江、福建、广东、贵州、四川;蒙古,俄罗斯,韩国,美国(新泽西州)。

455. 邻寄蝇属 *Dexiomimops* Townsend, 1926

(1354) 白邻寄蝇 *Dexiomimops pallipes* Mesnil, 1957
分布:陕西(佛坪)、北京;缅甸,马来西亚。

456. 迪内寄蝇属 *Dinera* Robineau-Desvoidy, 1830

(1355) 暗迪内寄蝇 *Dinera fuscata* Zhang et Shima, 2006
分布:陕西(佛坪、柞水、山阳)、吉林、辽宁、河北、山西、宁夏、浙江、四川;日本。

(1356) 米兰迪内寄蝇 *Dinera miranda* (Mesnil, 1963)
分布:陕西(佛坪、山阳)、辽宁;俄罗斯。

(1357) 薛氏迪内寄蝇 *Dinera xuei* Zhang et Shima, 2006
分布:陕西(留坝、佛坪)、内蒙古、山西、宁夏、甘肃、四川;中亚。

457. 依寄蝇属 *Estheria* Robineau-Desvoidy, 1830

(1358) 大依寄蝇 *Estheria magna* (Baranov, 1935)
分布:陕西(秦岭)、内蒙古、青海、安徽、福建、台湾、四川、云南、西藏;日本。

458. 瘦寄蝇属 *Leptothelaira* Mesnil et Shima, 1977

(1359) 长茎瘦寄蝇 *Leptothelaira longipennis* Zhang, Wang et Liu, 2006
分布:陕西(周至、太白、佛坪、柞水)、山西、宁夏。

(1360) 南方瘦寄蝇 *Leptothelaira meridionalis* Mesnil et Shima, 1979
分布:陕西(周至)、宁夏、台湾;日本。

459. 驼寄蝇属 *Phyllomya* Robineau-Desvoidy, 1830

(1361) 环形驼寄蝇 *Phyllomya annularis* (Villeneuve, 1937)
分布:陕西(周至、佛坪)、内蒙古、山西、宁夏、四川、云南、西藏。

460. 长喙寄蝇属 *Prosena* Lepeletier et Serville, 1828

(1362) 金龟长喙寄蝇 *Prosena siberita* (Fabricius, 1775)

分布:陕西(留坝、佛坪、山阳),中国广布;蒙古,俄罗斯,日本,中亚,缅甸,印度,尼泊尔,斯里兰卡,菲律宾,马来西亚,印度尼西亚,欧洲,澳大利亚,莫桑比克,美国引入。

461．喙寄蝇属 *Stomina* Robineau-Desvoidy, 1830

（1363）加利喙寄蝇 *Stomina tachinoides*（Fallén, 1817）
分布:陕西(留坝)、山西、甘肃;蒙古,俄罗斯,中东,欧洲。

462．柔寄蝇属 *Thelaira* Robineau-Desvoidy, 1830

（1364）白带柔寄蝇 *Thelaira leucozona*（Panzer, 1806）
分布:陕西(汉中、宁陕、山阳、商南)、黑龙江、山西、宁夏、新疆、福建、广东、西藏;俄罗斯,日本,欧洲。

（1365）巨形柔寄蝇 *Thelaira macropus*（Wiedemann, 1830）
分布:陕西(周至、留坝、宁陕、汉中、柞水、山阳、商南),中国广布;泰国,缅甸,印度,斯里兰卡,马来西亚,印度尼西亚,巴布亚新几内亚。

（1366）暗黑柔寄蝇 *Thelaira nigripes*（Fabricius, 1794）
分布:陕西(长安、周至、宝鸡、眉县、留坝、佛坪、南郑、柞水、山阳、商南),中国广布;俄罗斯,日本,欧洲。

（1367）撒柔寄蝇 *Thelaira solivaga*（Harris, 1780）
分布:陕西(周至、佛坪、柞水、山阳)、黑龙江、吉林、辽宁、山西、宁夏、浙江、福建、四川、云南、西藏;俄罗斯,欧洲。

463．月寄蝇属 *Riedelia* Mesnil, 1942

（1368）双色月寄蝇 *Riedelia bicolor* Mesnil, 1942
分布:陕西(山阳)、黑龙江、河北、山西、上海、浙江、四川、贵州、云南;俄罗斯,日本。

464．刺须寄蝇属 *Torocca* Walker, 1859

（1369）亮胸刺须寄蝇 *Torocca munda*（Walker, 1856）
分布:陕西(华县)、浙江、湖南、福建、云南;日本,越南,泰国,印度,印度尼西亚,马来西亚。

465．特西寄蝇属 *Trixa* Meigen, 1824

（1370）长翅特西寄蝇 *Trixa longipennis*（Villeneuve, 1936）

分布:陕西(西安、周至、太白、佛坪、宁陕、柞水、商南)、山西、河南、台湾、四川。

(1371) 透特西寄蝇 *Trixa pellucens*（Mesnil，1967）

分布:陕西(周至)、四川、云南。

466. 蜗寄蝇属 *Voria* Robineau-Desvoidy，1830

(1372) 茹蜗寄蝇 *Voria ruralis*（Fallén，1810）

分布:陕西(太白、华县、留坝、佛坪、宁陕、南郑、柞水、山阳、商南)、黑龙江、吉林、辽宁、内蒙古、北京、天津、河北、山西、河南、甘肃、新疆、台湾、四川、云南、西藏;蒙古，俄罗斯，日本，印度，尼泊尔，巴基斯坦，中亚，中东，欧洲，也门，澳大利亚，巴布亚新几内亚，非洲，北美洲，南美洲。

(二) 追寄蝇亚科 Exoristinae

467. 毛颜寄蝇属 *Admontia* Brauer *et* Bergenstamm，1889

(1373) 斑瓣毛颜寄蝇 *Admontia maculisquama*（Zetterstedt，1859）

分布:陕西(柞水)、四川;俄罗斯，欧洲。

468. 短尾寄蝇属 *Aplomya* Robineau-Desvoidy，1830

(1374) 毛短尾寄蝇 *Aplomya confinis*（Fallén，1820）

分布:陕西、黑龙江、吉林、辽宁、内蒙古、北京、天津、河北、山西、青海、新疆、广东、海南、四川、云南、西藏;蒙古，俄罗斯，日本，欧洲，非洲。

469. 盆地寄蝇属 *Bessa* Robineau-Desvoidy，1863

(1375) 选择盆地寄蝇 *Bessa parallela*（Meigen，1824）

分布:陕西(南郑)、黑龙江、吉林、辽宁、内蒙古、北京、河北、山西、宁夏、浙江、湖北、湖南、福建、广西、四川、云南、西藏;蒙古，俄罗斯，日本，欧洲。

470. 睫寄蝇属 *Blepharella* Macquart，1851

(1376) 侧睫寄蝇 *Blepharella lateralis* Macquart，1851

分布:陕西(留坝)、山西、山东、江苏、安徽、浙江、江西、福建、台湾、广东、海南、香港、广西、重庆、四川、贵州、云南、西藏;越南，泰国，印度，尼泊尔，斯里兰卡，菲律宾，马来西亚，印度尼西亚，澳大利亚，巴布亚新几内亚。

471. 饰腹寄蝇属 *Blepharipa* Rondani, 1856

（1377）毛鬃饰腹寄蝇 *Blepharipa chaetoparafacialis* Chao, 1982.
分布:陕西(周至、镇安)、河北、甘肃、新疆、浙江、湖北、湖南、福建、海南、四川、贵州、云南、西藏。

（1378）梳胫饰腹寄蝇 *Blepharipa schineri*（Mesnil, 1939）
分布:陕西、黑龙江、吉林、辽宁、内蒙古、江苏、浙江、湖北、湖南、四川、贵州;俄罗斯,日本,欧洲。

（1379）蚕饰腹寄蝇 *Blepharipa zebina*（Walker, 1849）
分布:陕西(周至、太白、华县、佛坪、宁陕、柞水、山阳、商南),中国广布;俄罗斯,泰国,缅甸,印度,尼泊尔,斯里兰卡。

472. 卷蛾寄蝇属 *Blondelia* Robineau-Desvoidy, 1830

（1380）黑须卷蛾寄蝇 *Blondelia nigripes*（Fallén, 1810）
分布:陕西(留坝、南郑)、黑龙江、吉林、辽宁、内蒙古、北京、河北、山西、宁夏、甘肃、青海、新疆、四川、云南、西藏;蒙古,俄罗斯,朝鲜,韩国,日本,中亚,中东,欧洲。

473. 狭颊寄蝇属 *Carcelia* Robineau-Desvoidy, 1830

（1381）黑尾狭颊寄蝇 *Carcelia caudata* Baranov, 1931
分布:陕西(眉县)、北京、山东、上海、江苏、安徽、浙江、江西、湖南、福建、台湾、广东、海南、广西、贵州、云南;日本,印度,斯里兰卡,马来西亚,印度尼西亚。

（1382）多毛狭颊寄蝇 *Carcelia hirsuta* Baranov, 1931
分布:陕西(西安、华县、留坝、佛坪)、浙江、湖南、福建、台湾、广东、海南、广西、四川、贵州、云南。

（1383）星毛虫狭颊寄蝇 *Carcelia illiberisi* Chao *et* Liang, 2002
分布:陕西(西安、山阳)、山西。

（1384）黑角狭颊寄蝇 *Carcelia nigrantennata* Chao *et* Liang, 1986
分布: 陕西(西安、山阳)、浙江、江西、广东、广西、四川、贵州、云南。

（1385）灰腹狭颊寄蝇 *Carcelia rasa*（Macquart, 1849）
分布:陕西(长安、周至、太白、眉县、华县、留坝、佛坪、南郑、柞水、山阳、商南)、黑龙江、吉林、辽宁、北京、河北、山西、上海、江苏、安徽、浙江、江西、湖南、福建、广东、海南、广西、四川、贵州、云南;俄罗斯,日本,欧洲，中东。

（1386）短爪狭颊寄蝇 *Carcelia sumatrana* Townsend，1927

分布：陕西（留坝），中国广布；俄罗斯，日本，斯里兰卡，马来西亚，印度尼西亚。

（1387）屋久狭颊寄蝇 *Carcelia yakushimana*（Shima，1968）

分布：陕西（西安、商南）、湖南、广东、贵州、云南；日本。

474．小寄蝇属 *Carceliella* Baranov，1934

（1388）奥克颊寄蝇 *Carceliella octava*（Baranov，1931）

分布：陕西（长安、太白、眉县、华县）、吉林、北京、河北、安徽、浙江、湖南、福建、台湾、广东、海南、四川；日本。

475．似颊寄蝇属 *Carcelina* Mesnil，1944

（1389）巨似颊寄蝇 *Carcelina nigrapex*（Mesnil，1944）

分布：陕西（留坝）、河南、浙江、江西、广东、广西。

（1390）黄足似颊寄蝇 *Carcelina pallidipes*（Uéda，1960）

分布：陕西（佛坪）、黑龙江、吉林、辽宁、北京、山西、浙江、福建、四川；日本。

（1391）上房山似颊寄蝇 *Carcelina shangfangshanica*（Chao *et* Liang，2002）

分布：陕西（长安、眉县）、北京。

476．刺腹寄蝇属 *Compsilura* Bouché，1834

（1392）康刺腹寄蝇 *Compsilura concinnata*（Meigen，1824）

分布：陕西（华县、佛坪），中国广布；俄罗斯，日本，泰国，印度，尼泊尔，中亚，中东，菲律宾，印度尼西亚，马来西亚，欧洲，澳大利亚，巴布亚新几内亚，非洲，北美洲（引入）。

477．拟腹寄蝇属 *Compsiluroides* Mesnil，1953

（1393）普通拟腹寄蝇 *Compsiluroides communis* Mesnil，1953

分布：陕西（太白、留坝、宁陕）、黑龙江、广东、海南、香港、广西、四川、贵州、云南、西藏；缅甸。

（1394）黄须拟腹寄蝇 *Compsiluroides flavipalpis* Mesnil，1957

分布：陕西（长安、留坝、佛坪、宁陕）、广东、四川、贵州、云南；俄罗斯，日本。

478. 柯罗寄蝇属 *Crosskeya* Shima *et* Chao，1988

（1395）巨柯罗寄蝇 *Crosskeya gigas* Shima *et* Chao，1988
　　　分布：陕西（佛坪）、安徽、福建。

（1396）长角柯罗寄蝇 *Crosskeya longicornis* Shima *et* Chao，1988
　　　分布：陕西（山阳）；泰国。

479. 长芒寄蝇属 *Dolichocolon* Brauer *et* Bergenstamm，1889

（1397）粘虫长芒寄蝇 *Dolichocolon klapperichi* Mesnil，1967
　　　分布：陕西（留坝）、吉林、辽宁、山西、宁夏、甘肃、福建、广东、广西、海南、
　　　四川、云南；巴布亚新几内亚。

480. 蝥寄蝇属 *Drino* Robineau-Desvoidy，1863

（1398）狭带蝥寄蝇 *Drino angustivitta* Liang *et* Chao，1998
　　　分布：陕西（太白、山阳）、内蒙古、北京、天津、河北、山西、河南、山东、宁
　　　夏、上海、江苏、安徽、浙江、湖北、江西、湖南、福建、台湾、广东、海南、重
　　　庆、四川、贵州、云南、西藏；泰国，印度，斯里兰卡，马来西亚半岛，菲律
　　　宾，印度尼西亚，刚果。

（1399）狭颜蝥寄蝇 *Drino facialis*（Townsend，1928）
　　　分布：陕西（太白）、内蒙古、北京、天津、河北、山西、河南、山东、宁夏、上
　　　海、江苏、安徽、浙江、江西、湖北、湖南、福建、台湾、广东、海南、重庆、四
　　　川、贵州、云南、西藏；泰国，印度，斯里兰卡，菲律宾，马来西亚，印度
　　　尼西亚（苏拉威西岛），刚果。

（1400）海南蝥寄蝇 *Drino hainanica* Liang *et* Chao，1998
　　　分布：陕西（秦岭）、广东、海南。

（1401）平庸蝥寄蝇 *Drino inconspicua*（Meigen，1830）
　　　分布：陕西（太白、佛坪、山阳）、黑龙江、吉林、辽宁、内蒙古、北京、天津、
　　　河北、山西、河南、山东、上海、江苏、安徽、浙江、湖北、江西、湖南、福建、台
　　　湾、广东、海南、广西、重庆、四川、贵州、云南、西藏；俄罗斯，中亚，欧洲。

（1402）拟平庸蝥寄蝇 *Drino inconspicuoides*（Baranov，1932）
　　　分布：陕西（佛坪、宁陕）、黑龙江、湖南、台湾、广东、海南、云南；日本。

（1403）长鬃蝥寄蝇 *Drino longiseta* Chao *et* Liang，1998
　　　分布：陕西（宁陕）、山西、云南。

（1404）邻颜蝥寄蝇 *Drino parafacialis* Chao *et* Liang，1998

分布:陕西(太白)、辽宁、浙江、四川。

481. 赘诺寄蝇属 *Drinomyia* Mesnil，1962

（1405）北海道赘诺寄蝇 *Drinomyia hokkaidensis*（Baranov，1935）
　　分布:陕西(西安、太白、华县、南郑)、辽宁、内蒙古、北京、天津、河北、山西、贵州、西藏；俄罗斯，朝鲜，韩国，日本。

482. 鹬寄蝇属 *Eophyllophila* Townsend，1926

（1406）华丽鹬寄蝇 *Eophyllophila elegans* Townsend，1926
　　分布:陕西、山西、浙江、湖北、湖南、福建、台湾、广东、广西、四川、贵州、云南、西藏；泰国，印度，尼泊尔，马来西亚，印度尼西亚。

（1407）狭鹬寄蝇 *Eophyllophila includens*（Walker，1859）
　　分布:陕西、山西、安徽、台湾、广东；泰国，尼泊尔，巴基斯坦，印度尼西亚。

483. 毛虫寄蝇属 *Epicampocera* Macquart，1849

（1408）缢蛹毛虫寄蝇 *Epicampocera succincta*（Meigen，1824）
　　分布:陕西(宁陕)、黑龙江、吉林、辽宁、河北、宁夏、湖南、四川；俄罗斯，日本，欧洲。

484. 幽寄蝇属 *Eumea* Robineau-Desvoidy，1863

（1409）窄角幽寄蝇 *Eumea linearicornis*（Zetterstedt，1844）
　　分布:陕西(太白)、辽宁、山西、宁夏、云南；俄罗斯，日本，欧洲。

485. 宽寄蝇属 *Eurysthaea* Robineau-Desvoidy，1863

（1410）小盾宽寄蝇 *Eurysthaea scutellaris*（Robineau-Desvoidy，1849）
　　分布:陕西(太白)、黑龙江、上海；蒙古，俄罗斯，日本，欧洲。

486. 追寄蝇属 *Exorista* Meigen，1803

（1411）坎坦追寄蝇 *Exorista cantans* Mesnil，1960
　　分布:陕西(山阳)、辽宁、北京、福建、广东；日本。

（1412）褐翅追寄蝇 *Exorista fuscipennis*（Baranov，1932）
　　分布:陕西、黑龙江、吉林、辽宁、内蒙古、北京、天津、河北、山西、山东、上海、江苏、安徽、浙江、江西、福建、台湾、广东、海南、香港、广西、重庆、四川、贵州、云南、西藏。

（1413）透翅追寄蝇 *Exorista hyalipennis*（**Baranov，1932**）

分布：陕西（佛坪），中国广布；俄罗斯，日本，越南，泰国。

（1414）日本追寄蝇 *Exorista japonica*（**Townsend，1909**）

分布：陕西（西安、周至、眉县、华县、佛坪、山阳、商南）、黑龙江、吉林、辽宁、内蒙古、北京、天津、河北、山西、河南、山东、宁夏、甘肃、新疆、上海、江苏、安徽、浙江、江西、湖北、湖南、福建、台湾、广东、海南、香港、广西、重庆、四川、贵州、云南、西藏；日本，越南，泰国，印度，尼泊尔，菲律宾，马来西亚，印度尼西亚。

（1415）古毒蛾追寄蝇 *Exorista larvarum*（**Linnaeus，1758**）

分布：陕西、黑龙江、吉林、辽宁、内蒙古、北京、河北、山西、河南、山东、甘肃、宁夏、青海、新疆、上海、江苏、安徽、浙江、江西、福建、台湾、广东、四川、西藏；蒙古，俄罗斯，日本，印度，欧洲，非洲，新北区。

（1416）迷追寄蝇 *Exorista mimula*（**Meigen，1824**）

分布：陕西、黑龙江、吉林、辽宁、内蒙古、北京、河北、山西、甘肃、青海、新疆、福建、四川、云南、西藏；蒙古，俄罗斯，日本，欧洲。

（1417）草地追寄蝇 *Exorista pratensis*（**Robineau-Desvoidy，1830**）

分布：陕西、黑龙江、吉林、辽宁、内蒙古、河北、甘肃、青海、新疆、福建；朝鲜，日本，欧洲。

（1418）四鬃追寄蝇 *Exorista quadriseta* **Baranov，1932**

分布：陕西、江苏、浙江、湖南、台湾、四川、云南；朝鲜。

（1419）红尾追寄蝇 *Exorista xanthaspis*（**Wiedemann，1830**）

分布：陕西、黑龙江、吉林、辽宁、内蒙古、北京、河北、山西、河南、山东、宁夏、新疆、上海、江苏、安徽、浙江、湖北、江西、湖南、福建、台湾、广东、海南、香港、广西、重庆、四川、贵州、云南、西藏；蒙古，俄罗斯，日本，欧洲，非洲，澳洲。

487．宽额寄蝇属 *Frontina* **Meigen，1838**

（1420）闪斑宽额寄蝇 *Frontina adusta*（**Walker，1853**）

分布：陕西（柞水）、山西、湖北、四川、云南；印度。

488．膝芒寄蝇属 *Gonia* **Meigen，1803**

（1421）中华膝芒寄蝇 *Gonia chinensis* **Wiedemann，1824**

分布：陕西（佛坪），中国广布；韩国，日本，越南，印度，尼泊尔，巴基斯坦，菲律宾，马来西亚，中亚。

（1422）黄毛膝芒寄蝇 *Gonia klapperichi*（Mesnil, 1956）
分布：陕西（留坝）、辽宁、青海、新疆、浙江、福建、广东、广西、四川、贵州、
云南；缅甸，印度。

（1423）黑腹膝芒寄蝇 *Gonia picea*（Robineau-Desvoidy, 1830）
分布：陕西、黑龙江、辽宁、北京、上海、江苏、安徽、四川、西藏；俄罗斯，
中亚，欧洲。

489. 娇寄蝇属 *Hebia* Robineau-Desvoidy, 1830

（1424）黄娇寄蝇 *Hebia flavipes* Robineau-Desvoidy, 1830
分布：陕西（山阳）、辽宁、河北、宁夏；俄罗斯，日本，欧洲。

490. 异丛寄蝇属 *Isosturmia* Townsend, 1927

（1425）叉异丛寄蝇 *Isosturmia cruciata*（Townsend, 1927）
分布：陕西（留坝、佛坪）、湖南；马来西亚，印度尼西亚。

（1426）毛异丛寄蝇 *Isosturmia pilosa* Shima, 1987
分布：陕西（佛坪）；日本。

491. 卡里寄蝇属 *Kallisomyia* Borisova, 1964

（1427）塔氏卡里寄蝇 *Kallisomyia stackelbergi* Borisova, 1964
分布：陕西（周至）、辽宁；俄罗斯。

492. 利索寄蝇属 *Lixophaga* Townsend, 1908

（1428）象虫利索寄蝇 *Lixophaga dyscerae* Shi, 1991
分布：陕西（洛南）。

（1429）伪利索寄蝇 *Lixophaga fallax* Mesnil, 1963
分布：陕西（周至、佛坪、宁陕、山阳）、吉林、辽宁、山西、河南、湖南、广东、
广西、四川；日本。

（1430）宽颊利索寄蝇 *Lixophaga latigena* Shima, 1979
分布：陕西（佛坪）、辽宁、安徽、广西、云南、西藏；日本。

493. 厉寄蝇属 *Lydella* Robineau-Desvoidy, 1830

（1431）玉米螟厉寄蝇 *Lydella grisescens* Robineau-Desvoidy, 1830
分布：陕西、黑龙江、吉林、内蒙古、北京、河北、山西、河南、山东、甘肃、宁

夏、青海、新疆、江苏、安徽、湖北、湖南、福建、广东、广西、重庆、四川、云南、西藏；蒙古，俄罗斯，朝鲜，欧洲。

494. 麦寄蝇属 *Medina* Robineau-Desvoidy，1830

（1432）白瓣麦寄蝇 *Medina collaris*（Fallén，1820）

分布：陕西（佛坪）、辽宁、北京、河北、山西、宁夏、江苏、浙江、湖南、重庆、广东、香港、海南、广西、贵州、四川、云南、西藏；蒙古，俄罗斯，日本，欧洲。

（1433）褐瓣麦寄蝇 *Medina fuscisquama* Mesnil，1953

分布：陕西（太白、华县、佛坪、宁陕、山阳）、辽宁、内蒙古、北京、河北、山西、宁夏、湖北、湖南、广东、广西、贵州、四川、云南、西藏；缅甸，尼泊尔。

（1434）离麦寄蝇 *Medina separata*（Meigen，1824）

分布：陕西（周至、太白）、山西；俄罗斯，日本，欧洲。

495. 美根寄蝇属 *Meigenia* Robineau-Desvoidy，1830

（1435）大型美根寄蝇 *Meigenia majuscula*（Rondani，1859）

分布：陕西（宁陕）、黑龙江、吉林、辽宁、内蒙古、北京、天津、河北、山西、宁夏、青海、新疆、河南、山东、浙江、湖北、湖南、福建、台湾、广西、四川、贵州、云南；蒙古，俄罗斯，越南，欧洲，非洲北部。

（1436）三齿美根寄蝇 *Meigenia tridentata* Mesnil，1961

分布：陕西（太白、留坝、佛坪）、黑龙江、吉林、辽宁、北京、山西、宁夏、浙江、湖北、湖南、广西、四川、贵州、云南、西藏；俄罗斯。

（1437）丝绒美根寄蝇 *Meigenia velutina* Mesnil，1952

分布：陕西（长安）、黑龙江、吉林、辽宁、北京、山西、山东、上海、江苏、安徽、浙江、江西、湖南、福建、台湾、广东、香港、海南、广西、重庆、四川、贵州、云南、西藏；俄罗斯，日本，缅甸，尼泊尔。

496. 撵寄蝇属 *Myxexoristops* Townsend，1911

（1438）比撵寄蝇 *Myxexoristops abietis* Herting，1964

分布：陕西（宁陕）；欧洲。

（1439）双色撵寄蝇 *Myxexoristops bicolor*（Villeneuve，1908）

分布：陕西（太白）、北京、云南；俄罗斯，欧洲。

497. 尼里寄蝇属 *Nilea* Robineau-Desvoidy，1863

（1440）立毛尼里寄蝇 *Nilea hortulana*（Meigen，1824）

分布：陕西、辽宁、内蒙古、北京、山西、海南；俄罗斯，日本，欧洲。

498. 单寄蝇属 _Opsomeigenia_ Townsend, 1919

（1441）东方单寄蝇 _Opsomeigenia orientalis_ Yang, 1989
分布：陕西（宁陕）、广西。

499. 奥斯寄蝇属 _Oswaldia_ Robineau-Desvoidy, 1863

（1442）筒腹奥斯寄蝇 _Oswaldia eggeri_（Brauer _et_ Bergenstamm, 1889）
分布：陕西（周至、太白、眉县、佛坪）、黑龙江、辽宁、山西、河南、宁夏、新疆、浙江、四川、云南、西藏；俄罗斯，日本，欧洲。

（1443）短爪奥斯寄蝇 _Oswaldia issikii_（Baranov, 1935）
分布：陕西（周至）、辽宁、台湾、重庆、四川、贵州、云南、西藏；俄罗斯，日本。

500. 栉寄蝇属 _Pales_ Robineau-Desvoidy, 1830

（1444）炭黑栉寄蝇 _Pales carbonata_ Mesnil, 1970
分布：陕西（周至、华县、佛坪、宁陕、柞水、商南）、辽宁、北京、山东、宁夏、青海、新疆、上海、江苏、安徽、浙江、江西、福建、台湾、广东、四川、西藏；日本。

（1445）长角栉寄蝇 _Pales longicornis_ Chao _et_ Shi, 1982
分布：陕西、浙江、福建、广西、四川、云南、西藏。

（1446）蓝黑栉寄蝇 _Pales pavida_（Meigen, 1824）
分布：陕西（太白、周至、华县、佛坪、柞水）、中国广布；蒙古，俄罗斯，日本，中亚，中东，欧洲。

501. 侧盾寄蝇属 _Paratryphera_ Brauer _et_ Bergenstamm, 1891

（1447）双鬃侧盾寄蝇 _Paratryphera bisetosa_（Brauer _et_ Bergenstamm, 1891）
分布：陕西（西安、太白、留坝、佛坪、南郑、商南）、黑龙江、吉林、辽宁、内蒙古、北京、天津、河北、山西、宁夏、广东、广西、重庆、四川、贵州、云南、西藏；俄罗斯，日本，欧洲。

502. 菲寄蝇属 _Phebellia_ Robineau-Desvoidy, 1846

（1448）艾格菲寄蝇 _Phebellia agnatella_ Mesnil, 1955
分布：陕西（留坝）、辽宁、河北、山西、上海、江苏、云南；日本。

（1449）金粉菲寄蝇 *Phebellia fulvipollinis* Chao et Chen，2007

　　分布：陕西（南郑）、吉林、辽宁、北京、山西、宁夏、西藏。

（1450）黑须菲寄蝇 *Phebellia nigripalpis*（Robineau-Desvoidy，1847）

　　分布：陕西（佛坪）；俄罗斯，日本，欧洲。

（1451）裸脉菲寄蝇 *Phebellia nudicosta* Shima，1981

　　分布：陕西（太白）；日本。

（1452）简菲寄蝇 *Phebellia stulta*（Zetterstedt，1844）

　　分布：陕西（太白）、宁夏；俄罗斯，日本，欧洲。

503. 蚤寄蝇属 *Phorinia* Robineau-Desvoidy，1830

（1453）*Phorinia spinulosa* Tachi et Shima，2006

　　分布：陕西（柞水）、福建、台湾；日本。

504. 裸板寄蝇属 *Phorocerosoma* Townsend，1927

（1454）簇缨裸板寄蝇 *Phorocerosoma vicaria*（Walker，1856）

　　分布：陕西（宁陕、商南）、黑龙江、辽宁、山东、上海、江苏、安徽、浙江、湖北、湖南、江西、福建、台湾、海南、广西、四川、贵州、云南；俄罗斯，日本，泰国，新加坡，马来西亚，印度尼西亚。

505. 怯寄蝇属 *Phryxe* Robineau-Desvoidy，1830

（1455）赫氏怯寄蝇 *Phryxe heraclei*（Meigen，1824）

　　分布：陕西（留坝）、宁夏、四川、贵州、云南、西藏；蒙古，俄罗斯，日本，欧洲。

（1456）狮头怯寄蝇 *Phryxe nemea*（Meigen，1824）

　　分布：陕西（周至、留坝）、辽宁、宁夏、青海、四川；俄罗斯，日本，欧洲。

（1457）普通怯寄蝇 *Phryxe vulgaris*（Fallén，1810）

　　分布：陕西（凤县）、黑龙江、吉林、辽宁、内蒙古、北京、天津、河北、山西、河南、宁夏、青海、新疆、上海、湖北、广东、重庆、云南，西藏；蒙古，俄罗斯，日本，中亚，中东，欧洲，北美洲。

506. 纤寄蝇属 *Prodegeeria* Brauer et Bergenstamm，1895

（1458）鬃尾纤寄蝇 *Prodegeeria chaetopygialis*（Townsend，1926）

　　分布：陕西（留坝、南郑）、山东、上海、江苏、安徽、浙江、江西、福建、台湾、广东、海南、广西、重庆、四川、贵州、云南、西藏；泰国，马来西亚，印度尼西亚，美拉尼西亚。

（1459）日本纤寄蝇 *Prodegeeria japonica*（Mesnil，1957）
分布：陕西（佛坪、宁陕、柞水、山阳、商南）、吉林、辽宁、北京、浙江、湖南、广东、四川、云南；俄罗斯，韩国，日本。

507．Genus *Prooppia* Townsend，1926

（1460）*Prooppia latipalpis*（Shima，1981）
分布：陕西、上海；俄罗斯，日本。

508．赛寄蝇属 *Pseudoperichaeta* Brauer *et* Bergenstamm，1889

（1461）稻苞虫赛寄蝇 *Pseudoperichaeta nigrolineata*（Walker，1853）
分布：陕西、辽宁、北京、河北、山西、河南、山东、新疆、上海、江苏、安徽、浙江、湖北、江西、湖南、福建、广东、广西、重庆、四川；俄罗斯，朝鲜，日本，欧洲。

509．裸基寄蝇属 *Senometopia* Macquart，1834

（1462）紊裸基寄蝇 *Senometopia confundens*（Rondani，1859）
分布：陕西（秦岭）、黑龙江、吉林、内蒙古、北京、山西、甘肃、浙江、湖南、海南、四川；蒙古，俄罗斯，日本，欧洲。

（1463）齿肛裸基寄蝇 *Senometopia dentata*（Chao *et* Liang，2002）
分布：陕西（西安、太白、眉县、华县、留坝、佛坪、宁陕、南郑、商南）、辽宁、北京、宁夏、甘肃、湖南、海南、四川。

（1464）隔离裸基寄蝇 *Senometopia excisa*（Fallén，1820）
分布：陕西（西安），中国广布；俄罗斯，日本，印度，斯里兰卡，欧洲。

（1465）长生节裸基寄蝇 *Senometopia longiepandriuma*（Chao *et* Liang，2002）
分布：陕西（西安、太白、眉县、华县、佛坪、宁陕、柞水、山阳、商南）、浙江、湖南、广西、云南。

（1466）东方裸基寄蝇 *Senometopia orientalis*（Shima，1968）
分布：陕西（西安）、北京、山西、江苏、浙江、江西、福建、广西、四川、贵州、云南；日本。

（1467）*Senometopia pollinosa*（Mesnil，1941）
分布：陕西、吉林、辽宁、北京、河南、甘肃；俄罗斯，日本，欧洲。

510．丝寄蝇属 *Sericozenillia* Mesnil，1957

（1468）白毛丝寄蝇 *Sericozenillia albipila*（Mesnil，1957）

分布:陕西(周至、佛坪)、辽宁;日本。

511. 皮寄蝇属 *Sisyropa* Brauer *et* Bergenstamm, 1889

(1469) 台湾皮寄蝇 *Sisyropa formosa* Mesnil, 1944
分布:陕西(山阳)、江西、湖南、台湾、贵州;印度,斯里兰卡。

512. 锥腹寄蝇属 *Smidtia* Robineau-Desvoidy, 1830

(1470) 松毛虫锥腹寄蝇 *Smidtia amoena* (Meigen, 1824)
分布:陕西(秦岭)、黑龙江、吉林、辽宁、山西、山东、安徽、浙江、湖北、湖南、广西;俄罗斯,日本,中亚,欧洲。

513. 跃寄蝇属 *Spallanzania* Robineau-Desvoidy, 1830

(1471) 梳飞跃寄蝇 *Spallanzania hebes* (Fallén, 1820)
分布:陕西、黑龙江、吉林、辽宁、内蒙古、北京、天津、河北、山西、甘肃、宁夏、青海、新疆、上海、江苏、浙江、湖南、广东、海南、西藏;蒙古,俄罗斯,印度,欧洲。

514. 塔卡寄蝇属 *Takanomyia* Mesnil, 1957

(1472) 高木塔卡寄蝇 *Takanomyia takagii* Shima, 1988
分布:陕西(秦岭);尼泊尔。

515. 鞘寄蝇属 *Thecocarcelia* Townsend, 1933

(1473) 稻苞虫鞘寄蝇 *Thecocarcelia parnarae* Chao, 1976
分布:陕西、山东、上海、江苏、安徽、浙江、湖北、江西、湖南、福建、台湾、广东、海南、香港、广西、重庆、四川、云南;越南,泰国,印度,尼泊尔,印度尼西亚。

516. 三角寄蝇属 *Trigonospila* Pokorny, 1886

(1474) 芦地三角寄蝇 *Trigonospila ludio* (Zetterstedt, 1849)
分布:陕西(周至、佛坪、南郑)、辽宁、山西、湖南、广西、四川、贵州、云南、西藏;俄罗斯,日本,缅甸,印度,欧洲。

(1475) 横带三角寄蝇 *Trigonospila transvittata* (Pandellé, 1896)
分布:陕西(周至)、浙江、湖南、福建、台湾、广东、海南、广西、四川、贵州、云南；日本，泰国，印度，马来西亚，印度尼西亚，欧洲。

517．柄尾寄蝇属 *Urodexia* Osten Sacken，1882

（1476）簇毛柄尾寄蝇 *Urodexia penicillum* Osten Sacken，1882

　　分布：陕西（佛坪）、浙江、湖南、福建、台湾、广东、广西、四川、贵州、云南；日本，泰国，印度，斯里兰卡，马来西亚，印度尼西亚。

518．尾寄蝇属 *Uromedina* Townsend，1926

（1477）暗尾寄蝇 *Uromedina atrata*（Townsend，1927）

　　分布：陕西（周至、佛坪）、台湾、广东、海南；俄罗斯，日本，泰国，缅甸，尼泊尔，马来西亚，巴布亚新几内亚。

519．髭寄蝇属 *Vibrissina* Rondani，1861

（1478）狭额髭寄蝇 *Vibrissina angustifrons* Shima，1983

　　分布：陕西（宁陕）、台湾；日本。

（1479）长角髭寄蝇 *Vibrissina turrita*（Meigen，1824）

　　分布：陕西（周至、华县、留坝、佛坪），中国分布；俄罗斯，朝鲜，韩国，日本，欧洲。

520．温寄蝇属 *Winthemia* Robineau-Desvoidy，1830

（1480）狭肛温寄蝇 *Winthemia angusta* Shima，Chao *et* Zhang，1992

　　分布：陕西（太白）、辽宁、北京、山西、山东、云南；日本。

（1481）华丽温寄蝇 *Winthemia speciosa*（Egger，1861）

　　分布：陕西（留坝）、浙江、四川；蒙古，俄罗斯，日本，欧洲。

（1482）灿烂温寄蝇 *Winthemia venusta*（Meigen，1824）

　　分布：陕西（太白、眉县、华县、留坝、宁陕、南郑、商南、山阳），中国广布；俄罗斯，日本，欧洲。

521．彩寄蝇属 *Zenillia* Robineau-Desvoidy，1830

（1483）黄粉彩寄蝇 *Zenillia dolosa*（Meigen，1824）

　　分布：陕西、黑龙江、吉林、辽宁、内蒙古、河北、山西、河南、宁夏、湖北、贵州、云南；俄罗斯，日本，欧洲。

（三）突颜寄蝇亚科 Phasiinae

522. 筒腹寄蝇属 *Cylindromyia* Meigen，1803

（1484）棕头筒腹寄蝇 *Cylindromyia brassicaria*（Fabricius，1775）

分布：陕西（华县、商南）、黑龙江、吉林、内蒙古、北京、山西、甘肃、宁夏、新疆、江苏、浙江、云南、西藏；蒙古，俄罗斯，日本，中亚，欧洲，中东，非洲北部。

（1485）暗翅筒腹寄蝇 *Cylindromyia umbripennis*（van der Wulp，1881）

分布：陕西（华县、留坝）、宁夏、上海、江苏、安徽、浙江、福建、台湾、广东、广西、四川、云南；俄罗斯，朝鲜，韩国，日本，斯里兰卡，菲律宾，马来西亚，印度尼西亚。

523. 异颜寄蝇属 *Ectophasia* Townsend，1912

（1486）宽翅异颜寄蝇 *Ectophasia crassipennis*（Fabricius，1794）

分布：陕西（华县、柞水、山阳）、辽宁、西藏；俄罗斯，日本，欧洲。

（1487）圆腹异颜寄蝇 *Ectophasia rotundiventris*（Loew，1858）

分布：陕西（华县、佛坪、宁陕、柞水、山阳、商南）、辽宁、台湾、四川；俄罗斯，日本。

524. 腹寄蝇属 *Gymnosoma* Meigen，1803

（1488）荒腹寄蝇 *Gymnosoma desertorum*（Rohdendorf，1947）

分布：陕西（周至、华县）、内蒙古、新疆；蒙古，俄罗斯，哈萨克斯坦，巴基斯坦，中亚，中东，欧洲。

（1489）圆腹寄蝇 *Gymnosoma rotundatum*（Linnaeus，1758）

分布：陕西（华县、山阳）、北京、河北、甘肃、台湾、广东、四川、云南、西藏；俄罗斯，日本，欧洲。

525. 贺寄蝇属 *Hemya* Robineau-Desvoidy，1830

（1490）比贺寄蝇 *Hemya beelzebul*（Wiedemann，1830）

分布：陕西（华县、宁陕、柞水、山阳、商南、镇平）、中国广布；日本，越南，泰国，缅甸，印度，尼泊尔，斯里兰卡，菲律宾，马来西亚，印度尼西亚。

（1491）*Hemya hertingi* Ziegler *et* Shima，1996

分布：陕西、辽宁、山西、安徽、台湾；俄罗斯。

（1492）茎贺寄蝇 *Hemyda obscuripennis*（Meigen，1824）

分布：陕西、内蒙古、山西、湖北；朝鲜。

526．罗佛寄蝇属 *Lophosia* Meigen，1824

（1493）狭尾罗佛寄蝇 *Lophosia angusticauda*（Townsend，1927）

分布：陕西（华县、宁陕、山阳）、江苏、浙江、台湾、四川、贵州、云南；泰国。

527．俏饰寄蝇属 *Parerigone* Brauer，1898

（1494）黄金俏饰寄蝇 *Parerigone aurea* Brauer，1898

分布：陕西（长安）、黑龙江、辽宁、宁夏、四川；俄罗斯。

（1495）王氏俏饰寄蝇 *Parerigone wangi* Wang，Zhang *et* Wang，2015

分布：陕西。

528．突颜寄蝇属 *Phasia* Latreille，1804

（1496）半球突颜寄蝇种团 *Phasia hemiptera*-group sp.

分布：陕西（华县）、黑龙江、北京；俄罗斯，日本，欧洲。

（四）寄蝇亚科 Tachininae

529．阿特寄蝇属 *Atylostoma* Brauer *et* Bergenstamm，1889

（1497）爪哇阿特寄蝇 *Atylostoma javanum*（Brauer *et* Bergenstamm，1895）

分布：陕西（留坝、南郑）、广东、西藏；缅甸，印度，菲律宾，印度尼西亚。

（1498）十和田阿特寄蝇 *Atylostoma towadensis*（Matsumura，1916）

分布：陕西（周至、太白、留坝、佛坪、宁陕）、辽宁、宁夏、福建、云南；俄罗斯，日本，泰国，印度尼西亚。

530．比西寄蝇属 *Bithia* Robineau-Desvoidy，1863

（1499）德比西寄蝇 *Bithia demotica*（Egger，1861）

分布：陕西（商南）、新疆；俄罗斯，欧洲。

531．谐寄蝇属 *Cavillatrix* Richter，1986

（1500）卢谐寄蝇 *Cavillatrix luteipes* Shima *et* Chao，1992

分布：陕西（长安）、四川、云南。

532. 毛脉寄蝇属 *Ceromya* Robineau-Desvoidy，1830

（1501）和毛脉寄蝇 *Ceromya cothurnate* Tachi *et* Shima，2000
　　　　分布：陕西（周至）；日本。

533. 拟解寄蝇属 *Demoticoides* Mesnil，1953

（1502）白拟解寄蝇 *Demoticoides pallidus* Mesnil，1953
　　　　分布：陕西（佛坪）、辽宁；俄罗斯，日本，印度，马来西亚，印度尼西亚，
　　　　澳大利亚，美拉尼西亚。

534. 颊寄蝇属 *Dexiosoma* Rondani，1856

（1503）灰颊寄蝇 *Dexiosoma caninum*（Fabricius，1781）
　　　　分布：陕西（周至、佛坪、宁陕）、吉林、辽宁、宁夏；俄罗斯，日本，欧洲。

535. 昆寄蝇属 *Entomophaga* Lioy，1864

（1504）暗棒昆寄蝇 *Entomophaga nigrohalterata*（Villeneuve，1921）
　　　　分布：陕西（长安）；日本，欧洲。

536. 广颜寄蝇属 *Eurithia* Robineau-Desvoidy，1844

（1505）采花广颜寄蝇 *Eurithia anthophila*（Robineau-Desvoidy，1830）
　　　　分布：陕西（周至、留坝）、黑龙江、吉林、辽宁、内蒙古、北京、天津、山西、
　　　　新疆、浙江、湖北、湖南、海南、重庆、四川、贵州、云南、西藏；蒙古，俄罗
　　　　斯，日本，欧洲。

537. 透翅寄蝇属 *Hyalurgus* Brauer *et* Bergenstamm，1893

（1506）横带透翅寄蝇 *Hyalurgus cinctus* Villeneuve，1937
　　　　分布：陕西（太白、留坝）、吉林、山西、甘肃、宁夏、青海、四川、云南。
（1507）黄腿透翅寄蝇 *Hyalurgus flavipes* Chao *et* Shi，1980
　　　　分布：陕西（留坝）、辽宁、山西、宁夏、云南。

538. 豪寄蝇属 *Hystriomyia* Portschinsky，1881

（1508）黑毛豪寄蝇 *Hystriomyia nigrosetosa* Zimin，1931
　　　　分布：陕西、内蒙古、河北、四川、云南；蒙古，俄罗斯。

539．短须寄蝇属 *Linnaemya* Robineau-Desvoidy，1830

（1509）饰额短须寄蝇 *Linnaemya comta*（Fallén，1810）

分布：陕西、黑龙江、吉林、辽宁、内蒙古、北京、天津、河北、山西、河南、山东、甘肃、宁夏、青海、新疆、上海、江苏、安徽、浙江、湖北、江西、福建、台湾、广西、四川、云南、西藏；蒙古，俄罗斯，印度，哈萨克斯坦，中亚、欧洲、非洲，北美洲。

（1510）毛翅短须寄蝇 *Linnaemya hirtradia* Chao et Shi，1980

分布：陕西（佛坪）。

（1511）毛径短须寄蝇 *Linnaemya microchaetopsis* Shima，1986

分布：陕西（佛坪），中国广布；俄罗斯，朝鲜，韩国，日本，中亚。

（1512）峨眉短须寄蝇 *Linnaemya omega* Zimin，1954

分布：陕西（太白、佛坪），中国广布；俄罗斯。

（1513）黄粉短须寄蝇 *Linnaemya paralongipalpis* Chao，1962

分布：陕西（留坝、佛坪、宁陕）、甘肃、湖北、湖南、四川、云南；俄罗斯。

（1514）钩肛短须寄蝇 *Linnaemya picta*（Meigen，1824）

分布：陕西（佛坪），中国广布；俄罗斯，日本，泰国，印度，尼泊尔，欧洲。

（1515）黄角短须寄蝇 *Linnaemya ruficornis* Chao，1962

分布：陕西（南郑）、黑龙江、辽宁、山西、宁夏、安徽、四川。

540．叶甲寄蝇属 *Macquartia* Robineau-Desvoidy，1830

（1516）格叶甲寄蝇 *Macquartia grisea*（Fallén，1810）

分布：陕西（柞水）；欧洲。

（1517）毛肛叶甲寄蝇 *Macquartia pubiceps*（Zetterstedt，1845）

分布：陕西（长安）、辽宁、河北、宁夏、广东；俄罗斯，日本，欧洲。

541．密寄蝇属 *Mikia* Kowarz，1885

（1518）毛缘密寄蝇 *Mikia apicalis*（Matsumura，1916）

分布：陕西（留坝）、吉林、浙江、江西、湖南、福建、台湾、海南、广西、四川、贵州、云南；印度，印度尼西亚。

（1519）日本密寄蝇 *Mikia japanica*（Baranov，1935）

分布：陕西（秦岭）、吉林、辽宁、河北、安徽、福建、台湾、广西、四川、云南；

俄罗斯，日本。

（1520）棘须密寄蝇 *Mikia patellipalpis*（Mesnil，1953）

分布：陕西（秦岭）、甘肃、安徽、浙江、湖南、福建、海南、广西、四川、贵州、云南；俄罗斯，泰国，缅甸，马来西亚。

542. 毛瓣寄蝇属 *Nemoraea* Robineau-Desvoidy，1830

（1521）双色毛瓣寄蝇 *Nemoraea angustecarinata*（Macquart，1848）

分布：陕西（留坝）、四川；印度尼西亚。

（1522）裂毛瓣寄蝇 *Nemoraea bipartita* Malloch，1935

分布：陕西（周至）、四川。

（1523）条胸毛瓣寄蝇 *Nemoraea fasciata*（Chao et Shi，1985）

分布：陕西（佛坪）、江苏、安徽、浙江、江西、福建、广东、四川、云南、西藏。

（1524）爪哇毛瓣寄蝇 *Nemoraea javana*（Brauer et Bergenstamm，1895）

分布：陕西（周至、佛坪）、浙江、湖南、四川、贵州；印度尼西亚。

（1525）透翅毛瓣寄蝇 *Nemoraea pellucida*（Meigen，1824）

分布：陕西（太白、留坝、佛坪、宁陕）、黑龙江、辽宁、北京、山西、宁夏、甘肃、广西、四川、云南、西藏。

（1526）萨毛瓣寄蝇 *Nemoraea sapporensis* Kocha，1969

分布：陕西（佛坪）、黑龙江、辽宁、北京、河北、山西、河南、宁夏、浙江、湖北、湖南、福建、广东、四川、云南、西藏；俄罗斯，日本。

543. Genus *Paropesia* Mesnil，1970

（1527）*Paropesia discalis* Shima，2014

分布：陕西；缅甸。

544. 长须寄蝇属 *Peleteria* Robineau-Desvoidy，1830

（1528）伊娃长须寄蝇 *Peleteria iavana*（Wiedemann，1819）

分布：陕西（长安、周至、留坝、佛坪），中国广布；俄罗斯，朝鲜，韩国，日本，哈萨克斯坦，泰国，缅甸，印度，尼泊尔，斯里兰卡，菲律宾，马来西亚，印度尼西亚，欧洲，非洲，美拉尼西亚，巴布亚新几内亚，澳大利亚。

（1529）*Peleteria versuta*（Loew，1871）

分布：陕西、黑龙江、吉林、辽宁、内蒙古、北京、天津、河北、山西、甘肃、宁夏、青海、新疆、重庆、四川、贵州、云南、西藏；蒙古，俄罗斯，日本，哈萨克斯坦。

545. 等鬃寄蝇属 *Peribaea* Robineau-Desvoidy，1863

（1530）*Peribaea abbreviata* Tachi *et* Shima，2002

　　分布：陕西、广东；韩国，日本。

（1531）裸脉等鬃寄蝇 *Peribaea glabra* Tachi *et* Shima，2002

　　分布：陕西、台湾、香港、四川；俄罗斯，日本。

（1532）黄胫等鬃寄蝇 *Peribaea tibialis*（Robineau-Desvoidy，1851）

　　分布：陕西（周至、太白）、黑龙江、北京、山西、浙江、湖南、福建、台湾、广东、海南、香港、四川、贵州、云南；蒙古，俄罗斯，朝鲜，韩国，日本，缅甸，中亚，欧洲，中东，刚果，肯尼亚，南非。

546. Genus *Pseudebenia* Shima，Han *et* Tachi，2010

（1533）*Pseudebenia trisetosa* Shima *et* Tachi，2010

　　分布：陕西（柞水）、四川。

547. Genus *Redtenbacheria* Schiner，1861

（1534）*Redtenbacheria insignis* Egger，1861

　　分布：陕西、四川；俄罗斯，日本，欧洲。

548. 长唇寄蝇属 *Siphona* Meigen，1803

（1535）袍长唇寄蝇 *Siphona pauciseta* Rondani，1865

　　分布：陕西（太白）、广东、西藏；蒙古，俄罗斯，日本，欧洲。

549. 寄蝇属 *Tachina* Meigen，1803

（1536）火红寄蝇 *Tachina ardens*（Zimin，1929）

　　分布：陕西（佛坪），中国广布；俄罗斯，缅甸，中东。

（1537）赵氏寄蝇 *Tachina chaoi* Mesnil，1966

　　分布：陕西（宁陕），中国广布；蒙古，俄罗斯，日本。

（1538）陈氏寄蝇 *Tachina cheni*（Chao，1987）

　　分布：陕西（留坝）、辽宁、北京、河北、山西、河南、甘肃、广东、四川、云南。

（1539）小寄蝇 *Tachina iota*（Chao *et* Arnaud，1993）

分布:陕西(留坝)、辽宁、内蒙古、北京、河南、宁夏、甘肃、青海、湖北、四川;日本。

(1540) 艳斑寄蝇 *Tachina lateromaculata* (Chao, 1962)

分布:陕西(留坝、佛坪、宁陕)、辽宁、山西、甘肃、江苏、浙江、江西、湖北、湖南、福建、四川、贵州、云南;越南,中东。

(1541) 怒寄蝇 *Tachina nupta* (Rondani, 1859)

分布:陕西(留坝),中国广布;蒙古,俄罗斯,朝鲜,韩国,日本,中亚,欧洲。

(1542) 明寄蝇 *Tachina sobria* Walker, 1853

分布:陕西(秦岭)、甘肃、新疆、湖南、福建、广东、海南、香港、广西、重庆、四川、贵州、云南、西藏;缅甸,印度,巴基斯坦,马来西亚,印度尼西亚。

(1543) 什塔寄蝇 *Tachina stackelbergi* (Zimin, 1929)

分布:陕西(凤县、佛坪)、黑龙江、吉林、辽宁、内蒙古、北京、河北、山西、甘肃、青海、新疆、浙江、湖北、湖南、福建、广东、广西、四川、贵州、云南、西藏;俄罗斯,日本。

五十四、胃蝇科 Gasterophilidae

550. 胃蝇属 *Gasterophilus* Leach, 1817

(1544) 赤尾胃蝇 *Gasterophilus haemorrhoidalis* (Linnaeus, 1758)

分布:陕西、黑龙江、内蒙古、青海、新疆、西藏;古北区。

(1545) 胸胃蝇 *Gasterophilus intestinalis* (de Geer, 1776)

分布:陕西、黑龙江、内蒙古、山西、甘肃、青海、四川、云南、西藏;世界广布。

(1546) 鼻胃蝇 *Gasterophilus nasalis* (Linnaeus, 1758)

分布:陕西、黑龙江、内蒙古、青海、新疆、西藏;世界广布。

(1547) 黑腹胃蝇 *Gasterophilus pecorum* (Fabricius, 1794)

分布:陕西、黑龙江、内蒙古、新疆;印度,古北区,非洲区。

五十五、狂蝇科 Oestridae

551. 狂蝇属 *Oestrus* Linnaeus, 1758

(1548) 羊狂蝇 *Oestrus ovis* Linnaeus, 1758

分布:陕西、辽宁、内蒙古、河北、山西、甘肃、青海、新疆、广东;世界广布。

膜翅目 Hymenoptera

广腰亚目 Symphyta

一、棒蜂科 Xyelidae

1. 巨棒蜂属 *Megaxyela* Ashmead，1898

（1）黑背巨棒蜂 *Megaxyela pulchra* Blank，Shinohara *et* Sundukov，2017
　　分布:陕西(佛坪)、吉林、辽宁、湖北、西藏;俄罗斯。

2. 棒蜂属 *Xyela* Dalman，1819

（2）褐鞘棒蜂 *Xyela julii*（Brébisson，1818）
　　分布:陕西(眉县);蒙古,俄罗斯,欧洲。

二、茸蜂科 Blasticotomidae

3. 茸蜂属 *Blasticotoma* Klug，1834

（3）黄褐茸蜂 *Blasticotoma* sp.
　　分布:陕西(眉县、太白)、河北。

4. 三节茸蜂属 *Runaria* Malaise，1931

（4）刻盾三节茸蜂 *Runaria punctata* Wei，1999
　　分布:陕西(眉县、留坝、佛坪)、河南、浙江。

（5）陕西三节茸蜂 *Runaria shaanxinica* Wei，1999
　　分布:陕西(镇巴、佛坪)。

三、锤角叶蜂科 Cimbicidae

5. 丽锤角叶蜂属 *Abia* Leach，1817

（6）绿宝丽锤角叶蜂 *Abia berezowskii* Semenov，1896
　　分布:陕西(眉县、太白)、山西、河南、甘肃、浙江、湖北、湖南、广西、重庆、四川、贵州、云南；俄罗斯，朝鲜，日本。

（7）紫宝丽锤角叶蜂 *Abia formosa* Takeuchi，1927

分布：陕西（佛坪）、吉林、安徽、湖南、福建、台湾、广东。

（8）牛氏丽锤角叶蜂 *Abia niui* Wei *et* Deng，1999

分布：陕西（长安、留坝）、山西、河南、宁夏、甘肃、湖北、四川、贵州。

6. 细锤角叶蜂属 *Leptocimbex* Semenov，1896

（9）双环细锤角叶蜂 *Leptocimbex bicinctatus* Wei，2002

分布：陕西（秦岭）、甘肃、湖北、四川；缅甸。

（10）格氏细锤角叶蜂 *Leptocimbex grahami* Malaise，1939

分布：陕西（潼关、留坝）、河南、浙江、湖北、湖南、四川、贵州。

（11）连突细锤角叶蜂 *Leptocimbex potanini* Semenov，1896

分布：陕西（长安、太白、佛坪、丹凤）、辽宁、甘肃、湖北、广东、广西、四川、云南、西藏；俄罗斯，越南，缅甸。

（12）红黑细锤角叶蜂 *Leptocimbex rufoniger* Malaise，1939

分布：陕西（佛坪、安康）、湖北、湖南、福建、重庆、四川。

（13）断突细锤角叶蜂 *Leptocimbex tuberculatus* Malaise，1939

分布：陕西（长安、凤县、太白、留坝）、吉林、辽宁、山西、甘肃、安徽、湖北、江西、湖南、福建、广东、四川。

四、三节叶蜂科 Argidae

7. 近脉三节叶蜂属 *Aproceros* Malaise，1931

（14）淡足近脉三节叶蜂 *Aproceros leucopoda* Takeuchi，1939

分布：陕西（佛坪）、黑龙江、山西、甘肃；俄罗斯，日本，东欧。

8. 三节叶蜂属 *Arge* Schrank，1802

（15）尖鞘环腹三节叶蜂 *Arge acutiformis* Wei，1999

分布：陕西、河南。

（16）*Arge aenea* Hara *et* Shinohara，2008

分布：陕西（秦岭）；俄罗斯，韩国，日本。

（17）百山祖黄腹三节叶蜂 *Arge baishanzua* Wei，1995

分布：陕西（周至）、河南、江苏、安徽、浙江、湖北、湖南。

（18）榆红胸三节叶蜂 *Arge captiva*（Smith，1874）

　　分布:陕西(长安、宁陕)、吉林、辽宁、内蒙古、北京、河北、山东、河南、宁夏、上海、浙江、湖北、湖南、福建、广东、贵州;韩国,日本。

(19) 小室淡毛三节叶蜂 *Arge cellella* **Wei**, **2002**

　　分布:陕西(长安)、河南。

(20) 陈氏黑头三节叶蜂 *Arge chenshuchuni* **Wei**, **1999**

　　分布:陕西(周至、眉县、镇安)、河南。

(21) 蓝光黑头三节叶蜂 *Arge cinnabarina* **Gussakovskij**, **1935**

　　分布:陕西(华阴、镇巴)、甘肃、四川、贵州。

(22) 半刃黑毛三节叶蜂 *Arge compar* **Konow**, **1900**

　　分布:陕西(丹凤)、山东、河南、甘肃、江苏、安徽、浙江、湖北、江西、湖南、福建、四川、贵州。

(23) 齿瓣淡毛三节叶蜂 *Arge dentipenis* **Wei**, **1998**

　　分布:陕西(宁陕)、河北、河南、安徽、湖北、江西、湖南、福建、广东、贵州、云南。

(24) 完带淡毛三节叶蜂 *Arge entirea* **Wei**, **2002**

　　分布:陕西(长安)、河南、甘肃。

(25) *Arge fulvicauda* **Hara** *et* **Shinohara**, **2008**

　　分布:陕西(秦岭)、四川。

(26) 无斑黄腹三节叶蜂 *Arge geei* **Rohwer**, **1912**

　　分布:陕西(周至、凤县、潼关、留坝、佛坪、镇安、丹凤)、内蒙古、北京、河北、山东、河南、甘肃、江苏、浙江、湖北、江西、湖南、福建、四川、贵州。

(27) 关氏黑头三节叶蜂 *Arge guani* **Wei**, **1997**

　　分布:陕西(佛坪、榆林)、内蒙古。

(28) 何氏黑头三节叶蜂 *Arge hei* **Wei**, **1999**

　　分布:陕西(潼关、佛坪、甘泉)、吉林、辽宁、河北、北京、河南、湖北。

(29) 华中黑头三节叶蜂 *Arge huazhongia* **Wei**, **1998**

　　分布:陕西(长安)、河北、河南、甘肃、四川。

(30) 线斑淡毛三节叶蜂 *Arge lineotibialis* **Wei**, **1998**

　　分布:陕西(周至)、河南、湖南。

(31) 突眼红胸三节叶蜂 *Arge macrops* **Shinohara**, **Hara** *et* **Kim**, **2009**

　　分布:陕西(周至、眉县)、黑龙江、吉林、辽宁、河北、河南、甘肃;俄罗斯,韩国。

(32) 黑基黑头三节叶蜂 *Arge melanocoxa* **Wei**, **1998**

　　分布:陕西(长安、周至、潼关)、河南、甘肃、湖北。

（33）小眼黑毛三节叶蜂 *Arge pullata*（Zaddach，1859）

分布：陕西（太白）、河南、青海、湖北。

（34）小凹铜腹三节叶蜂 *Arge minitincisita* **Wei，2002**

分布：陕西（眉县）、河北、河南、贵州。

（35）黑肩黑头三节叶蜂 *Arge nigrocollinia* **Wei，1997**

分布：陕西（留坝）、山西、河南、甘肃、湖北、贵州、云南。

（36）日本黄腹三节叶蜂 *Arge nipponensis* **Rohwer，1910**

分布：陕西（宝鸡、潼关、留坝、佛坪、丹凤）、内蒙古、河北、山西、河南、上海、江苏、安徽、浙江、湖北、江西、湖南、福建、广东、广西、四川、贵州；俄罗斯，朝鲜，日本。

（37）暗蓝黄腹三节叶蜂 *Arge pagana*（Panzer，1798）

分布：陕西（佛坪）、河北，中国北部；蒙古，俄罗斯，韩国，欧洲。

（38）毛瓣淡毛三节叶蜂 *Arge pilopenis* **Wei，2002**

分布：陕西（长安）、黑龙江、吉林、辽宁、内蒙古、北京、河北、山西、山东、河南。

（39）横带淡毛三节叶蜂 *Arge potanini*（Jakovlev，1891）

分布：陕西（丹凤）、河北、山东、河南、甘肃。

（40）短角黄腹三节叶蜂 *Arge przhevalskii* **Gussakovskij，1935**

分布：陕西（周至）、内蒙古、河北、山西、河南、宁夏、甘肃、浙江、湖北、湖南、四川、贵州。

（41）小眼黑毛三节叶蜂 *Arge pullata*（Zaddach，1859）

分布：陕西（眉县、佛坪）、河南、青海、湖北；俄罗斯，欧洲。

（42）秦岭淡毛三节叶蜂 *Arge qinlingia* **Wei，1998**

分布：陕西（华阴）、辽宁、河南、甘肃。

（43）长斑淡毛三节叶蜂 *Arge radialis* **Gussakovskij，1935**

分布：陕西（佛坪）、河南、广西、重庆、四川、贵州、云南。

（44）杜鹃黑毛三节叶蜂 *Arge similis*（Snellen van Vollenhoven，1860）

分布：陕西（长安、周至、眉县、留坝、佛坪）、山东、河南、安徽、浙江、湖北、江西、湖南、福建、台湾、广东、广西、重庆、四川、贵州；日本，缅甸，印度。

（45）圆环钳三节叶蜂 *Arge simillima*（Smith，1874）

分布：陕西（长安）、河北、山西、宁夏、甘肃、青海、浙江、四川；俄罗斯。

（46）短脊淡毛三节叶蜂 *Arge subtilis* **Jakovlev，1891**

分布：陕西（留坝）、甘肃、四川。

（47）横脊淡毛三节叶蜂 *Arge transcarinata* **Wei，1999**

分布：陕西（佛坪）、河南、福建。

（48）三环环腹三节叶蜂 *Arge tricincta*（Wen *et* Wei, 2001）

分布：陕西（长安、凤县、宝鸡、佛坪、甘泉）、宁夏、甘肃、湖北、四川。

（49）瘤鞘淡毛三节叶蜂 *Arge tuberculotheca* Wei, 1998

分布：陕西（长安、潼关、佛坪）、河北、河南。

（50）脊颜红胸三节叶蜂 *Arge vulnerata* Mocsáry, 1909

分布：陕西（佛坪）、吉林、河南、安徽、浙江、湖北、江西、湖南、福建、台湾、广东、广西、四川、贵州；越南。

（51）列斑黄腹三节叶蜂 *Arge xanthogaster*（Cameron, 1876）

分布：陕西、吉林、河南、江苏、浙江、湖北、江西、湖南、福建、台湾、广东、香港、广西、重庆、四川、贵州、云南；越南，缅甸，印度。

（52）杨氏淡毛三节叶蜂 *Arge yangi* Wei, 1999

分布：陕西（华阴、甘泉）、河南、甘肃、湖南。

（53）震旦黄腹三节叶蜂 *Arge* sp.

分布：陕西（宝鸡、凤县、潼关、留坝、佛坪、安康、镇安、丹凤）、内蒙古、河北、山西、河南、江苏、上海、安徽、浙江、湖北、江西、湖南、福建、广东、广西、四川、贵州；俄罗斯，朝鲜，日本。

9．显脉三节叶蜂属 *Ortasiceros* Wei, 1997

（54）曲瓣显脉三节叶蜂 *Ortasiceros curvata* Wei, 1997

分布：陕西（甘泉）。

10．小头三节叶蜂属 *Pampsilota* Konow, 1899

（55）隆盾小头三节叶蜂 *Pampsilota scutellis* Wei, 1997

分布：陕西（长安、周至、太白）、安徽、浙江、湖北、四川、福建、湖南、广西、贵州。

（56）黄褐小头三节叶蜂 *Pampsilota* sp.

分布：陕西（周至）、河南。

11．刺背三节叶蜂属 *Spinarge* Wei, 1998

（57）红角刺腹三节叶蜂 *Spinarge fulvicornis*（Mocsáry, 1909）

分布：陕西（华阴）、河北、湖北、湖南；俄罗斯，日本。

（58）尖鞘刺腹三节叶蜂 *Spinarge* sp.

分布：陕西（太白、丹凤）、甘肃。

12．脊颜三节叶蜂属 *Sterictiphora* Billberg，1820

（59）隆盾脊颜三节叶蜂 *Sterictiphora elevata* Wei，1998
　　分布：陕西(佛坪)、河南。

（60）李氏脊颜三节叶蜂 *Sterictiphora lii* Wei，1998
　　分布：陕西(太白、榆林)、河南、甘肃、湖北。

（61）长柄脊颜三节叶蜂 *Sterictiphora pedicella* Wei，1998
　　分布：陕西(佛坪)、河南、甘肃、安徽。

（62）尖盾脊颜三节叶蜂 *Sterictiphora* sp.
　　分布：陕西(长安)。

五、松叶蜂科 Diprionidae

13．吉松叶蜂属 *Gilpinia* Benson，1939

（63）青扦吉松叶蜂 *Gilpinia wilsonae* Li *et* Guo，1999
　　分布：陕西(周至)。

14．新松叶蜂属 *Neodiprion* Rohwer，1918

（64）云杉新松叶蜂 *Neodiprion wilsonae*（Li *et* Guo，1999）
　　分布：陕西(周至)。

15．黑松叶蜂属 *Nesodiprion* Rohwer，1910

（65）浙江黑松叶蜂 *Nesodiprion zhejiangensis* Zhou *et* Xiao，1981
　　分布：陕西(镇巴)、辽宁、山东、河南、安徽、浙江、湖北、江西、湖南、福建、广东、广西、四川、贵州、云南。

六、七节叶蜂科 Heptamelidae

16．七节叶蜂属 *Heptamelus* Haliday，1855

（66）秦岭七节叶蜂 *Heptamelus* sp.
　　分布：陕西(佛坪)。

七、叶蜂科 Tenthredinidae

（一）蕨叶蜂亚科 Selandriinae

17．斑柄叶蜂属 *Abusarbia* Malaise，1944

（67）山地斑柄叶蜂 *Abusarbia alpina* Wei，2006

分布:陕西(周至、佛坪)、山西、河南、安徽、湖北、湖南、贵州。

18．长室叶蜂属 *Alphastromboceros* Kuznetzov-Ugamskij, 1928

（68）黑距长室叶蜂 *Alphastromboceros nigrocalcus* **Wei** *et* **Nie**, **1999**
分布:陕西(长安、宝鸡、凤县、眉县、华阴、佛坪、镇安)、山西、河南、甘肃、浙
江、湖南、广西、贵州。

（69）黑胫长室叶蜂 *Alphastromboceros nigrotibialis* **Wei, 1998**
分布:陕西(华阴)、河南、湖南。

19．凹颚叶蜂属 *Aneugmenus* Hartig, 1837

（70）小膜凹颚叶蜂 *Aneugmenus cenchrus* **Wei, 1997**
分布:陕西(留坝、佛坪)、河南、甘肃、安徽、浙江、湖北、江西、湖南、广西、重
庆、四川、贵州。

（71）日本凹颚叶蜂 *Aneugmenus japonicus* **Rohwer, 1910**
分布:陕西(佛坪)、河南、江苏、安徽、浙江、江西、湖南、福建、台湾、广东、广
西、贵州;俄罗斯,日本。

（72）黄带凹颚叶蜂 *Aneugmenus pteridii* **Malaise, 1944**
分布:陕西(佛坪)、河南、甘肃、安徽、浙江、湖北、江西、湖南、福建、广西、重
庆、四川、贵州、云南;缅甸。

（73）圆颊凹颚叶蜂 *Aneugmenus temporalis*（**Thomson, 1871**）
分布:陕西(镇巴)、黑龙江、吉林、宁夏;俄罗斯,日本,欧洲。

20．敛柄叶蜂属 *Astrombocerina* Wei *et* Nie, 1998

（74）黄腹敛柄叶蜂 *Astrombocerina* **sp.**
分布:陕西(凤县)、河南、四川。

21．微齿叶蜂属 *Atoposelandria* Enslin, 1913

（75）黑鳞微齿叶蜂 *Atoposelandria* **sp.**
分布:陕西(佛坪)。

22．柄臀叶蜂属 *Birka* Malaise, 1944

（76）卵鞘柄臀叶蜂 *Birka ootheca* **Wei, 1997**
分布:陕西(安康)、福建、贵州。

（77）瘤头柄臀叶蜂 *Birka tylilla* **Wei, 1997**
分布:陕西(华阴)。

23. 脉柄叶蜂属 *Busarbidea* Rohwer, 1915

（78）刘氏脉柄叶蜂 *Busarbidea liui* Wei, 1997
分布:陕西(华阴)、湖南。

（79）秦岭脉柄叶蜂 *Busarbidea qinlingia* Wei, 1997
分布:陕西(眉县)、湖北、湖南、福建、广西。

（80）宽沟脉柄叶蜂 *Busarbidea verticina* Wei, 2002
分布:陕西(周至、佛坪)、河南、贵州。

24. 沟额叶蜂属 *Corrugia* Malaise, 1944

（81）宽顶沟额叶蜂 *Corrugia* sp.
分布:陕西(华阴)、北京、浙江、湖北、湖南、福建、广东、海南、广西、重庆、贵州。

25. 拟齿角叶蜂属 *Edenticornia* Malaise, 1944

（82）大眼拟齿角叶蜂 *Edenticornia megaocula* Wei, 2005
分布:陕西(镇安)、湖北、湖南、四川、贵州。

26. 浅沟叶蜂属 *Kulia* Malaise, 1944

（83）中华浅沟叶蜂 *Kulia sinensis*（Forsius, 1927）
分布:陕西(佛坪)、辽宁、内蒙古、北京、河北、山东、河南、甘肃、江苏、安徽、浙江、湖北、江西、湖南、福建、广东、广西、重庆、四川、贵州、云南;韩国。

27. 侧齿叶蜂属 *Neostromboceros* Rohwer, 1912

（84）圆额侧齿叶蜂 *Neostromboceros circulofrons* Wei, 2002
分布:陕西(镇安)、浙江、湖北、湖南、福建、广东、广西、重庆、贵州。

（85）白唇侧齿叶蜂 *Neostromboceros leucopoda* Rohwer, 1916
分布:陕西(佛坪)、河南、甘肃、安徽、浙江、江西、湖南、福建、台湾、广东、广西、重庆、四川、贵州、云南;日本,越南。

（86）日本侧齿叶蜂 *Neostromboceros nipponicus* Takeuchi, 1941
分布:陕西(镇安)、河北、山东、河南、安徽、浙江、湖北、江西、湖南、福建、广东、广西、重庆、四川、贵州、云南;日本。

28. 平缝叶蜂属 *Nesoselandria* Rohwer, 1910

（87）马氏平缝叶蜂 *Nesoselandria maliae* Wei, 2002
分布:陕西(佛坪)、宁夏、浙江、湖南、福建、广东、广西、重庆、四川、贵州。

（88）黑背平缝叶蜂 *Nesoselandria nigrodorsalis* Wei, 2002

分布:陕西(镇安)、甘肃、安徽、湖南、广西、云南。

(89) 中华平缝叶蜂 *Nesoselandria sinica* **Wei, 1997**

分布:陕西(汉中、镇巴)、甘肃、安徽、浙江、湖北、湖南、福建、广西、四川、贵州。

(90) 汪氏平缝叶蜂 *Nesoselandria wangae* **Wei, 2002**

分布:陕西(洋县)、浙江、湖北、湖南、福建、广东、广西、重庆、贵州。

(91) 张氏平缝叶蜂 *Nesoselandria zhangae* **Wei** *et* **Niu, 2007**

分布:陕西(眉县)、河南、甘肃。

29. 近颚叶蜂属 *Paraneugmenus* **Wei** *et* **Nie, 1999**

(92) 白足异颚叶蜂 *Paraneugmenus frontalis* (**Wei, 1997**)

分布:陕西(周至、佛坪、镇安)、河南、甘肃。

30. 具柄叶蜂属 *Stromboceros* **Konow, 1885**

(93) 斑盾具柄叶蜂 *Stromboceros delicatulus* (**Fallén, 1808**)

分布:陕西(华阴)、黑龙江、吉林、辽宁、内蒙古、河南、浙江、湖北、贵州;俄罗斯,朝鲜,韩国,日本,欧洲。

(二)长背叶蜂亚科 Strongylogasterinae

31. 弧背叶蜂属 *Carinoscutum* **Wei** *et* **Nie, 1998**

(94) 白肩弧背叶蜂 *Carinoscutum albotegulis* **Wei** *et* **Nie, 1998**

分布:陕西(宝鸡)。

32. 长背叶蜂属 *Strongylogaster* **Dahlbom, 1835**

(95) 斑腹长背叶蜂 *Strongylogaster macula* (**Klug, 1817**)

分布:陕西(眉县、佛坪、丹凤)、安徽、浙江、湖北、湖南、广东、四川、贵州;日本,东北亚,欧洲,北美洲。

(96) 四川长背叶蜂 *Strongylogaster sichuanica* **Naito** *et* **Huang, 1988**

分布:陕西(佛坪)、湖南、四川。

(97) 纹腹长背叶蜂 *Strongylogaster takeuchii* **Naito, 1980**

分布:陕西(秦岭)、浙江;日本。

(98) 斑角长背叶蜂 *Strongylogaster xanthocera* (**Stephens, 1835**)

分布:陕西(佛坪)、安徽、浙江、湖南、福建;俄罗斯,欧洲。

33. 窗胸叶蜂属 *Thrinax* **Konow, 1885**

(99) 刘氏窗胸叶蜂 *Thrinax liui* (**Wei, 2005**)

分布:陕西(潼关)、河南、甘肃、浙江、湖北、湖南、四川、贵州。

（100）黄唇窗胸叶蜂 *Thrinax rufoclypeus*（**Wei, 1998**）
分布:陕西(长安，太白山)、河南、甘肃、浙江、贵州。

（101）长鞘窗胸叶蜂 *Thrinax* **sp.**
分布:陕西(佛坪)。

（三）短叶蜂亚科 **Rocaliinae**

34．短唇叶蜂属 *Birmindia* **Malaise, 1947**

（102）大顶短唇叶蜂 *Birmindia* **sp.**
分布:陕西(镇安)。

35．短叶蜂属 *Rocalia* **Takeuchi, 1952**

（103）四川短叶蜂 *Rocalia sichuanensis* **Naito** *et* **Huang, 1992**
分布:陕西(长安)、四川。

（四）粘叶蜂亚科 **Caliroinae**

36．宽齿叶蜂属 *Arla* **Malaise, 1957**

（104）红胸宽齿叶蜂 *Arla rufithorax*（**Togashi, 1995**）
分布:陕西(镇安)、河南、湖南、福建、广西、四川、贵州；日本。

37．粘叶蜂属 *Caliroa* **O. Costa, 1859**

（105）双室粘叶蜂 *Caliroa bicella* **Wei, 1997**
分布:陕西(华阴、凤县、眉县)、湖南。

（106）刘氏粘叶蜂 *Caliroa liui* **Wei, 1997**
分布:陕西(潼关)、河南、甘肃、湖南、福建、广东、贵州。

（107）狭瓣粘叶蜂 *Caliroa parallela* **Wei** *et* **Nie, 1998**
分布:陕西(长安)、河南、安徽、浙江。

38．异粘叶蜂属 *Endelomyia* **Ashmead, 1898**

（108）半缘异粘叶蜂 *Endelomyia marginata* **Wei, 1998**
分布:陕西(太白山)、贵州。

（五）实叶蜂亚科 **Hoplocampinae**

39．臀实叶蜂属 *Analcellicampa* **Wei** *et al.*, **2017**

（109）丹凤臀实叶蜂 *Analcellicampa danfengensis*（**Xiao, 1994**）
分布:陕西(丹凤)、湖南。

40．实叶蜂属 *Hoplocampa* Hartig，1837

（110）樱桃实叶蜂 *Hoplocampa danfengensis* Xiao，1994
　　分布：陕西（丹凤）。

（111）中国梨实叶蜂 *Hoplocampa* sp.
　　分布：陕西（秦岭）、山东、河南、江苏、安徽、浙江、湖北、江西、湖南、福建、
　　广东、海南、广西、重庆、四川、贵州、云南。

41．单室叶蜂属 *Monocellicampa* Wei，1998

（112）李实蜂（李单室叶蜂）*Monocellicampa pruni* Wei，1998
　　分布：陕西（长安）、河南、甘肃、江苏。国内有不少其他省区记载有李实蜂
　　分布，尚需要核实。

（六）枝角叶蜂亚科 Cladiinae

42．异实叶蜂属 *Anhoplocampa* Wei，1998

（113）斑角异实叶蜂 *Anhoplocampa bicoloricornis* Wei *et* Niu，2011
　　分布：陕西（眉县）、河南。

43．拟栉叶蜂属 *Priophorus* Dahlbom，1835

（114）黑转拟栉叶蜂 *Priophorus melanotus* Wei，2002
　　分布：陕西（华阴、宝鸡、凤县、佛坪）、河南、甘肃、湖南、贵州。

（115）狭鞘拟栉叶蜂 *Priophorus nigricans*（Cameron，1902）
　　分布：陕西（佛坪）、甘肃、安徽、湖北、浙江、上海、湖南、四川、贵州、台湾；
　　日本，缅甸，印度北部。

（116）黑跗拟栉叶蜂 *Priophorus nigrotarsalis* Wei，1998
　　分布：陕西（眉县）、河北、河南、甘肃、浙江、湖北、湖南。

（七）突瓣叶蜂亚科 Nematinae

44．大跗叶蜂属 *Craesus* Leach，1817

（117）大跗叶蜂 *Craesus* sp.
　　分布：陕西（镇安）。

45．狭脉叶蜂属 *Megadineura* Malaise，1931

（118）白跗狭脉叶蜂 *Megadineura leucotarsis* Wei，2008
　　分布：陕西（凤县、留坝、佛坪）、甘肃。

（119）红头狭脉叶蜂 *Megadineura rufocephala* Wei，2002

分布:陕西(长安、佛坪)、河南、湖南。

46. 中脉叶蜂属 *Mesoneura* Hartig, 1837

(120) 中华中脉叶蜂 *Mesoneura sinica* Wei, 1998

分布:陕西(甘泉)、甘肃。

(121) 钝鞘中脉叶蜂 *Mesoneura truncatatheca* Wei, 2013

分布:陕西(宁陕)、甘肃。

47. 突瓣叶蜂属 *Nematus* Panzer, 1801

(122) 邓氏突瓣叶蜂 *Nematus dengi* Wei, 2003

分布:陕西(长安)、甘肃、安徽、浙江、湖北、湖南、福建、广西、贵州。

(123) 短须突瓣叶蜂 *Nematus papillosus* (Retzius, 1783)

分布:陕西(凤县)、甘肃;俄罗斯,日本,欧洲中北部。

(124) 绿柳突瓣叶蜂 *Nematus ruyanus* Wei, 2002

分布:陕西(佛坪)、天津、河南、甘肃。

(125) 申氏突瓣叶蜂 *Nematus sheni* Wei, 1999

分布:陕西(留坝)、吉林、河南、甘肃。

48. 槌缘叶蜂属 *Pristiphora* Latreille, 1810

(126) 北京槌缘叶蜂 *Pristiphora beijingensis* Zhou et Zhang, 1993

分布:陕西(眉县)、辽宁、北京、天津、河北、甘肃。

(127) 红环槌缘叶蜂 *Pristiphora erichsonii* (Hartig, 1837)

分布:陕西(长安、留坝)、黑龙江、吉林、辽宁、内蒙古、北京、河北、宁夏、甘肃;俄罗斯,欧洲,北美洲。

(128) 中华槌缘叶蜂 *Pristiphora sinensis* Wong, 1977

分布:陕西(长安)、内蒙古、北京、河北、山西、山东、河南、江苏、浙江、湖北、湖南、福建、广东、广西、贵州。

(129) 截鞘槌缘叶蜂 *Pristiphora wesmaeli* (Tischbein, 1853)

分布:陕西(留坝)、北京、宁夏、甘肃;蒙古,俄罗斯,朝鲜,日本,欧洲。

(130) 西北槌缘叶蜂 *Pristiphora xibei* Wei et Xia, 2012

分布:陕西(长安)、宁夏。

49. 扁角叶蜂属 *Stauronematus* Benson, 1953

(131) 杨扁角叶蜂 *Stauronematus platycerus* (Hartig, 1840)

分布:陕西(长安)、北京、河南、甘肃、新疆、湖北;俄罗斯,欧洲,北美洲。

（八）平背叶蜂亚科 **Allantinae**

50．十脉叶蜂属 *Allantoides* Wei *et* Niu, 2017

（132）黑唇十脉叶蜂 *Allantoides luctifer*（F. Smith, 1874）
　　　分布:陕西(佛坪、甘泉)、黑龙江、吉林、辽宁、内蒙古、北京、天津、河北、山西、山东、河南、宁夏、甘肃、江苏、上海、安徽、浙江、江西、湖南、福建、台湾、重庆、四川、贵州;俄罗斯,韩国,日本。

（133）白唇十脉叶蜂 *Allantoides nigrocaeruleus*（F. Smith, 1874）
　　　分布:陕西(长安)、吉林、北京、天津、山东、河南、江苏、安徽、浙江、湖北、江西、湖南、福建、台湾、广东、广西、重庆、贵州、云南;韩国,日本。

51．平背叶蜂属 *Allantus* Panzer, 1801

（134）白唇平背叶蜂 *Allantus nigrocaeruleus*（F. Smith, 1874）
　　　分布:陕西、吉林、北京、天津、河北、江苏、安徽、浙江、湖北、江西、湖南、福建、广西、贵州、云南。

（135）吕氏平背叶蜂 *Allantus* sp.
　　　分布:陕西(凤县)、甘肃。

52．秋叶蜂属 *Apethymus* Benson, 1939

（136）扁角秋叶蜂 *Apethymus compressicornis* Zhu *et* Wei, 2008
　　　分布:陕西(佛坪、宁陕)、安徽、浙江。

（137）平唇秋叶蜂 *Apethymus flatoclypea* Zhu *et* Wei, 2008
　　　分布:陕西(佛坪)、甘肃。

（138）右齿秋叶蜂 *Apethymus kolthoffi*（Forsius, 1927）
　　　分布:陕西(佛坪)、黑龙江、吉林、山西、河南、江苏、湖南;韩国。

（139）黄腹秋叶蜂 *Apethymus silaceus* Koch, 1988
　　　分布:陕西(长安)、宁夏、湖南。

53．后室叶蜂属 *Asiemphytus* Malaise, 1947

（140）斑唇后室叶蜂 *Asiemphytus maculoclypeatus* Wei, 2002
　　　分布:陕西(长安、周至、宝鸡、凤县、华阴、佛坪)、天津、河北、山西、河南、甘肃、安徽、浙江、湖南、重庆、四川。

（141）*Asiemphytus marshali* Haris, 2015
　　　分布:陕西。

（142）红头后室叶蜂 *Asiemphytus rufocephalus* **Wei，1997**
　　分布：陕西（周至、宁陕）、河南、浙江、四川。

54. 狭腹叶蜂属 *Athlophorus* Burmeister，1847

（143）纤弱狭腹叶蜂 *Athlophorus placidus* （**Konow，1898**）
　　分布：陕西（佛坪）、河南、浙江、湖北、湖南、福建、广东、广西、重庆、四川、
贵州、云南；越南，缅甸，印度。

55. 隙臀叶蜂属 *Blennallantus* Wei，1998

（144）扁角隙臀叶蜂 *Blennallantus compressicornis* **Wei，1998**
　　分布：陕西（宁陕）、宁夏、四川。

56. 小唇叶蜂属 *Clypea* Malaise，1961

（145）白唇小唇叶蜂 *Clypea alboclypea* **Wei，2002**
　　分布：陕西（眉县）、河南、甘肃、浙江、湖北、湖南、四川。
（146）黑腹小唇叶蜂 *Clypea nigroventris* **Wei，1998**
　　分布：陕西（凤县）、河南。
（147）黑尾小唇叶蜂 *Clypea shanica* **Malaise，1961**
　　分布：陕西（周至、凤县、潼关、佛坪、镇安）、河南、甘肃、湖北、湖南；缅甸。
（148）中华小唇叶蜂 *Clypea sinica* **Wei，1997**
　　分布：陕西（眉县）、河南、安徽、浙江、湖北、江西、湖南、福建、广西、重庆、
四川、贵州、云南。

57. 尖唇叶蜂属 *Dinax* Konow，1897

（149）黄尾尖唇叶蜂 *Dinax caudatus* （**Nie *et* Wei，2004**）
　　分布：陕西（凤县）、甘肃。

58. 近曲叶蜂属 *Emphystegia* Malaise，1961

（150）短刃近曲叶蜂 *Emphystegia breviserra* **Wei，1997**
　　分布：陕西（眉县、华阴）、河北、湖北、湖南、福建、广西、重庆、四川、贵州、
云南。
（151）黑胫近曲叶蜂 *Emphystegia nigrotibia* **Wei，1998**
　　分布：陕西（蓝田、华阴）、河南、安徽、浙江。
（152）邻孔近曲叶蜂 *Emphystegia paraporia* **Wei，1998**
　　分布：陕西（佛坪）、河南。

59．曲叶蜂属 *Emphytus* Klug，1815

（153）亚美曲叶蜂 *Emphytus nigritibialis*（Rohwer，1911）
分布：陕西（周至、潼关、佛坪）、吉林、河北、山西、河南、宁夏、甘肃、江苏、安徽、浙江、湖南、福建、香港、四川、贵州；俄罗斯，韩国，日本，北美洲。

60．斑腹叶蜂属 *Empria* Lepeletier *et* Serville，1828

（154）张氏斑腹叶蜂 *Empria zhangi* Wei *et* Yan，2009
分布：陕西（佛坪）、湖南、广西。

61．狭蕨叶蜂属 *Ferna* Malaise，1961

（155）鼓额狭蕨叶蜂 *Ferna bullifrons* Malaise，1961
分布：陕西（佛坪）、贵州、云南；缅甸。

62．细爪叶蜂属 *Filixungulia* Wei，1997

（156）肿跗细爪叶蜂 *Filixungulia crassitarsata* Wei，1997
分布：陕西（武功）。

（157）细跗细爪叶蜂 *Filixungulia cylindrica* Wei，2003
分布：陕西（长安）、河北、山西、河南、安徽、湖南。

63．俏叶蜂属 *Hemathlophorus* Malaise，1945

（158）短颊俏叶蜂 *Hemathlophorus brevigenatus* Wei，2005
分布：陕西（佛坪）、湖南、福建、广西、重庆、贵州。

64．直脉叶蜂属 *Hemocla* Wei，1995

（159）短柄直脉叶蜂 *Hemocla brevinervis* Wei，1997
分布：陕西（眉县）、甘肃、安徽、浙江、湖北、湖南、福建、广西、重庆、四川、贵州、云南。

65．片角叶蜂属 *Indostegia* Malaise，1934

（160）黑股片角叶蜂 *Indostegia nigrofemorata* Nie *et* Wei，2004
分布：陕西（宝鸡、凤县、佛坪、宁陕、镇安）、湖北、贵州。

66．金叶蜂属 *Jinia* Wei *et* Nie，1999

（161）黄角金叶蜂 *Jinia flavicornis* Wei *et* Li，2009

　　　　分布:陕西(长安)、河北、甘肃、湖北。

（162）黄褐金叶蜂 *Jinia fulvana* **Wei** *et* **Nie，1999**
　　　　分布:陕西(华阴)、河南、四川。

（163）黑斑金叶蜂 *Jinia nigromacula* **Wei** *et* **Nie，2004**
　　　　分布:陕西(华阴)、河南、四川。

67．大曲叶蜂属 *Macremphytus* **MacGillivray，1908**

（164）粗角大曲叶蜂 *Macremphytus crassicornis* **Wei，1997**
　　　　分布:陕西(佛坪)、河南、甘肃、安徽、浙江、湖南、广西、四川、贵州。

68．异距叶蜂属 *Mimathlophorus* **Malaise，1947**

（165）平盾异距叶蜂 *Mimathlophorus planoscutellis* **Wei，1997**
　　　　分布:陕西(宝鸡)。

69．斜唇叶蜂属 *Nepala* **Muche，1986**

（166）黄带斜唇叶蜂 *Nepala incerta*（**Cameron，1876**）
　　　　分布:陕西(凤县)、甘肃、青海、江西、广西、重庆、四川、云南、西藏；越南，
　　　　泰国，缅甸，印度，尼泊尔，马来西亚。

70．原曲叶蜂属 *Protemphytus* **Rohwer，1909**

（167）朝鲜原曲叶蜂 *Protemphytus coreanus*（**Takeuchi，1927**）
　　　　分布:陕西(眉县)、山东、河南，中国东北；东北亚。

71．申氏叶蜂属 *Shenia* **Wei** *et* **Nie，2005**

（168）红环申氏叶蜂 *Shenia rufocincta* **Wei** *et* **Nie，2005**
　　　　分布:陕西(佛坪)、河南。

72．雅叶蜂属 *Stenemphytus* **Wei** *et* **Nie，1999**

（169）闽雅叶蜂 *Stenemphytus minminae* **Wei** *et* **Nie，1999**
　　　　分布:陕西(佛坪)、宁夏、甘肃、重庆。

73．细曲叶蜂属 *Stenempria* **Wei，1997**

（170）白唇细曲叶蜂 *Stenempria* **sp.**
　　　　分布:陕西(长安、眉县)、宁夏。

74．绅元叶蜂属 *Taxoblenus* Wei *et* Nie，1999

（171）长角申元叶蜂 *Taxoblenus longicornis* Wei *et* Nie，1999

分布：陕西（宁陕）。

（172）白跗申元叶蜂 *Taxoblenus* sp.

分布：陕西（凤县）。

75．元叶蜂属 *Taxonus* Hartig，1837

（173）白唇元叶蜂 *Taxonus alboclypea*（Wei，1997）

分布：陕西（佛坪）、浙江、湖北、湖南、广东、广西、重庆、四川、贵州、云南。

（174）红环元叶蜂 *Taxonus annulicornis* Takeuchi，1940

分布：陕西（佛坪）、江苏、安徽、浙江、江西、湖南、福建。

（175）黑唇元叶蜂 *Taxonus attenatus* Rohwer，1916

分布：陕西（周至、凤县、留坝、佛坪、镇安、丹凤）、河南、甘肃、江苏、浙江、
湖南、福建、广西、贵州、云南。

（176）川陕元叶蜂 *Taxonus chuanshanicus* Wei，1997

分布：陕西（佛坪）、河南、湖南、重庆、四川、贵州。

（177）扁角元叶蜂 *Taxonus compressicornis* Wei，1998

分布：陕西（长安、眉县）、河南。

（178）锈色元叶蜂 *Taxonus ferrugatus* Wei，1997

分布：陕西（眉县）、河南、浙江、湖北、江西、福建、台湾、广西、四川。

（179）*Taxonus flavoantennatus* Haris，2015

分布：陕西。

（180）蓬莱元叶蜂 *Taxonus formosacolus*（Rohwer，1916）

分布：陕西（佛坪、镇坪、镇安）、河南、安徽、浙江、湖北、江西、湖南、福建、
台湾、广东、广西、四川、贵州；越南。

（181）开室元叶蜂 *Taxonus immarginervis*（Malaise，1957）

分布：陕西（凤县）、浙江、湖南、广西、贵州、云南；缅甸。

（182）白转元叶蜂 *Taxonus leucotrochantera*（Wei，1997）

分布：陕西（眉县）、山西、宁夏、甘肃、四川。

（183）秦岭元叶蜂 *Taxonus qinlinginus* Wei，1998

分布：陕西（长安、太白、宝鸡、凤县、留坝）、河南、甘肃、四川。

（184）张氏元叶蜂 *Taxonus zhangi*（Wei，1997）

分布：陕西（长安、周至、眉县、太白、凤县、华阴、佛坪）、山西、河南、甘肃、
湖南、重庆、四川、云南。

（185）热氏元叶蜂 *Taxonus zhelochovtsevi* Viitasaari *et* Zinovjev，1991

分布：陕西（长安、周至、太白、凤县、华阴、留坝、佛坪、丹凤）、吉林、北京、河北、山西、河南、宁夏、甘肃、湖北、湖南、四川、贵州；俄罗斯。

76.长鞘叶蜂属 *Thecatiphyta* Wei，2009

（186）美丽长鞘叶蜂 *Thecatiphyta bella*（Wei，1997）

分布：陕西（佛坪）、四川、云南。

77.富槛叶蜂属 *Togashia* Wei，1997

（187）短跗富槛叶蜂 *Togashia brevitarsus* Wei，1997

分布：陕西（佛坪、宁陕）、山西、河南、湖北、湖南、四川、云南。

78.单齿叶蜂属 *Ungulia* Malaise，1961

（188）斑腹单齿叶蜂 *Ungulia fasciativentris* Malaise，1961

分布：陕西（佛坪、宁陕）、山西、河南、湖北、湖南、重庆、四川、贵州、云南；缅甸，印度，尼泊尔。

79.纵脊叶蜂属 *Xenapatidea* Malaise，1957

（189）斑胸纵脊叶蜂 *Xenapatidea procincta*（Konow，1903）

分布：陕西（周至、华阴、镇安）、河南、安徽、浙江、湖北、江西、湖南、福建、广西、四川、贵州、云南。

（190）方顶纵脊叶蜂 *Xenapatidea reticulata* Wei，2006

分布：陕西（佛坪）、甘肃、湖北、湖南。

80.美叶蜂属 *Yushengliua* Wei *et* Nie，1999

（191）大眼美叶蜂 *Yushengliua* sp.

分布：陕西（周至）。

（九）麦叶蜂亚科 Dolerinae

81.麦叶蜂属 *Dolerus* Panzer，1801

（192）卡氏麦叶蜂 *Dolerus cameroni* Kirby，1882

分布：陕西（留坝、宁陕）、内蒙古、北京、河北、山西、河南、甘肃、江苏、上海、湖北、湖南、福建、广东、海南、广西、重庆、四川。

（193）多型麦叶蜂 *Dolerus germanicus germanicus*（Fabricius，1775）

分布：陕西、辽宁、内蒙古、北京、山西、河南、湖北；俄罗斯，中亚，欧洲。

（194）黑缨麦叶蜂 *Dolerus guisanicollis* **Wei, 1999**

分布：陕西（长安）、河南、浙江、湖南。

（195）日本麦叶蜂 *Dolerus japonicus* **Kirby, 1882**

分布：陕西（凤县、佛坪、宁陕）、山西、河南、宁夏、甘肃；朝鲜，日本。

（196）丽毛麦叶蜂 *Dolerus poecilomallosis* **Wei, 1997**

分布：陕西（安康）、安徽、浙江、湖北、湖南、福建、重庆、四川。

（197）上海麦叶蜂 *Dolerus shanghaiensis* **Haris, 1996**

分布：陕西（武功、杨凌）、北京、山东、河南、江苏、安徽、上海、湖南。

（198）中华麦叶蜂 *Dolerus sinensis* **Wei, 1997**

分布：陕西（武功、杨凌）、北京、江苏、上海、安徽。

（199）小麦叶蜂 *Dolerus tritici* **Chu, 1949**

分布：陕西（武功）、北京、天津、河北、山东、甘肃、江苏、安徽、湖南。

（200）副麦叶蜂 *Dolerus vulneraffis* **Wei *et* Nie, 2003**

分布：陕西（华阴、佛坪）、江苏、安徽、浙江、江西、湖南、福建、广西；韩国。

82. 凹眼叶蜂属 *Loderus* Konow, 1890

（201）端白凹眼叶蜂 *Loderus apicalis* **Wei, 2002**

分布：陕西（长安、宁陕、安康）、山西、河南、甘肃、湖北。

（十）叶蜂亚科 Tenthredininae

83. 钝颊叶蜂属 *Aglaostigma* Kirby, 1882

（202）多斑钝颊叶蜂 *Aglaostigma bicolor* **Wei, 2002**

分布：陕西（凤县）、河南。

（203）短脉钝颊叶蜂 *Aglaostigma brevinervis* **Wei, 2002**

分布：陕西（长安、凤县）、河南。

（204）大黑钝颊叶蜂 *Aglaostigma carbo*（**Malaise, 1931**）

分布：陕西（佛坪）、黑龙江；俄罗斯。

（205）美丽钝颊叶蜂 *Aglaostigma elegans* **Wei *et* Nie, 1999**

分布：陕西（宁陕）、河南、四川、贵州。

（206）黑腹钝颊叶蜂 *Aglaostigma melanogaster* **Wei, 2002**

分布：陕西（长安）、河南、甘肃、湖南、贵州。

（207）黑角钝颊叶蜂 *Aglaostigma nigrocornis* **Wei, 1998**

分布：陕西（凤县）、河南、甘肃、湖北、四川。

（208）长鞘钝颊叶蜂 *Aglaostigma occipitosa*（**Malaise, 1931**）

分布：陕西（长安、凤县、留坝、佛坪、宁陕）、辽宁、河北、山西、河南、甘肃、安徽、浙江、湖南、重庆、四川、贵州；俄罗斯，日本。

（209）双环钝颊叶蜂 *Aglaostigma pieli*（Takeuchi，1938）
分布：陕西（眉县、留坝、佛坪）、河北、河南、安徽、浙江、湖北、湖南、福建、四川、贵州。

（210）秦岭钝颊叶蜂 *Aglaostigma qinlingia* Wei，1998
分布：陕西（凤县、眉县、华阴、镇安）、河南。

（211）光盾钝颊叶蜂 *Aglaostigma scutellare* Wei et Nie，1999
分布：陕西（长安、凤县）、河南、甘肃。

（212）无柄钝颊叶蜂 *Aglaostigma sessilia* Wei，1998
分布：陕西（长安、佛坪）、河南、湖北、湖南。

（213）中华钝颊叶蜂 *Aglaostigma sinense* Malaise，1945
分布：陕西（眉县）、河南、湖北、湖南、重庆、四川。

84.　小臀叶蜂属 *Colochela* Malaise，1937

（214）黑色小臀叶蜂 *Colochela nigrata* Wei et Niu，2016
分布：陕西（西乡）、浙江、湖北、广西、重庆。

（215）橘背小臀叶蜂 *Colochela zhongi* Wei et Niu，2016
分布：陕西（眉县、佛坪）、湖北、四川。

85.　异颚叶蜂属 *Conaspidia* Konow，1898

（216）圆眶异颚叶蜂 *Conaspidia* sp.
分布：陕西（长安）、宁夏、湖北、四川。

（217）糙额裂颚叶蜂 *Conaspidia punctata* Wei，1997
分布：陕西（凤县）、四川。

（218）秦岭异颚叶蜂 *Conaspidia qinlingia* Wei，2015
分布：陕西（佛坪）。

（219）刺盾异颚叶蜂 *Conaspidia spinascutellis* Wei，1997
分布：陕西（长安、太白、凤县、华阴）、山西、宁夏、甘肃。

86.　盔叶蜂属 *Corymbas* Konow，1903

（220）日本盔叶蜂 *Corymbas*（*Corymbas*）*nipponica* Takeuchi，1936
分布：陕西（凤县、留坝、丹凤）、安徽、江西、湖南；日本。

（221）白檀盔叶蜂 *Corymbas*（*Neocorymbas*）*sinica*（Wei et Ouyang，1997）
分布：陕西（宝鸡）、安徽、江西、湖南、福建。

87. 刻胸叶蜂属 *Eriocampa* Hartig，1837

（222）环腹刻胸叶蜂 *Eriocampa annulata* Nie *et* Wei，2001
　　分布：陕西（周至、佛坪）、北京、甘肃。

（223）黑足刻胸叶蜂 *Eriocampa melanopoda* Nie *et* Wei，2001
　　分布：陕西（佛坪）、甘肃、湖南、四川、贵州。

（224）黄斑刻胸叶蜂 *Eriocampa rufomaculata* Nie *et* Wei，2001
　　分布：陕西（凤县）、河北、湖南、四川。

88. 壮并叶蜂属 *Jermakia* Jakovlev，1891

（225）东方壮并叶蜂 *Jermakia sibirica*（Kriechbaumer，1869）
　　分布：陕西（长安、商南）、黑龙江、辽宁、内蒙古、北京、河北、山西、河南、山
　　东、宁夏、新疆、上海、浙江、湖北、四川；蒙古，俄罗斯，朝鲜。

89. 隐斑叶蜂属 *Lagidina* Malaise，1945

（226）黑足小唇叶蜂 *Lagidina nigripes* Wei *et* Nie，2002
　　分布：陕西（留坝）、河南、安徽、重庆。

（227）黑肩隐斑叶蜂 *Lagidina nigrocollis* Wei *et* Nie，1999
　　分布：陕西（佛坪）、山西、河南、浙江、湖北、湖南、贵州。

90. 钩瓣叶蜂属 *Macrophya* Dahlbom，1835

（228）白环钩瓣叶蜂 *Macrophya albannulata* Wei *et* Nie，1998
　　分布：陕西（周至）、安徽、浙江、江西、湖南、福建、广东、广西、重庆、四
　　川、贵州。

（229）白端钩瓣叶蜂 *Macrophya apicalis*（Smith，1874）
　　分布：陕西（长安、宝鸡、潼关、华阴、佛坪、镇安）、吉林、河南、甘肃；韩国，
　　日本，东北亚地区。

（230）小环钩瓣叶蜂 *Macrophya brevicinctata* Li，Liu *et* Wei，2016
　　分布：陕西（宁陕）、湖北。

（231）环胫钩瓣叶蜂 *Macrophya circulotibialis* Li，Liu *et* Heng，2015
　　分布：陕西（长安、眉县）。

（232）缩臀钩瓣叶蜂 *Macrophya constrictila* Wei *et* Chen，2002
　　分布：陕西（凤县、眉县）、河南。

（233）鼓胸钩瓣叶蜂 *Macrophya convexina* Wei *et* Li，2013
　　分布：陕西（太白山）、浙江、湖南。

（234）朝鲜钩瓣叶蜂 *Macrophya coreana* Takeuchi，1937

　　分布：陕西（潼关、华阴）、内蒙古、北京、河北、河南；朝鲜。

（235）列斑钩瓣叶蜂 *Macrophya crassuliformis* Forsius，1925

　　分布：陕西（咸阳、宁陕、甘泉）、黑龙江、河北、湖南；俄罗斯、日本。

（236）弯毛钩瓣叶蜂 *Macrophya curvatisaeta* Wei *et* Li，2010

　　分布：陕西（镇安）、宁夏、甘肃、湖北、四川。

（237）长腹钩瓣叶蜂 *Macrophya dolichogaster* Wei *et* Ma，1997

　　分布：陕西（留坝、佛坪）、江苏、安徽、浙江、湖北、江西、湖南、福建、台湾、广东、海南、广西、重庆、四川、贵州、云南。

（238）平刃钩瓣叶蜂 *Macrophya flactoserrula* Chen *et* Wei，2002

　　分布：陕西（眉县）、河南、湖北、湖南。

（239）黄斑钩瓣叶蜂 *Macrophya flavomaculata* Cameron，1876

　　分布：陕西（周至、佛坪）、河南、安徽、浙江、湖北、江西、湖南、福建、广西、贵州。

（240）淡痣钩瓣叶蜂 *Macrophya fulvostigmata* Wei *et* Chen，2002

　　分布：陕西（周至）、河北、河南。

（241）伏牛钩瓣叶蜂 *Macrophya funiushana* Wei，1998

　　分布：陕西（太白山）、河南、甘肃、湖北。

（242）密纹钩瓣叶蜂 *Macrophya histrioides* Wei，1998

　　分布：陕西（周至、眉县）、山西、河南、湖北。

（243）浅碟钩瓣叶蜂 *Macrophya hyaloptera* Wei *et* Nie，2003

　　分布：陕西（周至）、河南、甘肃、浙江、湖北、江西、湖南、福建、贵州、云南。

（244）白边钩瓣叶蜂 *Macrophya imitatoides* Wei，2007

　　分布：陕西（佛坪、镇安）、甘肃、湖北、湖南、贵州。

（245）肿跗钩瓣叶蜂 *Macrophya incrassitarsalia* Wei *et* Wu，2012

　　分布：陕西（眉县）、河北、甘肃、湖北。

（246）晕翅钩瓣叶蜂 *Macrophya infuscipennis* Wei *et* Li，2012

　　分布：陕西（长安）、甘肃。

（247）焦氏钩瓣叶蜂 *Macrophya jiaozhaoae* Wei *et* Zhao，2010

　　分布：陕西（岚皋）、湖北、重庆。

（248）朝鲜钩瓣叶蜂 *Macrophya koreana* Takeuchi，1937

　　分布：陕西（潼关、华阴）、内蒙古、北京、山西、河南、甘肃；俄罗斯，朝鲜。

（249）下斑钩瓣叶蜂 *Macrophya maculoepimera* Wei *et* Li，2013

　　分布：陕西（凤县、留坝）、河北、山西。

（250）黑唇钩瓣叶蜂 *Macrophya melanolabria* Wei，1998

分布:陕西(周至、凤县、华阴、留坝)、河北、河南、甘肃、湖北。

(251) 点斑钩瓣叶蜂 *Macrophya minutiluna* Wei et Chen, 2002
分布:陕西(眉县)、河南。

(252) 斑转钩瓣叶蜂 *Macrophya nigromaculata* Wei et Li, 2010
分布:陕西(长安、周至、户县、眉县、太白、凤县、宁陕、安康)、宁夏、甘肃、四川。

(253) 五瓣钩瓣叶蜂 *Macrophya pentanalia* Wei et Chen, 2002
分布:陕西(宝鸡)、天津、河南、甘肃。

(254) 后盾钩瓣叶蜂 *Macrophya postscutellaris* Malaise, 1945
分布:陕西(秦岭)、湖北、重庆、四川、贵州、西藏;缅甸。

(255) 秦岭钩瓣叶蜂 *Macrophya qinlingium* Li, Liu et Wei, 2016
分布:陕西(太白、岚皋)、辽宁、河南、甘肃、宁夏、湖北、四川、云南。

(256) 反刻钩瓣叶蜂 *Macrophya revertana* Wei, 1998
分布:陕西(长安、潼关、佛坪)、山西、河南、甘肃、安徽、浙江、湖北、湖南。

(257) 糙碟钩瓣叶蜂 *Macrophya rugosifossa* Li, Liu et Wei, 2016
分布:陕西(周至)、甘肃。

(258) 申氏钩瓣叶蜂 *Macrophya sheni* Wei, 1998
分布:陕西(长安、太白)、河北、山西、河南、甘肃。

(259) 黄痣钩瓣叶蜂 *Macrophya stigmaticalis* Wei et Nie, 2002
分布:陕西(长安、丹凤)、河南、湖北、贵州。

(260) 童氏钩瓣叶蜂 *Macrophya tongi* Wei et Ma, 1997
分布:陕西(佛坪)、安徽、湖南、广西。

(261) 忍冬钩瓣叶蜂 *Macrophya vacillans* Malaise, 1931
分布:陕西(凤县、太白)、黑龙江、吉林、辽宁、北京、山西、河南、甘肃;俄罗斯,朝鲜。

(262) 糙板钩瓣叶蜂 *Macrophya vittata* Mallach, 1936
分布:陕西(潼关、佛坪)、河北、河南、甘肃、浙江、湖北、湖南、四川、贵州;日本。

(263) 文氏钩瓣叶蜂 *Macrophya weni* Wei, 1998
分布:陕西(眉县、华阴、安康)、北京、河北、山西、河南、宁夏、甘肃、湖北、四川。

(264) 武氏钩瓣叶蜂 *Macrophya wui* Wei et Zhao, 2010
分布:陕西(眉县、太白、留坝)、甘肃、湖北。

(265) 杨氏钩瓣叶蜂 *Macrophya yangi* Wei et Zhu, 2012
分布:陕西(长安、周至、潼关、留坝)、甘肃。

（266）钟氏钩瓣叶蜂 *Macrophya zhongi* Wei *et* Chen，2002
　　　分布:陕西(潼关、丹凤)、河北、河南、甘肃。

91.镰瓣叶蜂属 *Neocolochelyna* **Malaise，1937**

（267）棕褐镰瓣叶蜂 *Neocolochelyna*（*Curvatapenis*）*testaceoa*（Wei，2002）
　　　分布:陕西(眉县)、河南。

92.方颜叶蜂属 *Pachyprotasis* **Hartig，1837**

（268）尖唇方颜叶蜂 *Pachyprotasis acutilabria* Wei *et* Nie，1998
　　　分布:陕西(眉县)、河南、宁夏、甘肃、湖北。

（269）合叶子方颜叶蜂 *Pachyprotasis antennata*（Klug，1817）
　　　分布:陕西(凤县、留坝)、黑龙江、河北、山西、河南、宁夏、甘肃、青海、湖
　　　北、湖南;蒙古,俄罗斯,日本,欧洲。

（270）双环方颜叶蜂 *Pachyprotasis bicinctata* Wei *et* Zhong，2002
　　　分布:陕西(长安、凤县)、河南、甘肃。

（271）波益方颜叶蜂 *Pachyprotasis boyii* Wei *et* Zhong，2006
　　　分布:陕西(长安)、河南、宁夏、浙江、湖北、湖南、福建、四川、贵州。

（272）短角方颜叶蜂 *Pachyprotasis brevicornis* Wei *et* Zhong，2002
　　　分布:陕西(长安、安康)、山西、河南、宁夏、浙江、湖北、四川、云南。

（273）蔡氏方颜叶蜂 *Pachyprotasis caii* Wei *et* Nie，1998
　　　分布:陕西(眉县、太白、镇安、丹凤)、山西、山东、河南、甘肃、湖北、四川。

（274）*Pachyprotasis coximaculata* Zhong *et* Wei，2015
　　　分布:陕西、甘肃、上海。

（275）游离方颜叶蜂 *Pachyprotasis erratica* Smith，1874
　　　分布:陕西(佛坪)、吉林、浙江、湖南、福建、台湾、贵州;俄罗斯,日本。

（276）佛坪方颜叶蜂 *Pachyprotasis fopingensis* Zhong *et* Wei，2010
　　　分布:陕西(佛坪)。

（277）褐基方颜叶蜂 *Pachyprotasis fulvocoxis* Zhong *et* Wei，2002
　　　分布:陕西(长安)、河南、湖北。

（278）小条方颜叶蜂 *Pachyprotasis lineatella* Nie *et* Wei，1999
　　　分布:陕西(长安、眉县、华阴)、河北、山西、河南、浙江、湖北、湖南、四
　　　川、贵州。

（279）纹股方颜叶蜂 *Pachyprotasis lineatifemorata* Nie *et* Wei，1999
　　　分布:陕西(凤县)、河南、湖北、四川。

（280）纹基方颜叶蜂 *Pachyprotasis lineicoxis* Malaise，1931

分布:陕西(长安、凤县、留坝、佛坪)、吉林、山西、河南、宁夏、甘肃、四川、贵州;俄罗斯,日本。

(281) 斑足方颜叶蜂 *Pachyprotasis maculopediba* **Zhong *et* Wei,2002**
分布:陕西(佛坪)、河南、宁夏、湖北、云南。

(282) 斑背方颜叶蜂 *Pachyprotasis maculotergitis* **Zhu *et* Wei,2008**
分布:陕西(长安、镇安)。

(283) 黑腹方颜叶蜂 *Pachyprotasis melanogastera* **Wei *et* Nie,1998**
分布:陕西(凤县、眉县、宁陕、镇巴、镇安)、河北、山西、河南、宁夏、甘肃、湖北、四川、云南、西藏。

(284) 黑体方颜叶蜂 *Pachyprotasis melanosoma* **Zhong *et* Wei,2002**
分布:陕西(长安)、山西、河南、宁夏、甘肃、四川、云南、西藏。

(285) 微斑方颜叶蜂 *Pachyprotasis micromaculata* **Zhong *et* Wei,2002**
分布:陕西(眉县、华阴)、河南、甘肃、湖北、湖南。

(286) 弱齿方颜叶蜂 *Pachyprotasis obscurodentella* **Wei *et* Zhong,2009**
分布:陕西(留坝、佛坪)、湖北、湖南、广东、四川。

(287) 淡痣方颜叶蜂 *Pachyprotasis pallidistigma* **Malaise,1931**
分布:陕西(蓝田、凤县、留坝)、内蒙古、山西、宁夏、甘肃、湖北、西藏。

(288) 副色方颜叶蜂 *Pachyprotasis parasubtilis* **Wei *et* Nie,1998**
分布:陕西(安康)、河南、湖北、湖南、贵州。

(289) 秦岭方颜叶蜂 *Pachyprotasis qinlingica* **Wei,1998**
分布:陕西(眉县、太白、镇安)、河南、宁夏、甘肃、湖北、湖南。

(290) 骨刃方颜叶蜂 *Pachyprotasis scleroserrula* **Wei *et* Zhong,2007**
分布:陕西(佛坪)、河南、宁夏、浙江、湖北、云南。

(291) 陕西方颜叶蜂 *Pachyprotasis shaanxiensis* **Zhu *et* Wei,2008**
分布:陕西(佛坪)、湖北。

(292) 盛氏方颜叶蜂 *Pachyprotasis shengi* **Nie *et* Wei,1999**
分布:陕西(佛坪)、河南、湖北、湖南、四川、云南。

(293) 西姆兰方颜叶蜂 *Pachyprotasis simulans* (**Klug,1817**)
分布:陕西(凤县)、黑龙江、吉林、辽宁、内蒙古、山西、湖北、湖南;蒙古,俄罗斯,欧洲。

(294) 纤体方颜叶蜂 *Pachyprotasis subtilis* **Malaise,1945**
分布:陕西(华阴)、河南、甘肃、四川、贵州;印度。

(295) 锥角方颜叶蜂 *Pachyprotasis subulicornis* **Malaise,1945**
分布:陕西(丹凤)、河南、安徽、浙江、湖北、湖南、福建、广东、广西、贵州、云南;印度。

（296）沟盾方颜叶蜂 *Pachyprotasis sulciscutellis* **Wei** *et* **Zhong，2002**
　　　分布：陕西（长安、凤县、留坝、佛坪）、河北、山西、河南、湖北、四川、贵州。

（297）田氏方颜叶蜂 *Pachyprotasis tiani* **Wei** *et* **Nie，1998**
　　　分布：陕西（长安、眉县、太白、凤县、留坝、佛坪）、河北、河南、甘肃、广东。

（298）王氏方颜叶蜂 *Pachyprotasis wangi* **Zhong** *et* **Wei，2002**
　　　分布：陕西（长安）、黑龙江、河南、宁夏、甘肃、青海、湖北、四川、云南、西藏。

（299）吴氏方颜叶蜂 *Pachyprotasis wui* **Wei** *et* **Nie，1998**
　　　分布：陕西（佛坪）、浙江、湖南、福建。

（300）武陵方颜叶蜂 *Pachyprotasis wulingensis* **Wei，2006**
　　　分布：陕西（长安）、浙江、湖南、广东、贵州。

（301）左氏方颜叶蜂 *Pachyprotasis zuoae* **Wei，2005**
　　　分布：陕西（周至）、河南、甘肃、湖南、四川、贵州、云南。

93．狭并叶蜂属 *Propodea* Malaise，1945

（302）脊额狭并叶蜂 *Propodea rufonotalis*（**Mallach，1936**）
　　　分布：陕西（佛坪）、北京、河北、山西、河南、湖南、四川。

（303）中华狭并叶蜂 *Propodea sinica* **Wu** *et* **Wei，2016**
　　　分布：陕西（佛坪）、河南、甘肃、安徽、湖北、湖南、四川。

（304）黄角狭并叶蜂 *Propodea xanthocera* **Wei** *et* **Niu，2016**
　　　分布：陕西（佛坪、宁陕、商南）、河南、甘肃。

94．任氏叶蜂属 *Renothredo* Wei，1998

（305）斑背任氏叶蜂 *Renothredo maculata* **Wei，1997**
　　　分布：陕西（凤县）、河南、宁夏、湖南。

（306）秦岭任氏叶蜂 *Renothredo* **sp.**
　　　分布：陕西（凤县）、河南、宁夏、湖南。

95．齿唇叶蜂属 *Rhogogaster* Konow，1884

（307）敛眼齿唇叶蜂 *Rhogogaster convergens* **Malaise，1931**
　　　分布：陕西（留坝）、辽宁、内蒙古、河北、河南、宁夏；日本。

（308）黑刺齿唇叶蜂 *Rhogogaster nigrospina* **Wei，2004**
　　　分布：陕西（凤县）、宁夏、甘肃、四川。

（309）脊盾齿唇叶蜂 *Rhogogaster robusta* **Jakovlev，1891**
　　　分布：陕西（宁陕）、北京、河北、山西、河南、甘肃、浙江、湖北。

（310）暗痣齿唇叶蜂 *Rhogogaster stigmata* Wei, 2002

　　分布：陕西（凤县、潼关、宁陕、丹凤）、山东、河南、甘肃。

96. 侧跗叶蜂属 *Siobla* Cameron, 1877

（311）斜刃侧跗叶蜂 *Siobla acutitheca* Niu *et* Wei, 2010

　　分布：陕西（周至、眉县）、河南、甘肃、湖北。

（312）环角侧跗叶蜂 *Siobla annulicornis* Niu *et* Wei, 2010

　　分布：陕西（长安）。

（313）脊唇侧跗叶蜂 *Siobla carinoclypea* Niu *et* Wei, 2010

　　分布：陕西（凤县、留坝、佛坪）、湖南、贵州。

（314）中原侧跗叶蜂 *Siobla centralia* Niu *et* Wei, 2012

　　分布：陕西（凤县）、河北、宁夏、甘肃。

（315）棒角侧跗叶蜂 *Siobla clavicornis* Niu *et* Wei, 2010

　　分布：陕西（凤县、留坝、佛坪）、甘肃、湖北。

（316）弯毛侧跗叶蜂 *Siobla curvata* Niu *et* Wei, 2012

　　分布：陕西（长安）、宁夏、甘肃、湖北。

（317）方刃侧跗叶蜂 *Siobla femorata* Malaise, 1945

　　分布：陕西（留坝、佛坪）、湖北、湖南、四川、云南。

（318）黄缘侧跗叶蜂 *Siobla fulvomarginata* Wei *et* Nie, 1999

　　分布：陕西（长安、周至、凤县）、山西、河南、甘肃、安徽、湖北、江西、湖南、福建、贵州。

（319）光盾侧跗叶蜂 *Siobla grahami* Malaise, 1945

　　分布：陕西（安康、镇安）、甘肃、湖北、湖南、福建、广西、四川、贵州。

（320）李氏侧跗叶蜂 *Siobla listoni* Niu *et* Wei, 2012

　　分布：陕西（周至、眉县、太白、留坝、佛坪）、湖北、云南。

（321）刘氏侧跗叶蜂 *Siobla liui* Wei, 1998

　　分布：陕西（西安、周至、太白、凤县、镇安）、北京、河北、山西、河南、宁夏、甘肃、湖北、湖南、广西、四川。

（322）马氏侧跗叶蜂 *Siobla malaisei* Mallach, 1933

　　分布：陕西（凤县）、北京、河南、甘肃、湖北、四川。

（323）大黄侧跗叶蜂 *Siobla maxima* Turner, 1920

　　分布：陕西（周至、眉县、宝鸡、凤县、留坝）、河南、安徽、浙江、湖北、江西、湖南、福建、台湾、广西、四川、贵州；越南。

（324）侧带侧跗叶蜂 *Siobla nigrolateralis* Niu *et* Wei, 2010

　　分布：陕西（西安）、甘肃、湖北、四川。

（325）小斑侧跗叶蜂 *Siobla pseudoplesia* Niu *et* Wei，2012
　　　　分布：陕西（长安、眉县、佛坪）、河南、宁夏、湖北、四川。

（326）秦巴侧跗叶蜂 *Siobla qinba* Niu *et* Wei，2012
　　　　分布：陕西（长安、凤县、安康）、湖北。

（327）网刻侧跗叶蜂 *Siobla reticulatia* Wei，1998
　　　　分布：陕西（长安、周至、眉县、凤县、佛坪）、河南、甘肃。

（328）红基侧跗叶蜂 *Siobla rufopropodea* Wei，1998
　　　　分布：陕西（眉县）、河南、湖北。

（329）陕西侧跗叶蜂 *Siobla shaanxi* Niu *et* Wei，2012
　　　　分布：陕西（长安、眉县、佛坪）。

（330）三斑侧跗叶蜂 *Siobla trimaculata* Niu *et* Wei，2010
　　　　分布：陕西（留坝、佛坪）、广西。

（331）宽环侧跗叶蜂 *Siobla venusta rohweri* Malaise，1945
　　　　分布：陕西（长安、眉县、佛坪）、河南、甘肃、湖北、四川。

（332）环丽侧跗叶蜂 *Siobla venusta venusta*（Konow，1903）
　　　　分布：陕西（周至、太白、凤县、华阴）、河南、甘肃、四川。

（333）散毛侧跗叶蜂 *Siobla villosa* Malaise，1931
　　　　分布：陕西（眉县、太白、佛坪）、河南、甘肃。

（334）狭颊侧跗叶蜂 *Siobla vulgaria* Niu *et* Wei，2012
　　　　分布：陕西（长安、周至、太白、凤县、华阴、安康、镇安）、黑龙江、吉林、河南、甘肃、湖北、四川。

（335）橙足侧跗叶蜂 *Siobla zenaida*（Dovnar-Zapolskij，1930）
　　　　分布：陕西（眉县）、黑龙江、河北、山西、河南、甘肃、湖北、四川；俄罗斯，韩国。

（336）钟氏侧跗叶蜂 *Siobla zhongi* Wei，2002
　　　　分布：陕西（太白）、河南、宁夏、甘肃、青海、四川。

97．叶蜂属 *Tenthredo* Linnaeus，1758

（337）尖刃翠绿叶蜂 *Tenthredo acutiserrulana* Wei，2002
　　　　分布：陕西（长安、凤县、华阴）、吉林、河南、宁夏、甘肃、湖北、四川。

（338）平刃短角叶蜂 *Tenthredo ahaina* Nie *et* Wei，2002
　　　　分布：陕西（凤县）、河南、甘肃。

（339）中斑亚黄叶蜂 *Tenthredo allocestanella* Wei，2002
　　　　分布：陕西（凤县）、河北、河南、宁夏、甘肃、湖北。

（340）细条细斑叶蜂 *Tenthredo beryllica* Malaise，1945

分布:陕西(长安、太白、凤县)、河南、宁夏、湖北、四川、贵州、云南。

(341) 双峰白端叶蜂 *Tenthredo bicuspis* **Wei et Qi, 2016**

分布:陕西(长安)、甘肃、湖北。

(342) 钩纹平绿叶蜂 *Tenthredo bilineacornis* **Wei, 1998**

分布:陕西(周至、眉县、太白、凤县、华阴、留坝、镇安)、河南、甘肃、湖北。

(343) 双斑断突叶蜂 *Tenthredo bimacuclypea* **Wei, 1998**

分布:陕西(长安、凤县、华阴)、河北、山西、河南、甘肃、湖北。

(344) 双点光柄叶蜂 *Tenthredo biminutidota* **Liu et Wei, 2016**

分布:陕西、浙江、湖南。

(345) 横带短角叶蜂 *Tenthredo brachycera*(Mocsáry, 1909)

分布:陕西(太白、华阴)、黑龙江、吉林、辽宁、内蒙古、天津、河北、山西、甘肃、青海、湖北、湖南、四川、贵州、云南、西藏。

(346) 短毛刻绿叶蜂 *Tenthredo brevipilosila* **Wei, 2002**

分布:陕西(宁陕)、河南、四川。

(347) 短顶短角叶蜂 *Tenthredo brevivertexila* **Nie et Wei, 2002**

分布:陕西(凤县)、河北、河南、宁夏、甘肃。

(348) 淡顶短角叶蜂 *Tenthredo bullifera* **Malaise, 1945**

分布:陕西(长安)、北京、河北、山西、河南、宁夏、重庆、四川、云南。

(349) 宽顶白端叶蜂 *Tenthredo calvaria* **Enslin, 1912**

分布:陕西(长安、周至、眉县、太白、凤县、佛坪、宁陕)、吉林、河南、甘肃、浙江、湖北、湖南、贵州;俄罗斯。

(350) 脊颚狭突叶蜂 *Tenthredo carinomandibularis* **Wei et Nie, 1997**

分布:陕西(长安、凤县)、河北、山西、河南、重庆、四川。

(351) 顶斑亚黄叶蜂 *Tenthredo cestanella* **Wei, 1998**

分布:陕西(宁陕)、河南、四川。

(352) 程氏大黄叶蜂 *Tenthredo chenghanhuai* **Wei, 2002**

分布:陕西(宁陕)、河南、浙江、湖北、湖南、重庆、四川、贵州。

(353) 宽顶白端叶蜂 *Tenthredo contusa*(Enslin, 1912)

分布:陕西(周至、眉县、太白、佛坪)、吉林、河南、甘肃、浙江、湖北、湖南、贵州;俄罗斯。

(354) 扁长高突叶蜂 *Tenthredo convergenomma* **Wei, 1998**

分布:陕西(华阴)、河南、宁夏。

(355) 修长平胸叶蜂 *Tenthredo cyanigaster* **Wei et Nie, 1999**

分布:陕西(佛坪)、河南、甘肃、四川。

(356) 刺胸槌腹叶蜂 *Tenthredo dentipecta* **Wei et Nie, 2006**

分布:陕西(华阴)、甘肃。

（357）亮翅窝板叶蜂 *Tenthredo eburnea*（Mocsáry, 1909）

分布:陕西(佛坪)、河南、浙江、广西、贵州。

（358）黑胸绿痣叶蜂 *Tenthredo elegansomatoida* Wei *et* Nie, 1999

分布:陕西(凤县)、河南。

（359）斑眶刺胸叶蜂 *Tenthredo felderi*（Radoszkowsky, 1871）

分布:陕西(宁陕)、福建、台湾、广东、海南、香港、澳门、广西、四川、云南、西藏;缅甸,印度。

（360）方顶白端叶蜂 *Tenthredo ferruginea* Schrank, 1776

分布:陕西(太白、华阴)、吉林、辽宁、内蒙古、河北、河南、甘肃、青海、新疆、湖北、广东、四川、云南、西藏;俄罗斯,日本,西亚地区,欧洲。

（361）多环长颚叶蜂 *Tenthredo finschi* Kirby, 1882

分布:陕西(长安、宁陕)、黑龙江、吉林、辽宁、内蒙古、河北、山西、浙江、湖北、福建、四川;俄罗斯,朝鲜,日本。

（362）平胸长突叶蜂 *Tenthredo flatopectalina* Wei, 2002

分布:陕西(长安)、河南、宁夏、甘肃。

（363）平突翠绿叶蜂 *Tenthredo flatotrunca* Wei *et* Hu, 2013

分布:陕西(凤县)、宁夏、甘肃、湖北、四川。

（364）褐黄光柄叶蜂 *Tenthredo flavobrunneus* Malaise, 1945

分布:陕西(留坝、佛坪)、河南、四川、贵州;缅甸。

（365）方斑中带叶蜂 *Tenthredo formosula* Wei, 2002

分布:陕西(长安、太白、宝鸡、凤县、留坝、佛坪、宁陕)、河北、山西、河南、宁夏、甘肃、湖北。

（366）黄角平斑叶蜂显斑亚种 *Tenthredo fulva adusta* Motschultsky, 1866

分布:陕西(周至)、黑龙江、吉林、辽宁、内蒙古、河北、山西、宁夏、甘肃;蒙古,俄罗斯,韩国,日本,乌克兰,芬兰。

（367）黄端刺斑叶蜂 *Tenthredo fulviterminata* Wei, 1998

分布:陕西(留坝)、河北、河南、甘肃、浙江、湖北、湖南。

（368）伏牛斑黄叶蜂 *Tenthredo funiushana* Wei, 1998

分布:陕西(长安、华阴)、河南、甘肃、湖北。

（369）黑端刺斑叶蜂 *Tenthredo fuscoterminata* Marlatt, 1898

分布:陕西(周至、华阴)、黑龙江、吉林、辽宁、北京、天津、河北、山西、河南、甘肃、浙江、湖北、湖南、重庆、四川、云南;俄罗斯,朝鲜,日本。

（370）光额绿斑叶蜂 *Tenthredo glatofrontalina* Wei, 2002

分布:陕西(长安、宝鸡、凤县、留坝)、山西、河南、甘肃、湖北。

（371）大斑短角叶蜂 *Tenthredo japonica*（Mocsáry，1909）
　　分布：陕西（长安、蓝田、周至、眉县、太白、凤县、华阴、宁陕、镇安）、河南、宁夏、甘肃、安徽、浙江、湖北、广东、重庆、四川；俄罗斯，日本。

（372）大齿亚黄叶蜂 *Tenthredo jiuzhaigoua* Wei et Nie，1997
　　分布：陕西（佛坪）、河北、山西、河南、宁夏、甘肃、湖北、四川。

（373）圆斑纤腹叶蜂 *Tenthredo jozana*（Matsumura，1912）
　　分布：陕西（眉县、凤县、华阴）、河南、湖北、四川；俄罗斯，韩国，日本。

（374）宽齿平绿叶蜂 *Tenthredo latidentella* Wei et Zhao，2010
　　分布：陕西（长安、太白、凤县）、甘肃、湖北。

（375）白转横斑叶蜂 *Tenthredo leucotrochanteratina* Wei et Nie，2002
　　分布：陕西（周至）、湖南、福建、贵州。

（376）线缘长颚叶蜂 *Tenthredo lineimarginata* Wei，2002
　　分布：陕西（长安、凤县）、吉林、河南、宁夏、甘肃、湖北。

（377）黄胸窝板叶蜂 *Tenthredo linjinweii* Wei et Nie，2003
　　分布：陕西（佛坪）、河南、湖南、福建。

（378）黑胫长颚叶蜂 *Tenthredo longimandibularis* Wei，1998
　　分布：陕西（长安）、河南。

（379）纵脊长颚叶蜂 *Tenthredo longitudicarina* Wei，2006
　　分布：陕西（太白）、贵州。

（380）吕氏棒角叶蜂 *Tenthredo lui* Wei，2005
　　分布：陕西（宁陕）、浙江、湖北、贵州。

（381）吕氏横斑叶蜂 *Tenthredo lunani* Wei et Niu，2008
　　分布：陕西（宁陕）、河南、湖北、四川。

（382）斑股亚黄叶蜂 *Tenthredo maculofemoratila* Wei，2002
　　分布：陕西（留坝）、河南、甘肃。

（383）大斑绿斑叶蜂 *Tenthredo magnimaculatia* Wei，2002
　　分布：陕西（长安）、河南、甘肃、湖北。

（384）黑顶低突叶蜂 *Tenthredo mesomela gigas* Malaise，1931
　　分布：陕西（长安、周至、眉县、太白、凤县、潼关、留坝、佛坪、宁陕、丹凤）、黑龙江、吉林、辽宁、河北、山西、河南、甘肃、湖北、湖南、重庆、四川；韩国，东北亚。

（385）小凹斑翅叶蜂 *Tenthredo microexcisa* Wei，1998
　　分布：陕西（凤县）、北京、河北、河南、贵州。

（386）小顶大黄叶蜂 *Tenthredo microvertexis* Wei，2006
　　分布：陕西（宁陕）、浙江、湖北、湖南、广西、四川、贵州。

（387）蒙古棒角叶蜂 *Tenthredo mongolica*（Jakovlev, 1891）

分布:陕西(眉县、凤县、宁陕)、黑龙江、内蒙古、北京、河北、浙江、宁夏、四川;蒙古, 俄罗斯, 朝鲜。

（388）侧斑槌腹叶蜂 *Tenthredo mortivaga* Marlatt, 1898

分布:陕西(留坝、佛坪)、甘肃、江苏、安徽、浙江、湖南、福建、广西;日本。

（389）多齿亚黄叶蜂 *Tenthredo multidentella* Wei, 1998

分布:陕西(长安、太白、凤县、华阴、宁陕)、北京、河北、河南、宁夏、甘肃、湖北。

（390）宽条细斑叶蜂 *Tenthredo nephritica* Malaise, 1945

分布:陕西(长安、太白、凤县、华阴、佛坪、宁陕)、河南、甘肃、湖北、重庆、四川、贵州;缅甸。

（391）黑尾槌腹叶蜂 *Tenthredo nigrocaudata* Wei et Hu, 2017

分布:陕西(周至、留坝)、甘肃、湖北。

（392）黑额亚黄叶蜂 *Tenthredo nigrofrontalina* Wei, 1998

分布:陕西(长安、太白、凤县、潼关、留坝、佛坪)、河南、宁夏、甘肃、湖北、四川。

（393）黑柄亚黄叶蜂 *Tenthredo nigroscapulatina* Wei, 2002

分布:陕西(长安、佛坪)、河南、甘肃。

（394）室带槌腹叶蜂 *Tenthredo nubipennis* Malaise, 1945

分布:陕西(留坝)、安徽、浙江、湖北、江西、湖南、福建、广东、广西、贵州。

（395）钝突刺斑叶蜂 *Tenthredo obtusicorninata* Wei et Nie, 1999

分布:陕西(华阴)、辽宁、北京、河北、山西、河南、甘肃、湖北。

（396）双带棒角叶蜂 *Tenthredo odynerina*（Malaise, 1934）

分布:陕西(华阴)、北京、河北、甘肃、湖北、四川;印度(北部)。

（397）寡斑白端叶蜂 *Tenthredo oligoleucomacula* Wei, 1998

分布:陕西(凤县、宁陕)、河南、甘肃、湖北、湖南。

（398）环斑长突叶蜂 *Tenthredo omega* Takeuchi, 1936

分布:陕西(长安、太白、凤县、华阴、宁陕)、河北、山西、河南、宁夏、甘肃、湖北、四川;日本, 东北亚。

（399）粗纹窄突叶蜂 *Tenthredo paraobsoleta* Wei et Liu, 2013

分布:陕西(凤县)、河北、山西、宁夏、甘肃、湖北、四川。

（400）黑腰白端叶蜂 *Tenthredo pararubiapicilina* Wei et Niu, 2008

分布:陕西(佛坪)、山西、河南、宁夏、甘肃、湖北。

（401）斑眶白端叶蜂 *Tenthredo parcepilosa* Malaise, 1945

分布:陕西(长安、凤县、太白)、甘肃、四川、西藏。

（402）瘤突瘤带叶蜂 *Tenthredo pediculus* **Jakovlev，1891**

　　　分布：陕西（长安、凤县）、宁夏、甘肃、湖北、四川。

（403）黑柄长颚叶蜂 *Tenthredo plagiocephalia* **Wei，2002**

　　　分布：陕西（长安、凤县）、河南。

（404）脊盾横斑叶蜂 *Tenthredo pompilina* **Malaise，1945**

　　　分布：陕西（长安、周至、太白、凤县、镇安）、河南、安徽、浙江、江西、湖南、广西、四川、贵州、云南、西藏；缅甸，印度。

（405）黑柄短角叶蜂 *Tenthredo potanini*（**Jakovlev，1891**）

　　　分布：陕西（长安、眉县、太白、凤县）、河南、甘肃、四川。

（406）半环环角叶蜂 *Tenthredo pronotalis* **Malaise，1945**

　　　分布：陕西（太白山）、湖北、湖南、四川。

（407）短角长突叶蜂 *Tenthredo pseudobullifera* **Wei et Liu，2013**

　　　分布：陕西（长安）、北京、河北、山西、河南、宁夏、甘肃、湖北、重庆、四川、云南。

（408）弧底亚黄叶蜂 *Tenthredo pseudocestanella* **Wei，1998**

　　　分布：陕西（留坝）、河北、山西、河南、宁夏、甘肃。

（409）绿柄中带叶蜂 *Tenthredo pseudoformosula* **Wei et Shang，2013**

　　　分布：陕西（长安、眉县、太白、凤县、留坝、佛坪）、宁夏、甘肃、湖北、四川。

（410）半环长突叶蜂 *Tenthredo pseudograhami* **Wei，2002**

　　　分布：陕西（长安、华阴）、山西、河南、宁夏、甘肃、四川。

（411）痕纹细斑叶蜂 *Tenthredo pseudonephritica* **Wei，1998**

　　　分布：陕西（长安、凤县）、河南、宁夏、甘肃、湖北、四川。

（412）黑唇红环叶蜂 *Tenthredo pulchra* **Jakovlev，1891**

　　　分布：陕西（留坝）、内蒙古、河北、山西、宁夏、甘肃、青海、湖北、四川、云南；印度。

（413）刻颜环角叶蜂 *Tenthredo puncticincta* **Wei，1998**

　　　分布：陕西（华阴）、河南。

（414）黄股短角叶蜂 *Tenthredo punctimaculiger* **Wei，1998**

　　　分布：陕西（长安、凤县、留坝）、河南、甘肃。

（415）绿胸短角叶蜂 *Tenthredo pusilloides*（**Malaise，1934**）

　　　分布：陕西（华阴）、宁夏、甘肃、青海、湖北、四川、贵州。

（416）秦岭白端叶蜂 *Tenthredo qinlingia* **Wei，1998**

　　　分布：陕西（华阴、眉县）、河南、宁夏、湖北、广东、云南。

（417）黄突细蓝叶蜂 *Tenthredo regia* **Malaise，1945**

　　　分布：陕西（华阴）、河北、山西、河南、甘肃、四川。

（418）反斑断突叶蜂 *Tenthredo reversimaculeta* Wei，2002

分布：陕西（眉县）、河南、甘肃、湖北。

（419）长角白端叶蜂 *Tenthredo rubiapicilina* Wei，2002

分布：陕西（长安、太白、凤县、潼关、留坝、佛坪）、河北、河南、甘肃。

（420）红褐窝板叶蜂 *Tenthredo rubiginolica* Wei，2005

分布：陕西（留坝、佛坪、丹凤）、四川、贵州。

（421）红眶白端叶蜂 *Tenthredo rubiobitava* Wei，2002

分布：陕西（长安、凤县、佛坪、宁陕、南郑）、河南、甘肃。

（422）褐跗短角叶蜂 *Tenthredo rubitarsalitia* Wei et Xu，2012

分布：陕西（长安、留坝）、甘肃、安徽、浙江、湖南。

（423）红胫断突叶蜂 *Tenthredo rubritibialina* Wei，2002

分布：陕西（周至、凤县、留坝、宁陕）、山西、河南、宁夏、甘肃、湖北。

（424）红胫环角叶蜂 *Tenthredo rufotibianella* Wei，1998

分布：陕西（佛坪）、河南、宁夏、甘肃、湖北。

（425）纹额绿斑叶蜂 *Tenthredo rugifrontalisa* Wei，2002

分布：陕西（凤县、留坝）、河北、河南。

（426）断带窝板叶蜂 *Tenthredo seminfuscalia* Wei，2002

分布：陕西（周至）、河南、甘肃。

（427）花斑白端叶蜂 *Tenthredo seriata* Malaise，1945

分布：陕西（留坝、佛坪）、湖北；缅甸。

（428）申氏条角叶蜂 *Tenthredo sheni* Wei，1998

分布：陕西（长安、蓝田、太白、华阴、宁陕）、河南、甘肃。

（429）陕西刻绿叶蜂 *Tenthredo shensiensis* Malaise，1945

分布：陕西（太白山）、四川、云南。

（430）时氏中带叶蜂 *Tenthredo shii* Wei，1998

分布：陕西（留坝、宁陕）、河南、甘肃。

（431）中华平斑叶蜂 *Tenthredo sinensis* Mallach，1933

分布：陕西（长安、华阴、留坝）、河南、安徽、浙江、湖北、湖南、广东、广西、贵州。

（432）陡峭低突叶蜂 *Tenthredo sinoalpina* Malaise，1945

分布：陕西（长安）、宁夏、甘肃、四川。

（433）*Tenthredo sinoflava* Haris，2014

分布：陕西（宁陕）。

（434）*Tenthredo sinomirabilis* Haris，2014

分布：陕西（宁陕）。

（435）*Tenthredo sinopotanini* **Haris, 2014**
　　分布:陕西(宝鸡)。

（436）*Tenthredo sinospeciosa* **Haris, 2014**
　　分布:陕西(宝鸡)。

（437）红腹环角叶蜂 *Tenthredo sordidezonata* **Malaise, 1945**
　　分布:陕西(眉县、华阴)、河北、河南、四川。

（438）条斑条角叶蜂 *Tenthredo striaticornis* **Malaise, 1945**
　　分布:陕西(周至、眉县、太白、凤县、华阴、潼关、佛坪、宁陕)、河南、甘肃、湖北、湖南、四川、贵州。

（439）光额突柄叶蜂 *Tenthredo subflava* **Malaise, 1945**
　　分布:陕西(华阴)、河南、宁夏、浙江、湖北、江西、湖南、重庆、四川、云南;缅甸,印度。

（440）黄带刺胸叶蜂 *Tenthredo szechuanica* **Malaise, 1945**
　　分布:陕西(长安、凤县)、河南、甘肃、湖北、四川、贵州。

（441）纤弱突柄叶蜂 *Tenthredo tenuisomania* **Wei, 1998**
　　分布:陕西(眉县)、河南。

（442）东缘平斑叶蜂 *Tenthredo terratila* **Wei et Nie, 2002**
　　分布:陕西(宝鸡、凤县)、河南、湖南、广西、贵州。

（443）天目条角叶蜂 *Tenthredo tienmushana*（**Takeuchi, 1940**）
　　分布:陕西(蓝田、周至、太白、凤县、华阴、潼关、佛坪)、北京、河北、河南、甘肃、安徽、浙江、湖北、广西、重庆、四川、云南。

（444）横带斑翅叶蜂 *Tenthredo transversa* **Wei et Shang, 2013**
　　分布:陕西(佛坪)、甘肃。

（445）短顶中带叶蜂 *Tenthredo transversiverticina* **Wei et Shang, 2013**
　　分布:陕西(凤县、潼关)、甘肃、四川。

（446）多斑高突叶蜂 *Tenthredo triangulifera* **Malaise, 1945**
　　分布:陕西(凤县)、河南、甘肃、湖北、湖南、重庆、四川、云南。

（447）角斑高突叶蜂 *Tenthredo triangulimacula* **Wei et Hu, 2013**
　　分布:陕西(太白山)、湖北、四川。

（448）三齿狭突叶蜂 *Tenthredo tridentaclypeata* **Wei, 1998**
　　分布:陕西(华阴)、山西、河南、宁夏、湖北、四川。

（449）三齿翠绿叶蜂 *Tenthredo tridentata* **Malaise, 1945**
　　分布:陕西(长安、凤县、眉县)、湖北、云南;缅甸(北部)。

（450）三带槌腹叶蜂 *Tenthredo trixanthomacula* **Wei et Yan, 2012**
　　分布:陕西(长安、潼关、留坝)、山西、甘肃、安徽、湖北、江西、湖南、广西、四川、贵州。

（451）截唇绿斑叶蜂 *Tenthredo trunca* **Konow，1908**

分布：陕西（太白山）、河南、宁夏、四川、西藏；印度，尼泊尔，巴基斯坦。

（452）单带棒角叶蜂 *Tenthredo ussuriensis unicinctasa* **Nie et Wei，2002**

分布：陕西（长安、周至、太白、凤县、潼关、留坝、丹凤）、北京、天津、河北、河南、甘肃、安徽、浙江、湖南。

（453）短条短角叶蜂 *Tenthredo vittipleuris* **Malaise，1945**

分布：陕西（留坝、佛坪）、河南、安徽、浙江、湖北、湖南、四川、贵州、云南；缅甸。

（454）文氏斑黄叶蜂 *Tenthredo wenjuni* **Wei，1998**

分布：陕西（长安）、河南、甘肃、四川。

（455）黄胸黄角叶蜂 *Tenthredo xanthopleurita* **Wei，1998**

分布：陕西（宝鸡、凤县、留坝、佛坪、宁陕）、河南、甘肃。

（456）断突平斑叶蜂 *Tenthredo xanthotarsus* **Cameron，1876**

分布：陕西（华阴）、内蒙古、河南；俄罗斯，日本。

（457）亮黄环腹叶蜂 *Tenthredo xysta* **Wei，2002**

分布：陕西（眉县）、河南、贵州。

（458）尹氏逆角叶蜂 *Tenthredo yinae* **Wei，1999**

分布：陕西（长安、周至、太白、凤县、潼关、留坝、佛坪、丹凤）、河南、甘肃、安徽。

（459）方顶高突叶蜂 *Tenthredo yingdangi* **Wei，2002**

分布：陕西（佛坪）、河北、河南、宁夏、甘肃、湖北。

（460）钟氏条角叶蜂 *Tenthredo zhongi* **Wei et Nie，2002**

分布：陕西（长安、凤县）、河南、安徽、湖北。

（461）朱氏短角叶蜂 *Tenthredo zhui* **Wei，2002**

分布：陕西（留坝、佛坪）、河南、安徽、浙江、湖北、湖南、贵州。

（462）黑股平胸叶蜂 *Tenthredo* **sp.**

分布：陕西（秦岭）、四川、云南。

98．合叶蜂属 *Tenthredopsis* Costa，1859

（463）缅甸合叶蜂 *Tenthredopsis birmanica* **Malaise，1945**

分布：陕西（长安、周至、宝鸡、凤县、留坝、丹凤）、河南、甘肃、安徽、浙江、湖南、福建、广西、四川、云南；缅甸。

（464）黑角合叶蜂 *Tenthredopsis fuscicornis* **Malaise，1945**

分布：陕西（长安、凤县、眉县、留坝、佛坪、镇安、丹凤）、河南、甘肃、安徽、浙江、湖南;缅甸。

（465）红腹合叶蜂 *Tenthredopsis gansuensis* Jakovlev, 1891

分布:陕西(留坝、丹凤)、河南、甘肃。

（466）环角合叶蜂 *Tenthredopsis insularis* Takeuchi, 1927

分布:陕西(长安、周至、太白、凤县、留坝、佛坪、安康、丹凤)、河南、甘肃、安徽、浙江、湖北、江西、湖南、福建、台湾、广西、四川、贵州、云南;缅甸。

（467）闭缘合叶蜂 *Tenthredopsis nassata* (Linnaeus, 1767)

分布:陕西(秦岭)、黑龙江、吉林、内蒙古、山东、河南、甘肃;蒙古,俄罗斯,日本,土耳其,欧洲。

（468）红角合叶蜂 *Tenthredopsis ruficornis* Malaise, 1945

分布:陕西(长安、周至、凤县、华阴、佛坪、镇安)、河南、甘肃、浙江、湖南、四川、云南;缅甸。

（十一）大基叶蜂亚科 Belesesinae

99. 异基叶蜂属 *Abeleses* Enslin, 1911

（469）红胫异基叶蜂 *Abeleses rufotibialis* Wei, 2003

分布:陕西(佛坪)、河南、甘肃、浙江、湖南、福建。

（470）黑痣异基叶蜂 *Abeleses* sp.

分布:陕西(长安、凤县)。

100. 大基叶蜂属 *Beleses* Cameron, 1877

（471）短距大基叶蜂 *Beleses brachycalcar* Wei, 2005

分布:陕西(宁陕)、浙江、湖北、贵州。

（472）宽斑大基叶蜂 *Beleses latimaculata* Wei et Niu, 2012

分布:陕西(留坝)、浙江、湖北、湖南、福建、广东、海南、广西、重庆、四川。

（473）多斑大基叶蜂 *Beleses multipicta* (Rhohew, 1916)

分布:陕西(留坝)、浙江、湖北、湖南、福建、台湾、广东、海南、广西、重庆、四川。

（474）中华大基叶蜂 *Beleses sinensis* Wei, 2002

分布:陕西(长安、留坝、佛坪)、河南、浙江、湖南。

（475）黑尾大基叶蜂 *Beleses stigmaticalis* (Cameron, 1876)

分布:陕西(长安、凤县、佛坪)、天津、河南、安徽、浙江、湖北、湖南、广西、四川;印度。

（476）黑鳞大基叶蜂 *Beleses tegularis* Wei, 2002

分布:陕西(长安)、河南。

（477）黄褐大基叶蜂 *Beleses unicolor* Wei，1999

分布：陕西（周至、宁陕）、河南、湖北、湖南、四川、贵州。

101．半基叶蜂属 *Hemibeleses* Takeuchi，1929

（478）细角半基叶蜂 *Hemibeleses gracilicornis* Wei，1999

分布：陕西（佛坪）、河南、四川。

102．畸距叶蜂属 *Nesotaxonus* Rohwer，1910

（479）凹板畸距叶蜂 *Nesotaxonus flavescens*（Marlatt，1898）

分布：陕西（镇安）、北京、河南、上海、江苏、安徽、浙江、湖北、湖南、福建、台湾、重庆、四川、贵州；日本。

（480）黄褐畸距叶蜂 *Nesotaxonus fulvus*（Cameron，1877）

分布：陕西（佛坪）、甘肃、贵州、云南。

（481）白跗畸距叶蜂 *Nesotaxonus* sp.

分布：陕西（周至、凤县、佛坪）。

103．张华叶蜂属 *Zhanghuaus* Niu *et* Wei，2016

（482）端斑张华叶蜂 *Zhanghuaus apicimacula* Niu *et* Wei，2016

分布：陕西（留坝）。

（十二）残青叶蜂亚科 Athaliinae

104．残青叶蜂属 *Athalia* Leach，1817

（483）盾斑残青叶蜂 *Athalia decorata* Konow，1900

分布：陕西（凤县、宁陕）、黑龙江、内蒙古、甘肃、四川；俄罗斯。

（484）日本残青叶蜂 *Athalia japonica*（Klug，1815）

分布：陕西（佛坪）、吉林、辽宁、内蒙古、北京、河北、山西、河南、甘肃、青海、上海、江苏、台湾、四川、云南、西藏；俄罗斯，朝鲜，日本，印度。

（485）黑胫残青叶蜂 *Athalia proxima*（Klug，1815）

分布：陕西（长安、凤县、佛坪）、黑龙江、吉林、辽宁、山西、河南、甘肃、上海、江苏、安徽、浙江、江西、湖南、福建、台湾、广东、海南、香港、广西、重庆、四川、西藏；日本，缅甸，印度，马来西亚，印度尼西亚。

（486）短斑残青叶蜂 *Athalia ruficornis* Jakovlev，1888

分布：陕西（武功、华阴）、黑龙江、吉林、辽宁、内蒙古、北京、天津、河北、山西、河南、宁夏、甘肃、青海、上海、江苏、安徽、浙江、湖北、江西、福建、台湾、广西、重庆、四川、云南；俄罗斯，朝鲜，日本，东喜马拉雅地区。

（487）黑肩残青叶蜂 *Athalia scapulata* **Konow，1903**

分布：陕西（长安、周至、凤县、留坝、佛坪）、河南、宁夏、甘肃、湖北、重庆、四川、云南、西藏；缅甸。

（488）隆齿残青叶蜂 *Athalia tanaoserrula* **Chu et Wang，1962**

分布：陕西（佛坪）、甘肃、上海、江苏、浙江、湖北、湖南、福建、广东、广西、重庆、四川、贵州、云南、西藏。

（十三）蔺叶蜂亚科 Blennocampinae

105. 异李叶蜂属 *Apareophora* **Sato，1928**

（489）狭鞘异李叶蜂 *Apareophora stenotheca* **Wei，1997**

分布：陕西（眉县、安康）、甘肃、安徽、浙江、湖北、湖南、福建、四川、贵州。

106. 蔺叶蜂属 *Blennocampa* **Hartig，1837**

（490）纹颊蔺叶蜂 *Blennocampa* **sp.**

分布：陕西（佛坪）、山西。

107. 宽距叶蜂属 *Eurhadinoceraea* **Enslin，1920**

（491）吕氏宽距叶蜂 *Eurhadinoceraea lui* **Wei，1999**

分布：陕西（太白、凤县）、宁夏、甘肃、青海、新疆、四川。

（492）黑足宽距叶蜂 *Eurhadinoceraea nigripes* **Wei，1999**

分布：陕西（宝鸡）。

108. 真片叶蜂属 *Eutomostethus* **Enslin，1914**

（493）短室真片叶蜂 *Eutomostethus brevicellus* **Wei et Niu，2009**

分布：陕西（安康）、河南、湖北。

（494）革纹真片叶蜂 *Eutomostethus coriaceous* **Wei，2002**

分布：陕西（佛坪）、河南、宁夏、福建。

（495）湖南真片叶蜂 *Eutomostethus hunanicus* **Wei et Ma，1997**

分布：陕西（佛坪）、浙江、湖北、江西、湖南、广东、广西、重庆、贵州。

（496）狭突真片叶蜂 *Eutomostethus lineitubercula* **Wei et Niu，2008**

分布：陕西（长安、丹凤）、河南。

（497）刻眶真片叶蜂 *Eutomostethus occipitalis* **Wei et Nie，1998**

分布：陕西（秦岭）、山东、浙江、湖北、湖南、福建、广东、贵州、云南。

（498）假亮真片叶蜂 *Eutomostethus pseudometallicus* **Wei et Niu，2009**

分布：陕西（长安、太白）、河南。

（599）三色真片叶蜂 *Eutomostethus tricolor*（Malaise，1934）
　　　分布:陕西(凤县)、吉林、辽宁、北京、河北、山西、河南、甘肃、安徽、浙江、
　　　江西、湖南、福建、台湾、广西、四川、贵州、云南、西藏；俄罗斯，日本。

109. 巨片叶蜂属 *Megatomostethus* Takeuchi，1933

（500）粗角巨片叶蜂 *Megatomostethus crassicornis*（Rohwer，1910）
　　　分布:陕西(佛坪)、北京、河南、甘肃、安徽、浙江、湖南、台湾；韩国，日本。

110. 胖蔺叶蜂属 *Monophadnus* Hartig，1837

（501）中华胖蔺叶蜂 *Monophadnus sinicus* Wei，1997
　　　分布:陕西(留坝)、黑龙江、吉林、辽宁、内蒙古、北京、河北、山西、山东、河
　　　南、甘肃、江苏、安徽、浙江、湖南、广西、重庆。

（502）环棘胖蔺叶蜂 *Monophadnus* sp.
　　　分布:陕西(华阴)、北京、江苏、浙江。

111. 脊栉叶蜂属 *Neoclia* Malaise，1937

（503）中华脊栉叶蜂 *Neoclia sinensis* Malaise，1937
　　　分布:陕西(太白、佛坪、宁陕)、河南、甘肃、江苏、安徽、浙江、湖北、四
　　　川、云南。

112. 基齿叶蜂属 *Nesotomostethus* Rohwer，1910

（504）中华基齿叶蜂 *Nesotomostethus continentialis* Malaise，1934
　　　分布:陕西(长安)、天津、河北、河南、甘肃。

113. 聂氏叶蜂属 *Niea* Wei，1998

（505）尖鞘聂氏叶蜂 *Niea* sp.
　　　分布:陕西(长安)。

114. 半片叶蜂属 *Nipponostethus* Togashi，1997

（506）黄褐半片叶蜂 *Nipponostethus fulvus*（Wei，1997）
　　　分布:陕西(华阴)、内蒙古、山西、河南。

（507）黑足半片叶蜂 *Nipponostethus* sp.
　　　分布:陕西(眉县)。

115. 珠片叶蜂属 *Onychostethomostus* Togashi，1984

（508）黑腹珠片叶蜂 *Onychostethomostus insularis*（Rohwer，1916）

分布:陕西(留坝、佛坪)、北京、山东、河南、甘肃、安徽、浙江、湖北、湖南、福建、台湾、广东、四川、贵州。

116. 匀节叶蜂属 *Phymatocera* Dahlbom, 1835

(509) 窝陷匀节叶蜂 *Phymatocera foveata* Wei, 1998
　　分布:陕西(佛坪)、河南。

117. 近脉叶蜂属 *Phymatoceropsis* Rohwer, 1916

(510) 黑腹近脉叶蜂 *Phymatoceropsis melanogaster* He, Wei *et* Zhang, 2005
　　分布:陕西(佛坪)、江西、湖南。

118. 儒雅叶蜂属 *Rya* Malaise, 1964

(511) 白鳞儒雅叶蜂 *Rya tegularis* Malaise, 1964
　　分布:陕西(佛坪)、浙江、湖南、福建、云南。

119. 角瓣叶蜂属 *Senoclidea* Rohwer, 1912

(512) 白唇角瓣叶蜂 *Senoclidea decora* (Konow, 1898)
　　分布:陕西(周至、华阴、镇安)、北京、山东、河南、江苏、浙江、湖北、江西、湖南、福建、台湾、广东、海南、广西、四川、贵州、云南;缅甸。

120. 线蔺叶蜂属 *Stenocampa* Wei *et* Nie, 1997

(513) 细长线蔺叶蜂 *Stenocampa elongata* Wei *et* Nie, 1997
　　分布:陕西(宝鸡)、山西、甘肃。

121. 直片叶蜂属 *Stethomostus* Benson, 1939

(514) 朱氏直片叶蜂 *Stethomostus* sp.
　　分布:陕西(佛坪)、浙江、湖南。

八、扁蜂科 Pamphiliidae

122. 阿扁蜂属 *Acantholyda* Costa, 1859

(515) 松阿扁蜂 *Acantholyda posticalis posticalis* (Matsumura, 1912)
　　分布:陕西(太白)、黑龙江、辽宁、山西、河南、宁夏、甘肃;蒙古,俄罗斯,韩国,日本,欧洲。

(516) 大刻阿扁蜂 *Acantholyda punctacephala* Wei, 2002

分布:陕西(潼关)、河南、甘肃。

123．腮扁蜂属 *Cephalcia* Panzer，1803

（517）白角腮扁蜂 *Cephalcia alboflagellaria* Wei，1998
分布:陕西(佛坪)、河南、甘肃。

（518）昆嵛山腮扁蜂 *Cephalcia kunyushanica* Xiao，1987
分布:陕西(周至)、山东。

（519）黑胫腮扁蜂 *Cephalcia nigrotibialis* Wei *et* Niu，2008
分布:陕西(周至)、河南、安徽。

（520）马尾松腮扁蜂 *Cephalcia pinivora* Xiao *et* Zeng，1998
分布:陕西(长安、周至)、重庆、四川。

124．脉扁蜂属 *Neurotoma* Konow，1897

（521）黄角反脉扁蜂 *Neurotoma* sp.
分布:陕西(佛坪)。

125．齿扁蜂属 *Onycholyda* Takeuchi，1938

（522）黄角齿扁蜂 *Onycholyda flavicornis* Shinohara *et* Wei，2016
分布:陕西(眉县)、浙江。

（523）黄缘齿扁蜂 *Onycholyda flavicostalis* Shinohara，2012
分布:陕西(佛坪)、湖南。

（524）齿扁蜂 *Onycholyda fulvicornis* Shinohara，2016
分布:陕西、浙江。

（525）黑脉齿扁蜂 *Onycholyda nigronervis* Wei，1998
分布:陕西(长安)、河南、甘肃。

（526）黄转齿扁蜂 *Onycholyda odaesana* Shinohara *et* Byun，1993
分布:陕西(佛坪)、河南、甘肃、安徽、湖南;朝鲜,韩国。

（527）陕西齿扁蜂 *Onycholyda shaanxiana* Shinohara，1999
分布:陕西(佛坪、宁陕)、河南、浙江、湖北、湖南、广西。

（528）方顶齿扁蜂 *Onycholyda subquadrata*（Maa，1944）
分布:陕西(周至、佛坪、宁陕)、内蒙古、北京、河北、山西、河南、甘肃、浙江、江西、湖南、福建、广西、四川。

（529）黄腹齿扁蜂 *Onycholyda xanthogaster* Shinohara，1999
分布:陕西(周至、佛坪)。

126. 扁蜂属 *Pamphilius* Latreille, 1803

(530) 亮头扁蜂 *Pamphilius hilaris* (Eversmann, 1847)
分布:陕西(凤县);俄罗斯,日本。

(531) 白唇扁蜂 *Pamphilius minor* Shinohara *et* Xiao, 2006
分布:陕西(凤县)。

(532) 黑脉扁蜂 *Pamphilius nigronervis* Wei, 1998
分布:陕西(长安)、河南。

(533) 光头扁蜂 *Pamphilius nitidiceps* Shinohara, 1998
分布:陕西(长安、太白、佛坪)、山西。

(534) 秦岭扁蜂 *Pamphilius qinlingicus* Wei, 2010
分布:陕西(周至、眉县、凤县)、甘肃、浙江。

(535) 盛氏扁蜂 *Pamphilius shengi* Wei, 1999
分布:陕西(佛坪)、河南、浙江、湖北。

(536) 中华扁蜂 *Pamphilius sinensis* Shinohara, Dong *et* Naito, 1998
分布:陕西(长安)、云南。

(537) 淡痣扁蜂 *Pamphilius uniformis* Shinohara *et* Zhou, 2006
分布:陕西(眉县、太白)。

九、广蜂科 Megalodontesidae

127. 广蜂属 *Megalodontes* Latreille, 1803

(538) 朝鲜广蜂 *Megalodontes coreensis* Takeuchi, 1927
分布:陕西、河北、河南;东北亚。

(539) 黑股广蜂 *Megalodontes spiraeae siberiensis* (Rohwer, 1925)
分布:陕西(太白、华阴、甘泉)、黑龙江、吉林、辽宁、内蒙古、北京、河北、河南、宁夏、甘肃、重庆;蒙古,俄罗斯(远东),东北亚。

十、项蜂科 Xiphydriidae

128. 真项蜂属 *Euxiphydria* Semenov *et* Gussakovskij, 1935

(540) 红头真项蜂 *Euxiphydria potanini* (Jakovlev, 1891)
分布:陕西(凤县、佛坪)、北京、河南、甘肃;俄罗斯(远东),朝鲜,日本。

(541) 陕西真项蜂 *Euxiphydria shaanxiana* Smith *et* Shinohara, 2011
分布:陕西(眉县)。

十一、茎蜂科 Cephidae

129．细茎蜂属 *Calameuta* Konow，1896

（542）黄颚细茎蜂 *Calameuta mandibularis* Wei，1995
分布：陕西（眉县）、河南、宁夏、甘肃、湖北、湖南。

（543）纤细茎蜂 *Calameuta tenuis* Wei，1995
分布：陕西（眉县）、甘肃、湖北。

130．茎蜂属 *Cephus* Latreille，1803

（544）点斑茎蜂 *Cephus brachycercus* Thomson，1871
分布：陕西（凤县、太白、潼关）、黑龙江、辽宁、山西、河南、宁夏、甘肃、青海、湖北；日本，亚洲，欧洲。

（545）烟翅茎蜂 *Cephus infuscatus* Thomson，1871
分布：陕西（太白）、北京、甘肃、青海；欧洲。

（546）三斑茎蜂 *Cephus trimaculatus* Wei，2005
分布：陕西（太白）。

131．简脉茎蜂属 *Janus* Stephens，1829

（547）古氏简脉茎蜂 *Janus gussakovskii* Maa，1949
分布：陕西（丹凤）、北京、山西、甘肃、江西、湖南、福建。

132．张茎蜂属 *Jungicephus* Maa，1949

（548）双齿张茎蜂 *Jungicephus bidentus* Nie *et al.*，2016
分布：陕西（周至）、北京、河北、河南、重庆。

（549）斑颚张茎蜂 *Jungicephus mandibularis* Maa，1949
分布：陕西（周至）、北京、河北、河南。

133．等节茎蜂属 *Phylloecus* Newman，1838

（550）陈氏等节茎蜂 *Phylloecus cheni*（Wei *et* Nie，1999）
分布：陕西（太白）、河南、甘肃。

（551）黑胫等节茎蜂 *Phylloecus nigrotibialis*（Wei *et* Nie，1997）
分布：陕西（宝鸡、佛坪）、河南、宁夏、甘肃。

134．短痣茎蜂属 *Stigmatijanus* Wei，2007

（552）杏短痣茎蜂 *Stigmatijanus armeniacae* Wu，2008

分布:陕西(丹凤)、甘肃。

十二、树蜂科 Siricidae

135. 树蜂属 *Sirex* Linnaeus, 1760

(553) 斑翅树蜂 *Sirex nitobei* Matsumura, 1912
分布:陕西(周至、勉县)、河北、山东、河南、江苏、云南;朝鲜,日本。

136. 扁角树蜂属 *Tremex* Jurine, 1807

(554) 黑顶扁角树蜂 *Tremex apicalis* Matsumura, 1912
分布:陕西(镇安)、吉林、辽宁、北京、天津、河北、河南、上海、江苏、浙江、四川。

(555) 烟扁角树蜂 *Tremex fuscicornis*(Fabricius, 1787)
分布:陕西(太白)、黑龙江、吉林、辽宁、内蒙古、北京、天津、河北、山西、河南、甘肃、上海、江苏、浙江、江西、湖南、福建、西藏;蒙古,朝鲜,日本,欧洲。

137. 大树蜂属 *Urocerus* Geoffroy, 1762

(556) 类台大树蜂 *Urocerus similis* Xiao et Wu, 1983
分布:陕西(留坝、勉县)。

138. 长尾树蜂属 *Xeris* Costa, 1894

(557) 黄肩长尾树蜂 *Xeris spectrum spectrum*(Linné, 1758)
分布:陕西(佛坪)、黑龙江、吉林、辽宁、内蒙古、北京、山西、河南、甘肃、新疆、青海、台湾、四川;韩国,日本,澳大利亚,欧洲,北美洲。

十三、尾蜂科 Orussidae

139. 尾蜂属 *Orussus* Latreille, 1797

(558) 黑腹尾蜂 *Orussus melanosoma* Lee et Wei, 2014
分布:陕西(眉县、佛坪);韩国。

细腰亚目 Apocrita

寄生部 Parasitica

Ⅰ.冠蜂总科 Stephanoidea

十四、冠蜂科 Stephanidae

140．副冠蜂属 *Parastephanellus* Enderlein，1906

（559）松本副冠蜂 *Parastephanellus matsumotoi* Achterberg，2006
　　　　分布：陕西（凤县）、河南、浙江；日本。

141．施冠蜂属 *Schlettererius* Ashmead，1900

（560）*Schlettererius chundanae* Tan *et* van Achterberg，2015
　　　　分布：陕西。

（561）施冠蜂 *Schlettererius determinatoris* Madl，1991
　　　　分布：陕西（留坝）；韩国。

142．冠蜂属 *Stephanus* Jurine，1801

（562）三齿冠蜂 *Stephanus tridentatus* Achterberg *et* Yang，2004
　　　　分布：陕西（周至、凤县）、河南。

十五、钩腹蜂科 Trigonalyidae

143．Genus *Bareogonalos* Schulz，1907

（563）*Bareogonalos xibeidai* Tan *et* van Achterberg，2017
　　　　分布：陕西（凤县）。

144．Genus *Jezonogonalos* Tsuneki，1991

（564）*Jezonogonalos luteata* Chen，van Achterberg，He *et* Xu，2014
　　　　分布：陕西（宁强）、四川。

（565）*Jezonogonalos mandibularis* Tan *et* van Achterberg，2017

分布:陕西(洋县)。

(566) *Jezonogonalos shaanxiensis* Tan *et* van Achterberg, 2017

分布:陕西(宁陕、洋县、南郑)。

145. Genus *Orthogonalys* Schulz, 1905

(567) *Orthogonalys clypeata* Chen, van Achterberg, He *et* Xu, 2014

分布:陕西(宁陕、洋县、宁强)、宁夏、四川、贵州、云南。

(568) *Orthogonalys elongata* Teranishi, 1929

分布:陕西(眉县、宁陕、南郑)、河南、四川、西藏;俄罗斯,日本。

(569) *Orthogonalys hirasana* Teranishi, 1929

分布:陕西(宁陕、洋县、宁强、南郑)、四川;日本,? 印度。

(570) *Orthogonalys paraclypeata* Tan *et* van Achterberg, 2017

分布:陕西(宁陕、洋县、柞水)。

(571) *Orthogonalys robusta* Chen, van Achterberg, He *et* Xu, 2014

分布:陕西(宁陕、柞水)、广西。

146. Genus *Pseudogonalos* Schulz, 1906

(572) *Pseudogonalos hahnii* (Spinola, 1840)

分布:陕西(长安)、辽宁、内蒙古、北京、河北、河南、云南;蒙古,俄罗斯,
哈萨克斯坦,乌克兰,西欧。

147. Genus *Taeniogonalos* Schulz, 1906

(573) *Taeniogonalos alticola* (Tsuneki, 1991)

分布:陕西(佛坪、宁陕、洋县、宁强、南郑、柞水)、宁夏、台湾。

(574) *Taeniogonalos bucarinata* Chen, van Achterberg, He *et* Xu, 2014

分布:陕西(户县、眉县、太白、佛坪、宁陕、洋县、宁强、南郑、柞水、洛南)、河
南、宁夏、甘肃、浙江、福建、四川、云南。

(575) *Taeniogonalos fasciata* (Strand, 1913)

分布:陕西(留坝、宁陕)、吉林、辽宁、河南、安徽、浙江、湖南、福建、台湾、
广东、海南、广西、贵州;俄罗斯,朝鲜,日本,? 伊朗,? 马来西亚,? 印
度尼西亚。

(576) *Taeniogonalos formosana* (Bischoff, 1913)

分布:陕西(佛坪、宁陕、宁强)、吉林、山西、河南、宁夏、浙江、福建、台湾、
广东、四川、贵州、云南、西藏;俄罗斯(远东),日本。

(577) *Taeniogonalos subtruncata* Chen, van Achterberg, He *et* Xu, 2014

分布:陕西(镇坪);朝鲜,韩国。

(578) *Taeniogonalos taihorina* (Bischoff, 1914)
分布:陕西(佛坪、宁陕、洋县、宁强、南郑)、黑龙江、宁夏、甘肃、浙江、湖北、福建、台湾、广西、四川、云南、西藏;俄罗斯(远东),日本。

(579) *Taeniogonalos tricolor* (Chen, 1949)
分布:陕西(佛坪、宁强)、河南、浙江、湖北、江西、福建、海南、广西、四川、贵州、云南;朝鲜,老挝,泰国。

148. Genus *Teranishia* Tsuneki, 1991

(580) *Teranishia glabrata* Chen, van Achterberg, He *et* Xu, 2014
分布:陕西(宁陕)、河南、宁夏、浙江、四川。

Ⅱ. 旗腹蜂总科 Evanioidea

十六、褶翅蜂科 Gasteruptiidae

149. 褶翅蜂属 *Gasteruption* Latreille, 1796

(581) 弯角褶翅蜂 *Gasteruption angulatum* Zhao, Achterberg *et* Xu, 2012
分布:陕西(宁陕)、河南、浙江、湖北。

(582) *Gasteruption bicoloratum* Tan *et* van Achterberg, 2016
分布:陕西(佛坪)。

(583) 黄石褶翅蜂 *Gasteruption huangshii* Tan *et* van Achterberg, 2016
分布:陕西(留坝)。

(584) 日本褶翅蜂 *Gasteruption japonicum* Cameron, 1888
分布:陕西(佛坪、南郑);日本。

(585) *Gasteruption oshimense* Watanabe, 1934
分布:陕西(留坝、佛坪、岚皋、柞水);日本。

(586) *Gasteruption pannuceum* Tan *et* van Achterberg, 2016
分布:陕西(长安)。

(587) *Gasteruption sinepunctatum* Zhao, van Achterberg *et* Xu, 2012
分布:陕西(留坝)、吉林、浙江、台湾、西藏。

十七、举腹蜂科 Aulacidae

150. 举腹蜂属 *Aulacus* Jurine, 1807

(588) 施氏举腹蜂 *Aulacus schoenitzeri* Turrisi, 2005

分布:陕西(宁陕)。

151. 锤举腹蜂属 *Pristaulacus* Kieffer, 1900

(589) 佛坪锤举腹蜂 *Pristaulacus fopingi* Chen, Turrisi *et* Xu, 2016
分布:陕西(佛坪)。

(590) 中锤举腹蜂 *Pristaulacus intermedius* Uchida, 1932
分布:陕西(宁陕)、吉林、辽宁、云南;日本,韩国。

Ⅲ. 钩腹蜂总科 Trigonalyoidea

十八、钩腹蜂科 Trigonalyidae

152. 直钩腹蜂属 *Orthogonalys* Schulz, 1905

(591) 盾唇直钩腹蜂 *Orthogonalys clypeata* Chen, Achterberg, He *et* Xu, 2014
分布:陕西(宁陕)、宁夏、四川、贵州、云南。

(592) 粗壮直钩腹蜂 *Orthogonalys robusta* Chen, Achterberg, He *et* Xu, 2014
分布:陕西(太白、宁陕)、广西。

153. 带钩腹蜂属 *Taeniogonalos* Schulz, 1906

(593) 大脊带钩腹蜂 *Taeniogonalos bucarinata* Chen, Achterberg, He *et* Xu, 2014
分布:陕西(太白、凤县)、河南、宁夏、甘肃、浙江、福建、四川、云南。

(594) 条带钩腹蜂 *Taeniogonalos fasciata* (Strand, 1913)
分布:陕西(留坝)、吉林、辽宁、河南、安徽、浙江、湖南、福建、台湾、广东、海南、广西、贵州;俄罗斯,韩国,日本,伊朗,马来西亚,印度尼西亚。

(595) 三色带钩腹蜂 *Taeniogonalos tricolor* (Chen, 1949)
分布:陕西(宁陕)、河南、浙江、湖北、江西、福建、海南、广西、四川、贵州、云南;韩国,泰国。

Ⅳ. 细蜂总科 Proctotrupoidea

十九、细蜂科 Proctotrupidae

(一)细蜂亚科 Proctotrupinae

154. 短细蜂属 *Brachyserphus* Hellén, 1941

(596) 短管短细蜂 *Brachyserphus breviterebrans* He *et* Xu, 2015

分布:陕西(凤县)。

（597）周氏短细蜂 *Brachyserphus choui* He et Xu, 2011

分布:陕西(凤县、南郑)。

155. 肿额细蜂属 *Codrus* Panzer, 1805

（598）马氏肿额细蜂 *Codrus maae* He et Xu, 2015

分布:陕西(凤县)。

（599）秦岭肿额细蜂 *Codrus qinlingensis* He et Xu, 2010

分布:陕西(凤县、留坝、南郑)。

156. 隐颚细蜂属 *Cryptoserphus* Kieffer, 1907

（600）针尾隐颚细蜂 *Cryptoserphus aculeator* (Haliday, 1839)

分布:陕西(凤县)、浙江、福建、广东;尼泊尔,菲律宾,印度尼西亚,欧洲。

（601）黑痣隐颚细蜂 *Cryptoserphus nigristigmatus* He et Xu, 2015

分布:陕西(凤县)、甘肃。

157. 叉齿细蜂属 *Exallonyx* Kieffer, 1904

（602）凹唇叉齿细蜂 *Exallonyx concavus* Xu, He et Liu, 2007

分布:陕西(宁陕)。

（603）密皱叉齿细蜂 *Exallonyx densirugolosus* Liu, He et Xu, 2006

分布:陕西(宝鸡)、内蒙古。

（604）毛脊叉齿细蜂 *Exallonyx epitrichus* He et Liu, 2015

分布:陕西(凤县)。

（605）宽唇叉齿细蜂 *Exallonyx eurycheilus* He et Liu, 2015

分布:陕西(凤县)。

（606）高脊叉齿细蜂 *Exallonyx excelsicarinatus* He et Xu, 2015

分布:陕西(凤县)。

（607）无凹叉齿细蜂 *Exallonyx exfoveatus* He, Liu et Xu, 2006

分布:陕西(凤县)。

（608）突额叉齿细蜂 *Exallonyx exsertifrons* He et Xu, 2015

分布:陕西(凤县)、吉林、浙江、湖北。

（609）烟足叉齿细蜂 *Exallonyx fumipes* He et Xu, 2015

分布:陕西(宁陕)。

（610）长距叉齿细蜂 *Exallonyx longicalcaratus* He et Xu, 2015

分布:陕西(凤县)。

（611）长柄叉齿细蜂 *Exallonyx longistipes* He *et* Liu，2015
　　　分布：陕西（凤县）、浙江。

（612）中黑叉齿细蜂 *Exallonyx medinigricans* He *et* Xu，2015
　　　分布：陕西（留坝）。

（613）黑胫叉齿细蜂 *Exallonyx nigritibilis* He *et* Xu，2015
　　　分布：陕西（凤县）。

（614）黑唇叉齿细蜂 *Exallonyx nigrolabius* Liu，He *et* Xu，2006
　　　分布：陕西（南郑）、浙江。

（615）无沟叉齿细蜂 *Exallonyx nihilisulcus* He *et* Xu，2015
　　　分布：陕西（秦岭）、甘肃。

（616）多皱叉齿细蜂 *Exallonyx polyptychus* He *et* Liu，2015
　　　分布：陕西（凤县）。

（617）点尾叉齿细蜂 *Exallonyx puncticaudatus* He *et* Xu，2015
　　　分布：陕西（南郑）。

（618）秦岭叉齿细蜂 *Exallonyx qinlingensis* He *et* Liu，2015
　　　分布：陕西（凤县）。

（619）窄痣叉齿细蜂 *Exallonyx stenostigmus* He *et* Liu，2015
　　　分布：陕西（凤县）。

（620）束柄叉齿细蜂 *Exallonyx strictus* Liu，He *et* Xu，2006
　　　分布：陕西（周至、凤县）。

（621）雅林叉齿细蜂 *Exallonyx yalini* He *et* Xu，2015
　　　分布：陕西（留坝）。

（622）杨氏叉齿细蜂 *Exallonyx yangae* He *et* Xu，2015
　　　分布：陕西（留坝、宁陕）。

（623）虞氏叉齿细蜂 *Exallonyx yuae* He *et* Xu，2015
　　　分布：陕西（留坝、宁陕）。

（624）浙江叉齿细蜂 *Exallonyx zhejiangensis* He *et* Fan，2004
　　　分布：陕西（凤县）、浙江、贵州。

（625）郑氏叉齿细蜂 *Exallonyx zhengi* He *et* Xu，2015
　　　分布：陕西（南郑）。

（626）周氏叉齿细蜂 *Exallonyx zhoui* He *et* Xu，2015
　　　分布：陕西（凤县、宁陕、南郑）、河南。

158．马氏细蜂属 *Maaserphus* Lin，1988

（627）沟花马氏细蜂 *Maaserphus sulculus* He *et* Xu，2015
　　　分布：陕西（南郑）。

159. 前沟细蜂属 *Nothoserphus* Brues，1940

（628）杜氏前沟细蜂 *Nothoserphus dui* He *et* Xu，2015
　　　分布：陕西（留坝）、四川。
（629）瓢虫前沟细蜂 *Nothoserphus epilachnae* Pschorn-Walcher，1958
　　　分布：陕西（凤县、紫阳）、浙江、福建、台湾、广东、海南、香港、澳门、广西、
　　　云南；越南，印度尼西亚。

160. 光胸细蜂属 *Phaenoserphus* Kieffer，1908

（630）弱脊光胸细蜂 *Phaenoserphus obscuricarinatus* He *et* Xu，2015
　　　分布：陕西（凤县）。
（631）横皱光胸细蜂 *Phaenoserphus transirugosus* He *et* Xu，2015
　　　分布：陕西（周至）。
（632）鼓鞭光胸细蜂 *Phaenoserphus tumidflagellum* He *et* Xu，2015
　　　分布：陕西（凤县）。
（633）袁氏光胸细蜂 *Phaenoserphus yuani* He *et* Xu，2015
　　　分布：陕西（凤县）、甘肃。

161. 脊额细蜂属 *Phaneroserphus* Pschorn-Walcher，1958

（634）光柄脊额细蜂 *Phaneroserphus glabripetiolatus* He *et* Xu，2015
　　　分布：陕西（留坝、南郑）。
（635）田氏脊额细蜂 *Phaneroserphus tiani* He *et* Xu，2015
　　　分布：陕西（凤县、留坝、宁陕、南郑）、河南、甘肃。

162. 细蜂属 *Proctotrupes* Latreille，1796

（636）膨腹细蜂 *Proctotrupes gravidator*（Linnaeus，1758）
　　　分布：陕西（凤县）、内蒙古、辽宁、河北、山东、甘肃、新疆、浙江、湖北、江
　　　西、广西、四川、云南、西藏；日本，欧洲。
（637）中华细蜂 *Proctotrupes sinensis* He *et* Fan，2004
　　　分布：陕西（周至、凤县）、吉林、辽宁、内蒙古、北京、河北、山东、河南、甘
　　　肃、新疆、浙江、湖北、江西、贵州。

163. 毛眼细蜂属 *Trichoserphus* He *et* Xu，2015

（638）脊角毛眼细蜂 *Trichoserphus carinicornis* He *et* Xu，2015
　　　分布：陕西（凤县）。

二十、柄腹细蜂科 Heloridae

164. 柄腹细蜂属 *Helorus* Latreille，1802

（639）畸足柄腹细蜂 *Helorus anomalipes*（Panzer，1798）
　　分布：陕西（凤县）、辽宁、内蒙古、河北、山西、山东、宁夏、甘肃、新疆、浙江；蒙古，欧洲，北美洲。

（640）蔡氏柄腹细蜂 *Helorus caii* He *et* Xu，2015
　　分布：陕西（凤县）。

（641）红角柄腹细蜂 *Helorus ruficornis* Foerster，1856
　　分布：陕西（周至）、河南、浙江；日本，尼泊尔，巴基斯坦，欧洲，美国。

二十一、窄腹细蜂科 Roproniidae

165. 窄腹细蜂属 *Ropronia* Provancher，1886

（642）鼻形窄腹细蜂 *Ropronia nasata* He *et* Xu，2015
　　分布：陕西（留坝）。

（643）皱带窄腹细蜂 *Ropronia rugifasciata* He *et* Xu，2015
　　分布：陕西（南郑）。

二十二、广腹细蜂科 Platygastridae

166. 尖缘腹细蜂属 *Oxyscelio* Kieffer，1907

（644）兜帽尖缘腹细蜂 *Oxyscelio doumao* Burks，2013
　　分布：陕西（留坝）、浙江、广东、广西、四川。

（645）中尖缘腹细蜂 *Oxyscelio intermedietas* Burks，2013
　　分布：陕西（留坝）、河北、浙江、广东、海南、云南；越南，泰国，老挝，尼泊尔。

167. Genus *Synopeas* Förster，1856

（646）*Synopeas chinensis* Buhl，2007
　　分布：陕西。

V . 瘿蜂总科 Cynipoidea

二十三、环腹瘿蜂科 Figitidae

168. 狭背瘿蜂属 *Aspicera* Dahlbom，1842

（647）西伯利亚狭背瘿蜂 *Aspicera sibirica* Kieffer，1901

分布:陕西(柞水)、山西、新疆、福建;俄罗斯。

169. 剑盾狭背瘿蜂属 *Prosaspicera* **Kieffer, 1907**

（648）脊剑盾狭背瘿蜂 *Prosaspicera validispina* **Kieffer, 1910**
分布:陕西(眉县)、山西、河南、宁夏、浙江、湖南、福建、台湾、海南、广西、重庆、贵州、云南;印度, 尼泊尔, 马来西亚, 印度尼西亚, 美国。

二十四、瘿蜂科 Cynipidae

170. 栗瘿蜂属 *Dryocosmus* **Giraud, 1859**

（649）栗瘿蜂 *Dryocosmus kuriphilus* **Yasumatsu, 1951**
分布:陕西(周至、佛坪)、辽宁、北京、天津、河北、山东、河南、江苏、安徽、浙江、湖北、江西、湖南、福建、广东、广西、四川;日本。

171. 二叉瘿蜂属 *Latuspina* **Monzen, 1954**

（650）陕西二叉瘿蜂 *Latuspina shanxinensis* **Wang, Pujiade-Villar** *et* **Guo, 2016**
分布:陕西(周至)。

172. Genus *Neuroterus* **Hartig, 1840**

（651）*Neuroterus sculpturatus* **Pujade-Villar** *et* **Wang, 2016**
分布:陕西。

173. 客瘿蜂属 *Synergus* **Hartig, 1840**

（652）球瘿客瘿蜂 *Synergus gallaepomiformis*（**Boyer de Fonscolombe, 1832**）
分布:陕西(周至);俄罗斯, 伊朗, 南非, 乌克兰。

（653）白足客瘿蜂 *Synergus pallipes* **Harting, 1840**
分布:陕西(周至);俄罗斯, 乌克兰。

174. 毛瘿蜂属 *Trichagalma* **Mayr, 1907**

（654）台湾毛瘿蜂 *Trichagalma formosana* **Melika** *et* **Tang, 2010**
分布:陕西(周至)、台湾。

Ⅵ. 小蜂总科 Chalcidoidea

二十五、蚜小蜂科 Aphelinidae

175. 蚜小蜂属 *Aphelinus* **Dalman, 1820**

（655）短翅蚜小蜂 *Aphelinus asychis* **Walker, 1839**

分布:陕西，中国广布；全北区。

二十六、小蜂科 Chalcididae

176．膨胸小蜂属 *Uga* Girault，1930

（656）半脊膨胸小蜂 *Uga menoni* Kerrich，1960

分布:陕西(秦岭)、台湾；印度。

二十七、跳小蜂科 Encyrtidae

177．抑虱跳小蜂属 *Acerophagus* Smith，1880

（657）棒节抑虱跳小蜂 *Acerophagus clavatus* Xu，1999

分布:陕西(周至)。

178．长索跳小蜂属 *Anagyrus* Howard，1896

（658）巢粉蚧长索跳小蜂 *Anagyrus nesticoccus* Dang *et* Wang，2002

分布:陕西(周至)。

（659）柿粉蚧长索跳小蜂 *Anagyrus pergandei* Dang *et* Wang，2002

分布:陕西(富平)。

179．花角跳小蜂属 *Blastothrix* Mayr，1875

（660）球蚧花角跳小蜂 *Blastothrix sericea*（Dalman，1820）

分布:陕西、新疆；俄罗斯，欧洲，北美洲。

180．点缘跳小蜂属 *Copidosoma* Ratzeburg，1844

（661）螟蛾点缘跳小蜂 *Copidosoma dioryctria* Dang *et* Wang，2002

分布:陕西(黄陵)。

（662）汉中点缘跳小蜂 *Copidosoma hanzhongenum* Dang *et* Wang，2002

分布:陕西(汉中)。

（663）毛虫点缘跳小蜂 *Copidosoma malacosoma* Dang *et* Wang，2002

分布:陕西。

181．Genus *Echthrodryinus* Perkins，1906

（664）蚜茧蜂跳小蜂 *Echthrodryinus aphidius* Dang *et* Wang，2002

分布:陕西(大荔)。

182.　跳小蜂属 *Encyrtus* Latreille，1809

（665）蜡蚧跳小蜂 *Encyrtus infidus*（Rossi，1790）
　　　分布：陕西；俄罗斯，日本，伊朗。

（666）*Encyrtus rhodococcusiae* Wang *et* Zhang，2016
　　　分布：陕西（咸阳）、黑龙江、吉林、北京、山东、青海。

183.　绳克跳小蜂属 *Exoristobia* Ashmead，1904

（667）斜棒绳克跳小蜂 *Exoristobia klinoclavata* Xu，2000
　　　分布：陕西（杨凌）。

184.　拟细角跳小蜂属 *Leptomastidea* Mercet，1916

（668）草居拟细角跳小蜂 *Leptomastidea herbicola* Trjapitzin，1965
　　　分布：陕西（秦岭）、吉林、辽宁、福建；俄罗斯。

（669）红胸拟细角跳小蜂 *Leptomastidea rubra* Tachikawa，1956
　　　分布：陕西（凤县）、北京、山西；俄罗斯，日本，土库曼斯坦，乌兹别克斯
　　　坦，以色列，希腊。

185.　麦厄跳小蜂属 *Mayrencyrtus* Hincks，1944

（670）长柄麦厄跳小蜂 *Mayrencyrtus longiscapus* Xu，2005
　　　分布：陕西（杨凌）、山西。

186.　阔柄跳小蜂属 *Metaphycus* Mercet，1917

（671）洛南阔柄跳小蜂 *Metaphycus luonanensis* Dang *et* Wang，2002
　　　分布：陕西（洛南）。

（672）秦岭阔柄跳小蜂 *Metaphycus qinlingensis* Dang *et* Wang，2002
　　　分布：陕西（洛南）。

（673）陕西阔柄跳小蜂 *Metaphycus shaanxiensis* Dang *et* Wang，2002
　　　分布：陕西（洛南）。

187.　花翅跳小蜂属 *Microterys* Thomson，1876

（674）周氏花翅跳小蜂 *Microterys choui* Xu，2000
　　　分布：陕西、山西、河南、宁夏。

（675）*Microterys clauseni* Compere，1926

分布:陕西、河北、河南、山东、江苏、安徽、浙江、江西、湖南；日本。

(676) *Microterys drosichaphagus* Xu, 2002

分布:陕西(杨凌)。

(677) *Microterys lii* Xu, 2002

分布:陕西(周至)。

(678) *Microterys pseudocrescocci* Xu, 2002

分布:陕西(杨凌)。

(679) *Microterys rufofulvus* Ishii, 1928

分布:陕西、河南、浙江、江西；日本。

(680) 陕西花翅跳小蜂 *Microterys shaanxiensis* Xu, 2002

分布:陕西(杨凌)。

188. Genus *Ooencyrtus* Ashmead, 1900

(681) *Ooencyrtus noyesi* Zhang *et* Zhang, 2014

分布:陕西(佛坪)。

189. 秀德跳小蜂属 *Pseudectroma* Girault, 1915

(682) 长尾秀德跳小蜂 *Pseudectroma longicauda* Xu, 1999

分布:陕西(周至)。

190. 木虱跳小蜂属 *Psyllaephagus* Ashmead, 1900

(683) 长索木虱跳小蜂 *Psyllaephagus longifuniculus* Xu, 2000

分布:陕西(武功)。

191. 毛鞭跳小蜂属 *Trichomasthus* Thomson, 1876

(684) 盾蚧毛鞭跳小蜂 *Trichomasthus quadraspidiotus* Dang *et* Wang, 2002

分布:陕西(洛南)。

Ⅶ. 姬蜂总科 Ichneumonoidea

二十八、茧蜂科 Braconidae

(一) 内茧蜂亚科 Rogadinae

192. 脊茧蜂属 *Aleiodes* Wesmael, 1838

(685) 松毛虫脊茧蜂 *Aleiodes esenbeckii* (Hartig, 1838)

分布：陕西（蓝田）、黑龙江、吉林、辽宁、北京、山东、新疆、江苏、安徽、浙江、湖北、江西、湖南、福建、台湾、广东、广西、四川、云南；蒙古，俄罗斯，朝鲜，日本，阿富汗，欧洲。

（686）腹脊茧蜂 *Aleiodes gastritor*（Thunberg，1822）

分布：陕西（周至）、吉林、辽宁、内蒙古、北京、河北、山西、江苏、安徽、浙江、湖南、福建、台湾、广东、广西、四川、贵州、西藏；日本，欧洲。

（687）*Aleiodes pallescens* Hellén，1927

分布：陕西（宜川、榆林）、黑龙江、辽宁、内蒙古、新疆、浙江、湖北；蒙古，伊朗，芬兰。

（688）折半脊茧蜂 *Aleiodes ruficornis*（Herrich-Schäffer，1838）

分布：陕西（咸阳）、黑龙江、吉林、辽宁、北京、河北、山西、山东、河南、甘肃、新疆、浙江、湖北、四川、贵州、云南；古北区。

（689）谢氏脊茧蜂 *Aleiodes shestakovi*（Shenefelt，1971）

分布：陕西（华阴）、江苏、江西、四川；俄罗斯。

193. 内茧蜂属 *Rogas* Nees，1818

（690）黑痣内茧蜂 *Rogas nigristigma* Chen *et* He，1997

分布：陕西（华阴、宁陕）、浙江。

（691）*Rogas oyeyamensis* Watanabe，1937

分布：陕西（华阴）、浙江；日本。

（二）奇脉茧蜂亚科 Miracinae

194. 奇脉茧蜂属 *Mirax* Haliday，1833

（692）中华微蛾奇脉茧蜂 *Mirax sinopticulae* He *et* Chen，1997

分布：陕西（西安）。

（三）蝇茧蜂亚科 Opiinae

195. Genus *Nipponopius* Fischer，1963

（693）*Nipponopius glabricaudatus* Zhou *et* van Achterberg，2017

分布：陕西、宁夏。

196. Genus *Psyttalia* Walker，1860

（694）*Psyttalia cyclogaster*（Thomson，1895）

分布：陕西（宁陕）、吉林、辽宁、河北、河南、浙江、湖南、福建、台湾、广东、海南、广西、四川、云南；俄罗斯，朝鲜，日本，哈萨克斯坦，法国。

（695）*Psyttalia romani*（Fahringer，1935）

分布:陕西(宝鸡)、甘肃;俄罗斯,朝鲜。

197. Genus *Rhogadopsis* Brèthes, 1913

(696) *Rhogadopsis aciculifera* Chen *et* van Achterberg, 2016
分布:陕西(南郑)。

(697) *Rhogadopsis cracentata* Tan *et* van Achterberg, 2016
分布:陕西(周至、太白、宁陕、南郑、岚皋)。

(698) *Rhogadopsis longivena* Chen *et* van Achterberg, 2016
分布:陕西(南郑)。

(699) *Rhogadopsis mediocarinata* (Fischer, 1963)
分布:陕西(留坝、南郑)、湖南、福建;俄罗斯,朝鲜,日本。

(700) *Rhogadopsis moniliata* Tan *et* van Achterberg, 2016
分布:陕西(周至、佛坪、南郑、柞水)。

(四) 长体茧蜂亚科 Macrocentrinae

198. 腔室茧蜂属 *Aulacocentrum* Brues, 1922

(701) 菲岛腔室茧蜂 *Aulacocentrum philippinense* (Ashmead, 1904)
分布:陕西(太白山)、山西、浙江、湖北、湖南、台湾、广西、四川、云南;日本,印度,菲律宾。

199. 澳赛茧蜂属 *Austrozele* Roman, 1910

(702) 陕西澳赛茧蜂 *Austrozele shaanxiensis* (He, Chen *et* Ma, 2000)
分布:陕西(武功)。

200. 长体茧蜂属 *Macrocentrus* Curtis, 1833

(703) 周氏长体茧蜂 *Macrocentrus choui* He, Chen *et* Ma, 2000
分布:陕西(华阴)、黑龙江、吉林、辽宁、浙江。

(704) 松小卷蛾长体茧蜂 *Macrocentrus resinellae* (Linnaeus, 1758)
分布:陕西(韩城)、黑龙江、吉林、辽宁、内蒙古、山西、山东、浙江、四川、云南;俄罗斯,哈萨克斯坦,欧洲。

(705) 渡边长体茧蜂 *Macrocentrus watanabei* van Achterberg, 1993
分布:陕西(秦岭,黄陵、韩城)、黑龙江、辽宁、河南、江苏、安徽、湖北、四川、广东、贵州;日本。

（五）屏腹茧蜂亚科 Sigalphinae

201.三节茧蜂属 *Acampsis* Wesmael, 1835

（706）中华三节茧蜂 *Acampsis chinensis* Chen *et* He, 1992
　　　分布:陕西(眉县);韩国,日本。

202.屏腹茧蜂属 *Sigalphus* Latreille, 1802

（707）红腹屏腹茧蜂 *Sigalphus rafiabdominalis* He *et* Chen, 1994
　　　分布:陕西(武功)。

（六）滑茧蜂亚科 Homolobinae

203.滑茧蜂属 *Homolobus* Foerster, 1862

（708）截距滑茧蜂 *Homolobus（Apatia）truncator*（Say, 1828）
　　　分布:陕西(咸阳)、黑龙江、吉林、辽宁、内蒙古、北京、河北、山西、河南、宁夏、甘肃、新疆、江苏、浙江、江西、台湾、四川、贵州;日本,全北区,新热带区,东洋区。

（709）暗滑茧蜂 *Homolobus（Chartolobus）infumator*（Lyle, 1914）
　　　分布:陕西(周至、武功、太白)、黑龙江、吉林、甘肃、新疆、浙江、江西、湖南、福建、台湾、贵州、云南;日本,全北区,东洋区,新热带区。

（710）中华滑茧蜂 *Homolobus（Homolobus）sinensis* Chen, 1991
　　　分布:陕西(华阴)、台湾。

（711）尼泊尔滑茧蜂 *Homolobus（Oulophus）nepalensis* van Achterberg, 1979
　　　分布:陕西(留坝)、浙江;尼泊尔。

（712）环节滑茧蜂 *Homolobus（Phylacter）annulicornis*（Nees, 1834）
　　　分布:陕西(太白山)、吉林、辽宁、湖北;日本,古北区东部及中部。

（七）优茧蜂亚科 Euphorinae

204.蜻茧蜂属 *Aridelus* Marshall, 1887

（713）夹色蜻茧蜂 *Aridelus alternecoloratus* He, 1980
　　　分布:陕西、吉林、广西、贵州;俄罗斯,朝鲜。

（714）中华蜻茧蜂 *Aridelus sinensis* Wang, 1981
　　　分布:陕西(秦岭)、贵州。

205．宽鞘茧蜂属 *Centistes* Haliday，1835

（715）脊宽鞘茧蜂 *Centistes*（*Centistes*）*carinatus* Chen *et* van Achterberg，1997
分布：陕西（周至）、浙江。

（716）黄宽鞘茧蜂 *Centistes*（*Centistes*）*flavus* Chen *et* van Achterberg，1997
分布：陕西（周至）。

206．悬茧蜂属 *Meteorus* Haliday，1835

（717）粘虫悬茧蜂 *Meteorus gyrator*（Thunberg，1822）
分布：陕西（秦岭）、黑龙江、吉林、辽宁、北京、河北、山西、河南、江苏、上海、浙江、湖北、江西、福建、广东、四川、贵州、云南。

（718）斑痣悬茧蜂 *Meteorus pulchricornis*（Wesmael，1835）
分布：陕西（秦岭）、吉林、河北、河南、江苏、安徽、浙江、湖北、江西、湖南、福建、四川、贵州；日本，欧洲，非洲北部。

（719）伏虎悬茧蜂 *Meteorus rubens*（Nees，1811）
分布：陕西（秦岭）、吉林、内蒙古、山西、河南、湖北、福建、四川、贵州、云南；蒙古，日本，巴勒斯坦，以色列，土耳其，欧洲，非洲北部，新北区，新热带区。

207．绕茧蜂属 *Ropalophorus* Curtis，1837

（720）四眼小蠹绕茧蜂 *Ropalophorus polygraphus* Yang，1989
分布：陕西（周至、勉县）、甘肃。

208．长柄茧蜂属 *Streblocera* Westwood，1833

（721）大峪长柄茧蜂 *Streblocera*（*Asiastreblocera*）*dayuensis* Wang，1983
分布：陕西（周至）、浙江、台湾；俄罗斯（远东）。

（722）冈田长柄茧蜂 *Streblocera*（*Eutanycerus*）*okadai* Watanabe，1942
分布：陕西（周至）、吉林、辽宁、河北、山东、河南、江苏、安徽、浙江、湖北、江西、湖南、福建、云南；俄罗斯（远东），日本。

（723）西安长柄茧蜂 *Streblocera*（*Villocera*）*xianensis* Wang，1983
分布：陕西（西安）。

209．赛茧蜂属 *Zele* Curtis，1832

（724）红骗赛茧蜂 *Zele deceptor rufulus*（Thomson，1895）

分布:陕西(秦岭)、安徽、浙江、湖北、湖南、福建、四川、云南、西藏;日本,缅甸,印度,尼泊尔,墨西哥。

(八)长茧蜂亚科 Helconinae

210. Genus *Streblocera* Westwood, 1833

(725) *Streblocera okadai* Watanabe, 1942

分布:陕西(柞水)、黑龙江、吉林、辽宁、内蒙古、福建;日本,朝鲜,韩国。

(九)甲腹茧蜂亚科 Cheloninae

211. 革腹茧蜂属 *Ascogaster* Wesmael, 1835

(726) 阿里山革腹茧蜂 *Ascogaster arisanica* Sonan, 1932

分布:陕西(凤县)、吉林、北京、河南、宁夏、甘肃、浙江、湖北、湖南、台湾、广东、海南、广西、四川、贵州、云南、西藏;韩国,日本。

(727) 四齿革腹茧蜂 *Ascogaster quadridentata* Wesmael, 1835

分布:陕西(蓝田)、黑龙江、吉林、辽宁、北京、河北、河南、宁夏、青海、江苏、上海、浙江、江西、湖南、福建、台湾、广东、广西、四川、贵州、云南;蒙古,俄罗斯,朝鲜,韩国,日本,欧洲,美国,秘鲁。

(728) 网皱革腹茧蜂 *Ascogaster reticulata* Watanabe, 1967

分布:陕西(秦岭)、北京、山西、山东、河南、甘肃、江苏、上海、安徽、浙江、江西、湖南、福建、台湾、广东、海南、广西、云南;朝鲜,韩国,日本,欧洲。

212. 甲腹茧蜂属 *Chelonus* Panzer, 1806

(729) 二色甲腹茧蜂 *Chelonus bicolorus* He, 2003

分布:陕西(留坝)。

(730) 弯脉甲腹茧蜂 *Chelonus curvinervius* He, 2003

分布:陕西(眉县、陇县)。

(731) 华美甲腹茧蜂 *Chelonus decorus* Marshall, 1885

分布:陕西(留坝);俄罗斯,英国,匈牙利。

(732) 红柄甲腹茧蜂 *Chelonus erythropodus* He, 1994

分布:陕西(留坝、镇坪)。

(733) 巨斑甲腹茧蜂 *Chelonus grandipunctatus* He, 2001

分布:陕西(留坝、陇县)。

(734) 无斑甲腹茧蜂 *Chelonus immaculatus* He, 1994

分布：陕西（凤翔、陇县）。

（735）留坝甲腹茧蜂 *Chelonus liubaensis* He，2002

分布：陕西（留坝）。

（736）大齿甲腹茧蜂 *Chelonus majusdentatus* He，2001

分布：陕西（秦岭）。

（737）螟甲腹茧蜂 *Chelonus munakatae* Matsumura，1912

分布：陕西（秦岭）、辽宁、内蒙古、天津、山西、山东、江苏、浙江、江西、湖南、福建、四川、云南；韩国，日本。

（738）章氏小甲腹茧蜂 *Chelonus*（*Microchelonus*）*zhangi* Zhang，2008

分布：陕西、山西、河南、山东。

213.　愈腹茧蜂属 *Phanerotoma* Wesmael，1838

（739）食心虫愈腹茧蜂 *Phanerotoma*（*Bracotritoma*）*grapholithae* Muesebeck，1933

分布：陕西（周至、渭南、武功）、内蒙古、北京、河北、山西；朝鲜，日本。

（十）小腹茧蜂亚科 Microgastrinae

214.　绒茧蜂属 *Apanteles* Foerster，1862

（740）新月绒茧蜂 *Apanteles lunata* Song *et* Chen，2004

分布：陕西（蓝田）、吉林、浙江、湖北、湖南、福建、台湾、海南、四川、贵州、云南。

（741）棉大卷叶螟绒茧蜂 *Apanteles opacus*（Ashmead，1905）

分布：陕西（咸阳）、辽宁、江苏、上海、安徽、浙江、湖北、湖南、福建、台湾、广东、海南、广西、四川、贵州、云南；日本，越南，印度，马来西亚，菲律宾。

（742）瓜野螟绒茧蜂 *Apanteles taragamae* Viereck，1912

分布：陕西（渭南）、山西、河南、浙江、湖北、湖南、福建、台湾、广东、海南、广西、贵州、云南；韩国，日本，泰国，印度，斯里兰卡，印度尼西亚，巴布亚新几内亚。

215.　盘绒茧蜂属 *Cotesia* Cameron，1891

（743）邻盘绒茧蜂 *Cotesia affinis*（Nees，1834）

分布：陕西（秦岭、靖边）、吉林、辽宁、内蒙古、河北、山西、山东、河南、宁夏、浙江、湖南、四川、贵州；古北区。

（744）桥夜蛾盘绒茧蜂 *Cotesia anomidis*（Watanabe，1942）

分布:陕西(咸阳、大荔)、辽宁、河北、江苏、浙江、湖北、湖南、四川;越南。

(745)菜粉蝶盘绒茧蜂 *Cotesia glomerata*(Linnaeus,1758)

分布:陕西(咸阳)、黑龙江、吉林、辽宁、内蒙古、北京、河北、山西、山东、河南、宁夏、新疆、江苏、浙江、湖南、台湾、四川、贵州;世界广布。

(746)微红盘绒茧蜂 *Cotesia rubecula*(Marshall,1885)

分布:陕西(咸阳、三原、渭南)、黑龙江、吉林、北京、河北、山西、河南、新疆、浙江、湖北、福建;全北区分布,1978 年被引入澳大利亚。

(747)粗尾盘绒茧蜂 *Cotesia scabricula*(Reinhard,1880)

分布:陕西(秦岭)、内蒙古、河北、山西、山东、河南、新疆、浙江、湖北、江西、湖南、福建、四川;韩国,欧洲。

216. 长颊茧蜂属 *Dolichogenidea* Viereck,1911

(748)杨透翅蛾绒茧蜂 *Dolichogenidea paranthreneus*(You *et* Dang,1987)

分布:陕西(秦岭,榆林)、浙江、福建。

(749)白蛾孤独长绒茧蜂 *Dolichogenidea singularis* Yang *et* You,2002

分布:陕西(关中)、辽宁、天津、河北、山东。

217. 侧沟茧蜂属 *Microplitis* Foerster,1862

(750)周氏侧沟茧蜂 *Microplitis choui* Xu *et* He,2000

分布:陕西(杨凌)、甘肃。

218. Genus *Pholetesor* Mason,1981

(751)*Pholetesor flavigleba* Liu *et* Chen,2016

分布:陕西、河北、辽宁、浙江。

(752)*Pholetesor lyonetiae* Liu *et* Chen,2016

分布:陕西。

(十一)矛茧蜂亚科 Doryctinae

219. 矛茧蜂属 *Doryctes* Haliday,1836

(753)齿基矛茧蜂 *Doryctes denticoxa* Belokobylskij,1996

分布:陕西(佛坪)、河南、浙江、福建、台湾、广东、贵州;日本。

(754)具柄矛茧蜂 *Doryctes fulviceps* Reinhard,1865

分布:陕西(洛川)、黑龙江、吉林、辽宁、河南、浙江;俄罗斯,哈萨克斯坦。

220. 合沟茧蜂属 *Hypodoryctes* Kokujev, 1900

(755) 风雅合沟茧蜂 *Hypodoryctes fuga* Belokobylskij *et* Chen, 2004
分布:陕西(宁陕)、吉林、河南、浙江、福建、台湾、贵州;俄罗斯,朝鲜,韩国,日本,越南。

(756) 干合沟茧蜂 *Hypodoryctes torridus* Papp, 1987
分布:陕西(太白山)、浙江、福建、台湾;俄国,朝鲜,韩国,日本,越南。

221. 厚脉茧蜂属 *Neurocrassus* Šnoflak, 1945

(757) 拟陡盾厚脉茧蜂 *Neurocrassus ontsiroides* Belokobylskij, Tang *et* Chen, 2013
分布:陕西(宁陕)。

222. 陡盾茧蜂属 *Ontsira* Cameron, 1900

(758) 小室陡盾茧蜂 *Ontsira abbreviata* Belokobylskij, Tang *et* Chen, 2013
分布:陕西(宁陕)。

(759) 火陡盾茧蜂 *Ontsira ignea* (Ratzeburg, 1852)
分布:陕西(宁陕)、福建、广东;俄罗斯,韩国,日本,土耳其,以色列,欧洲。

(760) *Ontsira rugivertex* Belokobylskij, Tang *et* Chen, 2013
分布:陕西(周至)、河南。

223. 柄腹茧蜂属 *Spathius* Nees, 1819

(761) 腔柄腹茧蜂 *Spathius cavus* Belokobylskij, 1998
分布:陕西(凤县)、山东、浙江、云南;俄罗斯,韩国,日本。

224. 刺足茧蜂属 *Zombrus* Marshall, 1897

(762) 双色刺足茧蜂 *Zombrus bicolor* (Enderlein, 1912)
分布:陕西(佛坪)、辽宁、内蒙古、北京、山西、河南、新疆、江苏、安徽、浙江、湖北、湖南、福建、台湾、广东、广西、重庆、四川、贵州、云南;蒙古,俄罗斯,韩国,日本,吉尔吉斯斯坦。

(十二) 窄径茧蜂亚科 Agathidinae

225. 窄腹茧蜂属 *Braunsia* Kriechbaumer, 1894

(763) 前叉窄腹茧蜂 *Braunsia antefurcalis* Watanabe, 1937

分布:陕西(凤县)、河南、浙江、福建、四川;俄罗斯,日本。

226. 拟喙茧蜂属 *Cremnoptoides* van Achterberg *et* Chen,2004

(764) 派氏拟喙茧蜂 *Cremnoptoides pappi* (Sharkey,1996)
分布:陕西(长安)、河南、湖北、福建;韩国,日本。

227. 下腔茧蜂属 *Therophilus* Wesmael,1837

(765) 曲径下腔茧蜂 *Therophilus cingulipes* (Nees,1812)
分布:陕西(宝鸡)、黑龙江、吉林、辽宁、河南、宁夏、浙江、湖北、福建、台湾、广东、广西、四川、贵州;蒙古,俄罗斯,韩国,日本,哈萨克斯坦,土耳其,欧洲。

(766) 显下腔茧蜂 *Therophilus conspicuus* (Wesmael,1837)
分布:陕西(周至)、黑龙江、吉林、辽宁、河北、山西、山东、河南、宁夏、江苏、浙江、湖北、江西、湖南、福建、台湾、广东、重庆、四川、贵州、云南;俄罗斯,韩国,日本,土耳其,美国,欧洲。

(十三)反颚茧蜂亚科 Alysinae

228. Genus *Trachionus* Haliday,1833

(767) *Trachionus acarinatus* Cui *et* van Achterberg,2015
分布:陕西。

(768) *Trachionus albitibialis* Cui *et* van Achterberg,2015
分布:陕西。

(769) *Trachionus brevisulcatus* Cui *et* van Achterberg,2015
分布:陕西。

(770) *Trachionus mandibularoides* Cui *et* van Achterberg,2015
分布:陕西。

(十四)蚜茧蜂亚科 Aphidiinae

229. 蚜茧蜂属 *Aphidius* Nees,1818

(771) 长角蚜茧蜂 *Aphidius longiantennatus* Chou *et* Xiang,1982
分布:陕西。

230. 双瘤蚜茧蜂属 *Binodoxys* Mackauer,1960

(772) 棉蚜双瘤蚜茧蜂 *Binodoxys gossypiaphis* Chou *et* Xiang,1982

分布:陕西(关中)。

231.指胸蚜茧蜂属 *Dactylonotum* Chou *et* Xiang,1981

(773) 指胸蚜茧蜂 *Dactylonotum shaanxiensis* Chou *et* Xiang,1981
分布:陕西(石泉)。

232.基突蚜茧蜂属 *Fissicaudus* Starý *et* Schlinger,1967

(774) 汉中基突蚜茧蜂 *Fissicaudus hanzhongensis* Chou *et* Xiang,1982
分布:陕西(洋县)。

233.柄瘤蚜茧蜂属 *Lysiphlebus* Förster,1862

(775) 陕西柄瘤蚜茧蜂 *Lysiphlebus shaanxiensis* Chou *et* Xiang,1982
分布:陕西(西安)。

(776) *Lysiphlebus testaceipes*(Cresson,1880)
分布:陕西;欧洲,美洲,非洲。

234.蚜外茧蜂属 *Praon* Haliday,1833

(777) 豆长管蚜外茧蜂 *Praon pisiaphis* Chou *et* Xiang,1982
分布:陕西(武功)。

(778) 杏蚜外茧蜂 *Praon prunaphis* Chou *et* Xiang,1982
分布:陕西(武功)。

235.三叉蚜茧蜂属 *Trioxys* Haliday,1833

(779) 黄色三叉蚜茧蜂 *Trioxys flavus* Chou *et* Xiang,1982
分布:陕西(石泉)。

236.乳瘤蚜茧蜂属 *Papilloma* Wang,1989

(780) 黄乳瘤蚜茧蜂 *Papilloma luteum* Wang,1989
分布:陕西(南郑)。

(十五)茧蜂亚科 Braconinae

237.Genus *Atanycolus* Foerster,1862

(781) *Atanycolus lindemani* Tobias,1980
分布:陕西(定边)、黑龙江、吉林、新疆;俄罗斯。

238. 刻鞭茧蜂属 *Coeloides* Wesmael, 1838

（782）松小蠹刻鞭茧蜂 *Coeloides abdominalis*（Zetterstedt, 1840）
分布：陕西（勉县）、黑龙江；俄罗斯，日本，土耳其，欧洲。

（783）秦岭刻鞭茧蜂 *Coeloides qinlingensis* Dang *et* Yang, 1989
分布：陕西（勉县）、河南、甘肃、云南。

（784）桦小蠹刻鞭茧蜂 *Coeloides ungularis* Thomson, 1892
分布：陕西（周至）、黑龙江；俄罗斯，欧洲。

239. 深沟茧蜂属 *Iphiaulax* Foerster, 1862

（785）赤腹深沟茧蜂 *Iphiaulax impostor*（Scopoli, 1763）
分布：陕西（凤县）、吉林、辽宁、内蒙古、山西、山东、新疆、江苏、浙江、江西、云南；俄罗斯，朝鲜，日本，欧洲，非洲北部，美国北部。

（十六）臂茧蜂亚科 Brachistinae

240. 开茧蜂属 *Eubazus* Nees, 1814

（786）规则开茧蜂 *Eubazus*（*Aliolus*）*regularis* van Achterberg, 2000
分布：陕西（凤县）、河南、浙江、四川；俄罗斯。

二十九、姬蜂科 Ichneumonidae

（一）肿跗姬蜂亚科 Anomaloninae

241. 肿跗姬蜂属 *Anomalon* Panzer, 1804

（787）泡胫肿跗姬蜂 *Anomalon kozlovi*（Kokujev, 1915）
分布：陕西（秦岭，靖边）、新疆。

242. Genus *Perisphincter* Townes, 1961

（788）*Perisphincter chinensis* Wang, 1986
分布：陕西、四川。

（二）栉姬蜂亚科 Banchinae

243. Genus *Exetastes* Gravenhorst, 1829

（789）*Exetastes sinensis* Riedel, 2015
分布：陕西（延安）。

（三）分距姬蜂亚科 Cremastinae

244．齿腿姬蜂属 *Pristomerus* Curtis，1836

（790）中华齿腿姬蜂 *Pristomerus chinensis* Ashmead，1906
　　　分布：陕西；日本。

245．离缘姬蜂属 *Trathala* Cameron，1899

（791）黄眶离缘姬蜂 *Trathala flavo-orbitalis*（Cameron，1907）
　　　分布：陕西（武功）、辽宁、河北、北京、天津、山西、江苏、浙江、湖北、江西、
　　　福建、台湾、广东、广西、四川、贵州、云南；朝鲜，日本，泰国，缅甸，印度，
　　　斯里兰卡，菲律宾，马来西亚，密克罗尼西亚，美国。

（四）栉足姬蜂亚科 Ctenopelmatinae

246．曲跗姬蜂属 *Hadrodactylus* Foerster，1868

（792）东方曲跗姬蜂 *Hadrodactylus orientalis* Uchida，1930
　　　分布：陕西（渭南）、辽宁、河南、江苏、浙江；俄罗斯，朝鲜，日本。

247．针尾姬蜂属 *Pion* Schiødte，1839

（793）沁源针尾姬蜂 *Pion qinyuanensis* Chen，Sheng *et* Miao，1998
　　　分布：陕西（安康）、山西、河南。

248．Genus *Scolobates* Gravenhorst，1829

（794）*Scolobates ruficeps mesothoracica* He *et* Tong，1992
　　　分布：陕西、浙江。

（五）秘姬蜂亚科 Cryptinae

249．Genus *Aptesis* Förster，1850

（795）*Aptesis elongata* Li *et* Sheng，2013
　　　分布：陕西（凤县、佛坪）。

250．Genus *Gelis* Thunberg，1827

（796）*Gelis morositas* Schwarz，2009
　　　分布：陕西；乌兹别克斯坦。

（六）蚜蝇姬蜂亚科 Diplazontinae

251. 蚜蝇姬蜂属 *Diplazon* Viereck，1914

（797）花胫蚜蝇姬蜂 *Diplazon laetatorius*（Fabricius，1781）

分布：陕西（咸阳）、黑龙江、辽宁、内蒙古、河北、山西、山东、河南、宁夏、甘肃、新疆、江苏、安徽、浙江、江西、湖北、湖南、福建、台湾、广东、广西、四川、贵州、云南；世界广布。

（七）格姬蜂亚科 Gravenhorstiinae

252. 短脉姬蜂属 *Brachynervus* Uchida，1955

（798）截胫短脉姬蜂 *Brachynervus truncatus* He *et* Chen，1994

分布：陕西（宁陕）。

（八）姬蜂亚科 Ichneumoninae

253. 钝姬蜂属 *Amblyteles* Wesmael，1845

（799）棘钝姬蜂 *Amblyteles armatorius*（Foerster，1771）

分布：陕西（凤县）、吉林、甘肃；俄罗斯，日本，伊朗，英国，瑞典，阿尔及利亚。

254. 腹脊姬蜂属 *Diphyus* Kriechbaumer，1890

（800）套装腹脊姬蜂 *Diphyus palliatorius*（Gravenhorst，1829）

分布：陕西（秦岭）、辽宁、山西、四川；俄罗斯，比利时。

255. 厚唇姬蜂属 *Phaeogenes* Wesmael，1845

（801）玉米螟厚唇姬蜂 *Phaeogenes eguchii* Uchida，1935

分布：陕西（武功）、黑龙江、辽宁、吉林、内蒙古、山西、山东、河南、江苏、四川；朝鲜。

256. 武姬蜂属 *Ulesta* Cameron，1903

（802）弄蝶武姬蜂 *Ulesta agitata*（Matsumura *et* Uchida，1926）

分布：陕西（咸阳）、江苏、安徽、浙江、湖北；朝鲜，日本。

（九）壕姬蜂亚科 Lycorininae

257. 壕姬蜂属 *Lycorina* Holmgren, 1859

（803）卷蛾壕姬蜂 *Lycorina ornata* Uchida *et* Momoi, 1959
分布:陕西(武功);日本。

（十）菱室姬蜂亚科 Mesochorinae

258. 菱室姬蜂属 *Mesochorus* Gravenhorst, 1829

（804）盘背菱室姬蜂 *Mesochorus discitergus*（Say, 1836）
分布:陕西(咸阳)、黑龙江、吉林、辽宁、内蒙古、北京、河南、山东、山西、江苏、安徽、浙江、湖北、江西、湖南、福建、广东、广西、四川、贵州、云南;世界广布。

（十一）瘦姬蜂亚科 Ophioninae

259. 窄痣姬蜂属 *Dictyonotus* Kriechbaumer, 1894

（805）紫窄痣姬蜂 *Dictyonotus purpurascens*（Smith, 1874）
分布:陕西(蓝田)、吉林、辽宁、北京、山东、浙江、湖北、江西、四川;俄罗斯(西伯利亚),朝鲜,日本。

（十二）瘤姬蜂亚科 Pimplinae

260. 锤跗姬蜂属 *Acrodactyla* Haliday, 1838

（806）四雕锤跗姬蜂 *Acrodactyla quadrisculpta*（Gravenhorst, 1820）
分布:陕西(秦岭,榆林)、浙江、福建、贵州;全北区,东洋区,澳洲区。

261. 顶姬蜂属 *Acropimpla* Townes, 1960

（807）螟虫顶姬蜂 *Acropimpla persimilis*（Ashmead, 1906）
分布:陕西(周至)、黑龙江、吉林、辽宁、北京、河南、浙江、湖北、重庆、四川、贵州;俄罗斯,韩国,日本。

262. 钩尾姬蜂属 *Apechthis* Foerster, 1869

（808）黄条钩尾姬蜂 *Apechthis rufata*（Gmelin, 1790）
分布:陕西(宝鸡)、黑龙江、吉林、河南、甘肃、浙江、湖北、湖南;古北区。

263.　闭臀姬蜂属 *Clistopyga* Gravenhorst，1829

（809）激闭臀姬蜂 *Clistopyga incitator*（Fabricius，1793）

　　分布：陕西（留坝）、山西、浙江；古北区。

264.　粗爪姬蜂属 *Endromopoda* Hellén，1939

（810）损粗爪姬蜂 *Endromopoda detrita*（Holmgren，1860）

　　分布：陕西（凤县、宁陕）、黑龙江、吉林、宁夏、新疆、台湾；全北区。

265.　长尾姬蜂属 *Ephialtes* Gravenhorst，1829

（811）显长尾姬蜂 *Ephialtes manifestator*（Linnaeus，1758）

　　分布：陕西（留坝）、甘肃、青海；全北区。

266.　曲爪姬蜂属 *Eugalta* Cameron，1899

（812）陕西曲爪姬蜂 *Eugalta shaanxiensis* He，1996

　　分布：陕西。

267.　聚瘤姬蜂属 *Gregopimpla* Momoi，1965

（813）喜马拉雅聚瘤姬蜂 *Gregopimpla himalayensis*（Cameron，1899）

　　分布：陕西（蓝田、宜川）、黑龙江、吉林、辽宁、山西、山东、河南、安徽、浙江、江西、湖南、广西、贵州、云南；朝鲜，日本，印度。

（814）桑蟥聚瘤姬蜂 *Gregopimpla kuwanae*（Viereck，1912）

　　分布：陕西（秦岭，咸阳、杨凌）、黑龙江、吉林、辽宁、北京、河北、山东、河南、新疆、江苏、上海、安徽、浙江、湖北、江西、湖南、福建、台湾、四川、贵州、云南；日本。

268.　埃姬蜂属 *Itoplectis* Foerster，1869

（815）松毛虫埃姬蜂 *Itoplectis alternans epinotiae* Uchida，1928

　　分布：陕西（留坝）、黑龙江、吉林、辽宁、内蒙古、北京、山西、山东、河南、宁夏、甘肃、江苏、浙江、湖北、湖南、四川、贵州、云南；蒙古，俄罗斯（远东），朝鲜，日本。

（816）螟蛉埃姬蜂 *Itoplectis naranyae*（Ashmead，1906）

　　分布：陕西（周至）、吉林、辽宁、山西、河南、江苏、安徽、浙江、湖北、江西、湖南、广东、海南、广西、四川、贵州、云南；俄罗斯，日本，菲律宾。

269. Genus *Oxyrrhexis* Foerster, 1869

(817) *Oxyrrhexis shaanxiensis* Liu，He *et* Chen, 2009

分布：陕西。

270. 黑瘤姬蜂属 *Pimpla* Fabricius, 1804

(818) 舞毒蛾黑瘤姬蜂 *Pimpla disparis* Viereck, 1911

分布：陕西(西安、咸阳、杨凌)、黑龙江、吉林、辽宁、内蒙古、河北、山西、山东、河南、宁夏、甘肃、江苏、安徽、浙江、江西、湖南、福建、四川、贵州、云南、西藏；蒙古，俄罗斯，朝鲜，日本。

(819) 乌黑瘤姬蜂 *Pimpla ereba* Cameron, 1899

分布：陕西(留坝、宁陕)、浙江、福建、广东、广西、云南；缅甸，印度。

(820) 野蚕黑瘤姬蜂 *Pimpla luctuosa* Smith, 1874

分布：陕西(蓝田、凤县、大荔)、辽宁、北京、江苏、上海、浙江、江西、福建、台湾、四川、贵州；俄罗斯，朝鲜，日本。

(821) 日本黑瘤姬蜂 *Pimpla nipponica* Uchida, 1928

分布：陕西(凤县)、黑龙江、辽宁、河北、山东、河南、江苏、上海、安徽、浙江、湖北、江西、湖南、台湾、四川、贵州、云南；俄罗斯(远东)，日本。

(822) 暗黑瘤姬蜂 *Pimpla pluto* Ashmead, 1906

分布：陕西(留坝、南郑)、宁夏、江苏、浙江；俄罗斯，朝鲜，日本。

271. 裂臀姬蜂属 *Schizopyga* Gravenhorst, 1829

(823) 寒地裂臀姬蜂 *Schizopyga frigida* Cresson, 1870

分布：陕西(汉中)、内蒙古、宁夏、江苏、福建、云南；全北区。

272. 蓑瘤姬蜂属 *Sericopimpla* Kriechbaumer, 1895

(824) 蓑瘤姬蜂索氏亚种 *Sericopimpla sagrae sauteri*（Cushman, 1933）

分布：陕西(秦岭)、辽宁、河南、江苏、浙江、湖北、湖南、福建、台湾、广东、广西、四川、贵州；朝鲜，韩国，日本，印度。

273. 囊爪姬蜂属 *Theronia* Holmgren, 1859

(825) 脊腿囊爪姬蜂腹斑亚种 *Theronia atalantae gestator*（Thunberg, 1824）

分布:陕西(宁陕)、黑龙江、辽宁、北京、江苏、浙江、湖北、江西、湖南、四川、贵州;古北区东部。

274. 黑点瘤姬蜂属 *Xanthopimpla* Saussure, 1892

（826）广黑点瘤姬蜂 *Xanthopimpla punctata* (Fabricius, 1781)
分布:陕西(秦岭)、北京、河北、山东、河南、江苏、安徽、浙江、湖北、江西、湖南、福建、台湾、广东、海南、香港、广西、四川、贵州、云南、西藏;东洋区。

275. 多印姬蜂属 *Zatypota* Foerster, 1869

（827）白基多印姬蜂 *Zatypota albicoxa* (Walker, 1874)
分布:陕西(南郑)、黑龙江、吉林、河北、河南、江苏、安徽、浙江、湖南、四川、贵州、云南;俄罗斯(远东),日本。

(十三)粗角姬蜂亚科 Phygadeuontinae

276. 泥甲姬蜂属 *Bathythrix* Foerster, 1869

（828）负泥虫沟姬蜂 *Bathythrix kuwanae* Viereck, 1912
分布:陕西(周至、大荔)、黑龙江、吉林、浙江、江西、湖北、湖南、台湾、广东、广西、四川、贵州、云南;朝鲜,日本。

(十四)缝姬蜂亚科 Porizontinae

277. 齿唇姬蜂属 *Campoletis* Holmgren, 1869

（829）棉铃虫齿唇姬蜂 *Campoletis chliorideae* Uchida, 1957
分布:陕西(咸阳、三原)、辽宁、河北、山西、山东、河南、江苏、浙江、湖北、湖南、四川、台湾、贵州、云南;日本,印度,尼泊尔。

278. 悬茧姬蜂属 *Charops* Holmgren, 1859

（830）螟蛉悬茧姬蜂 *Charops bicolor* (Szépligeti, 1906)
分布:陕西(咸阳、三原)、黑龙江、吉林、辽宁、河北、山东、河南、江苏、安徽、浙江、江西、湖北、湖南、四川、福建、台湾、广东、海南、广西、贵州、云南;朝鲜,日本,泰国,印度,斯里兰卡,马来西亚,澳大利亚。

279. 都姬蜂属 *Dusona* Cameron, 1901

（831）中华都姬蜂 *Dusona chinensis* Horstmann, 2004

分布:陕西。

(832) *Dusona pristiphorae* Li, Sheng *et* Wang, 2013

分布:陕西(宝鸡)。

(833) *Dusona rufoapicalis* Horstmann, 2004

分布:陕西。

280. 钝唇姬蜂属 *Eriborus* Foerster, 1869

(834) 大螟钝唇姬蜂 *Eriborus terebranus* (Gravenhorst, 1829)

分布:陕西(武功)、黑龙江、吉林、河北、山东、山西、河南、江苏、浙江、湖北、福建、广东、四川、云南;俄罗斯,朝鲜,日本,匈牙利,法国,意大利,密克罗尼西亚地区。

281. 镶颚姬蜂属 *Hyposoter* Foerster, 1869

(835) 松毛虫镶颚姬蜂 *Hyposoter takagii* (Matsumura, 1926)

分布:陕西(商洛)、黑龙江、内蒙古、河北、江苏、浙江、湖南、福建、广东、广西、云南;朝鲜,日本。

Ⅷ. 小蜂总科 Chalcidoidea

三十、金小蜂科 Pteromalidae

282. 蜡卵金小蜂属 *Acroclisoides* Girault *et* Dodd, 1915

(836) 中国蜡卵金小蜂 *Acroclisoides sinscus* (Huang *et* Liao, 1988)

分布:陕西(宁陕)、北京、山西、河南、湖北、云南。

283. 梢小蠹金小蜂属 *Allocricellius* Yang, 1996

(837) 华山松梢小蠹金小蜂 *Allocricellius armandii* Yang, 1996

分布:陕西(凤县)。

(838) 油松梢小蠹金小蜂 *Allocricellius tabulaeformisi* Yang, 1996

分布:陕西(周至)。

284. 脊柄金小蜂属 *Asaphes* Walker, 1834

(839) 钝缘脊柄金小蜂 *Asaphes suspensus* (Nees, 1834)

分布:陕西(凤县)、黑龙江、吉林、北京、河北、新疆、福建、广东、四川、云南、西藏;日本,欧洲。

285. 尖角金小蜂属 *Callitula* Spinola, 1811

(840) 尖角金小蜂 *Callitula* sp.
分布:陕西(宁陕)。

286. 刺角金小蜂属 *Callocleonymus* Masi, 1940

(841) 绿双斑刺角金小蜂 *Callocleonymus bimaculae* Yang, 1996
分布:陕西(杨凌)、北京。

(842) 紫色小蠹刺角金小蜂 *Callocleonymus ianthinus* Yang, 1996
分布:陕西(岐山、咸阳、杨凌)、北京。

287. 四斑金小蜂属 *Cheiropachus* Westwood, 1828

(843) 小蠹凹面四斑金小蜂 *Cheiropachus cavicapitis* Yang, 1996
分布:陕西(杨凌)、黑龙江、内蒙古、北京、山东、宁夏、甘肃、新疆。

(844) 核桃小蠹四斑金小蜂 *Cheiropachus juglandis* Yang, 1996
分布:陕西(洛南)。

(845) 果树小蠹四斑金小蜂 *Cheiropachus quadrum* (Fabricius, 1787)
分布:陕西(杨凌)、黑龙江、内蒙古、北京、甘肃、新疆、福建;世界广布。

288. 短颊金小蜂属 *Cleonymus* Latreille, 1809

(846) 长体短颊金小蜂 *Cleonymus laticornis* Walker, 1837
分布:陕西(杨凌);爱尔兰,瑞典,英国。

(847) 短颊金小蜂 *Cleonymus pini* Yang, 1996
分布:陕西(凤县、宁陕)。

(848) 榆蠹短颊金小蜂 *Cleonymus ulmi* Yang, 1996
分布:陕西(兴平)。

289. 长环金小蜂属 *Coelopisthia* Förster, 1856

(849) 网颈长环金小蜂 *Coelopisthia areolata* Askew, 1980
分布:陕西(留坝)、内蒙古、河北、四川;古北区。

(850) 克里长环金小蜂 *Coelopisthia caledonica* Askew, 1980

分布:陕西(周至)、甘肃、云南;古北区。

(851) 秦岭长环金小蜂 *Coelopisthia qinlingensis* Yang, 1996

分布:陕西(勉县)。

(852) 辛家山长环金小蜂 *Coelopisthia xinjiashanensis* Yang, 1996

分布:陕西(凤县)。

290. Genus *Conomorium* Masi, 1924

(853) *Conomorium cuneae* Yang *et* Baur, 2004

分布:陕西、河北、辽宁、天津、山东。

291. 黑青金小蜂属 *Dibrachys* Förster, 1856

(854) 黑青金小蜂 *Dibrachys cavus* (Walker, 1835)

分布:陕西(兴平)、甘肃;朝鲜,印度,欧洲,北美洲,非洲北部。

(855) 黄翅黑青金小蜂 *Dibrachys maculipennis* Szelényi, 1957

分布:陕西(汉中)、北京、浙江;古北区,新北区,新热带区。

(856) 小腹黑青金小蜂 *Dibrachys microgastri* (Bouché, 1834)

分布:陕西(西安、咸阳)、黑龙江、吉林、辽宁、内蒙古、北京、河北、山西、山东、河南、宁夏、甘肃、新疆、上海、江苏、安徽、浙江、湖北、湖南、云南、西藏;世界广布。

292. 狄金小蜂属 *Dinotiscus* Ghesquiere, 1946

(857) 松蠹狄金小蜂 *Dinotiscus armandi* Yang, 1987

分布:陕西(周至、勉县、宁陕)、云南。

(858) 方痣狄金小蜂 *Dinotiscus eupterus* (Walker, 1836)

分布:陕西(周至、凤县)、黑龙江、甘肃、青海;日本,欧洲,北美洲。

(859) 梢小蠹狄金小蜂 *Dinotiscus qinlingensis* Yang, 1996

分布:陕西(周至、凤县)。

293. 赘须金小蜂属 *Halticoptera* Spinola, 1811

(860) 圆形赘须金小蜂 *Halticoptera circula* (Walker, 1833)

分布:陕西(眉县)、内蒙古、北京、河北、山东、宁夏、甘肃、新疆、江苏、湖南、福建、云南、西藏;欧洲,北美洲。

294. 长胸肿腿金小蜂属 *Heydenia* Förster, 1856

（861）基角肿腿金小蜂 *Heydenia angularicoxa* Yang, 1996
　　　分布:陕西(周至、洛南)、北京。

（862）小蠹肿腿金小蜂 *Heydenia scolyti* Yang, 1996
　　　分布:陕西(兴平、杨凌、咸阳、洛南)、北京。

（863）黄褐肿腿金小蜂 *Heydenia testacea* Yang, 1996
　　　分布:陕西(杨凌、洛南)、江苏。

295. 浩茂金小蜂属 *Homoporus* Thomson, 1878

（864）日本类金小蜂 *Homoporus japonicus* Ashmead, 1904
　　　分布:陕西(宁陕)、山东、湖北、湖南、福建、广西、四川、云南;日本。

296. 小蠹长足金小蜂属 *Macromesus* Walker, 1848

（865）榆小蠹长足金小蜂 *Macromesus brevicornis* Yang, 1996
　　　分布:陕西(杨凌)、北京、甘肃。

（866）梢小蠹长足金小蜂 *Macromesus huanglongnicus* Yang, 1996
　　　分布:陕西(黄龙)。

（867）桃小蠹长足金小蜂 *Macromesus persicae* Yang, 1996
　　　分布:陕西(杨凌、咸阳)。

297. 迈金小蜂属 *Mesopolobus* Westwood, 1833

（868）等迈金小蜂 *Mesopolobus aequus* (Walker, 1834)
　　　分布:陕西(留坝)、吉林、辽宁、内蒙古、北京、河北、宁夏、青海、新疆、四川、西藏;全北区。

（869）隐迈金小蜂 *Mesopolobus agropyricola* Rosen, 1960
　　　分布:陕西(眉县、凤县、宁陕)、黑龙江、内蒙古、北京、河北、宁夏、甘肃、新疆、四川、云南、西藏;欧洲,古北区。

（870）毛翅迈金小蜂 *Mesopolobus anogmoides* Graham, 1969
　　　分布:陕西(凤县)、河北、河南、青海、四川、云南、西藏;古北区。

（871）艾斯迈金小蜂 *Mesopolobus aspilus* (Walker, 1835)
　　　分布:陕西(秦岭)、黑龙江、内蒙古、北京、山西、青海、广西、四川、云南;古北区,东洋区。

（872）派迈金小蜂 *Mesopolobus prasinus*（Walker，1834）

分布：陕西（秦岭）、吉林、辽宁、北京、河北、山东、甘肃、青海、新疆、浙江、湖北、江西、湖南、福建、四川、西藏；古北区。

（873）珠角迈金小蜂 *Mesopolobus teliformis*（Walker，1834）

分布：陕西（武功）、内蒙古、北京、河北、山西、山东、宁夏、甘肃、新疆、湖南、福建、四川、云南、西藏；古北区。

（874）光胫迈金小蜂 *Mesopolobus tibialis*（Westwood，1833）

分布：陕西（宁陕）、河北、海南、西藏；古北区。

298．肿脉金小蜂属 *Metacolus* Förster，1856

（875）华肿脉金小蜂 *Metacolus sinicus* Yang，1996

分布：陕西（杨凌、洛南）、内蒙古、北京、河南、甘肃、江苏、云南。

299．瓢虫金小蜂属 *Metastenus* Walker，1834

（876）规则瓢虫金小蜂 *Metastenus concinnus* Walker，1834

分布：陕西（宁陕）、新疆；印度，欧洲，北美洲。

300．绒茧金小蜂属 *Mokrzeckia* Mokrzecki，1934

（877）绒茧金小蜂 *Mokrzeckia pini*（Hartig，1838）

分布：陕西（宁陕）、吉林、内蒙古、北京、河北、山西、湖南、福建、四川、贵州、云南；欧洲。

301．Genus *Notanisus* Walker，1837

（878）*Notanisus gracilis*（Yang，1996）

分布：陕西（略阳）。

302．蝶胸肿腿金小蜂属 *Oodera* Westwood，1874

（879）核桃蝶胸肿腿金小蜂 *Oodera regiae* Yang，1996

分布：陕西（杨凌）。

303．奥金小蜂属 *Oxysychus* Delucchi，1956

（880）隆胸奥金小蜂 *Oxysychus convexus* Yang，1996

分布：陕西（岐山、杨凌）。

（881）长索奥金小蜂 *Oxysychus grandis* **Yang, 1996**

　　分布:陕西(西安、岐山、杨凌)。

（882）桑奥金小蜂 *Oxysychus mori* **Yang, 1996**

　　分布:陕西(杨凌)。

（883）樟子松奥金小蜂 *Oxysychus pini* **Yang, 1996**

　　分布:陕西(杨凌)。

（884）桃蠹奥金小蜂 *Oxysychus scolyti* **Yang, 1996**

　　分布:陕西(杨凌)。

（885）球小蠹奥金小蜂 *Oxysychus sphaerotrypesi* **Yang, 1996**

　　分布:陕西(杨凌、洛南)。

304. 楔缘金小蜂属 *Pachyneuron* Walker, 1833

（886）蚜楔缘金小蜂 *Pachyneuron aphidis*（**Bouche, 1834**）

　　分布:陕西(三原、汉中)、黑龙江、吉林、辽宁、内蒙古、北京、河北、山西、山东、宁夏、甘肃、新疆、江苏、江西、福建、广东、海南、广西、贵州、云南;世界广布。

（887）丽楔缘金小蜂 *Pachyneuron formosum* **Walker, 1833**

　　分布:陕西(眉县、凤县、留坝)、黑龙江、吉林、辽宁、内蒙古、北京、河北、山西、山东、宁夏、甘肃、新疆、江苏、浙江、福建、广东、四川、贵州、云南、西藏;欧洲。

（888）巨楔缘金小蜂 *Pachyneuron grande* **Thomson, 1878**

　　分布:陕西（西安)、北京、山西、新疆、福建、云南;全北区。

（889）*Pachyneuron groenlandicum*（**Holmgren, 1872**）

　　分布:陕西(榆林)、黑龙江、吉林、内蒙古、北京、河北、山西、河南、宁夏、新疆、上海、浙江、福建、广西、四川、云南;全北区,东洋区。

（890）*Pachyneuron planiscuta* **Thomson, 1878**

　　分布:陕西(周至)、山西、内蒙古、新疆;全北区。

（891）松毛虫楔缘金小蜂 *Pachyneuron solitarium*（**Hartig, 1838**）

　　分布:陕西(凤县)、黑龙江、吉林、辽宁、内蒙古、北京、河北、山西、山东、甘肃、新疆、江苏、浙江、湖南、福建、广东、广西、四川、云南;古北区。

305. 狭翅金小蜂属 *Panstenon* Walker, 1846

（892）飞虱卵金小蜂 *Panstenon oxylus*（**Walker, 1839**）

　　分布：陕西（商南）、辽宁、河北、宁夏、福建、广东、海南；欧洲。

306. 璞金小蜂属 *Platygerrhus* Thomson，1878

（893）黑小盾璞金小蜂 *Platygerrhus scutellatus* Yang，1996

　　分布：陕西（眉县）。

307. 棍角金小蜂属 *Rhaphitelus* Walker，1834

（894）桃盾棍角金小蜂 *Rhaphitelus maculatus* Walker，1834

　　分布：陕西（杨凌）、内蒙古、北京、山西、山东、甘肃、新疆、云南；世界广布。

308. 罗葩金小蜂属 *Rhopalicus* Förster，1856

（895）隆胸罗葩金小蜂 *Rhopalicus guttatus*（Ratzeburg，1844）

　　分布：陕西（周至、旬邑）、云南；欧洲，北美洲。

（896）长痣罗葩金小蜂 *Rhopalicus tutela*（Walker，1836）

　　分布：陕西（周至、勉县）、黑龙江、河南、甘肃、青海、四川、贵州、云南；日本，新西兰，欧洲，北美洲。

309. 长尾金小蜂属 *Roptrocerus* Ratzeburg，1848

（897）西北小盾长尾金小蜂 *Roptrocerus ipius* Yang，1996

　　分布：陕西（黄龙）、甘肃。

（898）奇异长尾金小蜂 *Roptrocerus mirus*（Walker，1834）

　　分布：陕西（周至、勉县、宁陕）、黑龙江、甘肃、四川；日本，欧洲。

（899）秦岭长尾金小蜂 *Roptrocerus qinlingensis* Yang，1987

　　分布：陕西（秦岭）。

（900）木小盾长尾金小蜂 *Roptrocerus xylophagorum*（Ratzebur，1844）

　　分布：陕西（佛坪、勉县、旬邑）、黑龙江、甘肃、四川、云南；俄罗斯，印度，欧洲，美国，墨西哥。

310. 锥腹金小蜂属 *Solenura* Westwood，1840

（901）丽锥腹金小蜂 *Solenura ania*（Walker，1846）

　　分布：陕西、台湾；日本，泰国，印度，马来西亚，印度尼西亚，菲律宾，古北区，东洋区。

311.　纤金小蜂属 _Stenomalina_ Ghesquière，1946

（902）丽纤金小蜂 _Stenomalina liparae_ （Giraud，1863）
　　　　分布：陕西（宁陕）、河北；德国，英国。

312.　矩胸金小蜂属 _Syntomopus_ Walker，1833

（903）无脊矩胸金小蜂 _Syntomopus incisus_ Thomson，1878
　　　　分布：陕西（凤县）、内蒙古、河北、山东、福建、四川、云南；欧洲。

313.　毛链金小蜂属 _Systasis_ Walker，1834

（904）拟跳毛链金小蜂 _Systasis encyrtoides_ Walker，1834
　　　　分布：陕西（佛坪、商南）、黑龙江、吉林、北京、山东、宁夏、甘肃、浙江、福
　　　　建、海南、云南；欧洲，摩尔多瓦，美国，加拿大。

（905）微毛链金小蜂 _Systasis parvula_ Thomson，1876
　　　　分布：陕西（眉县、凤县、临潼、宁陕）、黑龙江、吉林、北京、河北、山东、河
　　　　南、新疆、湖南、海南；古北区。

314.　蚁形金小蜂属 _Theocolax_ Westwood，1832

（906）柏肤小蠹蚁形金小蜂 _Theocolax phloeosini_ Yang，1989
　　　　分布：陕西（周至、杨凌、岐山、佛坪）、北京、河南、江苏、贵州。

315.　截尾金小蜂属 _Tomicobia_ Ashmead，1899

（907）廖氏截尾金小蜂 _Tomicobia liaoi_ Yang，1987
　　　　分布：陕西（勉县）。

316.　克氏金小蜂属 _Trichomalopsis_ Crawford，1913

（908）棉铃虫克氏金小蜂 _Trichomalopsis genalis_ （Graham，1969）
　　　　分布：陕西（宝鸡、眉县）、北京；古北区。

317.　长体金小蜂属 _Trigonoderus_ Westwood，1833

（909）水曲柳长体金小蜂 _Trigonoderus fraxini_ Yang，1996
　　　　分布：陕西（周至）、黑龙江；韩国，日本。

（910）松小蠹长体金小蜂 _Trigonoderus longipilis_ Yang，1996

分布:陕西(旬邑)。

318. 乌金小蜂属 *Vrestovia* Bouĉek, 1961

(911) 栎乌金小蜂 *Vrestovia querci* Yang, 1996
　　　分布:陕西(洛南)。

319. 消颊齿腿金小蜂属 *Zolotarewskya* Risbec, 1955

(912) 桑消颊齿腿金小蜂 *Zolotarewskya longicostalia* Yang, 1996
　　　分布:陕西(岐山)。

(913) 核桃消颊齿腿金小蜂 *Zolotarewskya robusta* Yang, 1996
　　　分布:陕西(杨凌)。

三十一、姬小蜂科 Eulophidae

320. 尖头姬小蜂属 *Acrias* Walker, 1847

(914) 奇尖头姬小蜂 *Acrias tauricornis* Yang, 1996
　　　分布:陕西(杨凌)、河南、江苏。

321. 长尾啮小蜂属 *Aprostocetus* Westwood, 1833

(915) 小蠹黄色长尾啮小蜂 *Aprostocetus albae* Yang, 1996
　　　分布:陕西(岐山)。

(916) 微小蠹长尾啮小蜂 *Aprostocetus crypturgus* Yang, 1996
　　　分布:陕西(凤县)。

322. 周氏啮小蜂属 *Chouioia* Yang, 1989

(917) 白蛾周氏啮小蜂 *Chouioia cunea* Yang, 1989
　　　分布:陕西、辽宁、河北、北京、天津、山东、上海;日本,伊朗,意大利。

323. 潜蝇姬小蜂属 *Diglyphus* Walker, 1844

(918) 贝氏潜蝇姬小蜂 *Diglyphus begini*(Ashmead, 1904)
　　　分布:陕西(秦岭,黄陵)、甘肃、青海、云南、西藏;全北区,新热带区,
　　　澳洲区。

(919) 同形潜蝇姬小蜂 *Diglyphus isaea*(Walker, 1838)

　　　　分布:陕西(秦岭,黄陵)、吉林、辽宁、内蒙古、北京、河北、山西、河南、山
　　　　东、宁夏、甘肃、青海、湖南、福建、广东、重庆、四川、云南、西藏;世界广布。

　(920)小斑潜蝇姬小蜂 *Diglyphus minoeus*(Walker,1838)
　　　　分布:陕西(临潼、佛坪)、北京、甘肃、青海、湖北、湖南、重庆、四川、云南;
　　　　古北区,东洋区,新热带区。

324.狭面姬小蜂属 *Elachertus* Spinola,1811

　(921)大斑狭面姬小蜂 *Elachertus fenestratus* Nees,1834
　　　　分布:陕西(周至)、辽宁、北京、河北、山西、青海、四川、贵州、西藏;
　　　　全北区。

　(922)连沟狭面姬小蜂 *Elachertus isadas*(Walker,1839)
　　　　分布:陕西(佛坪)、河北、甘肃、福建、台湾、海南、广西、四川、云南、西藏;
　　　　古北区。

　(923)黄腿狭面姬小蜂 *Elachertus lateralis*(Spinola,1808)
　　　　分布:陕西(周至、佛坪)、黑龙江、吉林、辽宁、内蒙古、北京、河北、山东、宁
　　　　夏、甘肃、新疆、安徽、湖北、湖南、福建、广东、四川、贵州;古北区,澳大利亚。

325.灿姬小蜂属 *Entedon* Dalman,1820

　(924)构象灿姬小蜂 *Entedon broussonetiae* Yang,1996
　　　　分布:陕西(西安、杨凌)。

　(925)华山松灿姬小蜂 *Entedon pini* Yang,1996
　　　　分布:陕西(凤县)。

　(926)云杉小蠹灿姬小蜂 *Entedon wilsonii* Yang,1996
　　　　分布:陕西(凤县)。

326.三脉姬小蜂属 *Euderus* Haliday,1843

　(927)核桃艾姬小蜂 *Euderus regiae* Yang,1996
　　　　分布:陕西(杨凌)。

　(928)长尾三脉姬小蜂 *Euderus torymoides*(Ferrière,1931)
　　　　分布:陕西(秦岭)、甘肃、四川;东洋区。

327.长柄姬小蜂属 *Hemiptarsenus* Westwood,1833

　(929)中突长柄姬小蜂 *Hemiptarsenus unguicellus*(Zetterstedt,1838)

分布:陕西(佛坪)、辽宁、北京、河北、河南、宁夏、甘肃、江苏、湖北、湖南、福建、台湾、海南、广西、四川、云南、西藏;古北区。

328. Genus *Notanisomorphella* Girault, 1913

(930) *Notanisomorphella dichocrocae* Yao et Yang, 2009
分布:陕西(富县)。

329. 柄腹姬小蜂属 *Pediobius* Walker, 1846

(931) 龟甲柄腹姬小蜂 *Pediobius elasmi* (Ashmead, 1904)
分布:陕西(留坝)、江苏、湖北、江西、湖南、福建、广东、海南、广西、贵州、云南、西藏。

(932) 线角柄腹姬小蜂 *Pediobius eubius* (Walker, 1839)
分布:陕西(佛坪)、黑龙江、吉林、辽宁、北京、河北、山东、河南、甘肃、青海、新疆、浙江、江西、广西、四川、云南;世界广布。

(933) 潜蝇柄腹姬小蜂 *Pediobius metallicus* (Nees, 1834)
分布:陕西(周至、武功、留坝)、吉林、北京、河北、山西、河南、宁夏、甘肃、青海、新疆、浙江、湖北、福建、海南、广西、四川、贵州、云南、西藏。

(934) 白蛾柄腹姬小蜂 *Pediobius pupariae* Yang, 2015
分布:陕西(关中地区)、辽宁、天津、河北、山东。

(935) 梨皮潜蛾柄腹姬小蜂 *Pediobius pyrgo* (Walker, 1839)
分布:陕西(咸阳、眉县、凤县)、山东、河南;世界广布。

(936) 凹眼柄腹姬小蜂 *Pediobius susinellae* Yang et Cao, 2015
分布:陕西(杨凌)。

330. 扁体啮小蜂属 *Planotetrastichus* Yang, 1996

(937) 小蠹啮小蜂 *Planotetrastichus scolyti* Yang, 1996
分布:陕西(眉县)、内蒙古、河南。

331. 格姬小蜂属 *Pnigalio* Schrank, 1802

(938) 芦苇格姬小蜂 *Pnigalio phragmitis* (Erdös, 1954)
分布:陕西(周至)、吉林、内蒙古、北京、河北、山东、河南、宁夏、浙江、湖北、江西、湖南、福建、四川、贵州、云南;古北区。

332. 方啮小蜂属 *Quadrastichus* Girault, 1913

（939）瘿蚊方啮小蜂 *Quadrastichus anysis*（Walker, 1839）

　　　　分布：陕西（周至、留坝、佛坪）、北京、甘肃、浙江、广西；古北区。

（940）蕨菜方啮小蜂 *Quadrastichus pteridis* Graham, 1991

　　　　分布：陕西（秦岭）、甘肃；古北区。

（941）瘿螨方啮小蜂 *Quadrastichus sajoi*（Szelényi, 1941）

　　　　分布：陕西（留坝、佛坪）、甘肃、广西；古北区。

333. 羽角姬小蜂属 *Sympiesis* Förster, 1856

（942）皱羽角姬小蜂 *Sympiesis corrugata* Szelényi, 1977

　　　　分布：陕西（秦岭）、甘肃；古北区。

（943）全须夜蛾羽角姬小蜂 *Sympiesis hyblaeae* Sureka, 1996

　　　　分布：陕西（汉中）、黑龙江、吉林、青海、江苏、上海、江西、湖南、福建、云南；东洋区。

（944）丝带羽角姬小蜂 *Sympiesis sericeicornis*（Nees, 1834）

　　　　分布：陕西（武功、延安）、吉林、内蒙古、北京、山西、甘肃、湖南、台湾、四川、云南、西藏；全北区。

334. 啮小蜂属 *Tetrastichus* Haliday, 1844

（945）华山松啮小蜂 *Tetrastichus armandii* Yang, 1996

　　　　分布：陕西（凤县）。

（946）显棒小蠹啮小蜂 *Tetrastichus yangi* Ozdikmen, 2011

　　　　分布：陕西（杨凌）。

（947）龟甲啮小蜂 *Tetrastichus clito*（Walker, 1840）

　　　　分布：陕西（留坝）、广西；全北区。

（948）小伊啮小蜂 *Tetrastichus ilithyia*（Walker, 1839）

　　　　分布：陕西（秦岭）、甘肃；古北区。

（949）核桃小蠹啮小蜂 *Tetrastichus juglansi* Yang, 1996

　　　　分布：陕西（洛南）。

（950）白蛾黑基啮小蜂 *Tetrastichus nigricoxae* Yang, 2003

　　　　分布：陕西（杨凌）、江苏。

（951）太白啮小蜂 *Tetrastichus taibaishanensis* Yang, 1996

分布:陕西(眉县)。

(952) 泰勒啮小蜂 *Tetrastichus telon* (Graham, 1961)

分布:陕西(秦岭,洛南)、广西;古北区。

三十二、旋小蜂科 Eupelmidae

335．平腹小蜂属 *Anastatus* Motschulsky, 1859

(953) 东方平腹小蜂 *Anastatus orientalis* Yang et Choi, 2015

分布:陕西(杨凌)、北京、天津、河北、山东。

336．丽旋小蜂属 *Calosota* Curtis, 1836

(954) 梢小蠹丽旋小蜂 *Calosota cryphali* Yang, 1996

分布:陕西(凤县)。

(955) 长腹丽旋小蜂 *Calosota longigasteris* Yang, 1996

分布:陕西(勉县)。

(956) 榆小蠹丽旋小蜂 *Calosota pumilae* Yang, 1996

分布:陕西(杨凌)。

(957) 杨凌丽旋小蜂 *Calosota yanglingensis* Yang, 1996

分布:陕西(杨凌)。

337．旋小蜂属 *Eupelmus* Dalman, 1820

(958) 小蠹翘尾旋小蜂 *Eupelmus curvator* Yang, 1996

分布:陕西(周至)。

(959) 小蠹黄足旋小蜂 *Eupelmus flavicrurus* Yang, 1996

分布:陕西(岐山)。

(960) 小蠹尾带旋小蜂 *Eupelmus urozonus* Dalman, 1820

分布:陕西(杨凌)、北京、内蒙古、河南、云南;亚洲,欧洲,澳洲。

338．短角平腹小蜂属 *Mesocomys* Cameron, 1905

(961) 透翅短角平腹小蜂 *Mesocomys aegeriae* Sheng, 1998

分布:陕西(韩城)。

(962) 中华短角平腹小蜂 *Mesocomys sinensis* Yao, Yang et Zhao, 2009

分布:陕西(留坝)、河北。

（963）枯叶蛾短角平腹小蜂 *Mesocomys trabalae* Yao, Yang *et* Zhao, 2009
　　　分布:陕西(黄龙)。

339.　长痣小蜂属 *Tanaostigmodes* Ashmead, 1896

（964）*Tanaostigmodes puerariae* Yang *et* Pitts, 2004
　　　分布:陕西、安徽、湖北。

三十三、广肩小蜂科 Eurytomidae

340.　广肩小蜂属 *Eurytoma* Illiger, 1807

（965）*Eurytoma arctica* Thomson, 1876
　　　分布:陕西(宁陕);俄罗斯,欧洲。

（966）小蠹长柄广肩小蜂 *Eurytoma juglansi* Yang, 1996
　　　分布:陕西(周至)。

（967）小蠹长尾广肩小蜂 *Eurytoma longicauda* Yang, 1996
　　　分布:陕西(凤县、宁陕)、黑龙江、甘肃、云南。

（968）普通小蠹广肩小蜂 *Eurytoma morio* Boheman, 1836
　　　分布:陕西(杨凌、咸阳)、内蒙古、北京、甘肃;欧洲。

（969）小蠹圆梗广肩小蜂 *Eurytoma pedicellata* Yang, 1996
　　　分布:陕西(眉县)。

（970）核桃小蠹广肩小蜂 *Eurytoma regiae* Yang, 1996
　　　分布:陕西(杨凌)、北京。

（971）小蠹红角广肩小蜂 *Eurytoma ruficornis* Yang, 1996
　　　分布:陕西(岐山、兴平)、内蒙古、北京。

（972）木蠹短棒广肩小蜂 *Eurytoma xylophaga* Yang, 1996
　　　分布:陕西(周至)。

（973）木蠹粗壮广肩小蜂 *Eurytoma yangi* Ozohbmen, 2011
　　　分布:陕西(杨凌)。

341.　小蠹黄色广肩小蜂属 *Phleudecatoma* Yang, 1996

（974）柏蠹黄色广肩小蜂 *Phleudecatoma platycladi* Yang, 1996
　　　分布:陕西(杨凌)、河南、贵州、云南。

三十四、褶翅小蜂科 Leucospidae

342. 褶翅小蜂属 *Leucospis* Fabricius, 1775

(975) 日本褶翅小蜂 *Leucospis japonica* Walker, 1871
分布:陕西(太白、留坝、宁陕)、北京、河北、山西、河南、上海、江苏、浙江、湖北、江西、湖南、台湾、广东、香港、广西、四川、贵州、云南;俄罗斯,朝鲜,日本,印度,尼泊尔。

(976) 陕西褶翅小蜂 *Leucospis shaanxiensis* Ye, van Achterberg, Yue *et* Xu, 2017
分布:陕西(留坝)。

三十五、缨小蜂科 Mymaridae

343. Genus *Cosmocomoidea* Howard, 1908

(977) *Cosmocomoidea atra* (Foerster, 1841)
分布:陕西(太白山)、新疆、湖北、福建、广西、云南;全北区,东洋区。

(978) *Cosmocomoidea ?latipennis* (Girault, 1911)
分布:陕西(凤县、宝鸡、安康)、甘肃、湖北、台湾、西藏;全北区。

344. 优缨小蜂属 *Eustochus* Haliday, 1833

(979) 三棒优缨小蜂 *Eustochus triclavatus* Xue *et* Lin, 2003
分布:陕西(宝鸡)。

345. 宽翅缨小蜂属 *Pseudanaphes* Noyes *et* Valentine, 1989

(980) 赵氏宽翅缨小蜂 *Pseudanaphes zhaoi* Lin, 1997
分布:陕西(太白山)、西藏。

三十六、长尾小蜂科 Torymidae

346. 螳小蜂属 *Podagrion* Spinola, 1811

(981) 短脉螳小蜂 *Podagrion breviveinus* Zhao, Huang *et* Xiao, 2007
分布:陕西(眉县)、北京。

(982) 短脉螳小蜂 *Podagrion isos* Grissell *et* Goodpasture, 1981

分布:陕西(黄龙)、北京、山东、云南;美国。

347. Genus *Pseudotorymus* Masi, 1921

(983) *Pseudotorymus ignisplendens* Szelenyi, 1973
分布:陕西(留坝)、内蒙古、河北、四川;蒙古。

348. 环双长尾小蜂属 *Torymoides* Walker, 1871

(984) *Torymoides fuscus* Zhao et Xiao, 2010
分布:陕西(临潼)、黑龙江、内蒙古、北京。

三十七、赤眼蜂科 Trichogrammatidae

349. 赤眼蜂属 *Trichogramma* westwood, 1879

(985) 螟黄赤眼蜂 *Trichogramma chilonis* Ishii, 1941
分布:陕西,中国广布;日本,印度。

(986) 舟蛾赤眼蜂 *Trichogramma closterae* Pang et Chen, 1974
分布:陕西、北京、河北、山东、安徽、浙江。

(987) 拟澳洲赤眼蜂 *Trichogramma confusum* Viggiani, 1976
分布:陕西,中国广布;美国(夏威夷)。

(988) 松毛虫赤眼蜂 *Trichogramma dendrolimi* Matsumura, 1926
分布:陕西,中国广布;朝鲜,日本。

(989) 广赤眼蜂 *Trichogramma evanescens* Westwood, 1833
分布:陕西,中国广布;全北区。

(990) 毒蛾赤眼蜂 *Trichogramma ivelae* Pang et Chen, 1974
分布:陕西、辽宁、北京、河北。

(991) 稻螟赤眼蜂 *Trichogramma japonicum* Ashmead, 1904
分布:陕西、台湾,中国广布;朝鲜,日本,缅甸,印度,东南亚。

(992) 粘虫赤眼蜂 *Trichogramma leucaniae* Pang et Chen, 1974
分布:陕西、山东。

(993) 亚洲玉米螟赤眼蜂 *Trichogramma ostriniae* Pang et Chen, 1974
分布:陕西,中国广布;美国(夏威夷)。

(994) 稻苞虫赤眼蜂 *Trichogramma parnarae* Huo, 1986
分布:陕西(岐山)。

（995）陕西赤眼蜂 *Trichogramma shaanxiensis* Huo，1991
　　　分布：陕西（岐山）。

针尾部 Aculeata

Ⅸ. 青蜂总科 Chrysidoidea

三十八、肿腿蜂科 Bethylidae

350. 扁肿腿蜂属 *Parascleroderma* Kieffer，1904

（996）马氏扁肿腿蜂 *Parascleroderma maae* Xu，He *et* Si，2002
　　　分布：陕西（宝鸡）。

三十九、青蜂科 Chrysididae

351. 尖胸青蜂属 *Cleptes* Latreille，1802

（997）亮身尖胸青蜂 *Cleptes metallicorpus* Ha，Lee *et* Kim，2011
　　　分布：陕西（秦岭）、浙江、广东；韩国。
（998）暗黑尖胸青蜂 *Cleptes niger* Wei，Rosa *et* Xu，2013
　　　分布：陕西（太白山）。
（999）中华尖胸青蜂 *Cleptes sinensis* Wei，Rosa *et* Xu，2013
　　　分布：陕西（太白、留坝）、浙江、湖北、海南、四川。

四十、螯蜂科 Dryinidae

（一）常足螯蜂亚科 Aphelopinae

352. 常足螯蜂属 *Aphelopus* Dalman，1823

（1000）白唇常足螯蜂 *Aphelopus albiclypeus* Xu，He *et* Olmi，1999
　　　分布：陕西（周至）、宁夏、湖北、台湾、海南、四川、贵州、云南；越南，泰国，马来西亚。
（1001）尼泊尔常足螯蜂 *Aphelopus nepalensis* Olmi，1984
　　　分布：陕西（留坝）、宁夏、甘肃、浙江、福建、广东、海南、贵州、云南；日本，尼泊尔。

（1002）夸常足螯蜂 *Aphelopus querceus* Olmi，1984

分布：陕西（周至）、宁夏；日本，尼泊尔，英国，芬兰。

（二）裸爪螯蜂亚科 Conganteoninae

353. 裸爪螯蜂属 *Conganteon* Benoit，1951

（1003）台湾裸爪螯蜂 *Conganteon taiwanense* Olmi，1991

分布：陕西（宁陕）、台湾、广东、云南。

354. 菲螯蜂属 *Fiorianteon* Olmi，1984

（1004）周氏菲螯蜂 *Fiorianteon choui* Olmi，1995

分布：陕西（宁陕）、台湾、广东、贵州、云南。

（1005）本州菲螯蜂 *Fiorianteon junonium* Olmi，1984

分布：陕西（宁陕）；日本。

（三）单爪螯蜂亚科 Anteoninae

355. 单爪螯蜂属 *Anteon* Jurine，1807

（1006）忠单爪螯蜂 *Anteon fidum* Olmi，1991

分布：陕西（留坝）、宁夏、浙江、福建、台湾、广东、海南、贵州、云南、西藏；
泰国，缅甸，尼泊尔。

（1007）高氏单爪螯蜂 *Anteon gauldi* Olmi，1987

分布：陕西（留坝）、福建、台湾、广东、海南、贵州、云南；越南，泰国，缅
甸，印度，斯里兰卡，菲律宾，印度尼西亚。

（1008）赫单爪螯蜂 *Anteon heveli* Olmi，1998

分布：陕西（宁陕）、浙江、广东；马来西亚。

（1009）希单爪螯蜂 *Anteon hilare* Olmi，1984

分布：陕西（留坝）、辽宁、宁夏、甘肃、浙江、福建、台湾、广东、海南、广西、
贵州、云南；泰国，老挝，缅甸，印度，尼泊尔，菲律宾，印度尼西亚，马
来西亚，文莱。

（1010）林氏单爪螯蜂 *Anteon lini* Olmi，1996

分布：陕西（秦岭）、宁夏、浙江、台湾、广东、贵州。

（1011）梅峰单爪螯蜂 *Anteon meifenganum* Olmi，1991

分布：陕西（留坝）、浙江、湖南、台湾、贵州；泰国，缅甸。

（1012）宁陕单爪螯蜂 *Anteon ningshanense* Xu, Olmi, Guglielmino *et* Chen, 2012

分布:陕西(宁陕)。

（1013）彭亨单爪螯蜂 *Anteon pahanganum* Olmi, 1991

分布:陕西(宁陕)、香港;马来西亚,印度尼西亚。

（1014）乳突单爪螯蜂 *Anteon papillum* Xu, He *et* Olmi, 2002

分布:陕西(留坝)、浙江、海南。

（1015）拟旧单爪螯蜂 *Anteon parapriscum* Olmi, 1991

分布:陕西(秦岭)、浙江、台湾、广东、海南;泰国,菲律宾,马来西亚,印度尼西亚,文莱。

（1016）旧单爪螯蜂 *Anteon priscum* Olmi, 1991

分布:陕西(凤县、留坝)、河南、宁夏、甘肃、浙江、福建、台湾、广东、海南、贵州、云南、西藏;印度,印度尼西亚。

（1017）秦岭单爪螯蜂 *Anteon qinlingense* He *et* Xu, 2002

分布:陕西(秦岭)。

（1018）皱头单爪螯蜂 *Anteon reticulatum* Kieffer, 1905

分布:陕西(秦岭)、吉林;尼泊尔,法国。

（1019）半皱单爪螯蜂 *Anteon semirugosum* Xu, Olmi, Guglielmino *et* Chen, 2012

分布:陕西(宁陕)。

（1020）松阳单爪螯蜂 *Anteon songyangense* Xu, He *et* Olmi, 1998

分布:陕西(留坝)、宁夏、浙江、福建、广东、海南;马来西亚。

（1021）纹铗单爪螯蜂 *Anteon striolaforceps* Xu *et* He, 1997

分布:陕西(留坝)、甘肃、浙江、贵州;老挝。

（1022）竹野单爪螯蜂 *Anteon takenoi* Olmi, 1995

分布:陕西(宁陕)、辽宁、四川;俄罗斯,日本。

（1023）雾社单爪螯蜂 *Anteon wushense* Olmi, 1991

分布:陕西(宁陕)、河南、甘肃、福建、台湾、云南;马来西亚。

（1024）袁氏单爪螯蜂 *Anteon yuani* Xu, He *et* Olmi, 1998

分布:陕西(留坝)、河南、宁夏、浙江、广东、海南、贵州。

356. 矛螯蜂属 *Lonchodryinus* Kieffer，1905

（1025）双斑矛螯蜂 *Lonchodryinus bimaculatus* Xu *et* He，1994

　　分布：陕西（宁陕）、河南、宁夏、甘肃、台湾、广东、四川、贵州、云南。

（1026）红角矛螯蜂 *Lonchodryinus ruficornis*（Dalman，1818）

　　分布：陕西（佛坪）、内蒙古、宁夏、青海、湖北、四川、西藏；世界广布。

（1027）中华矛螯蜂 *Lonchodryinus sinensis* Olmi，1984

　　分布：陕西（留坝）、宁夏、甘肃、浙江、台湾、四川、云南、西藏；缅甸，尼泊尔。

（四）双距螯蜂亚科 Gonatopodinae

357. 食虱螯蜂属 *Echthrodelphax* R. Perkins，1903

（1028）两色食虱螯蜂 *Echthrodelphax fairchildii* R. Perkins，1903

　　分布：陕西（宁陕）、辽宁、浙江、湖北、江西、福建、台湾、广东；日本，越南，泰国，印度，孟加拉国，菲律宾，马来西亚，印度尼西亚，美国。

358. 单节螯蜂属 *Haplogonatopus* R. Perkins，1905

（1029）稻虱红单节螯蜂 *Haplogonatopus apicalis* R. Perkins，1905

　　分布：陕西（秦岭）、黑龙江、辽宁、河南、浙江、江西、湖南、福建、台湾、广东、广西、贵州、云南；日本，泰国，印度，斯里兰卡，菲律宾，马来西亚，澳大利亚。

（1030）黑腹单节螯蜂 *Haplogonatopus oratorius*（Westwood，1833）

　　分布：陕西（宁陕）、辽宁、内蒙古、山东、浙江、福建、广东、贵州；俄罗斯，韩国，日本，西班牙。

X. 胡蜂总科 Vespoidea

四十一、蚁蜂科 Mutillidae

359. 毛唇蚁蜂属 *Dasylabris* Radoszkowski，1885

（1031）媒介毛唇蚁蜂 *Dasylabris intermedia* Skorikov，1935

　　分布：陕西（孟塬）、内蒙古、北京、河北、山西、山东、江苏、浙江、福建；蒙古，俄罗斯，韩国，阿富汗。

360．何蚁蜂属 *Hemutilla* Lelej，Tu *et* Chen，2014

（1032）瘤突何蚁蜂 *Hemutilla tuberculata* Tu，Lelej *et* Chen，2014
　　　　分布：陕西(宁陕)、河南。

361．蚁蜂属 *Mutilla* Linnaeus，1758

（1033）日本蚁蜂 *Mutilla mikado* Cameron，1900
　　　　分布：陕西(留坝、柞水)、黑龙江、吉林、内蒙古、北京、山西、甘肃、江苏、
　　　　浙江、湖北；俄罗斯，韩国，日本。

362．齿蚁蜂属 *Odontomutilla* Ashmead，1899

（1034）中华齿蚁蜂 *Odontomutilla sinensis*（Smith，1855）
　　　　分布：陕西(留坝、山阳)、江苏、安徽、浙江、湖北、江西、福建、广西、云
　　　　南；越南。

363．扎蚁蜂属 *Zavatilla* Tsuneki，1993

（1035）古特拉扎蚁蜂黄片亚种 *Zavatilla gutrunae flavotegulata*（Chen，1957）
　　　　分布：陕西(山阳)、江苏、浙江、江西、福建。

四十二、寡毛土蜂科 Sapygidae

364．Genus *Polochridium* Gussakovskij，1932

（1036）*Polochridium spinosum* Yue，Li *et* Xu，2017
　　　　分布：陕西、河南、湖南。

四十三、臀钩土蜂科 Tiphiidae

365．钩土蜂属 *Tiphia* Fabricius，1775

（1037）周氏钩土蜂 *Tiphia choui* Chen *et* Yang，1991
　　　　分布：陕西(太白)。

（1038）网纹钩土蜂 *Tiphia retincisura* Chen *et* Yang，1991
　　　　分布：陕西(眉县)。

四十四、胡蜂科 Vespidae

（一）蜾蠃亚科 Eumeninae

366. 全盾蜾蠃属 *Allodynerus* Blüthgen，1938

（1039）东北全盾蜾蠃 *Allodynerus mandschuricus* Blüthgen，1953

分布：陕西（太白）、黑龙江；蒙古，俄罗斯，朝鲜，韩国，日本。

367. 沟蜾蠃属 *Ancistrocerus* Wesmael，1836

（1040）石沟蜾蠃 *Ancistrocerus trifasciatus shibuyai*（Yasumatsu，1938）

分布：陕西（华县、留坝、柞水）、内蒙古；俄罗斯（远东），朝鲜，韩国，日本。

368. 啄蜾蠃属 *Antepipona* de Saussure，1855

（1041）棕足啄蜾蠃 *Antepipona asiamontana* Gusenleitner，2004

分布：陕西（华阴）、北京、山西。

369. 缘蜾蠃属 *Anterhynchium* de Saussure，1863

（1042）黄缘蜾蠃 *Anterhynchium flavomaginatum flavomaginatum*（Smith，1952）

分布：陕西（周至）、上海、浙江、江西、湖南、福建、广西、四川、云南，华北。

370. 短角蜾蠃属 *Apodynerus* Giordani Soika，1993

（1043）台湾短触蜾蠃大陆亚种 *Apodynerus formosensis continentalis* Giordani Soika，1994

分布：陕西（周至）、江西、湖南、福建、重庆、四川；越南，老挝。

371. 元蜾蠃属 *Discoelius* Latreille，1809

（1044）长腹元蜾蠃 *Discoelius zonalis*（Panzer，1801）

分布：陕西（周至、户县）、辽宁、北京、浙江、江西、福建、广东、广西、重庆、四川；俄罗斯，朝鲜，韩国，日本，欧洲。

372. 蜾蠃属 *Eumenes* Latreille，1802

（1045）北方蜾蠃 *Eumenes coarctatus coarctatus*（Linnaeus，1758）

分布:陕西(秦岭,黄龙)、黑龙江、吉林、辽宁、内蒙古、河北、江苏、四川; 蒙古,俄罗斯,土耳其,塔吉克斯坦,哈萨克斯坦,欧洲。

(1046) 冠蜾蠃指名亚种 *Eumenes coronatus coronatus*（Panzer, 1799）

分布:陕西(华县、留坝、洛南、黄龙)、河北、河南、江苏、安徽、湖北、江西、湖南、重庆、四川、贵州、云南; 蒙古,土耳其,欧洲。

(1047) 黄黑唇蜾蠃 *Eumenes labiatus flavoniger* Giordani Soika, 1986

分布:陕西(秦岭,黄龙)、河南、江苏、广东、重庆、四川、云南; 韩国。

(1048) 中华唇蜾蠃 *Eumenes labiatus sinicus*（Giordani Soika, 1941）

分布:陕西(西安、佛坪、黄龙)、北京、河南、江苏、安徽、浙江、湖北、江西、湖南、福建、广西、重庆、四川。

(1049) 黑盾蜾蠃 *Eumenes nigriscutatus* Zhou, Chen *et* Li, 2012

分布:陕西(留坝、黄龙)、河南、湖南、重庆、四川。

(1050) 基蜾蠃 *Eumenes pedunculatus pedunculatus*（Panzer, 1799）

分布:陕西(安康)、黑龙江、江苏、浙江、四川; 俄罗斯,朝鲜,韩国,日本,欧洲。

(1051) 点蜾蠃 *Eumenes pomiformis*（Fabricius, 1781）

分布:陕西(华县、留坝、洛南、黄龙)、吉林、辽宁、内蒙古、北京、河北、山西、山东、河南、新疆、江苏、重庆、四川; 欧洲,非洲。

(1052) 孔蜾蠃 *Eumenes punctatus* de Saussure, 1852

分布:陕西(西安、华县、商洛)、河北、江苏、四川; 俄罗斯(远东),朝鲜,韩国,日本。

(1053) 方蜾蠃指名亚种 *Eumenes quadratus quadratus* Smith, 1852

分布:陕西(留坝、黄龙)、北京、天津、河北、山东、江苏、上海、浙江、江西、湖南、广东、重庆、四川; 韩国,日本,越南,老挝。

(1054) 显蜾蠃 *Eumenes rubronotatus* Pérez, 1905

分布:陕西(西安、周至、太白、华县、佛坪、商洛)、江苏、浙江、广东; 俄罗斯(远东),朝鲜,韩国,日本。

373. 佳盾蜾蠃属 *Euodynerus* Dalla Torre, 1904

(1055) 单佳盾蜾蠃 *Euodynerus*（*Euodynerus*）*dantici dantici*（Rossi, 1790）

分布:陕西(秦岭,黄龙)、河北、甘肃、浙江、江西; 俄罗斯,土耳其,乌兹别克斯坦,哈萨克斯坦,阿拉伯半岛南部,欧洲。

(1056) 日本佳盾蜾蠃 *Euodynerus nipanicus nipanicus*（von Schulthess, 1908）

分布:陕西(眉县、佛坪)、黑龙江、吉林、辽宁、河北、山东、江苏、浙江、广东、广西、四川、云南; 俄罗斯(远东),日本。

374. 细盾蜾蠃属 *Leptomicrodynerus* Giordani Soika, 1985

（1057）铁生细盾蜾蠃 *Leptomicrodynerus tieshengi* Giordani Soika, 1985
　　分布:陕西(周至)、江苏;朝鲜,韩国。

375. 奥蜾蠃属 *Oreumenes* Bequaert, 1926

（1058）镶黄蜾蠃 *Oreumenes decoratus*（Smith, 1852）
　　分布:陕西(西安、佛坪、商洛、黄龙)、吉林、辽宁、河北、山西、山东、江苏、
　　浙江、湖南、广西、四川;朝鲜,韩国,日本。

376. 旁喙蜾蠃属 *Pararrhynchium* de Saussure, 1855

（1059）丽旁喙蜾蠃 *Pararrhynchium ornatum*（Smith, 1852）
　　分布:陕西(周至、宁陕)、四川;日本。

377. 喙蜾蠃属 *Rhynchium* Spinola, 1806

（1060）黑背喙蜾蠃 *Rhynchium quinquecinctum tahitense* de Saussure, 1867
　　分布:陕西(眉县、太白、华县、留坝、黄龙)、河北、山西、江西、湖南;
　　澳洲区。

378. 直盾蜾蠃属 *Stenodynerus* de Saussure, 1863

（1061）*Stenodynerus bluethgeni* van der Vecht, 1971
　　分布:陕西(安康)、吉林;俄罗斯,伊朗,塞浦路斯,欧洲,澳大利亚。

（1062）中华直盾蜾蠃 *Stenodynerus chinensis chinensis*（de Saussure, 1863）
　　分布:陕西(眉县、华县)、河北、河南、台湾、重庆、四川、贵州、云南;韩国,
　　日本,瑞士。

（1063）福直盾蜾蠃 *Stenodynerus frauenfeldi*（de Saussure, 1867）
　　分布:陕西(眉县、华阴、留坝)、江西、重庆、四川、贵州;俄罗斯,韩
　　国,日本。

（1064）帕氏直盾蜾蠃 *Stenodynerus pappi pappi* Giordani Soika, 1976
　　分布:陕西(太白、华县、黄龙)、浙江、江西、台湾、重庆;韩国。

（1065）*Stenodynerus strigatus* Ma et Li, 2016
　　分布:陕西(岚皋)。

（1066）背直盾蜾蠃 *Stenodynerus tergitus* Kim, 1999

分布:陕西(洛南);韩国。

379. 同蜾蠃属 *Symmorphus* Wesmael, 1836

(1067) 双孔同蜾蠃 *Symmorphus ambotretus* Cumming, 1989

分布:陕西(眉县、商洛)、重庆、四川、云南;朝鲜,韩国,尼泊尔。

(1068) 尖饰同蜾蠃 *Symmorphus apiciornatus* (Cameron, 1911)

分布:陕西(凤县、宁陕)、北京、江苏、福建、广东、四川;俄罗斯,朝鲜,韩国,日本。

(1069) 光同蜾蠃 *Symmorphus lucens* (Kostylev, 1938)

分布:陕西(留坝)、内蒙古;俄罗斯,朝鲜,韩国,日本。

(1070) 延安同蜾蠃 *Symmorphus yananensis* Gusenleitner, 2002

分布:陕西(延安)。

(二) 马蜂亚科 Polistinae

380. 马蜂属 *Polistes* Latreille, 1802

(1071) 焰马蜂 *Polistes adustus* Bingham, 1897

分布:陕西(眉县、太白)、云南、西藏;印度,尼泊尔。

(1072) 角马蜂 *Polistes chinensis antennalis* Pérez, 1905

分布:陕西(西安、户县、眉县、凤县、武功、三原、商县、宁陕、黄龙)、吉林、内蒙古、河北、山西、山东、甘肃、新疆、江苏、安徽、浙江、湖南、福建;蒙古,朝鲜,韩国,日本。

(1073) 日本马蜂 *Polistes japonicus* de Saussure, 1858

分布:陕西(西安、周至、商洛)、安徽、浙江、湖北、江西、湖南、福建、台湾、广东;朝鲜,韩国,日本。

(1074) 约马蜂 *Polistes jokahamae* Radoszkowski, 1887

分布:陕西(西安、杨凌、大荔、榆林)、吉林、河北、河南、上海、江苏、安徽、浙江、江西、福建、台湾、广东、香港、广西、四川、贵州;蒙古,朝鲜,韩国,日本,越南,印度,马来西亚,传入美国夏威夷。

(1075) 柑马蜂 *Polistes mandarinus* de Saussure, 1853

分布:陕西(西安、太白、佛坪、宁陕、柞水、商洛)、北京、河南、浙江、湖北、江西、福建、广东、海南、广西、贵州、西藏;朝鲜,韩国,越南。

(1076) 麦氏马蜂 *Polistes megei* Pérez, 1905

分布:陕西(西安、周至、太白、宝鸡、凤县、华县、佛坪、洋县、宁陕、石泉、南郑、柞水、山阳、西乡、商洛、千阳）、河南、甘肃、江苏、安徽、浙江、湖北、江西、福建、广东、广西、四川、贵州、云南。

（1077）倭马蜂 *Polistes nipponensis* Pérez, 1905

分布：陕西（太白）、河南、江苏、浙江、福建、贵州；日本。

（1078）陆马蜂 *Polistes rothneyi* Cameron, 1900

分布：陕西（长安、周至、眉县、华阴、佛坪、宁陕、南郑、商洛、宜川、延安）、黑龙江、吉林、辽宁、北京、天津、河北、山东、江苏、安徽、浙江、江西、湖南、福建、台湾、广东、海南、重庆、四川、贵州、云南、西藏；朝鲜，韩国，日本，印度。

（1079）斯马蜂 *Polistes snelleni* de Saussure, 1862

分布：陕西（西安、眉县、太白、华县、山阳、黄龙、榆林）、吉林、辽宁、内蒙古、河北、山西、山东、甘肃、江苏、浙江、江西、湖南、福建、四川、云南、贵州；俄罗斯，朝鲜，韩国，日本 。

（1080）褐马蜂 *Polistes tenebricosus* Lepeletier, 1836

分布：陕西（商洛）、安徽、浙江、湖北、福建、台湾、海南、贵州；越南，缅甸，印度，尼泊尔，印度尼西亚，菲律宾。

（1081）微刻马蜂 *Polistes tenuispunctia* Kim, 2001

分布：陕西（太白、留坝、佛坪）、四川；朝鲜，韩国。

（三）胡蜂亚科 Vespinae

381. 长黄胡蜂属 *Dolichovespula* Rohwer, 1916

（1082）尖齿长黄胡蜂 *Dolichovespula adulterina*（du Buysson, 1905）

分布：陕西（佛坪）、台湾、四川；蒙古，俄罗斯，朝鲜，韩国，日本，中亚地区，欧洲。

（1083）花长黄胡蜂 *Dolichovespula flora* Archer, 1987

分布：陕西（太白、华县、宁陕）、辽宁、四川、云南；朝鲜，韩国，缅甸。

（1084）熊猫长黄胡蜂 *Dolichovespula panda* Archer, 1981

分布：陕西（宁陕）、宁夏、四川、西藏。

（1085）石长黄胡蜂 *Dolichovespula saxonica*（Fabricius, 1793）

分布：陕西（太白、留坝）、黑龙江、吉林、辽宁、河北、山西、宁夏、甘肃、青海、新疆、四川；蒙古，俄罗斯，朝鲜，韩国，日本，中亚地区，欧洲。

（1086）点长黄胡蜂 *Dolichovespula stigma* Lee, 1986

　　分布:陕西(留坝、柞水)、宁夏、新疆、四川。

382. 侧异胡蜂属 *Parapolybia* de Saussure, 1854

(1087) 黄侧异胡蜂 *Parapolybia crocea* Saito-Morooka, Nguyen *et* Kojima, 2015
　　分布:陕西(西安、太白、洋县、柞水、岚皋)、福建、台湾、广东、香港;朝鲜,韩国,日本,越南,老挝,泰国。

(1088) 变侧异胡蜂 *Parapolybia varia varia* (Fabricius, 1787)
　　分布:陕西(西安、佛坪、商洛)、江苏、浙江、湖北、福建、台湾、广东、云南;朝鲜,韩国,日本,泰国,缅甸,印度,尼泊尔,马来西亚,菲律宾。

383. 胡蜂属 *Vespa* Linnaeus, 1758

(1089) 三齿胡蜂 *Vespa analis* Fabricius, 1775
　　分布:陕西(西安、黄龙)、黑龙江、辽宁、北京、河南、浙江、湖北、江西、福建、台湾、广东、海南、广西、四川、云南、贵州、西藏;俄罗斯,朝鲜,韩国,日本,越南,老挝,泰国,缅甸,印度,尼泊尔,马来西亚,菲律宾,新加坡,印度尼西亚。

(1090) 基胡蜂 *Vespa basalis* Smith, 1852
　　分布:陕西(西安、宝鸡、太白、华县、宁陕、安康、镇安、商洛、商南)、河南、浙江、湖北、江西、福建、台湾、四川、云南、西藏;朝鲜,韩国,越南,老挝,泰国,缅甸,印度,尼泊尔,巴基斯坦,印度尼西亚。

(1091) 双色胡蜂 *Vespa bicolor* Fabricius, 1787
　　分布:陕西(西安、周至、宝鸡、眉县、太白、华县、佛坪、宁陕、黄龙)、辽宁、北京、河北、山西、河南、上海、浙江、江西、福建、台湾(传入)、广东、海南、香港、广西、四川、云南、西藏;越南,老挝,泰国,缅甸,印度,尼泊尔,不丹,柬埔寨。

(1092) 褐胡蜂 *Vespa binghami* du Buysson, 1905
　　分布:陕西(太白、宁陕)、辽宁、上海、江苏、湖北、江西、福建、云南、四川、西藏;俄罗斯,朝鲜,韩国,越南,老挝,泰国,缅甸,印度,不丹。

(1093) 黄边胡蜂 *Vespa crabro* Linnaeus, 1758
　　分布:陕西(西安、周至、眉县、太白、佛坪、宁陕、商洛)、黑龙江、吉林、辽宁、北京、河北、山西、河南、山东、甘肃、江苏、浙江、湖北、江西、福建、台湾、广西、四川、云南、西藏;蒙古,俄罗斯,朝鲜,韩国,日本,土耳其,伊朗,中亚,欧洲,加拿大(传入),美国,危地马拉。

（1094）**黑尾胡蜂** *Vespa ducalis* **Smith，1852**

　　分布：陕西（周至、宝鸡、勉县、宁陕）、辽宁、吉林、甘肃、上海、江苏、湖北、江西、湖南、福建、台湾、广东、海南、香港、四川、云南、贵州；俄罗斯，朝鲜，韩国，日本，越南，老挝，泰国，缅甸，印度，尼泊尔。

（1095）**笛胡蜂** *Vespa dybowskii* **André，1884**

　　分布：陕西（太白、眉县、勉县、佛坪、宁陕）、吉林、辽宁、浙江、西藏；俄罗斯，韩国，日本，泰国，缅甸。

（1096）**变胡蜂** *Vespa fumida* **van der Vecht，1959**

　　分布：陕西（眉县、太白、留坝、宁陕、南郑）、湖北、福建、四川、云南；越南，缅甸，印度，不丹，尼泊尔。

（1097）**金环胡蜂** *Vespa mandarinia* **Smith，1852**

　　分布：陕西（西安、周至、太白、勉县、宁陕、安康、黄龙）、辽宁、河南、江苏、上海、浙江、湖北、江西、福建、台湾、广东、香港、广西、四川、云南、贵州、西藏；俄罗斯，朝鲜，韩国，日本，越南，老挝，泰国，缅甸，印度，尼泊尔，不丹，斯里兰卡，马来西亚。

（1098）**茅胡蜂** *Vespa mocsaryana* **du Buysson，1905**

　　分布：陕西（宝鸡、安康、商洛）、河南、安徽、浙江、江西、福建、香港、四川、云南、西藏；越南，老挝，泰国，缅甸，印度，马来西亚，印度尼西亚。

（1099）**黄脚胡蜂** *Vespa velutina* **Lepeletier，1836**

　　分布：陕西（西安、周至、杨凌、宁陕、安康、平利、商洛、黄龙）、河南、江苏、浙江、湖北、江西、福建、台湾、广东、香港、广西、重庆、四川、贵州、云南、西藏；朝鲜，韩国，越南，老挝，泰国，缅甸，印度，不丹，尼泊尔、阿富汗，巴基斯坦，新加坡，马来西亚，印度尼西亚，也门，欧洲。

（1100）**寿胡蜂** *Vespa vivax* **Smith，1870**

　　分布：陕西（眉县、杨凌、留坝、佛坪、宁陕、南郑）、河南、宁夏、台湾、四川、云南、西藏；泰国，缅甸，印度，尼泊尔。

384．黄胡蜂属 *Vespula* Thomson，1896

（1101）**细黄胡蜂** *Vespula flaviceps*（**Smith，1870**）

　　分布：陕西（西安、周至、杨凌、太白、华县、佛坪、宁陕、千阳、商洛、宜川）、黑龙江、吉林、辽宁、内蒙古、北京、河北、山西、河南、江苏、浙江、湖北、江西、福建、台湾、四川、贵州、云南、西藏；俄罗斯，朝鲜，韩国，日本，泰国，缅甸，印度，尼泊尔，巴基斯坦。

（1102）德国黄胡蜂 *Vespula germanica*（Fabricius，1793）

分布：陕西（西安、榆林）、黑龙江、辽宁、内蒙古、北京、河北、山西、宁夏、甘肃、青海、新疆、台湾、云南；蒙古，俄罗斯，朝鲜，韩国，印度，尼泊尔，巴基斯坦，中亚，欧洲，美洲。

（1103）朝鲜黄胡蜂 *Vespula koreensis*（Radoszkowski，1887）

分布：陕西（太白、佛坪、柞水）、黑龙江、辽宁、北京、河北、河南、安徽、浙江、湖北、江西、湖南、福建、台湾、海南、四川、云南；俄罗斯，朝鲜，韩国，越南，老挝，泰国，印度。

（1104）红环黄胡蜂 *Vespula rufa*（Linnaeus，1758）

分布：陕西（西安、柞水）、黑龙江、辽宁、北京、新疆、台湾、四川、云南、西藏；蒙古，俄罗斯，朝鲜，韩国，日本，尼泊尔，阿富汗，中亚，欧洲，加拿大。

（1105）锈色黄胡蜂 *Vespula structor*（Smith，1870）

分布：陕西（太白、留坝、宁陕）、河南、宁夏、甘肃、四川、云南、西藏；老挝，缅甸，印度，尼泊尔。

（1106）普通黄胡蜂 *Vespula vulgaris*（Linnaeus，1758）

分布：陕西（杨凌、留坝、宁陕、榆林）、黑龙江、辽宁、内蒙古、北京、河北、宁夏、甘肃、新疆、四川、云南；蒙古，俄罗斯，朝鲜，韩国，日本，印度，中亚，欧洲，澳洲。

四十五、蛛蜂科 Pompilidae

（一）蛛蜂亚科 Pompilinae

385．棒带蛛蜂属 *Batozonellus* Arnold，1937

（1107）环棒带蛛蜂 *Batozonellus annulatus*（Fabricius，1793）

分布：陕西（洋县）、河南、江苏、浙江、福建、台湾、广东、海南、广西、四川、贵州、云南；朝鲜，日本，缅甸，印度。

386．蛛蜂属 *Pompilus* Fabricius，1798

（1108）普通蛛蜂 *Pompilus cinereus*（Fabricius，1775）

分布：陕西（杨凌）、内蒙古、台湾、云南；世界广布。

（二）沟蛛蜂亚科 Pepsinae

387．奥沟蛛蜂属 *Auplopus* Spinola，1841

（1109）巧构奥沟蛛蜂 *Auplopus constructor*（Smith，1873）
分布：陕西（太白、留坝）、辽宁、山东、宁夏、浙江、湖北、福建、台湾、广东、四川、云南；俄罗斯，日本。

388．指沟蛛蜂属 *Caliadurgus* Pate，1946

（1110）横带指沟蛛蜂 *Caliadurgus fasciatellus*（Spinola，1808）
分布：陕西（太白）、内蒙古；俄罗斯（远东），欧洲，美国。

389．双角沟蛛蜂属 *Dipogon* Fox，1897

（1111）双带双角沟蛛蜂 *Dipogon bifasciatus*（Geoffroy，1785）
分布：陕西（乾县）、吉林、内蒙古、河北、山西、宁夏；俄罗斯，日本，伊朗，欧洲。

390．短角沟蛛蜂属 *Poecilagenia* Haupt，1927

（1112）长短角沟蛛蜂 *Poecilagenia procera*（Haupt，1959）
分布：陕西（周至）、台湾、云南；俄罗斯。

四十六、蚁科 Formicidae

（一）臭蚁亚科 Dolichoderinae

391．凹臭蚁属 *Ochetellus* Shattuck，1992

（1113）无毛凹臭蚁 *Ochetellus glaber*（Mayr，1862）
分布：陕西（佛坪）、山东、河南、江苏、上海、安徽、浙江、湖北、江西、湖南、福建、台湾、广东、海南、澳门、广西、四川、云南；日本，缅甸，印度，澳大利亚。

392．Genus *Tapinoma* Förster，1850

（1114）*Tapinoma geei* Wheeler，1927
分布：陕西、北京、河北、山东、宁夏、甘肃、湖北、四川、云南；蒙古，韩国。

393. 狡臭蚁属 *Technomyrmex* Mayr, 1872

(1115) 白跗节狡臭蚁 *Technomyrmex albipes*（F. Smith, 1861）

分布:陕西(佛坪)、山东、河南、湖北、湖南、福建、台湾、广东、海南、香港、
澳门、广西、贵州、云南;日本,东南亚,澳大利亚。

(二) 蚁亚科 Formicinae

394. 弓背蚁属 *Camponotus* Mayr, 1861

(1116) 黄腹弓背蚁 *Camponotus helvus* Xiao et Wang, 1989

分布:陕西(佛坪)、河南、湖北、湖南。

(1117) 广布弓背蚁 *Camponotus herculeanus*（Linnaeus, 1758）

分布:陕西、黑龙江、内蒙古、北京、山西、河南、甘肃、宁夏、青海、新疆、江
苏、浙江、湖北、四川;蒙古,俄罗斯,朝鲜,日本,吉尔吉斯斯坦,欧洲,
加拿大。

(1118) 日本弓背蚁 *Camponotus japonicus* Mayr, 1866

分布:陕西(西安、佛坪),全国广布;蒙古,俄罗斯,朝鲜,韩国,日本,
印度,斯里兰卡,东南亚。

(1119) 平和弓背蚁 *Camponotus mitis*（Smith, 1858）

分布:陕西、湖北、湖南、福建、广东、海南、香港、澳门、广西、贵州、云南;
印度,斯里兰卡。

(1120) 暗足弓背蚁 *Camponotus obscuripes* Mayr, 1871

分布:陕西;俄罗斯,朝鲜,韩国,日本。

(1121) 金毛弓背蚁 *Camponotus tonkinus* Santschi, 1925

分布:陕西、河南、甘肃、四川、云南;越南。

395. 箭蚁属 *Cataglyphis* Förster, 1850

(1122) 艾箭蚁 *Cataglyphis aenescens*（Nylander, 1849）

分布:陕西、吉林、辽宁、内蒙古、北京、河北、山西、山东、宁夏、甘肃、青海、
新疆;蒙古,俄罗斯,吉尔吉斯斯坦,欧洲。

396. 臭蚁属 *Dolichoderus* Lund, 1831

(1123) *Dolichoderus sibiricus* Emery, 1889

分布:陕西、河南、甘肃、新疆、浙江、安徽、湖北、江西、湖南、福建、广东、香

港、广西；蒙古，俄罗斯，朝鲜，日本。

397. 蚁属 *Formica* Linnaeus, 1758

（1124）光亮黑蚁 *Formica candida* Smith, 1878

分布：陕西、黑龙江、吉林、内蒙古、北京、河北、山西、河南、宁夏、甘肃、青海、新疆、湖北、四川、西藏；蒙古，朝鲜，韩国，日本，吉尔吉斯斯坦，欧洲。

（1125）红林蚁 *Formica clara sinae* Emery, 1925

分布：陕西、黑龙江、吉林、辽宁、河北、山西、河南、山东、宁夏、甘肃、青海、新疆、安徽、浙江。

（1126）掘穴蚁 *Formica cunicularia* Latreille, 1798

分布：陕西（佛坪）、北京、河北、山西、河南、宁夏、甘肃、青海、新疆、安徽、湖北、湖南、四川、云南；俄罗斯，中亚，欧洲，非洲北部，美洲。

（1127）深井凹头蚁/富氏凹头蚁 *Formica fukaii* Wheeler, 1914

分布：陕西、黑龙江、宁夏、甘肃、四川、西藏；蒙古，俄罗斯，日本。

（1128）丝光蚁 *Formica fusca* Linnaeus, 1758

分布：陕西（佛坪）、黑龙江、吉林、辽宁、北京、河北、山东、宁夏、甘肃、新疆、上海、浙江、湖北、湖南、福建、台湾、香港、重庆、四川、贵州、云南、西藏；俄罗斯，日本，澳大利亚，美国，欧洲。

（1129）亮腹黑褐蚁 *Formica gagatoides* Ruzsky, 1904

分布：陕西（佛坪）、宁夏、甘肃、新疆、湖北、四川；俄罗斯，日本。

（1130）日本黑褐蚁 *Formica japonica* Motschoulsky, 1866

分布：陕西（佛坪）、黑龙江、吉林、辽宁、北京、山西、山东、甘肃、安徽、湖北、江西、湖南、福建、台湾、广东、广西、四川、云南；蒙古，俄罗斯，朝鲜，韩国，日本，印度，缅甸。

（1131）凹唇蚁 *Formica sanguinea* Latreille, 1798

分布：陕西、黑龙江、吉林、辽宁、内蒙古、河北、山西、山东、甘肃、宁夏、青海、新疆、浙江、福建、四川、云南、西藏；蒙古，俄罗斯，朝鲜，韩国，日本，吉尔吉斯斯坦，喜马拉雅地区，欧洲。

（1132）中华红林蚁 *Formica sinensis* Wheeler, 1921

分布：陕西、北京、河北、山西、河南、甘肃、宁夏、青海、四川、云南、西藏。

（1133）少毛红蚁 *Formica wongi* Wu, 1990

分布：陕西、吉林、河南、新疆、湖北。

（1134）石狩红蚁 *Formica yessensis* Forel, 1901

分布:陕西、黑龙江、吉林、辽宁、内蒙古、山西、台湾;俄罗斯,朝鲜,韩国,日本。

398. 毛蚁属 *Lasius* Fabricius, 1804

(1135) 玉米毛蚁 *Lasius alienus*(Foerster, 1850)
分布:陕西(佛坪、西乡)、黑龙江、吉林、辽宁、内蒙古、北京、河北、山西、河南、宁夏、甘肃、新疆、浙江、湖北、湖南、广西、四川、云南;亚洲,欧洲,非洲,北美洲。

(1136) 多色毛蚁 *Lasius coloratus* Santschi, 1937
分布:陕西、台湾。

(1137) 黄毛蚁 *Lasius flavus*(Fabricius, 1781)
分布:陕西(佛坪、西乡)、黑龙江、吉林、辽宁、内蒙古、北京、山西、河南、宁夏、甘肃、新疆、湖北、江西、海南、广西、贵州、云南;俄罗斯,东亚,欧洲,北美洲。

(1138) 亮毛蚁 *Lasius fuliginosus*(Latreille, 1798)
分布:陕西(西乡),除内蒙古、西藏外全国广布;亚洲,欧洲,非洲,北美洲。

(1139) 林间毛蚁 *Lasius hayashi* Yamauchi *et* Hayashida, 1970
分布:陕西、台湾;俄罗斯,朝鲜,韩国,日本。

(1140) 黑毛蚁 *Lasius niger*(Linnaeus, 1758)
分布:陕西、黑龙江、吉林、辽宁、北京、河北、山西、河南、山东、甘肃、宁夏、新疆、江苏、安徽、浙江、湖北、湖南、福建、台湾、四川、贵州、云南、西藏;蒙古,俄罗斯,朝鲜,韩国,日本,吉尔吉斯斯坦,喜马拉雅地区,欧洲,非洲北部。

(1141) 田鼠毛蚁 *Lasius talpa* Wilson, 1955
分布:陕西、北京、台湾;朝鲜,韩国,日本,印度,喜马拉雅地区。

399. Genus *Liometopum* Mayr, 1861

(1142) *Liometopum sinense* Wheeler, 1921
分布:陕西、河北、河南、甘肃、宁夏、上海、江苏、浙江、湖北、江西、湖南、福建、广东、广西、四川、贵州、云南;越南。

400. 尼氏蚁属 *Nylanderia* Emery, 1906

(1143) 布氏尼氏蚁 *Nylanderia bourbonica*(Forel, 1886)

分布:陕西、河南、安徽、浙江、湖北、江西、湖南、福建、台湾、广东、海南、香港、澳门、广西、四川、贵州、云南、西藏;新北区。

(1144) 黄足尼氏蚁 *Nylanderia flavipes*（F. Smith, 1874）

分布:陕西(佛坪)、吉林、辽宁、北京、河北、山东、河南、上海、江苏、安徽、浙江、湖北、江西、湖南、福建、台湾、广东、广西、重庆、四川、贵州、云南、西藏;东亚, 北美洲。

(1145) 夏氏尼氏蚁 *Nylanderia sharpii*（Forel, 1893）

分布:陕西、安徽、浙江、湖北、湖南、福建、广东、广西、重庆、四川、贵州、云南;美国(夏威夷)。

(1146) 亮尼氏蚁 *Nylanderia vividula*（Nylander, 1846）

分布:陕西、浙江、湖北、湖南、福建、台湾、广东、海南、香港、澳门、广西、重庆、四川、贵州、云南;日本, 印度, 斯里兰卡, 欧洲, 美国, 非洲(引入)。

401. 拟立毛蚁属 *Paraparatrechina* Donisthorpe, 1947

(1147) 无刚毛拟立毛蚁 *Paraparatrechina aseta*（Forel, 1902）

分布:陕西、湖北、湖南、广西;印度, 喜马拉雅地区。

(1148) 邵氏拟立毛蚁 *Paraparatrechina sauteri*（Forel, 1913）

分布:陕西、河南、上海、安徽、湖北、湖南、台湾、广东、海南、香港、澳门、广西、四川、贵州、云南;朝鲜, 韩国, 日本。

402. 斜结蚁属 *Plagiolepis* Mayr, 1861

(1149) *Plagiolepis alluaudi* Emery, 1921

分布:陕西、河南、山东、甘肃、宁夏、青海、上海、江苏、安徽、浙江、湖北、湖南、台湾、香港、广西、四川、云南;日本, 英国, 北美洲。

(1150) 满斜结蚁 *Plagiolepis taurica* Santschi, 1920

分布:陕西(佛坪)、内蒙古、北京、河北、山西、山东、河南、新疆、安徽;朝鲜。

403. Genus *Polyergus* Latreille, 1804

(1151) *Polyergus samurai* Yano, 1911

分布:陕西、北京、甘肃、宁夏、青海、湖南;俄罗斯, 朝鲜, 韩国, 日本。

404. 多刺蚁属 *Polyrhachis* F. Smith, 1857

(1152) *Polyrhachis illaudata* Walker, 1859

分布:陕西、浙江、湖北、江西、湖南、福建、台湾、广东、海南、香港、广西、四川、贵州、云南；泰国，马来西亚，印度尼西亚，喜马拉雅地区。

（1153）叶型多刺蚁 *Polyrhachis lamellidens* F. Smith, 1874

分布：陕西（佛坪）、吉林、甘肃、上海、江苏、安徽、浙江、湖北、湖南、台湾、广东、香港、广西、四川、贵州；朝鲜，日本。

405. 前结蚁属 *Prenolepis* Mayr, 1861

（1154）内氏前结蚁 *Prenolepis naoroji* Forel, 1902

分布：陕西（佛坪）、河南、浙江、湖北、江西、湖南、福建、广东、广西、四川、贵州、云南；缅甸，印度。

406. Genus *Proformica* Ruzsky, 1903

（1155）*Proformica mongolica* Emery, 1901

分布：陕西、内蒙古、宁夏、甘肃、青海、新疆；蒙古，朝鲜，吉尔吉斯斯坦。

（三）切叶蚁亚科 Myrmicinae

407. 盘腹蚁属 *Aphaenogaster* Mayr, 1853

（1156）暗黑盘腹蚁 *Aphaenogaster caeciliae* Viehmeyer, 1922

分布：陕西、河南、甘肃、宁夏、四川。

（1157）雕刻盘腹蚁 *Aphaenogaster exasperata*（Wheeler, 1921）

分布：陕西、浙江、江西、广东、香港、四川、云南。

（1158）日本盘腹蚁 *Aphaenogaster japonica* Forel, 1911

分布：陕西（佛坪）、北京、山东、安徽、湖北、广西；日本。

（1159）史氏盘腹蚁 *Aphaenogaster smythiesii*（Forel, 1902）

分布：陕西（佛坪、西乡）、安徽、浙江、湖北、江西、湖南、福建、广西、四川、贵州、云南；印度，阿富汗。

（1160）高桥盘腹蚁 *Aphaenogaster takahashii* Wheeler, 1930

分布：陕西（西乡）、河南、安徽、浙江、湖北、台湾、四川。

408. 举腹蚁属 *Crematogaster* Lund, 1831

（1161）玛氏举腹蚁 *Crematogaster matsumurai* Forel, 1901

分布：陕西（西乡）、河北、河南、山东、江苏、安徽、浙江、湖北、江西、湖南、福建、台湾、四川、云南；俄罗斯，朝鲜，韩国，日本，印度，马来西亚，印度尼西亚。

（1162）大阪举腹蚁 *Crematogaster osakensis* Forel, 1900

分布:陕西(佛坪、西乡)、山西、上海、安徽、浙江、湖北、江西、湖南、广西、四川、云南；日本。

（1163）黑褐举腹蚁 *Crematogaster rogenhoferi* Mayr, 1879

分布:陕西(佛坪)、江苏、安徽、浙江、江西、湖南、福建、广东、海南、广西、云南、西藏；东南亚。

（1164）上海举腹蚁 *Crematogaster zoceensis* Santschi, 1925

分布:陕西(佛坪)、河北、山东、河南、上海、安徽、浙江、江西、湖南、福建、四川。

409. 毛切叶蚁属 *Lordomyrma* Emery, 1897

（1165）中华毛切叶蚁 *Lordomyrma sinensis*（Ma, Xu, Makio *et* DuBois, 2007）

分布:陕西(佛坪)、西藏。

410. 收获蚁属 *Messor* Forel, 1890

（1166）针毛收获蚁 *Messor aciculatus*（Smith, 1874）

分布:陕西(佛坪、西乡)、内蒙古、北京、河北、山西、山东、河南、上海、江苏、安徽、浙江、湖北、湖南、福建；日本。

411. Genus *Monomorium* Mayr, 1855

（1167）中华小家蚁 *Monomorium chinense* Santschi, 1925

分布:陕西、北京、河北、山西、河南、山东、上海、江苏、安徽、浙江、湖北、江西、湖南、福建、台湾、广东、海南、香港、广西、四川、云南、西藏；亚洲。

412. 切叶蚁属 *Myrmecina* Curtis, 1829

（1168）钩胸切叶蚁 *Myrmecina bamula* Zhou, Huang *et* Ma, 2008

分布:陕西(佛坪)、广西。

413. 红蚁属 *Myrmica* Latreille, 1804

（1169）*Myrmica aloba* Forel, 1909

分布:陕西(秦岭)、西藏；欧洲,非洲。

（1170）龙红蚁 *Myrmica draco* Radchenko, Zhou *et* Elmes, 2001

分布:陕西(佛坪)、河南、广东、广西、云南。

（1171）*Myrmica excelsa* Kupyanskaya, 1990

分布:陕西、河南、山东、甘肃、湖北。

(1172) 嘉氏红蚁 *Myrmica gallienii* Bondroit, 1920

　　分布:陕西(秦岭)、甘肃、宁夏、新疆;欧洲。

(1173) 华氏红蚁 *Myrmica huaii* Chen, Zhou *et* Huang, 2016

　　分布:陕西(太白)。

(1174) 伊内兹氏红蚁 *Myrmica inezae* Forel, 1902

　　分布:陕西、四川、云南;印度。

(1175) 吉市红蚁 *Myrmica jessensis* Forel, 1901

　　分布:陕西、黑龙江、吉林、内蒙古、河北、宁夏、甘肃、湖北、湖南、四川、西藏;朝鲜,韩国,日本。

(1176) 弯角红蚁 *Myrmica lobicornis* Nylander, 1846

　　分布:陕西、黑龙江、吉林、辽宁、内蒙古、北京、河北、河南、甘肃、宁夏、青海、四川;欧洲。

(1177) 郑氏红蚁 *Myrmica luteola* Kupyanskaya, 1990

　　分布:陕西(佛坪);俄罗斯。

(1178) 玛格丽特氏红蚁 *Myrmica margaritae* Emery, 1889

　　分布:陕西(西乡)、河北、河南、安徽、浙江、湖北、湖南、台湾、广西、四川、云南;东南亚。

(1179) *Myrmica mifui* Chen, Zhou *et* Huang, 2016

　　分布:陕西(太白)。

(1180) *Myrmica multiplex* Radchenko *et* Elmes, 2009

　　分布:陕西。

(1181) *Myrmica phalacra* Radchenko *et* Elmes, 2009

　　分布:陕西。

(1182) 小红蚁 *Myrmica rubra* (Linnaeus, 1758)

　　分布:陕西、山西、宁夏、甘肃、青海、新疆、西藏;俄罗斯,日本,欧洲。

(1183) 皱红蚁 *Myrmica ruginodis* Nylander, 1846

　　分布:陕西(佛坪、西乡)、黑龙江、吉林、河南、宁夏、甘肃、湖南;朝鲜,日本,欧洲。

(1184) *Myrmica schulzi* Radchenko *et* Elmes, 2009

　　分布:陕西。

(1185) 丝红蚁 *Myrmica serica* Wheeler, 1928

　　分布:陕西、台湾、云南。

(1186) 太白红蚁 *Myrmica taibaiensis* Wei, Zhou *et* Liu, 2001

　　　　分布:陕西(太白)。

(1187) *Myrmica tulinae* Elmes, Radchenko *et* Aktaç, 2002

　　　　分布:陕西。

(1188) 王氏红蚁 *Myrmica wangi* Chen, Zhou *et* Huang, 2016

　　　　分布:陕西(太白)。

(1189) 魏氏红蚁 *Myrmica weii* Radchenko *et* Zhou, 2008

　　　　分布:陕西。

414. 奇蚁属 *Perissomyrmex* Smith, M. R., 1947

(1190) 双齿奇蚁 *Perissomyrmex bidentatus* Zhou *et* Huang, 2006

　　　　分布:陕西(秦岭)、河南。

415. 大头蚁属 *Pheidole* Westwood, 1839

(1191) *Pheidole exasperata* (Mayr, 1866)

　　　　分布:陕西、浙江、湖北、江西、四川、云南。

(1192) 淡黄大头蚁 *Pheidole flaveria* Zhou *et* Zheng, 1999

　　　　分布:陕西(佛坪、西乡)、河南、广西。

(1193) 宽结大头蚁 *Pheidole noda* (Smith, 1874)

　　　　分布:陕西(西乡)、黑龙江、辽宁、北京、河北、河南、山东、上海、江苏、安
　　　　徽、浙江、湖北、江西、湖南、福建、台湾、广东、香港、广西、四川、云
　　　　南;亚洲。

(1194) 凹大头蚁 *Pheidole sulcaticeps* Roger, 1863

　　　　分布:陕西、河南、宁夏、湖北、湖南、福建、广西、云南、西藏;东南亚。

416. 棱胸切叶蚁属 *Pristomyrmex* Mayr, 1866

(1195) 双针棱胸切叶蚁 *Pristomyrmex punctatus* (F. Smith, 1860)

　　　　分布:陕西(佛坪)、辽宁、山东、江苏、上海、安徽、浙江、湖北、江西、湖南、
　　　　广东、海南、广西、四川、云南、西藏;日本,菲律宾,马来西亚。

417. 火蚁属 *Solenopsis* Westwood, 1840

(1196) 贾氏火蚁 *Solenopsis jacoti* Wheeler, 1923

　　　　分布:陕西、北京、河南、山东、甘肃、宁夏、青海、安徽、江西、广西、云南。

(1197) 知本火蚁 *Solenopsis tipuna* Forel, 1912

　　　　分布:陕西(佛坪)、湖北、湖南、台湾、广西。

418. 圆颚切叶蚁属 *Strongylognathus* Mayr, 1853

（1198）朝鲜圆颚切叶蚁 *Strongylognathus koreanus* Pisarski, 1965
分布:陕西;朝鲜,韩国,日本。

（1199）瘤点圆颚切叶蚁 *Strongylognathus tylonum* Wei, Xu *et* He, 2001
分布:陕西(太白)。

419. 瘤颚蚁属 *Strumigenys* Smith, 1860

（1200）刘氏瘤颚蚁 *Strumigenys lewisi* Cameron, 1887
分布:陕西(西乡)、山东、上海、江苏、浙江、湖北、湖南、福建、台湾、广东、广西、四川、贵州、云南;朝鲜,韩国,日本,缅甸。

420. Genus *Temnothorax* Mayr, 1861

（1201）*Temnothorax argentipes*（Wheeler, 1928）
分布:陕西、辽宁、北京、河北、河南、宁夏、福建、广西。

（1202）*Temnothorax nassonowi*（Ruzsky, 1895）
分布:陕西、黑龙江、吉林、辽宁、内蒙古、北京、甘肃、宁夏、青海、云南;蒙古,俄罗斯,朝鲜,韩国,日本,吉尔吉斯斯坦。

（1203）*Temnothorax pisarskii* Radchenko, 2004
分布:陕西、黑龙江、辽宁、河北;朝鲜。

（1204）*Temnothorax shannxiensis* Zhou, Huang, Yu *et* Liu, 2010
分布:陕西。

（1205）*Temnothorax spinosior*（Forel, 1901）
分布:陕西、黑龙江、北京、河北、山西、河南、山东、安徽、浙江、湖北、湖南、广西;韩国,日本。

421. 铺道蚁属 *Tetramorium* Mayr, 1855

（1206）铺道蚁 *Tetramorium caespitum*（Linnaeus, 1758）
分布:陕西(佛坪、西乡)、黑龙江、吉林、辽宁、内蒙古、北京、河北、山东、甘肃、江苏、上海、安徽、浙江、湖北、江西、湖南、福建、广西、四川、西藏;朝鲜,韩国,日本,欧洲,北美洲。

（1207）克氏铺道蚁 *Tetramorium kraepelini* Forel, 1905
分布:陕西(西乡)、河南、安徽、湖北、江西、湖南、福建、台湾、广东、香港、广西、四川、云南、西藏;日本,菲律宾,印度尼西亚。

（1208）陕西铺道蚁 *Tetramorium shensiense* Bolton，1977

　　分布：陕西（佛坪）、江西、湖南、广西。

（四）猛蚁亚科 Ponerinae

422．钝猛蚁属 *Amblyopone* Erichson，1842

（1209）西福氏钝猛蚁 *Amblyopone silvestrii*（Wheeler，1928）

　　分布：陕西（佛坪）、河南、浙江、湖北、湖南、台湾、云南；朝鲜，日本。

423．曲颊猛蚁属 *Gnamptogenys* Roger，1863

（1210）四川曲颊猛蚁 *Gnamptogenys panda*（Brown，1948）

　　分布：陕西（佛坪、西乡）、浙江、湖北、湖南、广西、四川、贵州。

424．姬猛蚁属 *Hypoponera* Santchi，1938

（1211）*Hypoponera ragusai*（Emery，1895）

　　分布：陕西、山东、浙江、湖南、台湾；韩国，日本，印度，西班牙。

（1212）邵氏姬猛蚁 *Hypoponera sauteri* Onoyama，1989

　　分布：陕西（佛坪）、河南、安徽、湖北、湖南、台湾、广东、贵州、云南；朝鲜，日本。

（1213）*Hypoponera truncata*（Smith，1860）

　　分布：陕西、浙江、台湾、云南。

425．大齿猛蚁属 *Odontomachus* Latreille，1804

（1214）大齿猛蚁 *Odontomachus haematodus*（Linnaeus，1758）

　　分布：陕西（佛坪、西乡）、北京、浙江、湖北、湖南、福建、广东、海南、香港、广西、四川、贵州；印度，斯里兰卡，美国，巴西。

（1215）*Odontomachus monticola* Emery，1892

　　分布：陕西、吉林、北京、河南、甘肃、江苏、浙江、湖北、湖南、福建、台湾、广东、海南、香港、广西、四川、贵州、云南；日本，喜马拉雅地区。

426．厚结猛蚁属 *Pachycondyla* Smith，1858

（1216）敏捷厚结蚁 *Pachycondyla astuta* Smith，1858

　　分布：陕西（佛坪、西乡）、北京、山东、江苏、上海、安徽、浙江、湖北、江西、福建、台湾、广东、海南、香港、澳门、广西、四川、贵州、云南；亚洲，大洋洲。

（1217）中华厚结蚁 *Pachycondyla chinensis*（**Emery，1894**）

分布：陕西（西乡）、北京、河南、山东、上海、江苏、安徽、浙江、湖北、湖南、福建、台湾、广东、海南、香港、广西、四川、贵州；朝鲜，韩国，日本，美国。

（1218） *Pachycondyla luteipes*（**Mayr，1862**）

分布：陕西、北京、河北、河南、山东、上海、江苏、安徽、浙江、湖北、江西、湖南、福建、台湾、广东、海南、香港、澳门、广西、四川、贵州、云南、西藏；日本，喜马拉雅地区。

（1219） *Pachycondyla sauteri*（**Forel，1912**）

分布：陕西、浙江、湖南、台湾、广东、云南。

427．猛蚁属 *Ponera* **Latreille，1804**

（1220）南贡山猛蚁 *Ponera nangongshana* **Xu，2001**

分布：陕西（佛坪）、云南。

（1221）五齿猛蚁 *Ponera pentodontos* **Xu，2001**

分布：陕西（西乡）、云南。

XI．泥蜂总科 Sphecoidea

四十七、方头泥蜂科 Crabronidae

（一）方头泥蜂亚科 Crabroninae

428．缨角泥蜂属 *Crossocerus* **Lepeletier** *et* **Brulle，1834**

（1222）中齿缨角泥蜂 *Crossocerus*（*Apocrabro*）*medidentatus* **Li** *et* **Wu，2003**

分布：陕西（宁陕）、四川、贵州。

429．脊小唇泥蜂属 *Liris* **Fabricius，1804**

（1223）滑臀脊小唇泥蜂 *Liris fuscinervus*（**Cameron，1905**）

分布：陕西（太白山）、福建、台湾、广东、云南；泰国，印度，菲律宾。

430．刺胸泥蜂属 *Oxybelus* **Latreille，1796**

（1224）盗刺胸泥蜂 *Oxybelus latro* **Olivier，1812**

分布:陕西(眉县)、内蒙古;俄罗斯,欧洲。

431. 捷小唇泥蜂属 *Tachytes* Panzer, 1806

（1225）窄顶捷小唇泥蜂 *Tachytes angustiverticis* Wu et Li, 2006
分布:陕西(太白山)、浙江、广东。

432. 短翅泥蜂属 *Trypoxylon* Latreille, 1796

（1226）棒角短翅泥蜂绥芬亚种 *Trypoxylon（Trypoxylon）clavicerum suifuense* Tsuneki, 1981
分布:陕西(留坝)、黑龙江、吉林、辽宁、河北、山西。

（1227）短脊短翅泥蜂 *Trypoxylon（Trypoxylon）bishopi* Tsuneki, 1979
分布:陕西(凤县);老挝。

（1228）横唇短翅泥蜂 *Trypoxylon（Trypoxylon）figulus*（Linnaeus, 1758）
分布:陕西(周至、太白、凤县、黄龙)、黑龙江、吉林、甘肃、新疆、四川;欧洲,日本,非洲北部,加拿大。

（1229）角额短翅泥蜂日本亚种 *Trypoxylon（Trypoxylon）fronticorne japonense* Tsuneki, 1956
分布:陕西(宁陕)、黑龙江、吉林、辽宁、内蒙古、北京;俄罗斯,日本。

（1230）柄短翅泥蜂 *Trypoxylon（Trypoxylon）petiolatum* Smith, 1857
分布:陕西(太白)、北京、山东、浙江、福建、台湾、广东、广西、云南;越南,老挝,泰国,尼泊尔,新加坡,马来西亚,马尔代夫。

（1231）方头短翅泥蜂 *Trypoxylon（Trypoxylon）quadriceps* Tsuneki, 1971
分布:陕西(留坝)、河南、台湾。

（1232）苏氏短翅泥蜂 *Trypoxylon（Trypoxylon）sauteri* Tsuneki, 1981
分布:陕西(宁陕)、河南、浙江、福建、台湾、四川。

（1233）中华短翅泥蜂 *Trypoxylon（Trypoxylon）schmiedeknechtii* Kohl, 1906
分布:陕西(眉县、略阳)、天津、浙江、福建、台湾、广西、云南;日本,泰国,缅甸,印度,斯里兰卡,菲律宾,印度尼西亚。

（1234）微凹短翅泥蜂 *Trypoxylon（Trypoxylon）simpliceincrassatum* Li et Li, 2007
分布:陕西(凤县)、甘肃。

(二)短柄泥蜂亚科 Pemphredoninae

433. 隆痣短柄泥蜂属 *Carinostigmus* Tsuneki, 1954

（1235）岩太隆痣短柄泥蜂 *Carinostigmus iwatai*（Tsuneki, 1954）

分布:陕西(留坝)、浙江、福建、台湾、广东、海南、广西、贵州、云南。

（1236）开化隆痣短柄泥蜂 *Carinostigmus kaihuanus* Li *et* Yang, 1995

分布:陕西(宁陕、石泉)、河南、浙江、湖南、福建、广东、海南、广西、四川、贵州、云南。

（1237）田野隆痣短柄泥蜂 *Carinostigmus tanoi* Tsuneki, 1977

分布:陕西(凤县、南郑)、浙江、福建、台湾、广东、四川、贵州、云南。

434. 隐短柄泥蜂属 *Diodontus* Curtis, 1834

（1238）领隐短柄泥蜂 *Diodontus collaris* Tsuneki, 1972

分布:陕西(秦岭)、内蒙古、新疆、浙江、四川;蒙古,俄罗斯,哈萨克斯坦。

435. 米木短柄泥蜂属 *Mimumesa* Malloch, 1933

（1239）凹角米木短柄泥蜂 *Mimumesa atratinus* Morawitz, 1891

分布:陕西、黑龙江、吉林、北京、山西、新疆。

（1240）达氏米木短柄泥蜂 *Mimumesa dahlbomi*（Wesmael, 1852）

分布:陕西(宁陕)、吉林、新疆、湖北、西藏;俄罗斯,日本,中亚,欧洲。

（1241）单色米木短柄泥蜂 *Mimumesa unicolor*（Vander Linden, 1829）

分布:陕西、黑龙江、吉林、内蒙古、新疆;英国,澳大利亚。

436. 阔额短柄泥蜂属 *Passaloecus* Shuckard, 1837

（1242）锥阔额短柄泥蜂 *Passaloecus corniger* Shuckard, 1837

分布:陕西(凤县);日本,欧洲。

（1243）显阔额短柄泥蜂 *Passaloecus insignis*（Vander Linden, 1829）

分布:陕西(留坝)、吉林、内蒙古、北京、河北、山东、上海、浙江、云南;韩国,日本,欧洲。

（1244）朝鲜阔额短柄泥蜂 *Passaloecus koreanus* Tsuneki, 1974

分布:陕西(留坝)、吉林、北京;韩国,日本。

（1245）单阔额短柄泥蜂 *Passaloecus singularis* Dahlbom, 1844

分布:陕西(凤县)、甘肃;日本,欧洲,美国。

437. 短柄泥蜂属 *Pemphredon* Latreille, 1796

（1246）普通短柄泥蜂 *Pemphredon inornata* Say, 1824

　　分布:陕西(眉县)、黑龙江、内蒙古、甘肃、新疆、浙江、云南;欧洲,非洲,
北美洲。

(1247)皱胸短柄泥蜂 *Pemphredon lugubris*(Fabricius,1793)
　　分布:陕西(佛坪)、新疆;韩国,日本,中亚,欧洲,北美洲。

(1248)点皱短柄泥蜂 *Pemphredon maurusia* Valkeila,1972
　　分布:陕西(眉县)、湖南、四川。

438.脊短柄泥蜂属 *Psenulus* Kohl,1897

(1249)等齿脊短柄泥蜂 *Psenulus dentideus* Ma et Li,2018
　　分布:陕西(留坝)。

439.宏痣短柄泥蜂属 *Spilomena* Shuckard,1838

(1250)唇皱宏痣短柄泥蜂 *Spilomena clyperugata* Ma et Li,2018
　　分布:陕西(周至)。

(1251)浙江宏痣短柄泥蜂 *Spilomena zhejiangana* Li et He,1998
　　分布:陕西(留坝)、河南、甘肃、浙江、广东。

440.痣短柄泥蜂属 *Stigmus* Panzer,1804

(1252)日本痣短柄泥蜂 *Stigmus japonicus* Tsuneki,1954
　　分布:陕西(凤县、留坝)、河北、甘肃、四川;俄罗斯,日本。

441.始痣短柄泥蜂属 *Tzustigmus* Finnamore,1995

(1253)翘齿始痣短柄泥蜂 *Tzustigmus denserectus* Ma et Chen,2011
　　分布:陕西(留坝)。

(1254)头点始痣短柄泥蜂 *Tzustigmus caputipunctatus* Ma et Li,2011
　　分布:陕西(凤县)、河南。

四十八、泥蜂科 Sphecidae

(一)沙泥蜂亚科 Ammophilinae

442.沙泥蜂属 *Ammophila* Kirby,1798

(1255)红足沙泥蜂红足亚种 *Ammophila atripes atripes* Smith,1852
　　分布:陕西(凤县)、北京、河北、山东、浙江、福建、广东、海南、广西、云南。

（1256）甘泉沙泥蜂 *Ammophila ganquana* **Yang *et* Li, 1989**

分布：陕西（户县、凤县、甘泉）、黑龙江、河北、山东。

（1257）斜细纹沙泥蜂 *Ammophila obliquestriolae* **Yang *et* Li, 1989**

分布：陕西（甘泉）。

（1258）厚胸沙泥蜂 *Ammophila pachythoracalis* **Yang *et* Li, 1989**

分布：陕西（甘泉）。

（1259）多沙泥蜂骚扰亚种 *Ammophila sabulosa infesta* **Smith, 1873**

分布：陕西（周至）、辽宁、内蒙古、河北、山东、宁夏、新疆、云南。

（1260）红异沙泥蜂 *Ammophila rubigegen* **Li *et* Yang, 1990**

分布：陕西（周至、眉县）、辽宁、内蒙古、四川、云南。

（1261）无瘤沙泥蜂 *Ammophila untumoris* **Yang *et* Li, 1989**

分布：陕西（甘泉）。

（二）壁泥蜂亚科 Sceliphrinae

443. 蓝泥蜂属 *Chalybion* Dahlbom, 1843

（1262）日本蓝泥蜂 *Chalybion japonicum*（**Gribodo, 1883**）

分布：陕西（眉县）、黑龙江、辽宁、内蒙古、北京、河北、山西、山东、江苏、浙江、江西、湖南、福建、台湾、广东、海南、广西、四川、贵州；朝鲜，日本，泰国，印度。

XII. 蜜蜂总科 Apoidea

四十九、地蜂科 Andrenidae

444. 地蜂属 *Andrena* Fabricius, 1775

（1263）*Andrena*（*Hoplandrena*）*fagopyri* **Xu *et* Tadauchi, 2005**

分布：陕西、黑龙江、北京、河北。

（1264）*Andrena*（*Melandrena*）*sasakii* **Cockerell, 1913**

分布：陕西（杨凌）、山东、上海、浙江；朝鲜，日本。

（1265）*Andrena*（*Oreomelissa*）*mitakensis* **Hirashima, 1963**

分布：陕西（佛坪）；俄罗斯，朝鲜，日本。

五十、蜜蜂科 Apidae

（一）蜜蜂亚科 Apinae

445. 无垫蜂属 *Amegilla* Friese，1897

（1266）杂无垫蜂 *Amegilla*（*Amegilla*）*confusa*（Smith，1854）
　　分布：陕西（宁陕）、北京、河北、山西、山东、安徽、浙江、四川、云南、西藏；朝鲜，越南，缅甸，印度，尼泊尔，伊朗，斯里兰卡。

（1267）花无垫蜂 *Amegilla*（*Glossamegilla*）*florea*（Smith，1879）
　　分布：陕西（宁陕）、河北、山东、江苏、浙江、安徽、江西、福建、台湾、广东；俄罗斯，日本，尼泊尔。

446. 条蜂属 *Anthophora* Latreille，1803

（1268）华山条蜂 *Anthophora*（*Mystacanthophora*）*huashanensis* Wu，2000
　　分布：陕西（长安、蓝田、华阴）。

（1269）黄胸条蜂 *Anthophora*（*Paramegilla*）*dubia* Eversmann，1852
　　分布：陕西（秦岭）、黑龙江、内蒙古、甘肃、青海；蒙古，吉尔吉斯斯坦，土库曼斯坦，哈萨克斯坦，阿塞拜疆，土尔其，希腊。

447. 熊蜂属 *Bombus* Latreille，1802

（1270）灰熊蜂 *Bombus*（*Alpigenobombus*）*grahami*（Frison，1933）
　　分布：陕西（周至、太白、柞水）、甘肃、湖北、湖南、海南、四川、云南、西藏；印度。

（1271）克什米尔熊蜂 *Bombus*（*Alpigenobombus*）*kashmirensis* Friese，1909
　　分布：陕西（宁陕）、甘肃、青海、广西、四川、云南、西藏；巴基斯坦，尼泊尔，印度，克什米尔地区。

（1272）颂杰熊蜂 *Bombus*（*Alpigenobombus*）*nobilis* Friese，1905
　　分布：陕西（留坝）、甘肃、青海、四川、云南、西藏；缅甸，印度，尼泊尔，美国。

（1273）小峰熊蜂 *Bombus*（*Bombus*）*hypocrita* Pérez，1905
　　分布：陕西（秦岭）、黑龙江、吉林、辽宁、北京、河北、山西、甘肃、青海、新疆、四川、云南、西藏；俄罗斯，朝鲜，韩国，日本，缅甸，印度，尼泊尔，美国。

（1274）红光熊蜂 *Bombus*（*Bombus*）*ignitus* Smith，1869

分布:陕西(留坝、佛坪、宁陕)、黑龙江、吉林、辽宁、北京、天津、河北、山西、山东、河南、甘肃、江苏、安徽、浙江、江西、广东、四川、贵州、云南;俄罗斯,朝鲜,韩国,日本,德国。

（1275）长翼熊蜂 *Bombus*（*Bombus*）*longipennis* Friese, 1918

分布:陕西(秦岭)、宁夏、甘肃、青海、四川、云南、西藏;尼泊尔。

（1276）明亮熊蜂 *Bombus*（*Bombus*）*lucorum*（Linnaeus, 1761）

分布:陕西(留坝、佛坪、宁陕)、辽宁、内蒙古、北京、河北、山西、甘肃、新疆、四川、云南、西藏;蒙古,俄罗斯,日本,尼泊尔,巴基斯坦,阿富汗,克什米尔地区,土耳其,德国,意大利,阿尔巴尼亚。

（1277）密林熊蜂 *Bombus*（*Bombus*）*patagiatus* Nylander, 1848

分布:陕西(秦岭)、黑龙江、辽宁、吉林、内蒙古、北京、河北、山西、宁夏、甘肃、青海、新疆、浙江、湖南、湖北、广西、福建、四川、贵州、西藏;蒙古,俄罗斯,韩国,德国。

（1278）朝鲜熊蜂 *Bombus*（*Megabombus*）*koreanus*（Skorikov, 1933）

分布:陕西(秦岭)、黑龙江、辽宁、北京、河北、山西、甘肃;朝鲜。

（1279）长足熊蜂 *Bombus*（*Megabombus*）*longipes* Friese, 1905

分布:陕西(留坝、佛坪、宁陕)、辽宁、北京、河北、山西、山东、甘肃、安徽、四川、云南。

（1280）圣熊蜂 *Bombus*（*Megabombus*）*religiosus*（Frison, 1935）

分布:陕西(佛坪、宁陕)、河北、甘肃、四川、云南。

（1281）三条熊蜂 *Bombus*（*Megabombus*）*trifasciatus* Smith, 1852

分布:陕西(留坝、佛坪、宁陕)、河北、浙江、湖北、江西、湖南、福建、台湾、广东、广西、四川、贵州、云南、西藏;越南,泰国,缅甸,印度,不丹,尼泊尔,巴基斯坦,克什米尔地区。

（1282）红体熊蜂 *Bombus*（*Melanobombus*）*pyrosoma* Morawitz, 1890

分布:陕西(留坝、佛坪、宁陕)、黑龙江、吉林、辽宁、内蒙古、北京、天津、河北、山西、山东、河南、宁夏、甘肃、青海、湖北、台湾、四川、贵州、西藏;蒙古,俄罗斯,朝鲜,日本,印度,尼泊尔,克什米尔地区,法国。

（1283）贝拉拟熊蜂 *Bombus*（*Psithyrus*）*bellardii*（Gribodo, 1892）

分布:陕西(周至、佛坪、洋县)、辽宁、内蒙古、山西、安徽、浙江、湖北、江西、福建、广西、四川、云南;缅甸。

（1284）中国拟熊蜂 *Bombus*（*Psithyrus*）*chinensis*（Morawitz, 1890）

分布:陕西(秦岭)、宁夏、甘肃、青海、四川、云南、西藏。

（1285）科尔拟熊蜂 *Bombus*（*Psithyrus*）*coreanus*（Yasumatus, 1934）

分布:陕西(秦岭)、北京、河北、山西、甘肃、湖北、四川;朝鲜。

（1286）角拟熊蜂 *Bombus*（*Psithyrus*）*cornutus*（Frison, 1933）

分布:陕西(宁陕)、山西、宁夏、甘肃、安徽、浙江、湖北、湖南、福建、四川、贵州、云南;印度。

（1287）眠熊蜂 *Bombus*（*Pyrobombus*）*hypnorum*（Linnaeus, 1758）

分布:陕西(华阴)、黑龙江、吉林、辽宁、山西、甘肃、青海、新疆、湖北、台湾、四川、贵州、云南、西藏;蒙古,俄罗斯,朝鲜,日本,缅甸,印度,尼泊尔,欧洲。

（1288）稀熊蜂 *Bombus*（*Pyrobombus*）*infrequens*（Tkalc, 1989）

分布:陕西(秦岭)、甘肃、湖北、湖南、四川、贵州、云南、西藏;缅甸。

（1289）饰带熊蜂 *Bombus*（*Pyrobombus*）*lemniscatus* Skorikov, 1912

分布:陕西(周至、眉县、太白)、内蒙古、甘肃、青海、湖北、四川、云南、西藏;克什米尔地区。

（1290）小雅熊蜂 *Bombus*（*Pyrobombus*）*lepidus* Skorikov, 1912

分布:陕西(秦岭)、内蒙古、宁夏、甘肃、青海、湖北、四川、云南、西藏;缅甸,印度,尼泊尔,巴基斯坦,菲律宾,马来西亚,印度尼西亚。

（1291）谦熊蜂 *Bombus*（*Pyrobombus*）*modestus* Eversmann, 1852

分布:陕西(周至、眉县、太白)、吉林、辽宁、内蒙古、北京、河北、山西、甘肃、四川;蒙古,俄罗斯,朝鲜,哈萨克斯坦。

（1292）贞洁熊蜂 *Bombus*（*Pyrobombus*）*parthenius* Richards, 1934

分布:陕西(留坝)、北京、湖北、台湾、广西、四川、贵州、云南、西藏;缅甸,印度,尼泊尔。

（1293）重黄熊蜂 *Bombus*（*Pyrobombus*）*picipes* Richards, 1934

分布:陕西(留坝、宁陕)、北京、天津、河北、山西、河南、宁夏、甘肃、青海、安徽、浙江、湖北、江西、湖南、福建、四川、云南。

（1294）王氏拟熊蜂 *Bombus*（*Pyrobombus*）*wangae* Williams *et al*., 2009

分布:陕西(周至、眉县、太白)、甘肃、青海、四川。

（1295）黑足熊蜂 *Bombus*（*Thoracobombus*）*atripes* Smith, 1852

分布:陕西(洋县、西乡)、江苏、安徽、浙江、湖北、江西、湖南、福建、海南、广西、四川、贵州、云南。

（1296）仿熊蜂 *Bombus*（*Thoracobombus*）*imitator* Pittioni, 1949

分布:陕西(留坝、宁陕)、甘肃、浙江、湖北、湖南、福建、广西、四川、贵州;德国。

（1297）藓状熊蜂 *Bombus*（*Thoracobombus*）*muscorum*（Linnaeus, 1758）

分布:陕西(留坝、佛坪)、黑龙江、吉林、内蒙古、河北、山西、新疆、四川;俄罗斯,土耳其,阿塞拜疆,伊朗,哈萨克斯坦,乌兹别克斯坦,吉尔吉斯斯坦,欧洲。

(1298) 富丽熊蜂 *Bombus* (*Thoracobombus*) *opulentus* **Smith, 1861**

分布:陕西(佛坪、宁陕)、辽宁、北京、天津、河北、山西、山东、江苏、安徽、浙江;朝鲜,德国。

(1299) 疏熊蜂 *Bombus* (*Thoracobombus*) *remotus* (**Tkalc, 1968**)

分布:陕西(佛坪、宁陕)、山西、宁夏、甘肃、浙江、湖北、四川、云南。

(1300) 斯氏熊蜂 *Bombus* (*Thoracobombus*) *schrencki* **Morawitz, 1881**

分布:陕西(宁陕)、黑龙江、吉林、辽宁、北京、河北、山西、山东;蒙古,俄罗斯,朝鲜,日本,欧洲。

448. 栉距蜂属 *Ctenoplectra* **Kirby, 1826**

(1301) 角栉距蜂 *Ctenoplectra cornuta* **Gribodo, 1892**

分布:陕西(留坝、佛坪)、浙江、湖北、台湾、四川、云南;缅甸。

449. 回条蜂属 *Habropoda* **Smith, 1854**

(1302) 花回条蜂 *Habropoda mimetica* **Cockerell, 1927**

分布:陕西(宁陕)、江西、福建、广西、四川、贵州、云南。

(1303) 中华回条蜂 *Habropoda sinensis* **Alfken, 1937**

分布:陕西(宁陕)、北京、安徽、浙江、江西、湖北、湖南、福建、广西、四川、贵州、云南。

(二)木蜂亚科 Xylocopinae

450. 芦蜂属 *Ceratina* **Latreille, 1802**

(1304) 棒突芦蜂 *Ceratina* (*Ceratina*) *satoi* **Yasumatsu, 1936**

分布:陕西(宁陕)、北京、山东;俄罗斯,韩国,日本。

451. 木蜂属 *Xylocopa* **Latreille, 1802**

(1305) 黄胸木蜂 *Xylocopa* (*Alloxylocopa*) *appendiculata* **Smith, 1852**

分布:陕西(留坝、佛坪)、辽宁、北京、河北、河南、山西、山东、甘肃、江苏、安徽、浙江、江西、湖北、湖南、福建、广东、海南、广西、四川、贵州、云南、西藏;俄罗斯,韩国,日本。

（1306）长木蜂 *Xylocopa*（*Biluna*）*tranquebarorum*（Swederus，1787）

　　分布：陕西（佛坪）、新疆、江苏、安徽、浙江、江西、湖北、湖南、福建、广东、海南、广西、四川、云南；越南，印度，印度尼西亚。

五十一、准蜂科 Melittidae

452．宽痣蜂属 *Macropis* Panzer，1809

（1307）斑宽痣蜂 *Macropis*（*Sinomacropis*）*hedini* Alfken，1936

　　分布：陕西（佛坪、宁陕）、江苏、上海、浙江、湖北、广西、四川、云南。

五十二、隧蜂科 Halictidae

（一）隧蜂亚科 Halictinae

453．隧蜂属 *Halictus* Latreille，1804

（1308）*Halictus confusus pelagius* Ebmer，1996

　　分布：陕西；蒙古，俄罗斯。

（1309）*Halictus suprafulgens* Cockerell，1925

　　分布：陕西、黑龙江、山东、上海、江苏；俄罗斯，朝鲜，日本。

454．淡脉隧蜂属 *Lasioglossum* Curtis，1833

（1310）中华淡脉隧蜂 *Lasioglossum*（*Ctenonomia*）*sinicum*（Blüthgen，1934）

　　分布：陕西（宁陕）、甘肃、福建、云南。

（1311）触淡脉隧蜂 *Lasioglossum*（*Dialictus*）*mystaphium* Ebmer，2002

　　分布：陕西（太白山）、云南。

（1312）弯踝淡脉隧蜂 *Lasioglossum*（*Dialictus*）*pronotale* Ebmer，2002

　　分布：陕西（太白、宁陕）。

（1313）萨淡脉隧蜂 *Lasioglossum*（*Dialictus*）*sauterum* Fan *et* Ebmer，1992

　　分布：陕西（宁陕）、四川、云南。

（1314）四川淡脉隧蜂 *Lasioglossum*（*Dialictus*）*sichuanense* Fan *et* Ebmer，1992

　　分布：陕西（太白山）、四川、云南。

（1315）变色淡脉隧蜂 *Lasioglossum*（*Dialictus*）*versicolum* Fan *et* Ebmer，1992

　　分布：陕西（太白山）、湖北。

（1316）盔淡脉隧蜂 *Lasioglossum*（*Evylaeus*）*cassioides* Ebmer，2002

分布:陕西(宁陕)。

(1317) *Lasioglossum* (*Evylaeus*) *glandon* **Ebmer, 2002**

分布:陕西、山西。

(1318) *Lasioglossum* (*Evylaeus*) *hoffmanni* (**Strand, 1915**)

分布:陕西、黑龙江、山东、上海、江苏;俄罗斯,朝鲜,日本。

(1319) *Lasioglossum* (*Evylaeus*) *kankauchare* (**Strand, 1914**)

分布:陕西、山西;蒙古,俄罗斯。

(1320) 白边淡脉隧蜂 *Lasioglossum* (*Evylaeus*) *luctuosum* **Ebmer, 2002**

分布:陕西(佛坪、宁陕)。

(1321) 收获淡脉隧蜂 *Lasioglossum* (*Evylaeus*) *messoropse* **Ebmer, 2002**

分布:陕西(西安、柞水)。

(1322) *Lasioglossum* (*Evylaeus*) *metis* **Ebmer, 2002**

分布:陕西(宁陕)、山西、四川;日本。

(1323) *Lasioglossum* (*Evylaeus*) *politum pekingense* (**Blüthgen, 1925**)

分布:陕西(佛坪、宁陕、延安)、山西、北京;日本。

(1324) *Lasioglossum* (*Evylaeus*) *transpositum* (**Cockerell, 1925**)

分布:陕西(佛坪、延安);韩国,日本。

(1325) 种系淡脉隧蜂 *Lasioglossum* (*Hemihalictus*) *eriphyle* **Ebmer, 1996**

分布:陕西(宁陕);俄罗斯。

(1326) 黄河淡脉隧蜂 *Lasioglossum* (*Hemihalictus*) *huanghe* **Ebmer, 2002**

分布:陕西(佛坪、宁陕)。

(1327) 忧郁淡脉隧蜂 *Lasioglossum* (*Hemihalictus*) *melancholicum* **Ebmer, 2002**

分布:陕西(宁陕)。

(1328) 群淡脉隧蜂 *Lasioglossum* (*Lasioglossum*) *agelastum* **Fan** *et* **Ebmer, 1992**

分布:陕西(宁陕)、黑龙江、江苏、浙江、江西、湖南、四川;俄罗斯,韩国,日本。

(1329) 圆淡脉隧蜂 *Lasioglossum* (*Lasioglossum*) *circularum* **Fan** *et* **Ebmer, 1992**

分布:陕西(宁陕)、北京、江苏、安徽、浙江、江西、湖南、福建、四川、贵州。

(1330) 克劳迪娅淡脉隧蜂 *Lasioglossum* (*Lasioglossum*) *claudia* **Ebmer, 2002**

分布:陕西(宁陕)、甘肃。

(1331) *Lasioglossum* (*Lasioglossum*) *lisa* **Ebmer, 1998**

分布:陕西(宁陕、定边、延安)、河北、山西、浙江、四川。

（1332）粗唇淡脉隧蜂 *Lasioglossum*（*Lasioglossum*）*upinense*（**Morawitz, 1890**）

　　分布：陕西（留坝、宁陕）、黑龙江、辽宁、吉林、内蒙古、北京、河北、甘肃、江苏、湖北、四川、贵州；蒙古，俄罗斯，朝鲜，德国。

（1333）堆淡脉隧蜂 *Lasioglossum*（*Lasioglossum*）*zeyanense* **Pesenko, 1986**

　　分布：陕西（宁陕）、北京、河北、甘肃、青海、云南、西藏；俄罗斯。

（1334）甘肃淡脉隧蜂 *Lasioglossum*（*Leuchalictus*）*kansuense*（**Blüthgen, 1934**）

　　分布：陕西（宁陕）、黑龙江、吉林、北京、河北、山东、河南、甘肃、新疆、江苏、上海、湖北、江西、福建、四川、贵州、云南、西藏；俄罗斯，朝鲜，日本。

（1335）*Lasioglossum*（*Leuchalictus*）*leucozonium*（**Schrank, 1781**）

　　分布：陕西（略阳）、黑龙江、吉林、辽宁、内蒙古、北京、河北、甘肃、新疆、湖北、四川、云南、西藏；蒙古，俄罗斯，印度，全北区，非洲区。

（1336）*Lasioglossum*（*Leuchalictus*）*occidens*（**Smith, 1873**）

　　分布：陕西、北京、天津、河北、山东、甘肃、江苏、浙江、湖北、江西、湖南、福建、台湾、广东、四川、贵州、西藏；俄罗斯，朝鲜，韩国，日本，古北区，东洋区。

（1337）*Lasioglossum*（*Leuchalictus*）*rostratum*（**Eversmann, 1852**）

　　分布：陕西（绥德）、辽宁、内蒙古、北京、河北、山西、甘肃、青海、新疆；俄罗斯，日本。

（1338）*Lasioglossum*（*Leuchalictus*）*scitulum*（**Smith, 1873**）

　　分布：陕西、黑龙江、吉林、辽宁、内蒙古、北京、河北、山西、山东、甘肃、新疆、江苏、安徽、浙江、湖北、江西、福建、四川、贵州；俄罗斯，朝鲜，日本。

（1339）炭淡脉隧蜂 *Lasioglossum*（*Sphecogogastra*）*anthrax* **Ebmer, 1995**

　　分布：陕西（太白山）、台湾、云南。

（1340）石灰淡脉隧蜂 *Lasioglossum*（*Sphecogogastra*）*calcarium* **Ebmer, 2002**

　　分布：陕西（宁陕）。

（1341）延氏淡脉隧蜂 *Lasioglossum*（*Sphecogogastra*）*tyndarus* **Ebmer, 2002**

　　分布：陕西（佛坪、宁陕）、甘肃。

（1342）*Lasioglossum*（*Warnckenia*）*tessaranotatum* **Ebmer, 1998**

　　分布：陕西（延安）。

455. Genus *Seladonia* Robertson, 1918

（1343）*Seladonia*（*Seladonia*）*aerarius*（**Smith, 1873**）

　　分布:陕西(佛坪)、黑龙江、吉林、北京、河北、山西、山东、江苏、安徽、浙江、福建、台湾、四川、云南;俄罗斯,朝鲜,日本。

(1344) *Seladonia*（*Seladonia*）*opacoviridis*（**Ebmer,2005**）

　　分布:陕西。

(二)彩带蜂亚科 Nomiinae

456. 彩带蜂属 *Nomia* Latreille,1804

(1345) 埃彩带蜂 *Nomia*（*Hoplonomia*）*elliotii* **Smith,1875**

　　分布:陕西(留坝)、北京、浙江、湖南、台湾、香港、四川、云南、西藏;泰国,缅甸,印度,巴布亚新几内亚。

(1346) 疑彩带蜂 *Nomia*（*Hoplonomia*）*incerta* **Gribodo,1894**

　　分布:陕西(留坝、佛坪、宁陕)、辽宁、北京、河北、山东、江苏、江西、福建、台湾、广西、四川、云南;韩国,日本,印度,新加坡,马来西亚,印度尼西亚。

五十三、切叶蜂科 Megachilidae

457. 伟黄斑蜂属 *Bathanthidium* Mavromoustakis,1953

(1347) 双斑伟黄斑蜂 *Bathanthidium*（*Bathanthidium*）*bifoveolatum*（**Alfken, 1937**）

　　分布:陕西(宁陕)、安徽、浙江、湖北、湖南、福建、台湾、广西、云南。

(1348) 橘色伟黄斑蜂 *Bathanthidium*（*Stenanthidiellum*）*rubopunctatum*（**Wu, 1993**）

　　分布:陕西(佛坪)、四川、云南、西藏。

458. 尖腹蜂属 *Coelioxys* Latreille,1809

(1349) 长板尖腹蜂 *Coelioxys*（*Torridapis*）*fenestrata* **Smith,1873**

　　分布:陕西(太白山)、黑龙江、内蒙古、北京、山东、江苏、上海、安徽、浙江、江西、湖南、福建、台湾、广西、四川、云南、西藏;朝鲜,日本。

459. 赤腹蜂属 *Euaspis* Gerstaecker,1857

(1350) 基赤腹蜂 *Euaspis basalis*（**Ritsema,1874**）

分布:陕西(太白、佛坪)、北京、山东、甘肃、江苏、安徽、浙江、江西、福建、台湾、四川、云南、西藏;朝鲜,日本。

460. 切叶蜂属 *Megachile* Latreille, 1802

(1351) 粗切叶蜂 *Megachile* (*Callomegachile*) *sculpturalis* Smith, 1853
分布:陕西(太白、留坝、佛坪)、北京、河北、山东、河南、甘肃、江苏、上海、安徽、浙江、江西、福建、台湾、广西、四川、贵州、云南;朝鲜,日本,美国(引入)。

(1352) 低切叶蜂 *Megachile* (*Megachile*) *humilis* Smith, 1879
分布:陕西(佛坪)、北京、河北、山东、上海、浙江、江西、湖南、福建、四川;朝鲜,日本。

461. 壁蜂属 *Osmia* Panzer, 1806

(1353) 陕西壁蜂 *Osmia* (*Helicosmia*) *shaanxiensis* Wu, 2004
分布:陕西(汉中)。

参考文献

卜文俊, 刘国卿. 秦岭昆虫志 半翅目 异翅亚目. 西安:世界图书出版西安有限公司, 2018.

陈学新. 秦岭昆虫志 膜翅目. 西安:世界图书出版西安有限公司, 2018.

房丽君. 秦岭昆虫志 鳞翅目 蝶类. 西安:世界图书出版西安有限公司, 2018.

花保祯. 秦岭昆虫志 蜢目 缨翅目 广翅目 蛇蛉目 脉翅目 长翅目 毛翅目. 西安:世界图书出版西安有限公司, 2018.

李后魂. 秦岭小蛾类 昆虫纲 鳞翅目. 北京:科学出版社, 2012.

廉振民. 秦岭昆虫志 低等昆虫及直翅类. 西安:世界图书出版西安有限公司, 2018.

林美英. 秦岭昆虫志 鞘翅目(二)天牛类. 西安:世界图书出版西安有限公司, 2017.

薛大勇, 韩红香, 等. 秦岭昆虫志 鳞翅目 大蛾类. 西安:世界图书出版西安有限公司, 2017.

杨定, 王孟卿, 等. 秦岭昆虫志 双翅目. 西安:世界图书出版西安有限公司, 2017.

杨星科, 葛斯琴. 秦岭昆虫志 鞘翅目 I. 西安:世界图书出版西安有限公司, 2018.

杨星科, 张润志. 秦岭昆虫志 鞘翅目 III. 西安:世界图书出版西安有限公司, 2017.

张雅林. 秦岭昆虫志 半翅目 同翅亚目. 西安:世界图书出版西安有限公司, 2017.

Aishan Z, Triapitsyn S V, Xu M, Lin N Q and Hu H Y. 2016. Review of Cosmocomoidea (Hymenoptera: Mymaridae) from China, with descriptions of two new species. *Zootaxa*, 4085(4): 525-535.

Alonso-Zarazaga M A, Wang Z L and Zhang R Z. 2011. A new species of genus *Pseudaspidapion* Wanat, 1990 (Coleoptera: Apionidae) from China. *ZooKeys*, 120: 41-54.

Angelini F. 1999-2000(2001). Description of 30 new species of Agathidiini (Coleoptera: Leiodidae) from China and Taiwan. *Annali del Museo Civico di Storia Naturale "Giacomo Doria"*, 93: 107-166.

Angelini F. 2001-2002(2002). LXXXIII contribution to the acquaintance of Agathidiini (Coleoptera: Leiodidae) from Palearctic and Oriental regions: description of new species and new chorological data. *Annali del Museo Civico di Storia Naturale "Giacomo Doria"*, 94: 313-394.

Angelini F. 2001-2002(2002). New species and records of Agathidiini from China (Coleoptera: Leiodidae). *Annali del Museo Civico di Storia Naturale "Giacomo Doria"*, 94: 485-508.

Angelini F. and Marzo L D. 1998. Agathidiini from China, with description of 14 new species (Coleoptera: Leiodidae). *Revue Suisse de Zoologie*, 105(2): 351-373.

Angelini F and Cooter J. 2003. New data and species of Agathidiini (Coleoptera: Leiodidae) from China. *Annali del Museo Civico di Storia Naturale "Giacomo Doria"*, 95: 1-33.

Angelini F and Svec Z. 2000. New species of the genera *Cyrtusa*, *Pseudcolenis*, *Cyrtoplastus* and *Agathidium* (Coleoptera: Leiodidae: Leiodinae) from China. *Acta Societatis Zoologicae Bohemicae*, 64(2): 119-141.

Assing V. 2002. A taxonomic and phylogenetic revision of *Amarochara* Thomson. I. The species of the

Holarctic region (Coleoptera: Staphylinidae: Aleocharinae: Oxypodini). *Beitraege zur Entomologie*, 52(1): 111-204.

Babics J and Ronkay L. 2011. On the taxonomy of the *Exophyla-Isoura-Perinaenia* generic-complex (Lepidoptera: Noctuidae: Catocalinae). *Zootaxa*, 2733: 16-30.

Bae Y S, Shin Y M, Na S M and Park K T. 2016. Vietnam (Lepidoptera: Gelechiidae), with descriptions of ten new species and a catalogue of the genus in the Central-East Asia. *Zootaxa*, 4061(3): 227-252.

Behounek G. 2010. A new synonymy in the genus *Catocala* (Lepidoptera: Noctuidae). *Acta Zoologica Lituanica*, 20(4): 204-204.

Behounek G, Han H L and Kononenko V S. 2011. A revision of the genus *Trisuloides* Butler, 1881 with descriptions of three new species from China (Lepidoptera: Noctuidae). Revision of Pantheinae, contribution I. *Zootaxa*, 3069: 1-25.

Behounek G, Han H L and Kononenko V S. 2013. Revision of the Old World genera *Panthea* Hubner, (1820) 1816 and *Pantheana* Hreblay, 1998 with description two new species from China (Lepidoptera: Noctuidae: Pantheinae). Revision of Pantheinae, contribution IX. *Zootaxa*, 3746 (3): 422-438.

Behounek G, Han H L and Kononenko V S. 2015. A revision of the genus *Tambana* Moore, 1882 with description of eight new species and one subspecies (Lepidoptera: Noctuidae: Pantheinae). Revision of Pantheinae, contribution XIII. *Zootaxa*, 4048(3): 301-351.

Belokobylskij S A, Tang P and Chen X X. 2013. The Chinese species of the genus Ontsira Cameron (Hymenoptera: Braconidae: Doryctinae). *ZooKeys*, 345: 73-96.

Bidzilya O and Li H. 2010. The genus *Scrobipalpa* Janse (Lepidoptera: Gelechiidae) in China, with descriptions of 13 new species. *Zootaxa*, 2513: 1-26.

Bocakova M. 2000. Review of the genus *Libnetis* from China with descriptions of several species from Thailand (Coleoptera: Lycidae). *Acta Societatis Zoologicae Bohemicae*, 64(3): 223-234.

Bocakova M. 2003. New Libnetini from China, Nepal, and Laos (Coleoptera: Lycidae). *Biologia (Bratislava)*, 58(2): 173-177.

Bozano G C. 1996. *Satyrium giacomazzoi* spec. nov. from Shaanxi, China. (Lepidoptera: Lycaenidae: Theclinae). *Atalanta (Marktleuthen)*, 27(1-2): 329-332, 462-463.

Bozano G C. 2004. New records for recently described Chinese butterflies (Lepidoptera: Lycaenidae: Nymphalidae: Satyrinae). *Nachrichten des Entomologischen Vereins Apollo*, 25(1-2): 25-26.

Brechlin R. 2000. A new concept of the genus *Lepchina* Oberthuer, 1904 with description of two new species from China (Lepidoptera: Sphingidae). *Nachrichten des Entomologischen Vereins Apollo*, 21(3): 143-152.

Brechlin R. 2000. *Saturnia (Rinaca) winbrechlini* n. sp., a new saturniid from China (Lepidoptera: Saturniidae). *Nachrichten des Entomologischen Vereins Apollo*, 21(1): 5-10.

Brechlin R. 2001. Some notes to the genus *Saturnia* Schrank, 1802 with description of two new species

（Lepidoptera：Saturniidae）. *Nachrichten des Entomologischen Vereins Apollo*, 22（2）：89-100.

Brechlin R. 2007. Five new taxa of the genus *Actias* Leach, 1815 from China（Lepidoptera：Saturniidae）. *Entomofauna*, 1：12-27.

Brechlin R. 2007. Some notes on the genus *Rhodinia* Staudinger, 1892 with descriptions of new taxa from China（Lepidoptera：Saturniidae）. *Entomofauna*, 1：28-43.

Brechlin R. 2009. Four new species of the genus *Dolbina* Staudinger, 1877（Lepidoptera：Sphingidae）. *Entomo-Satsphingia*, 2（2）：18-24.

Brechlin R. 2009. Notes on the rediscovery of *Calliprogonos miraculosa* Mell, 1937（Lepidoptera：Brahmaeidae）. *Entomo-Satsphingia*, 2（1）：40-41.

Brechlin R. 2009. Two new species of the genus（subgenus）*Saturnia* Schrank, 1802（Lepidoptera：Saturniidae）. *Entomo-Satsphingia*, 2（2）：37-42.

Brechlin R. 2009. Two new species of the genus *Saturnia* Schrank, 1802（subgenus *Rinaca* Walker, 1855）（Lepidoptera：Saturniidae）. *Entomo-Satsphingia*, 2（2）：30-36.

Brechlin R. 2011. Five new taxa of the genus *Saturnia* Schrank, 1802（subgenus *Rinaca* Walker, 1855）from China（Lepidoptera：Saturniidae）. *Entomo-Satsphingia*, 4（2）：78-85.

Brechlin R. 2012. Six new taxa of the genus *Actias* Leach, 1815 from Southeast Asia（Lepidoptera：Saturniidae）. *Entomo-Satsphingia*, 5（3）：41-51.

Brechlin R. 2013. Two new taxa of the genus *Actias* Leach, 1815 from China（Lepidoptera：Saturnfidae）. *Entomo-Satsphingia*, 6（1）：8-13.

Brechlin R. 2014. Three new subspecies of *Marumba cristata*（Butler, 1875）（Lepidoptera：Sphingidae）. *Entomo-Satsphingia*, 7（2）：60-65.

Brechlin R. 2015. Two new species in the genus *Aglia* Ochsenheimer, 1810（Lepidoptera：Saturniidae）. *Entomo-Satsphingia*, 8（1）：20-25.

Brechlin R and Melichar T. 2006. Six new hawkmoth species from China（Lepidoptera：Sphingidae）. *Nachrichten des Entomologischen Vereins Apollo*, 27（4）：205-213.

Brechlin R and Schayck E V. 2010. A new species of the genus *Rhodinia* Staudinger, 1892 from China（Lepidoptera：Saturniidae）. *Entomo-Satsphingia*, 3（5）：56-61.

Brezina B and Imura Y. 1997. A new subgenus and two new species of *Carabus*（s. lat.）（Coleoptera：Carabidae）from Shaanxi and Sichuan, China. *Gekkan-Mushi*, 312：3, 4-9.

Buchsbaum U, Chen M Y and Speidel W. 2010. *Neochalcosia witti* sp. n., a new Zygaenidae species（Chalcosiinae）from southeast China（Lepidoptera）. *Entomofauna*, 31（32）：493-502.

Budashkin Y I and Li H H. 2009. Study on Chinese Acrolepiidae and Choreutidae（Insecta：Lepidoptera）. *SHILAP Revista de Lepidopterologia*, 37（146）：179-189.

Buhl P N. 2007. Seven new exotic species of Platygastrinae（Hymenoptera：Platygastridae）. *Entomofauna*, 28（7）：69-77.

Cai L J, Huang P Y and Hua B Z. 2006. Two new Chinese *Bittacus* Leatreille（Mecoptera：Bittacidiae：Bittacidae）from Michangshan Mountains. *Entomotaxonomia*, 28（2）：127-130.

Cai P, Sun J, Jiang J, Britton K O and David O. 2001. A list of Chinese Cicadellidae (Homoptera) on kudzu, with description of new species and new records. *Scientia Silvae Sinicae*, 37(3): 92-100.

Cai W and Shen X. 1997. A key to Chinese species of *Reduvius* with descriptions of five new species (Heteroptera: Reduviidae: Reduviinae). *Entomotaxonomia*, 19(4): 253-267.

Cao H Z and Chen H W. 2009. Revision of the Oriental genus *Pararhinoleucophenga* Duda (Diptera: Drosophilidae). *Zoological Studies*, 48(1): 125-136.

Cavazzuti P. 1999. Sixth contribution to the knowledge on *Carabus* L. from China. Description of new species and subspecies from Shaanxi, Sichuan and Yunnan (Coleoptera: Carabidae). *Coleopteres*, 5(7): 115-137.

Cavazzuti P. 2004. Carabini of China (IV note). Description of three new subspecies of the genus *Carabus* of the provinces of Shaanxi, Sichuan and Tibet. (Coleoptera: Carabidae). *Lambillionea*, 104(3): 413-417.

Cavazzuti P. New Cychrus F. 1999. Specimens from China and a new *Carabus* L. (Lamprostus) from Anatolia (Coleoptera: Carabidae). *Lambillionea*, 99(3): 402-409.

Cavazzuti P and Rapuzzi I. 2005. Description of twelve new taxa of the genus *Carabus* L. from China and North Korea. Note on C. (*Pseudocoptolabrus*) taliensis firmatus Cav. (1997), with proposal of its raising to species status. (Coleoptera: Carabidae). *Lambillionea*, 105(2): 203-220.

Cavazzuti P and Rapuzzi I. 2009. New taxa of *Carabus* L. from China: provinces of Qinghai, Gansu, Sichuan and Shaanxi (Coleoptera: Carabidae). *Lambillionea*, 109(3): 275-288.

Chao C M and Shi Y S. 1980. Notes on Chinese Tachinidae: genus *Linnaemya* R. -D. (II). *Acta Zootaxonomica Sinica*, 5(3): 264-272.

Chao H and Yang Z. 1995. A new species of gomphid dragonfly of the genus *Davidius* from Shaanxi Province (Odonata: Gomphidae). *Wuyi Science Journal*, 12: 48-51.

Chao H F. 1993. Two new species and synonyms of a known species of Streblocera Westwood from Fujian Province, China (Hymenoptera: Braconidae: Euphorinae). *Wuyi Science Journal*, 10(A): 61-69.

Chen B and Yuan F. 1996. A new genus and two new species of Statirinae (Coleoptera: Lagriidae) from China. *Entomotaxonomia*, 18(3): 183-187.

Chen F, Song S and Wu C. 2006. A review of genus *Cirrhochrista* Lederer in China (Lepidoptera: Pyralidae: Schoenobiinae). *Oriental Insects*, 40: 97-105.

Chen H Y, Achterberg V C and He J H. A revision of the Chinese Trigonalyidae (Hymenoptera: Trigonalyoidea). *ZooKeys*, 385: 1-207.

Chen M, Achterberg V C and Tan J L. 2016. Four new species of *Rhogadopsis* Brethes from NW China (Hymenoptera: Braconidae: Opiinae). *Journal of Hymenoptera Research*, 52: 37-60.

Chen M, Achterberg V C, Tan J L, Tan Q Q and Chen X X. 2016. Four new species of *Rhogadopsis* Brethes from NW China (Hymenoptera: Braconidae: Opiinae). *Journal of Hymenoptera Research*, 52: 37-60.

Chen N and Yang C K. 1991. Two new species of Tiphiidae from Shaanxi, China. *Entomotaxonomia*, 13

（2）：115-118.

Chen Q X and Hua B Z. 2016. Ultrastructure and Morphology of Compound Eyes of the Scorpionfly *Panorpa dubia* (Insecta：Mecoptera：Panorpidae). *Plos One*, 11(6)：e0156970.

Chen X P and Chen H W. 2012. Ten new species of the *Stegana* (*Steganina*) shirozui species group (Diptera：Drosophilidae) from China. *Zootaxa*, 3333：24-37.

Chen X S and Liang A P. 2007. Revision of the oriental genus *Bambusiphaga* Huang and Ding (Hemiptera：Fulgoroidea：Delphacidae). *Zoological Studies*, 46(4)：503-519.

Chen Z L, Zhou S Y and Huang J H. 2016. Seven species new to science and one newly recorded species of the ant genus *Myrmica* Latreille, 1804 from China, with proposal of a new synonym (Hymenoptera：Formicidae). *ZooKeys*, 551：85-128.

Choi S W. 1998. Systematics of the genus *Heterothera* Inoue (Lepidoptera：Geometridae：Larentiinae). *Tijdschrift voor Entomologie*, 141(1)：19-47.

Choi S W. 1999. Taxonomic review of a new genus, *Diathera* gen. n. , from Southeast Asia (Lepidoptera：Geometridae：Larentiinae). *Journal of Natural History*, 33(7)：1039-1048.

Chou I and Yuan X Q. 2001. New species, new subspecies and new record of butterflies (Lepidoptera) from China (IV). *Entomotaxonomia*, 23(2)：141-146.

Chou I and Xiang L. 1982. Seven new species of aphidiids from Shaanxi Province (Hymenoptera：Aphidiidae). *Entomotaxonomia*, 4(1-2)：39-47.

Chou I, Yuan X Q, Yin H S, Zhang C S and Chen X C. 2002. New species, new subspecies, and new records of butterflies from China (VI). *Entomotaxonomia*, 24(1)：52-68.

Chou I, Zhang Y L and Wang Y L. 2001. New species new subspecies and new record of butterflies (Lepidoptera) from China, III. *Entomotaxonomia*, 23(1)：38-46.

Cui Q, Achterberg V C, Tan J L and Chen X X. 2015. The genus *Trachionus* Haliday, 1833 (Hymenoptera：Braconidae：Alysiinae) new for China, with description of four new species. *ZooKeys*, 512：19-37.

Dai R H and Li H. 2013. Five new species and a new record of genus *Oncopsis* from China (Hemiptera：Cicadellidae：Macropsinae). *Entomologica Fennica*, 24(1)：9-20.

Dai W and Zhang Y. 2005. Synopsis of the genus *Nanatka* Young, with descriptions of two new species from China (Hemiptera：Cicadellidae：Cicadellinae). *Acta Zootaxonomica Sinica*, 30(4)：780-783.

Dai W, Dietrich C H and Zhang Y. 2015. A review of the leafhopper tribe Hyalojassini (Hemiptera：Cicadellidae：Iassinae) with description of new taxa. *Zootaxa*, 3911(1)：1-42.

Dai X, Gao S and Liu D. 2014. Genetic Basis and Selection for Life-History Trait Plasticity on Alternative Host Plants for the Cereal Aphid *Sitobion avenae*. *Plos One*, 9(9)：e106179.

Dang X D and Wang H Z. 2002. Eleven new species of Encyrtidae (Hymenoptera) from Shaanxi Province, China. *Entomotaxonomia*, 24(4)：289-300.

Dantsig E M. 1966. Contribution to the knowledge of the whiteflies (Homoptera：Aleyrodoidea) of the Primorye. *Entomologicheskoe Obozrenie*, 45：364-386.

Dellacasa M and Dellacasa G. 2016. Systematic revision of the genus *Phaeaphodius* Reitter, 1892 (Coleoptera: Scarabaeidae: Aphodiinae). *Zootaxa*, 4162(1): 143-163.

Deuve T. 1989. Carabidae *et* Trechidae nouveaux des collections entomologiques de la North-West Agricultural University de Yangling, Shaanxi (Coleoptera). *Entomotaxonomia*, 11(3): 227-235.

Deuve T. 1991. Contribution a l'inventaire des Carabidae de Chine (Coleoptera) (19e note). *Bulletin de la Societe Entomologique de France*, 96(3): 223-242.

Deuve T. 1993. Contribution a la connaissance des genres *Carabus* L. et *Cychrus* F. en Chine (Coleoptera: Carabidae). *Bulletin de la Societe Sciences Nat*, 80: 15-22.

Deuve T. 1998. New Carabus L. and Cychrus F. (Coleoptera: Carabidae) from China, Korea and Lebanon. *Coleopteres*, 4(9): 105-126.

Deuve T. 1999. Descriptions of new asiatic taxa in the genera *Carabus* L. and *Cychrus* F. (Coleoptera: Carabidae). *Coleopteres*, 5(11): 195-210.

Deuve T. 2000. Descriptions of new *Carabus* L. and *Cychrus* F. from China, Korea and Pakistan (Coleoptera: Carabidae). *Coleopteres*, 6(7): 55-72.

Deuve T. 2000. New *Carabus* L., *Calosoma* Weber and *Cychrus* F. of the mountains of China, Korea, Pakistan and Iran (Coleoptera: Carabidae). *Coleopteres*, 6(9): 85-121.

Deuve T. 2001. New Trechinae from the Philippines, Sikkim, Nepal, China and from the Ecuador (Coleoptera: Trechidae). *Bulletin de la Societe Entomologique de France*, 106(1): 43-50.

Deuve T and Imura Y. 1990. Nouveaux *Carabus* (Apotomopterus, Morphocarabus, Scambocarabus) (Coleoptera: Carabidae) des regions montagneuses de Chine. *Elytra*, 18(1): 1-13.

Deuve T and Li J K. 2003. New *Carabus* L. of China and North Korea (Coleoptera: Carabidae). *Coleopteres*, 9(5): 51-61.

Deuve T and Tian M. 2000. New *Carabus* L. and *Cychrus* F. from China (Coleoptera: Carabidae). *Coleopteres*, 6(6): 47-54.

Deuve T and Tian M Y. 2010. New or little known *Carabus* (Coleoptera: Carabidae) from China. *Coleopteres*, 16(15): 149-158.

Devecis J. 2004. *Sinoliocola pulverisata* n. sp. of Cetoniidae, from the Chinese province of Qinghai. *Cetoniimania*, 1(2): 65-69.

Di J X, Bian X, Shi M and Chang Y L. 2014. Notes on the genus *Pseudokuzicus* Gorochov, 1993 (Orthoptera: Tettigoniidae: Meconematinae: Meconematini) from China. *Zootaxa*, 3872(2): 154-166.

Doeberl M. 2011. New Alticinae from China and southeastern Asia (Coleoptera: Chrysomelidae). Genus (Wroclaw), 22(2): 271-283.

Dong M, Xu H, Wang Y, Jia C and Liu Z. 2016. Revision of the genus *Heterosmylus* Krueger, 1913 from China (Neuroptera: Osmylidae). *ZooKeys*, 637: 107-128.

Du X and Li H. 2008. Review of the genus *Neoanalthes* Yamanaka & Kirpichnikova from China (Lepidoptera: Crambidae: Spilomelinae), with descriptions of five new species. *Deutsche Entomologische Zeitschrift*, 55(2): 291-301.

Du Y, Li P, Chen Z, Lin Y, Wang Y and Qin Y. 2013. Field trapping of male *Phyllonorycter ringoniella* using variable ratios of pheromone components. *Entomologia Experimentalis et Applicata*, 146(3): 357-363.

Duan X Y, Wang W Q and Lian Z M. 2008. Resource survey and faunal study of butterflies in North Luo River Valley of Yanan. *Sichuan Journal of Zoology*, 27(6): 1030-1034.

Dubatolov V, Kishida V Y and Min W. 2012. Two new species sibling to *Ghoria albocinerea* Moore from South China (Lepidoptera: Arctiidae: Lithosiinae). *Tinea*, 22(2): 103-106.

Dubatolov V V. 2005. Description of new taxa of tiger moths from China, with some synonymic notes. (Lepidoptera: Arctiidae). *Atalanta* (*Marktleuthen*), 36(3-4): 526-537, 602-605.

Ebmer A W. 1978. Die Bienen der Gattungen Halictus Latr., Lasioglossum Curt. und Dufourea Lep. (Hymenoptera: Halictidae) aus Korea. *Annales Historico-Naturales Musei Nationalis Hungarici*, 70: 307-319.

Ebmer A W. 1998. Asiatic Halictidae - 7. New *Lasioglossum* species with a survey of *Lasioglossum* s. str. species of the Nepal and Yunnan subregion, as well as northern Central China (Insecta: Hymenoptera: Apoidea: Halictidae: Halictinae). *Linzer Biologische Beitraege*, 30(1): 365-430.

Ebmer A W. 2002. Asian Halictidae - 10. New Halictidae from China and new diagnostic characterization following descriptions by Fan & Ebmer 1992 for Lasioglossum-species. *Linzer Biologische Beitraege*, 34(2): 819-934.

Efetov K A. 1998. A revision of the genus *Goe* Hampson, (1893) (Lepidoptera: Zygaenidae: Procridinae), with descriptions of two new species. *Entomologist's Gazette*, 49(1): 49-62.

Efetov K A. 2010. *Illiberis* (*Hedina*) *louisi* sp nov (Lepidoptera: Zygaenidae: Procridinae) from China. *Entomologist's Gazette*, 61(4): 235-241.

Efetov K A and Mollet B. 2006. The first record of *Illiberis kuprijanovi* Efetov, 1995 (Lepidoptera: Zygaenidae: Procridinae) from China. *Entomologist's Gazette*, 57(3): 151-152.

Eitschberger U. 2012. Revision of the *Marumba gaschkewitschii* (Bremer & Grey, 1852) species complex (Lepidoptera: Sphingidae). *Neue Entomologische Nachrichten*, 68: 1-293.

Eitschberger U. 2015. *Marumba cristata* (Butler, 1875) - a species complex? (Lepidoptera: Sphingidae). *Neue Entomologische Nachrichten*, 70: 1-148.

Facchini S. 2003. Description of *Stomis fallettii* n. sp. from Shaanxi (China) (Coleoptera: Carabidae). *Bollettino della Societa Entomologica Italiana*, 135(3): 153-157.

Facchini S and Sciaky R. 2003. Five new species of Pterostichinae from Hubei (China) (Coleoptera: Carabidae). *Koleopterologische Rundschau*, 73: 7-17.

Fan X L, Wang M and Ma Z Q. 2000. A taxonomic study on the genus *Dichaeta* Meigen (Diptera: Ephydridae) from China. In *Systematic and faunistic research on Chinese insects. Proceedings of the 5th National Congress of Insect Taxonomy*, ed. Zhang Y L. China Agriculture Press, Beijing, 159-161.

Farkac J. 1999. Checklist of the genus *Leistus* (Coleoptera: Carabidae: Nebriini) from China with description of twenty-three new species. *Folia Heyrovskyana Supplementum*, 5: 19-58.

Feng T, Schuelke M and Li L Z. 2013. A taxonomic revision of the silphaeformis species-group of the genus *Tachinus* Gravenhorst (Staphylinidae: Tachyporinae) from China. *ZooKeys*, 359: 53-99.

Feng Y and Xue W Q. 2006. Six new species of the genus *Fannia* R. -D. from Sichuan, China (Diptera: Fanniidae). *Acta Zootaxonomica Sinica*, 31(1): 215-223.

Fikacek M, Jia F L and Prokin A. 2012. A review of the Asian species of the genus *Pachysternum* (Coleoptera: Hydrophilidae: Sphaeridiinae). *Zootaxa*, 3219: 1-53.

Fu Z, Toda M J, Li N N, Zhang Y P and Gao J J. 2016. A new genus of anthophilous drosophilids, Impatiophila (Diptera: Drosophilidae): morphology, DNA barcoding and molecular phylogeny, with descriptions of thirty-nine new species. *Zootaxa*, 4120(1): 1-100.

Fujioka T. 1994. *Zephyrus* (Theclini butterflies) in the world (6). Genera *Teratozephyrus* and *Esakiozephyrus*. *Butterflies*, 8: 44-55.

Gentili E. 2003. Hydrophilidae: III. Additional notes on the genus *Laccobius* Erichson in China and neighbouring areas (Coleoptera). In *Water beetles of China. Volume 3*, ed. Jäch M A and Ji L Z. *Zookeys*, 411-429.

Gorbunov O G and Arita Y. 2000. A new species of the genus *Paranthrenopsis* Le Cerf, 1911 (Lepidoptera: Sesiidae) from China. *Transactions of the Lepidopterological Society of Japan*, 51(3): 247-250.

Guo K and Zheng Z M. 2003. Classification of Pentatomidae from Qinling and other areas (Hemiptera: Pentatomidae). *Journal of Shaanxi Normal University*, 31(3): 89-97.

Gusenleitner F and Schwarz M. 2001. Comments on the morphology of differing, mainly asiatic Andrena species (Hymenoptera: Apidae: Andreninae). *Entomofauna*, 22(13): 273-356.

Gusenleitner J. 2002. Two new Symmorphus species from China (Hymenoptera: Eumenidae). *Linzer Biologische Beitraege*, 34(1): 345-348.

Gyulai P, Ronkay L and Saldaitis A. 2011. New Noctuidae species from China and the Himalayas (Lepidoptera: Noctuoidea). *Esperiana*, 16: 166-197, 298-304.

Han H L and Kononenko V S. 2009. A review of the genus *Stenoloba* Staudinger, 1892 from China, with description of 6 new species and 7 new records for China (Lepidoptera: Noctuidae: Bryophilinae). *Zootaxa*, 2268: 1-22.

Han H L and Kononenko V S. 2010. New species of the genera *Acronicta* Ochsenheimer, 1816 and *Craniophora* Snellen, 1867 from China with notes on synonymy and checklist (Lepidoptera: Noctuidae: Acronictinae). *Zootaxa*, 2678: 48-68.

Han H L, Kononenko V S and Behounek G. 2011. Three new species of the subfamily Bryophilinae from China (Lepidoptera: Noctuidae). *Zootaxa*, 3108: 53-63.

Han S L and Yang D. 2017. One new species of *Agathomyia* and three new species of *Lindneromyia* from Shaanxi, China (Diptera: Platypezidae). *Transactions of the American Entomological Society (Philadelphia)*, 143(2): 153-177.

Hara H and Shinohara A. 2008. The species-group of *Arge aenea* (Insecta: Hymenoptera: Argidae). *Bulletin of the National Museum of Nature and Science Series A Zoology*, 34(2): 77-94.

Haris A. 2014. New *Tenthredo* Linne, 1758 species from China (Hymenoptera: Tenthredinidae). *Natura Somogyiensis*, 25: 51-72.

Haris A. 2015. Sawflies from China (Hymenoptera: Tenthredinidae). *Natura Somogyiensis*, 26: 79-94.

Hava J. 2014. Faunistic contribution to the genus *Sphaerites* Duftschmid, 1805 in China (Coleoptera: Sphaeritidae). *Boletin de la SEA*, 54: 157-158.

Hava J and Jelinek J. 1999. A new species of the genus *Laricobius* (Coleoptera: Derodontidae) from China. *Folia Heyrovskyana*, 7(2): 115-118.

He J H and Chen X X. 1994. On the genus of *Brachynervus* from China with descriptions of three new species (Hymenoptera: Ichneumonidae). *Acta Zootaxonomica Sinica*, 19(1): 90-96.

He J H, Chen X X and Ma Y. 1996. Hymenoptera: Ichneumonidae. In *Economic Insect Fauna of China*, vol. 51. Science Press, Beijing, i-xviii, 697pp.

He J H, Tang Y Q, Chen X X and Ma Y. 1992. Ichneumonidae. In *Iconography of forest insects in Hunan China*, ed. Peng J W and Liu Y Q. Hunan Forestry Department/Institute of Zoology, Academia Sinica, 1211-1249.

He J P. 1994. Two new species of *Chelonus* from Shaanxi province (Hymenoptera: Braconidae). *Journal of Shaanxi Normal University Natural Science Edition*, 22(1): 56-58.

He J P. 2001. Two new species of genus *Chelonus* Jurine (Hymenoptera: Braconidae: Cheloninae). *Journal of Shaanxi Normal University Natural Science Edition*, 29(2): 74-76.

He J P. 2003. Two new species and a new record of genus *Chelonus* (Hymenoptera: Braconidae). *Journal of Shaanxi Normal University Natural Science Edition*, 31(3): 102-106.

Heiss E. 2010. A new species and additional records of *Aradus* Fabricius, 1803 from China (Heteroptera: Aradidae). *Zeitschrift der Arbeitsgemeinschaft Oesterreichischer Entomologen*, 62(1): 47-54.

Hieke F. 2002. New species of the genus *Amara* Bonelli 1810 (Coleoptera: Carabidae). *Linzer Biologische Beitraege*, 34(1): 619-720.

Hinz R. 2004. Horstmann, K. Revision of the eastern Palearctic species of *Dusona* Cameron - (Insecta: Hymenoptera: Ichneumonidae: Campopleginae). *Spixiana Supplement*, 29: 1-183.

Holzschuh C. 1999. Description of 71 new longhorn beetles from Asia, mostly from China, Laos, Thailand and India (Coleoptera: Cerambycidae). *FBVA Berichte*, 110: 1-64.

Horak J. 2009. Revision of some Oriental Mordellini with description of four new species. Part 3. (Coleoptera: Mordellidae). Studies and Reports of District Museum Prague-East. *Taxonomical Series*, 5(1-2): 65-90.

Houhun L and Caixia Y. 1996. Two species of gelechiid moths new to China (Lepidoptera: Gelechiidae). *Acta Agriculturae Boreali-Occidentalis Sinica*, 5(1): 27-30.

Hu Q and Feng J. 2014. A new species of *Ctenothrips* Franklin, 1907 (Thysanoptera: Thripidae) from China. *Entomotaxonomia*, 36(4): 261-266.

Hu Q L, Mirab-Balou M, Chen X X and Feng J N. 2012. A new species and two new synonyms from China in the genus *Odontothrips* (Thysanoptera: Thripidae). *Zootaxa*, 3259: 58-63.

Hu Y, Laszlo G M, Ronkay G and Wang M. 2013. A new species of *Evonima* Walker, 1865 (Lepidoptera: Nolidae: Nolinae) from China. *Zootaxa*, 3716(4): 599-600.

Hu Z L, Chen X D, Yang P H, Wang Z X and Ji X Z. 1987. A study on the cossid *Holcocerus arenicola* (Staudinger) in Shaanxi. *Acta Entomologica Sinica*, 30(3): 259-265.

Hua B, Chou I, Fang D and Cheng S. 1990. The cossid fauna of China. (Lepidoptera: Cossidae). *Ilustritaj Cinaj Insekt-Faunoj*, 2: 1-139.

Hua B Z and Tan J L. 2007. A new species of *Bittacus* Latreille (Mecoptera: Bittacidae) from Daba Mountain in China. *Acta Zootaxonomica Sinica*, 32(2): 45-458.

Huang B, Xu Z H, Wang Y Y and Shen L Z. 2012. Eight species of *Pachyneuron* Walker (Hymenoptera: Pteromalidae) from China, with descriptions of two new species. *Entomotaxonomia*, 34(3): 556-566.

Huang F, Zhang Y and Zhang Z. 1986. The distribution of termites in Shaanxi Province and the description of a new species. *Entomotaxonomia*, 8(3): 215-219.

Huang H. 2010. Notes on the genus *Thoressa* Swinhoe, (1913) from China, with the description of a new species. *Atalanta (Marktleuthen)*, 42(1-4): 193-200.

Huang H and Song K. 2006. New or little known elfin lycaenids from Shaanxi, China. (Lepidoptera: Lycaenidae). *Atalanta (Marktleuthen)*, 37(1-2): 161-167, 282-284.

Huang H and Zhu J Q. 2016. *Ahlbergia maoweiweii* sp n. from Shaanxi, China with revisional notes on similar species (Lepidoptera: Lycaenidae). *Zootaxa*, 4114(4): 409-433.

Huang J, Li T and Chen H W. 2014. The genus *Leucophenga* (Diptera: Drosophilidae), part IV: the ornata species group from the East Asia, with morphological and molecular evidence (II). *Zootaxa*, 3893(1): 1-55.

Huang J H, Huang Y and Zhou S Y. 2009. Checklist of Chinese species of superfamily Eumastacoidea (Orthoptera: Caelifera). *Guangxi Shifan Daxue Xuebao Ziran Kexue Ban*, 27(1): 84-87.

Huo S. 1986. A new species of the genus *Trichogramma* Westwood (Hymenoptera: Trichogrammatidae). *Entomotaxonomia*, 8(3): 175-177.

Huo S. and Wang, W. 1991. A survey on *Trichogramma* (Hymenoptera: Trichogrammatidae) from Shaanxi Province, with description of a new species. *Entomotaxonomia*, 13(3): 213-233.

Imura Y. 1993. A new *Oreocarabus* (Coleoptera: Carabidae) from the Qinling Mountains in Shaanxi Province, central China. *Elytra*, 21(2): 379-382.

Imura Y. 1993. A new subgenus and species of carabid beetle (Coleoptera: Carabidae) from the Qinling mountains in Shaanxi Province, central China. Gekkan-Mushi, 270: 14-18.

Imura Y. 1993. New or little known *Carabus* and *Cychrus* (Coleoptera: Carabidae) from the Qinling Mountains in Shaanxi Province, central China. *Elytra*, 21(2): 363-377.

Imura Y. 1994. Two new subspecies of *Carabina* (Coleoptera: Carabidae) from Shaanxi Province, central China. *Gekkan-Mushi*, 279: 7-10.

Imura Y. 1998. Descriptions of twelve new *Carabus* and *Cychrus* (Coleoptera: Carabidae) from China.

Japanese Journal of Systematic Entomology, 4(1): 39-49.

Imura Y. 1998. Proposal of two new subgenera of the genus *Carabus* (s. lat.) (Coleoptera: Carabidae) from China. *Elytra*, 26(2): 257-262.

Imura Y. 1999. Ten new taxa of the genera *Carabus* and *Cychrus* (Coleoptera: Carabidae) from China. *Japanese Journal of Systematic Entomology*, 5(1): 135-144.

Imura Y and Yamaya S. 1994. Two new subspecies of *Coptolabrus* (Coleoptera: Carabidae) from Shaanxi and Shanxi, China. *Gekkan-Mushi*, 275: 12-14.

Ishizuka K. 2001. A new species of *Catocala* Schrank, 1802 from Shaanxi, China (Lepidoptera: Noctuidae), with proposals of two replacement names for Chinese taxa of *Catocala*. *Gekkan-Mushi*, 364: 14-17.

Ishizuka K. 2002. Notes on the *Catocala kuangtungensis* group (Lepidoptera: Noctuidae). *Gekkan-Mushi*, 380: 8-13.

Ishizuka K. 2003. Notes on the *Catocala obscena* group (Lepidoptera: Noctuidae). *Gekkan-Mushi*, 386: 38-41.

Ishizuka K. 2010. Notes on *Catocala agitatrix* Graeser, 1888 (1889) group (Lepidoptera: Noctuidae). *Tinea*, 21(3): 161-170.

Ito N. 2001. Descriptions of seven new species and redescriptions of two species of the genus *Tricotichnus* from China (Harpalini: Carabidae: Coleoptera). *Entomological Review of Japan*, 56(2): 81-100.

Ito N. 2006. Some new species and subspecies of the genus *Trichotichnus* from China (Coleoptera: Carabidae: Harpalini). *Entomological Review of Japan*, 61(1): 15-27.

Ito N. 2006. Three new species of the harpaline *Selenophori* group from Asia (Coleoptera: Carabidae). *Elytra*, 34(2): 267-274.

Jelinek J. 1999. New species of the genus *Glischrochilus* (Coleoptera: Nitidulidae: Cryptarchinae) from Asia. *Folia Heyrovskyana*, 7(3-4):201-216.

Jia F L, Gentili E and Fikacek M. 2013. The genus *Laccobius* in China: new species and new records (Coleoptera: Hydrophilidae). *Zootaxa*, 3635(4): 402-418.

Jin Q, Wang S and Li H. 2013. Review of the genus *Ypsolopha* Latreille, 1796 from China (Lepidoptera: Ypsolophidae). *Zootaxa*, 3705(1): 1-91.

Kamite Y. 2009. Revision of the genus *Heterlimnius* Hinton (Coleoptera: Elmidae). *Japanese Journal of Systematic Entomology*, 15(1): 199-226.

Karsholt O and Rutten T. 2005. The genus *Bryotropha* Heinemann in the western Palaearctic (Lepidoptera: Gelechiidae). *Tijdschrift voor Entomologie*, 148(1): 77-207.

Kataev B M and Jaeger B. 1997. A new species of *Acupalpus* from East Asia (Coleoptera: Carabidae). *Mitteilungen aus dem Zoologischen Museum in Berlin*, 73(2): 343-346.

Kataev B M and Wrase D W. 1997. New taxa of the genus *Harpalus* Latr. from China and Turkey (Coleoptera: Carabidae). *Linzer Biologische Beitraege*, 29(2): 991-1014.

Kazantsev S V. 2004(2005). Contribution to the knowledge of the genus *Plateros* Bourgeois, 1879 (Coleoptera：Lycidae）. *Russian Entomological Journal*, 13（4）：237-244.

Keith D. 2005. Taxonomical comments on some oriental Rhizotroginae and description of new species（Coleoptera：Scarabaeoidea：Melolonthidae）. *Symbioses*, 12：23-32.

Kerr P H. 2010. Phylogeny and classification of Rhagionidae, with implications for Tabanomorpha（Diptera：Brachycera）. *Zootaxa*, 2592：1-133.

Kirejtshuk A G. 1997. New Palaearctic nitidulid beetles, with notes on synonymy and systematic position of some species（Coleoptera：Nitidulidae）. *Zoosystematica Rossica*, 6（1-2）：255-268.

Kirschenhofer E. 1995. Neue Arten der Gattung *Holosoma* Semenow, 1889 aus China（Col. Carabidae, Oodiinae, Trib. Simoini）. *Zeitschrift der Arbeitsgemeinschaft Oesterreichischer Entomologen*, 47（3-4）：77-84.

Kirschenhofer E. 2004. Information on the East Palaearctic and Oriental species of the subgenera *Chlaeniellus* Rietter and *Naelichus* Lutshnik of the genus *Chlaenius* Bonelli, 1810.（Col. Carabidae）. *Loened Aziad*, 10：1-64.

Kirschenhofer E. 2005. Further new species of the genus *Chlaenius* Bonelli 1810 from China, Myanmar and India（Coleoptera：Carabidae）. *Linzer Biologische Beitraege*, 37（1）：489-501.

Kirschenhofer E. 2009. Faunistic new reports and descriptions of a new species of the type *Lebia* Latreille, 1802 from China, Taiwan and Vietnam（Coleoptera：Carabidae：Lebiinae）. *Mitteilungen des Internationalen Entomologischen Vereins E. V. Frankfurt A. M.*, 34（3-4）：63-85.

Klausnitzer B. 2011. A new species of the genus *Odeles* Klausnitzer 2004 from China（Coleoptera：Scirtidae）.（164th contribution on the knowledge of Scirtidae）. *Linzer Biologische Beitraege*, 43（1）：399-400.

Kleinfeld F. 2000. New *Carabus* taxa from the provinces of Yunnan and Shaanxi, China（Coleoptera：Carabidae：Carabini）. *Entomologische Zeitschrift*, 110（1）：18-23.

Kleinfeld F. 2001. Results of entomological trips to China, 48th contribution. Contribution to the knowledge on the *Carabus* fauna of the provinces of Guangxi, Shaanxi and Guangdong, China（Coleoptera：Carabidae：Carabini）. *Lambillionea*, 101（1）：43-50.

Kleinfeld F, Korell A and Wrase D W. 1996. Results of an entomological expedition to China. Part 16. On some *Carabus* and *Cychrus* forms from Qin-Ling-Shan, Shaanxi Province, China, together with the description of *Carabus*（*Oreocarabus*）*nanwutai* n. sp. and *Cychrus puetzi* n. sp.（Coleoptera：Carabidae：Carabini）. *Entomologische Zeitschrift*, 106（4）：126-138.

Kleinfeld F and Schutze H. 1997. Results of entomological travels in China, 21. Contributions. Contribution to the study of the *Carabus* fauna from Qinling Shan, Shaanxi, China, with comments on the flora and the description of two new subspecies of the subgenus *Apotomopterus* and *Coptolabrus*（Coleoptera：Carabidae：Carabini）. *Entomologische Zeitschrift*, 107（1）：1-11.

Koiwaya S. 1995. On the discovery of *Sibataniozephyrus* sp. from China and its early stages（Lycaenidae）. *Butterflies*, 12：9-12.

Koiwaya S. 1996. Ten new species and twenty-four new subspecies of butterflies from China, with notes on the systematic positions of five taxa. *Studies of Chinese Butterflies*, 3: 168-202, 237-280.

Koiwaya S. 2002. Descriptions of five new species and a new subspecies of Theclini (Lycaenidae) from China, Myanmar and India. *Gekkan-Mushi*, 377: 2-8.

Kong W and Yang J. 2015. The complete mitochondrial genome of *Rondotia menciana* (Lepidoptera: Bombycidae). *Journal of Insect Science (Tucson)*, 15: 48.

Kononenko V. 2004. Description of two new species of the genus *Tambana* Moore, 1882 from China (Lepidoptera: Noctuidae: Pantheinae). *Mitteilungen des Internationalen Entomologischen Vereins E. V. Frankfurt A. M.*, 29(3): 77-83.

Kononenko V. 2005. Three new species of *Athetis* Huebner, (1821) 1816 (Lepidoptera: Noctuidae, Hadeninae s. I.) from China. *Entomologische Zeitschrift*, 115(5): 201-204.

Kononenko V. 2009. Two new species of the subfamily Xyleninae from China (Lepidoptera: Noctuidae). *Zootaxa*, 1993:53-60.

Kononenko V S. 1997. A revision of the *Hoplodrina implacata* species complex (Noctuidae: Amphipyrinae), with descriptions of three new species from China. *Japan Heterocerists' Journal*, 193: 291-297.

Kononenko V S. 2000. A revision of the *Maliattha vialis* species-group (Lepidoptera: Noctuidae: Acontiinae) with description of four new species from China. *Insecta Koreana*, 17(1-2): 39-50.

Kononenko V S and Ronkay L. 2000. A revision of the genus *Stenoloba* Staudinger (Lepidoptera: Noctuidae: Bryophilinae), with descriptions of 25 new species and 3 new subspecies from East Asia (I). *Insecta Koreana*, 17(3): 137-174.

Kononenko V S and Speidel W. 1999. A remarkable undescribed species of the genus *Sinna* Walker, 1865 (Noctuidae: Chloephorinae) from China. *Japan Heterocerists' Journal*, 206: 97-99.

Krajcik M. 2007. New Trichiinae beetles from SE Asia (Coleoptera: Scarabaeidae). *Animma. x*, 18: 13-25.

Krajcik M. 2013. Description of a new *Scobura* Elwes and Edwards from Shaanxi Province and notes on the genus *Ampittia* Moore in China (Lepidoptera: Hesperioidea: Hesperiinae). *animma. x*, 57: 1-5.

Kubecek V, Bray T C and Bocak L. 2015. Molecular phylogeny of *Metanoeina* net-winged beetles identifies *Ochinoeus*, a new genus from China and Laos (Coleoptera: Lycidae). *Zootaxa*, 3955(1): 113-122.

Kurbatov S A. and Lobl I. 1998. New Asian species of the genus *Bryaxis*, and data on previously known species (Coleoptera: Staphylinidae: Pselaphinae). *Revue Suisse de Zoologie*, 105(4): 823-833.

Lang S Y and Monastyrskii A L. 2016. Description of two new species of the *Lethe manzorum*-group (Lepidoptera: Nymphalidae: Satyrinae) from China. *Zootaxa*, 4103(5): 453-462.

Lason A. 2009. A new species of the genus *Glischrochilus* (Coleoptera: Nitidulidae: Cryptarchinae) from China. *Acta Entomologica Musei Nationalis Pragae*, 49(2): 505-510.

Lassalle B. 2003. New *Stomis* and *Carabus* for China (Coleoptera: Carabidae). *Entomologiste (Paris)*, 59(3): 71-80.

Lassalle B. 2009. Note on the subtribe Pristosiina from China (Coleoptera: Carabidae: Platyninae: Platynini）（1st part）. *Nouvelle Revue d'Entomologie*, 26（2）: 103-132.

Laszlo G M, Ronkay G and Ronkay L. 2015. Contribution to the knowledge on the Palaearctic and Oriental taxa of the *Meganola* s. l. （Lepidoptera: Noctuoidea: Nolidae: Nolinae）generic complex with descriptions of 4 new genera and 11 new species. *Zootaxa*, 4052（3）: 251-296.

Ledoux G and Roux P. 1996. Description de huit Nebria et d'un Archastes nouveaux de Chine （Coleoptera: Nebriidae）. *Coleopteres*, 2（1）: 1-18.

Ledoux G and Roux P. 1999. Description of new taxa of *Archastes* and *Nebria* from Asia （Coleoptera: Nebriidae）. *Revue Francaise d'Entomologie （Nouvelle Serie）*, 21（2）: 65-76.

Lee C F. 2009. Revision of the Family Helotidae （Coleoptera: Cucujoidea）: IV. The genus *Metahelotella*. *Annals of the Entomological Society of America*, 102（5）: 785-796.

Lee C F, Sato M and Yang P S. 1999. Revision of Eubrianacinae （Coleoptera: Psephenidae）. 1. *Eubrianax* Kiesenwetter and *Heibrianax* gen. n. *Japanese Journal of Systematic Entomology*, 5（1）: 9-25.

Lee S and Brown R L. 2008. Revision of Holarctic Teleiodini （Lepidoptera: Gelechiidae）. *Zootaxa*, 1818: 1-55.

Legalov A. 2010. Three new species of the genus *Auletobius* （Coleoptera: Rhynchitidae）from China and Vietnam. *Studies and Reports of District Museum Prague-East Taxonomical Series*, 6（1-2）: 165-170.

Lei Z. 1994. One new species and five new records of the genus *Meimuna* （Homoptera: Cicadidae）from China. *Entomotaxonomia*, 16（3）: 184-188.

Lei Z and Chou I. 1995. Two new species of the genus *Katoa* （Homoptera: Cicadidae）from China. *Entomotaxonomia*, 17（2）: 99-102.

Ler P A. 1999. Key to the insects of Russian Far East. Vol. 5. Trichoptera and Lepidoptera. Pt 2. Dalnauka, Vladivostok, 672pp.

Li C L, Duan Y H, Lu F P, Guo Y P, Li C X and Ma E B. 2004. Genetic differentiation among four populations of Chinese rice grasshopper *Oxya chinensis* in China. *Acta Zoologica Sinica*, 50（2）: 187-192.

Li F. 1989. New species of Psylltdae from Shaanxi Prov. , China （Homoptera: Psyllidae）. *Entomotaxonomia*, 11（z1）: 81-83.

Li F. 2011. Psyllidomorpha of China （Insecta: Hemiptera）. In *Psyllidomorpha of China*, vol. 2. Science Press, 993-1976.

Li H. 1990. Identification of *Ethmiopsis prosectrix* Meyrick （Lepidoptera: Gelechiidae）. *Journal of Northwest Forestry College*, 5（4）: 48-51.

Li H. 1991. A study on the Chinese species of *Ornativalva* Gozmany （Lepidoptera: Gelechiidae）. *Entomotaxonomia*, 13（2）: 87-92.

Li H. 1993. A study on the Chinese *Evippe* Chambers （Lepidoptera: Gelechiidae）. *Entomotaxonomia*, 15（3）: 208-218.

Li H. 1993. New species and new records of the genera *Aproaerema* and *Syncopacma* （Lepidoptera: Gelechiidae）from China. *Journal of Northwest Forestry College*, 8（1）: 27-38.

Li H and Li W. 2010. Four new species of the genus *Chrysoteuchia* Huebner (Lepidoptera: Crambidae: Crambinae) from China. *Zootaxa*, 2485: 33-46.

Li H and Zheng L. 2000. A taxonomic study on the *Coleophora milvipennis* group (Lepidoptera: Coleophoridae) from China. *Acta Scientiarum Naturalium Universitatis Nankaiensis*, 33(1): 4pp.

Li H and Zheng Z. 1995. A new species of the genus *Caryocolum* (Lepidoptera: Gelechiidae) from China. *Entomotaxonomia*, 17(4): 293-295.

Li H and Zheng Z. 1995. A new species, a new subspecies and four new records of gelechiid moths from China (Lepidoptera: Gelechiidae). *Acta Agriculturae Boreali-Occidentalis Sinica*, 4(2): 1-12.

Li H and Zheng Z. 1995. New species and new records of the genus *Mesophleps* Hubner (Lepidoptera: Gelechiidae) from Kenya and China. *Journal of Northwest Forestry College*, 10(4): 27-35.

Li H and Zheng Z. 1996. A systematic study on the genus *Dichomeris* Hubner, 1818 from China (Lepidoptera: Gelechiidae). *SHILAP Revista de Lepidopterologia*, 24(95): 229-273.

Li H and Zheng Z. 1997. A taxonomic study on the genus *Anarsia* Zeller from the mainland of China (Lepidoptera: Gelechiidae). *Acta Zoologica Academiae Scientiarum Hungaricae*, 43(2): 121-132.

Li H and Zheng Z. 1997. Two new species of the genus *Chionodes* Hubner (Lepidoptera: Gelechiidae) from China. *Entomotaxonomia*, 19(1): 43-46.

Li H and Zheng Z. 1998. A taxonomic study of the genus *Xystophora* (Lepidoptera: Gelechiidae) from China. *Entomologia Sinica*, 5(2): 106-112.

Li H and Zheng Z. 1998. Genus *Dactylethrella* (Lepidoptera: Gelechiidae) in China, with description of one new species. *Entomotaxonomia*, 20(1): 57-60.

Li H and Zheng Z. 1998. Notes on *Hypatima* and *Homoshelas* (Lepidoptera: Gelechiidae) from the mainland of China, with descriptions of new species. *Entomotaxonomia*, 20(2): 143-149.

Li H and Zheng Z. 1998. Two new species of the genus *Aroga* from China (Lepidoptera: Gelechiidae). *Acta Entomologica Sinica*, 41(1): 85-89.

Li H and Zheng Z. 1998. Two new species of the genus *Sophronia* Hubner from China (Lepidoptera: Gelechiidae). *Acta Entomologica Sinica*, 41(3): 306-309.

Li H and Zheng Z M. 1998. A systematic study on the genus *Dendrophilia* Ponomarenko, 1993 from China (Lepidoptera: Gelechiidae). *SHILAP Revista de Lepidopterologia*, 26(102): 101-111.

Li H, Tishechkin D Y, Dai R H and Li Z Z. 2014. Taxonomic study of Chinese species of the genus *Macropsis* Lewis, 1836 (Hemiptera: Cicadellidae: Macropsinae) III: a review of oak-dwelling species. *Zootaxa*, 3760(3): 351-368.

Li H, Zheng Z and Wang H. 1997. Description of seven new species of the genus *Dichomeris* Hubner from China (Lepidoptera: Gelechiidae). *Entomologia Sinica*, 4(3): 220-230.

Li H H and Fan X M. 2007. Study on the genus *Swammerdamia* Hubner (Lepidoptera: Yponomeutidae) from China, with descriptions of two new species. *Acta Zootaxonomica Sinica*, 32(3): 556-560.

Li H H and Hui Y W. 2001. A new species of the genus *Hedma* (Lepidoptera: Gelechiidae) injurious to Lycium barbarum. *Acta Entomologica Sinica*, 44(2): 227-230.

Li H H and Zhen H. 2011. Review of the genus *Helcystogramma* Zeller (Lepidoptera: Gelechiidae: Dichomeridinae) from China. *Journal of Natural History*, 45(17-18): 1035-1087.

Li H H and Zheng Z M. 1997. A study on the genus *Bryotropha* Heinemann from China (Lepidoptera: Gelechiidae). *Acta Zootaxonomica Sinica*, 22(4): 392-402.

Li H H and Zheng Z M. 1998. A taxonomic review of the genus *Faristenia* from China. *Acta Zootaxonomica Sinica*, 23(4): 386-398.

Li H H and Zheng Z M. 1998. The genus *Capidentalia* Park in China (Insecta: Lepidoptera: Gelechiidae). *Reichenbachia*, 32(2): 307-312.

Li K Q, Liang Z L and Liang H B. 2013. Two new species of the genus *Temnaspis* Lacordaire, 1845, (Coleoptera: Chrysomeloidea: Megalopodidae) from China and Myanmar, with notes on the biology of the genus. *Zootaxa*, 3737(4): 379-398.

Li M L and Guo X R. 1999. A new species of *Gilpinia* (Hymenoptera: Diprionidae) form [from] Qinling, China. *Entomotaxonomia*, 21(4): 304-306.

Li T, Sheng M L and Sun S P. 2013. Chinese species of the genus *Aptesis* Forster (Hymenoptera: Ichneumonidae) parasitizing sawflies, with descriptions of three new species and a key to species. *ZooKeys*, 290: 55-73.

Li T, Sheng M L and Wang P X. 2013. A new species of the genus *Dusona* Cameron (Hymenoptera: Ichneumonidae) parasitizing *Pristiphora erichsonii*. *Acta Zootaxonomica Sinica*, 38(1): 147-150.

Li W and Li H. 2012. Review of the genus *Calamotropha* Zeller (Lepidoptera: Crambidae: Crambinae) from China, with descriptions of four new species. *Journal of Natural History*, 46 (43-44): 2639-2664.

Li W and Li H. 2012. Taxonomic revision of the genus *Glaucocharis* Meyrick (Lepidoptera: Crambidae: Crambinae) from China, with descriptions of nine new species. *Zootaxa*, 3261: 1-32.

Li W, Li H and Nuss M. 2010. Taxonomic revision and biogeography of *Micraglossa* Warren, 1891 from laurel forests in China (Insecta: Lepidoptera: Pyraloidea: Crambidae: Scopariinae). *Arthropod Systematics and Phylogeny*, 68(2): 159-180.

Li W, Li H and Nuss M. 2010. Taxonomic revision of *Scoparia* Haworth, 1811 (Lepidoptera: Crambidae: Scopariinae) from China. *Zootaxa*, 2609: 1-33.

Li W, Li H and Nuss M. 2012. Taxonomic revision of the genus *Eudonia* Billberg, 1820 from China (Lepidoptera: Crambidae: Scopariinae). *Zootaxa*, 3273: 1-27.

Li W, Li K, Wang R and Yang D. 2016. The first description of the larvae of the Chinese species *Paraleuctra tianmushana* Li & Yang (Plecoptera: Leuctridae). *Zootaxa*, 4061(1): 93-100.

Li X, Xue D and Jiang N. 2017. One new species and one new record for the genus *Ninodes* Warren from China (Lepidoptera: Geometridae: Ennominae). *ZooKeys*, 679: 55-63.

Li X G, Hou H B and Gong Y L. 2006. Oviposition selection of *Gravitarmata margarotana* adult. *Kunchong Zhishi*, 43(5): 636-639.

Li X M and Liu G Q. 2008. Two new species of the genus *Rubrocuneocoris* of China, and five new record species of tribe Phylini from China (Hemiptera: Miridae: Phylinae). *Acta Entomologica Sinica*, 51 (1): 68-74.

Li Y J and Morse J C. 1997. *Polyplectropus* species (Trichoptera: Polycentropodidae) from China, with consideration of their phylogeny. *Insecta Mundi*, 11(3-4): 300-310.

Li Z, Wang N and Yang D. 2014. New species of *Hybos* Meigen from Northwest China (Diptera: Empidoidea: Hybotinae). *Zootaxa*, 3786(2): 166-180.

Liang A P. 1996. *Hindoloides sparsuta* Jacobi, neotype designation, taxonomic status, host plant, and distribution (Insecta: Homoptera: Auchenorrhyncha: Machaerotidae). *Reichenbachia*, 31 (2): 139-142.

Liang A P. 2007. A new replacement name in the planthopper family Achilidae (Hemiptera: Fulgoromorpha). *Journal of the Kansas Entomological Society*, 80(1): 82-83.

Lin L L, Zheng Z M, Yang R and Xu S Q. 2014. A review of the genus *Pielomastax* Chang (Orthoptera: Eumastacoidea) from China with description of a new species. *Neotropical Entomology*, 43 (4): 350-356.

Lin N Q. 1997. A new species of *Pseudanaphes* (Hym. Mymaridae) from China. *Wuyi Science Journal*, 13: 98-100.

Liu C X. 2013. Review of *Atlanticus* Scudder, 1894 (Orthoptera: Tettigoniidae: Tettigoniinae) from China, with description of 27 new species. *Zootaxa*, 3647(1): 1-42.

Liu G C. 2015. Revision of the genus *Dohrniphora* Dahl (Diptera: Phoridae) from China. *Zootaxa*, 3986 (3): 307-331.

Liu G Q. 2008. The new species of the genus *Lindbergicoris* and the first record of *Acanthosoma forfex* Dallas from China (Hemiptera: Acanthosomatidae). *Acta Zootaxonomica Sinica*, 33(4): 768-774.

Liu J X, He J H and Chen X X. 2009. Revision of genus *Oxyrrhexis* Foerster, 1869 (Hymenoptera: Ichneumonidae: Pimplinae) from China. *Annales Zoologici (Warsaw)*, 59(2): 171-177.

Liu J Y and Li H H. 2010. Taxonomic study of the genus *Gymnancyla* Zeller (Lepidoptera: Pyralidae: Phycitinae) in China. *Acta Zootaxonomica Sinica*, 35(3): 619-626.

Liu R S, Zhang R F, Wang M Q and Yang D. 2016. Two new species of the genus *Asyndetus* (Diptera: Dolichopodidae) from China with a key to Chinese species. *Transactions of the American Entomological Society (Philadelphia)*, 142(1): 73-85.

Liu S R and Wang S X. 2014. Two new species of the genus *Synesarga* Gozmany, 1978 from China (Lepidoptera: Lecithoceridae). *SHILAP Revista de Lepidopterologia*, 42(165): 71-76.

Liu X Y, Wang M Q and Yang D. 2014. Genus *Euhybus* (Diptera: Empididae) Newly Found in Shaanxi Province with Description of a New Species. *Florida Entomologist*, 97(4): 1598-1601.

Liu Z, He J H and Chen X X. 2016. The genus *Pholetesor* Mason, 1981 (Hymenoptera: Braconidae: Microgastrinae) from China, with descriptions of eleven new species. *Zootaxa*, 4150(4): 351-387.

Lobl I and Hava J. 2002. A new species of *Sphaerites* (Coleoptera: Sphaeritidae) from China. *Entomological Problems*, 32(2): 179-181.

Long J K and Chen X S. 2013. Three new species of the genus *Kosalya* Distant, 1906 (Hemiptera: Fulgoromorpha: Achilidae) from China. *Zootaxa*, 3683(5): 549-560.

Lou K, Jin Q and Li H. 2016. Genus *Rhabdocosma* Meyrick (Lepidoptera: Ypsolophidae) new to China, with descriptions of two new species. *Entomotaxonomia*, 38(1): 19-23.

Lu N and Zheng L. 1998. A taxonomic study on the genus *Arbolygus* (Heteroptera: Miridae) from China. *Entomotaxonomia*, 20(2): 79-96.

Luo J, Fei Y and Yu H. 2015. First record of the genus *Neostatherotis* Oku from China, with the descriptions of four new species (Lepidoptera: Tortricidae: Olethreutinae). *Zootaxa*, 3941(2): 247-254.

Luo X Y, Li F S and Cai W Z. 2016. Chinese psyllids in the genus *Cacopsylla* (Hemiptera: Sternorrhyncha: Psylloidea) associated with *Spiraea* (Rosaceae). *Journal of Natural History*, 50(35-36): 2215-2235.

Lvovsky A L and Wang S. 2011. Five species of the genus *Agonopterix* Huebner (Lepidoptera: Depressariidae) from China. *Zootaxa*, 3053: 63-68.

Ma L B and Zhang Y L. 2015. The Chinese cricket genus *Truljalia* Gorochov (Gryllidae: Podoscirtinae) with description of new species, including morphological and acoustical information. *Zoologischer Anzeiger*, 257: 10-21.

Ma L and Li Q. The genus *Mimumesa* from China with descriptions of two new species (Hymenoptera: Apoidea: Crabronidae). *Entomologica Americana*, 115(2): 160-167.

Ma Z X, Chen B and Li T J. 2016. A taxonomic account of the genus *Stenodynerus* from China, with descriptions of five new species (Hymenoptera: Vespidae: Eumeninae). *ZooKeys*, 595: 17-48.

Malicky H. 2013. Overview on the *Pseudostenophylax* Genus (Trichoptera: Limnephilidae) with New Descriptions. *Linzer Biologische Beitraege*, 45(1): 793-827.

Malicky H. 2015. Some new Chinese Caddisflies (Trichoptera). *Linzer Biologische Beitraege*, 47(1): 667-686.

Malicky H. 2017. Ten new Trichoptera species from China. *Braueria*, 44: 21-26.

Masui A. 2012. A genetic form of *Hestina persimilis* (Westwood, 1850) in China and Korea (Lepidoptera: Nymphalidae: Apaturinae). *Butterflies* (*Teinopalpus*), 60: 55.

Mathis W N and Zatwarnicki T. 2007. A revision of the species of the genus *Dichaeta* Meigen (Diptera: Ephydridae). *Annales Zoologici* (*Warsaw*), 57(4): 783-822.

Mirab-Balou M, Yang S L and Tong X L. 2012. *Bathrips* in China (Thysanoptera: Thripidae), with a new record and new synonym. *Zootaxa*, 3571:87-88.

Mironov V, Galsworthy A C and Xue D. 2004. New species of *Eupithecia* (Lepidoptera: Geometridae) from China, part III. *Transactions of the Lepidopterological Society of Japan*, 55(3): 225-242.

Mironov V, Galsworthy A C and Xue D. 2004. New species of *Eupithecia* (Lepidoptera: Geometridae) from China, part II. *Transactions of the Lepidopterological Society of Japan*, 55(2): 117-132.

Mironov V, Galsworthy A C and Xue D. 2004. New species of *Eupithecia* (Lepidoptera: Geometridae) from China, part I. *Transactions of the Lepidopterological Society of Japan*, 55(1): 39-57.

Mironov V G, Galsworthy A, Xue D and Pekarsky O. 2011. New species of *Eupithecia* (Lepidoptera: Geometridae) from China, part VI. *Lepidoptera Science*, 62(1): 12-32.

Mironov V G, Galsworthy A C and Xue D. 2006. New species of *Eupithecia* (Lepidoptera: Geometridae) from China, part V. *Transactions of the Lepidopterological Society of Japan*, 57(4):

Mizunuma T and Nagai S. 2010. The lucanid beetles of the world. In *Mushi-Sha's Iconographic Series of Insects*, vol. 6, ed. Fujita, H. Mushi-Sha, Tokyo, ii-ii, 472pp.

Mlynar Z. 1974. Die Harplus-Arten aus der Mongolei. Ergebnisse der zoologischen Forschungen von Dr. Z. Kaszab in der Mongolei (Coleoptera: Carabidae). *Entomologische Arb Mus Tierk Dresden*, 40(1): 1-63.

Mollet B. 2016. A new species of the genus *Hedina* from China (Lepidoptera: Zygaenidae: Procridinae). *Antenor*, 3(1): 28-32.

Moravec P and Wrase D W. 1998. New species of Trechini from the Chinese province of Shaanxi (Coleoptera: Carabidae). *Linzer Biologische Beitraege*, 30(1): 207-231.

Morita S. 2003. Eight new subspecies of Theclini (Lycaenidae) from China and Vietnam. *Futao*, 42: 8-13.

Morozov P S. 2013. Taxonomic rewiew of the *Harpyia longipennis* (Walker, 1855) complex (Lepidoptera: Notodontidae). *Tinea*, 22(3): 177-188.

Morse J C and Yang L F. 2005. *Glossosoma* subgenera *Glosossoma* and *Muroglossa* (Trichoptera: Glossosomatidae) of China. In *Proceedings of the 11th International Symposium on Trichoptera*, *Saki*, *Osaka and Kutsuki*, *Shiga*, *Japan*, 12-19 *June* 2003, ed. Tanida K and Rossiter A. Tokai University Press, 285-304.

Murao R and Tadauchi O. 2011. Notes on color variation of *Lasioglossum* (*Evylaeus*) *politum pekingense* (Hymenoptera: Halicitidae). *Japanese Journal of Systematic Entomology*, 17(1): 55-58.

Nakatani T. 2012. On a little known species of genus *Erebia* (Lepidoptera: Nymphalidae) in China. *Lepidoptera Science*, 63(2): 61-64.

Nakatani T and Tera A. 2012. *Davidina*, a mysterious genus (Nymphalidae: Satyrinae). *Butterflies* (*Teinopalpus*), 61: 13-22.

Naumann S. 2003. Two new *Loepa* species from Tibet and Shaanxi, China (Lepidoptera: Saturniidae). *Nachrichten des Entomologischen Vereins Apollo*, 24(4): 161-165.

Naumann S. 2009. Notes on the Chinese *Calliprogonos miraculosa* Mell, 1937 (Lepidoptera: Brahmaeidae). *Nachrichten des Entomologischen Vereins Apollo*, 30(1-2): 5-8.

Naumann S and Bouyer T. 1998. *Actias angulocaudata* n. sp. , a new saturniid from the People's Republic of China (Lepidoptera: Saturniidae). *Entomologische Zeitschrift*, 108(6): 224-231.

Naumann S, Loeffler S and Naessig W A. 2012. Taxonomic notes on the group of *Loepa miranda*, 2: the subgroup of *Loepa damartis* (Lepidoptera: Saturniidae). *Nachrichten des Entomologischen Vereins Apollo*, 33(2-3): 87-106.

Naviaux R. 1999. Diagnosis of ten new taxa of the genus *Neocollyris* Horn (Coleoptera: Cicindelidae).

Bulletin Mensuel de la Societe Linneenne de Lyon, 68(7): 214-219.

Nikodym M. 2005. New species of the genus *Amphicoma* from China, Vietnam, Laos and Thailand (Coleoptera: Scarabaeoidea: Glaphyridae). *Animma. x*, 10: 1-35.

Nishikawa M. 2007. A new Catops (Coleoptera: Leiodidae: Cholevinae) from the Daba Shan Mountains of South Shaanxi, central China. *Entomological Review of Japan*, 62(1): 47-50.

Niu G Y, Hu P and Wei M C. 2017. Two new species of the *Tenthredo fortunei* group (Hymenoptera: Tenthredinidae) from China. *Entomotaxonomia*, 39(3): 188-196.

Niu X L, Yu X X and Wu H. 2008. Two new record species of the genus *Boletina* Staeger (Diptera: Mycetophilidae) from China. *Entomotaxonomia*, 30(2): 110-112.

Ochi T, Kon Ma and Bai M. 2017. Two new species of the genera *Odontotrypes* and *Phelotrupes* (Coleoptera: Geotrupidae) from Shaanxi, China. *Giornale Italiano di Entomologia*, 14(62): 723-728.

Okuda N. 2003. A new subspecies of *Platycerus tabanai* (Coleoptera: Lucanidae) from Mt. Taibai Shan, south Shaanxi prov. , central China. *Kogane*, 4: 23-26.

Omelko N V and Omelko M M. 2004. A new genus and a species of the moth of the subfamily Teleiodinae (Lepidoptera: Gelechiidae) in southern Primorsky Territory. In *Biological investigations of the Mountain-Taiga Station. Issue 9*, ed. Chernyshev V D, Onelko M M, Ostrogradskii P G, Ivashchenko E A and Onelko N V. 193-196, 222-223, 230.

Owada M, Huang L L, Jia C and Wang M. 2016. Study on the genus *Striglina* (Lepidoptera: Thyrididae) from China and adjacent countries. *Tinea*, 23(5): 233-240.

Ozdikmen H. 2010. *Carabus* (*Archaeocarabus*) Semenov, 1898 vs. *Archaeocarabus* M'coy, 1849: The need for a substitute name (Coleoptera: Carabidae). *Munis Entomology & Zoology*, 5(2): 361-368.

Pace R. 1998. Aleocharinae from China: part 2 (Coleoptera: Staphylinidae). *Revue Suisse de Zoologie*, 105(2): 395-463.

Pace R. 1998. Aleocharinae from China: part 3 (Coleoptera: Staphylinidae). *Revue Suisse de Zoologie*, 105(3): 665-732.

Pace R. 2012. Biodiversity of the Aleocharinae of China: Hygronomini and Oxypodini (Coleoptera: Staphylinidae). *Beitraege zur Entomologie*, 62(1): 125-163.

Pace R. 2013. Biodiversity of the Aleocharinae of China: Hoplandriini, Aleocharini and Sinanarchusini (Coleoptera: Staphylinidae). *Beitraege zur Entomologie*, 62(1): 5-24.

Pace R. Biodiversity of the Aleocharinae of China: Genus *Atheta* Thomson (Coleoptera: Staphylinidae). *Beitraege zur Entomologie*, 61(2): 285-355.

Papp L and Sevcik J. 2005. Sciarokeroplatinae, a new subfamily of Keroplatidae (Diptera). *Acta Zoologica Academiae Scientiarum Hungaricae*, 51(2): 113-123.

Perreau M. 2002. New species of *Leiodidae* Cholevinae (Coleoptera), notes on some little known species and correction of a homonym. *Mitteilungen der Schweizerischen Entomologischen Gesellschaft*, 75(1-2): 41-50.

Platia G. 2007. Contribution to the knowledge of the Agriotini of China. Genera *Agriotes* Eschscholtz, *Ecti-*

nus Eschscholtz, *Tinecus* Fleutiaux and *Rainerus* gen. n. (Coleoptera: Elateridae: Agriotini). *Boletin de la SEA*, 41: 7-42.

Platia G and Gudenzi I. 2006. Click-beetle genera, species and records new to the Palearctic and Indomalayan regions (Insecta: Coleoptera: Elateridae). *Quaderno di Studi e Notizie di Storia Naturale della Romagna*, 23: 131-156.

Ponomarenko M G. 1989. A review of moths of the genus *Anarsia* Z. (Lepidoptera: Gelechiidae) of the fauna of the USSR. *Entomologicheskoe Obozrenie*, 68(3): 628-641.

Ponomarenko M G. 1997. Catalogue of the subfamily Dichomeridinae (Lepidoptera: Gelechiidae) of the Asia. *Far Eastern Entomologist*, 50: 1-67.

Ponomarenko M G. 1998. New taxonomic data on Dichomeridinae (Lepidoptera: Gelechiidae) from the Russian Far East. *Far Eastern Entomologist*, 67: 1-17.

Ponomarenko M G. 2004. Gelechid moths of the subfamily Dichomeridinae (Lepidoptera: Gelechiidae): functional morphology, evolution and taxonomy. *Chteniya Pamyati Alekseya Ivanovicha Kurentsova*, 15: 5-88.

Ponomarenko M G and Omelko M M. 2003. Review of the genus *Acanthophila* Heinemann, 1870 (Lepidoptera: Gelechiidae). *Far Eastern Entomologist*, 127: 1-24.

Pujade-Villar J, Wang Y P, Liu Z W and Guo R. 2016. Descriptions of two new species of *Neuroterus* Hartig from China (Hymenoptera: Cynipidae). *Entomologica Fennica*, 27(1): 23-32.

Qian Y H and Du Y Z. 2012. A new stonefly species, *Rhopalopsole tricuspis* (Leuctridae: Plecoptera), and three new records of stoneflies from the Qinling Mountains of Shaanxi, China. *Journal of Insect Science (Tucson)*, 12: 1-9.

Qiao G X and Zhang G X. 2010. Taxonomic review on the genus *Aiceona* (Aphididae: Aiceoninae) in China, with a description of one new species. *Insect Science*, 9(3): 51-59.

Qin D and Yuan F. 1999. One new species of the genus *Bambusiphaga* (Homoptera: Delphacidae) from China. *Entomotaxonomia*. 21(1): 33-35.

Qin D Z, Zhang Y L and Ding J H. 2006. A taxonomic study of the genus *Bambusiphaga* (Hemiptera: Fulgoroidea: Delphacidae). *Acta Zootaxonomica Sinica*, 31(1): 148-151.

Ren G D and Yu Y Z. 1999. The darkling beetles from deserts and semideserts of China (Coleoptera: Tenebrionidae). In *The darkling beetles from deserts and semideserts of China (Coleoptera: Tenebrionidae)*, ed. Ren G D and Yu Y Z. Hebei University Press, Baoding, i-vii, 395pp.

Ren Y and Li H. 2016. Review of *Pseudacrobasis* Roesler, 1975 from China (Lepidoptera: Pyralidae: Phycitinae). *ZooKeys*, 615: 143-152.

Ren Y, Yang L and Li H. 2015. Taxonomic review of the genus *Indomyrlaea* Roesler & Kuppers 1979 of China, with descriptions of five new species (Lepidoptera: Pyralidae: Phycitinae). *Zootaxa*, 4006 (2): 311-329.

Riedel M. 2015. The Palearctic species of the genus *Exetastes* Gravenhorst, 1829 (Hymenoptera: Ichneumonidae: Banchinae) of the Biology Centre Linz, Austria. *Linzer Biologische Beitraege*, 47(2):

1467-1500.

Ronkay G, Ronkay L, Gyulai P and Hacker H H. 2010. New Orthosiini (Lepidoptera： Noctuidae： Hadeninae) species and genera from the wide sense Himalayan region. *Esperiana*, 15： 127-221, 462-497.

Ronkay G, Ronkay L, Gyulai P and Hacker H H. 2010. New Psaphidinae and Oncocnemidinae (Lepidoptera： Noctuidae) species and genera from the wide sense Himalayan region. *Esperiana*, 15： 223-244, 498-505.

Ronkay G, Ronkay L, Gyulai P and Hacker H H. 2010. New Xylenini (Lepidoptera： Noctuidae： Xyleninae) species and genera from the wide sense Himalayan region. *Esperiana*, 15： 245-358, 506-547

Ronkay L and Varga Z. 1997. New taxa of the genera *Auchmis* Hubner, (1821) and *Nekrasovia* Ronkay *et* Varga, 1993 (Lepidoptera： Noctuidae). *Acta Zoologica Academiae Scientiarum Hungaricae*, 43(2)： 149-161.

Ronkay L, Ronkay G and Behounek G. 2008. *The Witt Catalogue. A taxonomic atlas of the Eurasian and North African Noctuoidea*： *Plusiinae I*. Heterocera Press, 348pp.

Ronkay L, Varga Z and Gyulai P. 1997. New species of the *Conisania suavis* (Staudinger, 1892) species-group (Noctuidae： Hadeninae). *Acta Zoologica Academiae Scientiarum Hungaricae*, 43 (2)： 163-171.

Ruzicka J. 1992. A new species of *Mesocatops* from Ussuri region (Coleoptera： Cholevidae). *Museo Regionale di Scienze Naturali Bollettino (Turin)*, 10(1)： 97-100.

Ruzicka J and Vavra J. 2003. A revision of the *Choleva agilis* species group (Coleoptera： Leiodidae： Cholevinae). *Memoirs on Entomology International*, 17： 141-255.

Saldaitis A and Ivinskis P. 2008. *Catocala florianii*, a new species (Lepidoptera： Noctuidae) from China. *Acta Zoologica Lituanica*, 18(2)： 124-126.

Saldaitis A and Ivinskis P. 2010. *Wittocossus dellabrunai* (Lepidoptera： Cossidae), a new species from China. *Esperiana*, 15： 383-385, 549.

Saldaitis A, Ivinskis P and Borth R. 2010. A new *Catocala* species (Lepidoptera： Noctuidae) from China. *Tinea*, 21(2)： 82-87.

Saldaitis A, Ivinskis P and Borth R. 2012. Two new *Perigrapha* species from China (Lepidoptera： Noctuidae). *Zootaxa*, 3426： 64-68.

Sanborn A F. 2006. Two new cicada species from Shaanxi, China (Hemiptera： Cicadomorpha： Cicadidae). *Acta Entomologica Sinica*, 87(3)： 365-371.

Sato R and Wang M. 2004. Records and descriptions of the Boarmiini (Geometridae： Ennominae) from Nanling Mts. S. China. Part 1. *Tinea*, 18(1)： 43-55.

Sawada H and Wiesner J. 2003. Additional new records of tiger beetle species from central China (III) (Coleoptera： Cicindelidae). *Entomologische Zeitschrift*, 113(8)： 240-241.

Schimmel R. 2003. New Ampedini-, Physorhinini-, Pectocerini-, Elaterini- and Diminae- species from southeast Asia (Insecta： Coleoptera： Elateridae). *Mitteilungen der Pollichia*, 90： 265-292.

Schimmel R and Tarnawski D. 2006. The species of the genus *Gnathodicrus* Fleutiaux, 1934 of China (Insecta: Coleoptera: Elateridae). *Genus* (*Wroclaw*), 17(4): 511-536.

Schintlmeister A. 2002. Further new Notodontidae from mainland China (Lepidoptera: Notodontidae). *Atalanta* (*Marktleuthen*), 33(1-2): 187-202, 242-243.

Schintlmeister A. 2006. The genus *Netria* Walker, 1855 (Lepidoptera: Notodontidae). *Nachrichten des Entomologischen Vereins Apollo*, 27(1-2): 65-94.

Schintlmeister A. 2008. *Palaearctic macrolepidoptera. Volume 1: Notodontidae.* Apollo Books i-iii, 482pp.

Schwarz M. 2009. Eastern Palaearctic and Oriental species of *Gelis* (Hymenoptera: Ichneumonidae: Cryptinae) with macropterous females. *Linzer Biologische Beitraege*, 41(2): 1103-1146.

Sciaky R. 1993(1994). Sinosteropus new subgenus and three new species of *Pterostichus* from China (Coleoptera: Carabidae). *Natura Bresciana*, 29: 193-201.

Sciaky R. 1994. Revision of *Pterostichus* subg. *Morphohaptoderus* Tschitscherine, 1898 with description of new species from China. (Coleoptera: Carabidae). *Koleopterologische Rundschau*, 64: 1-19.

Sciaky R and Wrase D W. 1997. Twenty-nine new taxa of Pterostichinae from Shaanxi (Coleoptera: Carabidae). *Linzer Biologische Beitraege*, 29(2): 1087-1139.

Sheng J K. 1998. A new species of genus *Mesocomys* (Hymenoptera: Eupelmidae) from China. *Entomologia Sinica*, 5(1): 26-28.

Sheng M L. 2011. The species of the genus *Pion* Schiodte (Hymenoptera: Ichneumonidae: Ctenopelmatinae) from China with description of a new species. *Acta Zootaxonomica Sinica*, 36(1): 198-201.

Shi J P, Liu Z W and Li B P. 2016. Two new species and a key to nine species of the genus *Mongolotettix* Rehn, 1928 from China (Acrididae: Acridoidea: Orthoptera). *Zootaxa*, 4117(3): 421-428.

Shima H. 2014. The parerigonine genus *Paropesia* Mesnil (Diptera: Tachinidae), with descriptions of three new species from East Asia. *Zootaxa*, 3827(4): 576-590.

Shima H, Han H Y and Tachi T. 2010. Description of a new genus and six new species of Tachinidae (Diptera) from Asia and New Guinea. *Zootaxa*, 2516: 49-67.

Shinohara A and Wei M C. 2016. Leaf-rolling sawflies (Hymenoptera: Pamphiliidae: Pamphiliinae) of Tianmushan Mountains, Zhejiang Province, China. *Zootaxa*, 4072(3): 301-318.

Shizuya H. 1995. Early stages of *Limenitis sinensium* & *Chrysozephyrus gaoi*. *Butterflies*, 10: 36-37.

Sinclair B J and Saigusa T. 2004(2005). Revision of the *Trichoclinocera dasyscutellum* group from east Asia (Diptera: Empididae: Clinocerinae). *Bonner Zoologische Beitraege*, 53(1-2): 193-209.

Sinev S Y. 1985. A review of the genus *Pancalia* Stephens (Lepidoptera: Cosmopterigidae) in the fauna of the USSR. *Entomologicheskoe Obozrenie*, 64(4): 804-822.

Sivec I, Harper P P and Shimizu T. 2008. Contribution to the study of the Oriental genus *Rhopalopsole* (Plecoptera: Leuctridae). *Scopolia*, 64: 1-122.

Sohn J C. 2011. The revised identity of *Cyanarmostis* Meyrick, 1927: transfer from Heliodinidae to Oecophoridae and its new synonym *Beijinga* Yang, 1977. *Tinea*, 21(4): 215-218.

Sohn J C and Wu C S. 2013. A taxonomic review of Attevidae (Lepidoptera: Yponomeutoidea) from China with descriptions of two new species and a revised identity of the *Ailanthus* webworm moth, *Atteva fabriciella*, from the Asian tropics. *Journal of Insect Science (Tucson)*, 13: 1-16.

Solovyev A V. 2009. A taxonomic review of the genus *Phrixolepia* (Lepidoptera: Limacodidae). *Zoologicheskii Zhurnal*, 88(9): 1064-1078.

Solovyev A V. 2009. Notes on South-east Asian Limacodidae (Lepidoptera: Zygaenoidea) with one new genus and eleven new species. *Tijdschrift voor Entomologie*, 152(1): 167-183.

Solovyev A V and Witt T J. 2011. Two new species of *Pseudiragoides* Solovyev & Witt, 2009 from China (Lepidoptera: Limacodidae). *Entomologische Zeitschrift*, 121(1): 36-38.

Song S, Chen F and Wu C. 2009. A review of the genus *Gargela* Walker in China, with descriptions of ten new species (Lepidoptera: Crambidae: Crambinae). *Zootaxa*, 2090: 40-56.

Song Y H and Li Z Z. 2013. Some new species and new record of the genus *Arboridia* Zachvatkin (Hemiptera: Cicadellidae: Typhlocybinae) from six provinces of China. *Zootaxa*, 3613(3): 229-244.

Stehlik J L and Jindra Z. 2006. Five new species of the genus *Dindymus* (Heteroptera: Pyrrhocoridae). *Acta Entomologica Musei Nationalis Pragae*, 46: 21-30.

Sugi S. 1996. New and little known tropical Asian Agaristinae (Lepidoptera: Noctuidae). *Tinea*, 14(4): 225-229.

Sun C and Yang L. 1995. Studies on the genus *Rhyacophila* (Trichoptera) in China (1). *Braueria*, 22: 27-32.

Sun X L and Hong Y C. 2011. Midtriassic species of Mesopanorpodidae (Insecta: Mecoptera) from Shaanxi, China. *Acta Zootaxonomica Sinica*, 36(1): 26-28.

Sun Y and Li H. 2013. Three new species of *Aethes* Billberg, 1820 (Lepidoptera: Tortricidae: Cochylini), with a list of the species from China. *Zootaxa*, 3669(4): 456-468.

Svec Z. 2000. Chinese species of the genus *Leiodes* (Coleoptera: Leiodidae: Leiodinae). *Acta Societatis Zoologicae Bohemicae*, 64(1): 97-113.

Svec Z. 2008. New Chinese and Nepalese *Leiodes* Latreille (Coleoptera: Leiodidae: Leiodinae). *Studies and Reports of District Museum Prague-East Taxonomical Series*, 4(1-2): 241-257.

Svec Z. 2009. A review of *Pseudcolenis* Reitter, 1884 species (Coleoptera: Leiodidae: Leiodinae). *Studies and Reports of District Museum Prague-East Taxonomical Series*, 5(1-2): 299-324.

Svihla V. 1999. Revision of the subgenera *Stenaxis* and *Oedemera* s. str. of the genus *Oedemera* (Coleoptera: Oedemeridae). *Folia Heyrovskyana Supplementum*, 4: 1-117.

Svihla V. 2001. Contribution to the knowledge of the genus *Dryopomera* (Coleoptera: Oedemeridae). *Acta Societatis Zoologicae Bohemicae*, 65(2): 127-134.

Svihla V. 2003. New taxa of the genus *Oedemera* (Coleoptera: Oedemeridae) from China. *Special Bulletin of the Japanese Society of Coleopterology*, 6: 339-344.

Sviridov A V. 2004. New species of underwing - *Catocala sinyaevi*, sp. n. (Lepidoptera: Noctuidae) from Central China. *Byulleten' Moskovskogo Obshchestva Ispytatelei Prirody Otdel Biologicheskii*, 109(2): 76-78.

Szelenyi G. 1972. On the torymid-fauna of Mongolia (Hymenoptera: Chalcidoidea). *Acta Zoologica Hungarica*, 19(1-2): 181-203.

Tachi T and Shima H. 2002. Systematic study of the genus *Peribaea* Robineau-Desvoidy of East Asia (Diptera: Tachinidae). *Tijdschrift voor Entomologie*, 145(1): 115-144.

Tachi T and Shima H. 2006. Systematic study of the genus *Phorinia* Robineau-Desvoidy of the Palearctic, Oriental and Oceanian regions (Diptera: Tachinidae). *Invertebrate Systematics*, 20(2): 255-287.

Tamai D and Aoki T. 2007. A new species of the genus *Chonala* Moore (Lepidoptera: Nymphalidae: Satyrinae) from Sichuan, China. *Butterflies*, 46: 4-7.

Tan J L, Achterberg V C and Tan Q Q. 2016. Four new species of *Gasteruption* Latreille from NW China, with an illustrated key to the species from Palaearctic China (Hymenoptera: Gasteruptiidae). *ZooKeys*, 612: 51-112.

Tan J L, Achterberg V C, Tan Q Q and Chen X X. 2016. Four new species of *Gasteruption* Latreille from NW China, with an illustrated key to the species from Palaearctic China (Hymenoptera: Gasteruptiidae). *Zookeys*, 612: 51-112.

Tan J L, Achterberg V C, Tan Q Q and Chen X X. 2016. Palaearctic China (Hymenoptera: Gasteruptiidae). *ZooKeys*, 612: 51-112.

Tan J L, Achterberg V C, Tan Q Q and Zhao L P. 2017. New species of Trigonalyidae (Hymenoptera) from NW China. *ZooKeys*, 698: 17-58.

Tan Q Q, Achterberg V C, Tan J L and Chen X X. 2015. A new species of *Schlettererius* Ashmead from China, with a key to the species (Hymenoptera: Stephanidae). *Journal of Hymenoptera Research*, 45: 75-86.

Telnov D. 2016. Nomenclatural notes on Anthicidae and Pyrochroidae (Coleoptera). 5. *Latvijas Entomologs*, 53: 41-88.

Toledano L. 1999(2000). Systematic notes on the Palaearctic Bembidiini with particular reference to the fauna of China (Coleoptera: Carabidae). *Memorie della Societa Entomologica Italiana*, 78(1): 5-70.

Toledano L and Schmidt J. 2008. Review of the species of Bembidion subg. *Bembidionetolitzkya* Strand, 1929 from Southwestern China and Tibet with description of 22 new taxa (Coleoptera: Carabidae: Bembidiina). *Memorie del Museo Civico di Storia Naturale di Verona (IIA Serie) Sezione Scienze della Vita*, 18: 47-78.

Tuzov V K. 2006. A new *Erebia* Dalman, 1816 from China (Lepidoptera: Satyridae). In *Helios. Collection of lepidopterological articles*, vol. 2, ed. Churkin. Troitsa, 33-36.

Uemura Y and Koiwaya S. 2001. New or little known butterflies of the genus *Ypthima* Huebner (Lepidoptera: Satyridae) from China, with some synonymic notes. Part 2. Futao, 36: 2-11.

Ullah M, Yang Z, Qiao P and Zhang Y. 2017. A new cryptic species of *Nagiella* Munroe from China revealed by DNA barcodes and morphological evidence (Lepidoptera: Crambidae: Spilomelinae). *ZooKeys*, 679: 65-76.

Villastrigo A, Ribera I, Manuel M, Millan A and Fery H. 2017. A new classification of the tribe Hygrotini

Portevin, 1929 (Coleoptera: Dytiscidae: Hydroporinae). *Zootaxa*, 4317(3): 499-529.

Vinokurov N N. 2004. A new genus and species of the family Saldidae from China (Heteroptera). *Zoosystematica Rossica*, 13(1): 9-13.

Viraktamath C A, Dai W and Zhang Y. 2012. Taxonomic revision of the leafhopper tribe Agalliini (Hemiptera: Cicadellidae: Megophthalminae) from China, with description of new taxa. *Zootaxa*, 3430: 1-49.

Volynkin A V and Cerny K. 2016. *Barsine deliciosa*, a new species from China (Lepidoptera: Erebidae: Arctiinae). *Zootaxa*, 4200(1): 181-191.

Volynkin A V, Matov A Y, Behounek G and Han H L. 2014. A review of the Palaearctic *Mniotype adusta* (Esper, 1790) species-group with description of a new species and six new subspecies (Lepidoptera: Noctuidae). *Zootaxa*, 3796(1): 1-32.

Wang H, Fan X, Owada M, Wang M and Nylin S. 2014. Phylogeny, Systematics and Biogeography of the Genus *Panolis* (Lepidoptera: Noctuidae) Based on Morphological and Molecular Evidence. *PLOS ONE*, 9(3): e90598, 1-13.

Wang H S, Deng X H and Wang M. 2011. New record of *Alloasteropetes parallela* (Lepidoptera: Noctuidae) in China. *Tinea*, 21(5): 254-255.

Wang H Y and Zhao L. 2000. *Lepidoptera of China* 5: *Satyridae*. National Taiwan Museum, i-x, 238pp.

Wang J. 1989. Description of a new genus and species of Aphidiidae from Shaanxi Province, China (Hymenoptera). *Entomotaxonomia*, 11(1-2): 111-113.

Wang J, Li P and You P. 2016. The complete mitochondrial genome of *Tyspanodes hypsalis* (Lepidoptera: Crambidae). *Mitochondrial DNA*, 27(3): 1821-1822.

Wang J R, Martin J H, Xu Z H and Du Y Z. 2016. *Aleurochiton orientalis* Danzig, 1966 (Hemiptera: Aleyrodidae), newly recorded from China, with a key to puparia of all described *Aleurochiton species*. *Entomologica Fennica*, 27(4): 164-172.

Wang S. 2006. *Oecophoridae of China* (Insecta: Lepidoptera). In *Oecophoridae of China*. Science Press, i-viii, 255pp.

Wang S and Zheng Z. 1996. One new species and four new record species of Depressariinae (Lepidoptera: Oecophoridae) from China. *Entomotaxonomia*, 18(4): 297-300.

Wang S and Zheng Z. 1999. The first record of *Luquetia* Leraut (Lepidoptera: Oecophoridae) in China, with description of one new species. *Entomotaxonomia*, 21(1): 47-50.

Wang S F. 1986. A new species of the genus *Perisphincter* Townes (Hymenoptera: Ichneumonidae: Anomalinae). *Sinozoologia*, 4: 207-208.

Wang X, Wang M, Zolotuhin V V, Hirowatari T, Wu S and Huang G H. 2015. The fauna of the family Bombycidae sensu lato (Insecta: Lepidoptera: Bombycoidea) from Mainland China, Taiwan and Hainan Islands. *Zootaxa*, 3989(1): 1-138.

Wang X H and Saether O A. 2001. Two new species of the orientalis group of *Rheocricotopus* (*Psilocricotopus*) from China (Diptera: Chironomidae). *Hydrobiologia*, 444: 237-240.

Wang Y and Wang S. 2017. Genus *Apethistis* Meyrick (Lepidoptera: Autostichidae: Autostichinae) new to China, with description of four new species. *Zootaxa*, 4226(2): 283-291.

Wang Y, Zhou Q S, Qiao H J, Zhang A B, Yu F, Wang X B, Zhu C D and Zhang Y Z. 2016. Formal nomenclature and description of cryptic species of the *Encyrtus sasakii* complex (Hymenoptera: Encyrtidae). *Scientific Reports*, 6: 34372.

Wang Y F and Zheng Z M. 2006. A new species of the genus *Chorthippus* (Orthoptera: Arcypteridae) from north of Shaanxi, China. *Entomotaxonomia*, 28(1): 17-20.

Wang Y P, Shi M and Chen X X. 2009. The genus *Atanycolus* Foerster (Hymenoptera: Braconidae: Braconinae) in China, with description of one new species. *ZooKeys*, 27: 31-41.

Wang Y P, Shi M, Chen X X and He J H. 2009. The genus *Atanycolus* Foerster (Hymenoptera: Braconidae: Braconinae) in China, with description of one new species. *ZooKeys*, 27: 31-41.

Wang Z Q and Yuan F. 2003. Two new species of the genus *Thoressa* (Lepidoptera: Hesperiidae) from China. *Entomotaxonomia*, 25(1): 61-66.

Watanabe C. 1934. On Evaniidae and Gasteruptionidae from Japan (Hymenoptera). *Transactions of the Sapporo Natural History Society*, 13: 280-286.

Watanabe Y. 1995. The spring of *Luehdorfia longicaudata* in Qinling Mountains, China. *Butterflies*, 10: 3-16.

Wei C, Xu Z H and He H. 2001. A new species of the ant genus *Strongylognathus* Mayr (Hymenoptera: Formicidae) from Shaanxi, China. *Entomotaxonomia*, 23(1): 68-70.

Wei C, Zhang Y and Dietrich C H. 2010. A new brachypterous leafhopper of the tribe Malmaemichungiini (Hemiptera: Cicadellidae: Bathysmatophorinae), representing the first record of the tribe from China. *Zootaxa*, 2689: 48-56.

Wei M C. 1997. New species of sawflies (Hymenoptera: Tenthredinidae) in the collection of entomological museum of Northwestern Agricultural University. *Entomotaxonomia*, 19: 17-24.

Wei M C. 1997. Taxonomical studies on Argidae (Hymenoptera) of China - a new genus and five new species of Sterictiphorinae. *Entomologia Sinica*, 4(4): 295-305.

Wei M C. 1998. Revision of Mesoneurini from China (Hymenoptera: Tenthredinidae). *Acta Zootaxonomica Sinica*, 23(4): 406-413.

Wei M C. 1999. Revision of the genus *Eurhadinoceraea* Enslin from China (Hymenoptera: Blennocampidae). *Acta Zootaxonomica Sinica*, 24(4): 417-428.

Wei M C and Nie H Y. 2004. On the sawfly genus *Jinia* with description of a new species (Hymenoptera: Tenthredinidae: Allantinae). *Acta Zootaxonomica Sinica*, 29(4): 781-785.

Wen D M, Yu L F, Liu Y H, Yan X F, Lu P F and Luo Y Q. 2016. *Trabala vishnou gigantina* Yang (Lepidoptera: Lasiocampidae) larval fitness on six sympatric plant species in sea-buckthorn forest. *Journal of Insect Behavior*, 29(5): 591-604.

Witt T J. 2006. A new *Dalailama* Staudinger, 1896 species (Lepidoptera: Bombycidae) from China. *Entomofauna*, 27(3): 45-52.

Wittmer W. 1997. To the knowledge of the genera *Intybia* Pascoe and *Stenolaius* Wittmer (Coleoptera: Malachiidae). *Japanese Journal of Systematic Entomology*, 3(2): 181-211.

Wittmer W. 1999. To the knowledge of the Malachiidae family (Coleoptera). The 3rd contribution. *Entomologica Basiliensia*, 21: 171-252.

Wu C S. 2011. Six new species and twelve newly recorded species of Limacodidae from China (Lepidoptera: Zygaenodidea). *Acta Zootaxonomica Sinica*, 36(2): 249-256.

Wu Q, Achterberg V C, Tan J L and Chen X X. 2016. Review of the East Palaearctic and North Oriental *Psyttalia* Walker, with the description of three new species (Hymenoptera: Braconidae: Opiinae). *ZooKeys*, 629: 103-151.

Wu S and Zheng L. 2001. A preliminary study of Chinese species of the genus *Formicococcus* Takahashi (Homoptera: Coccoidea: Pseudococcidae). *Acta Zootaxonomica Sinica*, 26(2): 200-205.

Wu Y R. 2004. Ten new species of the tribe Osmiini from China (Apoidea: Megachilidae: Osmiini). *Acta Zootaxonomica Sinica*, 29(3): 531-537.

Xiao G R. 1994. A new sawfly injurious to cherry from China. (Hymenoptera: Tenthredinidae). *Scientia Silvae Sinicae*, 30(5): 442-444.

Xiao H and Zhao Y X. 2010. The genus *Torymoides* Walker in china, with description of a new species (Hymenoptera: Torymidae). *Oriental Insects*, 44: 1-10.

Xiao W M and Yang D. 2016. Hilara newly recorded from Shaanxi with seven new species (Diptera: Empididae). *Transactions of the American Entomological Society* (*Philadelphia*), 142(2): 131-153.

Xiao Y and Li H. 2009. Eudarcia (Lepidoptera: Tineidae) from China, with descriptions of two new species. *Oriental Insects*, 43: 307-313.

Xiao Y and Li H. 2010. Taxonomic study of the genus *Nemapogon* Schrank from China (Lepidoptera: Tineidae). *Zootaxa*, 2401: 41-51.

Xie L D and Zheng Z M. 2003. Two new species of the genus *Goniogryllus* from China (Orthoptera: Gryllidae). *Acta Zootaxonomica Sinica*, 28(2): 265-267.

Xu H, Wang Y and Liu Z. 2016. Three new species of *Osmylus* Latreille from China (Neuroptera: Osmylidae). *ZooKeys*, 589: 107-121.

Xu H L and Tadauchi O. 2005. A revision of the subgenus *Hoplandrena* of the genus *Andrena* of eastern Asia (Hymenoptera: Andrenidae). *Esakia*, 45: 19-40.

Xu H L and Tadauchi O. 2009. The subgenus *Melandrena* of the genus *Andrena* of eastern Asia (Hymenoptera: Andrenidae). *Journal of the Faculty of Agriculture Kyushu University*, 54(1): 109-122.

Xu H L, Tadauchi O and Wu Y R. 2000. A revision of the subgenus *Oreomelissa* of the genus *Andrena* of eastern Asia (Hymenoptera: Andrenidae). *Esakia*, 40: 41-61.

Xu J, Shi K, Huang J H and Wu H. 2017. Review of the genus *Mohrigia* Menzel (Diptera: Sciaridae) from China. *Zootaxa*, 4300(1): 71-98.

Xu S and Zheng Z. 1995. A new species of Piesmatidae from Shaanxi (Hemiptera: Piesmatidae). *Journal of Shaanxi Normal University*, 23(4): 119-120.

Xu S Q and Niu Y. 2006. A new species of the genus *Neope* Moore (Lepidoptera: Satyridae) from Shaanxi Province. *Entomotaxonomia*, 28(1): 54-56.

Xu X L and Hua B Z. 2009. Post-diapause development of *Carposina sasakii* Matsumura and its parasitoids. *Huanjing Kunchong Xuebao*, 31(4): 327-331.

Xu Z. 2002. Revision of the genus *Microterys* Thomson (Hymenoptera: Encyrtidae) of China. *Zoologische Mededelingen (Leiden)*, 76(17-24): 211-270.

Xu Z F and He J H. 2002. Terayama, M. A new species of the genus *Parascleroderma* Kieffer, 1904 from China (Hymenoptera: Bethylidae). *Acta Zootaxonomica Sinica*, 27(4): 794-797.

Xu Z H. 1999. Two new species of parasitic wasps (Hymenoptera: Encyrtidae) on scale insects on [sic] from Shaanxi Province. *Entomotaxonomia*, 21(4): 299-303.

Xu Z H, Chen W, Yu H and Li B J. 2000. Notes on *Psyllaephagus* a genus new to China with descriptions of two new species (Hymenoptera: Encyrtidae). *Scientia Silvae Sinicae*, 36(4): 39-41.

Xu Z H and Lin X H. 2005. Two new species of parasitoids on scale insects on fruit tree (Hymenoptera: Encyrtidae). *Scientia Silvae Sinicae*, 41(2): 96 -99.

Xu Z H and Lou J X. 2000. Notes on two genera of Microteryini new to China descriptions of with two new species (Hymenoptera: Encyrtidae). *Acta Zootaxonomica Sinica*, 25(2): 199-203.

Xu Z H, Shen Q and Xu Q Y. 2000. Notes on genus *Microterys* (Hymenoptera: Encyrtidae) from China. In *Systematic and faunistic research on Chinese insects. Proceedings of the 5th National Congress of Insect Taxonomy*, ed. Zhang Y L. China Agriculture Press, Beijing, 263-273.

Xue D, Wu C and Han H. 2008. *Tricalcaria* Han gen. nov. , a remarkable new genus with three hind-tibial spurs belonging to the tribe Trichopterygini, with description of a new species from China (Lepidoptera: Geometridae: Larentiinae). *Entomological Science*, 11(4): 409-414.

Xue G, Li Y, Liu Z, Li M and Ren Y. 2016. Distribution of *Onryza maga* (Leech, 1890) (Lepidoptera: Hesperiidae) with description of female genitalia and taxonomic notes. *Entomologica Fennica*, 27 (2): 70-76.

Xue G X, Li M, Nan W H, Jia X L, Huang S Y, Sun H and Li X J. 2015. A new species of the genus *Sovia* (Lepidoptera: Hesperiidae) from Qinling-Daba Mountains of China. *Zootaxa*, 3985 (4): 583-590.

Xue M and Lin N Q. 2003. A new species of the genus *Eustochus* Haliday (Hymenoptera: Chalcidoidea: Mymaridae) in China. *Entomologia Sinica*, 10(1): 65-68.

Xue W Q, Pont A C and Wang M F. 2008. A study of the genus *Drymeia* Meigen (Diptera: Muscidae) from the Tibetan Plateau and surrounding regions of P. R. China, with descriptions of three new species. *Proceedings of the Entomological Society of Washington*, 110(2): 493-503.

Xue W Q, Wang M F and Ni Y T. 1989. Descriptions of three new species of Muscidae in China (Diptera: Muscidae). *Memorias do Instituto Oswaldo Cruz*, 84(4): 547-550.

Xue W Q, Zhang C T and Liu L. 1994. Two new species of the genus *Hydrotaea* from China (Diptera: Muscidae). *Acta Zootaxonomica Sinica*, 19(2): 227-230.

Xue W Q, Zhu Y, Wang M F and Zhang C T. 2008. Six new species of *Coenosia* Meigen (Diptera: Muscidae) from China. *Oriental Insects*, 42: 143-153.

Yakovlev R V. 2004. New taxa of Cossidae from SE. Asia (Lepidoptera: Cossidae). *Atalanta* (*Marktleuthen*), 35(3-4): 369-382, 482-485.

Yakovlev R V. 2006. A revision of carpenter moths of the genus *Holcocerus* Staudinger, 1884 (s. l.). *Eversmannia*, Supplement Number 1: 1-104.

Yakovlev R V. 2006. New Cossidae (Lepidoptera) from Asia, Africa and Macronesia. *Tinea*, 19(3): 188-213.

Yan C C, Jin Z H and Wang X H. 2008. *Cladopelma* Kieffer from the Sino-Indian Region (Diptera: Chironomidae). *Zootaxa*, 1916: 44-56.

Yan C C, Jin Z H and Wang X H. 2008. *Paracladopelma* Harnisch from the Sino-Indian Region (Diptera: Chironomidae). *Zootaxa*, 1934: 1-29.

Yan C C, Wang X H and Bu W J. 2012. Two new species of *Olecryptotendipes* Zorina, 2007 from China (Diptera: Chironomidae). *ZooKeys*, 208: 41-49.

Yang C K. 1982. A new genus and species of Carposinidae (Lepidoptera). *Entomotaxonomia*, 4(4): 253-257.

Yang C K. 1989. *Sinopticula sinica* (Lepidoptera: Nepticulidae) a new genus and species from China. *Entomotaxonomia*, 11(1-2): 79-82.

Yang C K and Li Q. 1989. Four new species of the genus *Ammophila* Kirby from Shaanxi Province (Hymenoptera: Sphecidae). *Entomotaxonomia*, 11(1-2): 105-110.

Yang D, Yang C K and Nagatomi A. 1997. The Rhagionidae of China (Diptera). *South Pacific Study*, 17(2): 113-262.

Yang L and Chen X S. 2013. *Bambusananus cuihuashanensis*, a new bamboo-feeding leafhopper species of Athysanini (Hemiptera: Cicadellidae: Deltocephalinae) from Shaanxi, China. *ZooKeys*, 341: 107-113.

Yang L and Zhang Y. 2015. Review of the leafhopper genus *Oncopsis* Burmeister (Hemiptera: Cicadellidae: Macropsinae) in China with descriptions of two new species. *Zootaxa*, 3936(3): 421-428.

Yang L, Wang S and Li H. 2014. A taxonomic revision of the genus *Edosa* Walker, 1886 from China (Lepidoptera: Tineidae: Perissomasticinae). *Zootaxa*, 3777(1): 1-102.

Yang M and Li H. 2016. Review of the genus *Encolapta* Meyrick, 1913 (Lepidoptera: Gelechiidae: Chelariini) from China, with descriptions of six new species. *Zootaxa*, 4193(2): 201-227.

Yang X K. 1995. The revision on species of genus *Dichochrysa* (Neuroptera: Chrysopidae) from China. *Entomotaxonomia*, 17(Suppl): 26-34.

Yang Y X, Li L M and Yang X K. 2015. Description of four new species related to *Fissocantharis novemexcavatus* (Wittmer, 1951) (Coleoptera: Cantharidae) from China. *Zootaxa*, 4058(3): 362-372.

Yang Z. 1987. A preliminary survey of parasitic wasps of *Dendroctonus armandi* Tsai *et* Li (Coleoptera: Scolytidae) in Qinling Mountains with description of three new species and a new Chinese record

（Hymenoptera：Pteromalidae）. *Entomotaxonomia*, 9（3）：175-184.

Yang Z. 1989. A new genus and species of Eulophidae（Hymenoptera：Chalcidoidea）parasitizing *Hyphantria cunea*（Drury）（Lepidoptera：Arctiidae）in China. *Entomotaxonomia*, 11（1-2）：117-130.

Yang Z Q. 1996. *Parasitic wasps on bark beeties*［*beetles*］*in China*. Science Press, Beijing, i-iv, 363pp.

Yang Z Q. and Baur, H. 2004. A new species of *Conomorium* Masi（Hymenoptera：Pteromalidae）, parasitizing the fall webworm *Hyphantria cunea*（Drury）（Lepidoptera：Arctiidae）in China. *Mitteilungen der Schweizerischen Entomologischen Gesellschaft*, 77（3-4）：213-221.

Yang Z Q, Choi W Y, Cao L M, Wang X Y and Hou Z R. 2015. A new species of *Anastatus*（Hymenoptera：Eulpelmidae）from China, parasitizing eggs of Lycorma delicatula（Homoptera：Fulgoridae）. *Zoological Systematics*, 40（3）：290-302.

Yang Z Q, Sun J H and Pitts J P. 2004. First discovery of the family Tanaostigmatidae（Hymenoptera：Chalcidoidea）from China with a description of a new gall-making species utilizing Kudzu leaves. *Journal of Entomological Science*, 39（2）：275-280.

Yang Z Q and Wei J R. 2003. Two new species of *Howardi* species group in the genus *Tetrastichus*（Hymenoptera：Eulophidae）parasitizing fall webworm from China. *Scientia Silvae Sinicae*, 39（5）：67-73.

Yao G, Yang D and Evenhuis N L. 2010. The genus *Anastoechus* Osten Sacken, 1877（Diptera：Bombyliidae）from China, with descriptions of four new species. *Zootaxa*, 2453：1-24

Yao Y X and Yang Z Q. 2009. Key to world species of *Notanisomorphella* Girault（Hymenoptera：Eulophidae）, and description of a new species parasitizing the three-striped pyralid *Dichocrocis chlorophanta* Butler（Lepidoptera：Pyralidae）on Chinese silkvine in China. *Entomologica Fennica*, 20（2）：105-110.

Yao Y X, Yang Z Q and Zhao W X. 2009. Descriptions of four new species in the genus *Mesocomys*（Hymenoptera：Eupelmidae）parasitizing eggs of defoliators from China. *Acta Zootaxonomica Sinica*, 34（1）：155-160.

Ye F, Yu H L, Li P F and You P. 2015. The complete mitochondrial genome of *Lista haraldusalis*（Lepidoptera：Pyralidae）. *Mitochondrial DNA*, 26（6）：853-854.

Ye X H, Achterberg C V, Yue Q and Xu Z F. 2017. Review of the Chinese Leucospidae（Hymenoptera：Chalcidoidea）. *ZooKeys*, 651：107-157.

Yokochi T. 2012. Revision of the Subgenus *Limbusa* Moore,（1897）（Lepidoptera：Nymphalidae：Adoliadini）Part 3. Descriptions of species（2）. *Bulletin of the Kitakyushu Museum of Natural History and Human History Series A Natural History*, 10：9-100.

Yoshino K. 1995. New butterflies from China. *Neo Lepidoptera*, 1：1-4.

Young D K. 2005. A new species of *Phyllocladus*（Coleoptera：Pyrochroidae：Pyrochroinae）from China, with a key to males of the two known Chinese species. *Oriental Insects*, 38：101-107.

Young D K. 2005. *Sinodendroides chinensis*：A new genus and species of fire-colored beetle（Coleoptera：Pyrochroidae：Pyrochroinae）from China. *Oriental Insects*, 39：93-100.

Yuan F and Tian R. 1995. Two new genera and four new species of Leptocentrini Distant (Homoptera: Membracidae). *Entomotaxonomia*, 17(4): 235-242.

Yuan F and Wang Y. 1992. A new species of *Boresinia* Chou (Homoptera: Lophopidae) from China. *Entomotaxonomia*, 14(3): 179-182.

Yuan F, Fan X, Cui Z and Xu Q. 1997. Studies on systematics of tribe Tricentrini (Homoptera: Membracidae: Centortinae). 1. Descriptions of eight new species of the genus *Tricentrus* from China. *Entomotaxonomia*, 19(2): 91-103.

Yuan X Q, Zhang Y L and Yuan F. 2010. Checklist of the Skipper Genus *Pelopidas* (Lepidoptera: Hesperiidae) from China with Description of a New Species. *Entomotaxonomia*, 32(3): 201-208.

Yue Q, Li Y C and Xu Z F. 2017. A remarkable new species of *Polochridium* Gussakovskij, 1932 (Hymenoptera: Sapygidae) from China. *Zootaxa*, 4227(1): 119-126.

Zahradnik P. 2012. Ptinidae of China I. - Subfamily Dorcatominae (Coleoptera: Bostrichoidea: Ptinidae). *Studies and Reports Taxonomical Series*, 8(1-2): 325-334.

Zamotajlov A and Sciaky R. 1999. Contribution to the knowledge of the carabid genus *Chinapenetretus* Kurnakov, 1963 (Coleoptera: Carabidae). *Entomologica Basiliensia*, 21: 25-53.

Zhang R Z, Chen X D and Dang X D. 1992. A new species of Curculio injuring seeds of *Hippophae rhamnoides* L. (Coleoptera: Curculionidae). *Scientia Silvae Sinicae*, 28(5): 412-414.

Zhang A and Li H. 2010. Two new species of *Rhopalovalva* Kuznetsov (Lepidoptera: Tortricidae) from China. *Zootaxa*, 2718: 64-68.

Zhang A, Li H and Wang S. 2005. Study on the genus *Rhopobota* Lederer from China (Lepidoptera: Tortricidae: Olethreutinae). *Entomologica Fennica*, 16(4): 273-286.

Zhang D, Cai Y and Li H. 2014. Taxonomic review of the genus *Paratalanta* Meyrick, 1890 (Lepidoptera: Crambidae: Pyraustinae) from China, with descriptions of two new species. *Zootaxa*, 3753(2): 118-132.

Zhang G, Qiao G, Hu Z and Cao Y. 1999. Study on a new genus *Siciunguis* and description of three new species from China (Homoptera: Aphidoidea: Pemphigidae: Eriosomatinae). *Acta Entomologica Sinica*, 42(1): 57-65.

Zhang H and Dai W. 2017. Revision of the grassland leafhopper genus *Jilinga* Ghauri (Hemiptera: Cicadellidae: Deltocephalinae: Paralimnini) with description of a new species from China. *Zootaxa*, 4268(4): 541-553.

Zhang H J. 2013. *Cephalaeschna xixiangensis* spec. nov., a new dragonfly from Shaanxi, China, with a key to the adults of the chinese members of the genus (Anisoptera: Aeshnidae). *Odonatologica*, 42(1): 39-43.

Zhang H J and Huo K K. 2005. Fauna of grasshoppers in Hanzhong area of Shaanxi. *Kunchong Zhishi*, 42(5): 562-565.

Zhang H J. and Huo K K. 2011. A study of the genus *Coeliccia* Kirby, 1890 from Shaanxi (China), with the description of *C. wilsoni* Zhang & Yang spec. nov. (Zygoptera: Platycnemididae). *Odonatologi-*

ca, 40(1): 51-56.

Zhang H J and Yang Z D. 2008. *Calicnemia zhuae* spec. nov. from Shaanxi, China (Zygoptera: Platycne-mididae). *Odonatologica*, 37(4): 375-379.

Zhang J and Hua B. 2012. A new species of the genus *Panorpa* L. (Mecoptera: Panorpidae) from the Daba Mountains of central China. *Entomotaxonomia*, 34(3): 541-547.

Zhang J and Li H. 2010. Review of the *Sinensis* group of the genus *Scythris* (Lepidoptera: Scythrididae) from China. *Entomological News*, 121(1): 63-68.

Zhang R L, Song C, Qi X and Wang X H. 2016. Taxonomic review on the subgenus *Tripodura* Townes (Diptera: Chironomidae: Polypedilum) from China with eleven new species and a supplementary world checklist. *Zootaxa*, 4136(1): 1-53.

Zhang R L and Wang X H. 2004. *Polypedilum* (*Uresipedilum*) Oyewo and Saether from China (Diptera: Chironomidae). *Zootaxa*, 565: 1-38.

Zhang R L and Wang X H. 2005. Description of new species of *Polypedilum* (*Pentapedilum*) Kieffer from China (Diptera: Chironomidae: Chironomini). *Studia Dipterologica*, 12(1): 63-77.

Zhang R L and Wang X H. 2005. *Polypedilum* (*Cerobregma*) Saether & Sundal from China (Diptera: Chironomidae). *Aquatic Insects*, 27(1): 47-55.

Zhang W X and Chen H W. 2006. The genus *Amiota* (Diptera: Drosophilidae) from Hengduan Mountains, southwestern China. *European Journal of Entomology*, 103(2): 483-495.

Zhang X and Li H H. 2007. A study on *Neoanathamna* Kawabe (Lepidoptera: Tortricidae: Olethreutinae) from China. *Oriental Insects*, 41: 293-300.

Zhang X and Yang C K. 1994. A new species of *Brahmaea* (Lepidoptera: Brahmaeidae) from China. *Entomotaxonomia*, 16(4): 275-277.

Zhang X, Zhang Y Z, Wang Y, Chen F Q, Yu F and Zhou Q S. 2014. Description of three new species of *Ooencyrtus* (Hymenoptera: Encyrtidae) from China. *Zootaxa*, 3790(3): 451-465.

Zhang Y and Duan Y. 2011. Review of the *Deltocephalus* group of leafhoppers (Hemiptera: Cicadellidae: Deltocephalinae) in China. *Zootaxa*, 2870: 1-47.

Zhang Y L and Duan Y L. 2004. A new record genus *Polyamia* DeLong, with two new species (Hemiptera: Cicadellidae: Deltocephalinae) from China. *Entomotaxonomia*, 26(4): 255-260.

Zhang Z and Li H. 2009. Taxonomic study of the genus *Ashibusa* Matsumura (Lepidoptera: Cosmopterigidae), with description of six new species in China. *Deutsche Entomologische Zeitschrift*, 56(2): 335-343.

Zhang Z and Li H. 2010. Discovery of the genus *Ressia* Sinev (Lepidoptera: Cosmopterigidae) in China, with description of one new species. *Entomological News*, 121(2): 186-190.

Zhang Z and Li H. 2010. The genus *Pancalia* Stephens (Lepidoptera: Cosmopterigidae) of China, with description of a new species. *Entomologica Fennica*, 20(4): 268-274.

Zhang Z G and Chen X S. 2010. Taxonomic study of the genus *Kodaianella* Fennah (Hemiptera: Fulgoromorpha: Issidae). *Zootaxa*, 2654: 61-68.

Zhao K X, Achterberg V C and Xu Z F. 2012. A revision of the Chinese Gasteruptiidae (Hymenoptera: Evanioidea). *ZooKeys*, 237: 1-123.

Zhao Y, Yan B and Liu Z. 2013. New species of *Neuronema* McLachlan, 1869 from China (Neuroptera: Hemerobiidae). *Zootaxa*, 3710(6): 557-564.

Zhao Y X, Huang D W and Xiao H. 2007. A new species and two newly record species of *Podagrion* Spinola from China (Hymenoptera: Torymidae). *Acta Zootaxonomica Sinica*, 32(1): 80-84.

Zheng J and Zheng Z. 1988. A survey of Sphingidae from Xi'an and adjacent region. *Journal of Shaanxi Normal University Natural Science Edition*, 16: 87-90.

Zheng Y L, Yang L and Chen X S. 2014. Two new species of the genus *Doryphorina* Melichar, 1912 (Hemiptera: Fulgoromorpha: Dictyopharidae) from China. *ZooKeys*, 416: 31-39.

Zheng Z and Ren G. 1993. Four new species of grasshoppers from northern west of China (Orthoptera: Acridoidea). *Journal of Hubei University* (Natural Science), 15(4): 424-429.

Zheng Z M. 1982. A new species of Pentatomidae (Heteroptera) from Qinling. *Acta Entomologica Sinica*, 25(2): 195-196.

Zheng Z M. 1982. Preliminary records of Urostylidae from the region of Qinling. *Acta Entomologica Sinica*, 25(3): 303-305.

Zheng Z M and Sun H M. 2008. A taxonomic study of the genus *Aiolopus* Fieber (Orthoptera: Oedipodidae) from China, with redescription of a new species. *Acta Zootaxonomica Sinica*, 33(4): 660-663.

Zheng Z M, Huo K K and Zhang H J. 1999. A survey of grasshoppers from Foping Natural Reserve of Qingling. *Wuyi Science Journal*, 15: 42-47.

Zhong H, Zhang Y and Wei C. 2014. Morphology and Ultrastructure of the Salivary Glands of the Spittlebug *Lepyronia coleopterata* (L.) (Hemiptera: Aphrophoridae). *Zoological Science* (*Tokyo*). 31(4): 213-222.

Zhong Y H, Li Z J and Wei M C. 2015. Six new Chinese species of the *Pachyprotasis melanosoma* group (Hymenoptera: Tenthredinidae) with a key to the species. *Zootaxa*, 3914(1): 1-45.

Zhou C and Zheng L. 2003. The first record of the genus *Paraleptophlebia* Lestage from mainland China with description of a new species (Ephemeroptera: Leptophlebiidae). Acta *Zootaxonomica Sinica*, 28(1): 84-87.

Zhou S Y, Huang J H, Yu D J and Liu Z J. 2010. Eight new species and three newly recorded species of the ant genus *Temnothorax* Mayr (Hymenoptera: Formicidae) from the Chinese mainland, with a key. *Sociobiology*, 56(1): 7-26.

Zhou T, Achterberg V C and Guo Z S. 2017. The genus *Nipponopius* Fischer (Hymenoptera: Braconidae: Opiinae) new for China, with description of a new species. *Journal of Hymenoptera Research*, 57: 123-134.

Zhou X, Sun L, Pan W, Lu Z and Ni Y. 2001. The faunal study on the butterflies of the south slope of Qinling Mountains. *Acta Scientiarum Naturalium Universitatis Pekinensis*, 37(4): 454-469.

Zhu H. 1991. A new species of the *Davidius* from southern Shaanxi (Odonata: Gomphidae). *Entomotaxo-*

nomia, 13(3): 175-177.

Zhu H Q, Yan Z D and Li S S. 1988. Descriptions of three new taxa in the genus *Davidius* Selys from Shaanxi, China (Anisoptera: Gomphidae). *Odonatologica*, 17(4): 429-434.

Zilioli M. 2002. A new stag-beetle of the genus *Lucanus* Scop. from the Chines Province of Shaanxi (Coleoptera: Lucanidae). *Atti della Societa Italiana di Scienze Naturali e del Museo Civico di Storia Naturale in Milano*, 143(1): 131-135.

Zilli A, Varga Z, Ronkay G and Ronkay L. 2009. *The Witt Catalogue. A taxonomic atlas of the Eurasian and North African Noctuoidea: volume* 3: *Apameini I.* Heterocera Press, 393pp.

Zolotuhin V V. 2005. Contributions to the study of the Asiatic Lasiocampidae 7 - descriptions of five new species from China. (Lepidoptera: Lasiocampidae). *Atalanta* (*Marktleuthen*), 36(3-4): 551-558, 610-611.

Zolotuhin V V. 2007. A revision of the genus *Mustilia* Walker, 1865, with descriptions of new taxa (Lepidoptera: Bombycidae). *Neue Entomologische Nachrichten*, 60: 187-237.

Zolotuhin V V. and Saldaitis, A. 2014. A review of the genus *Syrastrenopsis* Grunberg, 1914 (Lepidoptera: Lasiocampidae). *Zootaxa*, 3794(4): 525-535.

Zolotuhin V V and Wang X. 2013. A taxonomic review of *Oberthueria* Kirby, 1892 (Lepidoptera: Bombycidae: Oberthuerinae) with description of three new species. *Zootaxa*, 3693(4): 465-478.